Contents

Map Symbols

Southern Europe

Japan

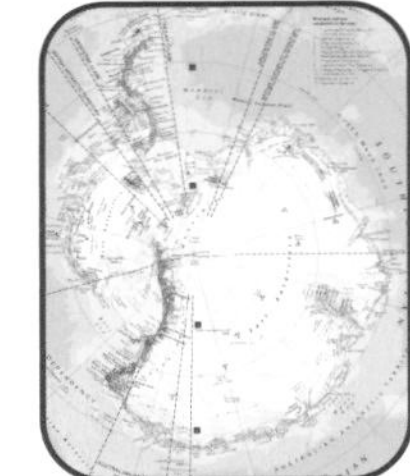

Antarctica

Settlements

Population	National capital	Administrative capital	Other city or town
over 10 million	BEIJING ✪	Karachi ◉	New York ◉
5 million to 10 million	JAKARTA ✪	Tianjin ◉	Nova Iguaçu ◉
1 million to 5 million	KĀBUL ✪	Sydney ◉	Kaohsiung ◉
500 000 to 1 million	BANGUI ✪	Trujillo ◉	Jeddah ◎
100 000 to 500 000	WELLINGTON ✿	Mansa ◎	Apucarana ◎
50 000 to 100 000	PORT OF SPAIN ✿	Potenza ◎	Arecibo ◎
10 000 to 50 000	MALABO ✿	Chinhoyi ◦	Ceres ◦
under 10 000	VALLETTA ✿	Ati ◦	Venta ◦

⬭ Built-up area

Boundaries

▬▬▬	International boundary
▬·▬·▬	Disputed international boundary or alignment unconfirmed
▬▬▬	Administrative boundary
········	Ceasefire line

Miscellaneous

----------	National park
··········	Reserve or Regional park
✶	Site of specific interest
⊏⊐⊏⊐	Wall

Land and sea features

🔅	Desert
⌄	Oasis
🔅	Lava field
🔅	Marsh
1234 ▲	Volcano height in metres
⬬	Ice cap or Glacier
⊔⊔⊔	Escarpment
⬭	Coral reef
⌐1234	Pass height in metres

Lakes and rivers

⬭	Lake
⬭	Impermanent lake
⬭	Salt lake or lagoon
⬭	Impermanent salt lake
⬭	Dry salt lake or salt pan
123	Lake height surface height above sea level, in metres
———	River
———	Impermanent river or watercourse
‖	Waterfall
Ⅰ	Dam
Ⅰ	Barrage

Relief

Contour intervals and layer colours

Height

metres		feet
5000		16404
3000		9843
2000		6562
1000		3281
500		1640
200		656
0		0
below sea level		
0		0
200		656
2000		6562
4000		13124
6000		19686

Depth

1234 ▲	Summit height in metres
-123	Spot height height in metres
123	Ocean deep depth in metres

Transport

→·····	Motorway (tunnel; under construction)
→·····	Main road (tunnel; under construction)
→·····	Secondary road (tunnel; under construction)
········	Track
──→ -----	Main railway (tunnel; under construction)
──→ -----	Secondary railway (tunnel; under construction)
──→ -----	Other railway (tunnel; under construction)
───	Canal
✈	Main airport
✈	Regional airport

Satellite imagery - The thematic pages in the atlas contain a wide variety of photographs and images. These are a mixture of terrestrial and aerial photographs and satellite imagery. All are used to illustrate specific themes and to give an indication of the variety of imagery available today. The main types of imagery used in the atlas are described in the table below. The sensor for each satellite image is detailed on the acknowledgements page.

Main satellites/sensors

Satellite/sensor name	Launch dates	Owner	Aims and applications	Internet links	Additional internet links
Landsat 1, 2, 3, 4, 5, 7	July 1972–April 1999	National Aeronautics and Space Administration (NASA), USA	The first satellite to be designed specifically for observing the Earth's surface. Originally set up to produce images of use for agriculture and geology. Today is of use for numerous environmental and scientific applications.	landsat.gsfc.nasa.gov	asterweb.jpl.nasa.gov earth.jsc.nasa.gov earthnet.esrin.esa.it
SPOT 1, 2, 3, 4, 5 (Satellite Pour l'Observation de la Terre)	February 1986–March 1998	Centre National d'Etudes Spatiales (CNES) and Spot Image, France	Particularly useful for monitoring land use, water resources research, coastal studies and cartography.	www.spotimage.fr	earthobservatory.nasa.gov eol.jsc.nasa.gov gs.mdacorporation.com
Space Shuttle	Regular launches from 1981	NASA, USA	Each shuttle mission has separate aims. Astronauts take photographs with high specification hand held cameras. The Shuttle Radar Topography Mission (SRTM) in 2000 obtained the most complete near-global high-resolution database of the earth's topography.	science.ksc.nasa.gov/shuttle/countdown www.jpl.nasa.gov/srtm	modis.gsfc.nasa.gov seawifs.gsfc.nasa.gov topex-www.jpl.nasa.gov
IKONOS	September 1999	GeoEye	First commercial high-resolution satellite. Useful for a variety of applications mainly Cartography, Defence, Urban Planning, Agriculture, Forestry and Insurance.	www.geoeye.com	visibleearth.nasa.gov www.usgs.gov

Collins World Atlas

Collins

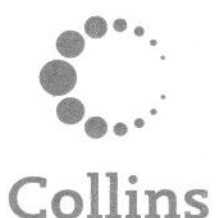

Contents

Amsterdam, Netherlands

The Alps

Europe		Area sq km	Area sq miles	Population	Capital	Languages	Religions	Currency
ALBANIA		28 748	11 100	3 190 000	Tirana	Albanian, Greek	Sunni Muslim, Albanian Orthodox, Roman Catholic	Lek
ANDORRA		465	180	75 000	Andorra la Vella	Spanish, Catalan, French	Roman Catholic	Euro
AUSTRIA		83 855	32 377	8 361 000	Vienna	German, Croatian, Turkish	Roman Catholic, Protestant	Euro
BELARUS		207 600	80 155	9 689 000	Minsk	Belorussian, Russian	Belorussian Orthodox, Roman Catholic	Belarus rouble
BELGIUM		30 520	11 784	10 457 000	Brussels	Dutch (Flemish), French (Walloon), German	Roman Catholic, Protestant	Euro
BOSNIA-HERZEGOVINA		51 130	19 741	3 935 000	Sarajevo	Bosnian, Serbian, Croatian	Sunni Muslim, Serbian Orthodox, Roman Catholic, Protestant	Marka
BULGARIA		110 994	42 855	7 639 000	Sofia	Bulgarian, Turkish, Romany, Macedonian	Bulgarian Orthodox, Sunni Muslim	Lev
CROATIA		56 538	21 829	4 555 000	Zagreb	Croatian, Serbian	Roman Catholic, Serbian Orthodox, Sunni Muslim	Kuna
CZECH REPUBLIC		78 864	30 450	10 186 000	Prague	Czech, Moravian, Slovak	Roman Catholic, Protestant	Czech koruna
DENMARK		43 075	16 631	5 442 000	Copenhagen	Danish	Protestant	Danish krone
ESTONIA		45 200	17 452	1 335 000	Tallinn	Estonian, Russian	Protestant, Estonian and Russian Orthodox	Kroon
FINLAND		338 145	130 559	5 277 000	Helsinki	Finnish, Swedish	Protestant, Greek Orthodox	Euro
FRANCE		543 965	210 026	61 647 000	Paris	French, Arabic	Roman Catholic, Protestant, Sunni Muslim	Euro
GERMANY		357 022	137 849	82 599 000	Berlin	German, Turkish	Protestant, Roman Catholic	Euro
GREECE		131 957	50 949	11 147 000	Athens	Greek	Greek Orthodox, Sunni Muslim	Euro
HUNGARY		93 030	35 919	10 030 000	Budapest	Hungarian	Roman Catholic, Protestant	Forint
ICELAND		102 820	39 699	301 000	Reykjavík	Icelandic	Protestant	Icelandic króna
IRELAND		70 282	27 136	4 301 000	Dublin	English, Irish	Roman Catholic, Protestant	Euro
ITALY		301 245	116 311	58 877 000	Rome	Italian	Roman Catholic	Euro
KOSOVO		10 908	4 212	2 070 000	Prishtinë (Priština)	Albanian, Serbian	Sunni Muslim, Serbian Orthodox	Euro
LATVIA		63 700	24 595	2 277 000	Rīga	Latvian, Russian	Protestant, Roman Catholic, Russian Orthodox	Lats
LIECHTENSTEIN		160	62	35 000	Vaduz	German	Roman Catholic, Protestant	Swiss franc
LITHUANIA		65 200	25 174	3 390 000	Vilnius	Lithuanian, Russian, Polish	Roman Catholic, Protestant, Russian Orthodox	Litas
LUXEMBOURG		2 586	998	467 000	Luxembourg	Letzeburgish, German, French	Roman Catholic	Euro
MACEDONIA (F.Y.R.O.M.)		25 713	9 928	2 038 000	Skopje	Macedonian, Albanian, Turkish	Macedonian Orthodox, Sunni Muslim	Macedonian denar
MALTA		316	122	407 000	Valletta	Maltese, English	Roman Catholic	Euro
MOLDOVA		33 700	13 012	3 794 000	Chişinău	Romanian, Ukrainian, Gagauz, Russian	Romanian Orthodox, Russian Orthodox	Moldovan leu
MONACO		2	1	33 000	Monaco-Ville	French, Monegasque, Italian	Roman Catholic	Euro
MONTENEGRO		13 812	5 333	598 000	Podgorica	Serbian (Montenegrin), Albanian	Montenegrin Orthodox, Sunni Muslim	Euro
NETHERLANDS		41 526	16 033	16 419 000	Amsterdam/The Hague	Dutch, Frisian	Roman Catholic, Protestant, Sunni Muslim	Euro
NORWAY		323 878	125 050	4 698 000	Oslo	Norwegian	Protestant, Roman Catholic	Norwegian krone
POLAND		312 683	120 728	38 082 000	Warsaw	Polish, German	Roman Catholic, Polish Orthodox	Złoty
PORTUGAL		88 940	34 340	10 623 000	Lisbon	Portuguese	Roman Catholic, Protestant	Euro
ROMANIA		237 500	91 699	21 438 000	Bucharest	Romanian, Hungarian	Romanian Orthodox, Protestant, Roman Catholic	Romanian leu
RUSSIAN FEDERATION		17 075 400	6 592 849	142 499 000	Moscow	Russian, Tatar, Ukrainian, local languages	Russian Orthodox, Sunni Muslim, Protestant	Russian rouble
SAN MARINO		61	24	31 000	San Marino	Italian	Roman Catholic	Euro
SERBIA		77 453	29 904	7 788 000	Belgrade	Serbian, Hungarian	Serbian Orthodox, Roman Catholic, Sunni Muslim	Serbian dinar
SLOVAKIA		49 035	18 933	5 390 000	Bratislava	Slovak, Hungarian, Czech	Roman Catholic, Protestant, Orthodox	Euro
SLOVENIA		20 251	7 819	2 002 000	Ljubljana	Slovene, Croatian, Serbian	Roman Catholic, Protestant	Euro
SPAIN		504 782	194 897	44 279 000	Madrid	Castilian, Catalan, Galician, Basque	Roman Catholic	Euro
SWEDEN		449 964	173 732	9 119 000	Stockholm	Swedish	Protestant, Roman Catholic	Swedish krona
SWITZERLAND		41 293	15 943	7 484 000	Bern	German, French, Italian, Romansch	Roman Catholic, Protestant	Swiss franc
UKRAINE		603 700	233 090	46 205 000	Kiev	Ukrainian, Russian	Ukrainian Orthodox, Ukrainian Catholic, Roman Catholic	Hryvnia
UNITED KINGDOM		243 609	94 058	60 769 000	London	English, Welsh, Gaelic	Protestant, Roman Catholic, Muslim	Pound sterling
VATICAN CITY		0.5	0.2	557	Vatican City	Italian	Roman Catholic	Euro

Dependent territories		Territorial status	Area sq km	Area sq miles	Population	Capital	Languages	Religions	Currency
Azores		Autonomous Region of Portugal	2 300	888	242 000	Ponta Delgada	Portuguese	Roman Catholic, Protestant	Euro
Faroe Islands		Self-governing Danish Territory	1 399	540	49 000	Tórshavn	Faroese, Danish	Protestant	Danish krone
Gibraltar		United Kingdom Overseas Territory	7	3	29 000	Gibraltar	Engllish, Spanish	Roman Catholic, Protestant, Sunni Muslim	Gibraltar pound
Guernsey		United Kingdom Crown Dependency	78	30	64 000	St Peter Port	English, French	Protestant, Roman Catholic	Pound sterling
Isle of Man		United Kingdom Crown Dependency	572	221	79 000	Douglas	English	Protestant, Roman Catholic	Pound sterling
Jersey		United Kingdom Crown Dependency	116	45	88 000	St Helier	English, French	Protestant, Roman Catholic	Pound sterling

World
States and Territories

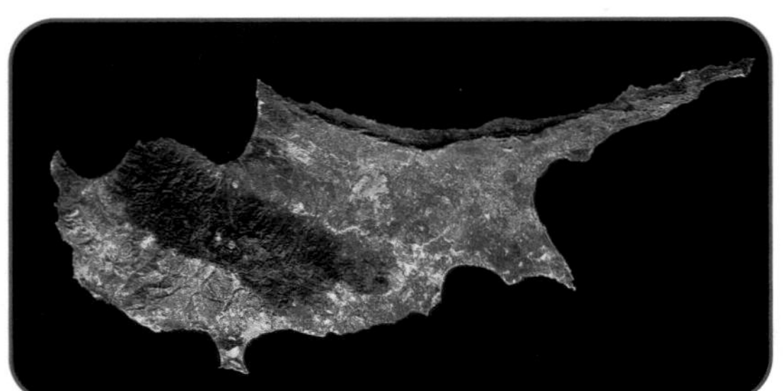

Cyprus, eastern Mediterranean

Bhutan, Himalayas

Asia		Area sq km	Area sq miles	Population	Capital	Languages	Religions	Currency
AFGHANISTAN		652 225	251 825	27 145 000	Kābul	Dari, Pushtu, Uzbek, Turkmen	Sunni Muslim, Shi'a Muslim	Afghani
ARMENIA		29 800	11 506	3 002 000	Yerevan	Armenian, Azeri	Armenian Orthodox	Dram
AZERBAIJAN		86 600	33 436	8 467 000	Baku	Azeri, Armenian, Russian, Lezgian	Shi'a Muslim, Sunni Muslim, Russian and Armenian Orthodox	Azerbaijani manat
BAHRAIN		691	267	753 000	Manama	Arabic, English	Shi'a Muslim, Sunni Muslim, Christian	Bahrain dinar
BANGLADESH		143 998	55 598	158 665 000	Dhaka	Bengali, English	Sunni Muslim, Hindu	Taka
BHUTAN		46 620	18 000	658 000	Thimphu	Dzongkha, Nepali, Assamese	Buddhist, Hindu	Ngultrum, Indian rupee
BRUNEI		5 765	2 226	390 000	Bandar Seri Begawan	Malay, English, Chinese	Sunni Muslim, Buddhist, Christian	Brunei dollar
CAMBODIA		181 035	69 884	14 444 000	Phnom Penh	Khmer, Vietnamese	Buddhist, Roman Catholic, Sunni Muslim	Riel
CHINA		9 584 492	3 700 593	1 313 437 000	Beijing	Mandarin, Wu, Cantonese, Hsiang, regional languages	Confucian, Taoist, Buddhist, Christian, Sunni Muslim	Yuan, HK dollar**, Macau pataca
CYPRUS		9 251	3 572	855 000	Nicosia	Greek, Turkish, English	Greek Orthodox, Sunni Muslim	Euro
EAST TIMOR		14 874	5 743	1 155 000	Dili	Portuguese, Tetun, English	Roman Catholic	United States dollar
GEORGIA		69 700	26 911	4 395 000	T'bilisi	Georgian, Russian, Armenian, Azeri, Ossetian, Abkhaz	Georgian Orthodox, Russian Orthodox, Sunni Muslim	Lari
INDIA		3 064 898	1 183 364	1 169 016 000	New Delhi	Hindi, English, many regional languages	Hindu, Sunni Muslim, Shi'a Muslim, Sikh, Christian	Indian rupee
INDONESIA		1 919 445	741 102	231 627 000	Jakarta	Indonesian, local languages	Sunni Muslim, Protestant, Roman Catholic, Hindu, Buddhist	Rupiah
IRAN		1 648 000	636 296	71 208 000	Tehrān	Farsi, Azeri, Kurdish, regional languages	Shi'a Muslim, Sunni Muslim	Iranian rial
IRAQ		438 317	169 235	28 993 000	Baghdād	Arabic, Kurdish, Turkmen	Shi'a Muslim, Sunni Muslim, Christian	Iraqi dinar
ISRAEL		20 770	8 019	6 928 000	Jerusalem (Yerushalayim) (El Quds)*	Hebrew, Arabic	Jewish, Sunni Muslim, Christian, Druze	Shekel
JAPAN		377 727	145 841	127 967 000	Tōkyō	Japanese	Shintoist, Buddhist, Christian	Yen
JORDAN		89 206	34 443	5 924 000	'Ammān	Arabic	Sunni Muslim, Christian	Jordanian dinar
KAZAKHSTAN		2 717 300	1 049 155	15 422 000	Astana	Kazakh, Russian, Ukrainian, German, Uzbek, Tatar	Sunni Muslim, Russian Orthodox, Protestant	Tenge
KUWAIT		17 818	6 880	2 851 000	Kuwait	Arabic	Sunni Muslim, Shi'a Muslim, Christian, Hindu	Kuwaiti dinar
KYRGYZSTAN		198 500	76 641	5 317 000	Bishkek	Kyrgyz, Russian, Uzbek	Sunni Muslim, Russian Orthodox	Kyrgyz som
LAOS		236 800	91 429	5 859 000	Vientiane	Lao, local languages	Buddhist, traditional beliefs	Kip
LEBANON		10 452	4 036	4 099 000	Beirut	Arabic, Armenian, French	Shi'a Muslim, Sunni Muslim, Christian	Lebanese pound
MALAYSIA		332 965	128 559	26 572 000	Kuala Lumpur/Putrajaya	Malay, English, Chinese, Tamil, local languages	Sunni Muslim, Buddhist, Hindu, Christian, traditional beliefs	Ringgit
MALDIVES		298	115	306 000	Male	Divehi (Maldivian)	Sunni Muslim	Rufiyaa
MONGOLIA		1 565 000	604 250	2 629 000	Ulan Bator	Khalka (Mongolian), Kazakh, local languages	Buddhist, Sunni Muslim	Tugrik (tögrög)
MYANMAR		676 577	261 228	48 798 000	Nay Pyi Taw/Rangoon	Burmese, Shan, Karen, local languages	Buddhist, Christian, Sunni Muslim	Kyat
NEPAL		147 181	56 827	28 196 000	Kathmandu	Nepali, Maithili, Bhojpuri, English, local languages	Hindu, Buddhist, Sunni Muslim	Nepalese rupee
NORTH KOREA		120 538	46 540	23 790 000	P'yŏngyang	Korean	Traditional beliefs, Chondoist, Buddhist	North Korean won
OMAN		309 500	119 499	2 595 000	Muscat	Arabic, Baluchi, Indian languages	Ibadhi Muslim, Sunni Muslim	Omani riyal
PAKISTAN		803 940	310 403	163 902 000	Islamabad	Urdu, Punjabi, Sindhi, Pushtu, English	Sunni Muslim, Shi'a Muslim, Christian, Hindu	Pakistani rupee
PALAU		497	192	20 000	Melekeok	Palauan, English	Roman Catholic, Protestant, traditional beliefs	United States dollar
PHILIPPINES		300 000	115 831	87 960 000	Manila	English, Filipino, Tagalog, Cebuano, local languages	Roman Catholic, Protestant, Sunni Muslim, Aglipayan	Philippine peso
QATAR		11 437	4 416	841 000	Doha	Arabic	Sunni Muslim	Qatari riyal
RUSSIAN FEDERATION		17 075 400	6 592 849	142 499 000	Moscow	Russian, Tatar, Ukrainian, local languages	Russian Orthodox, Sunni Muslim, Protestant	Russian rouble
SAUDI ARABIA		2 200 000	849 425	24 735 000	Riyadh	Arabic	Sunni Muslim, Shi'a Muslim	Saudi Arabian riyal
SINGAPORE		639	247	4 436 000	Singapore	Chinese, English, Malay, Tamil	Buddhist, Taoist, Sunni Muslim, Christian, Hindu	Singapore dollar
SOUTH KOREA		99 274	38 330	48 224 000	Seoul	Korean	Buddhist, Protestant, Roman Catholic	South Korean won
SRI LANKA		65 610	25 332	19 299 000	Sri Jayewardenepura Kotte	Sinhalese, Tamil, English	Buddhist, Hindu, Sunni Muslim, Roman Catholic	Sri Lankan rupee
SYRIA		185 180	71 498	19 929 000	Damascus	Arabic, Kurdish, Armenian	Sunni Muslim, Shi'a Muslim, Christian	Syrian pound
TAIWAN˙		36 179	13 969	22 880 000	T'aipei	Mandarin, Min, Hakka, local languages	Buddhist, Taoist, Confucian, Christian	Taiwan dollar
TAJIKISTAN		143 100	55 251	6 736 000	Dushanbe	Tajik, Uzbek, Russian	Sunni Muslim	Somoni
THAILAND		513 115	198 115	63 884 000	Bangkok	Thai, Lao, Chinese, Malay, Mon-Khmer languages	Buddhist, Sunni Muslim	Baht
TURKEY		779 452	300 948	74 877 000	Ankara	Turkish, Kurdish	Sunni Muslim, Shi'a Muslim	Lira
TURKMENISTAN		488 100	188 456	4 965 000	Aşgabat	Turkmen, Uzbek, Russian	Sunni Muslim, Russian Orthodox	Turkmen manat
UNITED ARAB EMIRATES		77 700	30 000	4 380 000	Abu Dhabi	Arabic, English	Sunni Muslim, Shi'a Muslim	United Arab Emirates dirham
UZBEKISTAN		447 400	172 742	27 372 000	Toshkent	Uzbek, Russian, Tajik, Kazakh	Sunni Muslim, Russian Orthodox	Uzbek som
VIETNAM		329 565	127 246	87 375 000	Ha Nôi	Vietnamese, Thai, Khmer, Chinese, local languages	Buddhist, Taoist, Roman Catholic, Cao Dai, Hoa Hao	Dong
YEMEN		527 968	203 850	22 389 000	Şan'ā'	Arabic	Sunni Muslim, Shi'a Muslim	Yemeni rial

Dependent and disputed territories		Territorial status	Area sq km	Area sq miles	Population	Capital	Languages	Religions	Currency
Christmas Island		Australian External Territory	135	52	1 500	The Settlement	English	Buddhist, Sunni Muslim, Protestant, Roman Catholic	Australian dollar
Cocos Islands		Australian External Territory	14	5	621	West Island	English	Sunni Muslim, Christian	Australian dollar
Gaza		Semi-autonomous region	363	140	1 586 000	Gaza	Arabic	Sunni Muslim, Shi'a Muslim	Israeli shekel
Jammu and Kashmir		Disputed territory (India/Pakistan)	222 236	85 806	13 000 000	Srinagar			
West Bank		Disputed territory	5 860	2 263	2 676 000		Arabic, Hebrew	Sunni Muslim, Jewish, Shi'a Muslim, Christian	Jordanian dinar, Israeli shekel

˙China claims Taiwan as its 23rd province
*De facto capital. Disputed
**Hong Kong dollar

Victoria Falls, Zambia/Zimbabwe

Africa		Area sq km	Area sq miles	Population	Capital	Languages	Religions	Currency
ALGERIA		2 381 741	919 595	33 858 000	Algiers	Arabic, French, Berber	Sunni Muslim	Algerian dinar
ANGOLA		1 246 700	481 354	17 024 000	Luanda	Portuguese, Bantu, local languages	Roman Catholic, Protestant, traditional beliefs	Kwanza
BENIN		112 620	43 483	9 033 000	Porto-Novo	French, Fon, Yoruba, Adja, local languages	Traditional beliefs, Roman Catholic, Sunni Muslim	CFA franc*
BOTSWANA		581 370	224 468	1 882 000	Gaborone	English, Setswana, Shona, local languages	Traditional beliefs, Protestant, Roman Catholic	Pula
BURKINA		274 200	105 869	14 784 000	Ouagadougou	French, Moore (Mossi), Fulani, local languages	Sunni Muslim, traditional beliefs, Roman Catholic	CFA franc*
BURUNDI		27 835	10 747	8 508 000	Bujumbura	Kirundi (Hutu, Tutsi), French	Roman Catholic, traditional beliefs, Protestant	Burundian franc
CAMEROON		475 442	183 569	18 549 000	Yaoundé	French, English, Fang, Bamileke, local languages	Roman Catholic, traditional beliefs, Sunni Muslim, Protestant	CFA franc*
CAPE VERDE		4 033	1 557	530 000	Praia	Portuguese, creole	Roman Catholic, Protestant	Cape Verde escudo
CENTRAL AFRICAN REPUBLIC		622 436	240 324	4 343 000	Bangui	French, Sango, Banda, Baya, local languages	Protestant, Roman Catholic, traditional beliefs, Sunni Muslim	CFA franc*
CHAD		1 284 000	495 755	10 781 000	Ndjamena	Arabic, French, Sara, local languages	Sunni Muslim, Roman Catholic, Protestant, traditional beliefs	CFA franc*
COMOROS		1 862	719	839 000	Moroni	Comorian, French, Arabic	Sunni Muslim, Roman Catholic	Comoros franc
CONGO		342 000	132 047	3 768 000	Brazzaville	French, Kongo, Monokutuba, local languages	Roman Catholic, Protestant, traditional beliefs, Sunni Muslim	CFA franc*
CONGO, DEM. REP. OF THE		2 345 410	905 568	62 636 000	Kinshasa	French, Lingala, Swahili, Kongo, local languages	Christian, Sunni Muslim	Congolese franc
CÔTE D'IVOIRE		322 463	124 504	19 262 000	Yamoussoukro	French, creole, Akan, local languages	Sunni Muslim, Roman Catholic, traditional beliefs, Protestant	CFA franc*
DJIBOUTI		23 200	8 958	833 000	Djibouti	Somali, Afar, French, Arabic	Sunni Muslim, Christian	Djibouti franc
EGYPT		1 000 250	386 199	75 498 000	Cairo	Arabic	Sunni Muslim, Coptic Christian	Egyptian pound
EQUATORIAL GUINEA		28 051	10 831	507 000	Malabo	Spanish, French, Fang	Roman Catholic, traditional beliefs	CFA franc*
ERITREA		117 400	45 328	4 851 000	Asmara	Tigrinya, Tigre	Sunni Muslim, Coptic Christian	Nakfa
ETHIOPIA		1 133 880	437 794	83 099 000	Addis Ababa	Oromo, Amharic, Tigrinya, local languages	Ethiopian Orthodox, Sunni Muslim, traditional beliefs	Birr
GABON		267 667	103 347	1 331 000	Libreville	French, Fang, local languages	Roman Catholic, Protestant, traditional beliefs	CFA franc*
THE GAMBIA		11 295	4 361	1 709 000	Banjul	English, Malinke, Fulani, Wolof	Sunni Muslim, Protestant	Dalasi
GHANA		238 537	92 100	23 478 000	Accra	English, Hausa, Akan, local languages	Christian, Sunni Muslim, traditional beliefs	Cedi
GUINEA		245 857	94 926	9 370 000	Conakry	French, Fulani, Malinke, local languages	Sunni Muslim, traditional beliefs, Christian	Guinea franc
GUINEA-BISSAU		36 125	13 948	1 695 000	Bissau	Portuguese, crioulo, local languages	Traditional beliefs, Sunni Muslim, Christian	CFA franc*
KENYA		582 646	224 961	37 538 000	Nairobi	Swahili, English, local languages	Christian, traditional beliefs	Kenyan shilling
LESOTHO		30 355	11 720	2 008 000	Maseru	Sesotho, English, Zulu	Christian, traditional beliefs	Loti, S. African rand
LIBERIA		111 369	43 000	3 750 000	Monrovia	English, creole, local languages	Traditional beliefs, Christian, Sunni Muslim	Liberian dollar
LIBYA		1 759 540	679 362	6 160 000	Tripoli	Arabic, Berber	Sunni Muslim	Libyan dinar
MADAGASCAR		587 041	226 658	19 683 000	Antananarivo	Malagasy, French	Traditional beliefs, Christian, Sunni Muslim	Malagasy ariary, Malagasy franc
MALAWI		118 484	45 747	13 925 000	Lilongwe	Chichewa, English, local languages	Christian, traditional beliefs, Sunni Muslim	Malawian kwacha
MALI		1 240 140	478 821	12 337 000	Bamako	French, Bambara, local languages	Sunni Muslim, traditional beliefs, Christian	CFA franc*
MAURITANIA		1 030 700	397 955	3 124 000	Nouakchott	Arabic, French, local languages	Sunni Muslim	Ouguiya
MAURITIUS		2 040	788	1 262 000	Port Louis	English, creole, Hindi, Bhojpurī, French	Hindu, Roman Catholic, Sunni Muslim	Mauritius rupee
MOROCCO		446 550	172 414	31 224 000	Rabat	Arabic, Berber, French	Sunni Muslim	Moroccan dirham
MOZAMBIQUE		799 380	308 642	21 397 000	Maputo	Portuguese, Makua, Tsonga, local languages	Traditional beliefs, Roman Catholic, Sunni Muslim	Metical
NAMIBIA		824 292	318 261	2 074 000	Windhoek	English, Afrikaans, German, Ovambo, local languages	Protestant, Roman Catholic	Namibian dollar
NIGER		1 267 000	489 191	14 226 000	Niamey	French, Hausa, Fulani, local languages	Sunni Muslim, traditional beliefs	CFA franc*
NIGERIA		923 768	356 669	148 093 000	Abuja	English, Hausa, Yoruba, Ibo, Fulani, local languages	Sunni Muslim, Christian, traditional beliefs	Naira
RWANDA		26 338	10 169	9 725 000	Kigali	Kinyarwanda, French, English	Roman Catholic, traditional beliefs, Protestant	Rwandan franc
SÃO TOMÉ AND PRÍNCIPE		964	372	158 000	São Tomé	Portuguese, creole	Roman Catholic, Protestant	Dobra
SENEGAL		196 720	75 954	12 379 000	Dakar	French, Wolof, Fulani, local languages	Sunni Muslim, Roman Catholic, traditional beliefs	CFA franc*
SEYCHELLES		455	176	87 000	Victoria	English, French, creole	Roman Catholic, Protestant	Seychelles rupee
SIERRA LEONE		71 740	27 699	5 866 000	Freetown	English, creole, Mende, Temne, local languages	Sunni Muslim, traditional beliefs	Leone
SOMALIA		637 657	246 201	8 699 000	Mogadishu	Somali, Arabic	Sunni Muslim	Somali shilling
SOUTH AFRICA, REPUBLIC OF		1 219 090	470 693	48 577 000	Pretoria/Cape Town	Afrikaans, English, nine official local languages	Protestant, Roman Catholic, Sunni Muslim, Hindu	Rand
SUDAN		2 505 813	967 500	38 560 000	Khartoum	Arabic, Dinka, Nubian, Beja, Nuer, local languages	Sunni Muslim, traditional beliefs, Christian	Sudanese pound (Sudani)
SWAZILAND		17 364	6 704	1 141 000	Mbabane	Swazi, English	Christian, traditional beliefs	Emalangeni, South African rand
TANZANIA		945 087	364 900	40 454 000	Dodoma	Swahili, English, Nyamwezi, local languages	Shi'a Muslim, Sunni Muslim, traditional beliefs, Christian	Tanzanian shilling
TOGO		56 785	21 925	6 585 000	Lomé	French, Ewe, Kabre, local languages	Traditional beliefs, Christian, Sunni Muslim	CFA franc*
TUNISIA		164 150	63 379	10 327 000	Tunis	Arabic, French	Sunni Muslim	Tunisian dinar
UGANDA		241 038	93 065	30 884 000	Kampala	English, Swahili, Luganda, local languages	Roman Catholic, Protestant, Sunni Muslim, traditional beliefs	Ugandan shilling
ZAMBIA		752 614	290 586	11 922 000	Lusaka	English, Bemba, Nyanja, Tonga, local languages	Christian, traditional beliefs	Zambian kwacha
ZIMBABWE		390 759	150 873	13 349 000	Harare	English, Shona, Ndebele	Christian, traditional beliefs	Zimbabwean dollar

Dependent and disputed territories		Territorial status	Area sq km	Area sq miles	Population	Capital	Languages	Religions	Currency
Canary Islands		Autonomous Community of Spain	7 447	2 875	1 996 000	Santa Cruz de Tenerife/Las Palmas	Spanish	Roman Catholic	Euro
Madeira		Autonomous Region of Portugal	779	301	245 000	Funchal	Portuguese	Roman Catholic, Protestant	Euro
Mayotte		French Territorial Collectivity	373	144	186 000	Dzaoudzi	French, Mahorian	Sunni Muslim, Christian	Euro
Réunion		French Overseas Department	2 551	985	807 000	St-Denis	French, creole	Roman Catholic	Euro
St Helena and Dependencies		United Kingdom Overseas Territory	121	47	7 000	Jamestown	English	Protestant, Roman Catholic	St Helena pound
Western Sahara		Disputed territory (Morocco)	266 000	102 703	480 000	Laâyoune	Arabic	Sunni Muslim	Moroccan dirham

*Communauté Financière Africaine franc

World
States and Territories

Sydney, Australia

Uluru (Ayers Rock), Australia

Oceania		Area sq km	Area sq miles	Population	Capital	Languages	Religions	Currency
AUSTRALIA		7 692 024	2 969 907	20 743 000	Canberra	English, Italian, Greek	Protestant, Roman Catholic, Orthodox	Australian dollar
FIJI		18 330	7 077	839 000	Suva	English, Fijian, Hindi	Christian, Hindu, Sunni Muslim	Fiji dollar
KIRIBATI		717	277	95 000	Bairiki	Gilbertese, English	Roman Catholic, Protestant	Australian dollar
MARSHALL ISLANDS		181	70	59 000	Delap-Uliga-Djarrit	English, Marshallese	Protestant, Roman Catholic	United States dollar
MICRONESIA, FEDERATED STATES OF		701	271	111 000	Palikir	English, Chuukese, Pohnpeian, local languages	Roman Catholic, Protestant	United States dollar
NAURU		21	8	10 000	Yaren	Nauruan, English	Protestant, Roman Catholic	Australian dollar
NEW ZEALAND		270 534	104 454	4 179 000	Wellington	English, Maori	Protestant, Roman Catholic	New Zealand dollar
PAPUA NEW GUINEA		462 840	178 704	6 331 000	Port Moresby	English, Tok Pisin (creole), local languages	Protestant, Roman Catholic, traditional beliefs	Kina
SAMOA		2 831	1 093	187 000	Apia	Samoan, English	Protestant, Roman Catholic	Tala
SOLOMON ISLANDS		28 370	10 954	496 000	Honiara	English, creole, local languages	Protestant, Roman Catholic	Solomon Islands dollar
TONGA		748	289	100 000	Nuku'alofa	Tongan, English	Protestant, Roman Catholic	Pa'anga
TUVALU		25	10	11 000	Vaiaku	Tuvaluan, English	Protestant	Australian dollar
VANUATU		12 190	4 707	226 000	Port Vila	English, Bislama (creole), French	Protestant, Roman Catholic, traditional beliefs	Vatu

Dependent territories		Territorial status	Area sq km	Area sq miles	Population	Capital	Languages	Religions	Currency
American Samoa		United States Unincorporated Territory	197	76	67 000	Fagatogo	Samoan, English	Protestant, Roman Catholic	United States dollar
Cook Islands		Self-governing New Zealand Territory	293	113	13 000	Avarua	English, Maori	Protestant, Roman Catholic	New Zealand dollar
French Polynesia		French Overseas Country	3 265	1 261	263 000	Papeete	French, Tahitian, Polynesian languages	Protestant, Roman Catholic	CFP franc*
Guam		United States Unincorporated Territory	541	209	173 000	Hagåtña	Chamorro, English, Tapalog	Roman Catholic	United States dollar
New Caledonia		French Overseas Collectivity	19 058	7 358	242 000	Nouméa	French, local languages	Roman Catholic, Protestant, Sunni Muslim	CFP franc*
Niue		Self-governing New Zealand Territory	258	100	2 000	Alofi	English, Niuean	Christian	New Zealand dollar
Norfolk Island		Australian External Territory	35	14	2 500	Kingston	English	Protestant, Roman Catholic	Australian Dollar
Northern Mariana Islands		United States Commonwealth	477	184	84 000	Capitol Hill	English, Chamorro, local languages	Roman Catholic	United States dollar
Pitcairn Islands		United Kingdom Overseas Territory	45	17	48	Adamstown	English	Protestant	New Zealand dollar
Tokelau		New Zealand Overseas Territory	10	4	1 000		English, Tokelauan	Christian	New Zealand dollar
Wallis and Futuna Islands		French Overseas Collectivity	274	106	15 000	Matā'utu	French, Wallisian, Futunian	Roman Catholic	CFP franc*

*Franc des Comptoirs Français du Pacifique

Aoraki (Mount Cook), New Zealand

The Pentagon, Washington DC, USA

Cuba, Caribbean Sea

North America		Area sq km	Area sq miles	Population	Capital	Languages	Religions	Currency
ANTIGUA AND BARBUDA		442	171	85 000	St John's	English, creole	Protestant, Roman Catholic	East Caribbean dollar
THE BAHAMAS		13 939	5 382	331 000	Nassau	English, creole	Protestant, Roman Catholic	Bahamian dollar
BARBADOS		430	166	294 000	Bridgetown	English, creole	Protestant, Roman Catholic	Barbados dollar
BELIZE		22 965	8 867	288 000	Belmopan	English, Spanish, Mayan, creole	Roman Catholic, Protestant	Belize dollar
CANADA		9 984 670	3 855 103	32 876 000	Ottawa	English, French, local languages	Roman Catholic, Protestant, Eastern Orthodox, Jewish	Canadian dollar
COSTA RICA		51 100	19 730	4 468 000	San José	Spanish	Roman Catholic, Protestant	Costa Rican colón
CUBA		110 860	42 803	11 268 000	Havana	Spanish	Roman Catholic, Protestant	Cuban peso
DOMINICA		750	290	67 000	Roseau	English, creole	Roman Catholic, Protestant	East Caribbean dollar
DOMINICAN REPUBLIC		48 442	18 704	9 760 000	Santo Domingo	Spanish, creole	Roman Catholic, Protestant	Dominican peso
EL SALVADOR		21 041	8 124	6 857 000	San Salvador	Spanish	Roman Catholic, Protestant	El Salvador colón, United States dollar
GRENADA		378	146	106 000	St George's	English, creole	Roman Catholic, Protestant	East Caribbean dollar
GUATEMALA		108 890	42 043	13 354 000	Guatemala City	Spanish, Mayan languages	Roman Catholic, Protestant	Quetzal, United States dollar
HAITI		27 750	10 714	9 598 000	Port-au-Prince	French, creole	Roman Catholic, Protestant, Voodoo	Gourde
HONDURAS		112 088	43 277	7 106 000	Tegucigalpa	Spanish, Amerindian languages	Roman Catholic, Protestant	Lempira
JAMAICA		10 991	4 244	2 714 000	Kingston	English, creole	Protestant, Roman Catholic	Jamaican dollar
MEXICO		1 972 545	761 604	106 535 000	Mexico City	Spanish, Amerindian languages	Roman Catholic, Protestant	Mexican peso
NICARAGUA		130 000	50 193	5 603 000	Managua	Spanish, Amerindian languages	Roman Catholic, Protestant	Córdoba
PANAMA		77 082	29 762	3 343 000	Panama City	Spanish, English, Amerindian languages	Roman Catholic, Protestant, Sunni Muslim	Balboa
ST KITTS AND NEVIS		261	101	50 000	Basseterre	English, creole	Protestant, Roman Catholic	East Caribbean dollar
ST LUCIA		616	238	165 000	Castries	English, creole	Roman Catholic, Protestant	East Caribbean dollar
ST VINCENT AND THE GRENADINES		389	150	120 000	Kingstown	English, creole	Protestant, Roman Catholic	East Caribbean dollar
TRINIDAD AND TOBAGO		5 130	1 981	1 333 000	Port of Spain	English, creole, Hindi	Roman Catholic, Hindu, Protestant, Sunni Muslim	Trinidad and Tobago dollar
UNITED STATES OF AMERICA		9 826 635	3 794 085	305 826 000	Washington DC	English, Spanish	Protestant, Roman Catholic, Sunni Muslim, Jewish	United States dollar

Dependent territories		Territorial status	Area sq km	Area sq miles	Population	Capital	Languages	Religions	Currency
Anguilla		United Kingdom Overseas Territory	155	60	13 000	The Valley	English	Protestant, Roman Catholic	East Caribbean dollar
Aruba		Self-governing Netherlands Territory	193	75	104 000	Oranjestad	Papiamento, Dutch, English	Roman Catholic, Protestant	Arubian florin
Bermuda		United Kingdom Overseas Territory	54	21	65 000	Hamilton	English	Protestant, Roman Catholic	Bermuda dollar
Cayman Islands		United Kingdom Overseas Territory	259	100	47 000	George Town	English	Protestant, Roman Catholic	Cayman Islands dollar
Greenland		Self-governing Danish Territory	2 175 600	840 004	58 000	Nuuk	Greenlandic, Danish	Protestant	Danish krone
Guadeloupe		French Overseas Department	1 780	687	445 000	Basse-Terre	French, creole	Roman Catholic	Euro
Martinique		French Overseas Department	1 079	417	399 000	Fort-de-France	French, creole	Roman Catholic, traditional beliefs	Euro
Montserrat		United Kingdom Overseas Territory	100	39	6 000	Brades	English	Protestant, Roman Catholic	East Caribbean dollar
Netherlands Antilles		Self-governing Netherlands Territory	800	309	192 000	Willemstad	Dutch, Papiamento, English	Roman Catholic, Protestant	Neth. Antilles guilder
Puerto Rico		United States Commonwealth	9 104	3 515	3 991 000	San Juan	Spanish, English	Roman Catholic, Protestant	United States dollar
St Pierre and Miquelon		French Territorial Collectivity	242	93	6 000	St-Pierre	French	Roman Catholic	Euro
Turks and Caicos Islands		United Kingdom Overseas Territory	430	166	26 000	Grand Turk	English	Protestant	United States dollar
Virgin Islands (U.K.)		United Kingdom Overseas Territory	153	59	23 000	Road Town	English	Protestant, Roman Catholic	United States dollar
Virgin Islands (U.S.A.)		United States Unincorporated Territory	352	136	111 000	Charlotte Amalie	English, Spanish	Protestant, Roman Catholic	United States dollar

South America		Area sq km	Area sq miles	Population	Capital	Languages	Religions	Currency
ARGENTINA		2 766 889	1 068 302	39 531 000	Buenos Aires	Spanish, Italian, Amerindian languages	Roman Catholic, Protestant	Argentinian peso
BOLIVIA		1 098 581	424 164	9 525 000	La Paz/Sucre	Spanish, Quechua, Aymara	Roman Catholic, Protestant, Baha'i	Boliviano
BRAZIL		8 514 879	3 287 613	191 791 000	Brasília	Portuguese	Roman Catholic, Protestant	Real
CHILE		756 945	292 258	16 635 000	Santiago	Spanish, Amerindian languages	Roman Catholic, Protestant	Chilean peso
COLOMBIA		1 141 748	440 831	46 156 000	Bogotá	Spanish, Amerindian languages	Roman Catholic, Protestant	Colombian peso
ECUADOR		272 045	105 037	13 341 000	Quito	Spanish, Quechua, other Amerindian languages	Roman Catholic	US dollar
GUYANA		214 969	83 000	738 000	Georgetown	English, creole, Amerindian languages	Protestant, Hindu, Roman Catholic, Sunni Muslim	Guyana dollar
PARAGUAY		406 752	157 048	6 127 000	Asunción	Spanish, Guaraní	Roman Catholic, Protestant	Guaraní
PERU		1 285 216	496 225	27 903 000	Lima	Spanish, Quechua, Aymara	Roman Catholic, Protestant	Sol
SURINAME		163 820	63 251	458 000	Paramaribo	Dutch, Surinamese, English, Hindi	Hindu, Roman Catholic, Protestant, Sunni Muslim	Suriname guilder
URUGUAY		176 215	68 037	3 340 000	Montevideo	Spanish	Roman Catholic, Protestant, Jewish	Uruguayan peso
VENEZUELA		912 050	352 144	27 657 000	Caracas	Spanish, Amerindian languages	Roman Catholic, Protestant	Bolívar fuerte

Dependent territories		Territorial status	Area sq km	Area sq miles	Population	Capital	Languages	Religions	Currency
Falkland Islands		United Kingdom Overseas Territory	12 170	4 699	3 000	Stanley	English	Protestant, Roman Catholic	Falkland Islands pound
French Guiana		French Overseas Department	90 000	34 749	202 000	Cayenne	French, creole	Roman Catholic	Euro

World
Countries

The current pattern of the world's countries and territories is a result of a long history of exploration, colonialism, conflict and politics. The fact that there are currently 195 independent countries in the world – the most recent, Kosovo, only being created in February 2008 – illustrates the significant political changes which have occurred since 1950 when there were only eighty-two. There has been a steady progression away from colonial influences over the last fifty years, although many dependent overseas territories remain.

The shapes of countries and the pattern of international boundaries reflect both physical and political processes. Some borders follow natural features – rivers, mountain ranges, etc – others are defined according to political agreement or as a result of war. Some are still subject to dispute between two or more countries, and many remain undefined on the ground.

Facts

- The longest single continuous land border stretches for 6 416 kilometres between Canada and the USA

- Both China and the Russian Federation have land borders with 14 different countries

- Vatican City, the smallest independent country, was created in 1929 as an enclave within Rome, the capital of Italy

- All countries of the world are members of the United Nations except Kosovo, Taiwan and Vatican City

Internet Links

United Nations	www.un.org
Foreign and Commonwealth Office	www.fco.gov.uk
International Boundaries Research Unit	www.dur.ac.uk/ibru
Permanent Committee on Geographical Names	www.pcgn.org.uk
U.S. Board on Geographic Names	geonames.usgs.gov

Abbreviation Key

A.	ANDORRA	HUN.	HUNGARY	R.F.	RUSSIAN FEDERATION
AL.	ALBANIA	ISR.	ISRAEL	ROM.	ROMANIA
ARM.	ARMENIA	JOR.	JORDAN	S.	SERBIA
AUST.	AUSTRIA	K.	KOSOVO	SL.	SLOVENIA
AZER.	AZERBAIJAN	L.	LUXEMBOURG	SLA.	SLOVAKIA
B.	BURUNDI	LAT.	LATVIA	SUR.	SURINAME
BE.	BENIN	LEB.	LEBANON	SW.	SWITZERLAND
BEL.	BELGIUM	LITH.	LITHUANIA	T.	TOGO
B.H.	BOSNIA-HERZEGOVINA	M.	MONTENEGRO	TAJIK.	TAJIKISTAN
BULG.	BULGARIA	MA.	MACEDONIA	TURKM.	TURKMENISTAN
CR.	CROATIA	MOL.	MOLDOVA	U.A.E.	UNITED ARAB EMIRATES
CZ.R.	CZECH REPUBLIC	NETH.	NETHERLANDS	U.K.	UNITED KINGDOM
EST.	ESTONIA	N.Z.	NEW ZEALAND	U.S.A.	UNITED STATES OF AMERICA
GEOR.	GEORGIA	R.	RWANDA	UZBEK.	UZBEKISTAN

High-resolution satellite image of **Vatican City**, the world's smallest country by both population and area.

World extremes

Countries			
Largest country (area)	**Russian Federation**	17 075 400 sq km	6 592 849 sq miles
Smallest country (area)	**Vatican City**	0.5 sq km	0.2 sq miles
Largest country (population)	**China**	1 313 437 000	
Smallest country (population)	**Vatican City**	557	
Most densely populated country	**Monaco**	17 500 per sq km	35 000 per sq mile
Least densely populated country	**Mongolia**	1.7 per sq km	4.4 per sq mile
Capitals			
Largest national capital (population)	**Tōkyō, Japan**	35 676 000	
Smallest national capital (population)	**Melekeok, Palau**	391	
Most northerly national capital	**Reykjavík, Iceland**	64° 08'N	
Most southerly national capital	**Wellington, New Zealand**	41° 18'S	
Highest national capital	**La Paz, Bolivia**	3 636 m	11 910 ft

World
Landscapes

The Earth's physical features, both on land and on the sea bed, closely reflect its geological structure. The current shapes of the continents and oceans have evolved over millions of years. Movements of the tectonic plates which make up the Earth's crust have created some of the best-known and most spectacular features. The processes which have shaped the Earth continue today with earthquakes, volcanoes, erosion, climatic variations and man's activities all affecting the Earth's landscapes.

The total topographic range of the Earth's surface is nearly 20 000 metres, from the highest point Mount Everest, to the lowest point in the Mariana Trench. Major mountain ranges include the Himalaya, the Andes and the Rocky Mountains, each of which give rise to some of the world's greatest rivers. In contrast, the deserts of the Sahara, Australia, the Arabian Peninsula and the Gobi cover vast areas and each provide unique landscapes.

Height
metres
6000
5000
3000
2000
1000
500
200
0
below sea level

Depth
0
200
2000
4000
6000

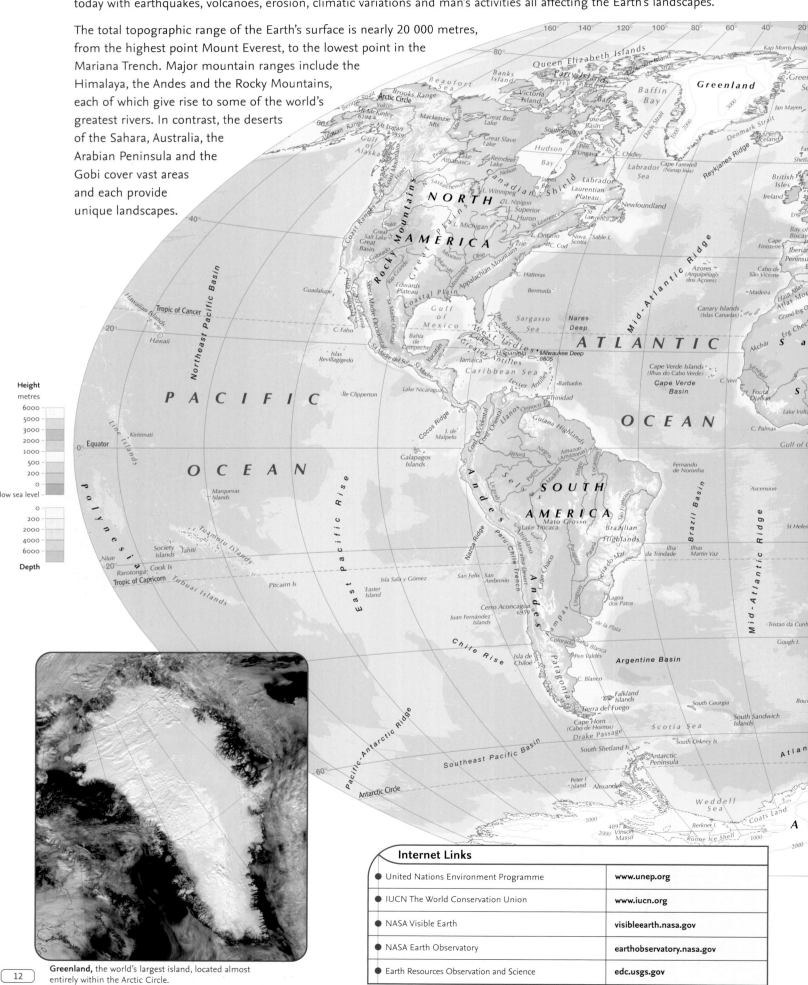

Greenland, the world's largest island, located almost entirely within the Arctic Circle.

Internet Links

United Nations Environment Programme	**www.unep.org**
IUCN The World Conservation Union	**www.iucn.org**
NASA Visible Earth	**visibleearth.nasa.gov**
NASA Earth Observatory	**earthobservatory.nasa.gov**
Earth Resources Observation and Science	**edc.usgs.gov**

Earth's dimensions

Mass	5.974 x 10²¹ tonnes
Total area	509 450 000 sq km / 196 698 645 sq miles
Land area	149 450 000 sq km / 57 702 645 sq miles
Water area	360 000 000 sq km / 138 996 000 sq miles
Volume	1 083 207 x 10⁶ cubic km / 259 911 x 10⁶ cubic miles
Equatorial diameter	12 756 km / 7 927 miles
Polar diameter	12 714 km / 7 901 miles
Equatorial circumference	40 075 km / 24 903 miles
Meridional circumference	40 008 km / 24 861 miles

Mass: 5.974×10^{21} tonnes; Volume: $1\,083\,207 \times 10^{6}$ cubic km / $259\,911 \times 10^{6}$ cubic miles

Facts

- Approximately 10% of the Earth's land surface is permanently covered by ice

- The Pacific Ocean is larger than all the continents' land areas combined

- The world's highest waterfall, 979 metres high, is Angel Falls, Venezuela

- 52% of the Earth's land surface is below 500 metres

- The mean elevation of the Earth's land surface is 840 metres

- Lake Baikal is the world's deepest lake with a maximum depth of 1 741 metres

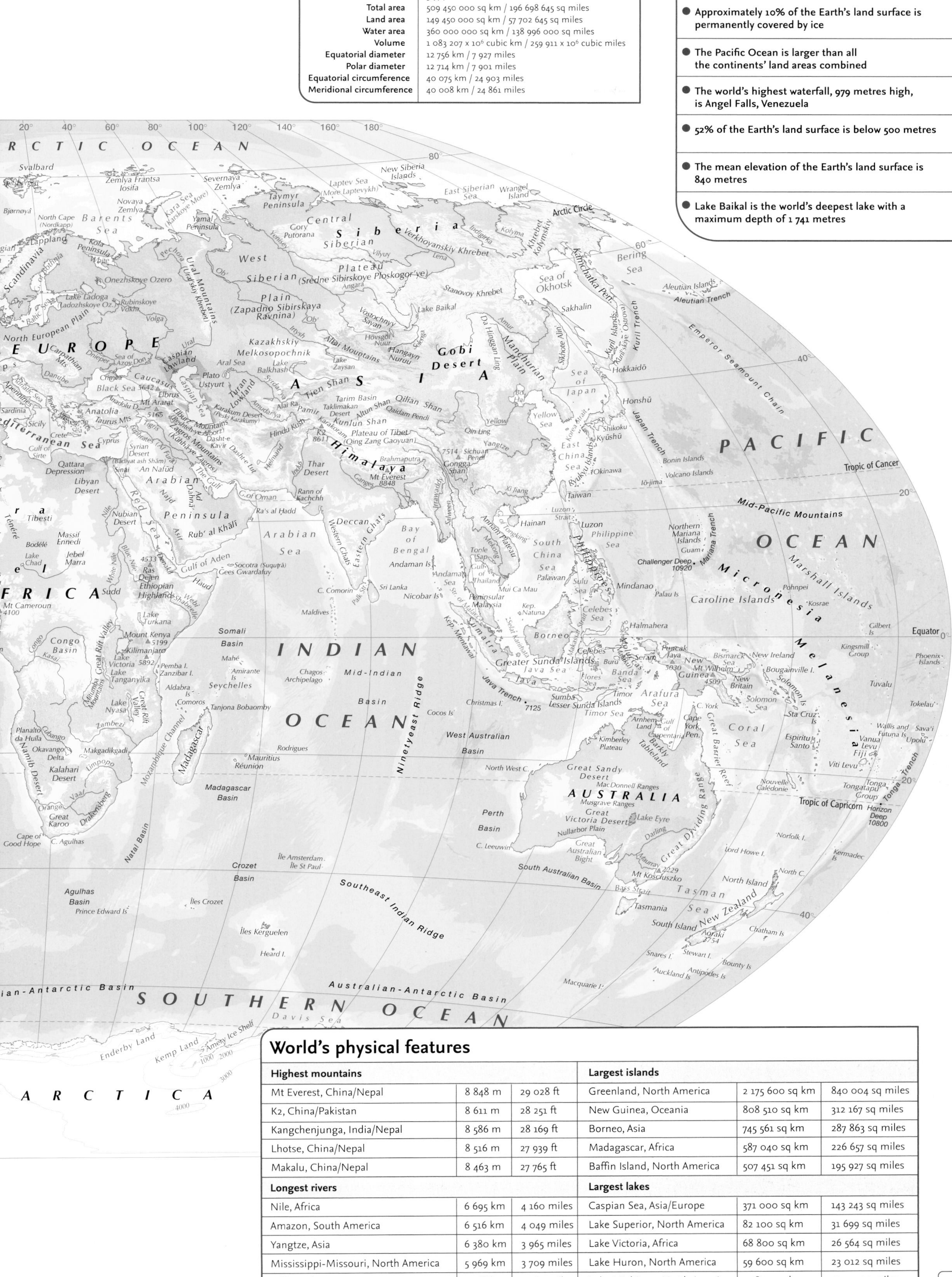

World's physical features

Highest mountains			Largest islands		
Mt Everest, China/Nepal	8 848 m	29 028 ft	Greenland, North America	2 175 600 sq km	840 004 sq miles
K2, China/Pakistan	8 611 m	28 251 ft	New Guinea, Oceania	808 510 sq km	312 167 sq miles
Kangchenjunga, India/Nepal	8 586 m	28 169 ft	Borneo, Asia	745 561 sq km	287 863 sq miles
Lhotse, China/Nepal	8 516 m	27 939 ft	Madagascar, Africa	587 040 sq km	226 657 sq miles
Makalu, China/Nepal	8 463 m	27 765 ft	Baffin Island, North America	507 451 sq km	195 927 sq miles
Longest rivers			Largest lakes		
Nile, Africa	6 695 km	4 160 miles	Caspian Sea, Asia/Europe	371 000 sq km	143 243 sq miles
Amazon, South America	6 516 km	4 049 miles	Lake Superior, North America	82 100 sq km	31 699 sq miles
Yangtze, Asia	6 380 km	3 965 miles	Lake Victoria, Africa	68 800 sq km	26 564 sq miles
Mississippi-Missouri, North America	5 969 km	3 709 miles	Lake Huron, North America	59 600 sq km	23 012 sq miles
Ob'-Irtysh, Asia	5 568 km	3 460 miles	Lake Michigan, North America	57 800 sq km	22 317 sq miles

Earthquakes and Volcanoes

Earthquakes and volcanoes hold a constant fascination because of their power, their beauty, and the fact that they cannot be controlled or accurately predicted. Our understanding of these phenomena relies mainly on the theory of plate tectonics. This defines the Earth's surface as a series of 'plates' which are constantly moving relative to each other, at rates of a few centimetres per year. As plates move against each other enormous pressure builds up and when the rocks can no longer bear this pressure they fracture, and energy is released as an earthquake. The pressures involved can also melt the rock to form magma which then rises to the Earth's surface to form a volcano. The distribution of earthquakes and volcanoes therefore relates closely to plate boundaries. In particular, most active volcanoes and much of the Earth's seismic activity are centred on the 'Ring of Fire' around the Pacific Ocean.

Facts

- Over 900 earthquakes of magnitude 5.0 or greater occur every year
- An earthquake of magnitude 8.0 releases energy equivalent to 1 billion tons of TNT explosive
- Ground shaking during an earthquake in Alaska in 1964 lasted for 3 minutes
- Indonesia has more than 120 volcanoes and over 30% of the world's active volcanoes
- Volcanoes can produce very fertile soil and important industrial materials and chemicals

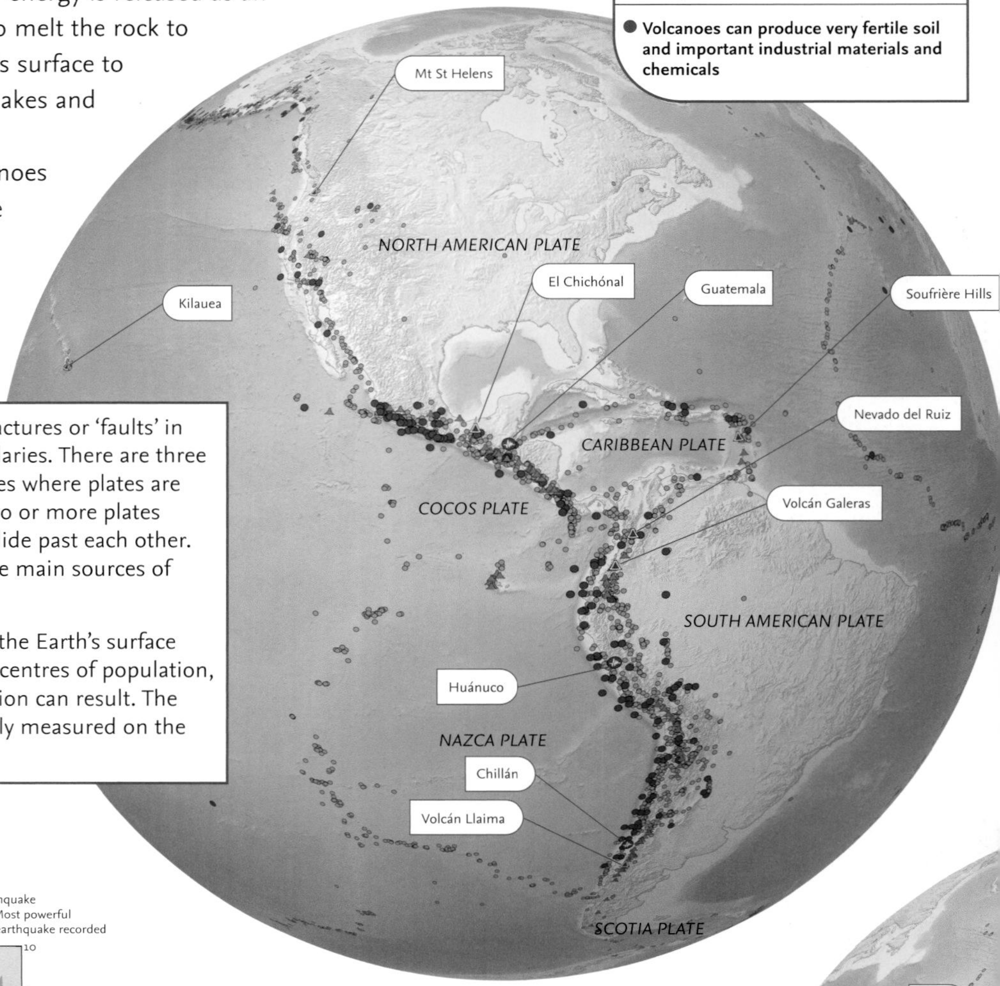

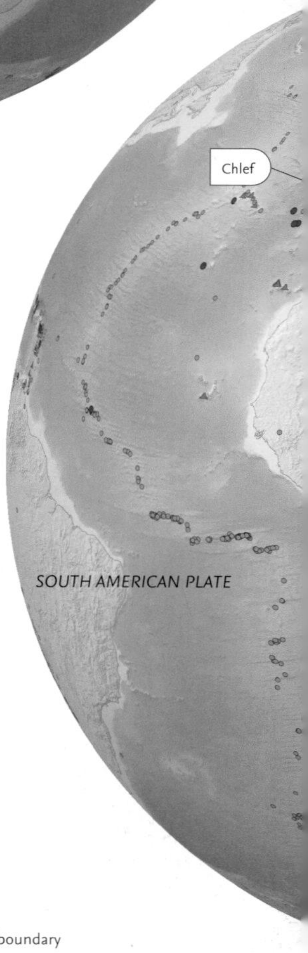

Earthquakes

Earthquakes are caused by movement along fractures or 'faults' in the Earth's crust, particularly along plate boundaries. There are three types of plate boundary: constructive boundaries where plates are moving apart; destructive boundaries where two or more plates collide; conservative boundaries where plates slide past each other. Destructive and conservative boundaries are the main sources of earthquake activity.

The epicentre of an earthquake is the point on the Earth's surface directly above its source. If this is near to large centres of population, and the earthquake is powerful, major devastation can result. The size, or magnitude, of an earthquake is generally measured on the Richter Scale.

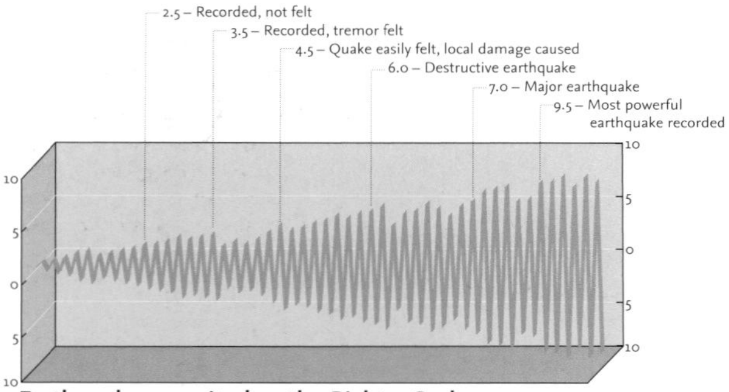

2.5 – Recorded, not felt
3.5 – Recorded, tremor felt
4.5 – Quake easily felt, local damage caused
6.0 – Destructive earthquake
7.0 – Major earthquake
9.5 – Most powerful earthquake recorded

Earthquake magnitude – the Richter Scale
The scale measures the energy released by an earthquake. It is a logarithmic scale: an earthquake measuring 5 is thirty times more powerful than one measuring 4.

Mt St Helens

NORTH AMERICAN PLATE

Kilauea

El Chichónal   Guatemala   Soufrière Hills

CARIBBEAN PLATE   Nevado del Ruiz

COCOS PLATE   Volcán Galeras

SOUTH AMERICAN PLATE

Huánuco

NAZCA PLATE

Chillán

Volcán Llaima

SCOTIA PLATE

Chlef

SOUTH AMERICAN PLATE

Plate boundaries

EURASIAN PLATE   NORTH AMERICAN PLATE

ARABIAN PLATE

PHILIPPINE PLATE   PACIFIC PLATE   CARIBBEAN PLATE

AFRICAN PLATE   COCOS PLATE

SOUTH AMERICAN PLATE   SOUTH AMERICAN PLATE

INDO-AUSTRALIAN PLATE   NAZCA PLATE

SCOTIA PLATE

ANTARCTIC PLATE   SCOTIA PLATE

——— Constructive boundary
▲▲▲ Destructive boundary
——— Conservative boundary

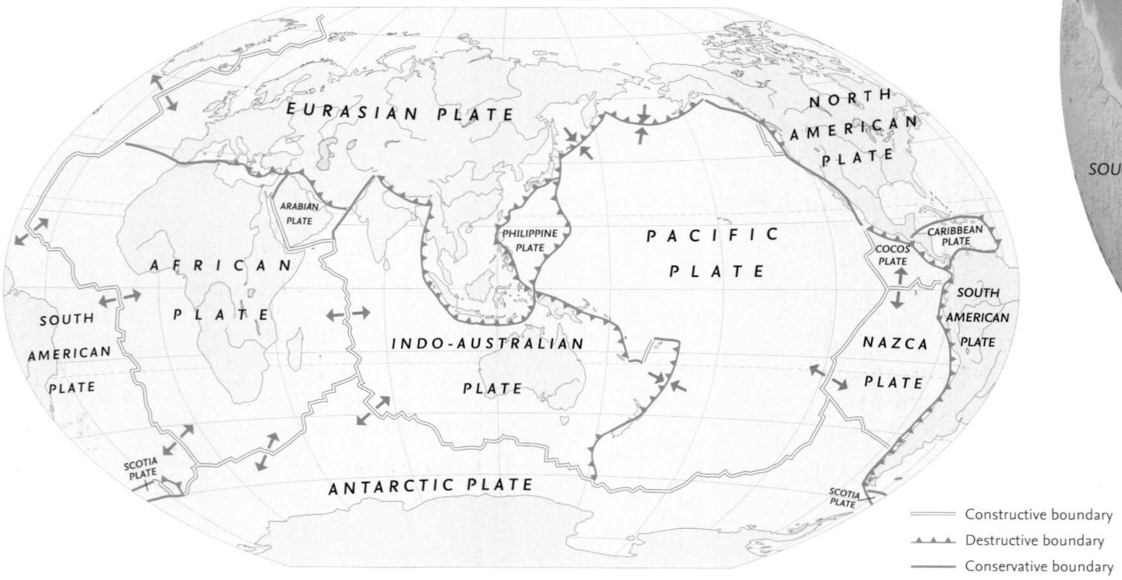

Volcanoes

The majority of volcanoes occur along destructive plate boundaries in the 'subduction zone' where one plate passes under another. The friction and pressure causes the rock to melt and to form magma which is forced upwards to the Earth's surface where it erupts as molten rock (lava) or as particles of ash or cinder. This process created the numerous volcanoes in the Andes, where the Nazca Plate is passing under the South American Plate. Volcanoes can be defined by the nature of the material they emit. 'Shield' volcanoes have extensive, gentle slopes formed from free-flowing lava, while steep-sided 'continental' volcanoes are created from thicker, slow-flowing lava and ash.

Legend:
- Deadliest earthquake
- Earthquake of magnitude 7.5 or greater
- Earthquake of magnitude 5.5 – 7.4
- Major volcano
- Other volcano

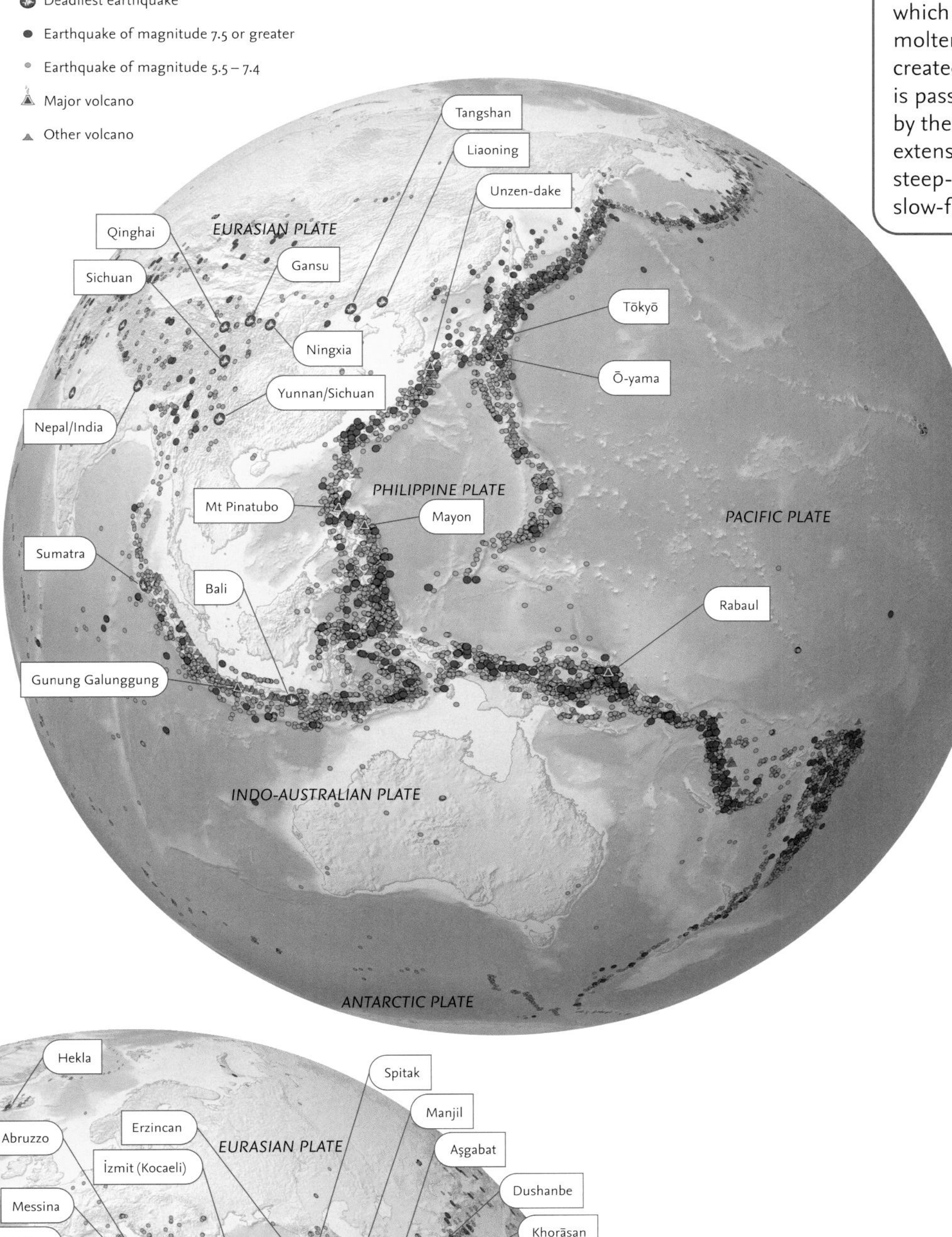

Major volcanic eruptions since 1980

Volcano	Country	Date
Mt St Helens	USA	1980
El Chichónal	Mexico	1982
Gunung Galunggung	Indonesia	1982
Kilauea	Hawaii, USA	1983
Ō-yama	Japan	1983
Nevado del Ruiz	Colombia	1985
Mt Pinatubo	Philippines	1991
Unzen-dake	Japan	1991
Mayon	Philippines	1993
Volcán Galeras	Colombia	1993
Volcán Llaima	Chile	1994
Rabaul	Papua New Guinea	1994
Soufrière Hills	Montserrat	1997
Hekla	Iceland	2000
Mt Etna	Italy	2001
Nyiragongo	Democratic Republic of the Congo	2002

Deadliest earthquakes since 1900

Year	Location	Deaths
1905	Kangra, India	19 000
1907	west of Dushanbe, Tajikistan	12 000
1908	Messina, Italy	110 000
1915	Abruzzo, Italy	35 000
1917	Bali, Indonesia	15 000
1920	Ningxia Province, China	200 000
1923	Tōkyō, Japan	142 807
1927	Qinghai Province, China	200 000
1932	Gansu Province, China	70 000
1933	Sichuan Province, China	10 000
1934	Nepal/India	10 700
1935	Quetta, Pakistan	30 000
1939	Chillán, Chile	28 000
1939	Erzincan, Turkey	32 700
1948	Aşgabat, Turkmenistan	19 800
1962	northwest Iran	12 225
1970	Huánuco Province, Peru	66 794
1974	Yunnan and Sichuan Provinces, China	20 000
1975	Liaoning Province, China	10 000
1976	central Guatemala	22 778
1976	Tangshan, Hebei Province, China	255 000
1978	Khorāsan Province, Iran	20 000
1980	Chlef, Algeria	11 000
1988	Spitak, Armenia	25 000
1990	Manjil, Iran	50 000
1999	İzmit (Kocaeli), Turkey	17 000
2001	Gujarat, India	20 000
2003	Bam, Iran	26 271
2004	off Sumatra, Indian Ocean	225 000
2005	northwest Pakistan	74 648
2008	Sichuan Province, China	> 60 000

Internet Links

USGS National Earthquake Hazards Program	earthquake.usgs.gov/regional/neic
USGS Volcano Hazards Program	volcanoes.usgs.gov
British Geological Survey	www.bgs.ac.uk
NASA Natural Hazards	earthobservatory.nasa.gov/NaturalHazards
Volcano World	volcano.und.nodak.edu

World
Climate and Weather

The climate of a region is defined by its long-term prevailing weather conditions. Classification of Climate Types is based on the relationship between temperature and humidity and how these factors are affected by latitude, altitude, ocean currents and winds. Weather is the specific short term condition which occurs locally and consists of events such as thunderstorms, hurricanes, blizzards and heat waves. Temperature and rainfall data recorded at weather stations can be plotted graphically and the graphs shown here, typical of each climate region, illustrate the various combinations of temperature and rainfall which exist worldwide for each month of the year. Data used for climate graphs are based on average monthly figures recorded over a minimum period of thirty years.

World Statistics: see pages **154–160**

Major climate regions, ocean currents and sea surface temperatures

Ice cap	Humid subtropical
Tundra	Mediterranean
Subarctic	Steppe
Continental cool summer	Desert
Continental warm summer	Savanna
Temperate	Rain forest

YUMA ★ Weather extreme location
Moscow ● Weather station
→ Warm current
→ Cold current
→ Seasonal drift during northern winter

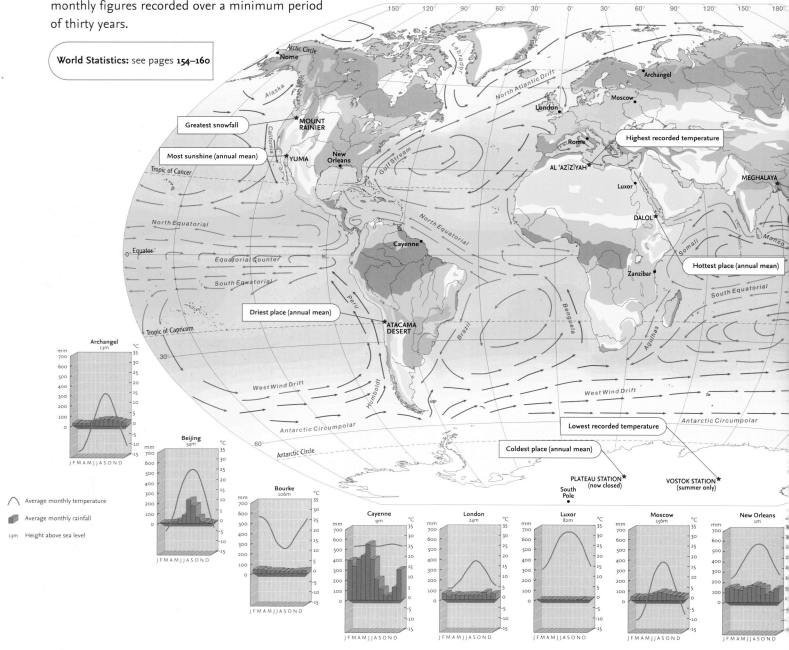

Average monthly temperature

Average monthly rainfall

13m   Height above sea level

Climate change

In 2004 the global mean temperature was over 0.6°C higher than that at the end of the nineteenth century. Most of this warming is caused by human activities which result in a build-up of greenhouse gases, mainly carbon dioxide, allowing heat to be trapped within the atmosphere. Carbon dioxide emissions have increased since the beginning of the industrial revolution due to burning of fossil fuels, increased urbanization, population growth, deforestation and industrial pollution.

Annual climate indicators such as number of frost-free days, length of growing season, heat wave frequency, number of wet days, length of dry spells and frequency of weather extremes are used to monitor climate change. The map opposite shows how future changes in temperature will not be spread evenly around the world. Some regions will warm faster than the global average, while others will warm more slowly.

Facts

- Arctic Sea ice thickness has declined 40% in the last 40 years
- El Niño and La Niña episodes occur at irregular intervals of 2–7 years
- Sea levels are rising by one centimetre per decade
- Precipitation in the northern hemisphere is increasing
- Droughts have increased in frequency and intensity in parts of Asia and Africa

Projection of global temperatures 2090–2099

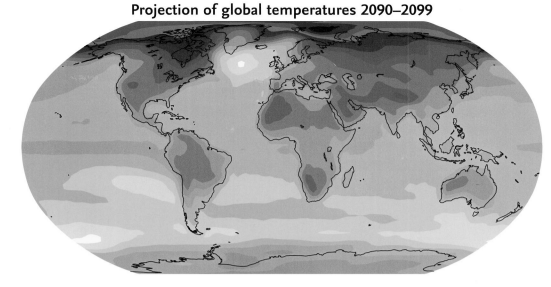

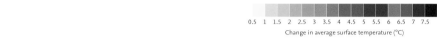

Change in average surface temperature (°C)
0.5 1 1.5 2 2.5 3 3.5 4 4.5 5 5.5 6 6.5 7 7.5

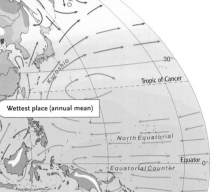

Wettest place (annual mean)

Windiest place

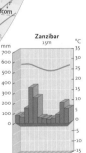

Bourke

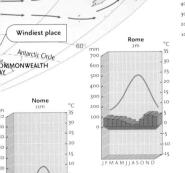

Zanzibar 15m

Rome 2m

Nome 11m

Tracks of tropical storms

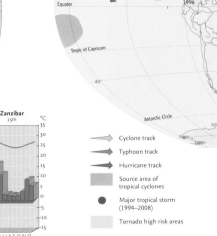

→ Cyclone track
→ Typhoon track
→ Hurricane track
- Source area of tropical cyclones
- Major tropical storm (1994–2008)
- Tornado high risk areas

Tropical storms

Tropical storms are among the most powerful and destructive weather systems on Earth. Of the eighty to one hundred which develop annually over the tropical oceans, many make landfall and cause considerable damage to property and loss of life as a result of high winds and heavy rain. Although the number of tropical storms is projected to decrease, their intensity, and therefore their destructive power, is likely to increase.

Tropical storm Dina, January 2002.

Weather extremes

Highest recorded temperature	57.8°C/136°F Al'Azīzīyah, Libya (September 1922)
Hottest place - annual mean	34.4°C/93.9°F Dalol, Ethiopia
Driest place - annual mean	0.1mm/0.004 inches Atacama Desert, Chile
Most sunshine - annual mean	90% Yuma, Arizona, USA (over 4000 hours)
Lowest recorded temperature	-89.2°C/-128.6°F Vostok Station, Antarctica (July 1983)
Coldest place - annual mean	-56.6°C/-69.9°F Plateau Station, Antarctica
Wettest place annual mean	11 873 mm/467.4 inches Meghalaya, India
Greatest snowfall	31 102 mm/1 224.5 inches Mount Rainier, Washington, USA (February 1971 – February 1972)
Windiest place	322 km per hour/200 miles per hour (in gales) Commonwealth Bay, Antarctica

Internet Links

Met Office	www.metoffice.gov.uk
BBC Weather Centre	www.bbc.co.uk/weather
National Oceanic and Atmospheric Administration	www.noaa.gov
National Climatic Data Center	www.ncdc.noaa.gov
United Nations World Meteorological Organization	www.wmo.ch

World
Land Cover

The oxygen- and water-rich environment of the Earth has helped create a wide range of habitats. Forest and woodland ecosystems form the predominant natural land cover over most of the Earth's surface. Tropical rainforests are part of an intricate land-atmosphere relationship that is disturbed by land cover changes. Forests in the tropics are believed to hold most of the world's bird, animal, and plant species. Grassland, shrubland and deserts collectively cover most of the unwooded land surface, with tundra on frozen subsoil

at high northern latitudes. These areas tend to have lower species diversity than most forests, with the notable exception of Mediterranean shrublands, which support some of the most diverse floras on the Earth. Humans have extensively altered most grassland and shrubland areas, usually through conversion to agriculture, burning and introduction of domestic livestock. They have had less immediate impact on tundra and true desert regions, although these remain vulnerable to global climate change.

World land cover

Evergreen needleleaf forest	Grasslands
Evergreen broadleaf forest	Permanent wetlands
Deciduous needleleaf forest	Croplands
Deciduous broadleaf forest	Urban and built-up
Mixed forest	Cropland/Natural vegetation mosaic
Closed shrublands	Snow and Ice
Open shrublands	Barren or sparsely vegetated
Woody savannas	Water bodies
Savannas	

Land cover

The land cover map shown here was developed at Boston University in Boston, M.A., U.S.A. using data from the Moderate-resolution Imaging-Spectroradiometer (MODIS) instrument aboard NASA's Terra satellite. The high resolution (ground resolution of 1km) of the imagery used to compile the data set and map allows detailed interpretation of land cover patterns across the world. Important uses include managing forest resources, improving estimates of the Earth's water and energy cycles, and modelling climate change.

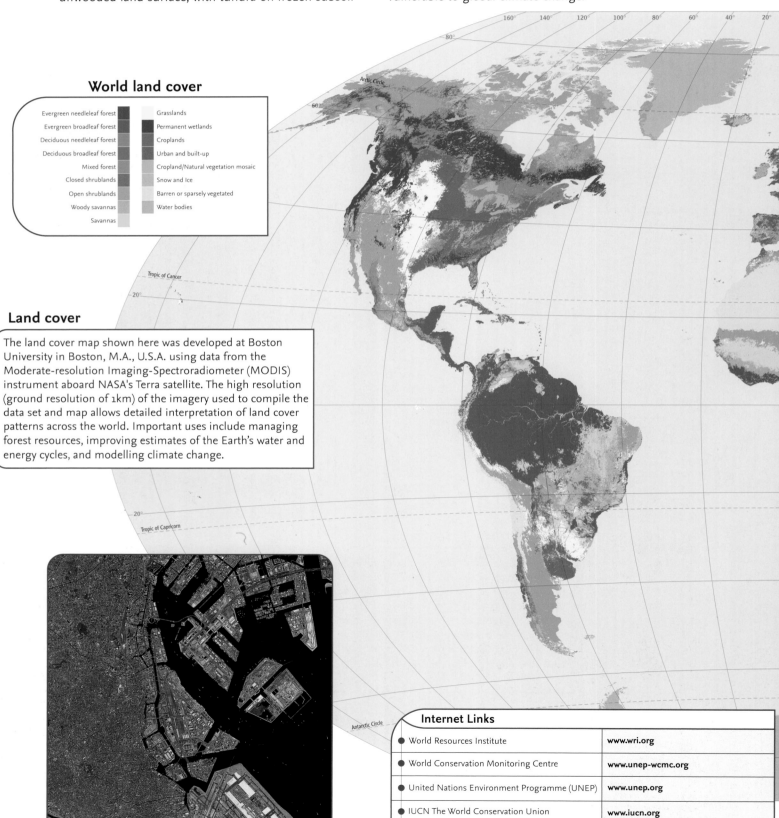

Urban, Tōkyō, capital of Japan and the largest city in the world.

Internet Links

● World Resources Institute	**www.wri.org**
● World Conservation Monitoring Centre	**www.unep-wcmc.org**
● United Nations Environment Programme (UNEP)	**www.unep.org**
● IUCN The World Conservation Union	**www.iucn.org**
● Land Cover at Boston University	**www-modis.bu.edu/landcover/index.html**

Cropland, near Consuegra, Spain.

Barren/Shrubland, Mojave Desert, California, United States of America.

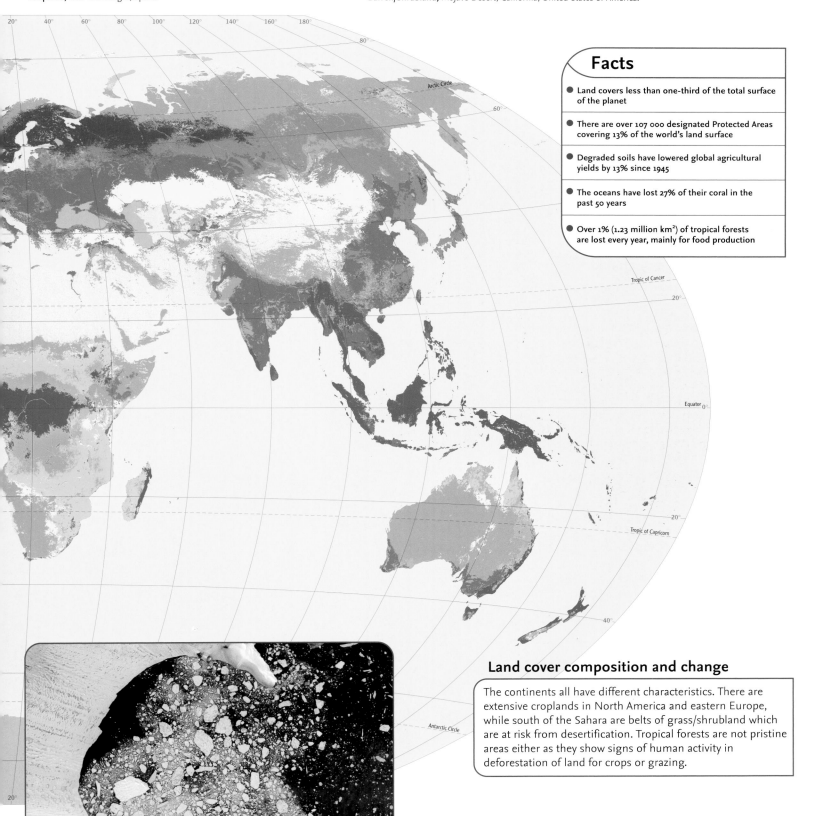

Facts

- Land covers less than one-third of the total surface of the planet

- There are over 107 000 designated Protected Areas covering 13% of the world's land surface

- Degraded soils have lowered global agricultural yields by 13% since 1945

- The oceans have lost 27% of their coral in the past 50 years

- Over 1% (1.23 million km²) of tropical forests are lost every year, mainly for food production

Land cover composition and change

The continents all have different characteristics. There are extensive croplands in North America and eastern Europe, while south of the Sahara are belts of grass/shrubland which are at risk from desertification. Tropical forests are not pristine areas either as they show signs of human activity in deforestation of land for crops or grazing.

Snow and ice, Larsen Ice Shelf, Antarctica.

World
Population

After increasing very slowly for most of human history, world population more than doubled in the last half century. Whereas world population did not pass the one billion mark until 1804 and took another 123 years to reach two billion in 1927, it then added the third billion in 33 years, the fourth in 14 years and the fifth in 13 years. Just twelve years later on October 12, 1999 the United Nations announced that the global population had reached the six billion mark. It is expected that another 2.5 billion people will have been added to the world's population by 2050.

World Statistics: see pages **154–160**

World population distribution
Population density, continental populations (2005) and continental population change (2000–2005)

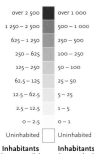

over 2 500	over 1 000
1 250 – 2 500	500 – 1 000
625 – 1 250	250 – 500
250 – 625	100 – 250
125 – 250	50 – 100
62.5 – 125	25 – 50
12.5 – 62.5	5 – 25
2.5 – 12.5	1 – 5
0 – 2.5	0 – 1
Uninhabited	Uninhabited
Inhabitants (per sq mile)	**Inhabitants** (per sq km)

World population change

Population growth since 1950 has been spread very unevenly between the continents. While overall numbers have been growing rapidly since 1950, a massive 89 per cent increase has taken place in the less developed regions, especially southern and eastern Asia. In contrast, Europe's population level has been almost stationary and is expected to decrease in the future. India and China alone are responsible for over one-third of current growth. Most of the highest rates of growth are to be found in Sub-Saharan Africa and, until population growth is brought under tighter control, the developing world in particular will continue to face enormous problems of supporting a rising population.

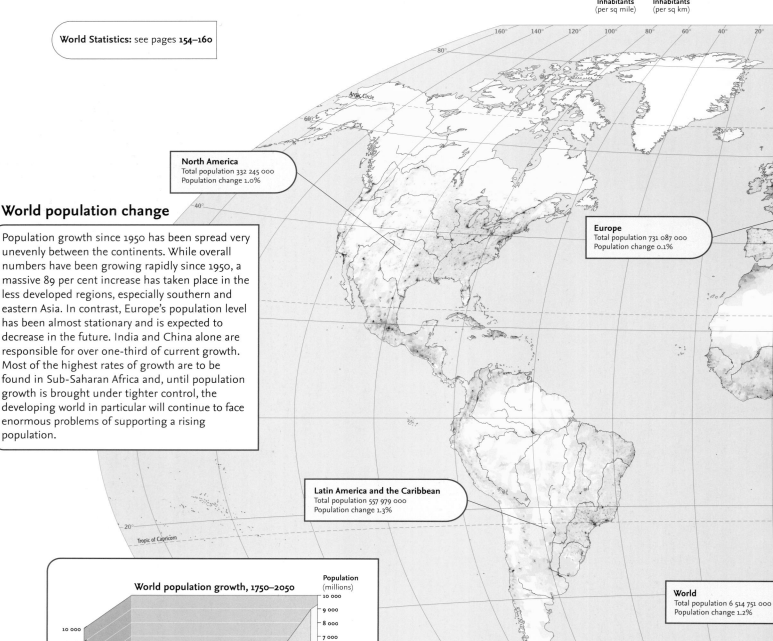

North America
Total population 332 245 000
Population change 1.0%

Europe
Total population 731 087 000
Population change 0.1%

Latin America and the Caribbean
Total population 557 979 000
Population change 1.3%

World
Total population 6 514 751 000
Population change 1.2%

World population growth, 1750–2050

Population (millions)

World
Asia
Africa
Latin America and the Caribbean
Europe
North America
Oceania

Top 10 countries by population, 2007		
Rank	**Country**	**Population**
1	China	1 313 437 000
2	India	1 169 016 000
3	United States of America	305 826 000
4	Indonesia	231 627 000
5	Brazil	191 791 000
6	Pakistan	163 902 000
7	Bangladesh	158 669 000
8	Nigeria	148 093 000
9	Russian Federation	142 499 000
10	Japan	127 967 000

The island nation of **Singapore,** the world's second most densely populated country.

Kuna Indians inhabit this congested island off the north coast of Panama.

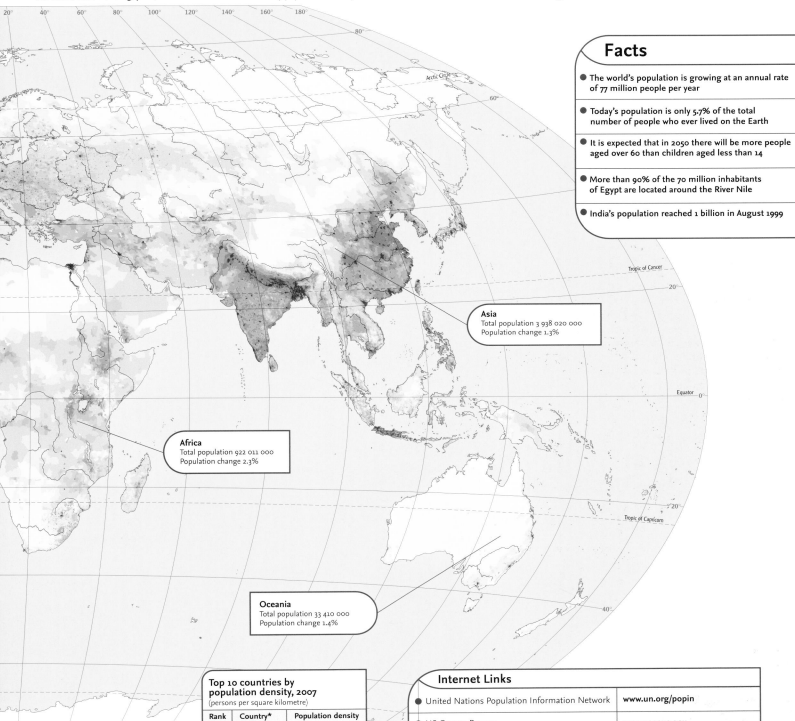

Facts

- The world's population is growing at an annual rate of 77 million people per year

- Today's population is only 5.7% of the total number of people who ever lived on the Earth

- It is expected that in 2050 there will be more people aged over 60 than children aged less than 14

- More than 90% of the 70 million inhabitants of Egypt are located around the River Nile

- India's population reached 1 billion in August 1999

Asia
Total population 3 938 020 000
Population change 1.3%

Africa
Total population 922 011 000
Population change 2.3%

Oceania
Total population 33 410 000
Population change 1.4%

Top 10 countries by population density, 2007
(persons per square kilometre)

Rank	Country*	Population density
1	Bangladesh	1 102
2	Taiwan	632
3	South Korea	486
4	Netherlands	395
5	India	381
6	Belgium	343
7	Japan	339
8	Sri Lanka	294
9	Philippines	293
10	Vietnam	265

*Only countries with a population of over 10 million are considered

Internet Links

United Nations Population Information Network	www.un.org/popin
US Census Bureau	www.census.gov
UK Census	www.statistics.gov.uk/census2001
Population Reference Bureau Popnet	www.prb.org
Socioeconomic Data and Applications Center	sedac.ciesin.columbia.edu

World
Urbanization and Cities

The world is becoming increasingly urban but the level of urbanization varies greatly between and within continents. At the beginning of the twentieth century only fourteen per cent of the world's population was urban and by 1950 this had increased to thirty per cent. In the more developed regions and in Latin America and the Caribbean over seventy per cent of the population is urban while in Africa and Asia the figure is forty per cent. In recent decades urban growth has increased rapidly to fifty per cent and there are now nearly 400 cities with over 1 000 000 inhabitants. It is in the developing regions that the most rapid increases are taking place and it is expected that by 2030 over half of urban dwellers worldwide will live in Asia. Migration from the countryside to the city in the search for better job opportunities is the main factor in urban growth.

Characteristic high-rise urban development **Hong Kong,** China.

World Statistics: see pages **154–160**

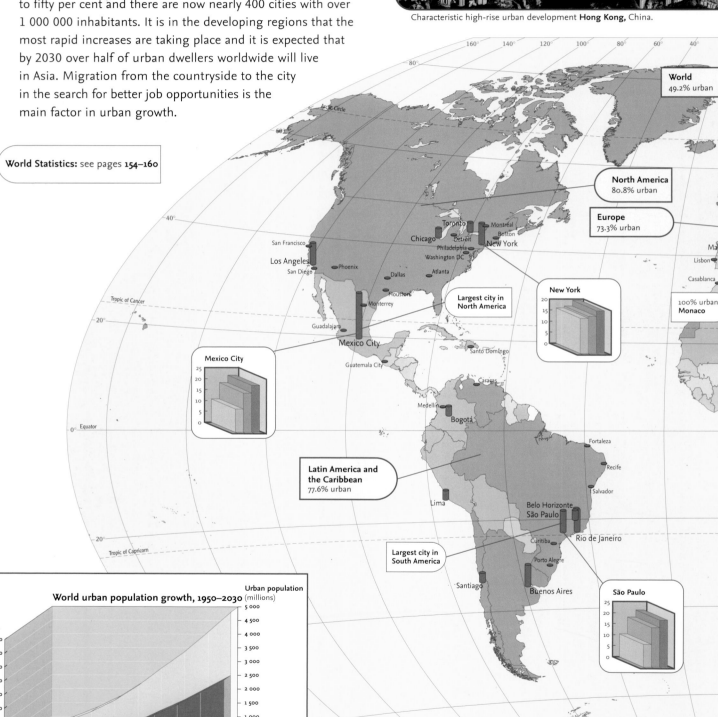

World
49.2% urban

North America
80.8% urban

Europe
73.3% urban

Largest city in North America

New York

Mexico City

100% urban
Monaco

Latin America and the Caribbean
77.6% urban

Largest city in South America

São Paulo

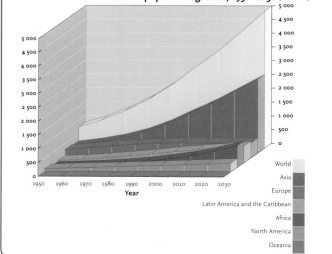

World urban population growth, 1950–2030 (millions)

Urban population

Year

World
Asia
Europe
Latin America and the Caribbean
Africa
North America
Oceania

22

Level of urbanization and the world's largest cities

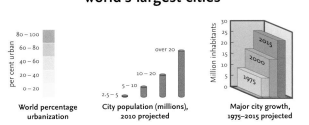

per cent urban

80 – 100	
60 – 80	
40 – 60	
20 – 40	
0 – 20	

World percentage urbanization

City population (millions), 2010 projected

over 20
10 – 20
5 – 10
2.5 – 5

City population (millions), 2010

Million inhabitants

30
25
20
15
10
5
0

2015
2000
1975

Major city growth, 1975–2015 projected

Megacities

There are currently forty-nine cities in the world with over 5 000 000 inhabitants. Nineteen of these, often referred to as megacities, have over 10 000 000 inhabitants and one has over 30 000 000. Tōkyō, with 35 467 000 inhabitants, has remained the world's largest city since 1970 and is likely to remain so for the next decade. Other cities expected to grow to over 20 000 000 by 2015 are Mumbai, São Paulo, Delhi and Mexico City. Eleven of the world's megacities are in Asia, all of them having over 10 000 000 inhabitants.

Facts

- From 2008, cities occupying less than 2% of the Earth's land surface will house over 50% of the human population
- Urban growth rates in Asia are the highest in the world
- Antarctica is uninhabited and most settlements in the Arctic regions have less than 5 000 inhabitants
- By 2010 India will have 48 cities with over one million inhabitants
- London was the first city to reach a population of over 5 million

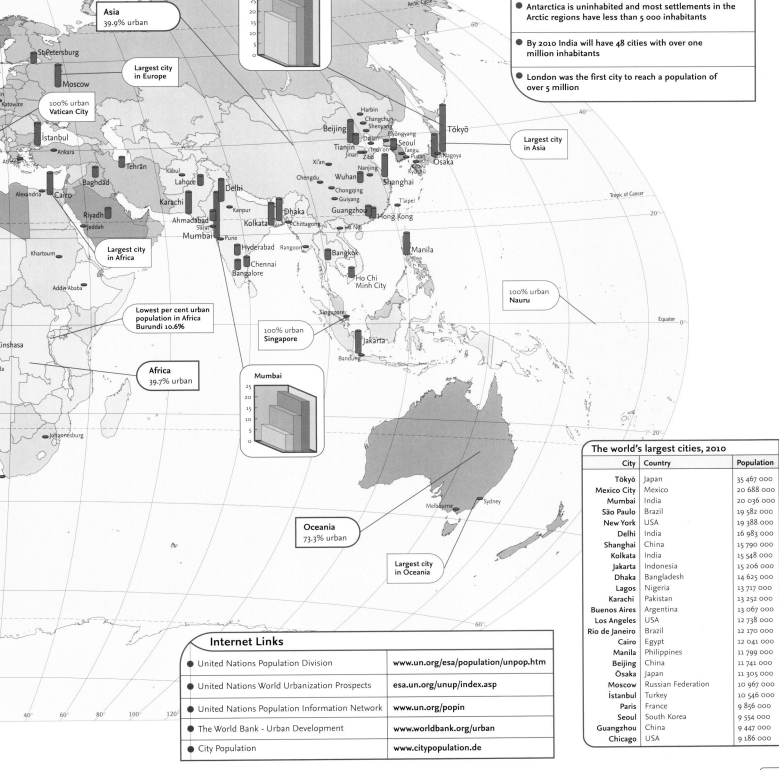

Tōkyō

Asia
39.9% urban

Largest city in Europe

100% urban
Vatican City

Largest city in Asia

Largest city in Africa

Lowest per cent urban population in Africa
Burundi 10.6%

100% urban
Singapore

100% urban
Nauru

Africa
39.7% urban

Mumbai

Oceania
73.3% urban

Largest city in Oceania

St Petersburg · Moscow · Berlin · Katowice · İstanbul · Ankara · Athens · Rome · Tehrān · Baghdād · Alexandria · Cairo · Riyadh · Jeddah · Khartoum · Addis Ababa · Kinshasa · Luanda · Johannesburg · Cape Town · Kābul · Lahore · Karachi · Ahmadabad · Surat · Mumbai · Pune · Hyderabad · Chennai · Bangalore · Delhi · Kanpur · Kolkata · Dhaka · Chittagong · Rangoon · Hyderabad · Harbin · Changchun · Shenyang · Beijing · Tianjin · Jinan · Zibo · Dalian · Inch'on · P'yŏngyang · Seoul · Taegu · Pusan · Tōkyō · Nagoya · Osaka · Kyūshū · Xi'an · Chengdu · Wuhan · Nanjing · Shanghai · Chongqing · Guiyang · Guangzhou · Hong Kong · T'aipei · Ha Nôi · Bangkok · Ho Chi Minh City · Manila · Singapore · Jakarta · Bandung · Melbourne · Sydney

Internet Links

United Nations Population Division	www.un.org/esa/population/unpop.htm
United Nations World Urbanization Prospects	esa.un.org/unup/index.asp
United Nations Population Information Network	www.un.org/popin
The World Bank - Urban Development	www.worldbank.org/urban
City Population	www.citypopulation.de

The world's largest cities, 2010

City	Country	Population
Tōkyō	Japan	35 467 000
Mexico City	Mexico	20 688 000
Mumbai	India	20 036 000
São Paulo	Brazil	19 582 000
New York	USA	19 388 000
Delhi	India	16 983 000
Shanghai	China	15 790 000
Kolkata	India	15 548 000
Jakarta	Indonesia	15 206 000
Dhaka	Bangladesh	14 625 000
Lagos	Nigeria	13 717 000
Karachi	Pakistan	13 252 000
Buenos Aires	Argentina	13 067 000
Los Angeles	USA	12 738 000
Rio de Janeiro	Brazil	12 170 000
Cairo	Egypt	12 041 000
Manila	Philippines	11 799 000
Beijing	China	11 741 000
Ōsaka	Japan	11 305 000
Moscow	Russian Federation	10 967 000
İstanbul	Turkey	10 546 000
Paris	France	9 856 000
Seoul	South Korea	9 554 000
Guangzhou	China	9 447 000
Chicago	USA	9 186 000

World
Communications

Increased availability and ownership of telecommunications equipment since the beginning of the 1970s has aided the globalization of the world economy. Over half of the world's fixed telephone lines have been installed since the mid-1980s and the majority of the world's internet hosts have come on line since 1997. There are now over one billion fixed telephone lines in the world. The number of mobile cellular subscribers has grown dramatically from sixteen million in 1991 to well over one billion today.

The internet is the fastest growing communications network of all time. It is relatively cheap and now links over 140 million host computers globally. Its growth has resulted in the emergence of hundreds of Internet Service Providers (ISPs) and internet traffic is now doubling every six months. In 1993 the number of internet users was estimated to be just under ten million, there are now over half a billion.

Facts

- The first transatlantic telegraph cable came into operation in 1858

- Fibre-optic cables can now carry approximately 20 million simultaneous telephone calls

- The internet is the fastest growing communications network of all time and now has over 267 million host computers

- Bermuda has the world's highest density of internet and broadband subscribers

- Sputnik, the world's first artificial satellite, was launched in 1957

Internet users and major Internet routes

Internet users per 10 000 inhabitants 2006
- 3 000 – 11 000
- 1 000 – 2 999
- 400 – 999
- 200 – 399
- 0 – 199
- no data

Gigabytes per second
150   50   15

© TeleGeography Research   www.telegeography.com

Aggregate international internet capacity 2006

The Internet

The Internet is a global network of millions of computers around the world, all capable of being connected to each other. Internet Service Providers (ISPs) provide access via 'host' computers, of which there are now over 267 million. It has become a vital means of communication and data transfer for businesses, governments and financial and academic institutions, with a steadily increasing proportion of business transactions being carried out on-line. Personal use of the Internet – particularly for access to the World Wide Web information network, and for e-mail communication – has increased enormously and there are now estimated to be over half a billion users worldwide.

Top Broadband Economies 2006
Countries with the highest broadband penetration rate – subscribers per 100 inhabitants

	Top Economies	Rate
1	Denmark	29.3
2	Netherlands	28.8
3	Iceland	27.3
4	South Korea	26.4
5	Switzerland	26.2
6	Finland	25.0
7	Norway	24.6
8	Sweden	22.7
9	Canada	22.4
10	United Kingdom	19.4
11	Belgium	19.3
12	USA	19.2
13	Japan	19.0
14	Luxembourg	17.9
15	France	17.7
16	Austria	17.7
17	Australia	17.4
18	Germany	15.1
19	Spain	13.6
20	Italy	13.2

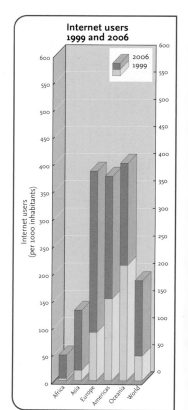

Internet users 1999 and 2006

- 2006
- 1999

Internet users (per 1000 inhabitants)

Africa   Asia   Europe   Americas   Oceania   World

Internet Links

OECD Information and Communication Technologies	www.oecd.org
TeleGeography Research	www.telegeography.com
International Telecommunication Union	www.itu.int

Satellite communications

International telecommunications use either fibre-optic cables or satellites as transmission media. Although cables carry the vast majority of traffic around the world, communications satellites are important for person-to-person communication, including cellular telephones, and for broadcasting. The positions of communications satellites are critical to their use, and reflect the demand for such communications in each part of the world. Such satellites are placed in 'geostationary' orbit 36 000 km above the equator. This means that they move at the same speed as the Earth and remain fixed above a single point on the Earth's surface.

Mobile phone subscribers and communications satellites

over 100	In service
80 – 100	Inclined orbit
60 – 79.9	Planned
40 – 59.9	
20 – 39.9	Geostationary communications satellites
0 – 19.9	
no data	

Cellular mobile subscribers per 100 inhabitants 2006

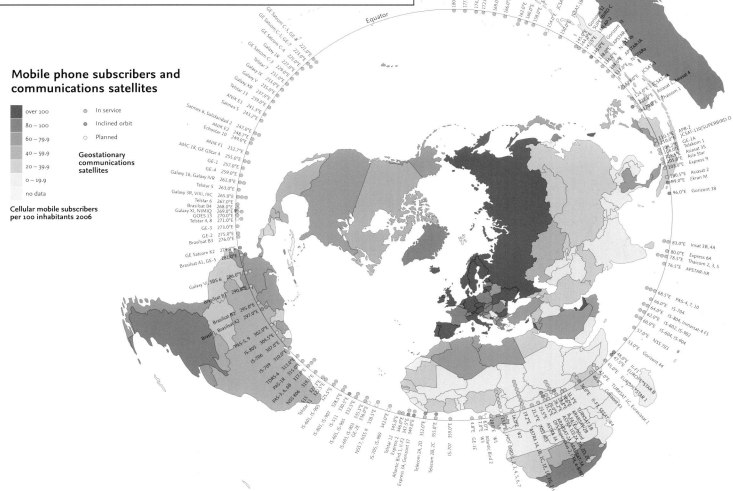

International telecommunications traffic

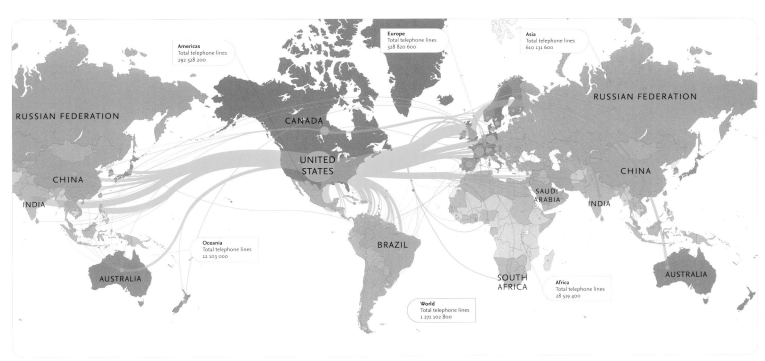

Americas
Total telephone lines
292 528 200

Europe
Total telephone lines
328 820 600

Asia
Total telephone lines
610 131 600

Oceania
Total telephone lines
12 103 000

Africa
Total telephone lines
28 519 400

World
Total telephone lines
1 272 102 800

Each band is proportional to the total annual TDM (Time Division Multiplexed) traffic on the public telephone network in both directions between each pair of countries.

15 000   7 500   2 500

The main projection depicts inter-continental flows greater than 100 Mbps.

Millions of minutes of telecommunications traffic

The area of each circle is proportional to the volume of the total annual outgoing TDM traffic from each country.

10 001 – 20 000	
5 001 – 10 000	
1 001 – 5 000	
101–1000	
>100	

over 50.0		5.0 – 9.9	
35.0 – 50.0		1.0 – 4.9	
15.0 – 34.9		0 – 0.9	
10.0 – 14.9		no data	

Telephone lines per 100 inhabitants 2006

World
Social Indicators

Countries are often judged on their level of economic development, but national and personal wealth are not the only measures of a country's status. Numerous other indicators can give a better picture of the overall level of development and standard of living achieved by a country. The availability and standard of health services, levels of educational provision and attainment, levels of nutrition, water supply, life expectancy and mortality rates are just some of the factors which can be measured to assess and compare countries.

While nations strive to improve their economies, and hopefully also to improve the standard of living of their citizens, the measurement of such indicators often exposes great discrepancies between the countries of the 'developed' world and those of the 'less developed' world. They also show great variations within continents and regions and at the same time can hide great inequalities within countries.

World Statistics: see pages 154–160

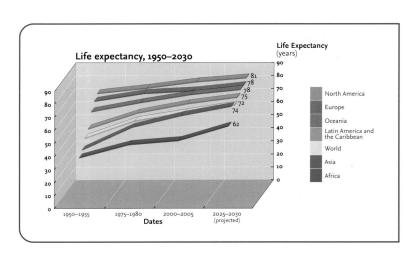

Life expectancy, 1950–2030

Life Expectancy (years)

- North America
- Europe
- Oceania
- Latin America and the Caribbean
- World
- Asia
- Africa

Dates

Under-five mortality rate, 2006 and life expectancy by continent, 2005–2010

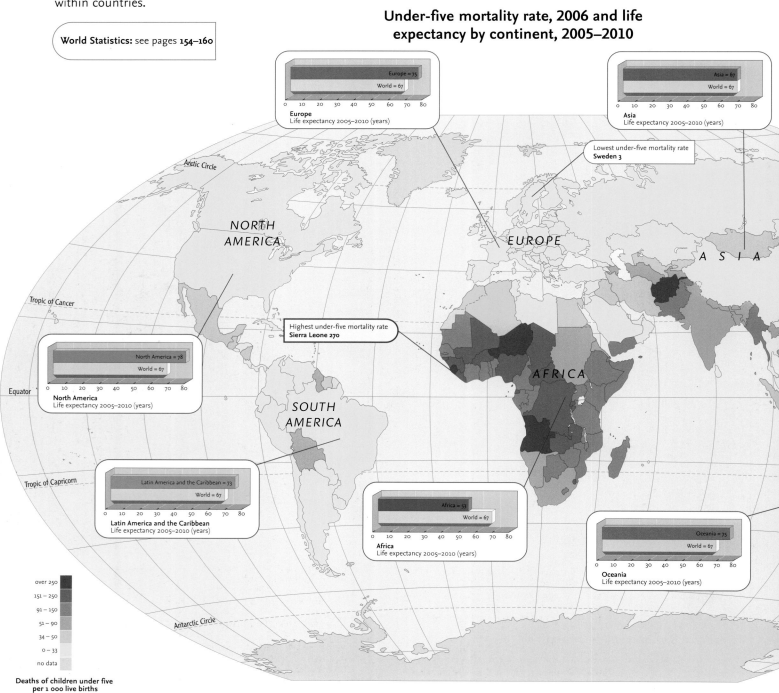

Europe
Life expectancy 2005–2010 (years)
Europe = 75
World = 67

Asia
Life expectancy 2005–2010 (years)
Asia = 67
World = 67

Lowest under-five mortality rate
Sweden 3

North America
Life expectancy 2005–2010 (years)
North America = 78
World = 67

Highest under-five mortality rate
Sierra Leone 270

Latin America and the Caribbean
Life expectancy 2005–2010 (years)
Latin America and the Caribbean = 73
World = 67

Africa
Life expectancy 2005–2010 (years)
Africa = 53
World = 67

Oceania
Life expectancy 2005–2010 (years)
Oceania = 75
World = 67

ARCTIC CIRCLE
NORTH AMERICA
EUROPE
ASIA
Tropic of Cancer
Equator
SOUTH AMERICA
AFRICA
Tropic of Capricorn
Antarctic Circle

Deaths of children under five per 1 000 live births
- over 250
- 151 – 250
- 91 – 150
- 51 – 90
- 34 – 50
- 0 – 33
- no data

Health and education

Perhaps the most important indicators used for measuring the level of national development are those relating to health and education. Both of these key areas are vital to the future development of a country, and if there are concerns in standards attained in either (or worse, in both) of these, then they may indicate fundamental problems within the country concerned. The ability to read and write (literacy) is seen as vital in educating people and encouraging development, while easy access to appropriate health services and specialists is an important requirement in maintaining satisfactory levels of basic health.

Literacy rate

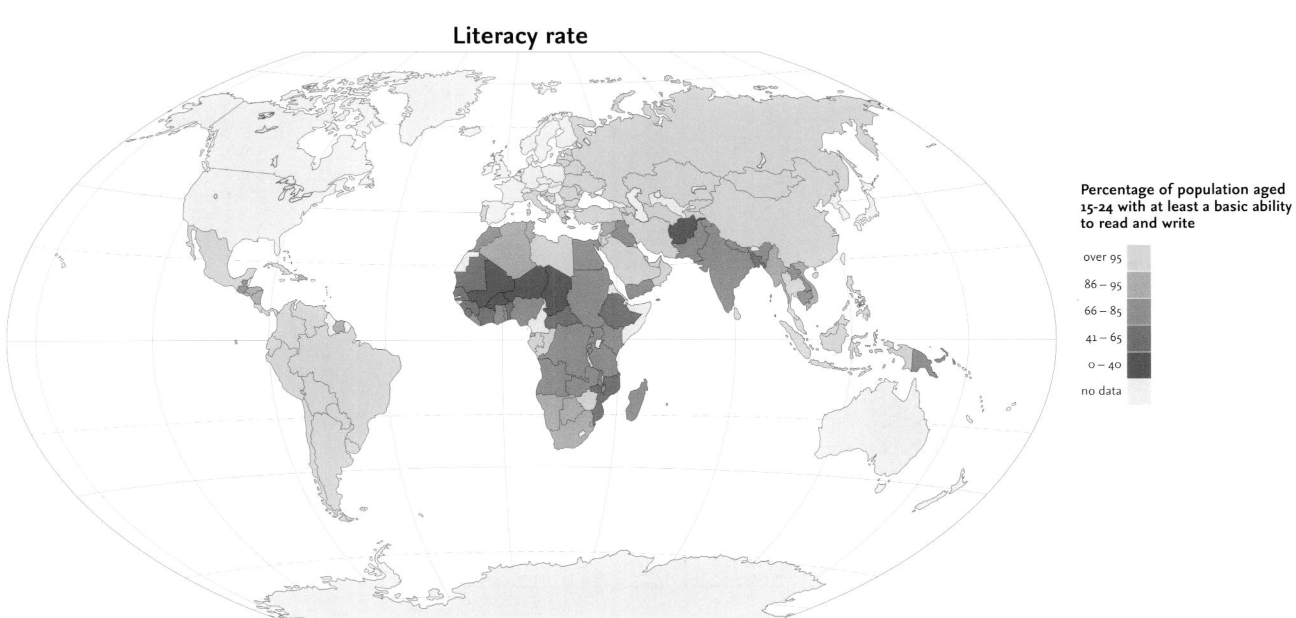

Percentage of population aged 15-24 with at least a basic ability to read and write

over 95
86 – 95
66 – 85
41 – 65
0 – 40
no data

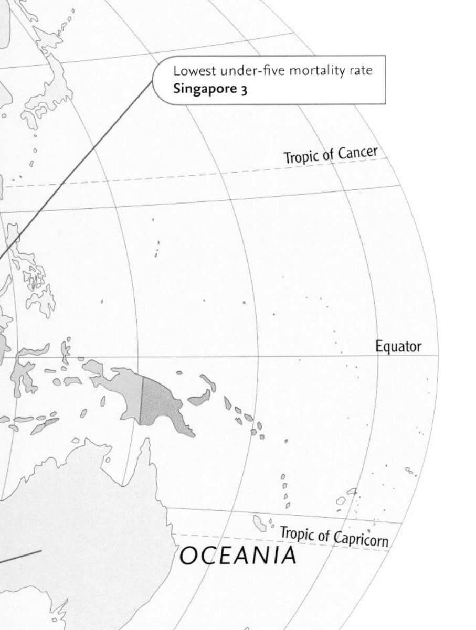

Lowest under-five mortality rate
Singapore 3

Tropic of Cancer

Equator

Tropic of Capricorn

OCEANIA

Doctors per 100 000 people

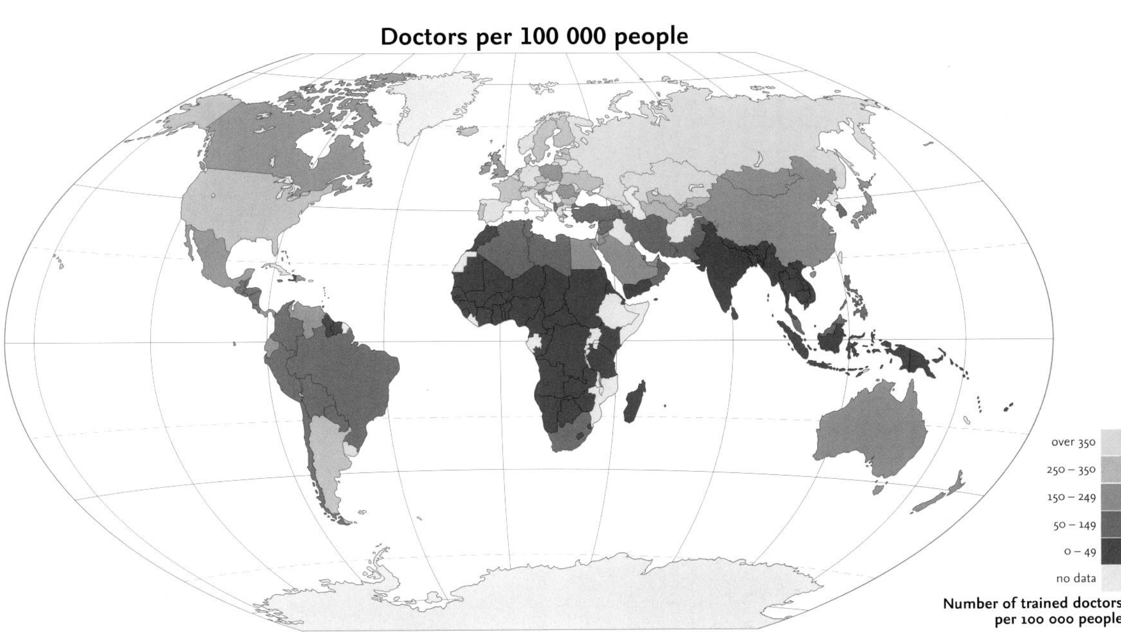

over 350
250 – 350
150 – 249
50 – 149
0 – 49
no data

Number of trained doctors per 100 000 people

UN Millennium Development Goals
From the Millennium Declaration, 2000

Goal 1	Eradicate extreme poverty and hunger
Goal 2	Achieve universal primary education
Goal 3	Promote gender equality and empower women
Goal 4	Reduce child mortality
Goal 5	Improve maternal health
Goal 6	Combat HIV/AIDS, malaria and other diseases
Goal 7	Ensure environmental sustainability
Goal 8	Develop a global partnership for development

Internet Links

● United Nation Development Programme	**www.undp.org**
● World Health Organization	**www.who.int**
● United Nations Statistics Division	**unstats.un.org**
● United Nations Millennium Development Goals	**www.un.org/millenniumgoals**

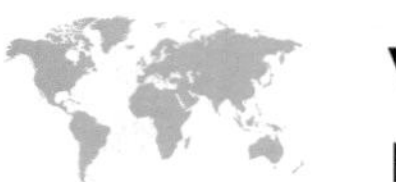

World
Economy and Wealth

The globalization of the economy is making the world appear a smaller place. However, this shrinkage is an uneven process. Countries are being included in and excluded from the global economy to differing degrees. The wealthy countries of the developed world, with their market-led economies, access to productive new technologies and international markets, dominate the world economic system. Great inequalities exist between and within countries. There may also be discrepancies between social groups within countries due to gender and ethnic divisions. Differences between countries are evident by looking at overall wealth on a national and individual level.

World Statistics: see pages 154–160

Facts

- The City, one of 33 London boroughs, is the world's largest financial centre and contains Europe's biggest stock market

- Half the world's population earns only 5% of the world's wealth

- During the second half of the 20th century rich countries gave over US$1 trillion in aid

- For every £1 in grant aid to developing countries, more than £13 comes back in debt repayments

- On average, The World Bank distributes US$30 billion each year between 100 countries

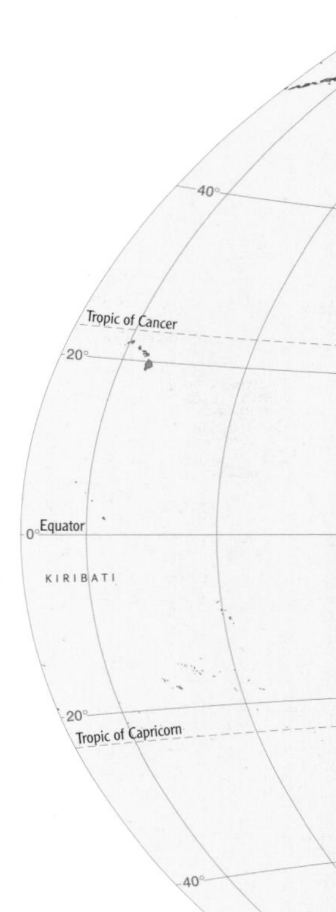

Personal wealth

A poverty line set at $1 a day has been accepted as the working definition of extreme poverty in low-income countries. It is estimated that a total of 1.2 billion people live below that poverty line. This indicator has also been adopted by the United Nations in relation to their Millennium Development Goals. The United Nations goal is to halve the proportion of people living on less than $1 a day in 1990 to 14.5 per cent by 2015. Today, over 80 per cent of the total population of Ethiopia, Uganda and Nicaragua live on less than this amount.

High-income economies
Latin America and the Caribbean
East Asia and Pacific
Europe and Central Asia
South Asia
Middle East and North Africa
Sub-Saharan Africa

Regional distribution of wealth

77.5   7.2   5.5   4.5   2.5 1.5 1.3

0   10   20   30   40   50   60   70   80   90   100
per cent

World Gross National Income: US$ 48 694 077 million

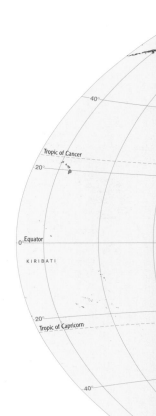

Tropic of Cancer
Equator
KIRIBATI
Tropic of Capricorn

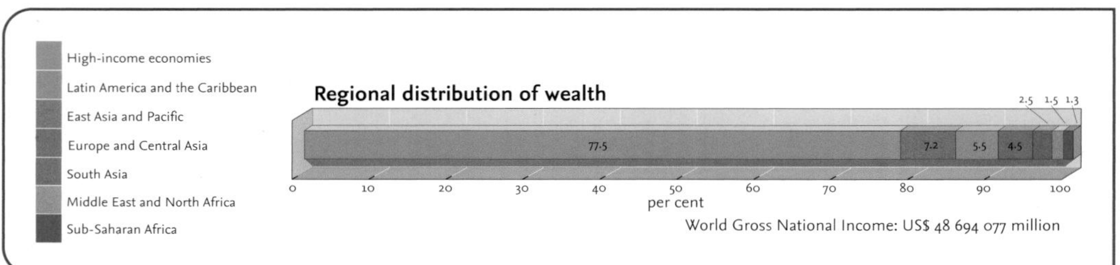

Percentage of population living on less than $1 a day

Europe and Central Asia
5.1%

Middle East and North Africa
2.2%

Latin America and Caribbean
2.2%

East Asia and Pacific
15.6%

South Asia
36.6%

Sub-Saharan Africa
49.0%

World
23.2%

per cent
over 80
50 – 80
20 – 49.9
10 – 19.9
5 – 9.9
0 – 4.9
no data

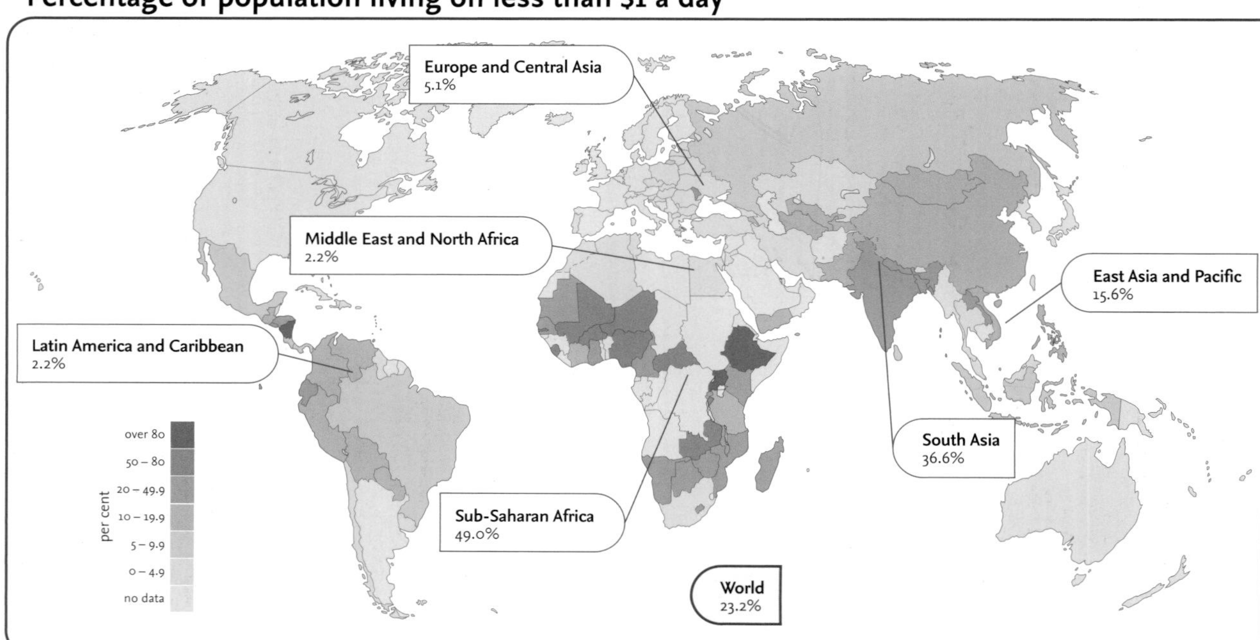

The world's biggest companies		
Rank	Name	Sales (US$ millions)
1	Wal-Mart Stores	351 139
2	ExxonMobil	347 254
3	Royal Dutch/Shell Group	318 845
4	BP	274 316
5	General Motors	207 349
6	Toyota Motor	204 746
7	Chevron	200 567
8	DaimlerChrysler	190 191
9	ConocoPhillips	172 451
10	Total	168 357

Rural homesteads, **Sudan** – most of the world's poorest countries are in Africa.

Gross National Income per capita

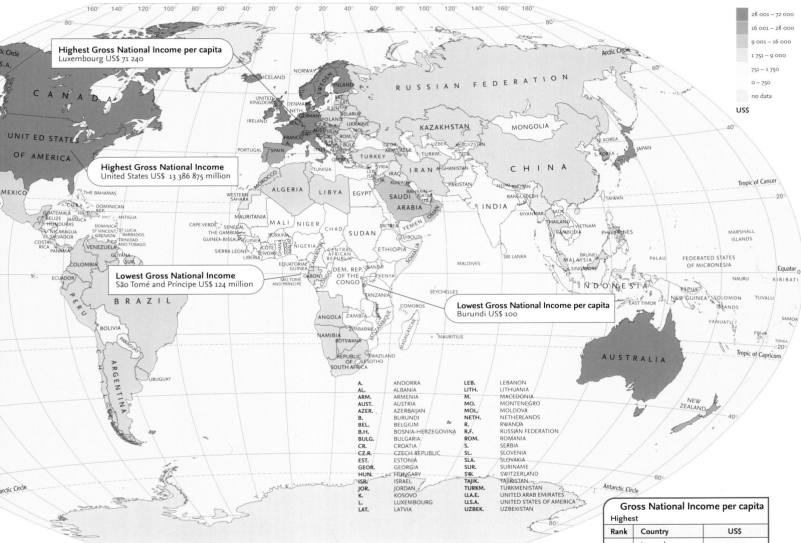

		28 001 – 72 000
		16 001 – 28 000
		9 001 – 16 000
		1 751 – 9 000
		751 – 1 750
		0 – 750
		no data

US$

Highest Gross National Income per capita
Luxembourg US$ 71 240

Highest Gross National Income
United States US$ 13 386 875 million

Lowest Gross National Income
São Tomé and Príncipe US$ 124 million

Lowest Gross National Income per capita
Burundi US$ 100

A.	ANDORRA	LEB.	LEBANON
AL.	ALBANIA	LITH.	LITHUANIA
ARM.	ARMENIA	M.	MACEDONIA
AUST.	AUSTRIA	MO.	MONTENEGRO
AZER.	AZERBAIJAN	MOL.	MOLDOVA
B.	BURUNDI	NETH.	NETHERLANDS
BEL.	BELGIUM	R.	RWANDA
B.H.	BOSNIA-HERZEGOVINA	R.F.	RUSSIAN FEDERATION
BULG.	BULGARIA	ROM.	ROMANIA
CR.	CROATIA	S.	SERBIA
CZ.R.	CZECH REPUBLIC	SL.	SLOVENIA
EST.	ESTONIA	SLA.	SLOVAKIA
GEOR.	GEORGIA	SUR.	SURINAME
HUN.	HUNGARY	SW.	SWITZERLAND
ISR.	ISRAEL	TAJIK.	TAJIKISTAN
JOR.	JORDAN	TURKM.	TURKMENISTAN
K.	KOSOVO	U.A.E.	UNITED ARAB EMIRATES
L.	LUXEMBOURG	U.S.A.	UNITED STATES OF AMERICA
LAT.	LATVIA	UZBEK.	UZBEKISTAN

Measuring wealth

One of the indicators used to determine a country's wealth is its Gross National Income (GNI). This gives a broad measure of an economy's performance. This is the value of the final output of goods and services produced by a country plus net income from non-resident sources. The total GNI is divided by the country's population to give an average figure of the GNI per capita. From this it is evident that the developed countries dominate the world economy with the United States having the highest GNI. China is a growing world economic player with the fourth highest GNI figure and a relatively high GNI per capita (US$2 000) in proportion to its huge population.

Internet Links	
● United Nations Statistics Division	unstats.un.org
● The World Bank	www.worldbank.org
● International Monetary Fund	www.imf.org
● Organisation for Economic Co-operation and Development	www.oecd.org

Gross National Income per capita		
Highest		
Rank	Country	US$
1	Luxembourg	71 240
2	Norway	68 440
3	Switzerland	58 050
4	Denmark	52 110
5	Iceland	49 960
6	San Marino	45 130
7	Ireland	44 830
8	United States	44 710
9	Sweden	43 530
10	Netherlands	43 050
Lowest		
Rank	Country	US$
156	Niger	270
157	Rwanda	250
158	Sierra Leone	240
159	Malawi	230
160=	Eritrea	190
160=	Guinea-Bissau	190
161	Ethiopia	170
162=	Dem. Rep. Congo	130
162=	Liberia	130
163	Burundi	100

World
Conflict

Geo-political issues shape the countries of the world and the current political situation in many parts of the world reflects a long history of armed conflict. Since the Second World War conflicts have been fairly localized, but there are numerous 'flash points' where factors such as territorial claims, ideology, religion, ethnicity and access to resources can cause friction between two or more countries. Such factors also lie behind the recent growth in global terrorism.

Military expenditure can take up a disproportionate amount of a country's wealth – Eritrea, with a Gross National Income (GNI) per capita of only US$190 spends twenty-four per cent of its total GDP on military activity. There is an encouraging trend towards wider international cooperation, mainly through the United Nations (UN) and the North Atlantic Treaty Organization (NATO), to prevent escalation of conflicts and on peacekeeping missions.

Military spending, 2006 and conflicts, 1946–2003

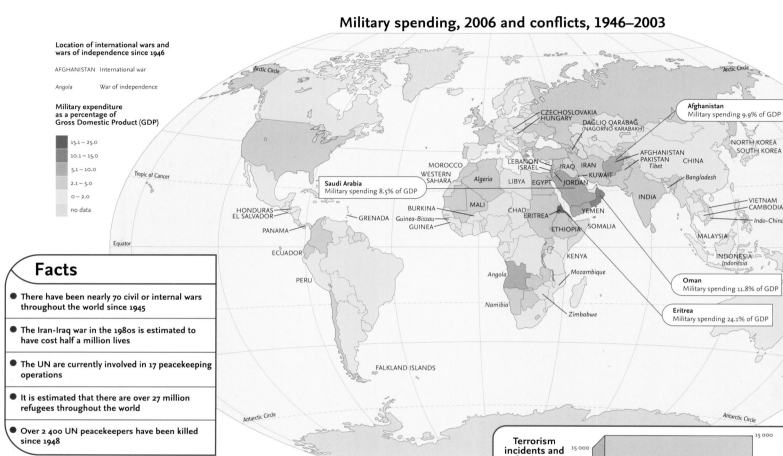

Location of international wars and wars of independence since 1946

AFGHANISTAN   International war

Angola   War of independence

Military expenditure as a percentage of Gross Domestic Product (GDP)

- 15.1 – 25.0
- 10.1 – 15.0
- 5.1 – 10.0
- 2.1 – 5.0
- 0 – 2.0
- no data

Afghanistan
Military spending 9.9% of GDP

Saudi Arabia
Military spending 8.5% of GDP

Oman
Military spending 11.8% of GDP

Eritrea
Military spending 24.1% of GDP

Facts

- There have been nearly 70 civil or internal wars throughout the world since 1945

- The Iran-Iraq war in the 1980s is estimated to have cost half a million lives

- The UN are currently involved in 17 peacekeeping operations

- It is estimated that there are over 27 million refugees throughout the world

- Over 2 400 UN peacekeepers have been killed since 1948

Global terrorism

Terrorism is defined by the United Nations as "All criminal acts directed against a State and intended or calculated to create a state of terror in the minds of particular persons or a group of persons or the general public". The world has become increasingly concerned about terrorism and the possibility that terrorists could acquire and use nuclear, chemical and biological weapons. One common form of terrorist attack is suicide bombing. Pioneered by Tamil secessionists in Sri Lanka, it has been widely used by Palestinian groups fighting against Israeli occupation of the West Bank and Gaza. In recent years it has also been used by the Al Qaida network in its attacks on the western world.

Terrorism incidents and fatalities, 2007

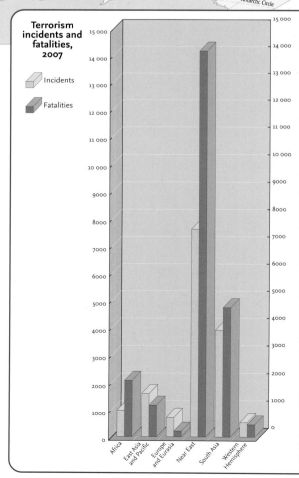

Incidents

Fatalities

United Nations peacekeeping

United Nations peacekeeping was developed by the Organization as a way to help countries torn by conflict create the conditions for lasting peace. The first UN peacekeeping mission was established in 1948, when the Security Council authorized the deployment of UN military observers to the Middle East to monitor the Armistice Agreement between Israel and its Arab neighbours. Since then, there have been a total of 63 UN peacekeeping operations around the world.

UN peacekeeping goals were primarily limited to maintaining ceasefires and stabilizing situations on the ground, so that efforts could be made at the political level to resolve the conflict by peaceful means. Today's peacekeepers undertake a wide variety of complex tasks, from helping to build sustainable institutions of governance, to human rights monitoring, to security sector reform, to the disarmament, demobilization and reintegration of former combatants.

United Nations peacekeeping operations 1948–2008
Current peacekeeping operations are named on the map

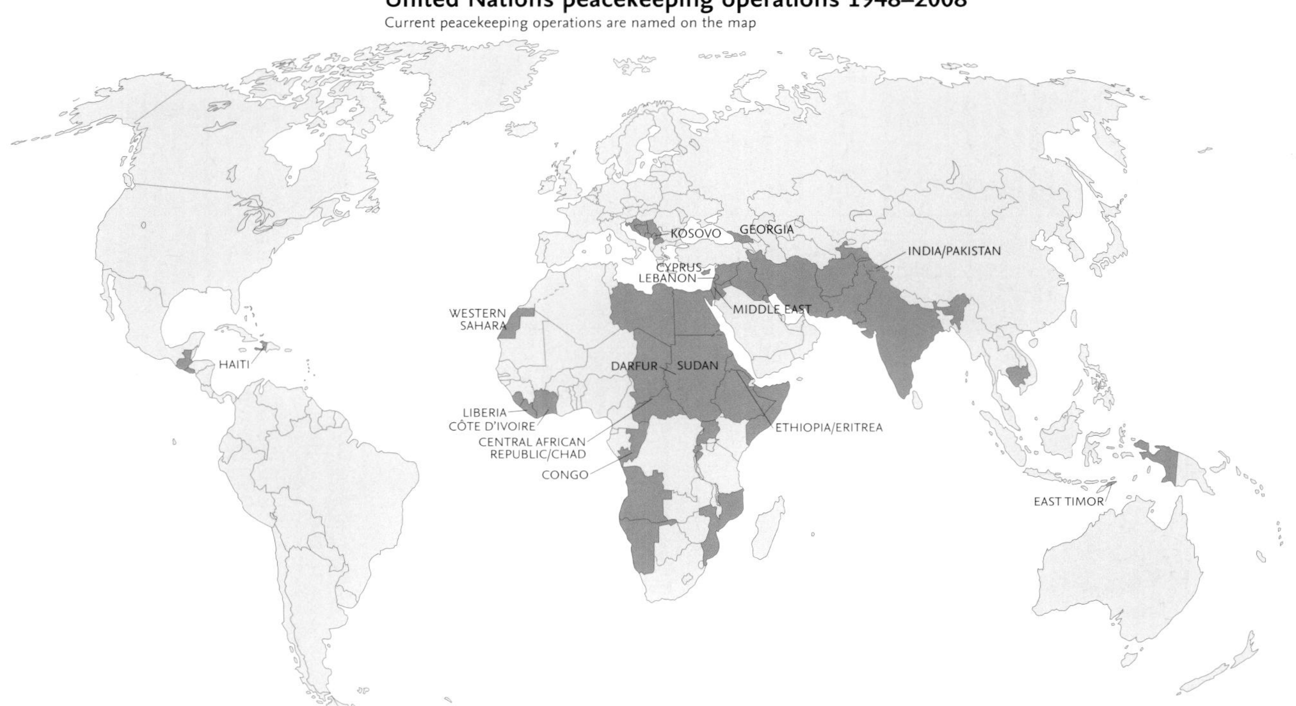

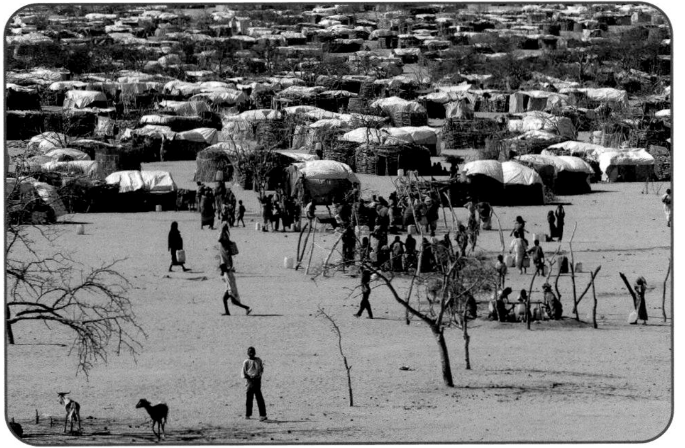

Refugees from **Darfur** in Iridmi refugee camp, Sudan.

Major terrorist incidents

Date	Location	Summary	Killed	Injured
December 1988	Lockerbie, Scotland	Airline bombing	270	5
March 1995	Tōkyō, Japan	Sarin gas attack on subway	12	5 510
April 1995	Oklahoma City, USA	Bomb in the Federal building	168	over 800
August 1998	Nairobi, Kenya and Dar es Salaam, Tanzania	US Embassy bombings	225	over 4 000
August 1998	Omagh, Northern Ireland	Town centre bombing	29	220
September 2001	New York and Washington D.C., USA	Airline hijacking and crashing	3 018	over 6 200
October 2002	Bali, Indonesia	Car bomb outside nightclub	202	over 200
October 2002	Moscow, Russian Federation	Theatre siege	170	over 600
March 2004	Bāghdad and Karbalā', Iraq	Suicide bombing of pilgrims	181	over 400
March 2004	Madrid, Spain	Train bombings	191	1 800
September 2004	Beslan, Russian Federation	School siege	385	over 700
July 2005	London, UK	Underground and bus bombings	56	700
July 2005	Sharm ash Shaykh, Egypt	Bombs at tourist sites	88	200
July 2006	Mumbai, India	Train bombings	209	700
August 2007	Qahtaniya, Iraq	Suicide bombing in town centres	796	over 1 500

Terrorist incidents

Number of terrorist incidents 2000-2006

- over 600
- 200–600
- 50–199
- 5–49
- 0–4
- no data

☆ Major terrorist incident location

With the process of globalization has come an increased awareness of, and direct interest in, issues which have global implications. Social issues can now affect large parts of the world and can impact on large sections of society. Perhaps the current issues of greatest concern are those of national security, including the problem of international terrorism, health, crime and natural resources. The three issues highlighted here reflect this and are of immediate concern.

The international drugs trade, and the crimes commonly associated with it, can impact on society and individuals in devastating ways; scarcity of water resources and lack of access to safe drinking water can have major economic implications and cause severe health problems; and the AIDS epidemic is having disastrous consequences in large parts of the world, particularly in sub-Saharan Africa.

The drugs trade

The international trade in illegal drugs is estimated to be worth over US$400 billion. While it may be a lucrative business for the criminals involved, the effects of the drugs on individual users and on society in general can be devastating. Patterns of drug production and abuse vary, but there are clear centres for the production of the most harmful drugs – the opiates (opium, morphine and heroin) and cocaine. The 'Golden Triangle' of Laos, Myanmar and Thailand, and western South America respectively are the main producing areas for these drugs. Significant efforts are expended to counter the drugs trade, and there have been signs recently of downward trends in the production of heroin and cocaine.

Soldiers in **Colombia**, a major producer of cocaine, destroy an illegal drug processing laboratory.

The international drugs trade

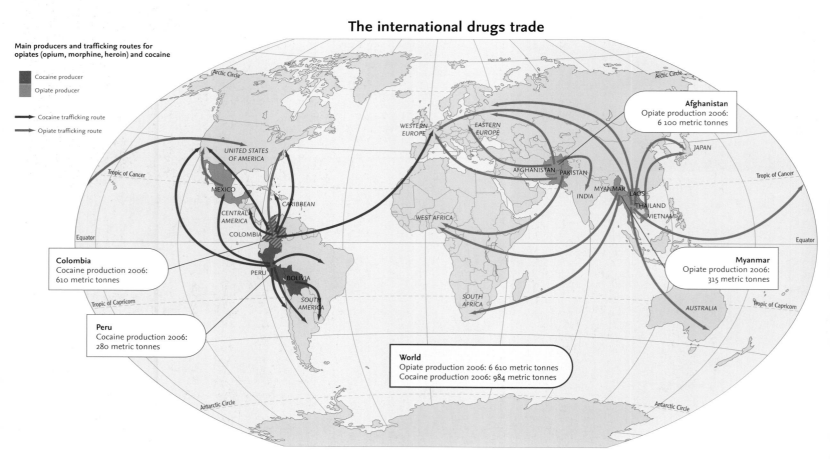

Main producers and trafficking routes for opiates (opium, morphine, heroin) and cocaine

- Cocaine producer
- Opiate producer

→ Cocaine trafficking route
→ Opiate trafficking route

Afghanistan
Opiate production 2006:
6 100 metric tonnes

Myanmar
Opiate production 2006:
315 metric tonnes

Colombia
Cocaine production 2006:
610 metric tonnes

Peru
Cocaine production 2006:
280 metric tonnes

World
Opiate production 2006: 6 610 metric tonnes
Cocaine production 2006: 984 metric tonnes

AIDS epidemic

With over 30 million people living with HIV/AIDS (Human Immunodeficiency Virus/Acquired Immune Deficiency Syndrome) and more than 20 million deaths from the disease, the AIDS epidemic poses one of the biggest threats to public health. The UNAIDS project estimated that 2.5 million people were newly infected in 2007 and that 2.1 million AIDS sufferers died. Estimates into the future look bleak, especially for poorer developing countries where an additional 45 million people are likely to become infected by 2010. The human cost is huge. As well as the death count itself, more than 11 million African children, half of whom are between the ages of 10 and 14, have been orphaned as a result of the disease.

Population living with HIV/AIDS, 2005

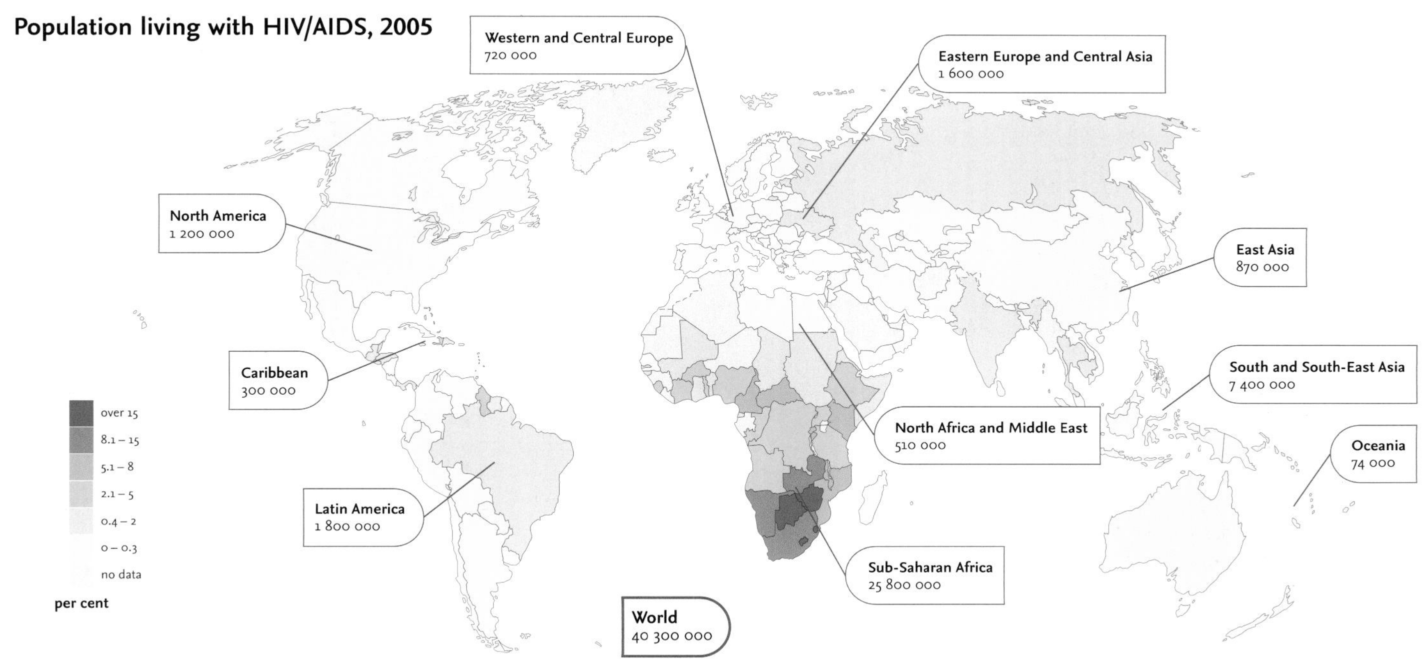

Western and Central Europe
720 000

Eastern Europe and Central Asia
1 600 000

North America
1 200 000

East Asia
870 000

Caribbean
300 000

South and South-East Asia
7 400 000

North Africa and Middle East
510 000

Oceania
74 000

Latin America
1 800 000

Sub-Saharan Africa
25 800 000

World
40 300 000

per cent
- over 15
- 8.1 – 15
- 5.1 – 8
- 2.1 – 5
- 0.4 – 2
- 0 – 0.3
- no data

Water resources

Water is one of the fundamental requirements of life, and yet in some countries it is becoming more scarce due to increasing population and climate change. Safe drinking water, basic hygiene, health education and sanitation facilities are often virtually nonexistent for impoverished people in developing countries throughout the world. WHO/UNICEF estimate that the combination of these conditions results in 6 000 deaths every day, most of these being children. Currently over 1.2 billion people drink untreated water and expose themselves to serious health risks, while political struggles over diminishing water resources are increasingly likely to be the cause of international conflict.

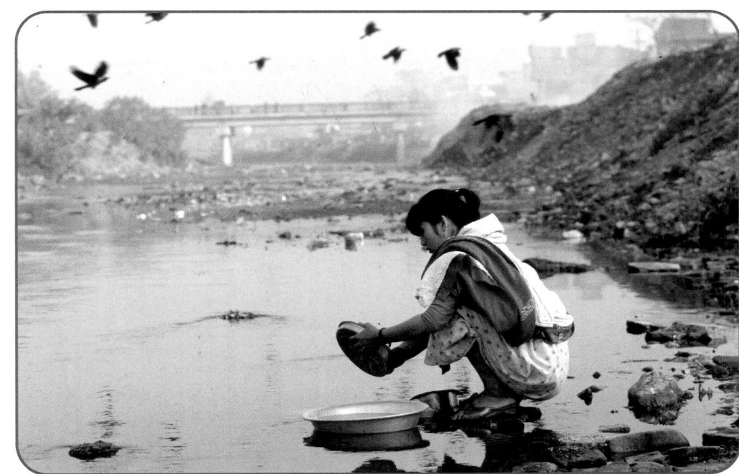

Domestic use of **untreated water** in Kathmandu, Nepal

Access to safe water, 2004
Percentage of population with access to improved drinking water

per cent
- 91 – 100
- 66 – 90
- 51 – 65
- 31 – 50
- 0 – 30
- no data

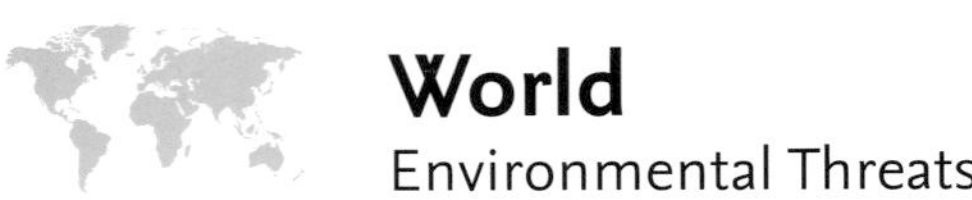

The Earth has a rich and diverse environment which is under threat from both natural and man-induced forces. Forests and woodland form the predominant natural land cover with tropical rain forests – currently disappearing at alarming rates – believed to be home to the majority of animal and plant species. Grassland and scrub tend to have a lower natural species diversity but have suffered the most impact from man's intervention through conversion to agriculture, burning and the introduction of livestock. Wherever man interferes with existing biological and environmental processes degradation of that environment occurs to varying degrees. This interference also affects inland water and oceans where pollution, over-exploitation of marine resources and the need for fresh water has had major consequences on land and sea environments.

Facts

- The Sundarbans stretching across the Ganges delta is the largest area of mangrove forest in the world, covering 10 000 square kilometres (3 861 square miles) and forming an important ecological area, home to 260 species of birds, the Bengal tiger and other threatened species

- Over 90 000 square kilometres of precious tropical forest and wetland habitats are lost each year

- The surface level of the Dead Sea has fallen by more than 25 metres over the last 50 years

- Climate change and mismanagement of land areas can lead to soils becoming degraded and semi-arid grasslands becoming deserts – a process known as desertification

Environmental change

Whenever natural resources are exploited by man, the environment is changed. Approximately half the area of post-glacial forest has been cleared or degraded, and the amount of old-growth forest continues to decline. Desertification caused by climate change and the impact of man can turn semi-arid grasslands into arid desert. Regions bordering tropical deserts, such as the Sahel region south of the Sahara and regions around the Thar Desert in India, are most vulnerable to this process. Coral reefs are equally fragile environments, and many are under threat from coastal development, pollution and over-exploitation of marine resources.

Water resources in certain parts of the world are becoming increasingly scarce and competition for water is likely to become a common cause of conflict. The Aral Sea in central Asia was once the world's fourth largest lake but it now ranks only sixteenth after shrinking by almost 40 000 square kilometres. This shrinkage has been due to climatic change and to the diversion, for farming purposes, of the major rivers which feed the lake. The change has had a devastating effect on the local fishing industry and the exposure of chemicals on the lake bed has caused health problems for the local population.

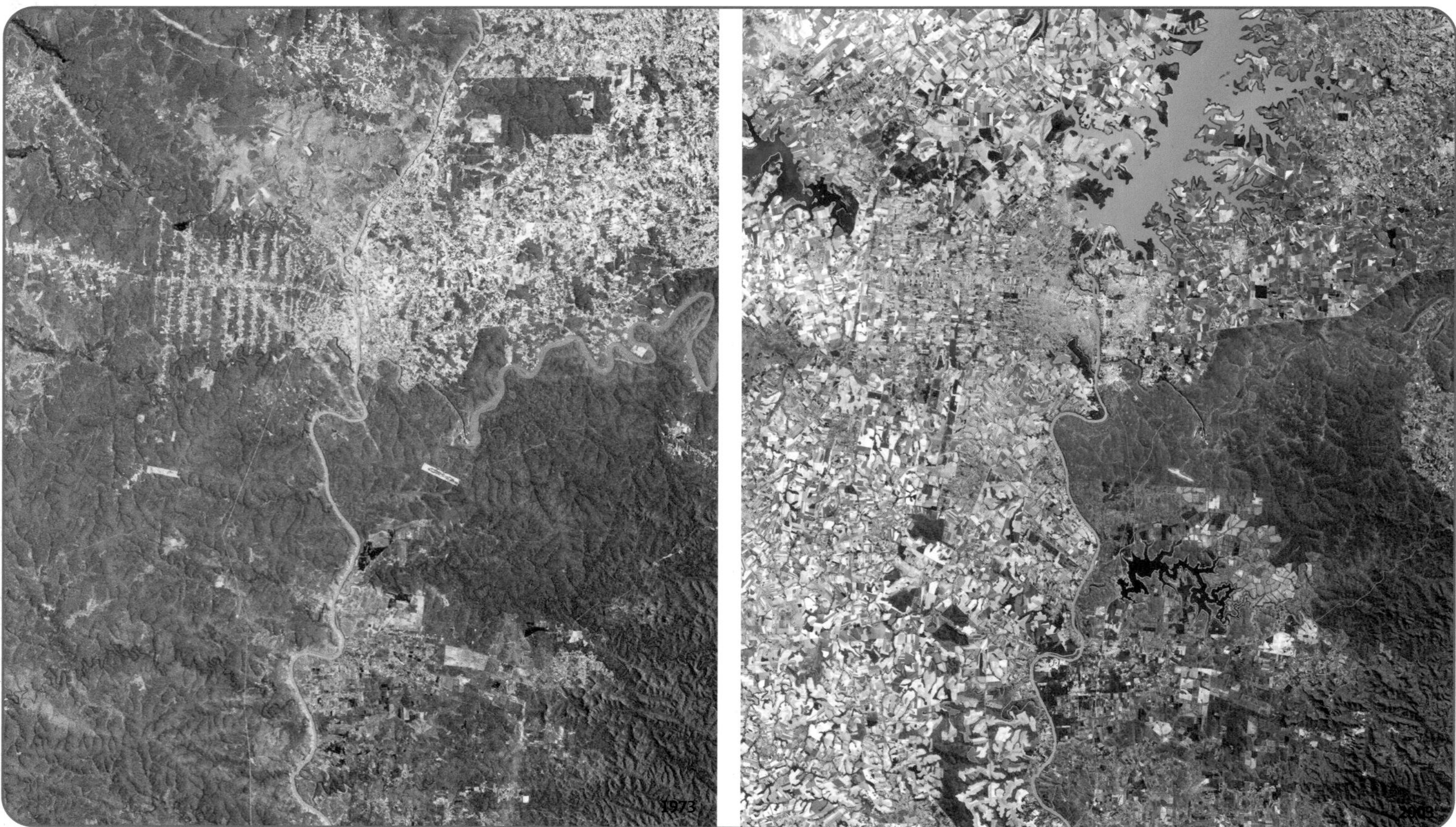

Deforestation and the creation of the **Itaipu Dam** on the Paraná river in Brazil have had a dramatic effect on the landscape Sand ecosystems of this part of South America. Some forest on the right of the images lies within Iguaçu National Park and has been protected from destruction.

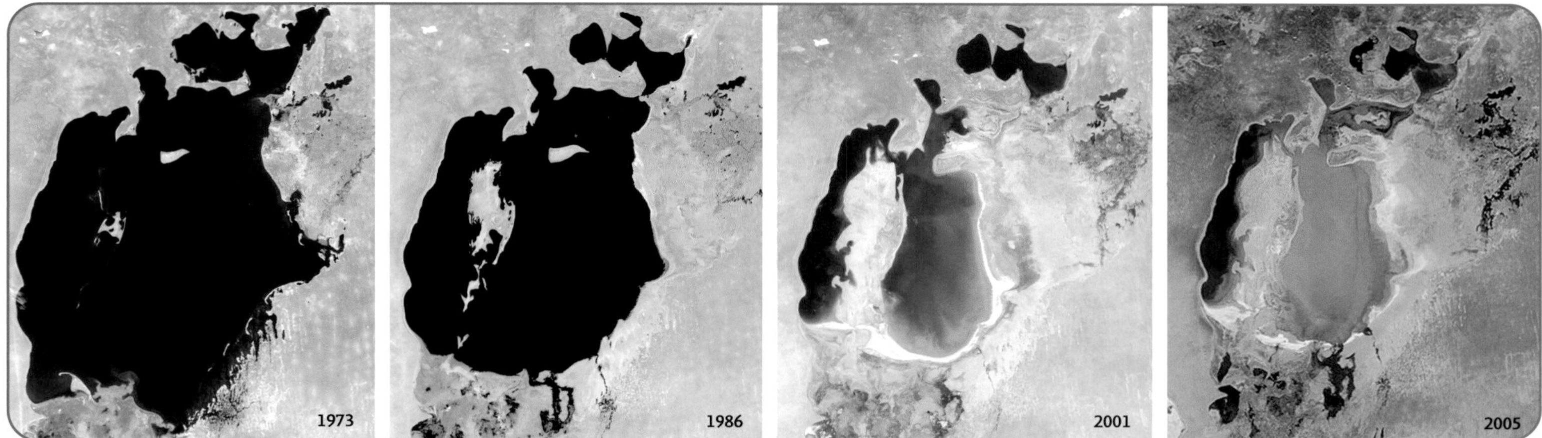

Aral Sea, Kazakhstan/Uzbekistan 1973-2005 Climate change and the diversion of rivers have caused its dramatic shrinkage.

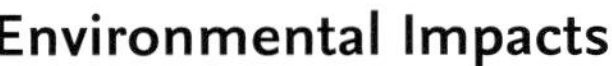

Environmental Impacts

North and Central America
Annual forest loss: 3 330 km²

Europe
Annual forest gain: 6 610 km²

Asia
Annual forest gain: 10 030 km²

Caribbean
Annual forest gain: 540 km²

South America
Annual forest loss: 42 510 km²

Africa
Annual forest loss: 40 400 km²

Oceania
Annual forest loss: 3 560 km²

World
Annual forest loss: 73 170 km²

Annual change in
forest area (%)

per cent
-2.0 – -8.0
-0.4 – -1.9
no significant change
+0.4 – +1.9
+2.0 – +8.0
no data

Threat of desertification
very high
high

Coral reefs at risk
high risk
medium/low risk

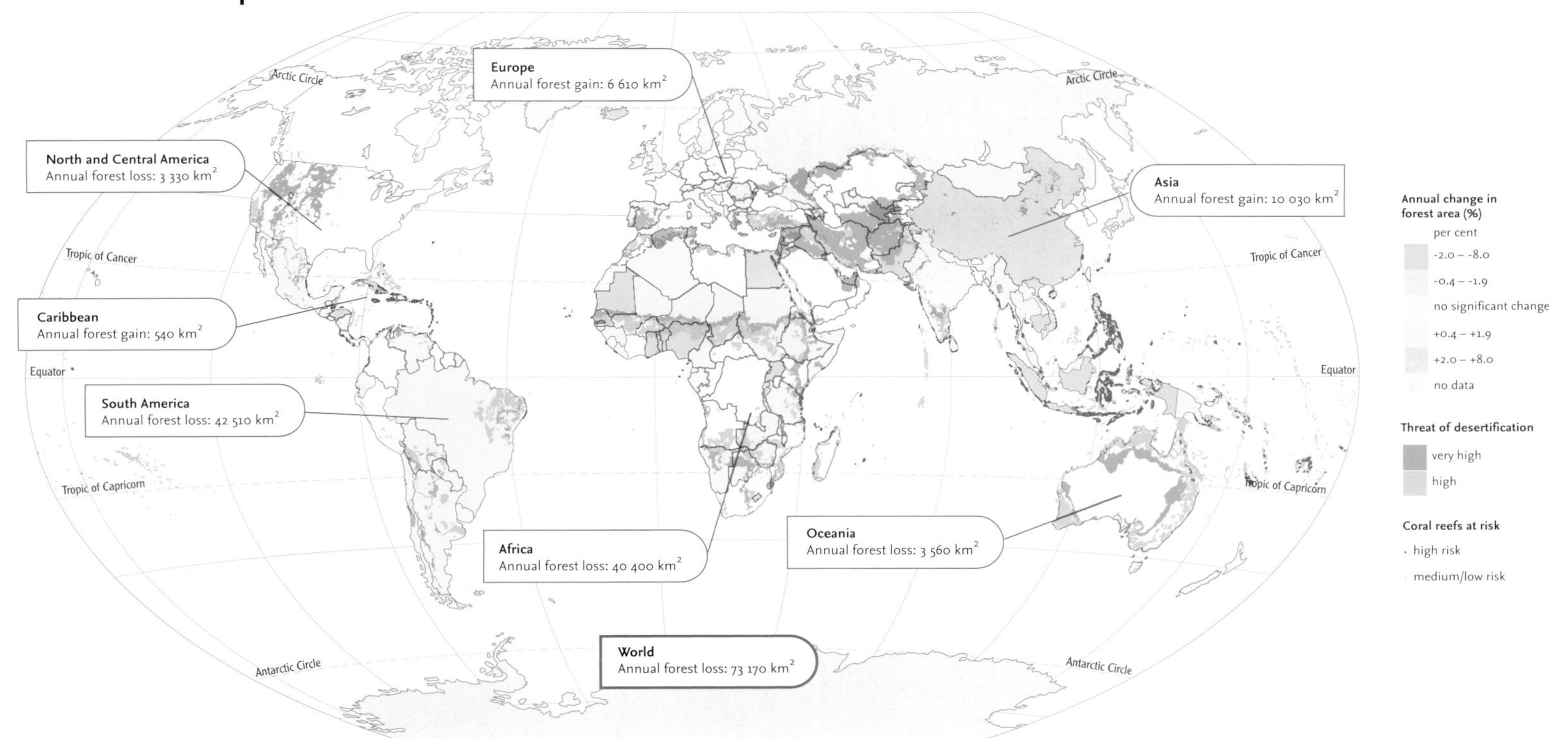

Internet links	
● UN Environment Programme	**www.unep.org**
● IUCN World Conservation Union	**www.iucn.org**
● UNESCO World Heritage Sites	**whc.unesco.org**

Environmental protection

Top 10 protected areas by size

Rank	Protected area	Country	Size (sq km)	Designation
1	Northeast Greenland	Greenland	972 000	National Park
2	Rub' al-Khālī	Saudi Arabia	640 000	Wildlife Management Area
3	Phoenix Islands	Kiribati	410 500	Protected Area
4	Great Barrier Reef	Australia	344 400	Marine Park
5	Papahānaumokuākea Marine National Monument	United States	341 362	Coral Reef Ecosystem Reserve
6	Qiangtang	China	298 000	Nature Reserve
7	Macquarie Island	Australia	162 060	Marine Park
8	Sanjiangyuan	China	152 300	Nature Reserve
9	Galápagos	Ecuador	133 000	Marine Reserve
10	Northern Wildlife Management Zone	Saudi Arabia	100 875	Wildlife Management Area

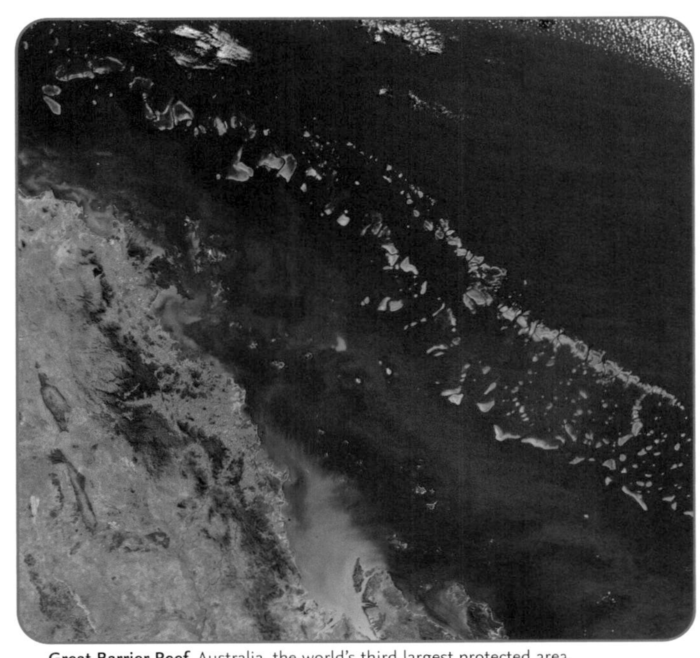

Great Barrier Reef, Australia, the world's third largest protected area.

Europe
Landscapes

Europe, the westward extension of the Asian continent and the second smallest of the world's continents, has a remarkable variety of physical features and landscapes. The continent is bounded by mountain ranges of varying character – the highlands of Scandinavia and northwest Britain, the Pyrenees, the Alps, the Carpathian Mountains, the Caucasus and the Ural Mountains. Two of these, the Caucasus and Ural Mountains, define the eastern limits of Europe, with the Black Sea and the Bosporus defining its southeastern boundary with Asia.

Across the centre of the continent stretches the North European Plain, broken by some of Europe's greatest rivers, including the Volga and the Dnieper and containing some of its largest lakes. To the south, the Mediterranean Sea divides Europe from Africa. The Mediterranean region itself has a very distinct climate and landscape.

Facts

- The Danube flows through 7 countries and has 7 different name forms
- Lakes cover almost 10% of the total land area of Finland
- The Strait of Gibraltar, separating the Atlantic Ocean from the Mediterranean Sea and Europe from Africa, is only 13 kilometres wide at its narrowest point
- The highest mountain in the Alps is Mont Blanc, 4 808 metres, on the France/Italy border

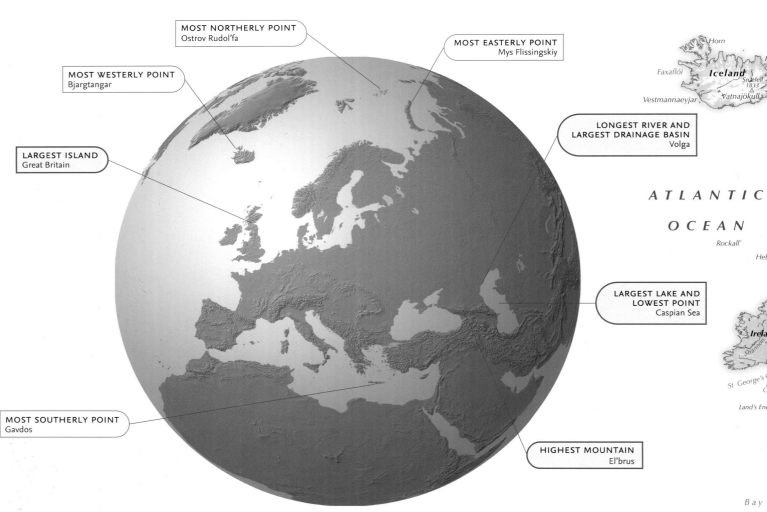

MOST NORTHERLY POINT
Ostrov Rudol'fa

MOST EASTERLY POINT
Mys Flissingskiy

MOST WESTERLY POINT
Bjargtangar

LARGEST ISLAND
Great Britain

LONGEST RIVER AND
LARGEST DRAINAGE BASIN
Volga

LARGEST LAKE AND
LOWEST POINT
Caspian Sea

MOST SOUTHERLY POINT
Gavdos

HIGHEST MOUNTAIN
El'brus

Europe's greatest physical features

Highest mountain	El'brus, Russian Federation	5 642 metres	18 510 feet
Longest river	Volga, Russian Federation	3 688 km	2 292 miles
Largest lake	Caspian Sea	371 000 sq km	143 243 sq miles
Largest island	Great Britain, United Kingdom	218 476 sq km	84 354 sq miles
Largest drainage basin	Volga, Russian Federation	1 380 000 sq km	532 818 sq miles

Europe's extent

TOTAL LAND AREA	9 908 599 sq km / 3 825 710 sq miles
Most northerly point	Ostrov Rudol'fa, Russian Federation
Most southerly point	Gavdos, Crete, Greece
Most westerly point	Bjargtangar, Iceland
Most easterly point	Mys Flissingskiy, Russian Federation

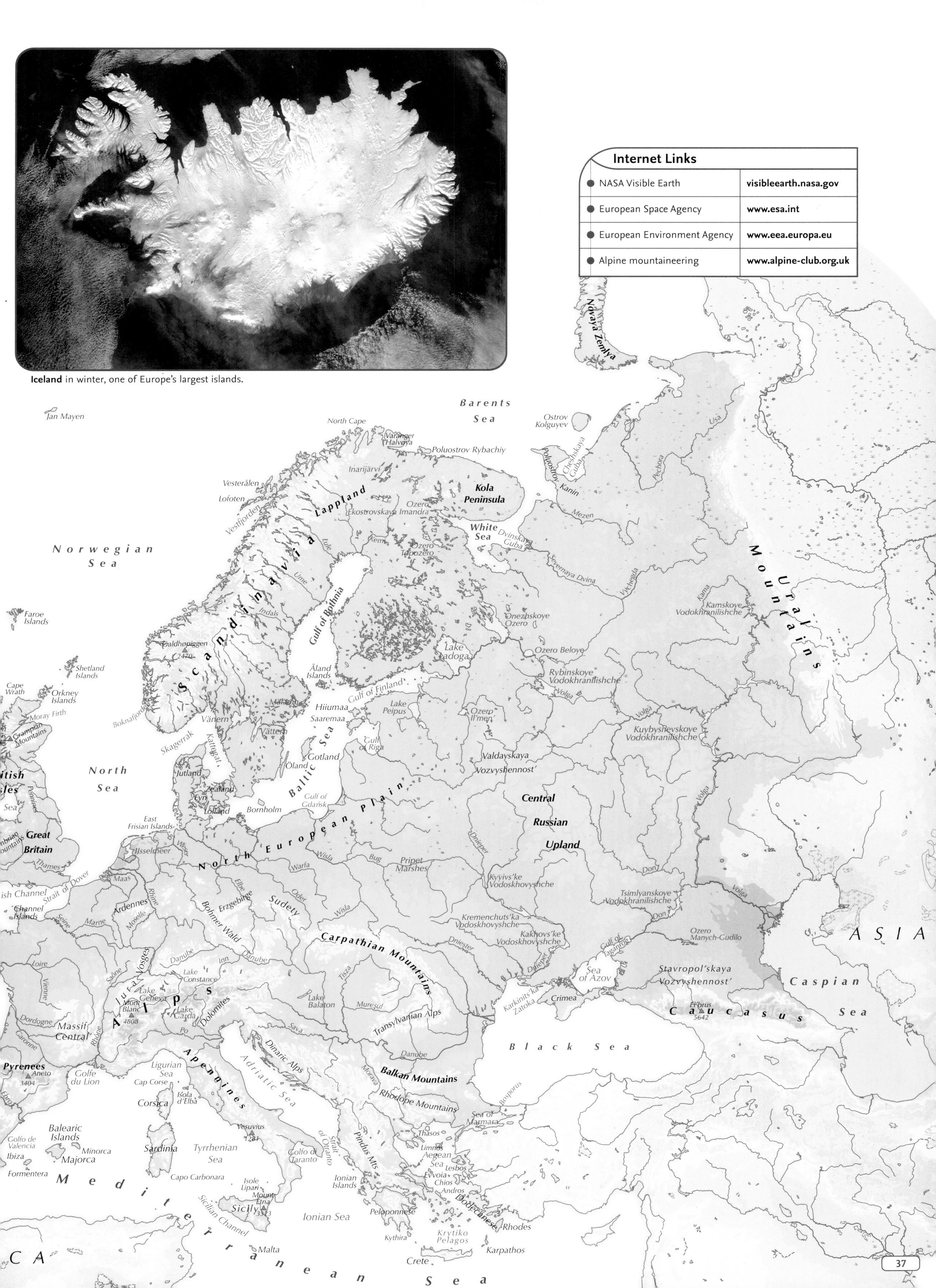

Iceland in winter, one of Europe's largest islands.

Jan Mayen

Novaya Zemlya

Usa

Pechora

Ostrov Kolguyev

BARENTS Sea

North Cape

Varanger Halvoya

Poluostrov Rybachiy

Poluostrov Kanin

Chenskaya Cuba

Mezen

Inarijärvi

Vesterålen

Lofoten

Vestfjorden

LAPPLAND

Kola Peninsula

Ekostrovskaya Imandra

Ozero

Kemi

White Sea

Dvinskaya Cuba

Severnaya Dvina

Vychegda

Kama

Kamskoye Vodokhranilishche

URAL MOUNTAINS

NORWEGIAN Sea

SCANDINAVIA

Ozero Topozero

Onezhskoye Ozero

Ozero Beloye

Rybinskoye Vodokhranilishche

Volga

Ume

Indals

Gulf of Bothnia

Galdhøpiggen 2470

Lake Ladoga

Kuybyshevskoye Vodokhranilishche

Volga

Faroe Islands

Shetland Islands

Cape Wrath

Orkney Islands

Moray Firth

Grampian Mountains

Åland Islands

Vänern

Gulf of Finland

Lake Peipus

Ozero Il'men'

Valdayskaya Vozvyshennost'

Central Russian Upland

Volga

Hiiumaa

Saaremaa

Vättern

Baltic Sea

Gulf of Riga

British Isles

North Sea

Pennines

Jutland

Kattegat

Skagerrak

Boknafjorden

Öland

Gotland

Kyyivs'ke Vodoskhovyshche

Don

Great Britain

Thames

IJsselmeer

Zealand

Fyn

Lolland

Bornholm

Gulf of Gdańsk

NORTH EUROPEAN PLAIN

Wisla

Bug

Pripet Marshes

Kremenchuts'ka Vodoskhovyshche

Dnieper

Tsimlyanskoye Vodokhranilishche

Don

Volga

East Frisian Islands

Weser

Elbe

Warta

Oder

Wisla

Dniester

Kakhovs'ke Vodoskhovyshche

Ozero Manych-Gudilo

Strait of Dover

Channel Islands

Rhine

Maas

Ardennes

Marne

Moselle

Bohmer Wald

Erzgebirge

Sudety

Carpathian Mountains

Dniester

Gulf of Taganrog

Sea of Azov

Stavropol'skaya Vozvyshennost'

ASIA

Caspian Sea

English Channel

Loire

Vienne

Seine

Vosges

Jura

Inn

Danube

Tisza

Muresul

Sava

Danube

Crimea

Karkinits'ka Zatoka

C a u c a s u s

Elbrus 5642

Massif Central

Rhône

A l p s

Mont Blanc 4808

Lake Geneva

Lake Constance

Lake Garda

Dolomites

Po

Lake Balaton

Transylvanian Alps

Dordogne

Garonne

Pyrenees

Aneto 3404

Golfe du Lion

Ligurian Sea

Cap Corse

Apennines

Dinaric Alps

Adriatic Sea

Morava

Balkan Mountains

Danube

Black Sea

Rhodope Mountains

Bosporus

Corsica

Isola d'Elba

Balearic Islands

Golfo de Valencia

Ibiza

Minorca

Majorca

Formentera

Sardinia

Capo Carbonara

Tyrrhenian Sea

Vesuvius 1281

Isole Lipari

Mount Etna 3323

Sicily

Sicilian Channel

Malta

Isole Taranto

Golfo di Taranto

Strait of Otranto

Ionian Islands

Ionian Sea

Pindus Mts

Peloponnese

Thasos

Limnos

Aegean Sea

Lesbos

Evvoia

Chios

Andros

Dodecanese

Rhodes

Karpathos

Sea of Marmara

Krytiko Pelagos

Kythira

Crete

M e d i t e r r a n e a n   S e a

CA

37

Europe
Countries

The predominantly temperate climate of Europe has led to it becoming the most densely populated of the continents. It is highly industrialized, and has exploited its great wealth of natural resources and agricultural land to become one of the most powerful economic regions in the world.

The current pattern of countries within Europe is a result of numerous and complicated changes throughout its history. Ethnic, religious and linguistic differences have often been the cause of conflict, particularly in the Balkan region which has a very complex ethnic pattern. Current boundaries reflect, to some extent, these divisions which continue to be a source of tension. The historic distinction between 'Eastern' and 'Western' Europe is no longer made, following the collapse of Communism and the break up of the Soviet Union in 1991.

Facts

- The European Union was founded by six countries: Belgium, France, Germany, Italy, Luxembourg, and the Netherlands. It now has 27 members

- The newest members of the European Union, Bulgaria and Romania joined in 2007

- Europe has the 2 smallest independent countries in the world – Vatican City and Monaco

- Vatican City is an independent country entirely within the city of Rome, and is the centre of the Roman Catholic Church

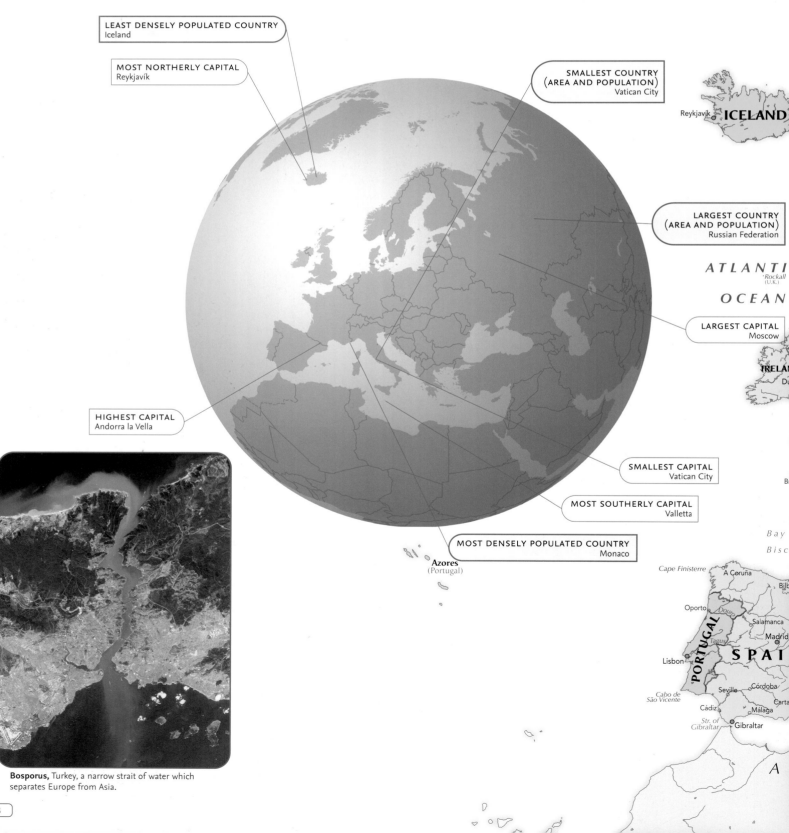

LEAST DENSELY POPULATED COUNTRY
Iceland

MOST NORTHERLY CAPITAL
Reykjavík

SMALLEST COUNTRY
(AREA AND POPULATION)
Vatican City

LARGEST COUNTRY
(AREA AND POPULATION)
Russian Federation

LARGEST CAPITAL
Moscow

HIGHEST CAPITAL
Andorra la Vella

SMALLEST CAPITAL
Vatican City

MOST SOUTHERLY CAPITAL
Valletta

MOST DENSELY POPULATED COUNTRY
Monaco

Reykjavik ICELAND

ATLANTI
Rockall
(U.K.)

OCEAN

IRELA
Du

Bay
Bisc

Azores
(Portugal)

Cape Finisterre

A Coruña

Bilba

Oporto
Douro
Salamanca

PORTUGAL
Tagus
Madrid

SPAI

Lisbon

Cabo de
São Vicente
Seville
Córdoba

Cádiz
Málaga
Cartag

Str. of
Gibraltar
Gibraltar

A

Bosporus, Turkey, a narrow strait of water which separates Europe from Asia.

Europe's capitals

Largest capital (population)	Moscow, Russian Federaton	10 452 000
Smallest capital (population)	Vatican City	557
Most northerly capital	Reykjavík, Iceland	64° 39'N
Most southerly capital	Valletta, Malta	35° 54'N
Highest capital	Andorra la Vella, Andorra	1 029 metres 3 376 feet

Europe's countries

Largest country (area)	Russian Federation	17 075 400 sq km	6 592 849 sq miles
Smallest country (area)	Vatican City	0.5 sq km	0.2 sq miles
Largest country (population)	Russian Federation	143 202 000	
Smallest country (population)	Vatican City	557	
Most densely populated country	Monaco	17 000 per sq km	34 000 per sq mile
Least densely populated country	Iceland	3 per sq km	7 per sq mile

Internet Links

European Union	europa.eu
UK Foreign and Commonwealth Office	www.fco.gov.uk
CIA World Factbook	www.cia.gov/library/publications/the-world-factbook/index.html

Denmark Strait
ICELAND
REYKJAVÍK
Vatnajökull
Arctic Circle
Norwegian Sea
ATLANTIC OCEAN
Faroe Islands (Denmark)
TÓRSHAVN
Rockall (U.K.)
Shetland Islands
Orkney Islands
Outer Hebrides
British Isles
North Sea
UNITED KINGDOM
IRELAND
DUBLIN
Isle of Man (U.K.)
DOUGLAS
Irish Sea
St George's Channel
LONDON
English Channel (La Manche)
Channel Islands (U.K.)
ST PETER PORT
ST HELIER
Strait of Dover
NETHERLANDS
AMSTERDAM
THE HAGUE
BELGIUM
BRUSSELS
LUX
LUXEMBOURG
FRANCE
PARIS
Bay of Biscay
Gulf of Gascony
Massif Central
SPAIN
SWITZERLAND
BERN
LIECHTENSTEIN
VADUZ
GERMANY
BERLIN
DENMARK
COPENHAGEN
Skagerrak
Kattegat
NORWAY
OSLO
SWEDEN
STOCKHOLM
Gotland (Sweden)
Öland
Bornholm (Denmark)
Baltic
CZECH REPUBLIC
PRAGUE
AUSTRIA
VIENNA
BRATISLAVA
ITALY
SLOVENIA
HUNGARY
POLAND
Conic Equidistant Projection
1:10 000 000
miles
km

K
L
M
N
O
P
Q
R
S
T
Barents Sea
North Cape (Nordkapp)
Ostrov Kolguyev
Poluostrov Rybachiy
Murmanskiy Bereg
Kola Peninsula (Kol'skiy Poluostrov)
White Sea
Zimniy Bereg
Poluostrov Kanin
Cheshskaya Guba
Malozemel'skaya Tundra
Bol'shezemel'skaya Tundra
Timanskiy Kryazh
Ural Mountains
LAPPLAND
FINLAND
ESTONIA
LATVIA
LITHUANIA
BELARUS
UKRAINE
MOLDOVA
ROMANIA
KAZAKHSTAN
RUSSIAN FEDERATION
Gulf of Finland
Gulf of Riga
Lake Ladoga (Ladozhskoye Ozero)
Onezhskoye Ozero
Rybinskoye Vodokhranilishche
Central Russian Upland
Sea of Azov
Caspian Lowland
Caspian Sea
Carpathian Mountains
Obshchiy Syrt
Murmansk
Arkhangel
Severodvinsk
Petrozavodsk
St Petersburg
HELSINKI
TALLINN
RIGA
VILNIUS
MINSK
MOSCOW
KIEV
CHIȘINĂU
WARSAW
Nizhniy Novgorod
Kazan'
Samara
Saratov
Volgograd
Voronezh
Kharkiv
Dnipropetrovs'k
Odessa (Odesa)
Rostov-na-Donu
Astrakhan'
Perm'
Ufa
Syktyvkar
Ukhta
Vologda
Yaroslavl'
Kirov
Izhevsk
→ 64
↓ 55
3
4
5
6
7

Europe
Northern Europe

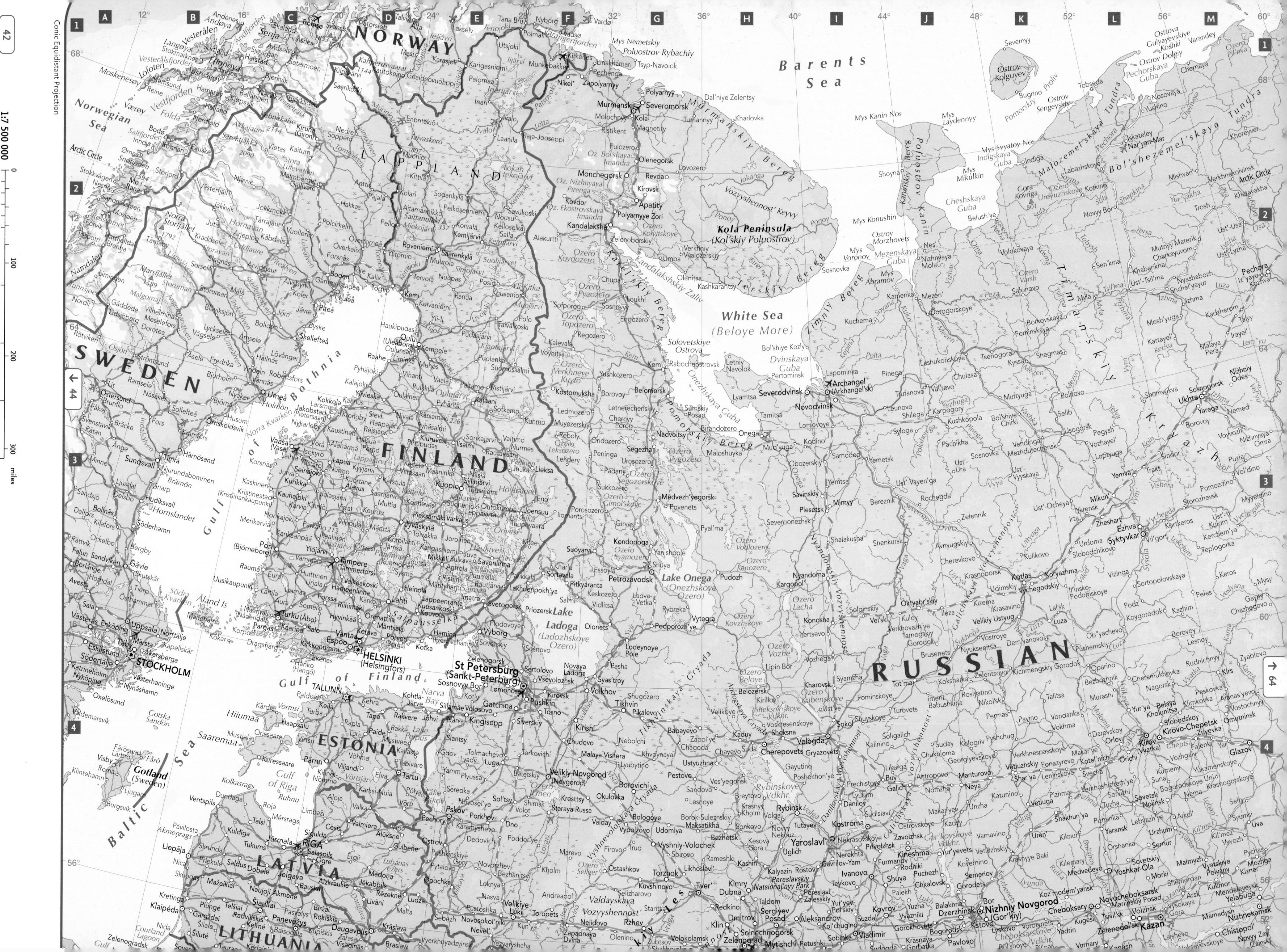

Conic Equidistant Projection

1:7 500 000

Europe
Western Russian Federation

BELARUS
UKRAINE
POLAND
SLOVAKIA
HUNGARY
ROMANIA
MOLDOVA
BULGARIA
GREECE
TURKEY
GEORGIA
ARMENIA
AZER.
KAZAKHSTAN
ZAPADNYY KAZAKHSTAN
Black Sea
Sea of Azov
Caspian Sea
Crimea
Central Russian Upland
Carpathian Mountains
Transylvanian Alps
Caspian Lowland
Stavropol'skaya Vozvyshennost'
WARSAW (Warszawa)
MINSK
KIEV (Kyiv)
CHIȘINĂU (Kishinev)
BUCHAREST (București)
SOFIA (Sofiya)
T'BILISI
İstanbul
Volgograd (Stalingrad)
Rostov-na-Donu
Kharkiv
Odessa (Odesa)
Astrakhan'
↑ 47
↑ 59
↑ 91
90 ↓

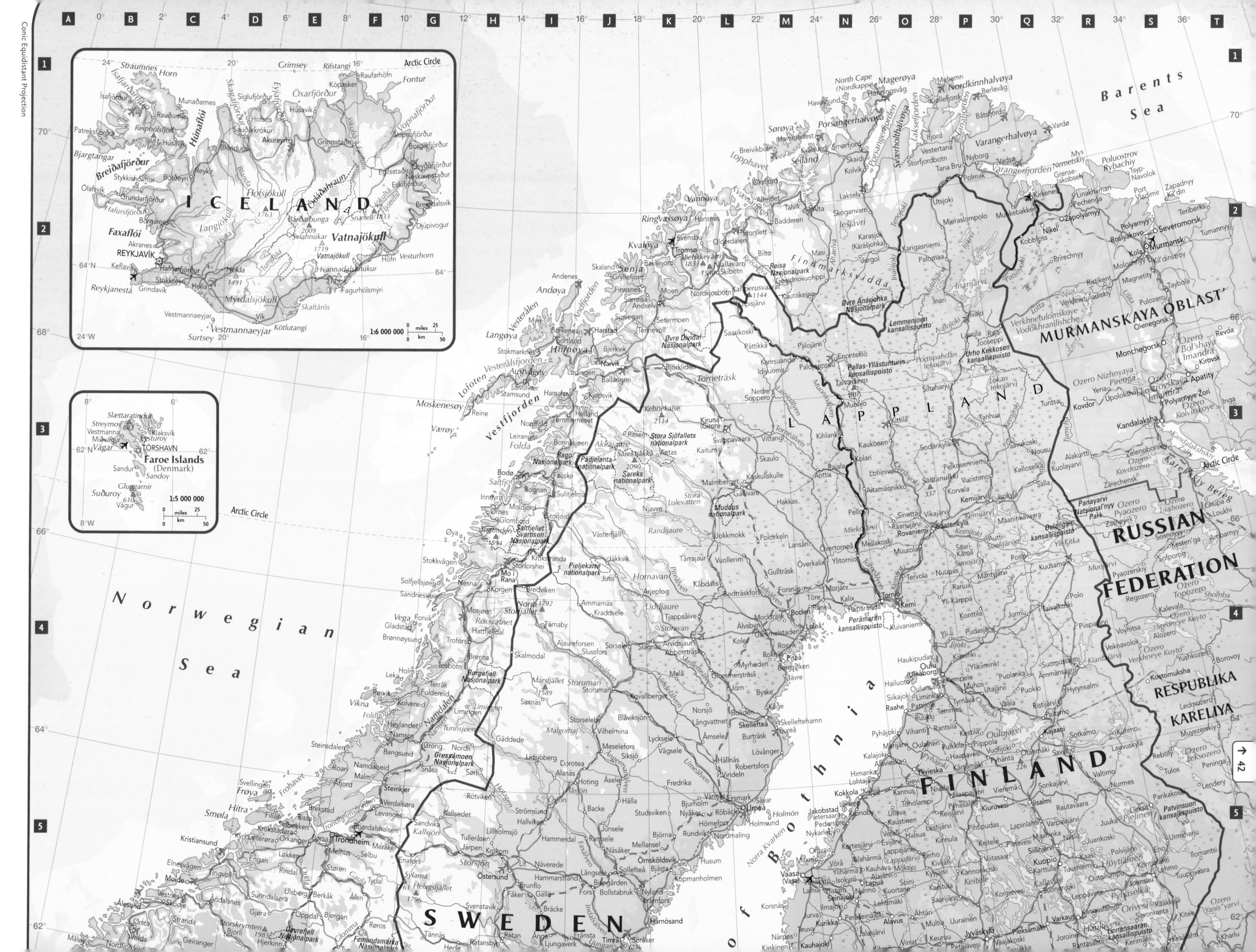

Conic Equidistant Projection

1:5 000 000

0   50   100   150   miles
0   50 100 150 200 250 km

NORWAY
DENMARK
GERMANY
POLAND
LITHUANIA
LATVIA
ESTONIA
BELARUS
RUSSIAN FEDERATION
LENINGRADSKAYA OBLAST'
PSKOVSKAYA OBLAST'
Baltic Sea
Gulf of Finland
Gulf of Riga
Gulf of Gdańsk
Skagerrak
Kattegat
OSLO
STOCKHOLM
HELSINKI (Helsingfors)
TALLINN
RIGA
VILNIUS
MINSK
WARSAW (Warszawa)
BERLIN
COPENHAGEN (København)
St Petersburg (Sankt-Peterburg)
Gotland (Sweden)
Öland
Bornholm (Denmark)
Saaremaa
Hiiumaa
Åland Islands
Zealand
Jutland
↑ 43
47 ↓

Europe

Scandinavia and the Baltic States

ATLANTIC OCEAN
North Sea
Celtic Sea
Irish Sea
British Isles
UNITED KINGDOM
Great Britain
IRELAND
Outer Hebrides
Orkney Islands
Isle of Lewis
South Harris
North Uist
Benbecula
South Uist
Barra
St Kilda
Butt of Lewis
Cape Wrath
Durness
Thurso
John o'Groats
Wick
Helmsdale
Stornoway
The Minch
Little Minch
Skye
Rum
Coll
Mull
Colonsay
Islay
Jura
Kintyre
Arran
Ullapool
Inverness
Moray Firth
Elgin
Banff
Fraserburgh
Peterhead
Aberdeen
Cairngorms National Park
Grampian Mountains
Ben Nevis
Fort William
Oban
Pitlochry
Montrose
Dundee
Arbroath
St Andrews
Perth
Stirling
Firth of Forth
Edinburgh
Glasgow
Paisley
Hamilton
Kilmarnock
Ayr
Southern Uplands
Dumfries
Stranraer
Berwick-upon-Tweed
The Cheviot
Northumberland National Park
Newcastle upon Tyne
Sunderland
South Shields
Carlisle
Durham
Hartlepool
Middlesbrough
Whitby
Scarborough
North York Moors National Park
Yorkshire Dales National Park
Lake District National Park
Isle of Man (U.K.)
DOUGLAS
Barrow-in-Furness
Lancaster
Blackpool
Preston
York
Leeds
Bradford
Bridlington
Kingston upon Hull
Grimsby
Huddersfield
Manchester
Liverpool
St Helens
Southport
Stockport
Sheffield
Doncaster
Chester
Lincoln
Skegness
Nottingham
Derby
Stoke-on-Trent
Leicester
Boston
King's Lynn
Norwich
The Broads
Great Yarmouth
Lowestoft
Birmingham
Wolverhampton
Coventry
Peterborough
Cambridge
Northampton
Ipswich
Colchester
Oxford
Gloucester
Cheltenham
Swansea
Cardiff
Newport
Bristol
Bath
LONDON
Southend-on-Sea
Canterbury
Dover
Folkestone
Brighton
Hastings
Eastbourne
Portsmouth
Southampton
Bournemouth
Isle of Wight
Exeter
Plymouth
Dartmoor National Park
Exmoor National Park
Torquay
Land's End
Lizard Point
Isles of Scilly
Bristol Channel
Cardigan Bay
St George's Channel
Snowdonia National Park
Brecon Beacons National Park
Pembrokeshire Coast National Park
Cambrian Mountains
Anglesey
Holyhead
Aberystwyth
Strait of Dover (Pas de Calais)
English Channel (La Manche)
ULSTER
CONNAUGHT
LEINSTER
MUNSTER
Donegal Bay
Londonderry
Belfast
Armagh
Newry
Dundalk
Drogheda
DUBLIN (Baile Átha Cliath)
Dún Laoghaire
Wicklow Mountains National Park
Wexford
Waterford
Cork (Corcaigh)
Limerick
Galway
Sligo
Achill Island
Connemara National Park
Killarney National Park
Tralee
Kinsale
Skibbereen
Channel Islands (Îles Normandes)
Guernsey (U.K.)
Jersey (U.K.)
Golfe de St-Malo
Baie de Seine
Cap de la Hague
Cherbourg
Le Havre
Caen
Rouen
NORMANDY
PICARDY
ARTOIS
BRITTANY
ANJOU
POITOU
BRIE
CHAMPAGNE
BURGUNDY
FRANCE
PARIS
Amiens
Calais
Boulogne-sur-Mer
Dunkirk (Dunkerque)
Lille
Reims
Brest
Quimper
Lorient
Rennes
St-Malo
Le Mans
Orléans
Tours
Nantes
Angers
Poitiers
Bourges
BELGIUM
BRUSSELS (Bruxelles)
Ghent
Bruges
Ostend
Antwerp
AMSTERDAM
THE HAGUE ('s-Gravenhage) (Den Haag)
Rotterdam
Conic Equidistant Projection

1:5 000 000

Europe
Northwest Europe

↑ 45
→ 43
↓ 58
NORWAY
SWEDEN
ESTONIA
LATVIA
LITHUANIA
RUSSIAN FEDERATION
DENMARK
POLAND
GERMANY
CZECH REPUBLIC
SLOVAKIA
AUSTRIA
HUNGARY
SWITZERLAND
SLOVENIA
CROATIA
ITALY
LUXEMBOURG
LIECHTENSTEIN
SERBIA
Skagerrak
Kattegat
Baltic Sea
Gulf of Riga
Gulf of Gdańsk
German Bight
Pomeranian Bay
Hanöbukten
Gotland (Sweden)
Öland
Bornholm (Denmark)
Saaremaa
Jutland
Zealand
Fyn
Lolland
Falster
Møn
North Frisian Islands
East Frisian Islands
Vänern
Vättern
Harz
Erzgebirge
Sudety
Böhmer Wald
Black Forest
Schwäbische Alb
BAVARIA
ALSACE
Vosges
Jura
ODENWALD
POJEZIERZE POMORSKIE
POJEZIERZE WIELKOPOLSKIE
Nizina Mazowiecka
Českomoravská vysočina
Chřiby
Malé Karpaty
Balaton
Danube
Lake Constance (Bodensee)
COPENHAGEN (København)
BERLIN
WARSAW (Warszawa)
PRAGUE (Praha)
VIENNA (Wien)
BRATISLAVA
BUDAPEST
Gothenburg (Göteborg)
Hamburg
Munich (München)
Cologne (Köln)
Zürich
BERN

Conic Equidistant Projection

48

1:2 000 000

| 0 | | 25 | | 50 | | 75 | miles |
| 0 | 25 | 50 | 75 | 100 | 125 | km |

E N G L A N D
W A L E S
F R A N C E
English Channel
(La Manche)
Bristol Channel
Cardigan Bay
St George's Channel
Strait of Dover
(Pas de Calais)
Baie de Seine
Lyme Bay
Channel Islands
(Îles Normandes)
Isle of Wight
Isles of Scilly
LONDON
Birmingham
Cardiff
Bristol
Plymouth
Southampton
Portsmouth
Oxford
Cambridge
Norwich
Ipswich
Swansea
Exeter
Brighton
Dover
PICARDIE
HAUTE-NORMANDIE
BASSE-NORMANDIE
COTENTIN
Cherbourg
Le Havre
Rouen
Caen
Dartmoor
Exmoor
Bodmin Moor
Cotswold Hills
Chiltern Hills
North Downs
South Downs
The Fens
The Wash
Cambrian Mountains
Land's End
Lizard Point

↑ 52

Europe
England and Wales

ATLANTIC
OCEAN
North
Sea
Orkney Islands
Shetland Islands
Outer Hebrides
Isle of Lewis
(Eilean Leodhais)
South Harris
(Ceann a Deas na Hearadh)
North Uist
(Uibhist a' Tuath)
Benbecula
(Beinn na Faoghla)
South Uist
(Uibhist a' Deas)
Barra
(Barraigh)
Vatersay
(Bhatarsaigh)
Mingulay
Berneray
(Bearnaraigh)
Flannan Isles
Butt of Lewis
Port of Ness
(Port Nis)
Stornoway
(Steornabhagh)
Tiumpan Head
Monach Islands
Sula Sgeir
Rona
Sule Skerry
Sule Stack
Fair Isle
North Ronaldsay
Papa Westray
Westray
Sanday
Rousay
Stronsay
Mainland
Heart of Neolithic Orkney
Kirkwall
Shapinsay
Auskerry
Stromness
Hoy
South Ronaldsay
Pentland Firth
Stroma
Dunnet Head
John o' Groats
Duncansby Head
Thurso
Wick
Cape Wrath
The Minch
Little Minch
Skye
Cuillin Hills
Raasay
Portree
Inner Sound
Sound of Sleat
Rum
(Rhum)
Eigg
Muck
Canna
Coll
Tiree
Mull
Iona
Staffa
Ulva
Ben More
Colonsay
Jura
Islay
Gigha
Kintyre
Mull of Kintyre
Arran
Bute
Firth of Clyde
Firth of Lorn
Sound of Jura
North Channel
Ailsa Craig
Rathlin Island
Loch Inchard
Handa Island
Point of Stoer
Rubha Coigeach
Summer Isles
Ullapool
Loch Broom
An Teallach
Gairloch
Loch Maree
Loch Torridon
Applecross
Kyle of Lochalsh
Loch Monar
Loch Cluanie
Mallaig
Fort William
Ben Nevis
Loch Linnhe
Oban
Loch Awe
Loch Fyne
Loch Lomond
Loch Lomond & the Trossachs National Park
Ben Lomond
Loch Tay
Loch Rannoch
Loch Tummel
Loch Ericht
Loch Ness
Glen More
Inverness
Moray Firth
Dornoch Firth
Cromarty Firth
Monadhliath Mountains
Cairngorm Mountains
Cairngorms National Park
Grampian Mountains
SCOTLAND
Strathspey
Strathmore
Sidlaw Hills
Ochil Hills
Pentland Hills
Moorfoot Hills
Lammermuir Hills
Southern Uplands
Lowther Hills
Cheviot Hills
The Cheviot
Northumberland National Park
Kielder Water (Reservoir)
Hadrian's Wall
Solway Firth
Firth of Forth
Firth of Tay
Lossiemouth
Elgin
Nairn
Forres
Buckie
Fraserburgh
Peterhead
Rattray Head
Aberdeen
Dyce
Stonehaven
Montrose
Arbroath
Dundee
Carnoustie
Bell Rock
St Andrews
Fife Ness
Isle of May
Perth
Stirling
Dunfermline
Kirkcaldy
Glenrothes
Edinburgh
Musselburgh
Dunbar
Bass Rock
North Berwick
St Abb's Head
Berwick-upon-Tweed
Holy Island
(Lindisfarne)
Farne Islands
Glasgow
Paisley
Greenock
Hamilton
Motherwell
East Kilbride
Kilmarnock
Irvine
Troon
Prestwick
Ayr
Girvan
Stranraer
Mull of Galloway
Luce Bay
Wigtown Bay
Burrow Head
Dumfries
Kirkcudbright
Castle Douglas
Lockerbie
Moffat
Hawick
Jedburgh
Kelso
Galashiels
Peebles
Carlisle
Gretna
Workington
Maryport
Whitehaven
Penrith
Keswick
Lake District National Park
Skiddaw
Cross Fell
Newcastle upon Tyne
Gateshead
Sunderland
Tynemouth
Whitley Bay
Morpeth
Alnwick
Amble
Hexham
Durham
Hartlepool
Stockton-on-Tees
Middlesbrough
UNITED KINGDOM
ENGLAND
NORTHERN IRELAND
IRELAND
ULSTER
Malin Head
Inishowen
Giant's Causeway
Londonderry
Coleraine
Ballymena
Antrim
Lough Neagh
Belfast
Belfast Lough
Bangor
Newtownards
Larne
Sperrin Mountains
Antrim Hills
Unst
Yell
Fetlar
Whalsay
Lerwick
Bressay
Foula
Papa Stour
St Magnus Bay
Sumburgh Head
1:2 000 000
Conic Equidistant Projection
↓ 51
↓ 48

Europe
Scotland

1:2 000 000

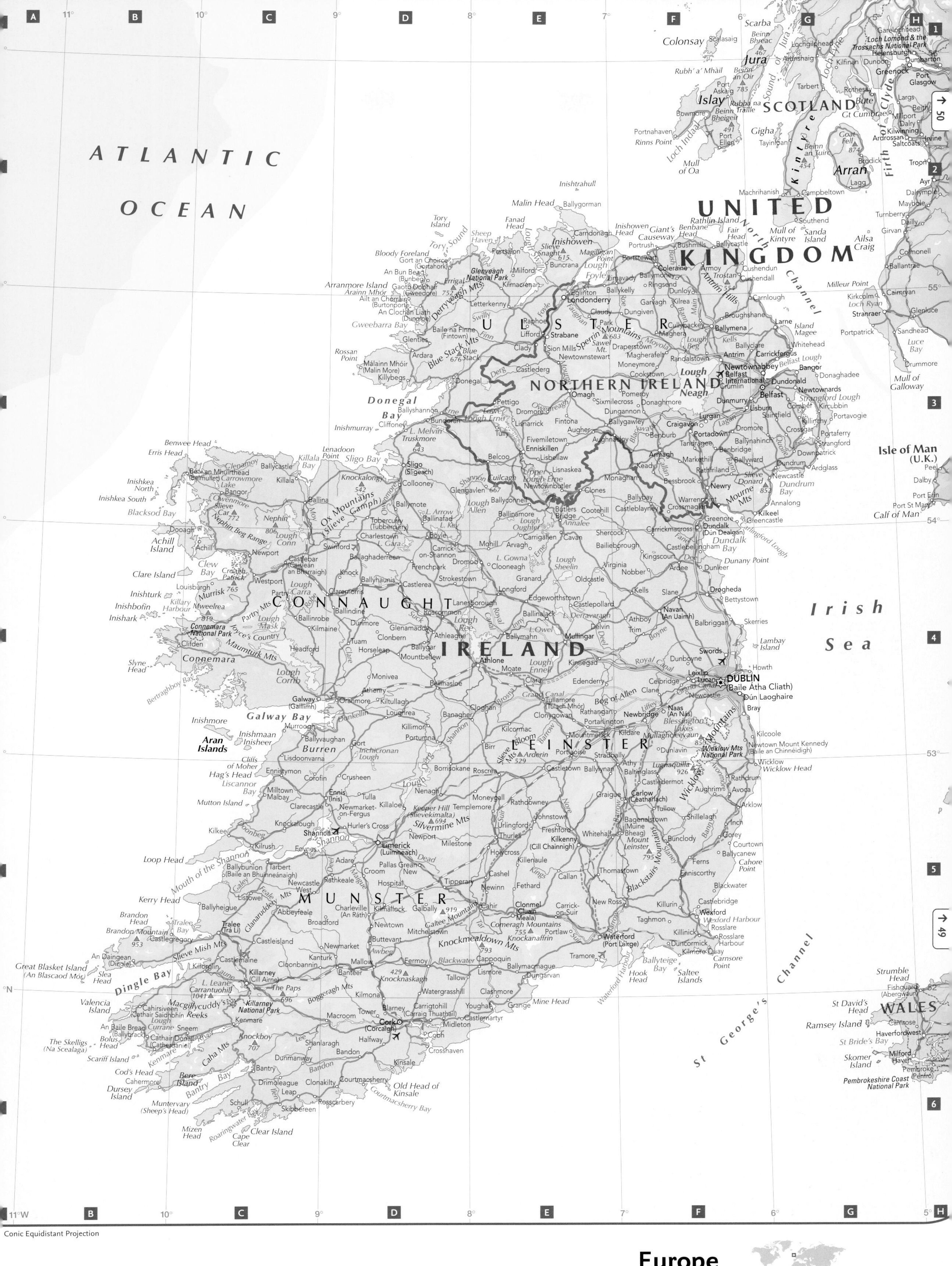

Europe
Ireland

Conic Equidistant Projection

1:2 000 000

North
Sea

UNITED
KINGDOM

ENGLAND

West Frisian Islands

NETHERLANDS

AMSTERDAM

THE HAGUE
('s-Gravenhage)
(Den Haag)

Rotterdam

BELGIUM

BRUSSELS
(Bruxelles)

NORD-PAS-DE-CALAIS

HAINAUT

Ardennes

LUXEMBOURG

LUXEMBOURG

PICARDY

PICARDIE

HAUTE-
NORMANDIE

NORMAND

FRANCE

CHAMPAGNE-
ARDENNE

LORRAINE

SAARL

SAARLAR

GAUME

ÎLE-DE-FRANCE

PARIS

THYMERAIS

SAUNOIS

PLATEAU
Lorrain

Conic Equidistant Projection

1:2 000 000

0   25   50   75   miles

0   25   50   75   100   125 km

Europe

Belgium, Netherlands, Luxembourg and Northwest Germany

Conic Equidistant Projection

1:10 000 000

| 0 | | 100 | | 200 | | 300 | | 400 miles |
| 0 | 100 | 200 | 300 | 400 | 500 | 600 | km |

↑ 41
BELARUS
MINSK
RUSSIAN
FEDERATION
POLAND
WARSAW
UKRAINE
KIEV
Central Russian Upland
Pripet Marshes
SLOVAKIA
BRATISLAVA
VIENNA
BUDAPEST
HUNGARY
Carpathian Mountains
MOLDOVA
CHIŞINĂU
ROMANIA
Transylvanian Alps
BUCHAREST
CROATIA
ZAGREB
BOSNIA
HERZEGOVINA
SARAJEVO
BELGRADE
SERBIA
MONTENEGRO
PODGORICA
KOSOVO
PRISHTINË
SOFIA
BULGARIA
Balkan Mts
SKOPJE
MACEDONIA
ALBANIA
TIRANA
GREECE
ATHENS
Aegean Sea
Ionian Sea
Ionian Islands
Cyclades
Dodecanese
Crete (Kriti)
Sea of Azov
Crimea
Black Sea
Caucasus (Bol'shoy Kavkaz)
Istanbul
ANKARA
TURKEY
Taurus Mountains
CYPRUS
NICOSIA
SYRIA
DAMASCUS
LEBANON
BEIRUT
ISRAEL
JERUSALEM
'AMMAN
JORDAN
Mediterranean Sea
Gulf of Sirte
Benghazi
LIBYA
EGYPT
CAIRO (Al Qāhirah)
Alexandria
Sinai
SAUDI ARABIA
Red Sea
↓ 97
→ 86

Europe

Southern Europe and the Mediterranean

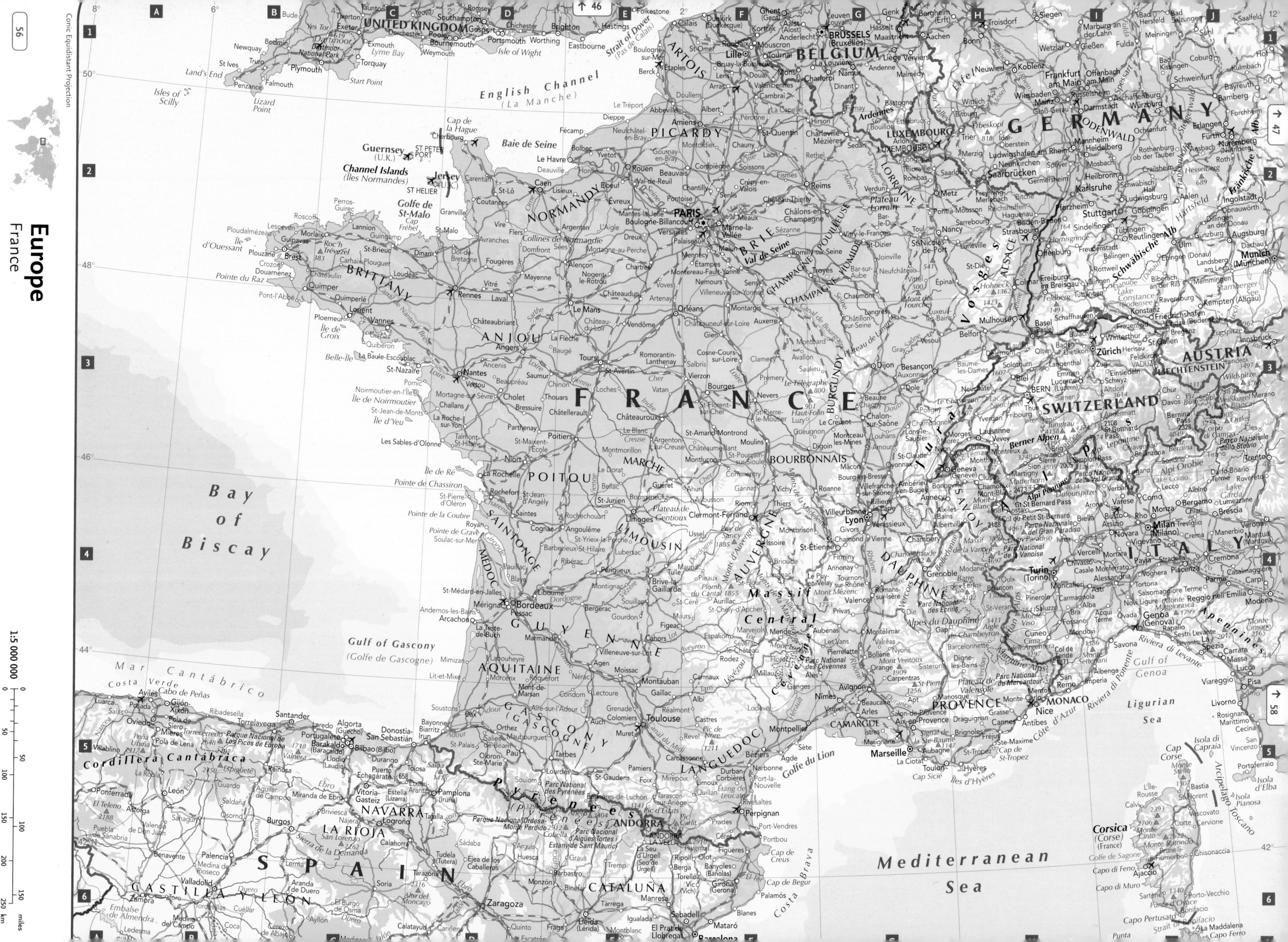

Conic Equidistant Projection

Europe
France

1:5 000 000

Europe
Spain and Portugal

Conic Equidistant Projection

1:5 000 000

0 50 100 150 miles

0 50 100 150 200 250 km

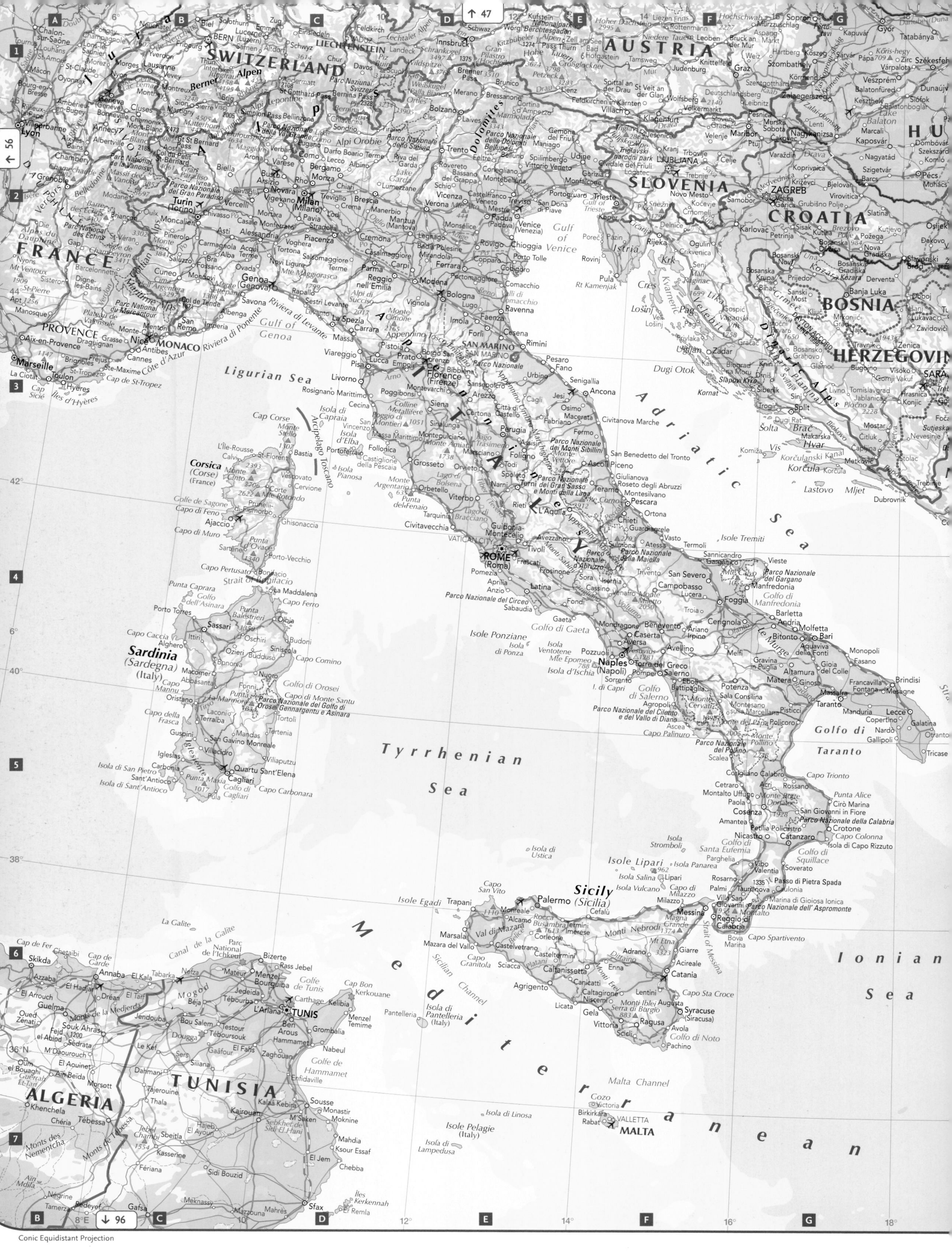

Conic Equidistant Projection

1:5 000 000

Europe
Italy and the Balkans

43
90
UKRAINE
MOLDOVA
CHIȘINĂU (Kishinev)
Odessa (Odesa)
Mykolayiv
Kherson
Crimea
ROMANIA
Transylvanian Alps
Carpathian Mountains
Transylvanian Basin
BUCHAREST (București)
Cluj-Napoca
Timișoara
Brașov
Constanța
Galați
Brăila
DOBRUJA
Danube Delta
Black Sea
SERBIA
BELGRADE (Beograd)
VOJVODINA
KOSOVO
PRISHTINË (Priština)
BULGARIA
SOFIA (Sofiya)
Balkan Mountains
Stara Planina
Sredna Gora
Rhodope Mountains
Plovdiv
Varna
Burgas
Ruse
LUDOGORIE
MACEDONIA (F.Y.R.O.M.)
SKOPJE
ALBANIA
TIRANA (Tiranë)
THRACE
İstanbul
Sea of Marmara (Marmara Denizi)
TURKEY
İzmir (Smyrna)
Bursa
Antalya
GREECE
ATHENS (Athina)
Thessaloniki
Peloponnese
Pindus Mountains
Aegean Sea
Thrakiko Pelagos
Lesbos (Lesvos)
Chios
Evvoia
Cyclades (Kyklades)
Dodecanese (Dodekanisa)
Rhodes (Rodos)
Crete (Kriti)
Kritiko Pelagos
Mirtoo Pelagos
Ionian Islands
Corfu (Kerkyra)
Cephalonia (Kefallonia)
Zakynthos (Zante)
Sea

Asia
Landscapes

Asia is the world's largest continent and occupies almost one-third of the world's total land area. Stretching across approximately 165° of longitude from the Mediterranean Sea to the easternmost point of the Russian Federation on the Bering Strait, it contains the world's highest and lowest points and some of the world's greatest physical features. Its mountain ranges include the Himalaya, Hindu Kush, Karakoram and the Ural Mountains and its major rivers – including the Yangtze, Tigris-Euphrates, Indus, Ganges and Mekong – are equally well-known and evocative.

Asia's deserts include the Gobi, the Taklimakan, and those on the Arabian Peninsula, and significant areas of volcanic and tectonic activity are present on the Kamchatka Peninsula, in Japan, and on Indonesia's numerous islands. The continent's landscapes are greatly influenced by climatic variations, with great contrasts between the islands of the Arctic Ocean and the vast Siberian plains in the north, and the tropical islands of Indonesia.

The **Yangtze,** China, Asia's longest river, flowing into the East China Sea near Shanghai.

Asia's physical features

Highest mountain	Mt Everest, China/Nepal	8 848 metres	29 028 feet
Longest river	Yangtze, China	6 380 km	3 965 miles
Largest lake	Caspian Sea	371 000 sq km	143 243 sq miles
Largest island	Borneo	745 561 sq km	287 861 sq miles
Largest drainage basin	Ob'-Irtysh, Kazakhstan/Russian Federation	2 990 000 sq km	1 154 439 sq miles
Lowest point	Dead Sea	-421 metres	-1 381 feet

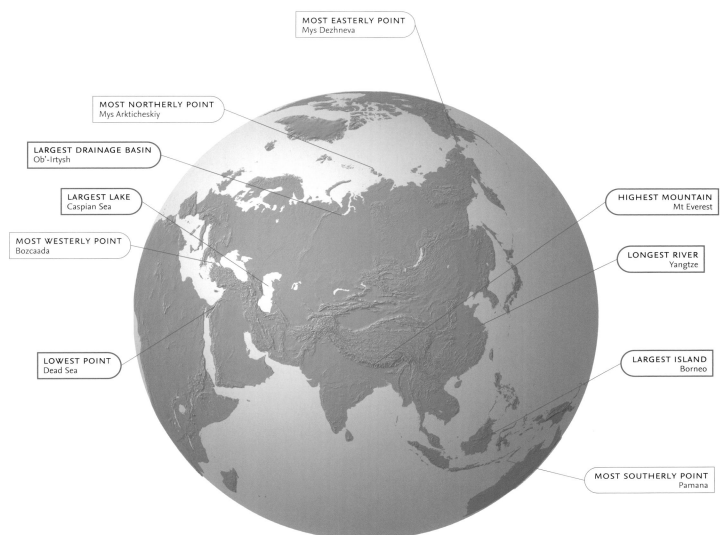

MOST EASTERLY POINT
Mys Dezhneva

MOST NORTHERLY POINT
Mys Arkticheskiy

LARGEST DRAINAGE BASIN
Ob'-Irtysh

LARGEST LAKE
Caspian Sea

MOST WESTERLY POINT
Bozcaada

LOWEST POINT
Dead Sea

HIGHEST MOUNTAIN
Mt Everest

LONGEST RIVER
Yangtze

LARGEST ISLAND
Borneo

MOST SOUTHERLY POINT
Pamana

Asia's extent

TOTAL LAND AREA	45 036 492 sq km / 17 388 686 sq miles
Most northerly point	Mys Arkticheskiy, Russian Federation
Most southerly point	Pamana, Indonesia
Most westerly point	Bozcaada, Turkey
Most easterly point	Mys Dezhneva, Russian Federation

Facts

● 90 of the world's 100 highest mountains are in Asia

● The Indonesian archipelago is made up of over 13 500 islands

● The height of the land in Nepal ranges from 60 metres to 8 848 metres

● The deepest lake in the world is Lake Baikal, Russian Federation, with a maximum depth of 1 741 metres

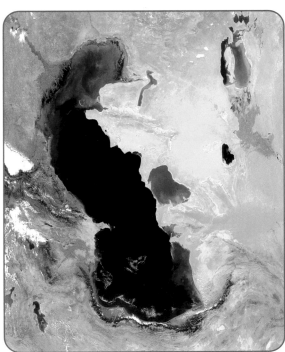

Caspian Sea, Europe/Asia, the world's largest expanse of inland water.

Hahajima-rettō

IFIC
EAN

lau
nds

Puncak
Jaya
5030

New Guinea

Kepulauan
Aru
pulauan
mbar
ura Sea

Asia
Countries

With approximately sixty per cent of the world's population, Asia is home to numerous cultures, people groups and lifestyles. Several of the world's earliest civilizations were established in Asia, including those of Sumeria, Babylonia and Assyria. Cultural and historical differences have led to a complex political pattern, and the continent has been, and continues to be, subject to numerous territorial and political conflicts – including the current disputes in the Middle East and in Jammu and Kashmir.

Separate regions within Asia can be defined by the cultural, economic and political systems they support. The major regions are: the arid, oil-rich, mainly Islamic southwest; southern Asia with its distinct cultures, isolated from the rest of Asia by major mountain ranges; the Indian- and Chinese-influenced monsoon region of southeast Asia; the mainly Chinese-influenced industrialized areas of eastern Asia; and Soviet Asia, made up of most of the former Soviet Union.

Timor island in southeast Asia, on which East Timor, Asia's newest independent state, is located.

Asia's countries

Largest country (area)	Russian Federation	17 075 400 sq km	6 592 849 sq miles
Smallest country (area)	Maldives	298 sq km	115 sq miles
Largest country (population)	China	1 313 437 000	
Smallest country (population)	Palau	20 000	
Most densely populated country	Singapore	6 770 per sq km	17 534 per sq mile
Least densely populated country	Mongolia	2 per sq km	5 per sq mile

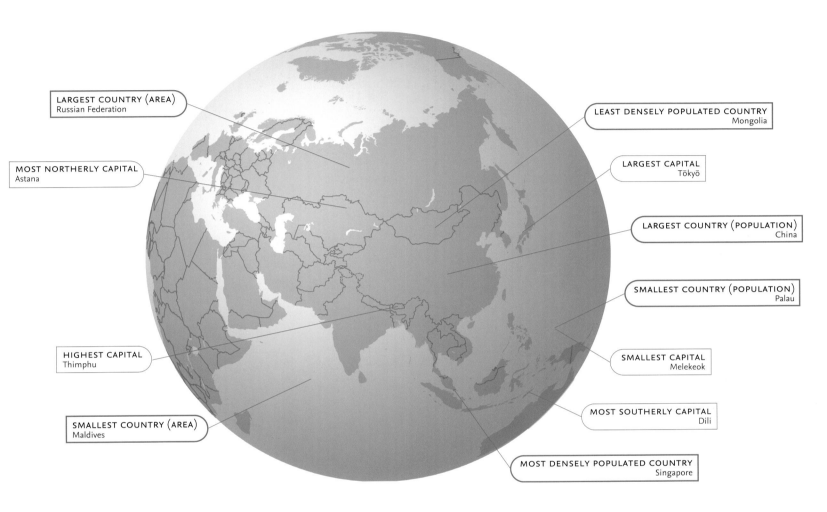

LARGEST COUNTRY (AREA)
Russian Federation

MOST NORTHERLY CAPITAL
Astana

HIGHEST CAPITAL
Thimphu

SMALLEST COUNTRY (AREA)
Maldives

LEAST DENSELY POPULATED COUNTRY
Mongolia

LARGEST CAPITAL
Tōkyō

LARGEST COUNTRY (POPULATION)
China

SMALLEST COUNTRY (POPULATION)
Palau

SMALLEST CAPITAL
Melekeok

MOST SOUTHERLY CAPITAL
Dili

MOST DENSELY POPULATED COUNTRY
Singapore

ain
ds
an)

ano'
nds
pan)

Melekeok
PALAU

Jayapura

New Guinea

Asia's capitals

Largest capital (population)	Tōkyō, Japan	35 676 000
Smallest capital (population)	Melekeok, Palau	391
Most northerly capital	Astana, Kazakhstan	51° 10'N
Most southerly capital	Dili, East Timor	8° 35'S
Highest capital	Thimphu, Bhutan	2 423 metres 7 949 feet

Facts

● Over 60% of the world's population live in Asia

● Asia has 11 of the world's 20 largest cities

● The Korean peninsula was divided into North Korea and South Korea in 1948 approximately along the 38th parallel

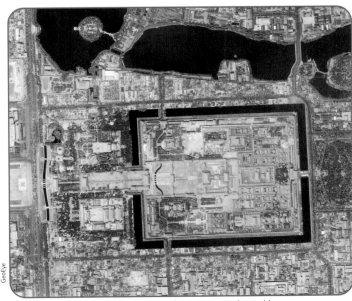

GeoEye

Beijing, capital of China, the most populous country in the world.

Conic Equidistant Projection

1:20 000 000

0   200   400   600 miles

0   200   400   600   800   1000 km

Asia
Northern Asia

OCEAN
East Siberian Sea
(Vostochno-Sibirskoye More)
New Siberia Islands
(Novosibirskiye Ostrova)
Laptev Sea
(More Laptevykh)
Severnaya Zemlya
Chukchi Sea
Wrangel Island
Bering Sea
Central Siberian Plateau
(Sredne-Sibirskoye Ploskogor'ye)
SIBERIA
(SIBIR')
RUSSIAN FEDERATION
Khrebet Cherskogo
Verkhoyanskiy Khrebet
Khrebet Kolymskiy
Koryakskoye Nagor'ye
Kamchatka Peninsula
(Poluostrov Kamchatka)
Petropavlovsk-Kamchatskiy
Sea of Okhotsk
(Okhotskoye More)
Magadan
Yakutsk
Lena
Stanovoy Khrebet
Sakhalin
Kuril Islands
(Kuril'skiye Ostrova)
ADMINISTERED BY RUSSIAN FEDERATION, CLAIMED BY JAPAN
Komsomol'sk-na-Amure
Khabarovsk
Sikhote-Alin'
Vladivostok
Irkutsk
Lake Baikal
Ulan-Ude
Chita
Bratsk
Blagoveshchensk
MANCHURIA
Harbin
Changchun
Shenyang
Da Hinggan Ling
Xiao Hinggan Ling
MONGOLIA
ULAN BATOR
(Ulaanbaatar)
Gobi Desert
INNER MONGOLIA
CHINA
BEIJING
(Peking)
Tianjin
Bo Hai
Yellow Sea
(Huang Hai)
NORTH KOREA
P'YONGYANG
SOUTH KOREA
SEOUL
(Soul)
Pusan
Sea of Japan
(East Sea)
JAPAN
Hokkaido
Sapporo
Sendai
TOKYO
Yokohama
Nagoya
Osaka
Kyoto
Kobe
Hiroshima
Fukuoka
Shikoku
Kyushu
PACIFIC OCEAN
Aleutian Islands
U.S.A.
Bering Strait
La Perouse Strait
Korea Strait
↑ 118
↓ 66

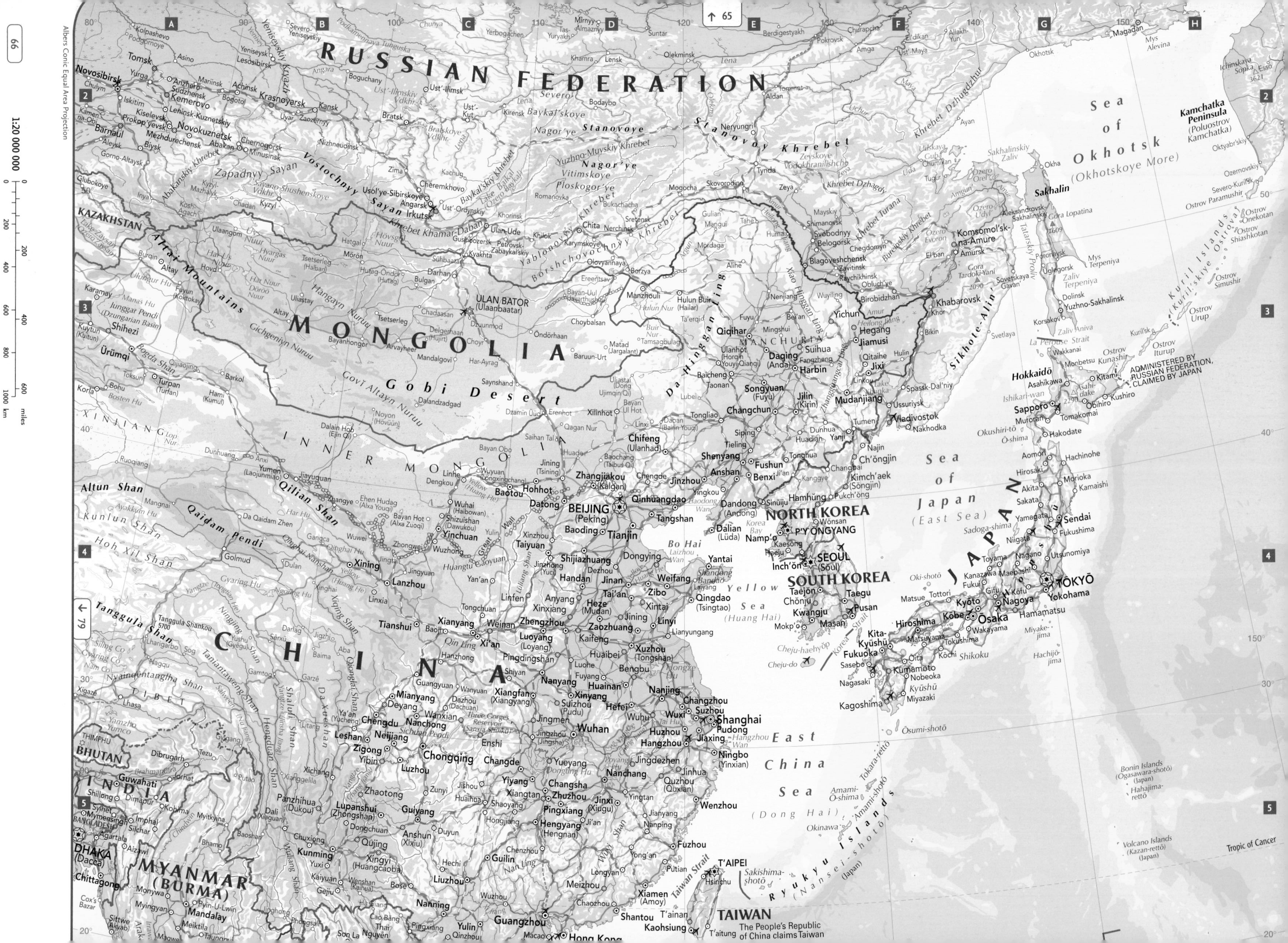

Albers Conic Equal Area Projection

1:20 000 000

PACIFIC OCEAN
INDIAN OCEAN
PHILIPPINES
MALAYSIA
INDONESIA
THAILAND
VIETNAM
CAMBODIA
LAOS
BRUNEI
SINGAPORE
EAST TIMOR
PALAU
PAPUA NEW GUINEA
FEDERATED STATES OF MICRONESIA
AUSTRALIA
WESTERN AUSTRALIA
NORTHERN TERRITORY
QUEENSLAND
South China Sea
Celebes Sea
Sulu Sea
Philippine Sea
Andaman Sea
Arafura Sea
Timor Sea
Laut Banda (Banda Sea)
Laut Jawa (Java Sea)
Gulf of Thailand
Gulf of Carpentaria
Strait of Malacca
Borneo
Sumatra (Sumatera)
Java (Jawa)
Celebes (Sulawesi)
New Guinea
Luzon
Mindanao
Hainan
Moluccas (Maluku)
Greater Sunda Islands
Lesser Sunda Islands
MANILA
JAKARTA
BANGKOK (Krung Thep)
KUALA LUMPUR
PHNOM PENH
VIENTIANE (Viangchan)
RANGOON (Yangon)
BANDAR SERI BEGAWAN
DILI
MELEKEOK
Ho Chi Minh City (Saigon)
Equator
Tropic of Capricorn

Asia

Eastern and Southeast Asia

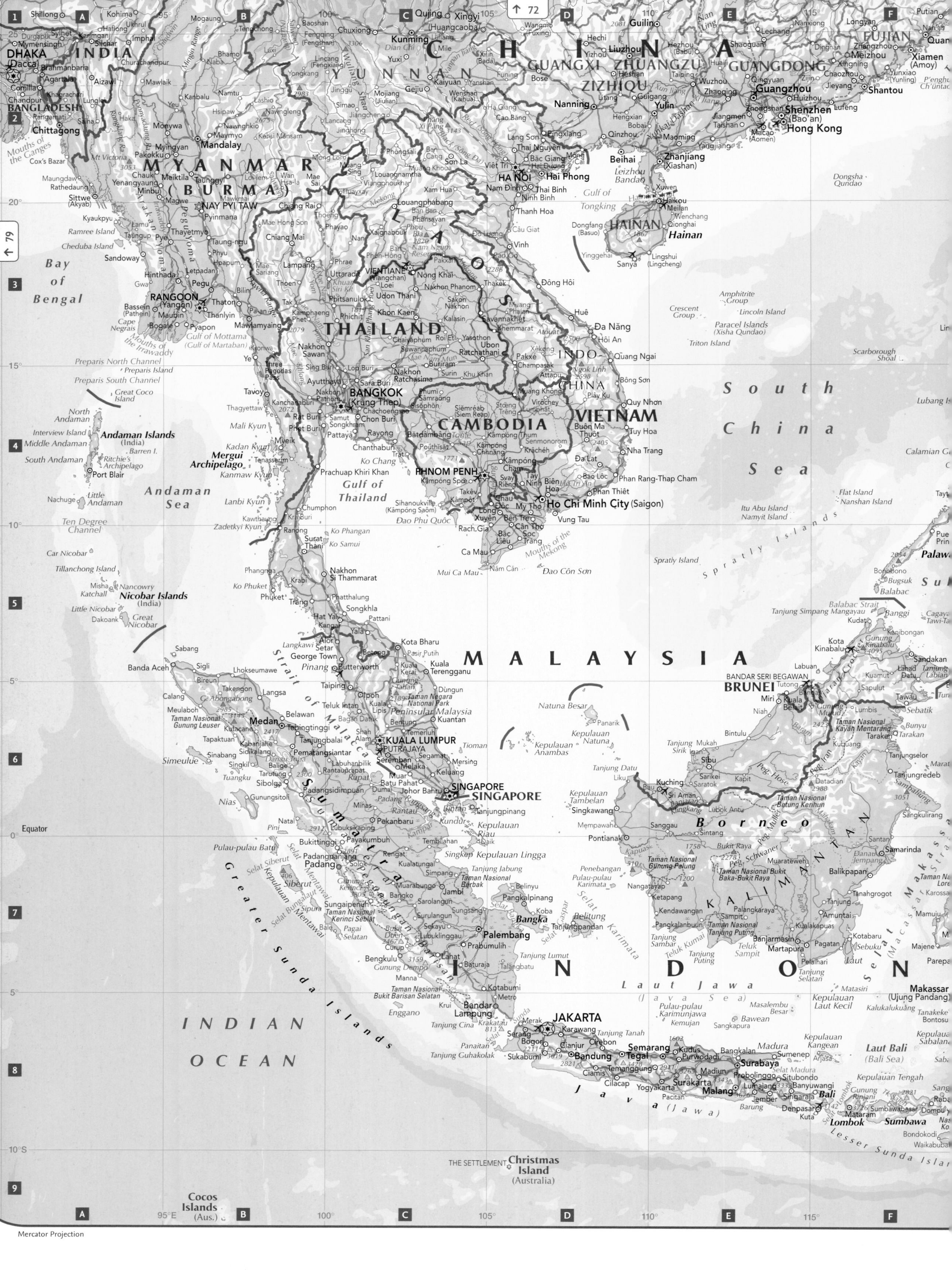

Mercator Projection

1:15 000 000

G | H | I | J | K | L

TAIWAN
The People's Republic
of China claims Taiwan
as its 23rd province

T'AIPEI
Chilung
Keelung
Ilan
Fengyuan
Hualien
Yü Shan
3950
T'aitung
Lan Yü
Kaohsiung

Sakishima-shoto
Yaeyama-rettō
Ishigaki
(Japan)

Ryukyu Islands
(Nansei-shotō)
(Japan)

Okino-Daitō-jima

Kita-Iō-jima

Volcano Islands
(Kazan-rettō)
(Japan)

Minami-
Iō-jima

Tropic of Cancer

Okino-Tori-shima
(Japan)

Farallon
de Pajaros
(Uracas)

Maug
Islands

Asuncion

Agrihan

P A C I F I C

Pagan

**Northern
Mariana
Islands**
(U.S.A.)

Alamagan
Guguan

Sarigan

Anatahan

O C E A N

Farallon
de Medinilla

CAPITOL HILL
Saipan
Tinian
Aguijan

Rota

HAGÅTÑA
Guam
(U.S.A.)

Luzon
Strait
Babuyan Channel
Batan
Islands
Batan
Fuga
Babuyan Islands

Bangued
Tuguegarao
Bontoc
Ilagan
Santiago
Bayombong
Baguio
Baler
Cabanatuan

*Philippine
Sea*

Quezon City
MANILA
San Pablo
Lucena
Lopet
Daet
Iriga
Naga
Legaspi
Sorsogon
Irosin

Catanduanes

Virac

Calapan
Sibuyan
Masbate

Roxas
Romblon
Sibuyan
Masbate
Catarman
Calbayog
Catbalogan

Samar

Loong

Semirara Is
San Jose de Buenavista
Iloilo
Barboza
Roxas
Cadiz
Bacolod
Danao
Ormoc
Tacloban

Leyte

PHILIPPINES

Ulithi

Fais

FEDERATED STATES

Gaferut

Panay
Negros
Bago
Talisay
Cauayan
Carcar
Tanjay
Dumaguete
Dipolog
Oroquieta
Ozamiz
Pagadian

Talisay
Cebu
Cebu

Baybay
Maasin
Surigao
Dinagat
Siargao

Bohol Sea

Cagayan
de Oro
Iligan
Malaybalay

Tandag

Butuan

Bislig

Faraulep

Namonuito

OF MICRONESIA

West
Fayu
Pikelot

Colonia Yap

Ngeruangel

Ngulu

Sorol

Woleai
Olimarao
Lamotrek
Elato Satawal Puluwat

Pulap

Pulusuk

Koror
Eil Malk
Angaur

PALAU

MELEKEOK
Palau
Islands

Eauripik
Ifalik

*C a r o l i n e
I s l a n d s*

Zamboanga
Basilan
Jolo
**Moro
Gulf**

Norala
2954
Mount
Apo

Mindanao

Davao
Davao
Digos
Malita
Mati

Cape San
Agustin

Sonsorol
Islands

Pulo Anna

Merir

Sarangani
Islands

General Santos

ulu Archipelago

Kepulauan
Nanusa

*Celebes
Sea*

Karakelong
Kepulauan
Talaud

Tobi
Helen

Helen
Reef

Tahuna
Salibabu
Niampak
Kaburuang

Sangir

Tahulandang
Siau
1784

Kepulauan
Sangir

Tanjung Sopi

Morotai
Daruba

Manado
Bitung
Tondano
Kotamobagu

Tobelo
Tanjung Lelai
Akelamo

Loloda
1635

Gorontalo

Ternate

Halmahera

Moutong
Marisa

Taman Nasional
Bogani Nani
Wartabone

Gebe
Laut Halmahera
(Halmahera Sea)

Equator

Semenanjung Minahasa

Waigeo

Kepulauan
Togian
Togian

Tanjung
Pangkalsiang

Labuna
Bacan

Selat Dampir
Sorong
Megamo

Kwoka

Kaironi
Manokwari

Supiori
Biak

Numfoor
Num
Pom Yapen

Biak

Tanjung
d'Urville
Teba

Ninigo
Group

Pelleluhu Is

Aua
Island

Wuvulu Island

St Matthias
Group

Tabalo
Mussau
Island

Luwuk
Ampana

Kep.
Bisa
Boo

Kep
Rajaampat

Temihabuan

Jazirah Doberai

Serui
Rumberpon
Maswaar
Nabire

Serui

Sarmi

Demta

Jayapura

Vanimo

Bewani
Lumi
Amanab

Hermit
Islands

Kabuli

Admiralty Islands
Lorengau

Manus Island

Rambutyo
Island

Bismarck

Batudaka
Poso
Toili
Banggai

Moluccas
(Maluku)
Obi

Kolonedale

Kendari

Kepulauan
Sula

Mangole
Taliabu
Lektoki

Misoòl

Kep. Pisang

Faktak

Semenanjung
Bomberai

Kaimana

Gariau

Pegunungan

Mulia

Tembagapura

Van Rees

Taritatu
Tariku

Teluk
Cenderawasih
Nabire

Maoke
2232

3892
Pk Jaya
5030

Mt Hagen
5500

Mandala

Sepik

Kairiru I.
Wewak

Schouten Islands

Green
River

Pagwi
Maprik

Watam

Manam I.

Mt
Kanengo

Karkar Island
1831

Madang

Long I.

Nukuhy

New
Britain

ESIA
Wawalindu
Manui

Fogi
Buru

Seram
3019

Taman Nasional
Manusela

Kolaka
Wowoni

Wangiwangi
Kaledupa

Raha
Buton

Wawo

Muna

Baubau

Ambon
Ambon
Ambelau

Wahai
Seram
*(Ceram
Sea)*

Undur

Kepulauan
Gorong

Nusawulan

Adi
Kamrau

Teluk
Kamrau

Amamapare

4730
Rk Trikora

Taman Nasional
Lorentz

4595
Pg Jayawijaya

4709

Central
Ra Wabag

Mt
Wilhelm
4509

Goroka

4107

Bismarck

Watut

Lae

Finschhafen

Bismarck
Sea
Witu Is

PAPUA

NEW GUINEA

Kerema

Cape
Ward Hunt

Siumpu
Kabaena

Kepulauan
Tukangbesi

Kepulauan
Banda

Kepulauan
Watubela

Kepulauan
Tayandu

Kai Besar

Dobo
Kobroór

Wokam

Kola
Benjini

Laut Banda
(Banda Sea)

Kepulauan
Aru

Kumbe

Yomuka
Pulau
Dolok

Muting

Weam
Wasua

Murray

Balimo

Mount
Victoria
4073

Kwikila

Kokoda

Owen Stanley Ra.

3676

Tanimbar
Salayar

Laut Flores
(Flores Sea)

Komba
Larantuka
Kepulauan
Alor

Kalabahi

Damar

Kepulauan
Barat Daya
Babar

Kepulauan
Tanimbar
Larat
Yamdena

Moa
Romang
Babar
Sermata

A r a f u r a

S e a

Tanjung Deyong

Trangan
Workai

Sia
Workai

Kepulauan Aru

Tanjung Vals

Kimaam

Merauke

Morehead

Wasua

Daru
Kiwai Island

Boigu I.
Torres

Hisiu

PORT MORESBY

Kwikila
Hood
Point

Flores
2400

EAST TIMOR

DILI

Foho Tatamailau

Timor

Kupang

Kefamenanu

Laut Sawu
(Savu Sea)

Alor
Selat Ombai

Atambua

Selat Wetar

EAST TIMOR

Maubara
2963

Mombum
Komoran

Bula
Goigi I.

Badu Island
Moa Island

Prince of Wales Island

Ashmore Reefs

Sumba
Raijua
Savu

Baa
Rote

Kupang

*T i m o r
S e a*

Cape Van
Diemen
Bathurst Island

Melville I.

Mitchell Point

Croker Island
Cobourg Peninsula

Gurig
National
Park

Goulburn Is

Wessel
Islands

Cape
Wessel

Elcho I.

Endeavour Strait

Jardine River
National Park

Great Barrier Reef
Marine Park
(Far North Section)

Cape York

Cape Grenville

Ashmore and
Cartier Islands
(Australia)

Maningrida

AUSTRALIA

Mapoon

Bramwell

106

5

7

→ 110

Asia
Southeast Asia

69

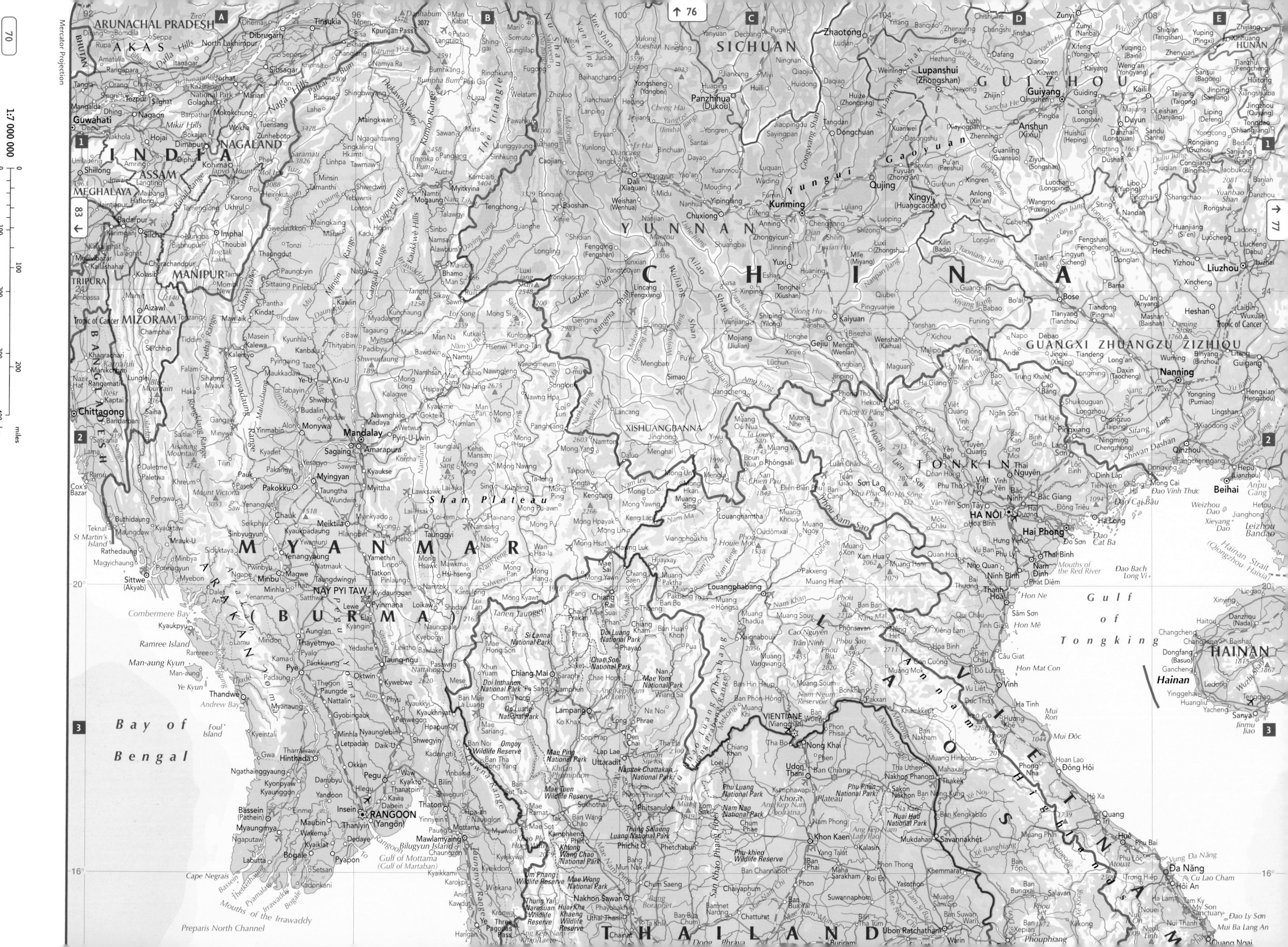

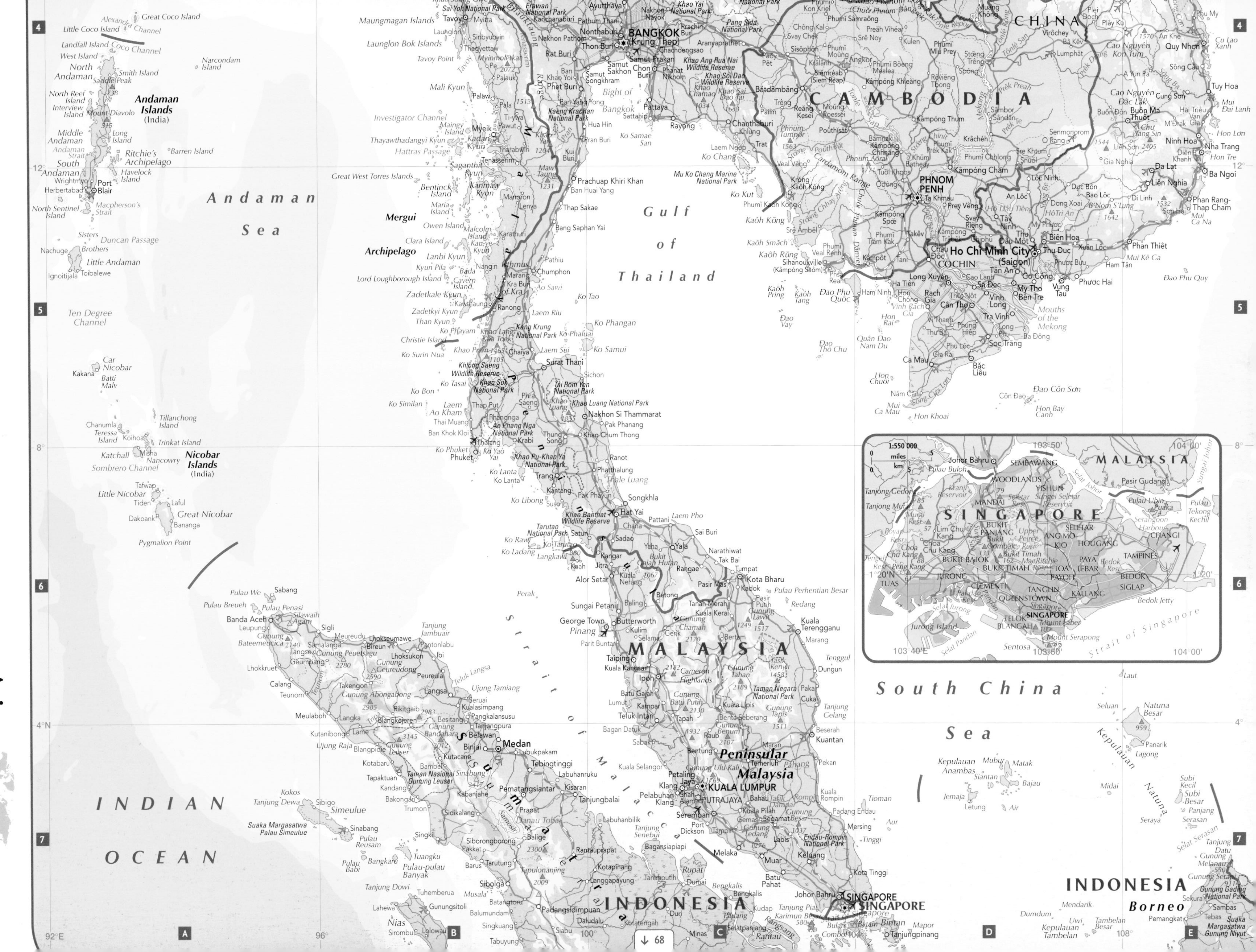

Asia

Myanmar, Thailand, Peninsular Malaysia and Indo-China

Albers Conic Equal Area Projection

1:15 000 000

| 0 | 200 | 400 | miles |

| 0 | 200 | 400 | 600 | 800 km |

RATION

Asia
Eastern Asia

↑ 65
RUSSIAN FEDERATION
Sea of Okhotsk
(Okhotskoye More)
Sakhalin
Khabarovsk
Komsomol'sk-na-Amure
Blagoveshchensk
HEILONGJIANG
Harbin
Qiqihar
MANCHURIA
JILIN
Changchun
LIAONING
Shenyang
Vladivostok
NORTH KOREA
P'YŎNGYANG
SOUTH KOREA
SEOUL
Pusan
Sea of Japan
(East Sea)
JAPAN
Hokkaidō
Sapporo
Honshū
TŌKYŌ
Yokohama
Nagoya
Kyōto
Ōsaka
Hiroshima
Shikoku
Kyūshū
Fukuoka
Kagoshima
INNER MONGOLIA
BEIJING
(Peking)
Tianjin
HEBEI
Bo Hai
SHANXI
SHANDONG
Qingdao
Yellow Sea
(Huang Hai)
HENAN
JIANGSU
Nanjing
ANHUI
Shanghai
SHANGHAI
HUBEI
Wuhan
East China Sea
(Dong Hai)
ZHEJIANG
Hangzhou
HUNAN
JIANGXI
FUJIAN
GUANGDONG
Guangzhou
Hong Kong
HAINAN
TAIWAN
T'AIPEI
The People's Republic of China claims Taiwan as its 23rd province
Ryukyu Islands
(Nansei-shotō)
(Japan)
Tropic of Cancer
PACIFIC OCEAN
South China Sea
PHILIPPINES
Luzon Strait
Bashi Channel
ADMINISTERED BY RUSSIAN FEDERATION, CLAIMED BY JAPAN
Kuril Islands

Sea of Okhotsk
(Okhotskoye More)

Sakhalin

SAKHALINSKAYA OBLAST

RUSSIAN FEDERATION

AMURSKAYA OBLAST

KHABAROVSKIY KRAY

YEVREYSKAYA AVTONOMNAYA OBLAST

PRIMORSKIY KRAY

Khabarovsk

Vladivostok

Birobidzhan

ADMINISTERED BY
RUSSIAN FEDERATION,
CLAIMED BY JAPAN

Kuril Islands
(Kuril'skiye Ostrova)

Hokkaidō

Sapporo

La Pérouse Strait

Tatarskiy Proliv

ZABAYKAL'SKIY
OBLAST

NEI MONGOL ZIZHIQU

M A N C H U R I A

H E I L O N G J I A N G

C H I N A

J I L I N

LIAONING

Harbin

Qiqihar

Daqing
(Anda)

Changchun

Jilin
(Kirin)

Shenyang   Benxi

Anshan

Fushun

Mudanjiang

Jiamusi

Yichun

Hegang

Conic Equidistant Projection

1:7 000 000

0   100   200   miles
0   100   200   300   400 km

↑ 65

73 ↓

144°

140°

F

Mukojima-rettō

Bonin Islands
(Ogasawara-shotō
(Japan)) Chichijima-rettō

Nishino-shima Hahajima-rettō

Tori-shima

Sōfu-gan

E

P A C I F I C

136°

Hachijō-jima

Aoga-shima

Mikura-jima

Miyake-jima

Kōzu-shima

Niijima

Izu-shotō

O C E A N

TOKYO

Yokohama
Kawasaki

D

132°

→ 73

C

Amami-Ō-shima

Okinawa

128°E Ryukyu Islands (Nansei-shotō) (Japan)

Tokara-rettō

Suwanose-jima

Amami-shotō

Sea

of

Japan

(East Sea)

Liancourt Rocks
Claimed and administered
by South Korea as Tok-to;
claimed by Japan as Take-shima

Ullŭng-do
(South Korea)

Oki-shotō

Dōgo

Dōzen

N O R T H

K O R E A

PYŎNGYANG

Namp'o

SOUTH
KOREA

SEOUL (Sŏul)

Inch'ŏn

Suwŏn

Taejŏn

Yellow
Sea

(Huang Hai)

Korea Bay

Hiroshima

Kita-Kyūshū

Fukuoka

Kumamoto

Kyūshū

Shikoku

Kagoshima

Kinkowan-Yaku
Kokuritsu-kōen

Nagasaki

Sata-misaki

Ōsumi-shotō

Tanega-shima

Yaku-shima

Kuchino-Erabu-shima

Ujiguntō

Kōshikijima-rettō

Nakadōri-shima

Gotō-rettō

Fukue-shima

Danjo-guntō

East China
Sea

(Dong Hai)

Tsushima

Chejudo

Hallasan
National Park

Cheju-do
Cheju

32°

28°N

Asia

Japan, North Korea and South Korea

Conic Equidistant Projection

1:7 000 000

| 0 | 100 | 200 miles |

| 0 | 100 | 200 | 300 | 400 km |

Asia
Southeast China

↑ 73
Yellow Sea
(Huang Hai)
SHANXI
HENAN
SHANDONG
ANHUI
JIANGSU
HUBEI
HUNAN
JIANGXI
ZHEJIANG
FUJIAN
GUANGDONG
HUANGZU ZIZHIQU
HAINAN
TAIWAN
China Sea
(Dong Hai)
Taiwan Strait
China Sea
Shanghai
Nanjing
Wuhan
Changsha
Nanchang
Fuzhou
Guangzhou
Hong Kong
HONG KONG
MACAO
T'AIPEI
Tropic of Cancer
The People's Republic of China claims Taiwan as its 23rd province
HONG KONG
South China Sea
↓ 69

Albers Conic Equal Area Projection

1:20 000 000

0 200 400 600 miles

0 200 400 600 800 1000 km

RUSSIAN FEDERATION
MONGOLIA
KYRGYZSTAN
CHINA
NEPAL
BHUTAN
BANGLADESH
INDIA
MYANMAR (BURMA)
THAILAND
LAOS
VIETNAM
CAMBODIA
MALAYSIA
INDONESIA
SRI LANKA
MALDIVES
SINGAPORE
INNER MONGOLIA
XINJIANG
TIBET
JAMMU AND KASHMIR
AKSAI CHIN CLAIMED BY INDIA, UNDER CHINESE ADMIN.
Gobi Desert
Taklimakan Desert (Taklimakan Shamo)
Tarim Basin (Tarim Pendi)
Plateau of Tibet (Qingzang Gaoyuan)
Qaidam Pendi
Tien Shan
Kunlun Shan
Altun Shan
Qilian Shan
Himalaya
Altai Mountains
Tanggula Shan
Gangdisê Shan
Nyainqêntanglha Shan
Hengduan Shan
Qin Ling
Deccan
Western Ghats
Eastern Ghats
Bay of Bengal
Andaman Sea
South China Sea
Gulf of Tongking
Gulf of Thailand
Strait of Malacca
Gulf of Mottama (Gulf of Martaban)
Coromandel Coast
Malabar Coast
Ten Degree Channel
Nine Degree Channel
Eight Degree Channel
Andaman Islands (India)
Nicobar Islands (India)
Tropic of Cancer
BEIJING (Peking)
ULAN BATOR (Ulaanbaatar)
NEW DELHI
KATHMANDU
THIMPHU
DHAKA (Dacca)
NAY PYI TAW
RANGOON (Yangon)
BANGKOK (Krung Thep)
VIENTIANE
HA NOI
PHNOM PENH
KUALA LUMPUR
PUTRAJAYA
SRI JAYEWARDENEPURA KOTTE
BISHKEK
ASTANA (Akmola)
ISLAMABAD
Ho Chi Minh City (Saigon)
Hong Kong
Mumbai (Bombay)
Kolkata (Calcutta)
Chennai (Madras)
Shanghai
↑ 65
→ 66
→ 67
↓ 81
G
H
I
J
K
L
1
2
3
4
5
6
80°
90°
100°
110°
120°

Asia

Central and Southern Asia

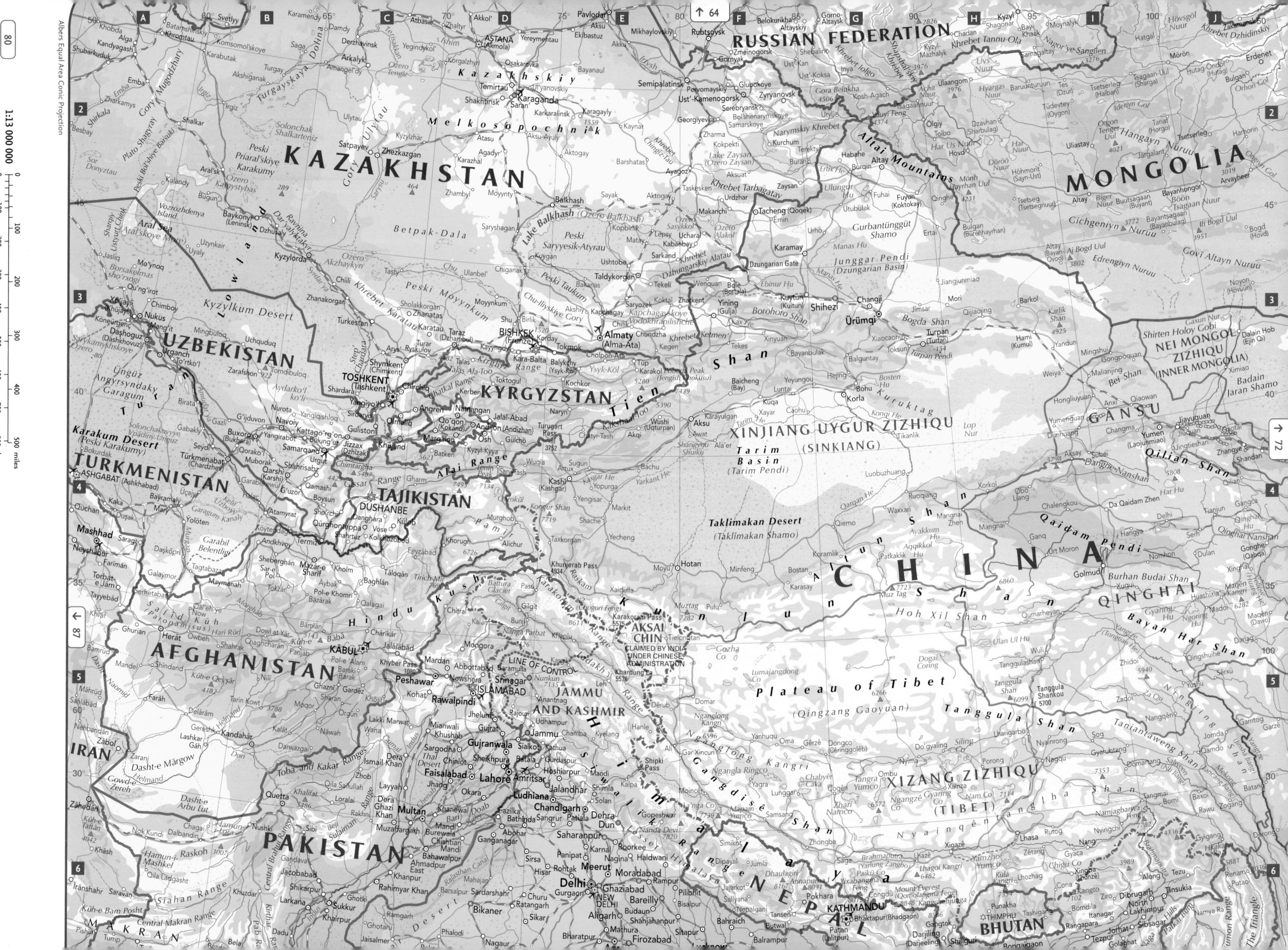

INDIA
BANGLADESH
MYANMAR (BURMA)
SRI LANKA
MALDIVES
INDONESIA
Arabian Sea
Bay of Bengal
Andaman Sea
INDIAN OCEAN
Deccan
Western Ghats
Eastern Ghats
Malabar Coast
Coromandel Coast
Gulf of Mannar
Palk Strait
Gulf of Kachchh
Gulf of Khambhat
Mouths of the Indus
Mouths of the Ganges
Mouths of the Irrawaddy
Laccadive Islands (India)
Andaman Islands (India)
Nicobar Islands (India)
Nine Degree Channel
Eight Degree Channel
Ten Degree Channel
One and a Half Degree Channel
Karachi
Mumbai (Bombay)
Pune (Poona)
Ahmadabad
Surat
Vadodara (Baroda)
Rajkot
Nashik
Aurangabad
Indore
Bhopal
Jabalpur
Nagpur
Kota
Jhansi
Allahabad
Varanasi
Patna
Ranchi
Jamshedpur
Dhanbad
Asansol
Kolkata (Calcutta)
Raipur
Cuttack
Bhubaneshwar
Vishakhapatnam
Hyderabad
Secunderabad
Solapur
Gulbarga
Belgaum
Dharwad
Hubli
Bangalore
Mysore
Mangalore
Calicut (Kozhikode)
Cochin (Kochi)
Trivandrum (Thiruvananthapuram)
Coimbatore
Tiruchchirappalli
Madurai
Chennai (Madras)
Puducherry (Pondicherry)
Vijayawada
Guntur
Kolhapur
Akola
Amravati
DHAKA (Dacca)
Chittagong
Khulna
Rajshahi
Mandalay
NAY PYI TAW
RANGOON (Yangon)
Bassein (Pathein)
Sittwe (Akyab)
Port Blair
Colombo
SRI JAYEWARDENEPURA KOTTE
Kandy
Jaffna
Trincomalee
Galle
MALE
Banda Aceh
Tropic of Cancer
Equator

68

Asia

Southern Asia

Conic Equidistant Projection

Administrative divisions in India
numbered on the map:

1. DADRA AND NAGAR HAVELI (C5)
2. DAMAN AND DIU (B5, C5)

1:7 000 000

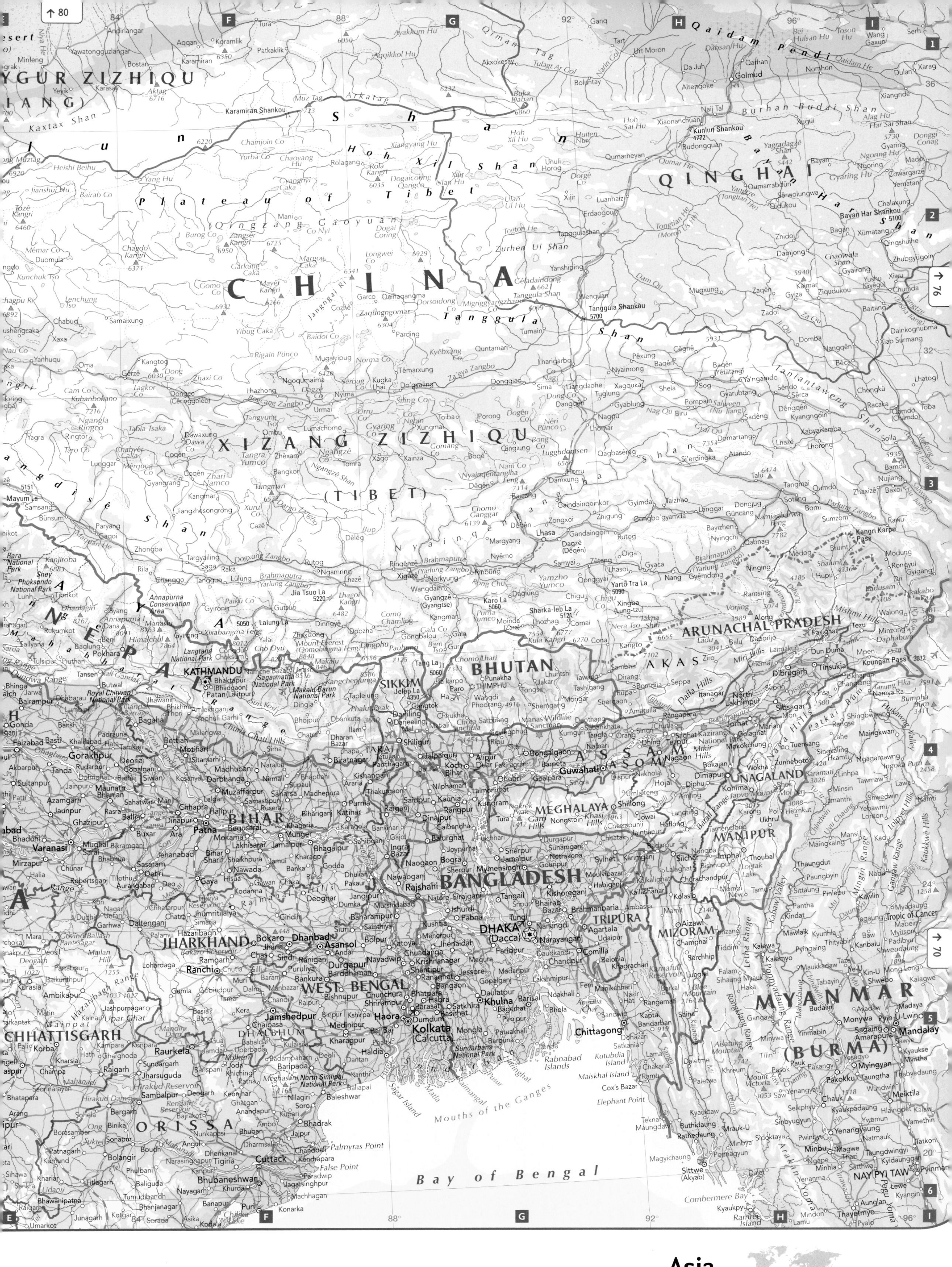

Asia

Northern India, Nepal, Bhutan and Bangladesh

Asia
Southern India and Sri Lanka

Conic Equidistant Projection

1:7 000 000

Administrative divisions in India
numbered on the map:

1. DADRA AND NAGAR HAVELI (B1)
2. DAMAN AND DIU (A1, B1)
3. PUDUCHERRY (C4)

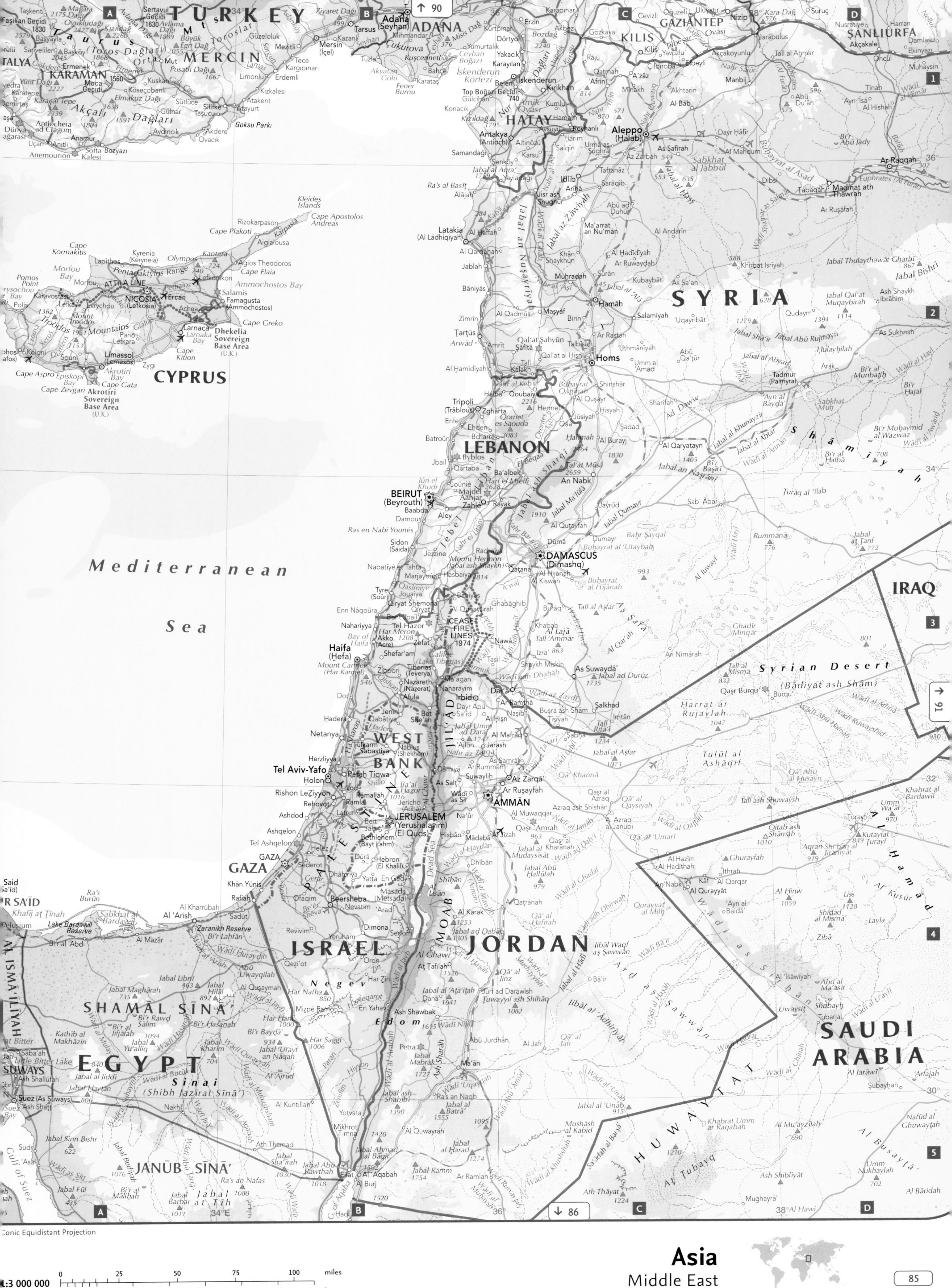

Asia
Middle East

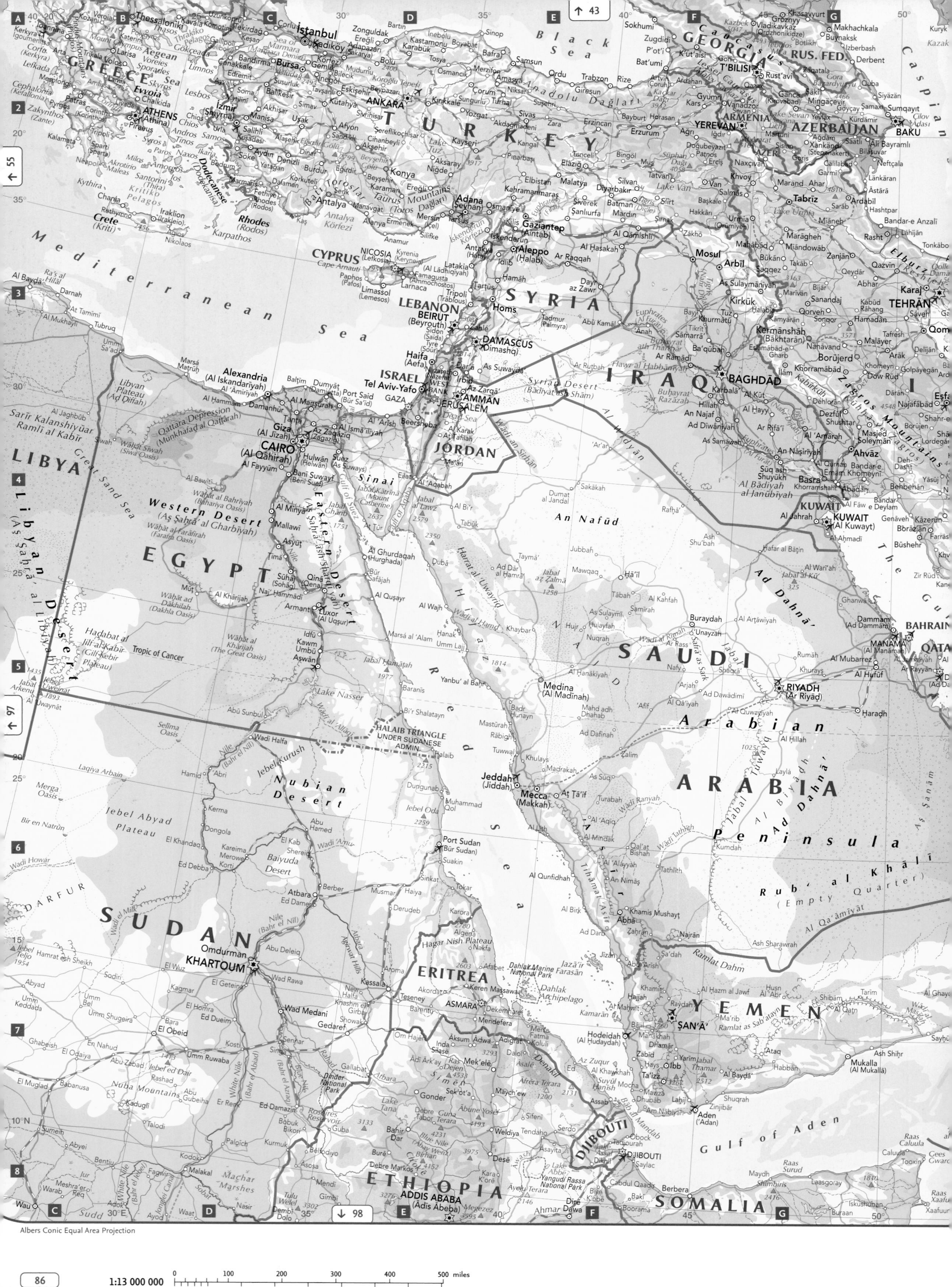

KAZAKHSTAN
UZBEKISTAN
TURKMENISTAN
KYRGYZSTAN
TAJIKISTAN
AFGHANISTAN
PAKISTAN
INDIA
CHINA
NEPAL
OMAN
XINJIANG UYGUR ZIZHIQU (SINKIANG)
XIZANG ZIZHIQU (TIBET)
JAMMU AND KASHMIR
AKSAI CHIN CLAIMED BY INDIA UNDER CHINESE ADMINISTRATION
LINE OF CONTROL
Taklimakan Desert (Taklimakan Shamo)
Tarim Basin (Tarim Pendi)
Kunlun Shan
Hindu Kush
Himalaya
Karakoram Range
Pamir
Turan Lowland
Karakum Desert (Peski Karakumy)
Dasht-e Kavir
Dasht-e Lut
Thar Desert
Arabian Sea
Gulf of Oman
Gulf of Kachchh
Gulf of Khambhat
Laccadive Islands (India)
Amindivi Islands
Nine Degree Channel
Socotra (Suquṭrá) (Yemen)
TOSHKENT (Tashkent)
DUSHANBE
AŞGABAT (Ashkhabad)
KABUL
ISLAMABAD
MUSCAT (Masqaṭ)
Delhi
NEW DELHI
Karachi
Lahore
Mumbai (Bombay)
Ahmadabad
Hyderabad
Bangalore
Mashhad
Herat
Kandahar
Samarqand
Dubai (Dubayy)
Sharjah (Ash Shāriqah)
Peshawar
Rawalpindi
Multan
Quetta
Jaipur
Kanpur
Lucknow
Pune (Poona)
Nagpur
Srinagar
Trivandrum (Thiruvananthapuram)
Cape Comorin
Tropic of Cancer

TURKEY
ARMENIA
AZER.
AZERBAIJAN
TURKMENISTAN
IRAQ
MESOPOTAMIA
IRAN
KUWAIT
BAHRAIN
QATAR
SAUDI ARABIA
UNITED ARAB EMIRATES
OMAN
Caspian Sea
The Gulf
Gulf of Oman
Strait of Hormuz
Lake Van (Van Gölü)
Lake Urmia
Elburz Mountains
Zagros Mountains
Dasht-e Kavīr
Dasht-e Lut
KHAMSEH
LORESTĀN
BAKHTIĀRĪ COUNTRY
LARISTAN
KHALAJESTAN
Ad Dahnā'
Ad Dibdibah
Turan
Kopet Dag
TEHRĀN
BAGHDĀD
KUWAIT (Al Kuwayt)
RIYADH (Ar Riyāḑ)
MANAMA (Al Manāmah)
DOHA (Ad Dawḩah)
ABU DHABI (Abū Ẓabī)
MUSCAT (Masqaţ)
AŞGABAT (Ashkhabad)
Tabrīz
Mosul
Arbīl
Kirkūk
Basra
Eşfahān (Isfahan)
Shīrāz
Kermān
Yazd
Qom
Kāshān
Hamadān
Kermānshāh (Bākhtarān)
Ahvāz
Bandar-e 'Abbās
Dubai (Dubayy)
Sharjah (Ash Shāriqah)
Būshehr
Ar Ramādī
Al Ḩillah
Karbalā'
An Najaf
An Nāşirīyah
Dammam (Ad Dammām)
Al Hufūf
Türkmenbaşy
Balkanabat
Rasht
Sārī
Gorgān
Sabzevār
Tropic of Cancer
Conic Equidistant Projection
↑ 91
↓ 86
← 91
← 86

1:7 000 000

0 100 200 miles

0 100 200 300 400 km

Asia

The Gulf, Iran, Afghanistan and Pakistan

↑ 80
→ 82
UZBEKISTAN
TAJIKISTAN
KYRGYZSTAN
CHINA
XINJIANG UYGUR ZIZHIQU
INDIA
NORTHERN AREAS
NORTH WEST FRONTIER
TRIBAL AREAS
JAMMU AND KASHMIR
LINE OF CONTROL
PUNJAB
SINDH
BALOCHISTAN
RAJASTHAN
GUJARAT
HARYANA
Arabian Sea
Gulf of Kachchh
Rann of Kachchh
Mouths of the Indus
Hindu Kush
Pamir
Karakoram Range
Kābul
Dushanbe
Islamabad
Rawalpindi
Peshawar
Lahore
Faisalabad
Multan
Quetta
Karachi
Hyderabad
Kandahār
Herāt
Mazār-e Sharīf
Samarqand
Srinagar
Amritsar
Ahmadabad
Jodhpur
Bikaner
Zāhedān
Registān
Dasht-e Mārgow
Central Makran Range
Makran Coast Range
Kirthar Range
Sulaiman Range
Salt Range
Thal Desert
Ras Muari
Ra's al Hadd
60°
64°
68°

Administrative divisions in Russian Federation
numbered on the map:

1. RESPUBLIKA KALMYKIYA – KHALM'G-TANGCH (G1)
2. RESPUBLIKA DAGESTAN (G2)
3. CHECHENSKAYA RESPUBLIKA (G2)
4. RESPUBLIKA INGUSHETIYA (G2)
5. RESPUBLIKA SEVERNAYA OSETIYA - ALANIYA (G2)
6. KABARDINO-BALKARSKAYA RESPUBLIKA (F2)
7. KARACHAYEVO-CHERKESSKAYA RESPUBLIKA (F2)
8. RESPUBLIKA ADYGEYA (F1)

Conic Equidistant Projection

90   1:7 000 000

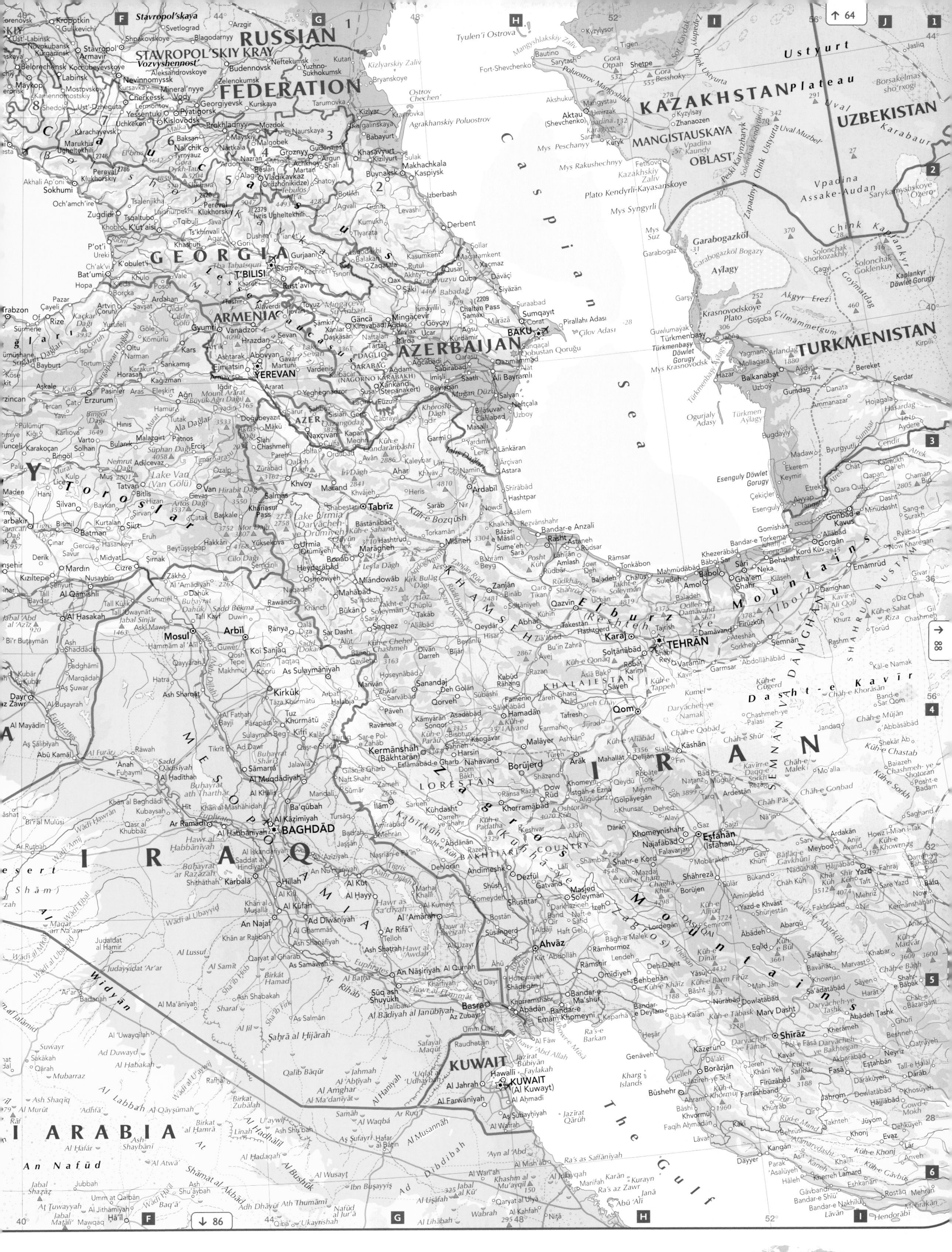

Asia

Eastern Mediterranean, the Caucasus and Iraq

Africa
Landscapes

Some of the world's greatest physical features are in Africa, the world's second largest continent. Variations in climate and elevation give rise to the continent's great variety of landscapes. The Sahara, the world's largest desert, extends across the whole continent from west to east, and covers an area of over nine million square kilometres. Other significant African deserts are the Kalahari and the Namib. In contrast, some of the world's greatest rivers flow in Africa, including the Nile, the world's longest, and the Congo.

The Great Rift Valley is perhaps Africa's most notable geological feature. It stretches for nearly 3 000 kilometres from Jordan, through the Red Sea and south to Mozambique, and contains many of Africa's largest lakes. Significant mountain ranges on the continent are the Atlas Mountains and the Ethiopian Highlands in the north, the Ruwenzori in east central Africa, and the Drakensberg in the far southeast.

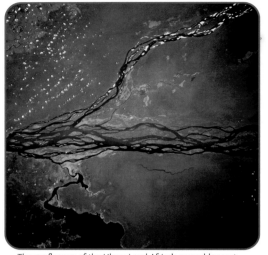

The confluence of the Ubangi and Africa's second longest river, the **Congo**.

Africa's extent

TOTAL LAND AREA	30 343 578 sq km / 11 715 655 sq miles
Most northerly point	La Galite, Tunisia
Most southerly point	Cape Agulhas, South Africa
Most westerly point	Santo Antão, Cape Verde
Most easterly point	Raas Xaafuun, Somalia

Internet Links

● NASA Visible Earth	**visibleearth.nasa.gov**
● NASA Astronaut Photography	**eol.jsc.nasa.gov**
● Peace Parks Foundation	**www.peaceparks.org**

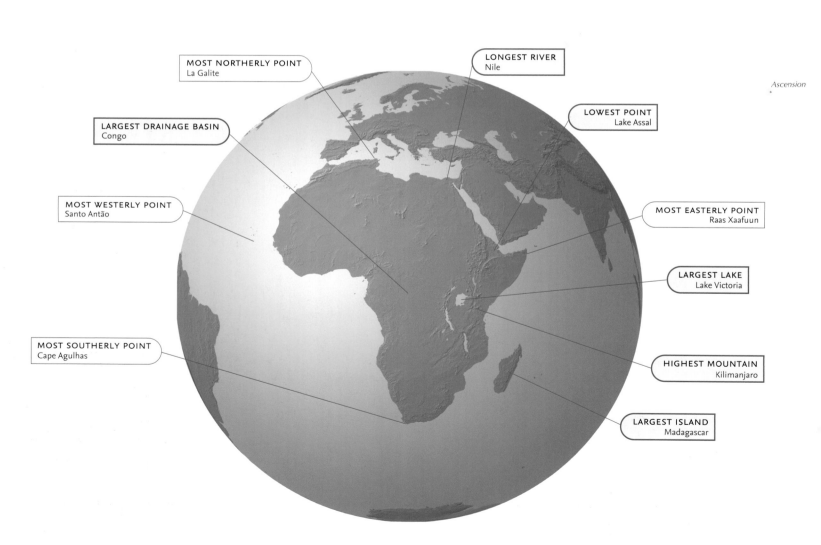

MOST NORTHERLY POINT
La Galite

LONGEST RIVER
Nile

LARGEST DRAINAGE BASIN
Congo

LOWEST POINT
Lake Assal

MOST WESTERLY POINT
Santo Antão

MOST EASTERLY POINT
Raas Xaafuun

LARGEST LAKE
Lake Victoria

MOST SOUTHERLY POINT
Cape Agulhas

HIGHEST MOUNTAIN
Kilimanjaro

LARGEST ISLAND
Madagascar

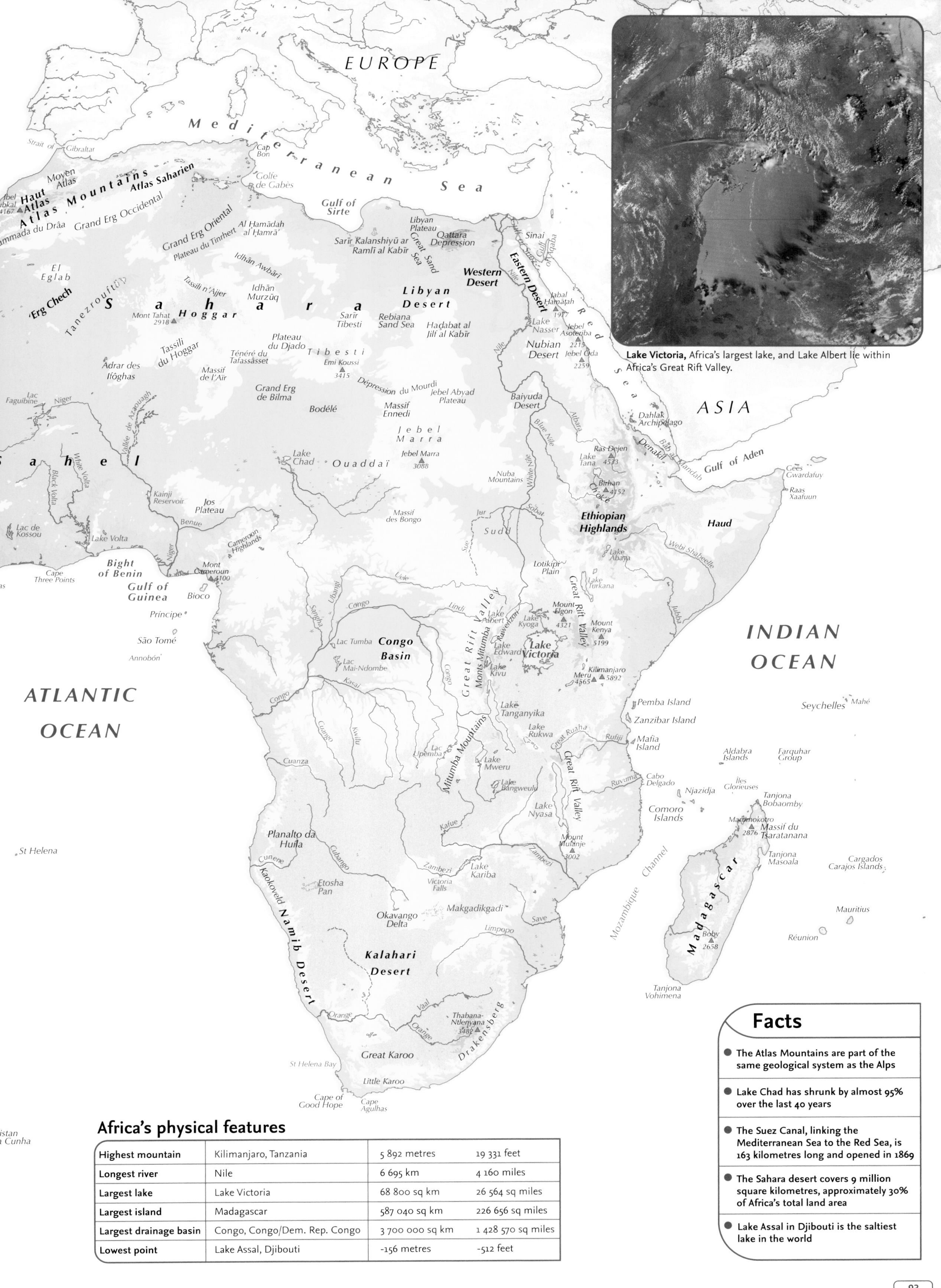

EUROPE

ASIA

_M e d i t e r r a n e a n   S e a_

Strait of Gibraltar

Cap Bon

Golfe de Gabès

Gulf of Sirte

Jbel Toubkal 4167

Moyen Atlas

Haut Atlas

Atlas Mountains

Atlas Saharien

Hammada du Drâa

Grand Erg Occidental

Grand Erg Oriental

Plateau du Tinrhert

Al Hamâdah al Hamrâ'

Libyan Plateau

Qattara Depression

Sarir Kalanshiyū ar Ramlī al Kabīr

Great Sand Sea

Sinai

Gulf of Aqaba

El Eglab

'Erg Chech

Idhân Awbârī

Western Desert

Eastern Desert

Tassili n'Ajjer

Tanezrouft

_S a h a r a_

Idhân Murzûq

Libyan Desert

Jabal Hamâṭah 1917

Mont Tahat 2918

_H o g g a r_

Sarir Tibesti

Rebiana Sand Sea

Ḥaḍabat al Jilf al Kabīr

Jebel Asotenba 2215

Jebel Oda 2259

Red Sea

Tassili du Hoggar

Plateau du Djado

_T i b e s t i_

Lake Nasser

Nile

Nubian Desert

Adrar des Ifôghas

Ténéré du Tafassâsset

Massif de l'Aïr

Emi Koussi 3415

Dépression du Mourdi

Jebel Abyad Plateau

Baiyuda Desert

Dahlak Archipelago

Lac Faguibine

Niger

Grand Erg de Bilma

Bodélé

Massif Ennedi

_J e b e l M a r r a_

Atbara

Denakil

Jabal Mandab

Gulf of Aden

Gees Gwardafuy

_S a h e l_

White Volta

Black Volta

Lake Chad

_O u a d d a ï_

Jebel Marra 3088

Nuba Mountains

Blue Nile

Lake Tana

Ras Dejen 4533

Choke

Birhan 4152

Raas Xaafuun

Kainji Reservoir

Jos Plateau

Benue

Massif des Bongo

_S u d d_

Jur

Sobat

White Nile

Ethiopian Highlands

Lake Abaya

Haud

Webi Shabeelle

Lac de Kossou

Lake Volta

Niger

Cameroon Highlands

Uele

Lotikipi Plain

Lake Turkana

Bight of Benin

Cape Three Points

Mont Cameroun 4100

Gulf of Guinea

Bioco

Ubangi

Lindi

Great Rift Valley

Lake Albert

Ruwenzori

Lake Kyoga

Mount Elgon 4321

Mount Kenya 5199

Jubba

Príncipe

Sangha

Congo

Lac Tumba

Congo Basin

Lake Edward

Lake Victoria

Meru 4565

Kilimanjaro 5892

São Tomé

Mbomou

Lac Mai-Ndombe

Kasai

Congo

Lake Kivu

Monts Mitumba

Annobón

ATLANTIC OCEAN

Cuango

Kwilu

Lac Upemba

Mitumba Mountains

Lake Tanganyika

Lake Rukwa

Great Ruaha

Rufiji

Pemba Island

Zanzibar Island

INDIAN OCEAN

Seychelles

Mahé

Cuanza

Lake Mweru

Lake Bangweulu

Mafia Island

Cabo Delgado

Aldabra Islands

Farquhar Group

St Helena

Planalto da Huíla

Kafue

Lake Nyasa

Ruvuma

Njazidja

Íles Glorieuses

Tanjona Bobaomby

Cunene

Cubango

Zambezi

Lake Kariba

Mount Mulanje 3002

Comoro Islands

Maromokotro 2876

Massif du Tsaratanana

Cargados Carajos Islands

_N a m i b_

Kar[.] coveld

Etosha Pan

Okavango Delta

Victoria Falls

Zambezi

Makgadikgadi

Save

Limpopo

Mozambique Channel

_M a d a g a s c a r_

Tanjona Masoala

Mauritius

_D e s e r t_

Kalahari Desert

Réunion

Orange

Vaal

Thabana-Ntlenyana 3482

Drakensberg

Boby 2658

St Helena Bay

Great Karoo

Little Karoo

Tanjona Vohimena

Cape of Good Hope

Cape Agulhas

istan Cunha

Lake Victoria, Africa's largest lake, and Lake Albert lie within Africa's Great Rift Valley.

Africa's physical features

Highest mountain	Kilimanjaro, Tanzania	5 892 metres	19 331 feet
Longest river	Nile	6 695 km	4 160 miles
Largest lake	Lake Victoria	68 800 sq km	26 564 sq miles
Largest island	Madagascar	587 040 sq km	226 656 sq miles
Largest drainage basin	Congo, Congo/Dem. Rep. Congo	3 700 000 sq km	1 428 570 sq miles
Lowest point	Lake Assal, Djibouti	-156 metres	-512 feet

Facts

- The Atlas Mountains are part of the same geological system as the Alps

- Lake Chad has shrunk by almost 95% over the last 40 years

- The Suez Canal, linking the Mediterranean Sea to the Red Sea, is 163 kilometres long and opened in 1869

- The Sahara desert covers 9 million square kilometres, approximately 30% of Africa's total land area

- Lake Assal in Djibouti is the saltiest lake in the world

Africa
Countries

Africa is a complex continent, with over fifty independent countries and a long history of political change. It supports a great variety of ethnic groups, with the Sahara creating the major divide between Arab and Berber groups in the north and a diverse range of groups, including the Yoruba and Masai, in the south.

The current pattern of countries in Africa is a product of a long and complex history, including the colonial period, which saw European control of the vast majority of the continent from the fifteenth century until widespread moves to independence began in the 1950s. Despite its great wealth of natural resources, Africa is by far the world's poorest continent. Many of its countries are heavily dependent upon foreign aid and many are also subject to serious political instability.

Facts

- Africa has over 1 000 linguistic and cultural groups

- Only Liberia and Ethiopia have remained free from colonial rule throughout their history

- Over 30% of the world's minerals, and over 50% of the world's diamonds, come from Africa

- 9 of the 10 poorest countries in the world are in Africa

Madeira (Portugal)

Canary Islan (Spain)

Laâyoune

WESTERN SAHARA

Nouâdhibou

MAURITA

Nouakchott

CAPE VERDE

Praia

St-Louis

Dakar
Kaolack
SENEGAL
Banjul
THE GAMBIA
Bissau
GUINEA-BISSAU
GUINE

Conakry
Freetown
SIERRA LEONE
Monrovia
LIBE

MOST NORTHERLY CAPITAL
Tunis

LARGEST CAPITAL
Cairo

LARGEST COUNTRY (AREA)
Sudan

LARGEST COUNTRY (POPULATION)
Nigeria

HIGHEST CAPITAL
Addis Ababa

Ascension
(U.K.)

SMALLEST CAPITAL
Victoria

SMALLEST COUNTRY
(AREA AND POPULATION)
Seychelles

LEAST DENSELY POPULATED COUNTRY
Namibia

MOST DENSELY POPULATED COUNTRY
Mauritius

MOST SOUTHERLY CAPITAL
Cape Town

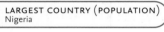

Internet Links

UK Foreign and Commonwealth Office	www.fco.gov.uk
CIA World Factbook	www.cia.gov/library/publications/the-world-factbook/index.html
Southern African Development Community	www.sadc.int
GeoEye	www.GeoEye.com

EUROPE

Mediterranean Sea

MOROCCO
Atlas Mountains

ALGERIA
Sahara

TUNISIA

LIBYA
Libyan Desert

EGYPT

MALI

NIGER

CHAD

SUDAN

ERITREA

DJIBOUTI

MALI

BURKINA

BENIN

NIGERIA

CENTRAL
AFRICAN REPUBLIC

ETHIOPIA

SOMALIA

GHANA
TOGO

CÔTE
D'IVOIRE

CAMEROON

*Gulf of
Guinea*

EQUATORIAL
GUINEA

SÃO TOMÉ AND PRÍNCIPE

GABON

CONGO

DEMOCRATIC
REPUBLIC
OF THE
CONGO

UGANDA

KENYA

RWANDA
BURUNDI

TANZANIA

*INDIAN
OCEAN*

SEYCHELLES

CABINDA
(Angola)

*ATLANTIC
OCEAN*

ANGOLA

MALAWI

ZAMBIA

COMOROS

Mayotte
(France)

MADAGASCAR

MAURITIUS

Réunion
(France)

St Helena
and Dependencies
(U.K.)

NAMIBIA

ZIMBABWE

MOZAMBIQUE

Namib Desert

BOTSWANA

SWAZILAND

LESOTHO

REPUBLIC OF
SOUTH AFRICA

Tristan
da Cunha
(U.K.)

Cape Town, legislative capital of the Republic of South Africa and the most southerly African capital city.

ASIA

Red Sea

Gulf of Aden

Africa's capitals

Largest capital (population)	Cairo, Egypt	11 893 000
Smallest capital (population)	Victoria, Seychelles	25 500
Most northerly capital	Tunis, Tunisia	36° 46'N
Most southerly capital	Cape Town, Republic of South Africa	33° 57'S
Highest capital	Addis Ababa, Ethiopia	2 408 metres 7 900 feet

Africa's countries

Largest country (area)	Sudan	2 505 813 sq km	967 500 sq miles
Smallest country (area)	Seychelles	455 sq km	176 sq miles
Largest country (population)	Nigeria	131 530 000	
Smallest country (population)	Seychelles	81 000	
Most densely populated country	Mauritius	599 per sq km	1 549 per sq mile
Least densely populated country	Namibia	2 per sq km	6 per sq mile

95

ATLANTIC
OCEAN

MOROCCO

Canary Islands
(Spain)

**WESTERN
SAHARA**

ALGERIA

MAURITANIA

EL MREYYÉ

MALI

NOUAKCHOTT

NIGER

DAKAR
SENEGAL

THE GAMBIA
BANJUL

GUINEA BISSAU
BISSAU

Arquipélago
dos Bijagós

GUINEA

CONAKRY

FREETOWN
SIERRA LEONE

BURKINA
OUAGADOUGOU

BENIN
TOGO
NIGERIA

NIAMEY

KANO

ABUJA

KADUNA

CÔTE D'IVOIRE

GHANA

YAMOUSSOUKRO

ACCRA

LOMÉ

PORTO
NOVO

Lagos

Benin
City

LIBERIA

MONROVIA

Abidjan

Gulf
of Guinea

Bight
of Benin

Slave Coast

Cape
Three Points

CAMEROO
Douala
YAOUN
MALABO

**EQUATORIAL
GUINEA**

**SÃO TOMÉ
AND
PRÍNCIPE**

SÃO TOMÉ

LIBREVILLE

GABO

ATLANTIC

OCEAN

Gulf
of Guinea

CAPE VERDE

Santo Antão
Mindelo
São Vicente
São Nicolau

Porto Novo
Sal
Santa Maria
Boa Vista

*Ilhas do
Cabo Verde*

Santiago
(São Tiago)
Tarrafal
Maio

Brava
Fogo
2829
PRAIA

25°N
15°N

Equator

25°W
15°W

1:16 000 000

0   miles   100
0 km 150

SPAIN
ALGIERS
(Alger)
TUNISIA
TUNIS

Tropic of Cancer

Lambert Azimuthal Equal Area Projection

1:16 000 000

0   200   400   miles
0   200   400   600   800 km

Mediterranean Sea
LIBYA
EGYPT
SUDAN
CHAD
CENTRAL AFRICAN REPUBLIC
DEMOCRATIC REPUBLIC OF THE CONGO
CONGO
UGANDA
KENYA
TANZANIA
RWANDA
BURUNDI
ETHIOPIA
ERITREA
DJIBOUTI
SOMALIA
YEMEN
SAUDI ARABIA
JORDAN
ISRAEL
LEBANON
SYRIA
IRAQ
IRAN
KUWAIT
TURKEY
GREECE
CYPRUS
ITALY
Red Sea
Gulf of Aden
INDIAN OCEAN
Gulf of Sirte
Libyan Desert
Great Sand Sea
Western Desert
Eastern Desert
Nubian Desert
Syrian Desert
An Nafūd
Tibesti
Ennedi
Darfur
Ouaddaï
Lake Victoria
Lake Nasser
Lake Turkana
Tropic of Cancer
Equator
CAIRO
KHARTOUM
ADDIS ABABA
NAIROBI
KAMPALA
KIGALI
BANGUI
NDJAMENA
ASMARA
DJIBOUTI
MOGADISHU
SAN'A'
RIYADH
BAGHDAD
DAMASCUS
BEIRUT
JERUSALEM
'AMMAN
NICOSIA
ATHENS

↑ 55
→ 98
↓ 99

LIBYA
EGYPT
SAUDI ARABIA
YEMEN
OMAN
U.A.E.
QATAR
BAHRAIN
The Gulf
ALGERIA
NIGER
CHAD
SUDAN
ERITREA
DJIBOUTI
ETHIOPIA
SOMALIA
KENYA
UGANDA
RWANDA
BURUNDI
NIGERIA
CAMEROON
CENTRAL AFRICAN REPUBLIC
DEMOCRATIC REPUBLIC
CONGO
GABON
EQUATORIAL GUINEA
SAHARA
Libyan Desert (Aş Şaḩrā' al Lībīyah)
Western Desert (Aş Şaḩrā' al Gharbīyah)
Eastern Desert (Aş Şaḩrā' ash Sharqīyah)
Nubian Desert
Great Sand Sea
Rub' al Khālī
Ad Dahnā'
NAJD
DARFUR
Gulf of Aden
Red Sea
Lake Chad
Lake Victoria
Great Rift Valley
Congo Basin
KHARTOUM
Omdurman
ADDIS ABABA (Ādīs Ābeba)
ASMARA
DJIBOUTI
SAN'Ā'
RIYADH (Ar Riyāḑ)
MANAMA (Al Manāmah)
DOHA (Ad Dawḩah)
MOGADISHU (Muqdisho)
NAIROBI
KAMPALA
KIGALI
NDJAMENA
BANGUI
YAOUNDÉ
LIBREVILLE
Mecca (Makkah)
Medina (Al Madīnah)
Jeddah (Jiddah)
Port Sudan (Būr Sudan)
Aden ('Adan)
Tropic of Cancer
Equator
↑ 97
↑ 86
→ 86
← 96
Lambert Azimuthal Equal Area Projection
1:16 000 000
0 200 400 miles
0 200 400 600 800 km

Africa

Central and Southern Africa

CONGO
TANZANIA
ANGOLA
ZAMBIA
MALAWI
MOZAMBIQUE
ZIMBABWE
BOTSWANA
NAMIBIA
REPUBLIC OF SOUTH AFRICA
LESOTHO
SWAZILAND
MADAGASCAR
COMOROS
INDIAN OCEAN
ATLANTIC OCEAN
Mozambique Channel
Kalahari Desert
Namib Desert
Tropic of Capricorn
LUANDA
LUSAKA
HARARE
LILONGWE
DODOMA
Dar es Salaam
MAPUTO
PRETORIA (Tshwane)
Johannesburg
WINDHOEK
GABORONE
MASERU
MBABANE
ANTANANARIVO
MORONI
CAPE TOWN
Durban
Port Elizabeth
Bulawayo
Beira
Lubumbashi
Mahajanga
Toliara
Île Europa (France)
Bassas da India (France)
Mayotte (France)
Aldabra Islands (Seychelles)
Farquhar Group (Seychelles)
Cape of Good Hope
Cape Agulhas

ATLANTIC

OCEAN

ERONGO

KHOMAS

WINDHOEK

NAMIBIA

HARDAP

GREAT NAMAQUALAND

KARAS

GHANZI

BOTSWANA

KWENEN

KGALAGADI

Kalahari

Desert

SOUTHER

NORT

REPUBLIC

NORTHERN OF

CAPE

SOUTH AFR

NAMAQUALAND

WESTERN CAPE

CAPE TOWN

Lambert Azimuthal Equal Area Projection

1:5 000 000

| 0 | 50 | 100 | 150 | miles |

| 0 | 50 | 100 | 150 | 200 | 250 km |

Africa
Republic of South Africa

ZIMBABWE
MOZAMBIQUE
LIMPOPO
MPUMALANGA
GAUTENG
KWAZULU-NATAL
FREE STATE
LESOTHO
SWAZILAND
EASTERN CAPE
GAZA
INHAMBANE
MAPUTO
CENTRAL
KGATLENG
GABORONE
PRETORIA (Tshwane)
Johannesburg
MASERU
MBABANE
MAPUTO
Durban
Pietermaritzburg
Bloemfontein
East London
Port Elizabeth
Drakensberg
INDIAN
OCEAN
Tropic of Capricorn

Oceania
Landscapes

Oceania comprises Australia, New Zealand, New Guinea and the islands of the Pacific Ocean. It is the smallest of the world's continents by land area. Its dominating feature is Australia, which is mainly flat and very dry. Australia's western half consists of a low plateau, broken in places by higher mountain ranges, which has very few permanent rivers or lakes. The narrow, fertile coastal plain of the east coast is separated from the interior by the Great Dividing Range, which includes the highest mountain in Australia.

The numerous Pacific islands of Oceania are generally either volcanic in origin or consist of coral. They can be divided into three main regions - Micronesia, north of the equator between Palau and the Gilbert islands; Melanesia, stretching from mountainous New Guinea to Fiji; and Polynesia, covering a vast area of the eastern and central Pacific Ocean.

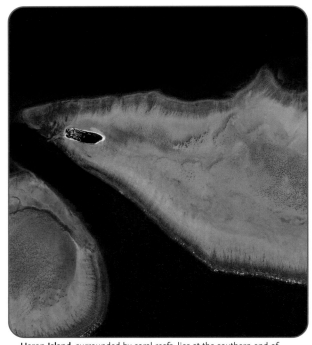

Heron Island, surrounded by coral reefs, lies at the southern end of Australia's Great Barrier Reef.

Facts

- Australia's Great Barrier Reef is the world's largest coral reef and stretches for over 2 000 kilometres

- The highest point of Tuvalu is only 5 metres above sea level

- New Zealand lies directly on the boundary between the Pacific and Indo-Australian tectonic plates

- The Mariana Trench in the Pacific Ocean contains the earth's deepest point – Challenger Deep, 10 920 metres below sea level

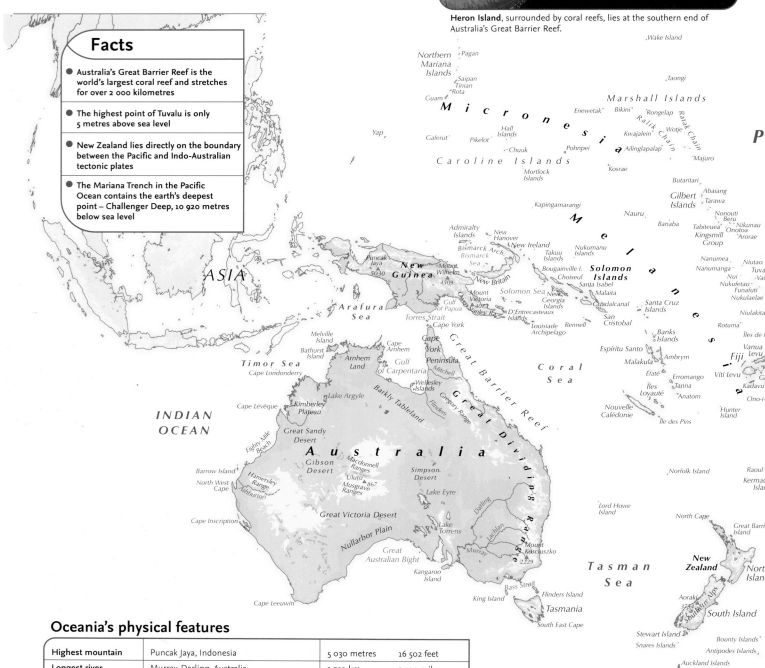

Oceania's physical features

Highest mountain	Puncak Jaya, Indonesia	5 030 metres	16 502 feet
Longest river	Murray-Darling, Australia	3 750 km	2 330 miles
Largest lake	Lake Eyre, Australia	0–8 900 sq km	0–3 436 sq miles
Largest island	New Guinea, Indonesia/Papua New Guinea	808 510 sq km	312 166 sq miles
Largest drainage basin	Murray-Darling, Australia	1 058 000 sq km	408 494 sq miles
Lowest point	Lake Eyre, Australia	-16 metres	-53 feet

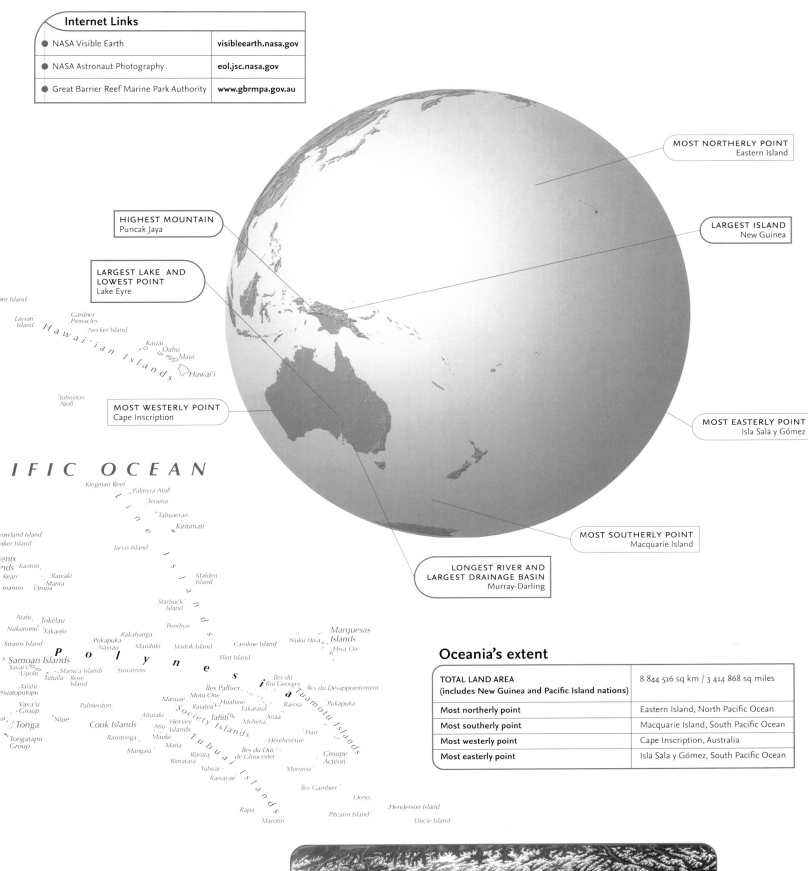

Internet Links

NASA Visible Earth	visibleearth.nasa.gov
NASA Astronaut Photography	eol.jsc.nasa.gov
Great Barrier Reef Marine Park Authority	www.gbrmpa.gov.au

MOST NORTHERLY POINT
Eastern Island

LARGEST ISLAND
New Guinea

HIGHEST MOUNTAIN
Puncak Jaya

LARGEST LAKE AND
LOWEST POINT
Lake Eyre

MOST EASTERLY POINT
Isla Sala y Gómez

MOST WESTERLY POINT
Cape Inscription

MOST SOUTHERLY POINT
Macquarie Island

LONGEST RIVER AND
LARGEST DRAINAGE BASIN
Murray-Darling

rn Island

Laysan Island

Gardner Pinnacles

Necker Island

Kauai
Oahu
Maui
Hawai'i

Hawai'ian Islands

Johnston Atoll

IFIC OCEAN

Kingman Reef
Palmyra Atoll
Teraina
Tabuaeran
Kiritimati

Line Islands

owland Island
aker Island

Jarvis Island

enix
nds
Kanton
Kean
Rawaki
Manra
maroro
Orona

Malden Island

Starbuck Island

Atafu
Tokelau
Nukunonu
Fakaofo

Penrhyn

Rakahanga
Pukapuka
Manihiki
Nassau

Swains Island

Samoan Islands
Savai'i
'Upolu
Manu'a Islands
Tutuila
Rose Island

Tafahi
iuatoputapu

Vava'u Group

Tonga

Niue

Tongatapu Group

P o l y n e s i a

Vostok Island

Caroline Island

Flint Island

Suwarrow

Palmerston

Cook Islands

Rarotonga

Aitutaki
Atiu
Mauke
Mangaia

Hervey islands

Manuae
Motu One
Huahine
Raiatea
Tahiti
Mehetia
Maria
Rurutu
Rimatara
Tubuai
Raivavae

Îles Palliser

Îles du Roi Georges

Fakarava
Anaa

Îles du Désappointement

Raroia
Pukapuka

Hao

Héréhérétué

Îles du Duc de Gloucester

Mururoa

Groupe Actéon

Tuamotu Islands

Society Islands

Tubuai Islands

Rapa
Marotiri

Îles Gambier

Oeno

Pitcairn Island
Henderson Island
Ducie Island

Marquesas Islands
Nuku Hiva
Hiva Oa

tham Islands
Island

ERN OCEAN

Oceania's extent

TOTAL LAND AREA (includes New Guinea and Pacific Island nations)	8 844 516 sq km / 3 414 868 sq miles
Most northerly point	Eastern Island, North Pacific Ocean
Most southerly point	Macquarie Island, South Pacific Ocean
Most westerly point	Cape Inscription, Australia
Most easterly point	Isla Sala y Gómez, South Pacific Ocean

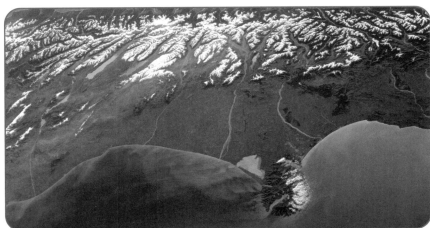

Banks Peninsula, Canterbury Plains and the **Southern Alps**, South Island, New Zealand.

Oceania
Countries

Stretching across almost the whole width of the Pacific Ocean, Oceania has a great variety of cultures and an enormously diverse range of countries and territories. Australia, by far the largest and most industrialized country in the continent, contrasts with the numerous tiny Pacific island nations which have smaller, and more fragile economies based largely on agriculture, fishing and the exploitation of natural resources.

The division of the Pacific island groups into the main regions of Micronesia, Melanesia and Polynesia – often referred to as the South Sea islands – broadly reflects the ethnological differences across the continent. There is a long history of colonial influence in the region, which still contains dependent territories belonging to Australia, France, New Zealand, the UK and the USA.

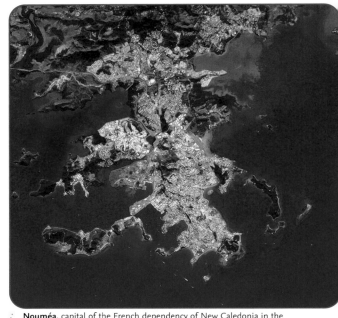

Nouméa, capital of the French dependency of New Caledonia in the southern Pacific Ocean.

Facts

- Over 91% of Australia's population live in urban areas

- The Maori name for New Zealand is Aotearoa, meaning 'land of the long white cloud'

- Auckland, New Zealand, has the largest Polynesian population of any city in Oceania

- Over 800 different languages are spoken in Papua New Guinea

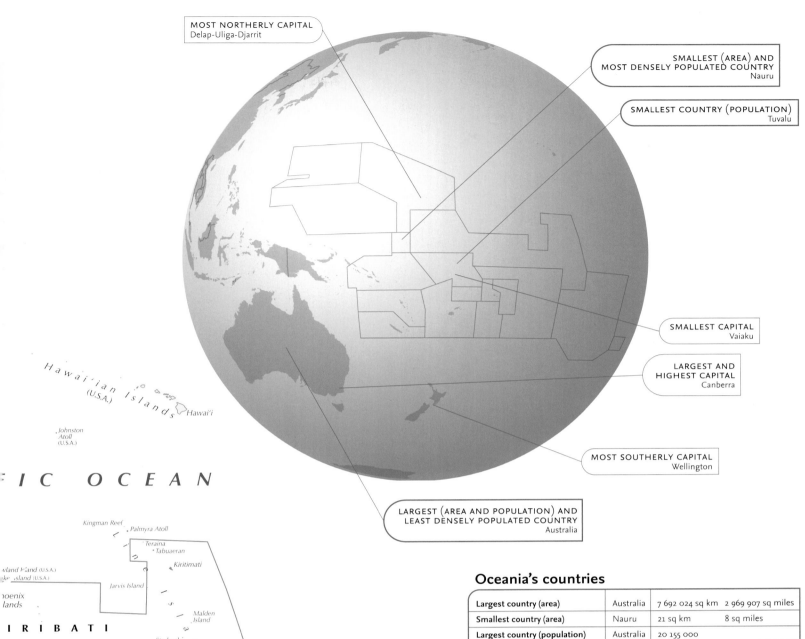

MOST NORTHERLY CAPITAL
Delap-Uliga-Djarrit

SMALLEST (AREA) AND
MOST DENSELY POPULATED COUNTRY
Nauru

SMALLEST COUNTRY (POPULATION)
Tuvalu

SMALLEST CAPITAL
Vaiaku

LARGEST AND
HIGHEST CAPITAL
Canberra

MOST SOUTHERLY CAPITAL
Wellington

LARGEST (AREA AND POPULATION) AND
LEAST DENSELY POPULATED COUNTRY
Australia

Hawai'ian Islands
(U.S.A.)
Hawai'i

*Johnston
Atoll*
(U.S.A.)

FIC OCEAN

Kingman Reef • *Palmyra Atoll*

Teraina
Tabuaeran

Kiritimati

land Island (U.S.A.)
ke Island (U.S.A.)

Jarvis Island

hoenix
lands

*Malden
Island*

K I R I B A T I

*Starbuck
Island*

Tokelau
(N.Z.)

Penrhyn

Nuku Hiva *Marquesas
Islands*

Samoan Islands

Hiva Oa

SAMOA
Savai'i Apia *Manu'a
Islands*
'Upolu

*Îles du
Roi Georges*

Îles Palliser

American
Samoa
(U.S.A.)

*Vava'u
Group*

Alofi
Niue
(N.Z.)

Cook
Islands
(N.Z.)

Aitutaki

Society Islands

Tahiti *Moorea*

*Hervey
Islands*

Tuamotu Islands

TONGA
Nuku'alofa

Tubuai Islands

Rarotonga

F r e n c h

*Tongatapu
Group*

*Îles du Duc
de Gloucester*

*Groupe
Actéon*

Tubuai

Mururoa

P o l y n e s i a

Îles Gambier

Pitcairn Is
(U.K.) *Henderson Island*

Rapa

Pitcairn Island

tham Islands

Oceania's countries

Largest country (area)	Australia	7 692 024 sq km	2 969 907 sq miles
Smallest country (area)	Nauru	21 sq km	8 sq miles
Largest country (population)	Australia	20 155 000	
Smallest country (population)	Tuvalu	10 000	
Most densely populated country	Nauru	619 per sq km	1 625 per sq mile
Least densely populated country	Australia	3 per sq km	7 per sq mile

Oceania's capitals

Largest capital (population)	Canberra, Australia	381 000	
Smallest capital (population)	Vaiaku, Tuvalu	516	
Most northerly capital	Delap-Uliga-Djarrit, Marshall Islands	7° 7'N	
Most southerly capital	Wellington, New Zealand	41° 18'S	
Highest capital	Canberra, Australia	581 metres	1 906 feet

Wellington, capital of New Zealand.

O C E A N

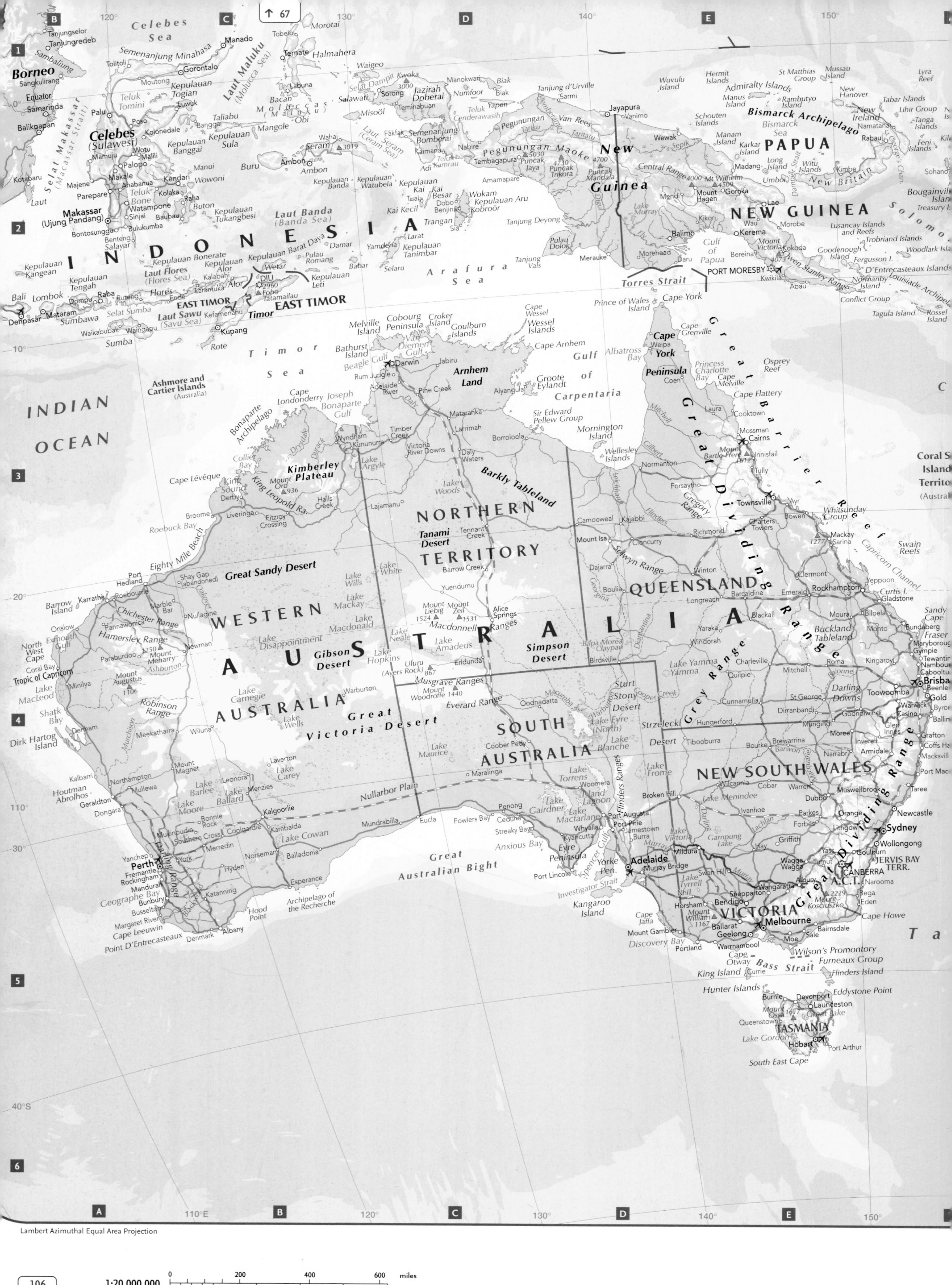

67
INDONESIA
Celebes Sea
Borneo
Equator
Celebes (Sulawesi)
Selat Makassar (Macassar Strait)
Makassar (Ujung Pandang)
Laut Maluku (Molucca Sea)
Halmahera
Moluccas (Maluku)
Laut Seram (Ceram Sea)
Laut Banda (Banda Sea)
Laut Flores (Flores Sea)
Laut Sawu (Savu Sea)
Timor
DILI
EAST TIMOR
Kupang
Bali
Lombok
Sumbawa
Sumba
Denpasar
Manado
Ambon
Jayapura
Arafura Sea
Timor Sea
New Guinea
PAPUA NEW GUINEA
PORT MORESBY
Bismarck Archipelago
Bismarck Sea
New Britain
New Ireland
Admiralty Islands
Gulf of Papua
Torres Strait
Solomon Sea
Coral Sea Islands Territory (Australia)
Ashmore and Cartier Islands (Australia)
INDIAN OCEAN
AUSTRALIA
WESTERN AUSTRALIA
NORTHERN TERRITORY
QUEENSLAND
SOUTH AUSTRALIA
NEW SOUTH WALES
VICTORIA
TASMANIA
JERVIS BAY TERR.
CANBERRA
A.C.T.
Darwin
Arnhem Land
Gulf of Carpentaria
Cape York Peninsula
Cape York
Great Barrier Reef
Great Dividing Range
Kimberley Plateau
Great Sandy Desert
Gibson Desert
Great Victoria Desert
Tanami Desert
Simpson Desert
Sturt Stony Desert
Strzelecki Desert
Barkly Tableland
Macdonnell Ranges
Musgrave Ranges
Alice Springs
Uluru (Ayers Rock) 867
Nullarbor Plain
Great Australian Bight
Lake Eyre (North)
Lake Torrens
Lake Gairdner
Lake Frome
Flinders Ranges
Spencer Gulf
Eyre Peninsula
Kangaroo Island
Adelaide
Melbourne
Sydney
Brisbane
Perth
Hobart
Rockhampton
Townsville
Cairns
Mount Isa
Kalgoorlie
Broken Hill
Newcastle
Wollongong
Geelong
Launceston
Bass Strait
Hamersley Range
Tropic of Capricorn
Dirk Hartog Island
Houtman Abrolhos
Cape Leeuwin
Albany
Esperance
King Island
Mount Kosciuszko 2229
Darling
Murray
Lambert Azimuthal Equal Area Projection
1:20 000 000
0 200 400 600 miles
0 200 400 600 800 1000 km

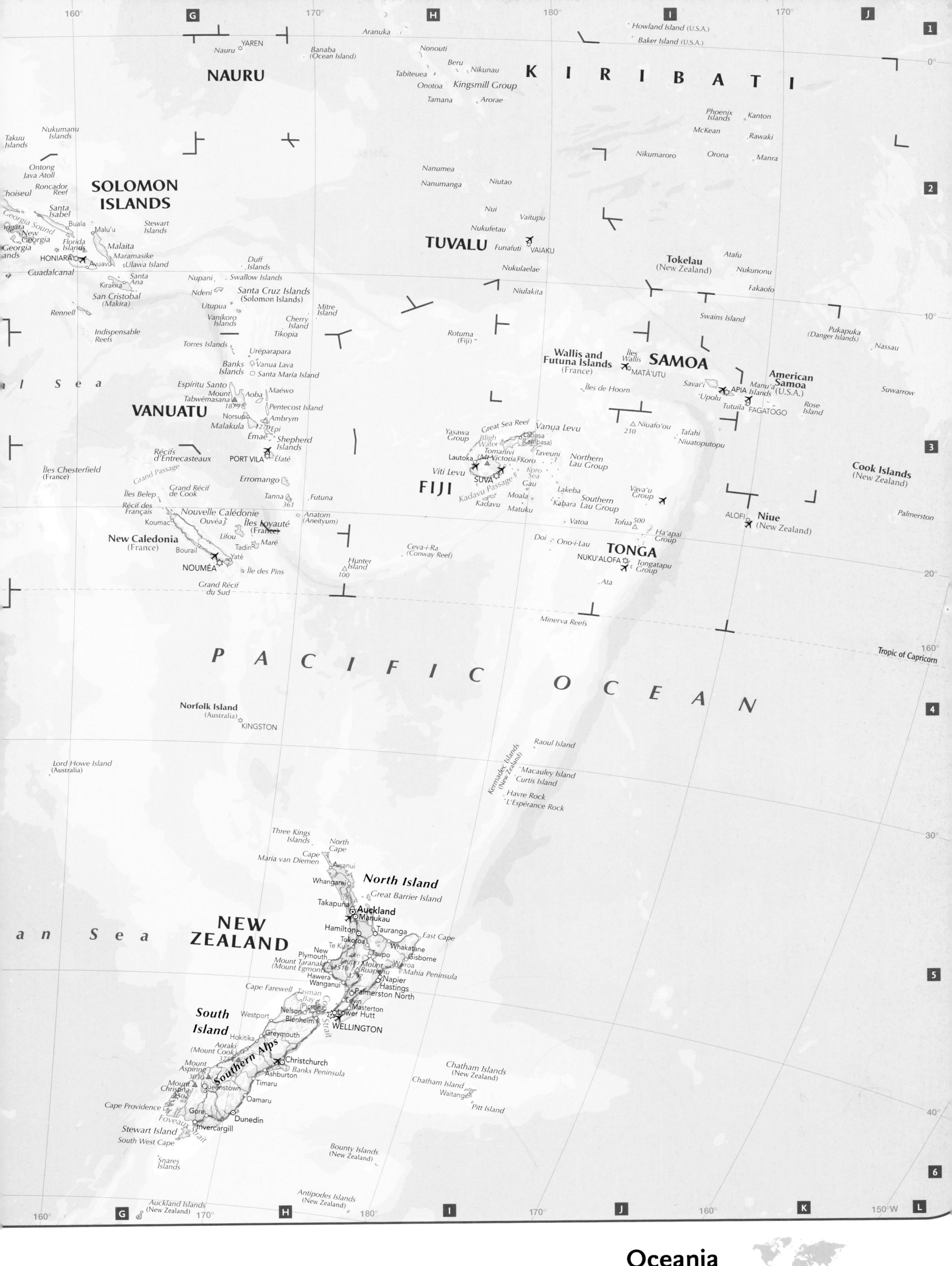

Oceania
Australia, New Zealand and Southwest Pacific

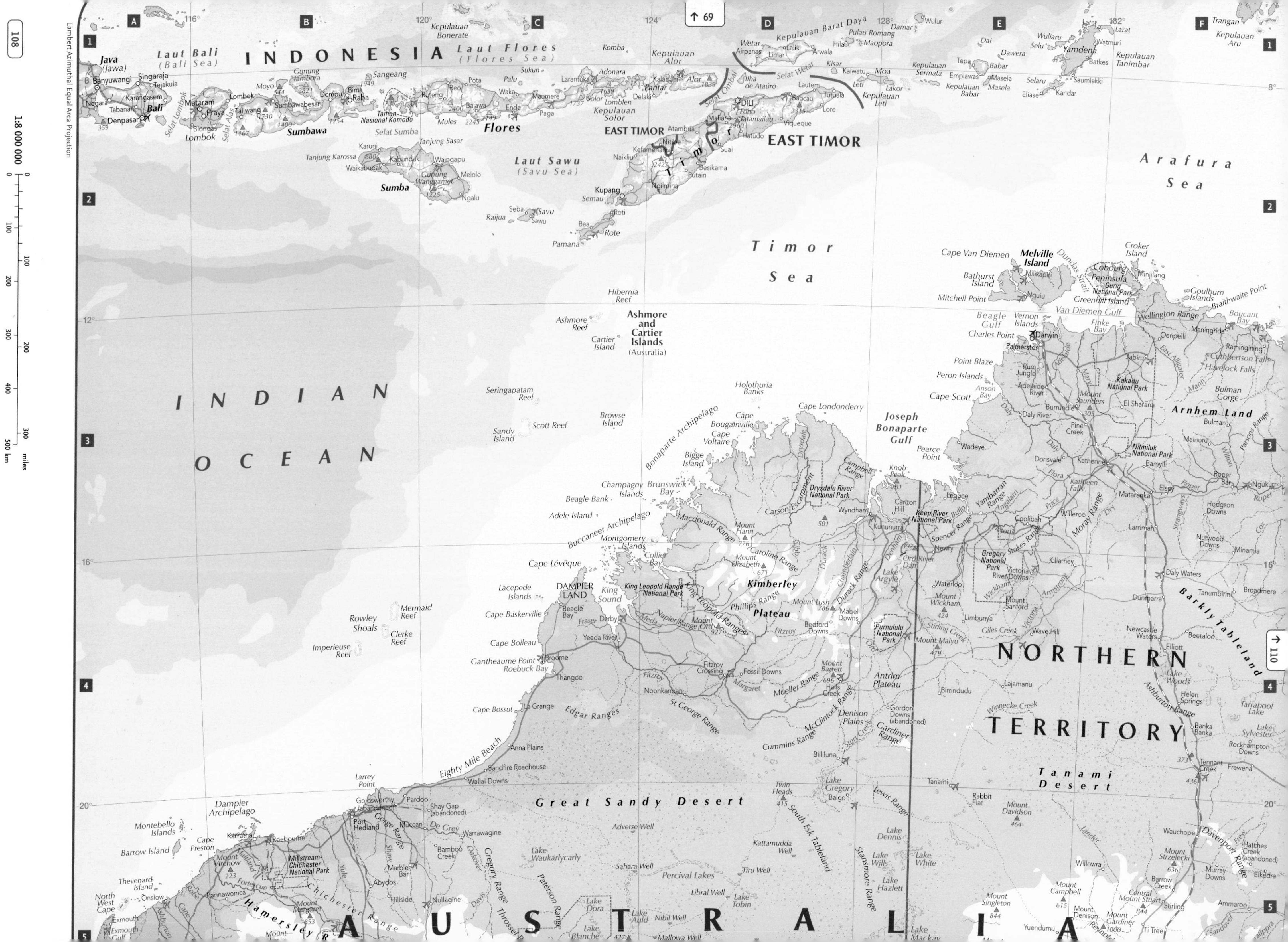

A R A F U R A   S E A

T I M O R   S E A

I N D I A N

O C E A N

Laut Sawu
(Savu Sea)

Laut Flores
(Flores Sea)

Laut Bali (Bali Sea)

I N D O N E S I A

EAST TIMOR

T i m o r

Flores
Sumba
Sumbawa
Bali
Java (Jawa)

Ashmore
and
Cartier
Islands
(Australia)

Bonaparte Archipelago

DAMPIER
LAND

Kimberley
Plateau

Great Sandy Desert

Tanami Desert

NORTHERN

TERRITORY

Arnhem Land

Barkly Tableland

Joseph
Bonaparte
Gulf

A U S T R A L I A

Lambert Azimuthal Equal Area Projection

1:8 000 000

| 0 | 100 | 200 | 300 | miles |
| 0 | 100 | 200 | 300 | 400 | 500 | km |

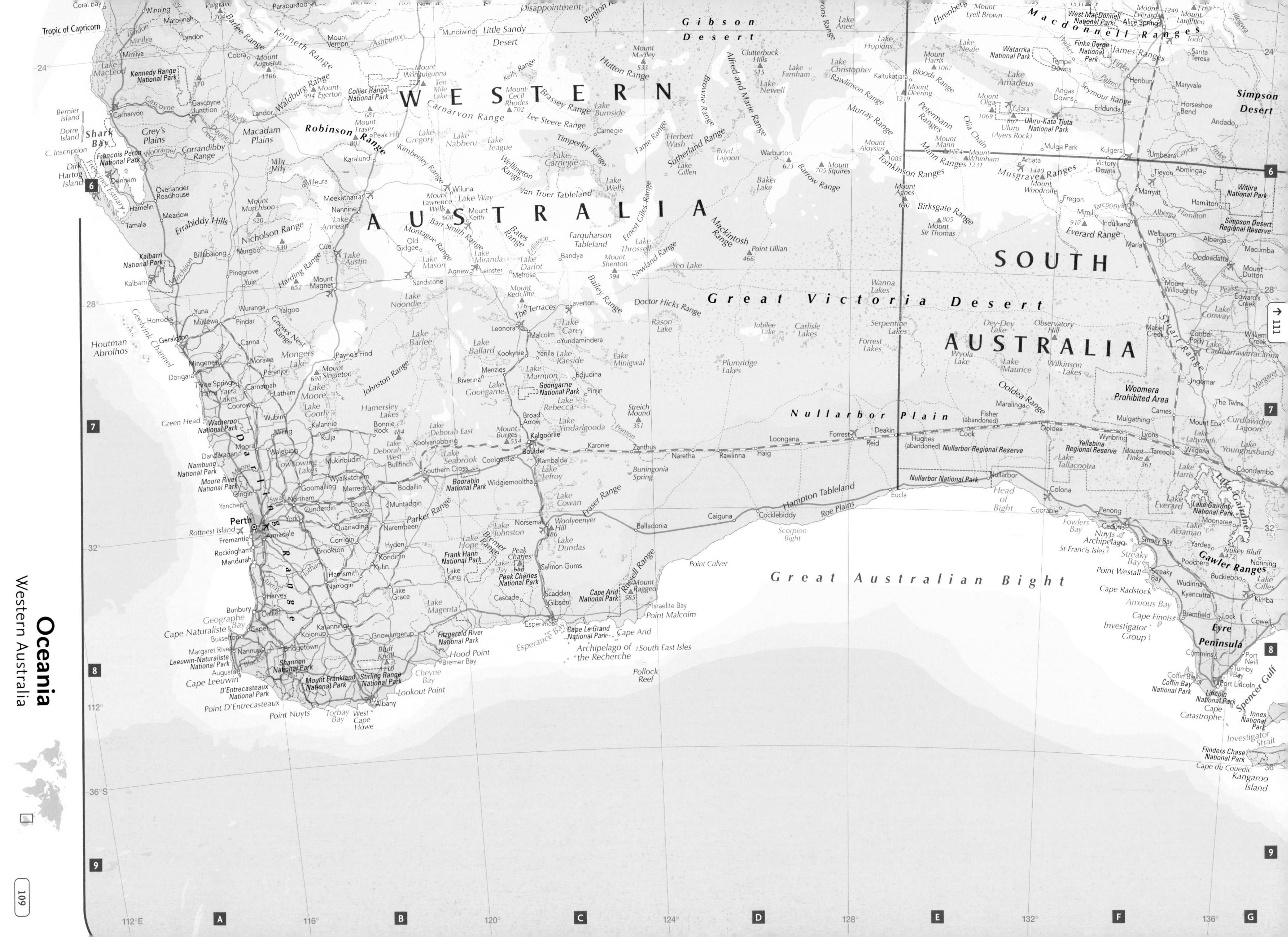
WESTERN AUSTRALIA
SOUTH AUSTRALIA
Great Victoria Desert
Gibson Desert
Little Sandy Desert
Simpson Desert
Nullarbor Plain
Great Australian Bight
Macdonnell Ranges
Darling Range
Spencer Gulf
Eyre Peninsula
Lake Gairdner
Gawler Ranges
Stuart Range
Woomera Prohibited Area
Nullarbor National Park
Nullarbor Regional Reserve
Hampton Tableland
Archipelago of the Recherche
Geelvink Channel
Houtman Abrolhos
Shark Bay
Perth
Fremantle
Rottnest Island
Mandurah
Bunbury
Albany
Esperance
Kalgoorlie
Boulder
Coolgardie
Norseman
Geraldton
Carnarvon
Kalbarri
Leonora
Laverton
Wiluna
Meekatharra
Cue
Mount Magnet
Alice Springs
Ceduna
Port Lincoln
Eucla
Balladonia
Cocklebiddy
Caiguna
Tropic of Capricorn
Cape Leeuwin
Cape Naturaliste
Kangaroo Island
Investigator Strait
↑ 111
Oceania
Western Australia

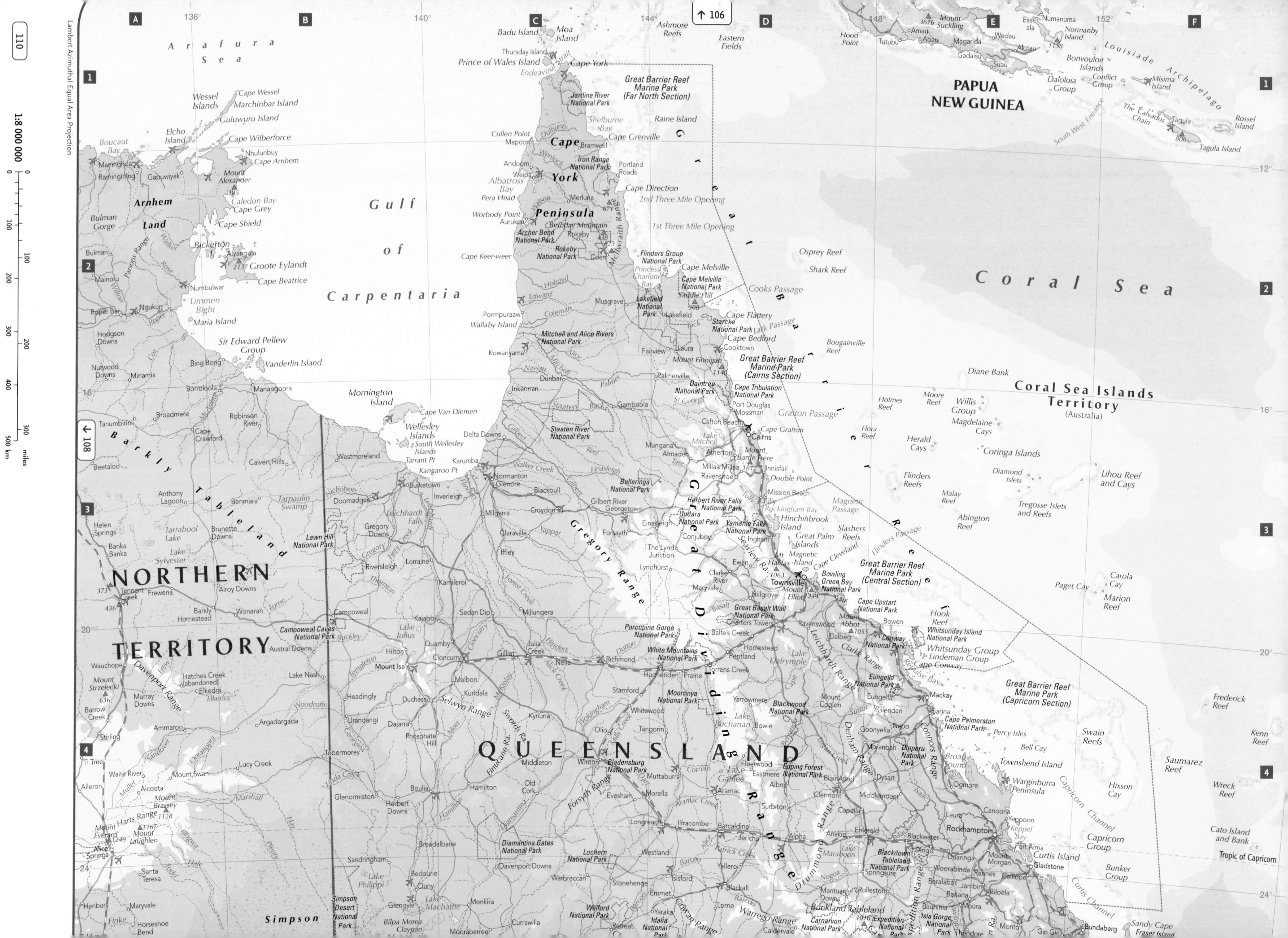

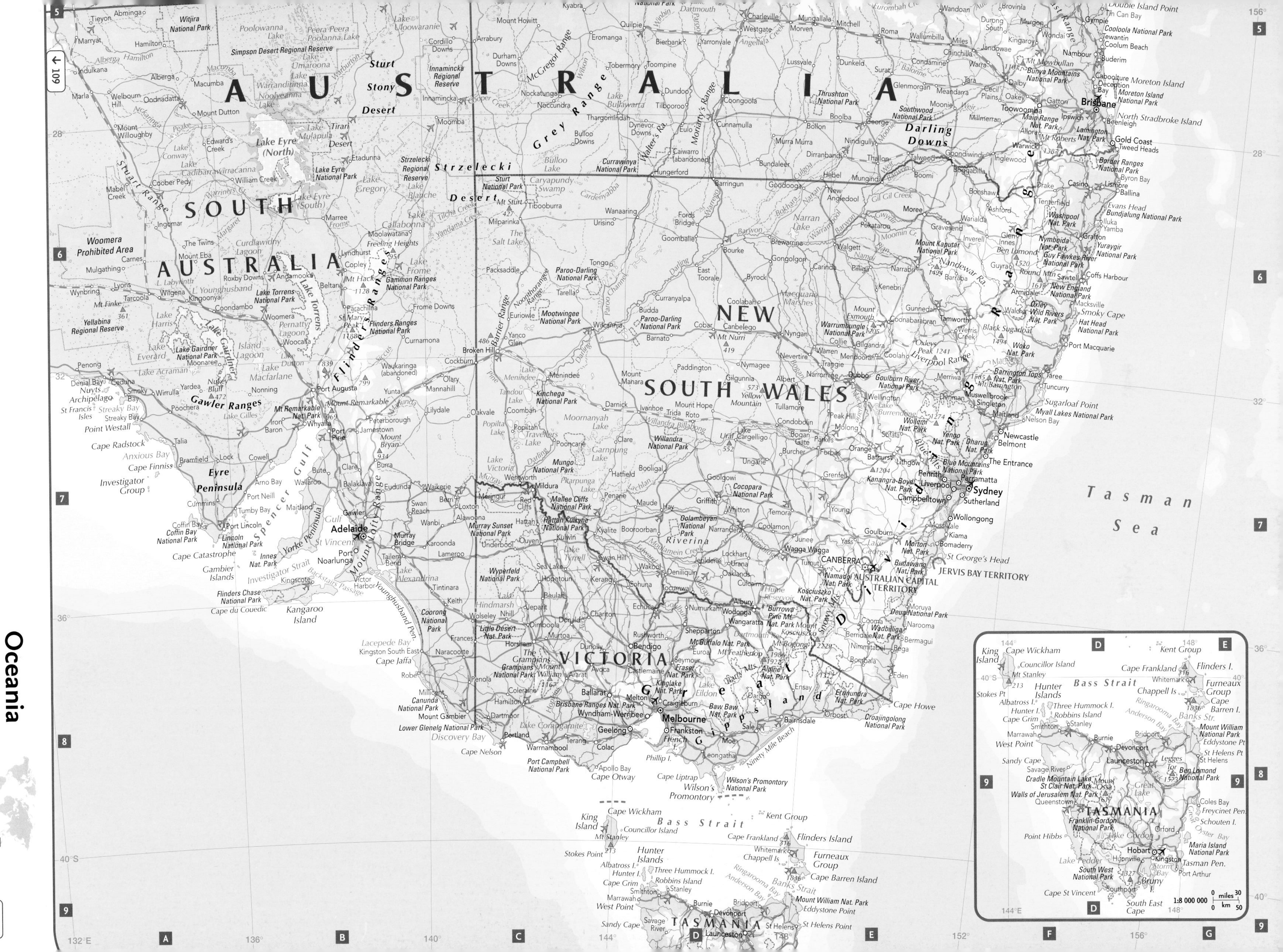

Oceania
Eastern Australia

SOUTH AUSTRALIA
NEW SOUTH WALES
VICTORIA
TASMANIA
AUSTRALIAN CAPITAL TERRITORY
JERVIS BAY TERRITORY
Tasman Sea
Bass Strait
Brisbane
Sydney
CANBERRA
Melbourne
Adelaide
Hobart
Launceston
Newcastle
Wollongong
Geelong
Ballarat
Bendigo
Toowoomba
Gold Coast
Broken Hill
Port Augusta
Mildura
Wagga Wagga
Dubbo
Tamworth
Armidale
Lake Eyre (North)
Lake Torrens
Lake Gairdner
Flinders Ranges
Gawler Ranges
Grey Range
Darling Downs
Sturt Stony Desert
Strzelecki Desert
Simpson Desert Regional Reserve
Eyre Peninsula
Yorke Peninsula
Kangaroo Island
Spencer Gulf
Wilson's Promontory
King Island
Flinders Island
Furneaux Group
Kosciuszko Nat. Park
1:8 000 000
↓ 109

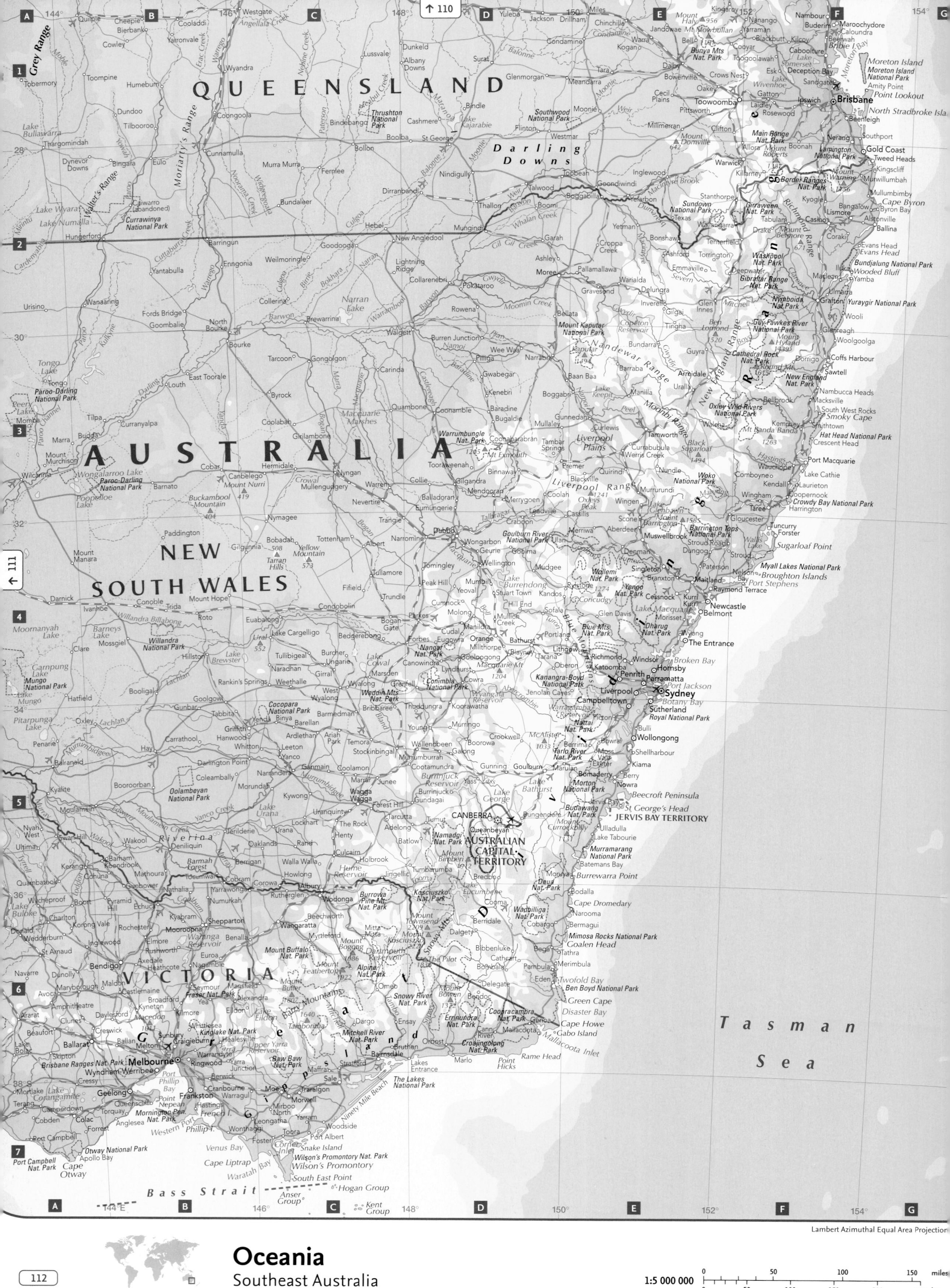

Oceania
Southeast Australia

Lambert Azimuthal Equal Area Projection

1:5 000 000

Oceania
New Zealand

Conic Equidistant Projection

1:5 250 000

		miles
0	50	100	150
0	50	100	150	200	250 km

North America
Landscapes

North America, the world's third largest continent, supports a wide range of landscapes from the Arctic north to sub-tropical Central America. The main physiographic regions of the continent are the mountains of the west coast, stretching from Alaska in the north to Mexico and Central America in the south; the vast, relatively flat Canadian Shield; the Great Plains which make up the majority of the interior; the Appalachian Mountains in the east; and the Atlantic coastal plain.

These regions contain some significant physical features, including the Rocky Mountains, the Great Lakes – three of which are amongst the five largest lakes in the world – and the Mississippi-Missouri river system which is the world's fourth longest river. The Caribbean Sea contains a complex pattern of islands, many volcanic in origin, and the continent is joined to South America by the narrow Isthmus of Panama.

Internet Links	
● NASA Visible Earth	**visibleearth.nasa.gov**
● U.S. Geological Survey	**www.usgs.gov**
● Natural Resources Canada	**www.nrcan-rncan.gc.ca**
● SPOT Image satellite imagery	**www.spotimage.fr**

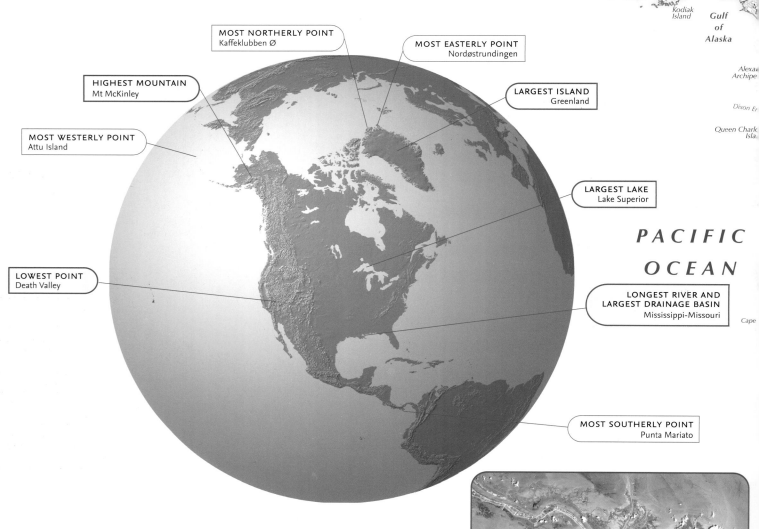

MOST NORTHERLY POINT
Kaffeklubben Ø

MOST EASTERLY POINT
Nordøstrundingen

HIGHEST MOUNTAIN
Mt McKinley

LARGEST ISLAND
Greenland

MOST WESTERLY POINT
Attu Island

LARGEST LAKE
Lake Superior

LOWEST POINT
Death Valley

LONGEST RIVER AND
LARGEST DRAINAGE BASIN
Mississippi-Missouri

MOST SOUTHERLY POINT
Punta Mariato

PACIFIC OCEAN

North America's longest river system, the **Mississippi-Missouri,** flows into the Gulf of Mexico through the Mississippi Delta.

North America's physical features

Highest mountain	Mt McKinley, USA	6 194 metres	20 321 feet
Longest river	Mississippi-Missouri, USA	5 969 km	3 709 miles
Largest lake	Lake Superior, Canada/USA	82 100 sq km	31 699 sq miles
Largest island	Greenland	2 175 600 sq km	839 999 sq miles
Largest drainage basin	Mississippi-Missouri, USA	3 250 000 sq km	1 254 825 sq miles
Lowest point	Death Valley, USA	-86 metres	-282 feet

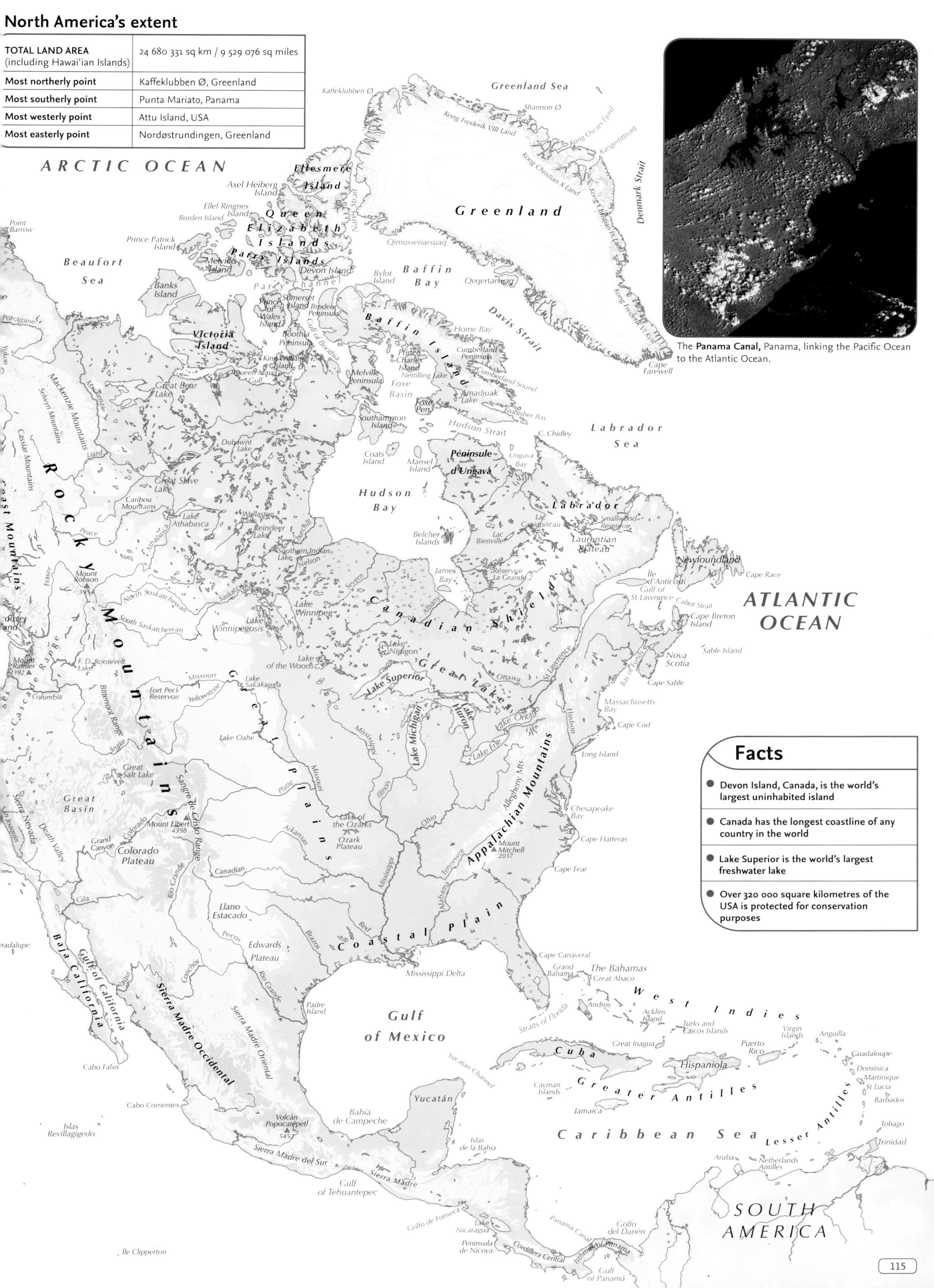

North America's extent

TOTAL LAND AREA (including Hawai'ian Islands)	24 680 331 sq km / 9 529 076 sq miles
Most northerly point	Kaffeklubben Ø, Greenland
Most southerly point	Punta Mariato, Panama
Most westerly point	Attu Island, USA
Most easterly point	Nordøstrundingen, Greenland

The **Panama Canal,** Panama, linking the Pacific Ocean to the Atlantic Ocean.

Facts

- Devon Island, Canada, is the world's largest uninhabited island
- Canada has the longest coastline of any country in the world
- Lake Superior is the world's largest freshwater lake
- Over 320 000 square kilometres of the USA is protected for conservation purposes

North America
Countries

North America has been dominated economically and politically by the USA since the nineteenth century. Before that, the continent was subject to colonial influences, particularly of Spain in the south and of Britain and France in the east. The nineteenth century saw the steady development of the western half of the continent. The wealth of natural resources and the generally temperate climate were an excellent basis for settlement, agriculture and industrial development which has led to the USA being the richest nation in the world today.

Although there are twenty-three independent countries and fourteen dependent territories in North America, Canada, Mexico and the USA have approximately eighty-five per cent of the continent's population and eighty-eight per cent of its land area. Large parts of the north remain sparsely populated, while the most densely populated areas are in the northeast USA, and the Caribbean.

North America's capitals

Largest capital (population)	Mexico City, Mexico	19 028 000
Smallest capital (population)	Belmopan, Belize	13 500
Most northerly capital	Ottawa, Canada	45° 25'N
Most southerly capital	Panama City, Panama	8° 56'N
Highest capital	Mexico City, Mexico	2 300 metres 7 546 feet

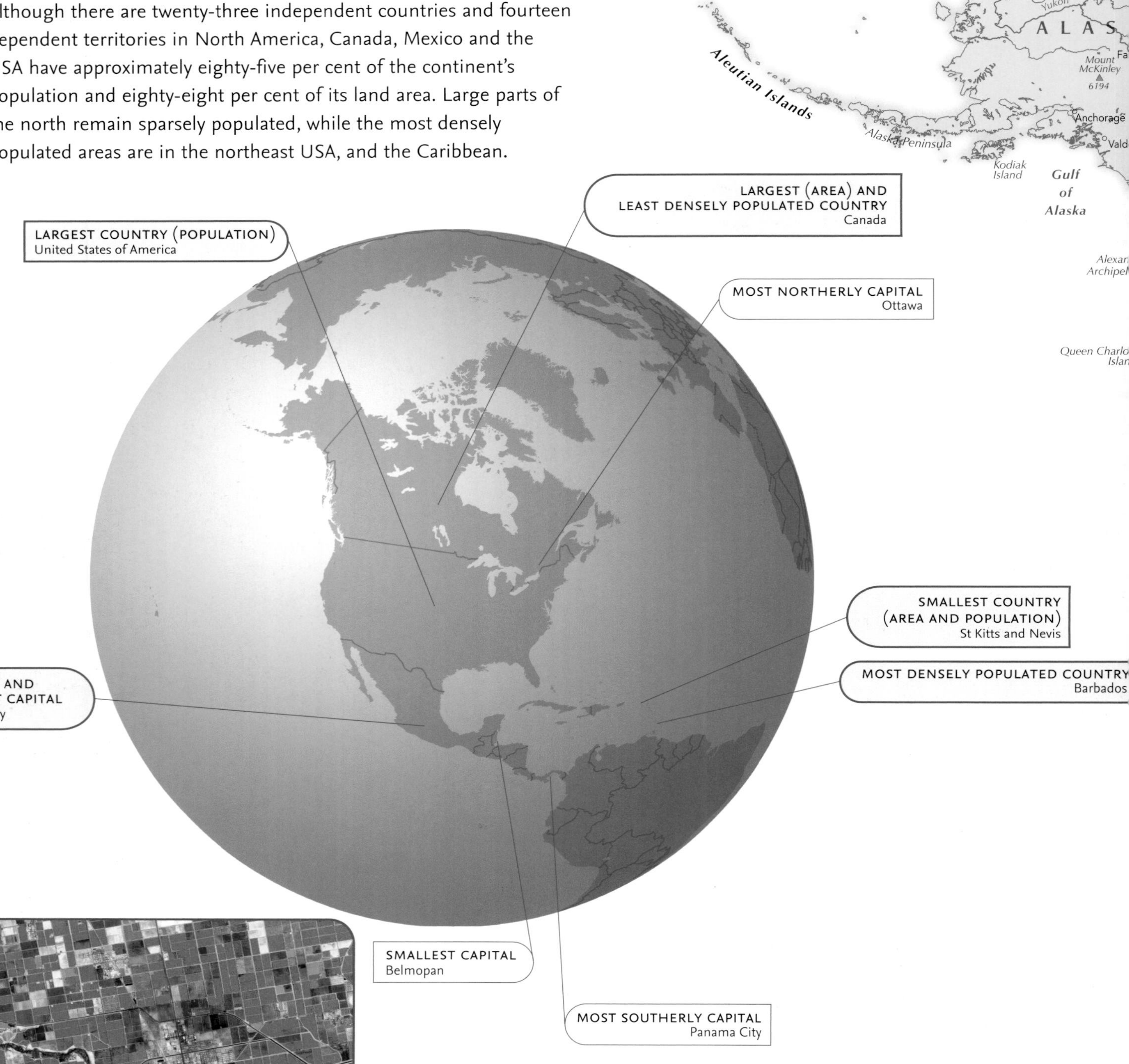

LARGEST COUNTRY (POPULATION)
United States of America

LARGEST (AREA) AND
LEAST DENSELY POPULATED COUNTRY
Canada

MOST NORTHERLY CAPITAL
Ottawa

SMALLEST COUNTRY
(AREA AND POPULATION)
St Kitts and Nevis

MOST DENSELY POPULATED COUNTRY
Barbados

LARGEST AND
HIGHEST CAPITAL
Mexico City

SMALLEST CAPITAL
Belmopan

MOST SOUTHERLY CAPITAL
Panama City

False-colour satellite image of the **Mexico-USA** boundary at Mexicali.

North America's countries

Largest country (area)	Canada	9 984 670 sq km	3 855 103 sq miles
Smallest country (area)	St Kitts and Nevis	261 sq km	101 sq miles
Largest country (population)	United States of America	298 213 000	
Smallest country (population)	St Kitts and Nevis	43 000	
Most densely populated country	Barbados	628 per sq km	1 627 per sq mile
Least densely populated country	Canada	3 per sq km	8 per sq mile

Internet Links

UK Foreign and Commonwealth Office	www.fco.gov.uk
CIA World Factbook	www.cia.gov/library/publications/the-world-factbook/index.html
U.S. Board on Geographic Names	geonames.usgs.gov
NASA Astronaut Photography	eol.jsc.nasa.gov

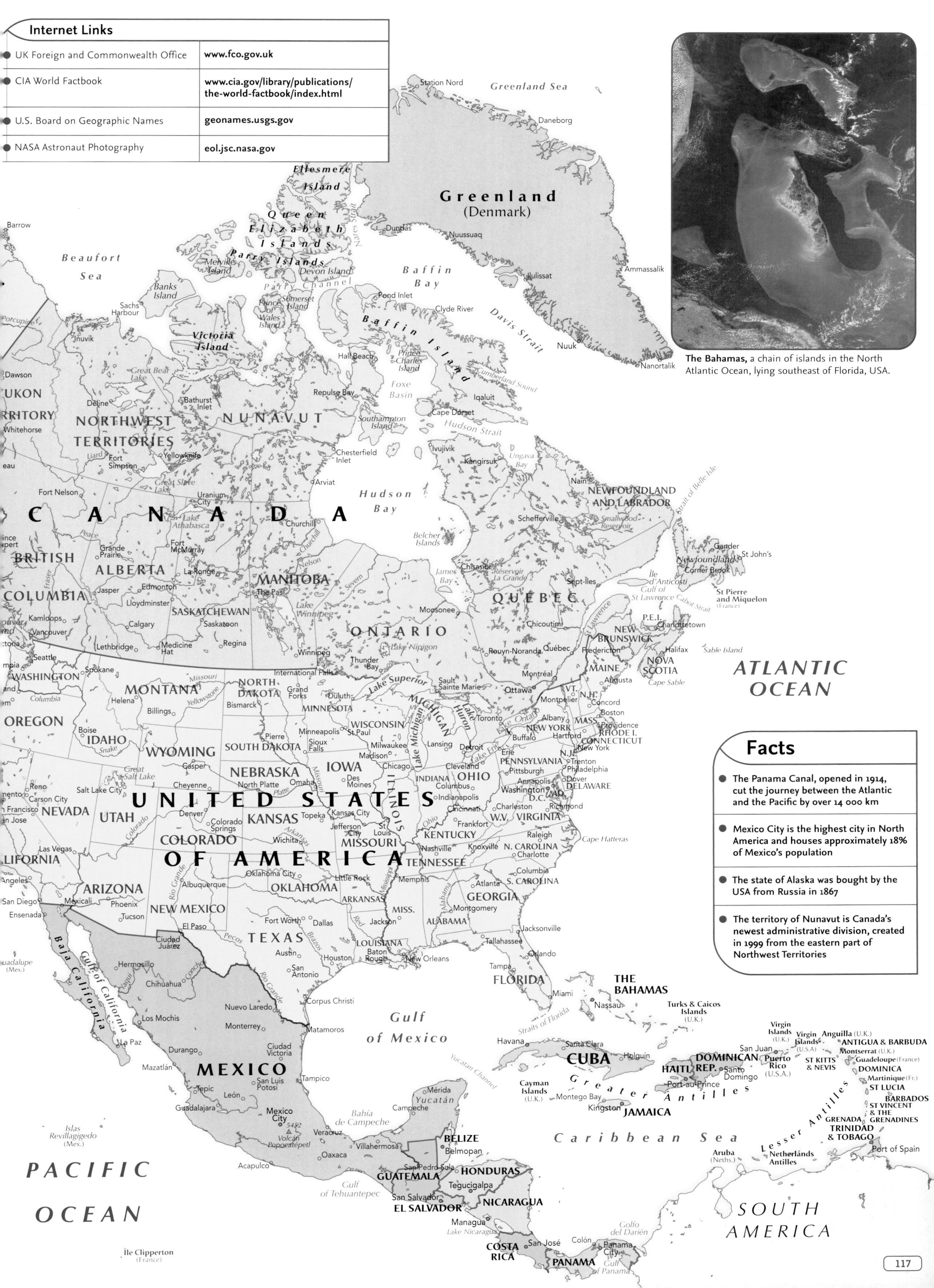

The Bahamas, a chain of islands in the North Atlantic Ocean, lying southeast of Florida, USA.

Facts

- The Panama Canal, opened in 1914, cut the journey between the Atlantic and the Pacific by over 14 000 km

- Mexico City is the highest city in North America and houses approximately 18% of Mexico's population

- The state of Alaska was bought by the USA from Russia in 1867

- The territory of Nunavut is Canada's newest administrative division, created in 1999 from the eastern part of Northwest Territories

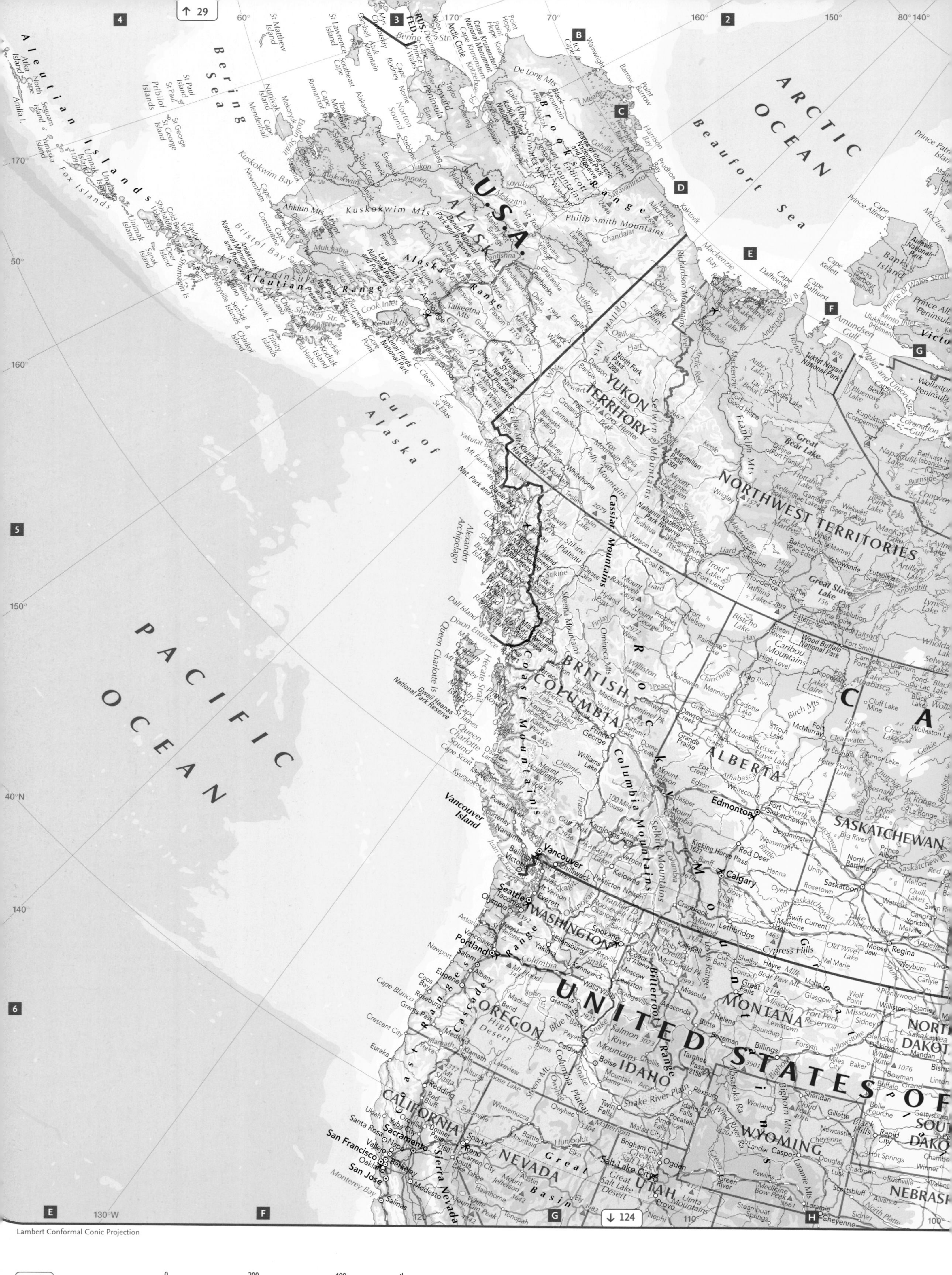

ARCTIC OCEAN

Beaufort Sea

Bering Sea

U.S.A.

ALASKA

YUKON TERRITORY

NORTHWEST TERRITORIES

Gulf of Alaska

PACIFIC OCEAN

BRITISH COLUMBIA

ALBERTA

SASKATCHEWAN

CANADA

Aleutian Islands

Vancouver Island

Vancouver
Victoria

Seattle
Tacoma
Olympia

Portland
Salem

WASHINGTON

OREGON

IDAHO

MONTANA

WYOMING

NORTH DAKOTA

SOUTH DAKOTA

NEBRASKA

UNITED STATES OF

CALIFORNIA

NEVADA

UTAH

San Francisco
Oakland
Berkeley
San Jose

Sacramento

Edmonton
Calgary
Saskatoon
Regina

Lambert Conformal Conic Projection

1:16 000 000

| 0 | 200 | 400 | miles |

| 0 | 200 | 400 | 600 | 800 km |

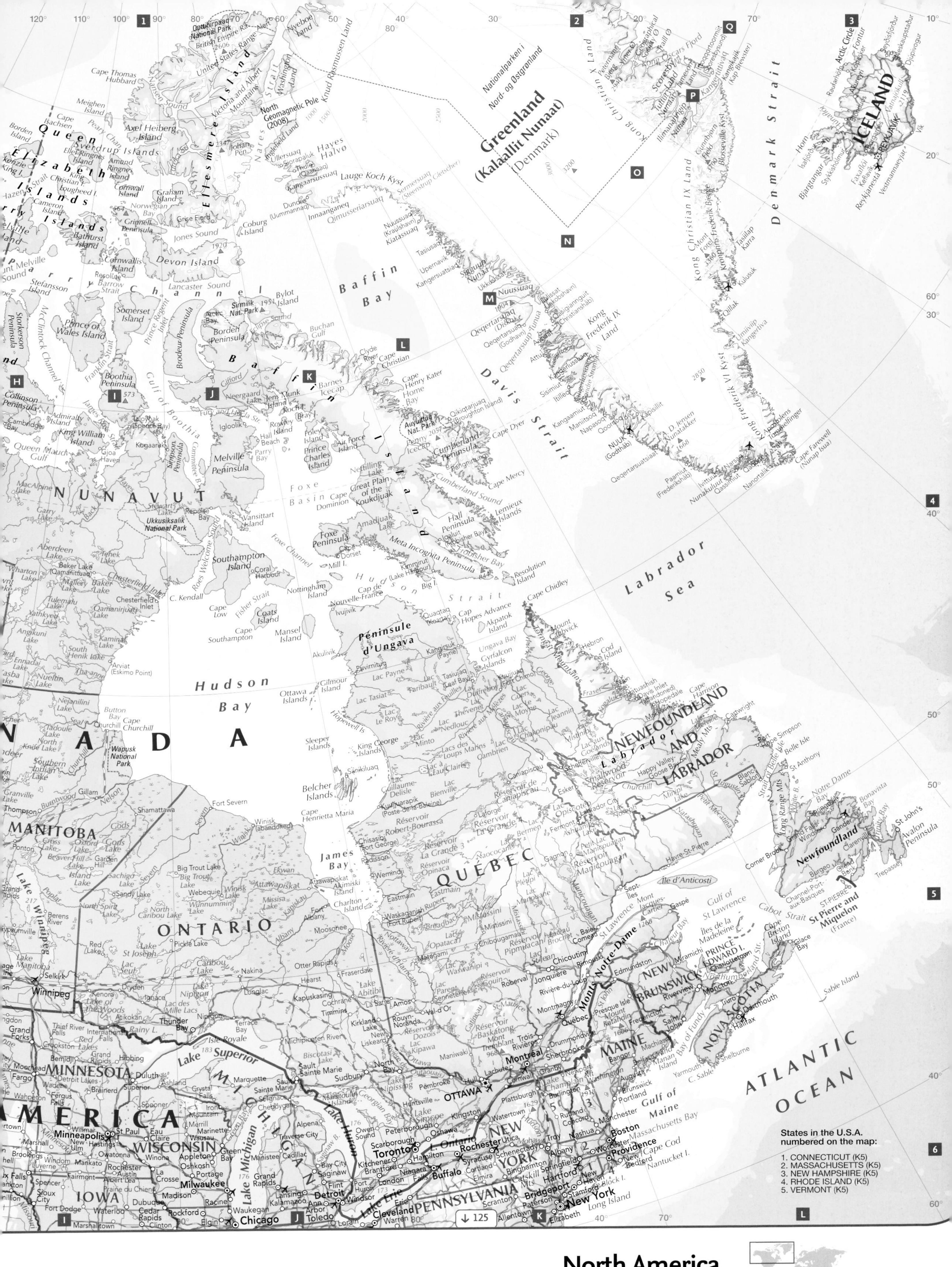

North America

Canada

Greenland
(Kalaallit Nunaat)
(Denmark)
ICELAND
REYKJAVÍK
Nationalparken i Nord- og Østgrønland
Baffin Bay
Davis Strait
Denmark Strait
Labrador Sea
Hudson Bay
Hudson Strait
James Bay
Foxe Basin
Baffin Island
Ellesmere Island
Devon Island
Queen Elizabeth Islands
Parry Channel
NUNAVUT
MANITOBA
ONTARIO
QUÉBEC
NEWFOUNDLAND AND LABRADOR
NEW BRUNSWICK
NOVA SCOTIA
PRINCE EDWARD I.
Newfoundland
Labrador
Péninsule d'Ungava
Southampton Island
Lake Superior
Lake Michigan
Lake Huron
Lake Ontario
Lake Erie
Lake Winnipeg
MINNESOTA
WISCONSIN
MICHIGAN
IOWA
NEW YORK
PENNSYLVANIA
MAINE
OTTAWA
Montréal
Québec
Toronto
Winnipeg
Chicago
Detroit
Boston
New York
Halifax
St John's
NUUK (Godthåb)
Gulf of St Lawrence
Gulf of Maine
ATLANTIC OCEAN
St Pierre and Miquelon (France)
States in the U.S.A. numbered on the map:
1. CONNECTICUT (K5)
2. MASSACHUSETTS (K5)
3. NEW HAMPSHIRE (K5)
4. RHODE ISLAND (K5)
5. VERMONT (K5)
↓ 125

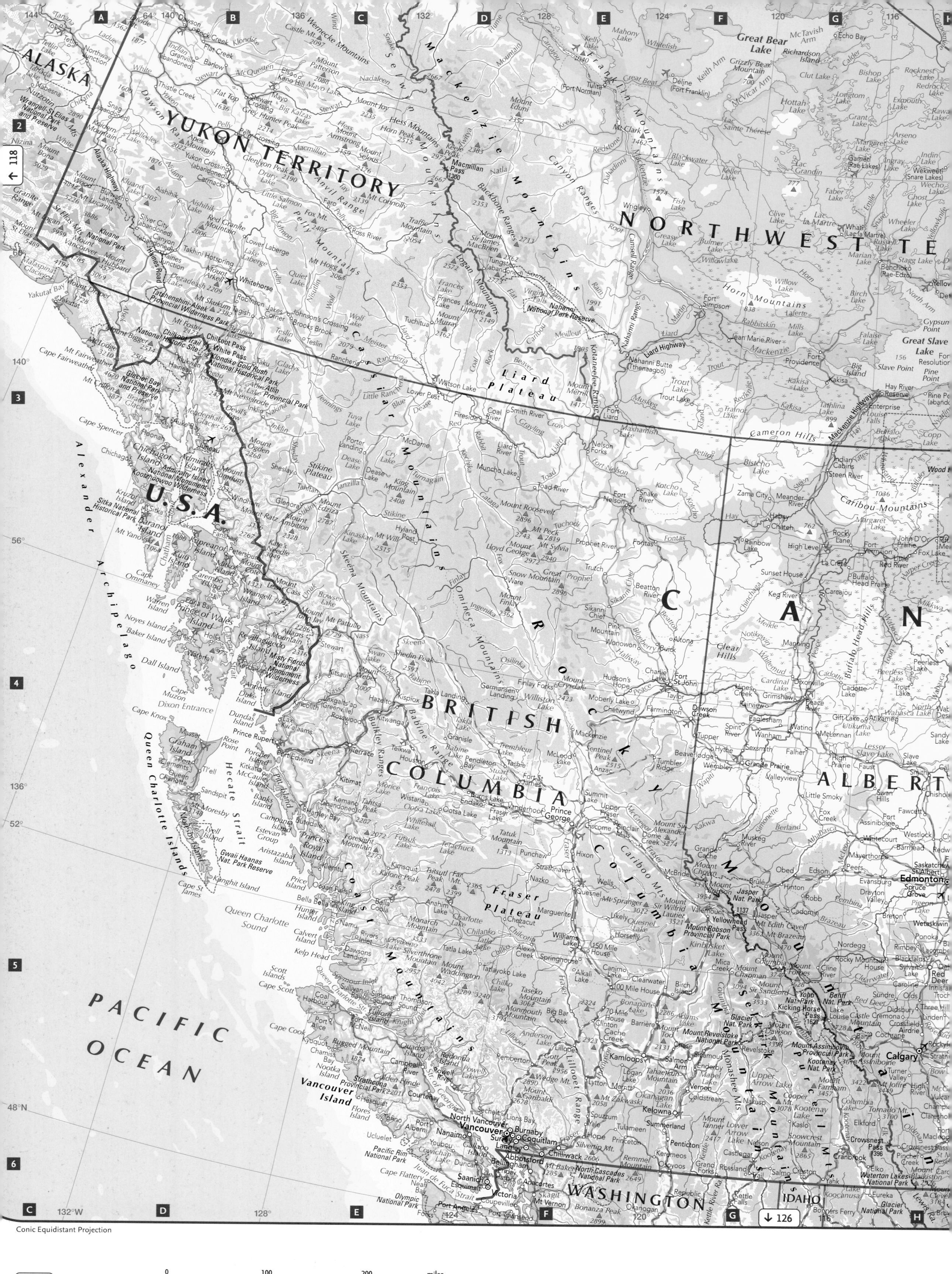

Conic Equidistant Projection

1:7 000 000

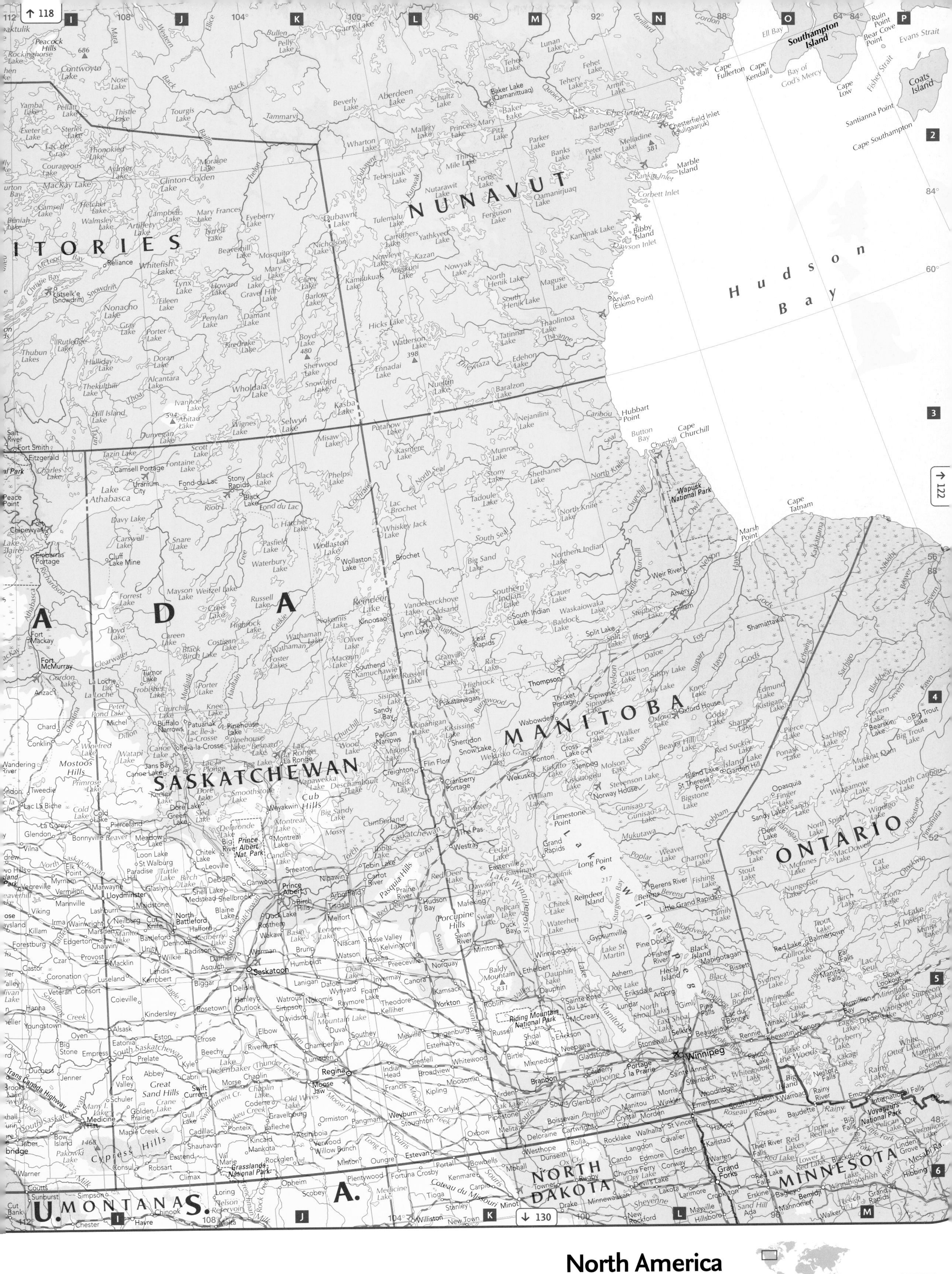

North America
Western Canada

↑ 118
NUNAVUT
ITORIES
MANITOBA
SASKATCHEWAN
ONTARIO
MINNESOTA
NORTH DAKOTA
MONTANA
U.S.A.
Hudson Bay
Southampton Island
Coats Island
Bay of God's Mercy
Evans Strait
Fisher Strait
Cape Southampton
Santianna Point
Cape Fullerton
Cape Kendall
Ell Bay
Baker Lake (Qamanittuaq)
Chesterfield Inlet (Igluligaarjuk)
Marble Island
Rankin Inlet
Corbett Inlet
Bibby Island
Dawson Inlet
Arviat (Eskimo Point)
Hubbart Point
Button Bay
Cape Churchill
Churchill
Wapusk National Park
Cape Tatnam
Marsh Point
Lake Athabasca
Fort Smith
Fort Chipewyan
Fort McMurray
Fort Mackay
Uranium City
Fond-du-Lac
Stony Rapids
Black Lake
Wollaston Lake
Reindeer Lake
Lynn Lake
Thompson
Gillam
Flin Flon
The Pas
Cranberry Portage
Creighton
La Ronge
Lac la Ronge
Prince Albert Nat. Park
Prince Albert
North Battleford
Lloydminster
Saskatoon
Regina
Moose Jaw
Swift Current
Medicine Hat
Yorkton
Brandon
Winnipeg
Portage la Prairie
Selkirk
Steinbach
Kenora
Dryden
Lake Winnipeg
Lake Winnipegosis
Lake Manitoba
Riding Mountain National Park
Grasslands National Park
Cypress Hills
Porcupine Hills
Pasquia Hills
Cub Hills
Mostoos Hills
Baldy Mountain
Lake of the Woods
Voyageurs National Park
Grand Forks
Minot
Williston
Bemidji
Hibbing
Trans Canada Highway
Coteau du Missouri
Saskatchewan
South Saskatchewan
North Saskatchewan
Churchill
Nelson
Assiniboine
Hayes
Red Deer
Qu'Appelle
Souris
Kazan
Thelon
Dubawnt Lake
Nueltin Lake
Wholdaia Lake
Kasba Lake
Tathlina Lake
Southern Indian Lake
Cedar Lake
Island Lake
God's Lake
Big Trout Lake
Sandy Lake
Rainy Lake
Lac Seul
Clinton-Colden Lake
Aberdeen Lake
Beverly Lake
Yathkyed Lake
Nonacho Lake
Reliance
Lutselk'e (Snowdrift)
Kamilukuak Lake
Ennadai Lake
Hatchet Lake
Cree Lake
Pinehouse Lake
Lac Île-à-la-Crosse
Île-à-la-Crosse
Buffalo Narrows
La Loche
Cold Lake
Lac La Biche
Dore Lake
Montreal Lake
Cumberland Lake
Moose Lake
Split Lake
Oxford House
Norway House
Berens River
Red Lake
Ear Falls
Sioux Lookout
Fort Frances
International Falls
Warroad
Roseau
Emerson
Morden
Estevan
Weyburn
Melfort
Humboldt
Kindersley
Biggar
Unity
Melville
Esterhazy
Dauphin
Swan River
Virden
112°
108°
104°
100°
96°
92°
88°
84°
64°
60°
56°
52°
48°
→ 122
↓ 130

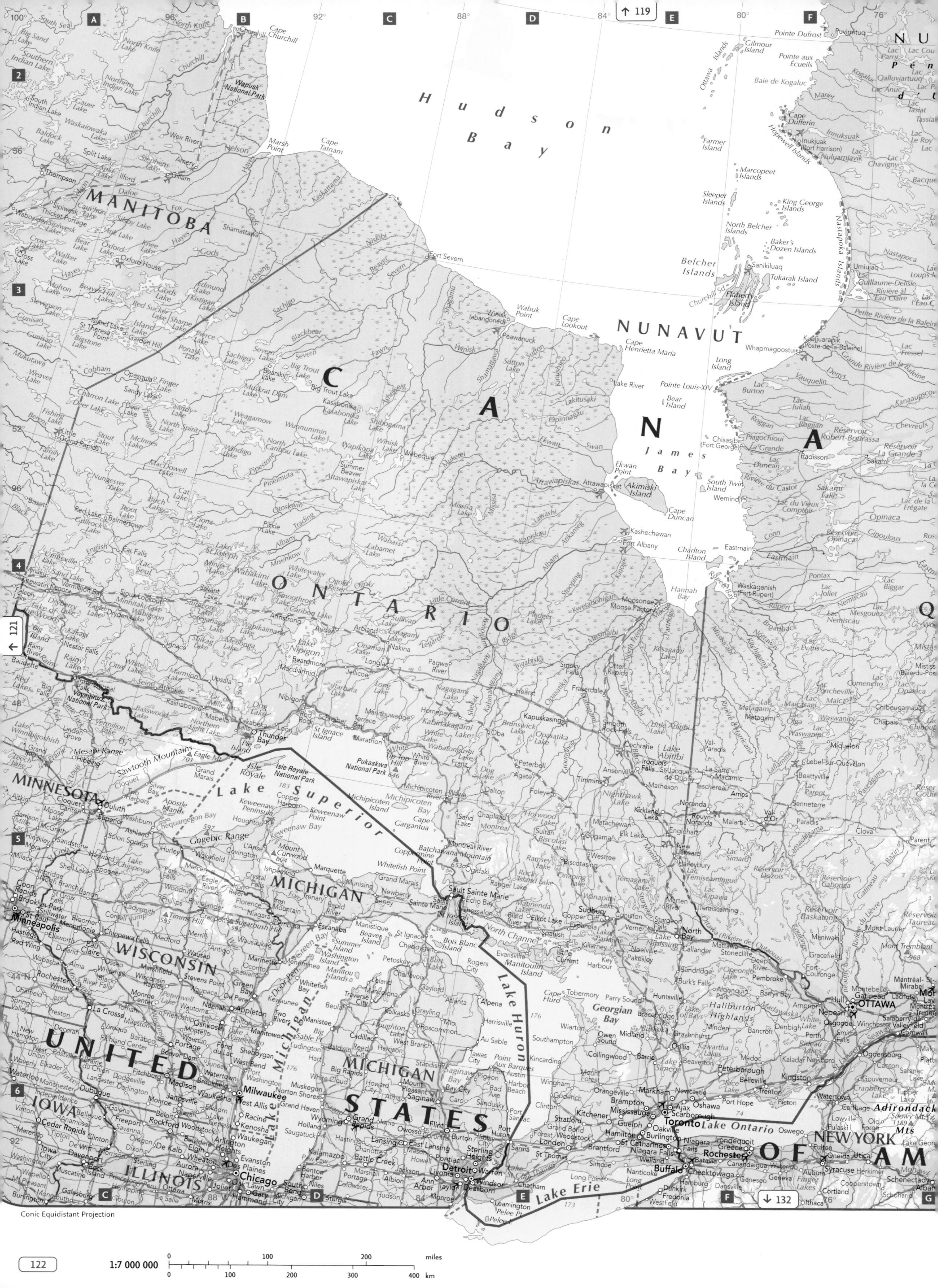

↑ 119
← 121
↓ 132
A
B
C
D
E
F
G
2
3
4
5
6
Hudson Bay
James Bay
NUNAVUT
CANADA
ONTARIO
MANITOBA
MINNESOTA
WISCONSIN
MICHIGAN
IOWA
ILLINOIS
NEW YORK
UNITED STATES OF AMERICA
Lake Superior
Lake Michigan
Lake Huron
Georgian Bay
Lake Erie
Lake Ontario
Belcher Islands
Akimiski Island
Manitoulin Island
Isle Royale
Wapusk National Park
Pukaskwa National Park
Isle Royale National Park
Voyageurs National Park
Churchill
Thompson
Fort Severn
Moosonee
Thunder Bay
Sault Sainte Marie
Sudbury
North Bay
Timmins
Kapuskasing
OTTAWA
Toronto
Hamilton
Kitchener
London
Windsor
Detroit
Flint
Lansing
Grand Rapids
Chicago
Milwaukee
Madison
Minneapolis
St Paul
Duluth
Buffalo
Rochester
Syracuse
Kingston
Conic Equidistant Projection
1:7 000 000
0 100 200 miles
0 100 200 300 400 km

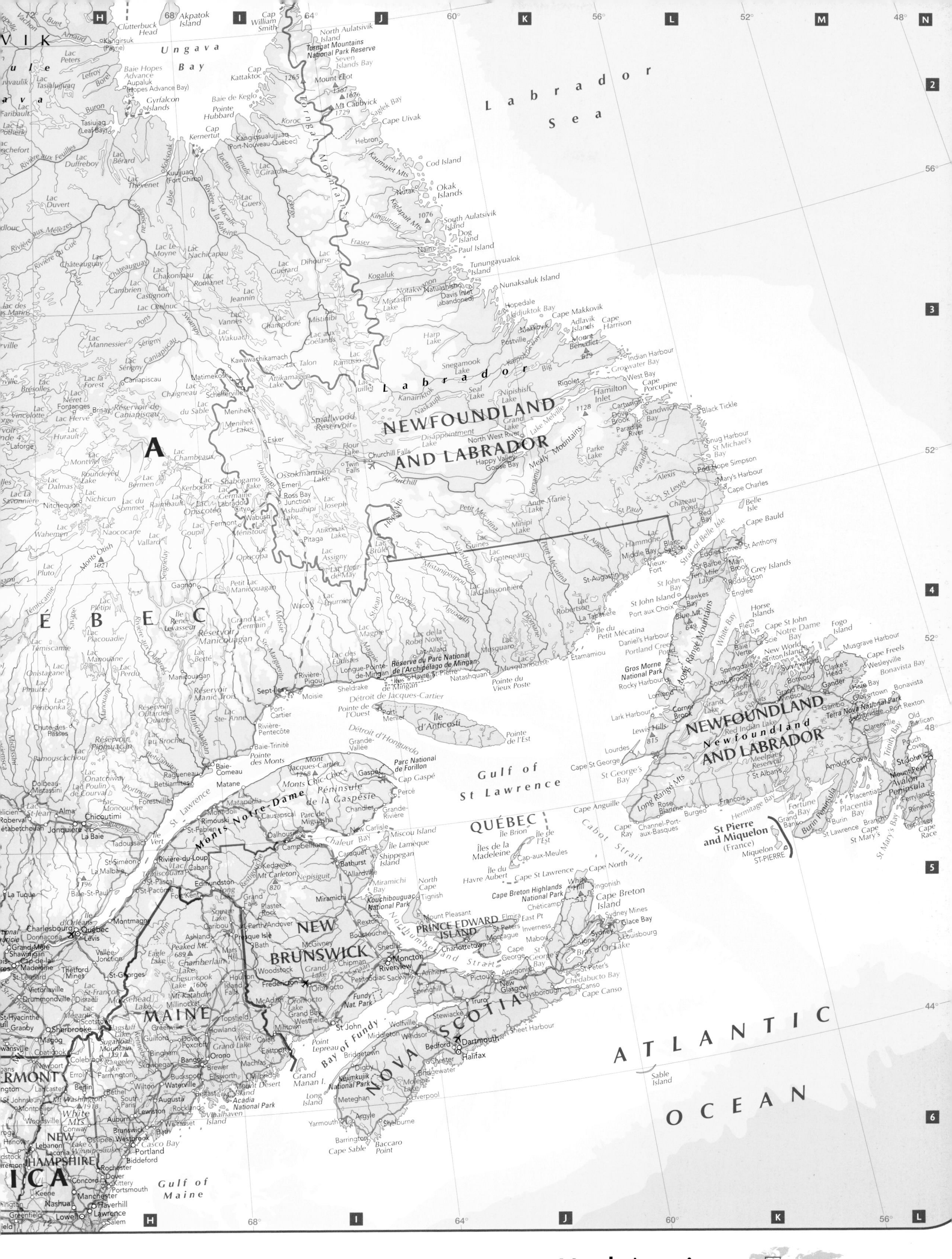
Ungava Bay
Labrador Sea
Torngat Mountains National Park Reserve
Torngat Mountains
Cape Chidley
North Aulatsivik Island
Seven Islands Bay
Mount Eliot
Mt Caubvick
Saglek Bay
Cape Uivak
Hebron
Cod Island
Kaumajet Mts
Okak Islands
Nutak
Kiglapait Mts
South Aulatsivik Island
Dog Island
Nain
Paul Island
Tunungayualok Island
Kogaluk
Nunaksaluk Island
Notakwanon
Natuashish
Davis Inlet (abandoned)
Mistastin Lake
Hopedale
Makkovik
Cape Makkovik
Adlavik Islands
Mount Benedict
Cape Harrison
Postville
Harp Lake
Snegamook Lake
Indian Harbour
Groswater Bay
West Bay
Cape Porcupine
Rigolet
Hamilton Inlet
Labrador
NEWFOUNDLAND AND LABRADOR
Kanairiktok
Naskaupi
Seal Lake
Nipishish Lake
Grand Lake
Lake Melville
Cartwright
Sandwich Bay
Black Tickle
Dove Brook
Paradise River
Disappointment Lake
North West River
Happy Valley-Goose Bay
Mealy Mountains
Churchill Falls
Churchill
Twin Falls
Smallwood Reservoir
Ossokmanuan Lake
Flour Lake
Parke Lake
Eagle
Paradise
Snug Harbour
St Michael's Bay
Port Hope Simpson
Mary's Harbour
Cape Charles
Alexis
St Lewis
Chateau Pond
Belle Isle
Red Bay
Cape Bauld
St Anthony
Strait of Belle Isle
Anne-Marie Lake
Minipi Lake
Petit Mécatina
St Paul
Blanc-Sablon
Hammond
Middle Bay
Vieux-Fort
St-Augustin
Lac Fonteneau
Natashquan
Mistanipisipou
Eddies Cove
St Barbe
Ten Mile Lake
Main Brook
Roddickton
Englee
Grey Islands
St John Bay
St John Island
Port aux Choix
Hawkes Bay
Blue Mt.
Long Range Mountains
Horse Islands
Fleur de Lys
La Scie
Cape St John
Notre Dame Bay
Fogo Island
Musgrave Harbour
Cape Freels
Wesleyville
Bonavista Bay
Bonavista
Gander
Gambo
Terra Nova National Park
Port Rexton
Clarenville
Trinity Bay
Old Perlican
St John's
Avalon Peninsula
Ferryland
Renews
Trepassey
Cape Race
St Mary's Bay
Placentia Bay
Placentia
Burin Peninsula
Fortune Bay
Grand Bank
Burin
St Lawrence
St Pierre and Miquelon (France)
Miquelon
ST-PIERRE
Hermitage Bay
François
Burgeo
Channel-Port-aux-Basques
Cape Ray
Rose Blanche
Long Range Mts
Meelpaeg Reservoir
St Alban's
Arnold's Cove
Red Indian Lake
Newfoundland
Grand Falls-Windsor
Lewisporte
Botwood
Springdale
Baie Verte
White Bay
Gros Morne National Park
Rocky Harbour
Lomond
Corner Brook
Lark Harbour
Lewis Hills
Lourdes
Cape St George
St George's Bay
Cape Anguille
Gulf of St Lawrence
Cabot Strait
Îles de la Madeleine
Île Brion
Île de l'Est
Cap-aux-Meules
Île du Havre Aubert
Étamamiou
La Tabatière
Île du Petit Mécatina
Daniel's Harbour
Portland Creek Pond
Musquanousse
Musquaro
Pointe du Vieux Poste
Natashquan
Havre-St-Pierre
Réserve du Parc National de l'Archipel de Mingan
Longue-Pointe-de-Mingan
Rivière-Pigou
Sheldrake
Sept-Îles
Moisie
Détroit de Jacques-Cartier
Pointe de l'Ouest
Port-Menier
Île d'Anticosti
Pointe de l'Est
Détroit d'Honguedo
Port-Cartier
Rivière-Pentecôte
Baie-Trinité
Pointe des Monts
Grande-Vallée
Mont Jacques-Cartier
Monts Chic-Chocs
Gaspé
Parc National de Forillon
Cap Gaspé
Percé
Péninsule de la Gaspésie
Chandler
Grande-Rivière
Monts Notre-Dame
Matane
Baie-Comeau
Forestville
Rimouski
Causapscal
Parc de Miguasha
New Carlisle
Chaleur Bay
Dalhousie
Campbellton
Miscou Island
Île Lamèque
Caraquet
Shippegan Island
Bathurst
Kedgwick
Mt Carleton
Nepisiguit
Allardville
Miramichi
Miramichi Bay
North Cape
Tignish
Kouchibouguac National Park
NEW BRUNSWICK
PRINCE EDWARD ISLAND
Charlottetown
Montague
Souris
Northumberland Strait
Moncton
Riverview
Shediac
Sackville
Amherst
Fredericton
Oromocto
Woodstock
Grand Lake
Chipman
Petitcodiac
Fundy Nat. Park
Saint John
Bay of Fundy
Grand Manan I.
Point Lepreau
NOVA SCOTIA
Truro
New Glasgow
Antigonish
Pictou
Stewiacke
Springhill
Wolfville
Windsor
Middleton
Bridgetown
Digby
Kejimkujik National Park
Bridgewater
Liverpool
Meteghan
Yarmouth
Argyle
Shelburne
Barrington
Cape Sable
Baccaro Point
Long Island
Dartmouth
Halifax
Bedford
Sheet Harbour
Guysborough
Canso
Cape Canso
Chedabucto Bay
St Peter's
St George's Bay
Cape George
Cape Breton Island
Cape Breton Highlands National Park
Chéticamp
Cape North
Cape St Lawrence
Ingonish
White Hill
Inverness
Mabou
Sydney
Sydney Mines
Glace Bay
Louisbourg
Bras d'Or Lake
East Pt
Elmira
Mount Pleasant
Sable Island
ATLANTIC OCEAN
QUÉBEC
MAINE
Mt Katahdin
Millinocket
Moosehead Lake
Houlton
Presque Isle
Caribou
Mars Hill
Island Falls
Topsfield
Calais
Eastport
Machias
Bangor
Orono
Brewer
Ellsworth
Bucksport
Mount Desert Island
Acadia National Park
Vinalhaven Island
Rockland
Augusta
Waterville
Skowhegan
Bingham
Lewiston
Auburn
Brunswick
Bath
Portland
Casco Bay
Biddeford
Gulf of Maine
Sugarloaf Mountain
Rangeley
Farmington
Dover-Foxcroft
Guilford
Greenville
NEW HAMPSHIRE
Mt Washington
White Mts
Conway
Berlin
Colebrook
Lancaster
Littleton
Lebanon
Laconia
Lake Winnipesaukee
Rochester
Dover
Kittery
Portsmouth
Concord
Manchester
Nashua
Keene
Haverhill
Lawrence
Lowell
Salem
VERMONT
Newport
St Johnsbury
Montpelier
Woodsville
Sherbrooke
Magog
Coaticook
Granby
St-Hyacinthe
Drummondville
Victoriaville
Thetford Mines
St-Georges
Lac-Mégantic
Disraeli
Vallée-Jonction
Lévis
Québec
Charlesbourg
Donnacona
Shawinigan
Grand-Mère
Cap-de-la-Madeleine
St-Léonard
Montmagny
Île d'Orléans
La Tuque
Baie-St-Paul
La Malbaie
St-Siméon
Rivière-du-Loup
Cabano
Lac Témiscouata
Edmundston
Fort Kent
St-Pascal
St-Pacôme
Tadoussac
Île Verte
St Lawrence
La Baie
Jonquière
Chicoutimi
Alma
Roberval
Lac St-Jean
Dolbeau-Mistassini
Forestville
Betsiamites
Ragueneau
Réservoir Pipmuacan
Réservoir Manicouagan
Île René-Levasseur
Réservoir Outardes Quatre
Manicouagan
Manic Trois
Monts Otish
Gagnon
Fermont
Wabush
Labrador City
Lac Ménistouc
Schefferville
Matimekosh
Kawawachikamach
Menihek Lakes
Esker
Ashuanipi Lake
Ross Bay Junction
Emeril
Shabogamo Lake
Lac Joseph
Atikonak Lake
Lac Brûlé
Lac Assigny
Pitaga
Lac Fleur-de-May
Lac Caniapiscau
Réservoir de Caniapiscau
Caniapiscau
Kuujjuaq (Fort Chimo)
Tasiujaq (Leaf Bay)
Kangirsuk (Payne)
Kangiqsualujjuaq (Port-Nouveau-Québec)
Aupaluk (Hopes Advance Bay)
Baie Hopes Advance
Baie de Keglo
Pointe Hubbard
Cap Kernertut
Gyrfalcon Islands
Cap Kattaktoc
Clutterbuck Head
Akpatok Island
Cap William Smith
Koroc
Lac Guers
Lac Chakonipau
Lac Romanet
Lac Jeannin
Lac Champdoré
Lac Mistinibi
Lac aux Goélands
Lac Ramusio
Lac Juillet
Lac Talon
Attikamagen Lake
Lac Nachicapau
Lac Le Moyne
Lac Gérard
Lac Dihourse
Lac Mannessier
Lac Sérigny
Lac Brésolles
Lac Néret
Lac Hervé
Lac Bermen
Lac Opiscotéo
Lac Naococane
Lac Vallard
Lac Pluto
Lac Plétipi
Lac Témiscamie
Lac Mistassini
Chibougamau
Lac Manouane
Lac Péribonka
Chute-des-Passes
Lac Onatchiway
Lac Poulin de Courval
Rivière aux Feuilles
Rivière à la Baleine
Rivière aux Mélèzes
Rivière du Gué
Rivière aux Outardes
Rivière Romaine
Moisie
St-Jean
Natashquan
Petit Mécatina
Lac Magpie
Lac de la Robe Noire
Lac Allard
Lac des Eudistes
Lac Musquaro
Lac la Galissonnière
Québec
A
É B E C
VIK
ICA
RMONT

North America

Eastern Canada

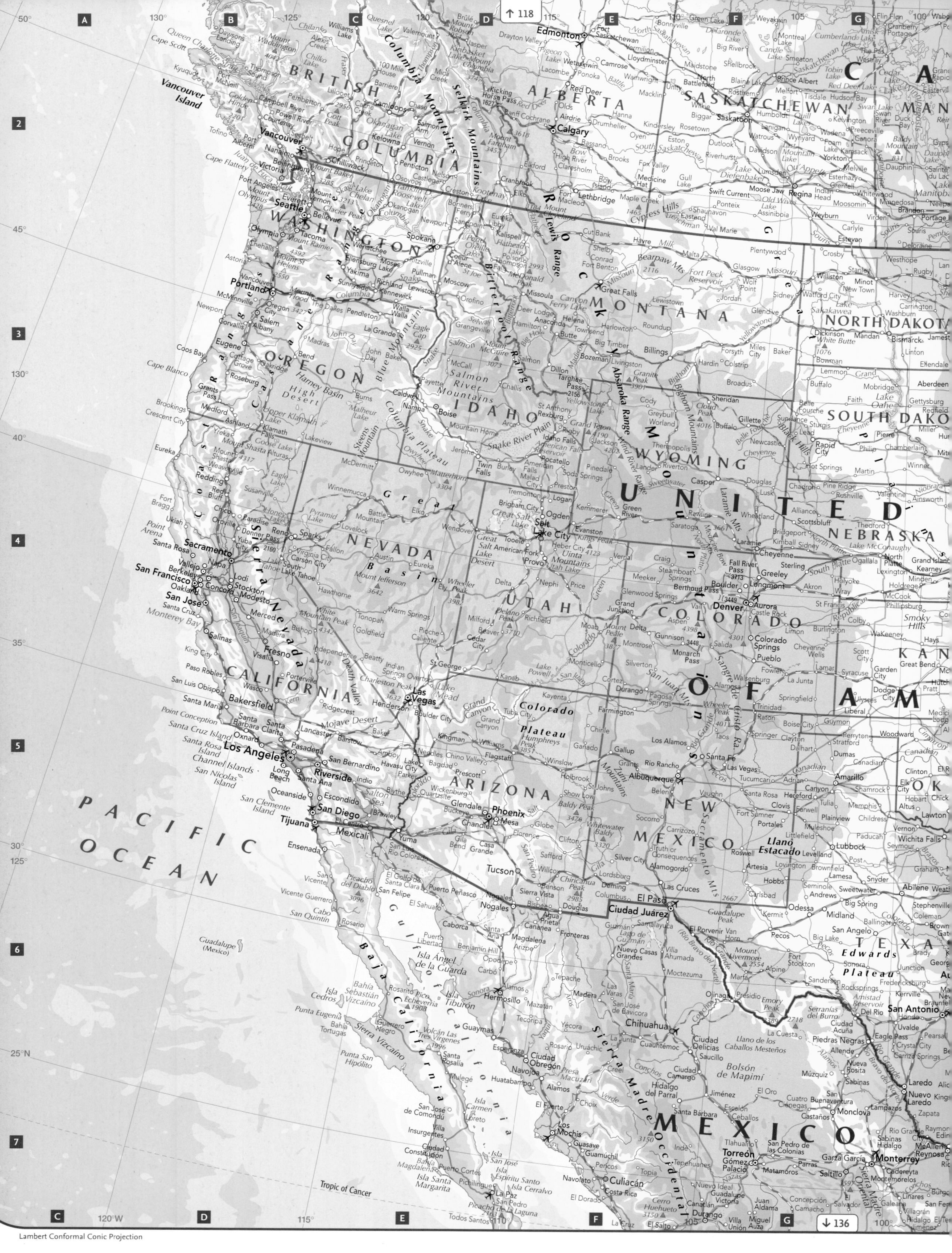

Lambert Conformal Conic Projection

1:12 000 000

0   100   200   300   400   miles
0   100   200   300   400   500   600   700   km

↑ 119

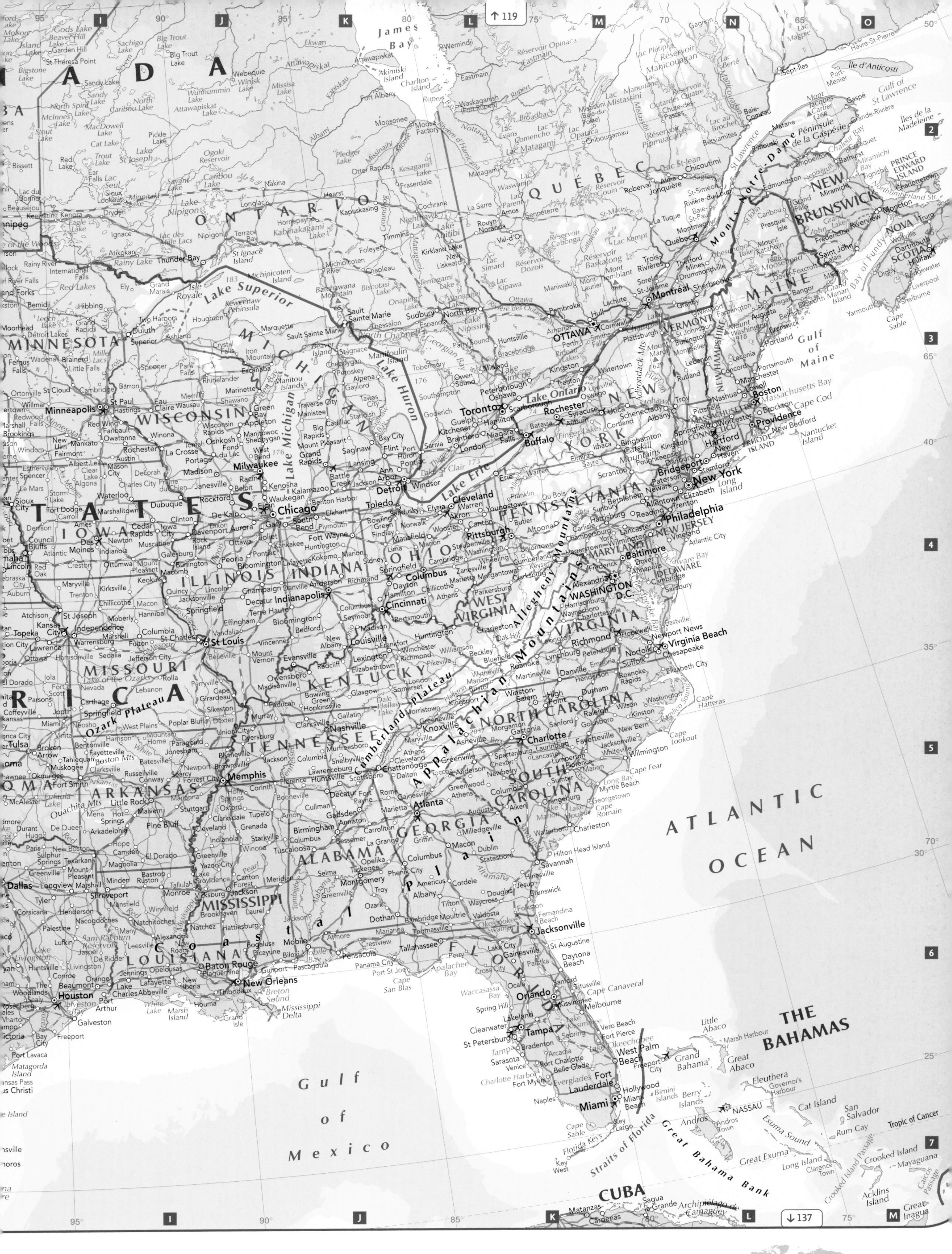
CANADA
UNITED STATES
AMERICA
ONTARIO
QUÉBEC
NEW BRUNSWICK
NOVA SCOTIA
PRINCE EDWARD ISLAND
MINNESOTA
WISCONSIN
MICHIGAN
IOWA
ILLINOIS
INDIANA
OHIO
PENNSYLVANIA
NEW YORK
VERMONT
NEW HAMPSHIRE
MAINE
MASSACHUSETTS
CONNECTICUT
RHODE ISLAND
NEW JERSEY
DELAWARE
MARYLAND
WEST VIRGINIA
VIRGINIA
MISSOURI
KENTUCKY
TENNESSEE
NORTH CAROLINA
SOUTH CAROLINA
ARKANSAS
MISSISSIPPI
ALABAMA
GEORGIA
LOUISIANA
FLORIDA
THE BAHAMAS
CUBA
James Bay
Lake Superior
Lake Michigan
Lake Huron
Lake Erie
Lake Ontario
Gulf of St Lawrence
Gulf of Maine
Bay of Fundy
ATLANTIC OCEAN
Gulf of Mexico
Straits of Florida
Great Bahama Bank
Appalachian Mountains
Allegheny Mountains
Cumberland Plateau
Ozark Plateau
Coastal Plain
Monts Notre-Dame
Ottawa
WASHINGTON D.C.
Montréal
Québec
Toronto
Boston
New York
Philadelphia
Baltimore
Pittsburgh
Cleveland
Detroit
Chicago
Milwaukee
Minneapolis
St Paul
St Louis
Indianapolis
Columbus
Cincinnati
Louisville
Nashville
Memphis
Atlanta
Charlotte
Richmond
Virginia Beach
Jacksonville
Orlando
Tampa
Miami
New Orleans
Houston
Dallas
Buffalo
Providence
Hartford
Halifax
Savannah
Charleston
Birmingham
Cape Hatteras
Cape Cod
Cape Canaveral
Tropic of Cancer
95°
90°
85°
80°
75°
70°
65°
50°
45°
40°
35°
30°
25°

↓ 137

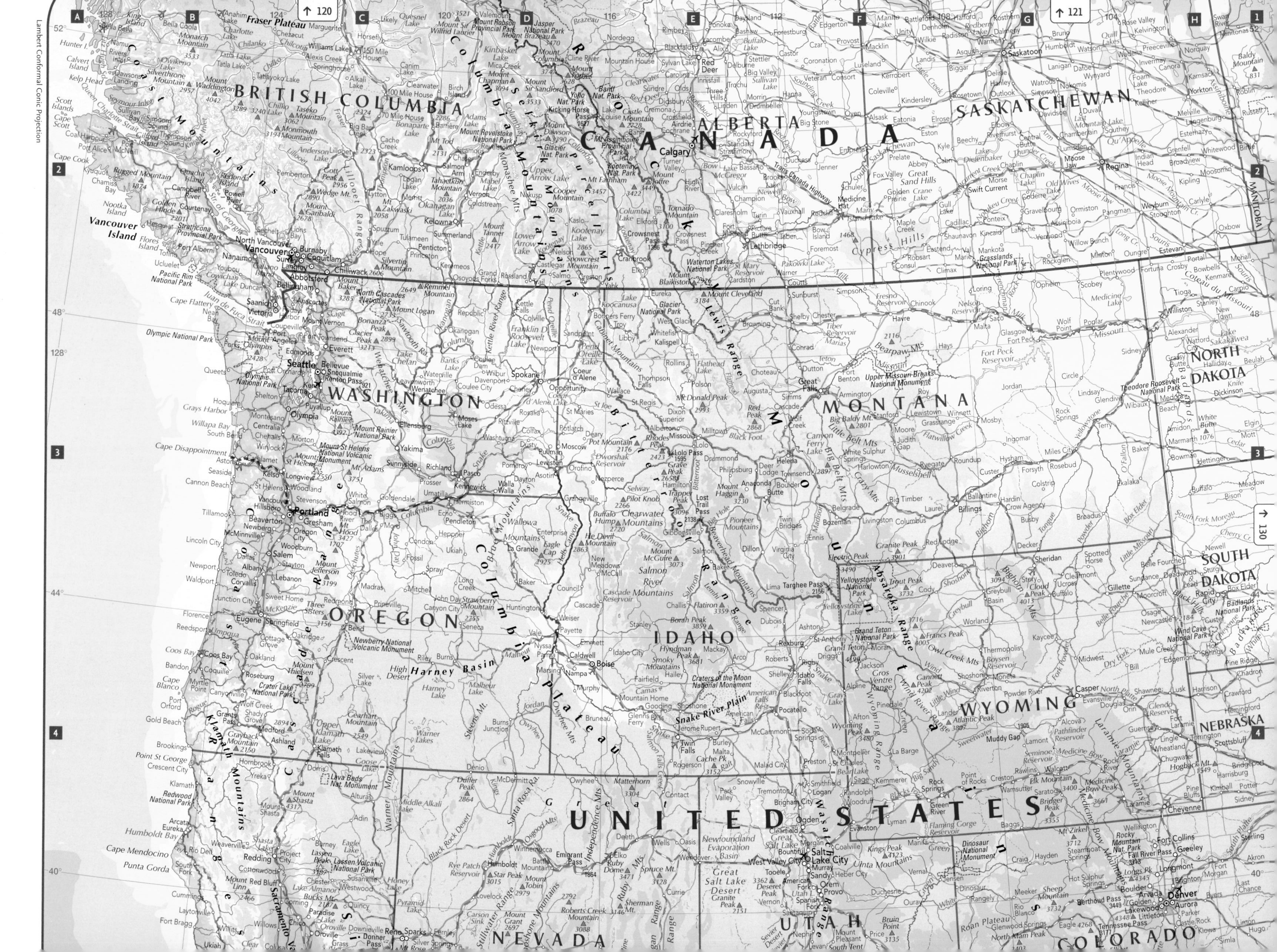

Lambert Conformal Conic Projection

1:7 000 000

| 0 | 100 | 200 | miles |

| 0 | 100 | 200 | 300 | 400 | km |

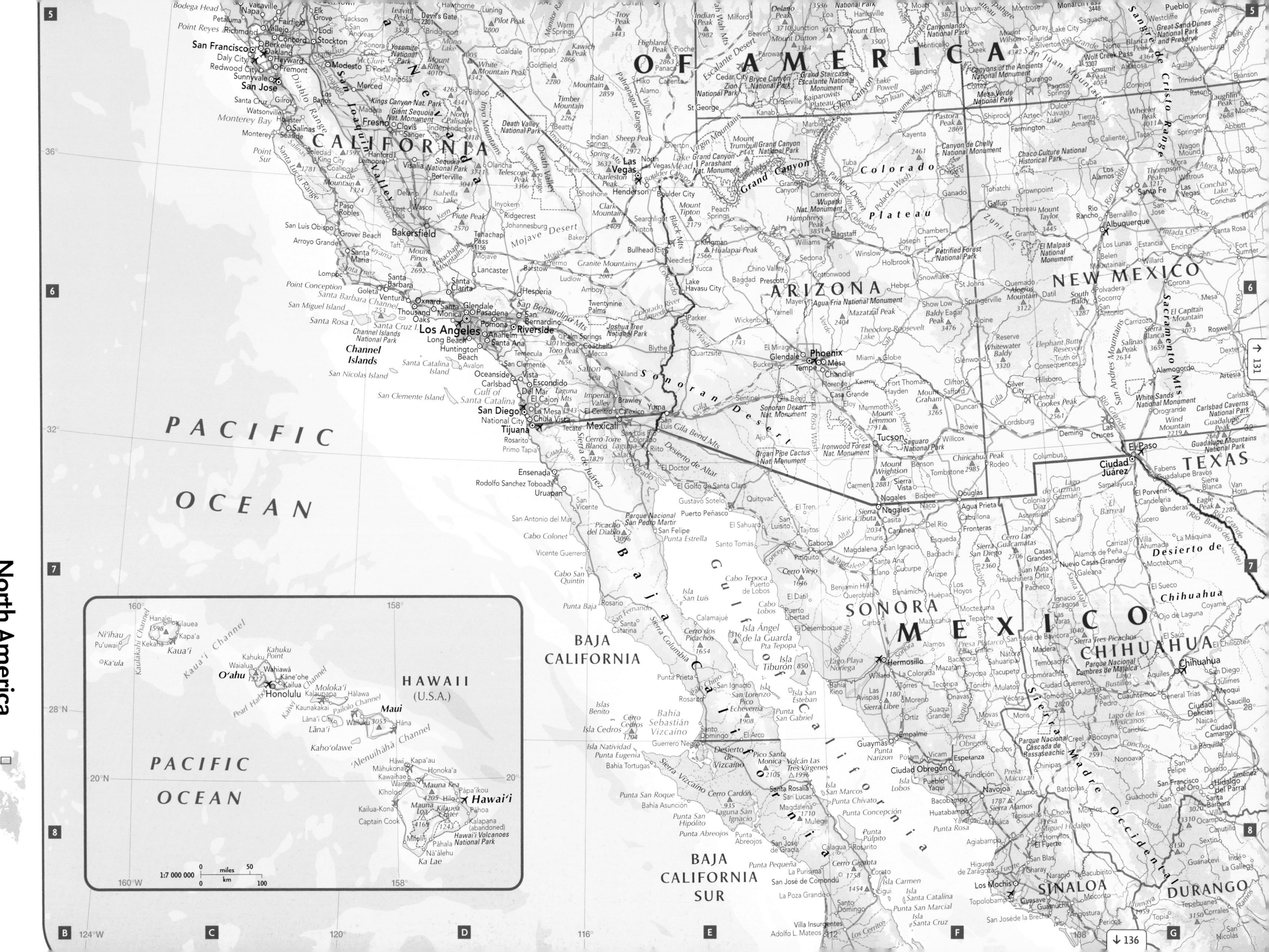

UNITED STATES OF AMERICA
CALIFORNIA
ARIZONA
NEW MEXICO
TEXAS
MEXICO
SONORA
CHIHUAHUA
DURANGO
SINALOA
BAJA CALIFORNIA
BAJA CALIFORNIA SUR
PACIFIC OCEAN
Gulf of California
Sierra Nevada
Sangre de Cristo Range
Sacramento Mts
San Juan Mountains
Colorado Plateau
Grand Canyon
Sonoran Desert
Mojave Desert
Death Valley
San Joaquin Valley
Diablo Range
Santa Lucia Range
Sierra Madre Occidental
Desierto de Chihuahua
Channel Islands
San Francisco
San Jose
Oakland
Stockton
Fresno
Bakersfield
Los Angeles
Long Beach
Riverside
San Diego
Tijuana
Mexicali
Las Vegas
Phoenix
Tucson
Albuquerque
Santa Fe
El Paso
Ciudad Juárez
Chihuahua
Hermosillo
Nogales
Yuma
Flagstaff
Guaymas
Ciudad Obregón
Los Mochis
Ensenada
HAWAII (U.S.A.)
Kaua'i
O'ahu
Honolulu
Moloka'i
Maui
Lāna'i
Kaho'olawe
Hawai'i
Ni'ihau
PACIFIC OCEAN
1:7 000 000

↑ 131
↓ 136

North America

Western United States

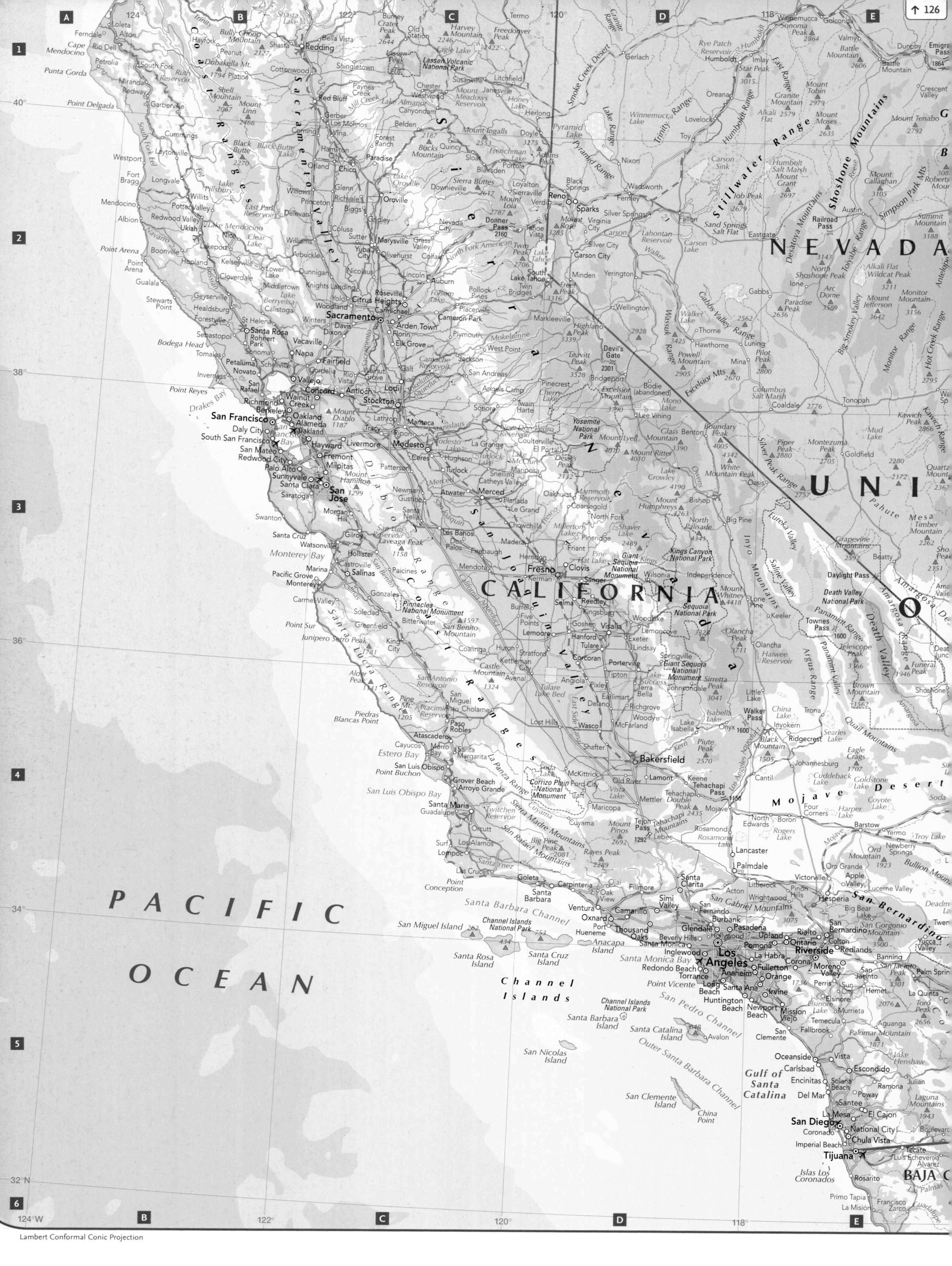

↑ 126
A
B
C
D
E
1
2
3
4
5
6
124°
122°
120°
118°
124°W
40°
38°
36°
34°
32°N
PACIFIC
OCEAN
CALIFORNIA
NEVADA
UNI
O
Sierra Nevada
Sacramento Valley
Coast Ranges
San Joaquin Valley
Diablo Range
Santa Lucia Range
Mojave Desert
Channel Islands
Redding
Chico
Oroville
Marysville
Sacramento
Citrus Heights
Arden Town
Santa Rosa
Vallejo
Concord
Stockton
Lodi
Modesto
San Francisco
Oakland
Berkeley
Daly City
South San Francisco
Hayward
Fremont
San Jose
Sunnyvale
Santa Clara
Santa Cruz
Monterey Bay
Salinas
Monterey
Fresno
Clovis
Merced
Visalia
Bakersfield
San Luis Obispo
Santa Maria
Santa Barbara
Oxnard
Ventura
Los Angeles
Long Beach
Anaheim
Santa Ana
Riverside
San Bernardino
Lancaster
Palmdale
Oceanside
Escondido
San Diego
Chula Vista
Tijuana
Reno
Sparks
Carson City
South Lake Tahoe
Lake Tahoe
Yosemite National Park
Sequoia National Park
Kings Canyon National Park
Death Valley National Park
Lassen Volcanic National Park
Channel Islands National Park
Pinnacles National Monument
Giant Sequoia National Monument
Mount Whitney 4418
Mount Diablo 1187
Lake Berryessa
Clear Lake
Mono Lake
Santa Barbara Channel
San Pedro Channel
Gulf of Santa Catalina
Santa Catalina Island
San Clemente Island
San Nicolas Island
Santa Cruz Island
Santa Rosa Island
San Miguel Island
Point Conception
Point Reyes
Cape Mendocino
Drakes Bay
Estero Bay
San Luis Obispo Bay
BAJA C
Lambert Conformal Conic Projection

1:3 500 000

0 50 100 miles

0 50 100 150 200 km

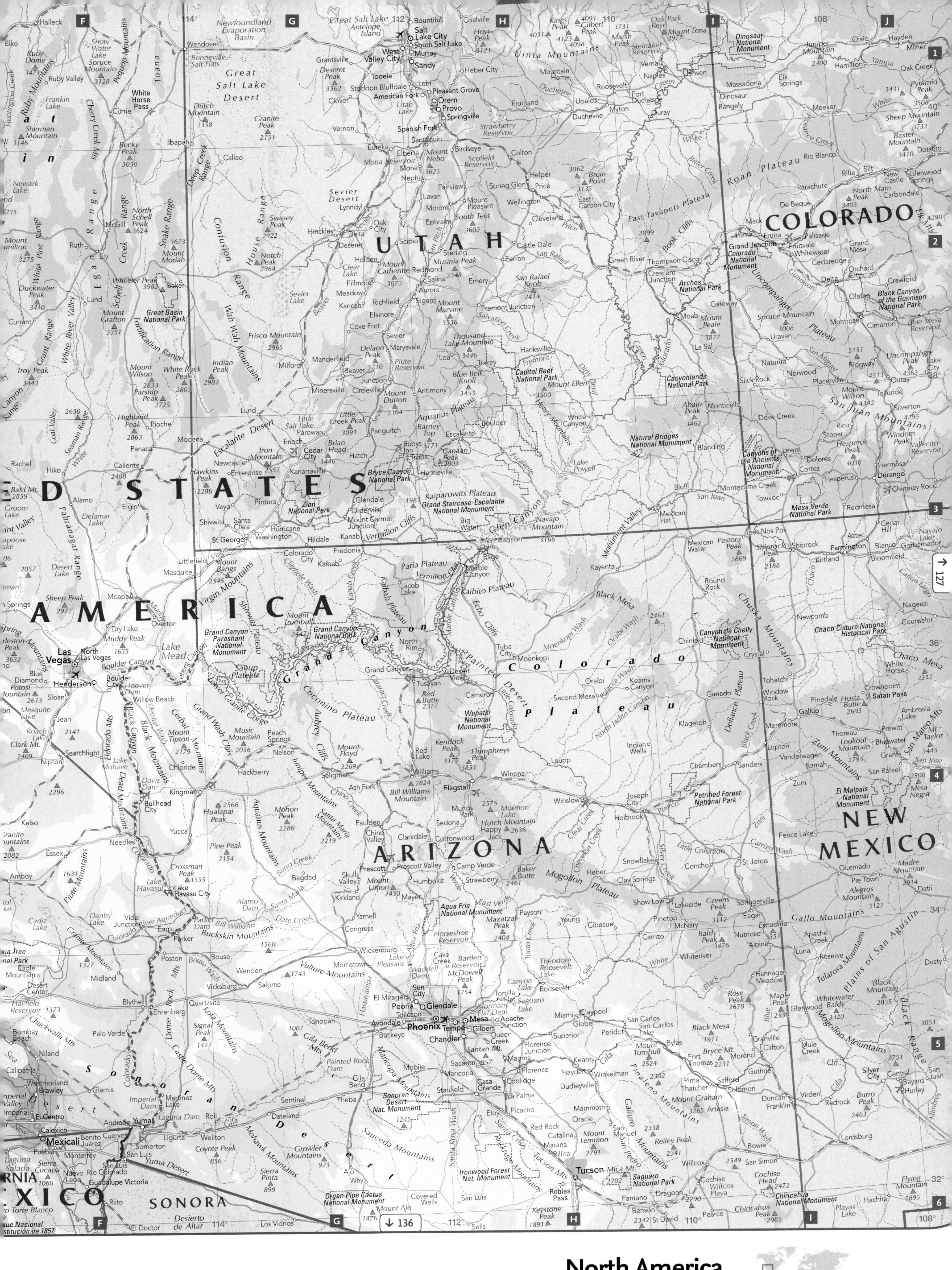

UTAH
COLORADO
ARIZONA
NEW MEXICO
D STATES
AMERICA
XICO
SONORA
Great Salt Lake
Salt Lake City
South Salt Lake
West Valley City
Murray
Sandy
Bountiful
Antelope Island
Tooele
Grantsville
Wendover
Bonneville Salt Flats
Great Salt Lake Desert
Newfoundland Evaporation Basin
Provo
Orem
Pleasant Grove
American Fork
Lehi
Springville
Spanish Fork
Heber City
Park City
Uinta Mountains
Kings Peak 4123
Vernal
Roosevelt
Duchesne
Myton
Price
Helper
Wellington
East Carbon City
Green River
Moab
Arches National Park
Canyonlands National Park
Capitol Reef National Park
Bryce Canyon National Park
Zion National Park
Grand Staircase-Escalante National Monument
Natural Bridges National Monument
Glen Canyon
Lake Powell
Cedar City
St George
Hurricane
Kanab
Panguitch
Richfield
Salina
Nephi
Delta
Fillmore
Milford
Beaver
Sevier Desert
Sevier Lake
Wah Wah Mountains
House Range
Confusion Range
Escalante Desert
Kaiparowits Plateau
Aquarius Plateau
Henry Mountains
Blanding
Monticello
Bluff
Mexican Hat
Monument Valley
Grand Junction
Fruita
Palisade
Delta
Montrose
Gunnison
Black Canyon of the Gunnison National Park
Ouray
Telluride
Silverton
Durango
Cortez
Mesa Verde National Park
Canyons of the Ancients National Monument
San Juan Mountains
Uncompahgre Plateau
Roan Plateau
Book Cliffs
East Tavaputs Plateau
Dinosaur National Monument
Rangely
Meeker
Rifle
Glenwood Springs
Farmington
Shiprock
Aztec
Bloomfield
Gallup
Grants
Chaco Culture National Historical Park
El Malpais National Monument
Zuni Mountains
Mount Taylor
Quemado
Gallo Mountains
Plains of San Agustin
Mogollon Mountains
Black Range
Silver City
Lordsburg
Las Vegas
North Las Vegas
Henderson
Boulder City
Lake Mead
Hoover Dam
Mesquite
Virgin Mountains
Grand Canyon
Grand Canyon National Park
Grand Canyon-Parashant National Monument
Kaibab Plateau
Coconino Plateau
Marble Canyon
Painted Desert
Colorado Plateau
Vermilion Cliffs
Paria Plateau
Page
Tuba City
Kayenta
Black Mesa
Chinle
Canyon de Chelly National Monument
Chuska Mountains
Defiance Plateau
Window Rock
Ganado
Petrified Forest National Park
Holbrook
Winslow
Flagstaff
Humphreys Peak 3851
Williams
Seligman
Kingman
Bullhead City
Lake Havasu City
Needles
Black Mountains
Hualapai Peak
Prescott
Prescott Valley
Sedona
Cottonwood
Camp Verde
Mogollon Plateau
Payson
Show Low
Springerville
Phoenix
Glendale
Peoria
Mesa
Tempe
Gilbert
Chandler
Scottsdale
Sun City
Avondale
Buckeye
Wickenburg
Casa Grande
Florence
Coolidge
Globe
Safford
Tucson
Marana
Nogales
Sells
Ajo
Organ Pipe Cactus National Monument
Sonoran Desert National Monument
Ironwood Forest National Monument
Saguaro National Park
Yuma
Sonoran Desert
Yuma Desert
Kofa Mountains
Gila Bend
Gila Bend Mts
Maricopa Mountains
Sauceda Mountains
Mohawk Mountains
Castle Dome Mts
Dome Rock Mts
Buckskin Mountains
Vulture Mountains
Blythe
El Centro
Calexico
Mexicali
Brawley
Imperial
San Luis
Sonoyta
El Doctor
Desierto de Altar
Los Vidrios
Pinaleno Mountains
Galiuro Mountains
Chiricahua National Monument
Willcox
Benson
Robles Pass
Keystone Peak

North America

Southwest United States

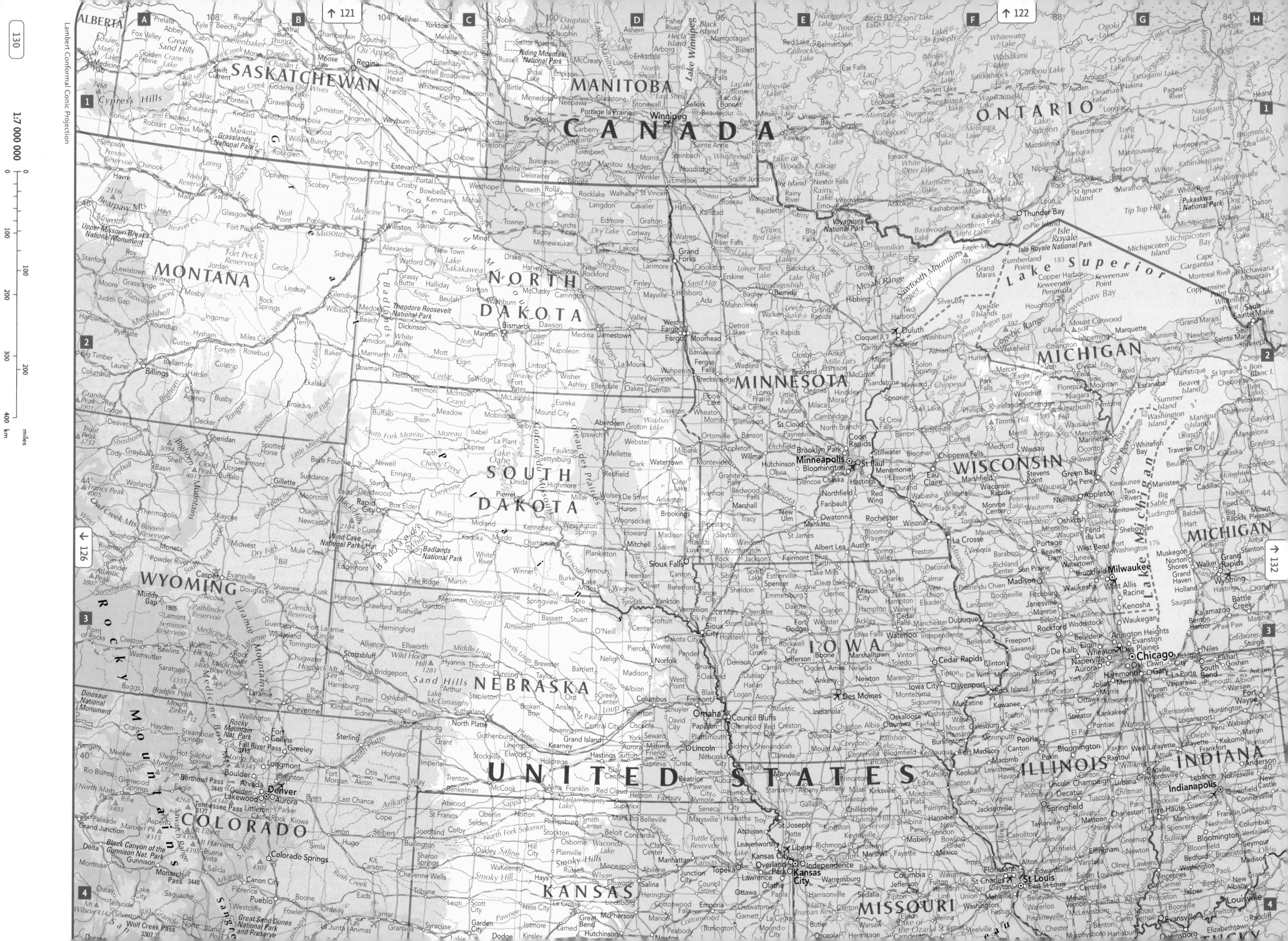

Lambert Conformal Conic Projection

1:7 000 000

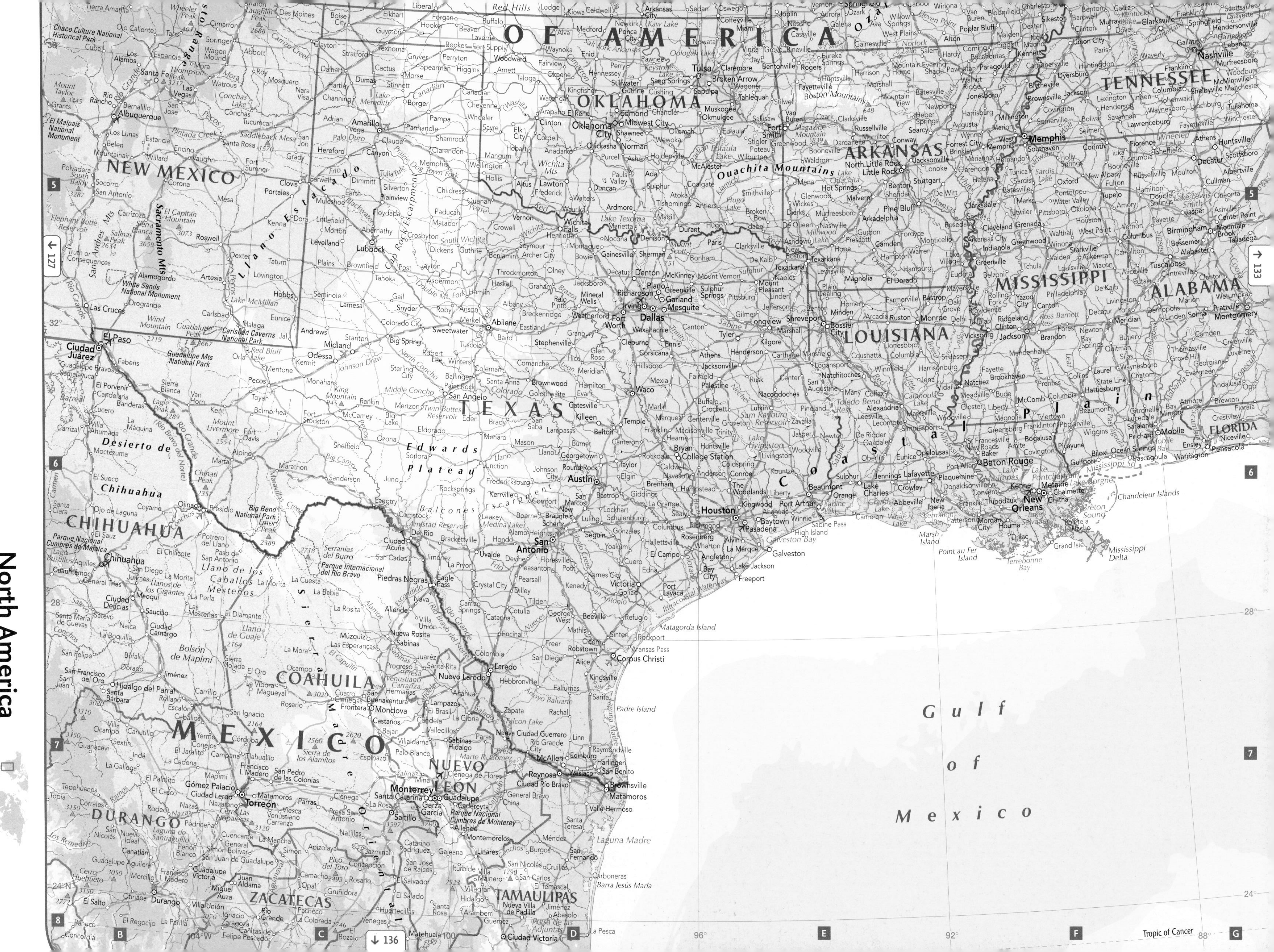

North America
Central United States

OF AMERICA
OKLAHOMA
ARKANSAS
TENNESSEE
MISSISSIPPI
ALABAMA
LOUISIANA
TEXAS
NEW MEXICO
FLORIDA
MEXICO
COAHUILA
CHIHUAHUA
NUEVO LEON
TAMAULIPAS
DURANGO
ZACATECAS
Gulf of Mexico
Dallas
Houston
San Antonio
Austin
New Orleans
Memphis
Monterrey
Tropic of Cancer
↑ 133
↓ 127
→ 136

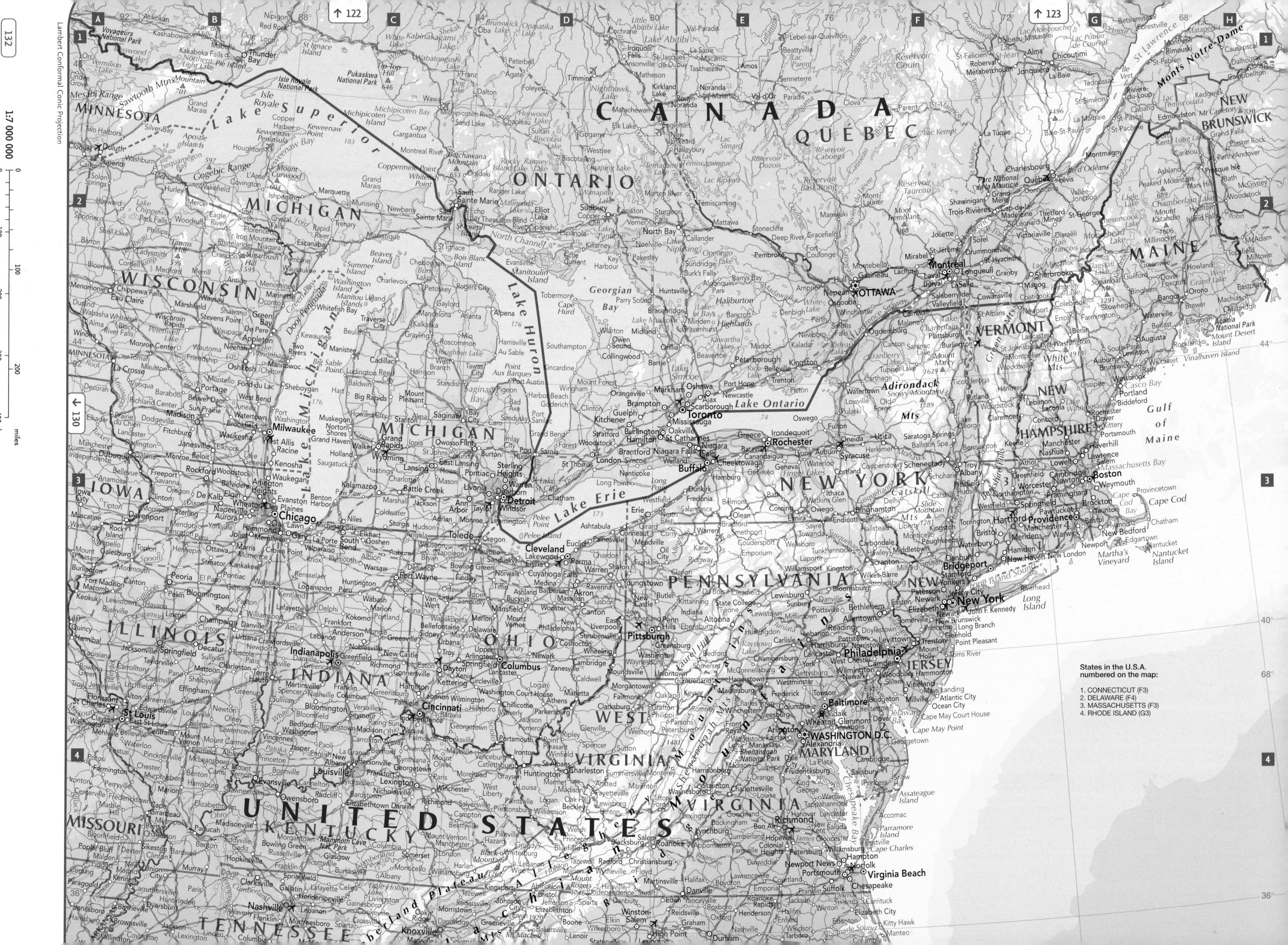

States in the U.S.A.
numbered on the map:

1. CONNECTICUT (F3)
2. DELAWARE (F4)
3. MASSACHUSETTS (F3)
4. RHODE ISLAND (G3)

Lambert Conformal Conic Projection

1:7 000 000

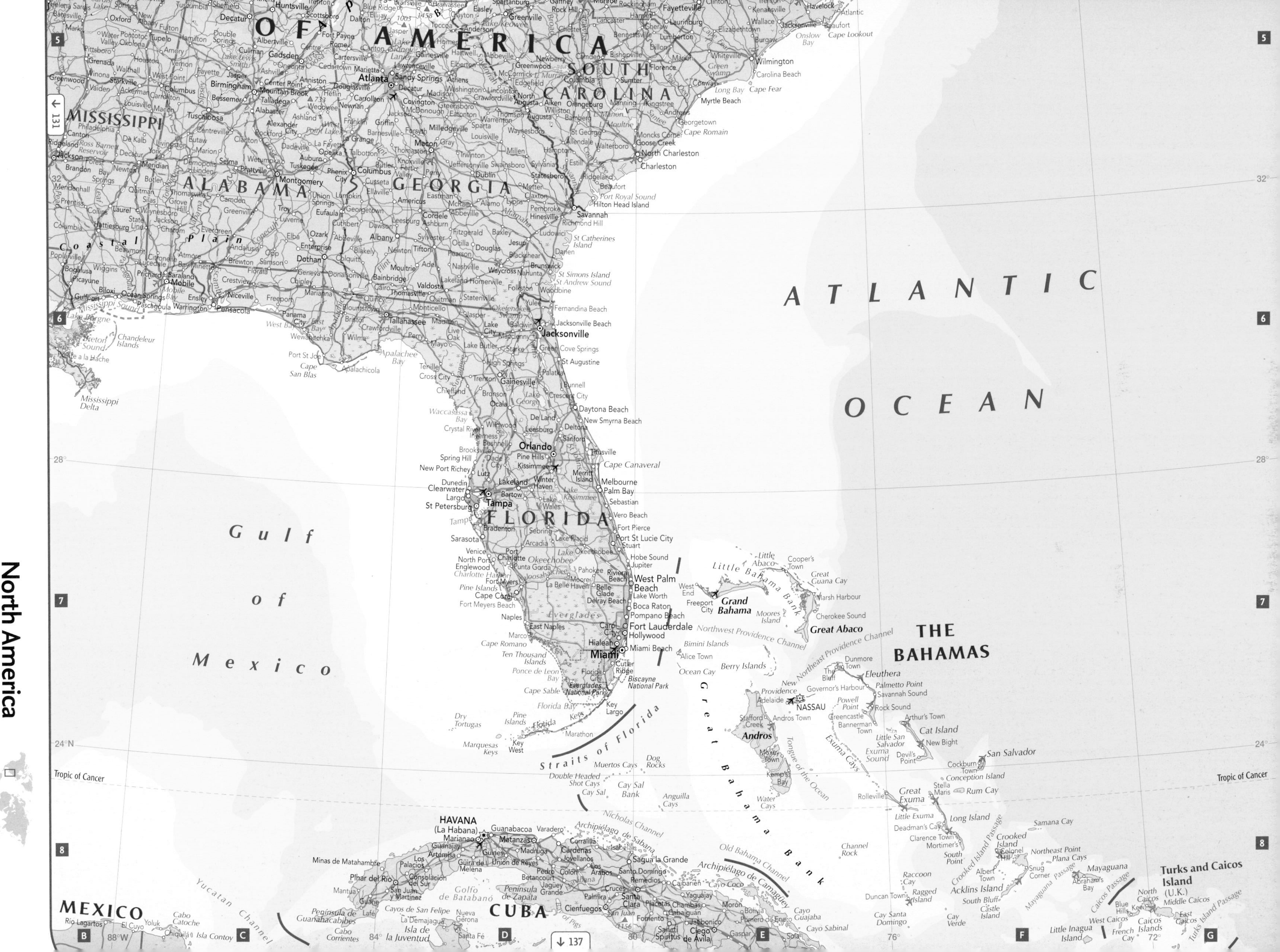

North America
Eastern United States

ATLANTIC OCEAN
Gulf of Mexico
THE BAHAMAS
CUBA
MEXICO
Turks and Caicos Island (U.K.)
FLORIDA
GEORGIA
ALABAMA
MISSISSIPPI
SOUTH CAROLINA
OF AMERICA
Coastal Plain
Straits of Florida
Great Bahama Bank
Little Bahama Bank
Northwest Providence Channel
Northeast Providence Channel
Tongue of the Ocean
Tropic of Cancer
Yucatan Channel
Old Bahama Channel
Nicholas Channel
Jacksonville
Orlando
Tampa
Miami
Fort Lauderdale
West Palm Beach
Tallahassee
Savannah
Charleston
Atlanta
Montgomery
Mobile
Pensacola
Wilmington
HAVANA (La Habana)
NASSAU
Grand Bahama
Great Abaco
Andros
Eleuthera
Cat Island
San Salvador
Great Exuma
Long Island
Acklins Island
Mayaguana
Little Inagua Island
Everglades
Cape Canaveral
Mississippi Delta
Key West
Isla de la Juventud
Golfo de Batabanó
Península de Zapata
Archipiélago de Camagüey
Archipiélago de Sabana
↓ 131
↓ 137

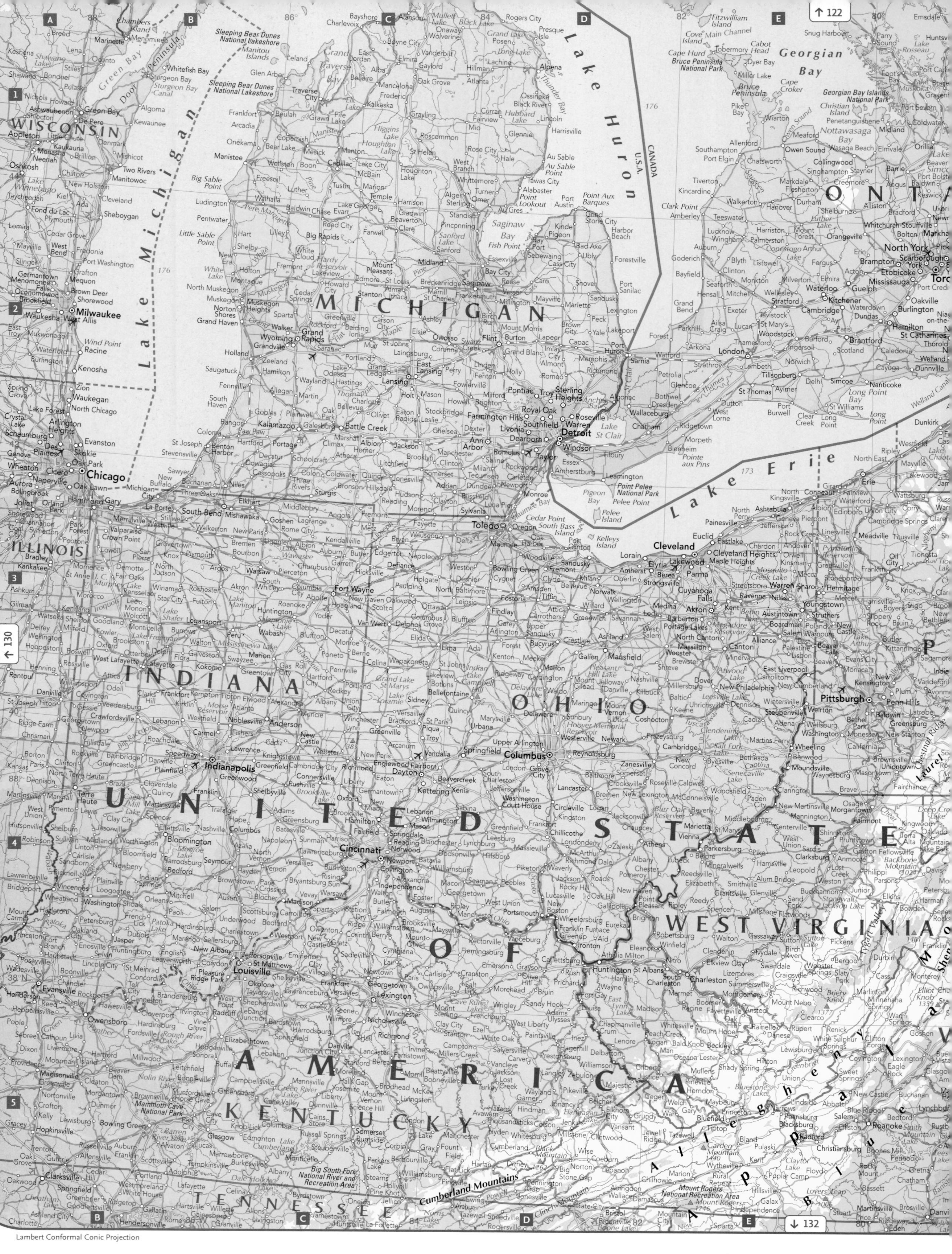

Lambert Conformal Conic Projection

1:3 500 000

miles

km

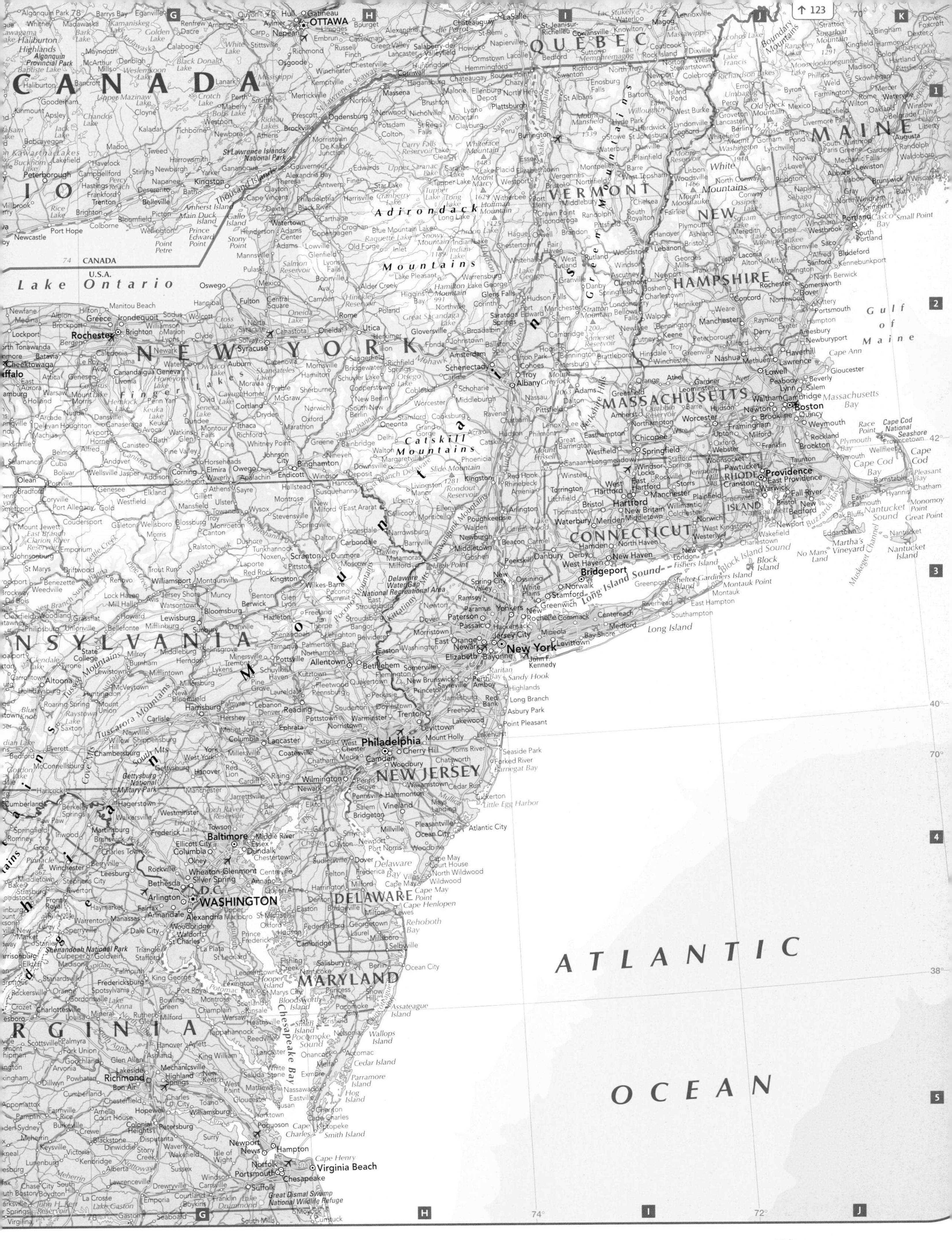

↑ 123
CANADA
U.S.A.
QUEBEC
OTTAWA
Montréal
Lake Ontario
NEW YORK
Adirondack Mountains
Catskill Mountains
VERMONT
Green Mountains
NEW HAMPSHIRE
White Mountains
MAINE
MASSACHUSETTS
RHODE ISLAND
CONNECTICUT
NSYLVANIA
NEW JERSEY
DELAWARE
MARYLAND
RGINIA
WASHINGTON D.C.
Baltimore
Philadelphia
New York
Boston
Providence
Hartford
Albany
Syracuse
Rochester
Richmond
Virginia Beach
Gulf of Maine
Long Island
Long Island Sound
Cape Cod
Chesapeake Bay
Delaware Bay
ATLANTIC
OCEAN

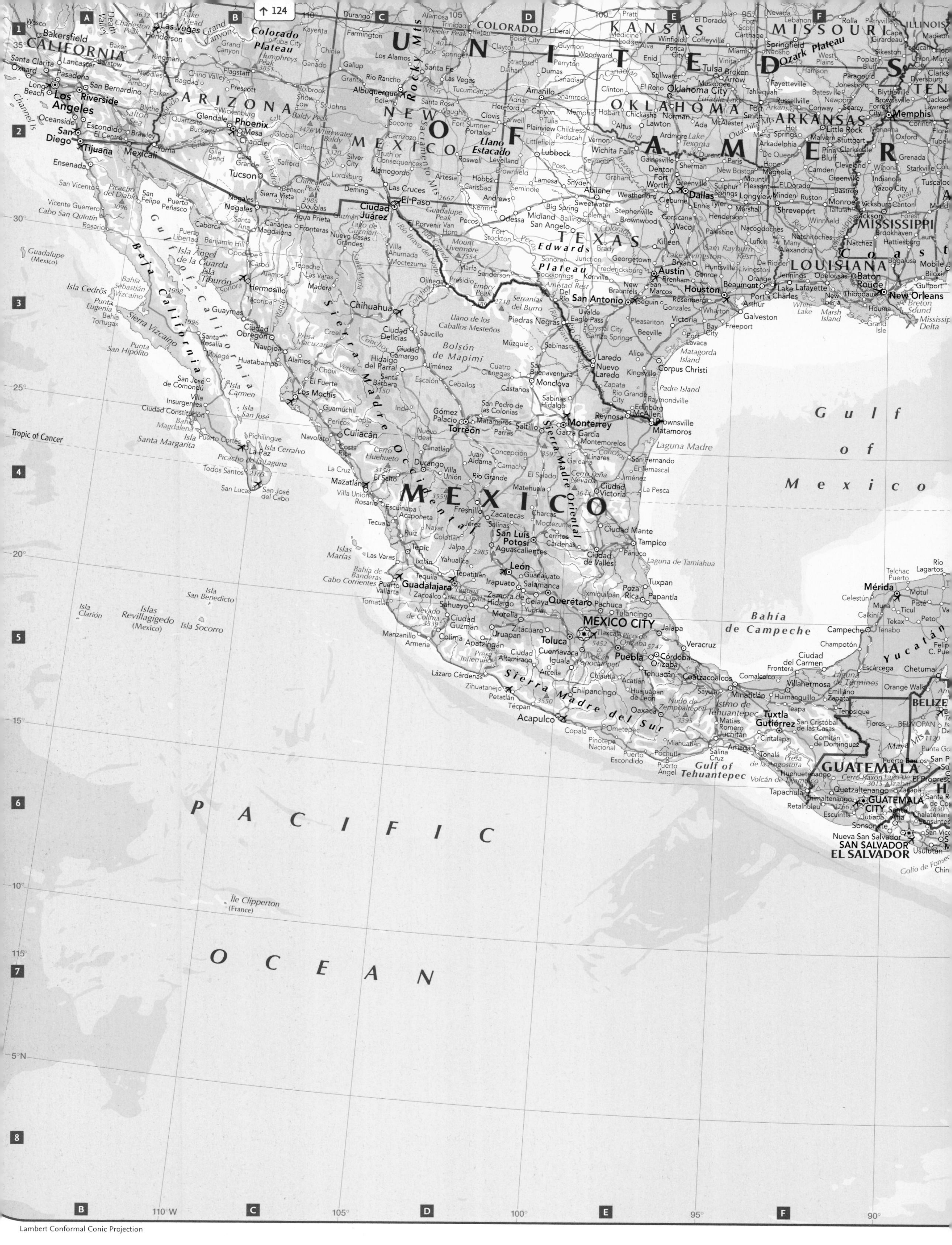

Lambert Conformal Conic Projection

1:14 000 000

| 0 | 200 | 400 | miles |
| 0 | 200 | 400 | 600 | 800 km |

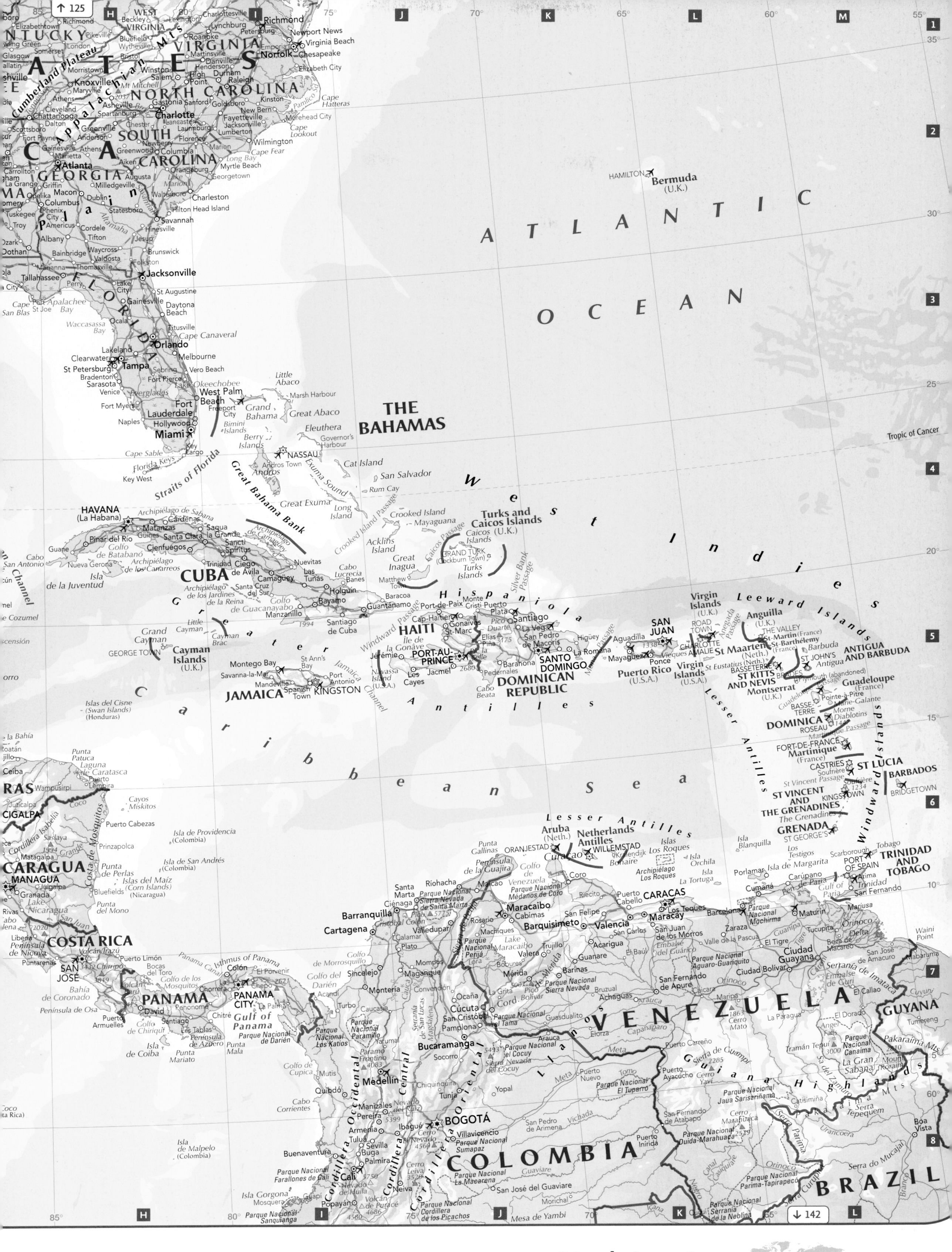

North America
Central America and the Caribbean

South America
Landscapes

South America is a continent of great contrasts, with landscapes varying from the tropical rainforests of the Amazon Basin, to the Atacama Desert, the driest place on earth, and the sub-Antarctic regions of southern Chile and Argentina. The dominant physical features are the Andes, stretching along the entire west coast of the continent and containing numerous mountains over 6 000 metres high, and the Amazon, which is the second longest river in the world and has the world's largest drainage basin.

The Altiplano is a high plateau lying between two of the Andes ranges. It contains Lake Titicaca, the world's highest navigable lake. By contrast, large lowland areas dominate the centre of the continent, lying between the Andes and the Guiana and Brazilian Highlands. These vast grasslands stretch from the Llanos of the north through the Selvas and the Gran Chaco to the Pampas of Argentina.

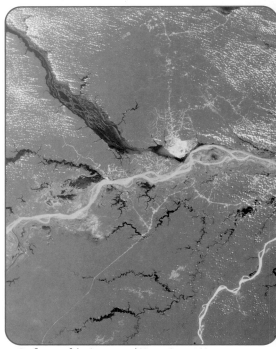

Confluence of the **Amazon** and **Negro** rivers at Manaus, northern Brazil.

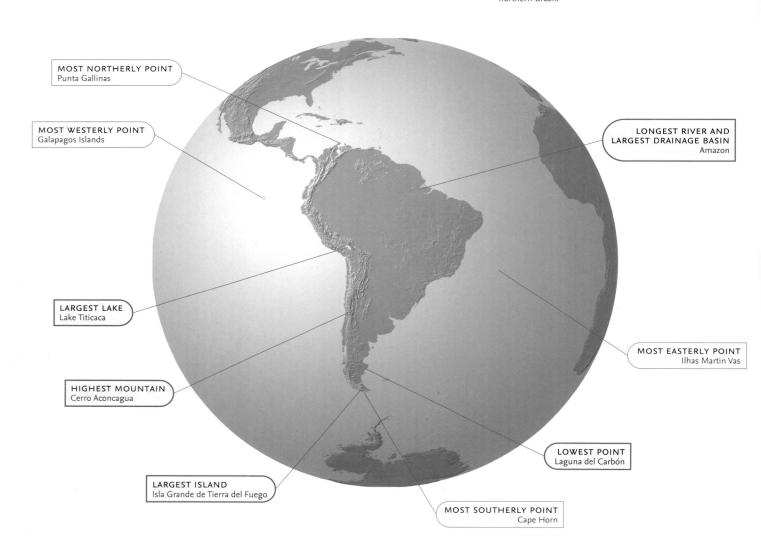

MOST NORTHERLY POINT
Punta Gallinas

MOST WESTERLY POINT
Galapagos Islands

LONGEST RIVER AND LARGEST DRAINAGE BASIN
Amazon

LARGEST LAKE
Lake Titicaca

MOST EASTERLY POINT
Ilhas Martin Vas

HIGHEST MOUNTAIN
Cerro Aconcagua

LOWEST POINT
Laguna del Carbón

LARGEST ISLAND
Isla Grande de Tierra del Fuego

MOST SOUTHERLY POINT
Cape Horn

South America's physical features

Highest mountain	Cerro Aconcagua, Argentina	6 959 metres	22 831 feet
Longest river	Amazon	6 516 km	4 049 miles
Largest lake	Lake Titicaca, Bolivia/Peru	8 340 sq km	3 220 sq miles
Largest island	Isla Grande de Tierra del Fuego, Argentina/Chile	47 000 sq km	18 147 sq miles
Largest drainage basin	Amazon	7 050 000 sq km	2 722 005 sq miles
Lowest point	Laguna del Carbón, Argentina	-105 metres	-345 feet

Isla Grande de Tierra del Fuego, South America's largest island, situated at the southernmost tip of the continent.

South America's extent

TOTAL LAND AREA	17 815 420 sq km / 6 878 534 sq miles
Most northerly point	Punta Gallinas, Colombia
Most southerly point	Cape Horn, Chile
Most westerly point	Galapagos Islands, Ecuador
Most easterly point	Ilhas Martin Vas, Atlantic Ocean

Facts

- Water flow along the Amazon is over 1 500 times that of the River Thames

- Cerro Aconcagua, 6 959 metres, is the highest point in the western hemisphere

- The Amazon rainforest supports approximately half of all the world's living species

- The Pantanal in Brazil is the largest area of wetland in the world

- The world's driest desert is the Atacama, where only 1mm of rain may fall as infrequently as once every 5–20 years

South America
Countries

French Guiana, a French Department, is the only remaining territory under overseas control on a continent which has seen a long colonial history. Much of South America was colonized by Spain in the sixteenth century, with Britain, Portugal and the Netherlands each claiming territory in the northeast of the continent. This colonization led to the conquering of ancient civilizations, including the Incas in Peru. Most countries became independent from Spain and Portugal in the early nineteenth century.

The population of the continent reflects its history, being composed primarily of indigenous Indian peoples and mestizos – reflecting the long Hispanic influence. There has been a steady process of urbanization within the continent, with major movements of the population from rural to urban areas. The majority of the population now lives in the major cities and within 300 kilometres of the coast.

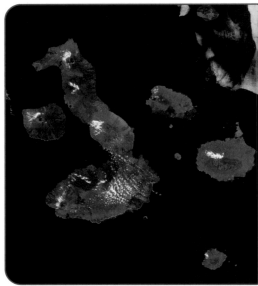

Galapagos Islands, an island territory of Ecuador which lies on the equator in the eastern Pacific Ocean over 900 kilometres west of the coast of Ecuador.

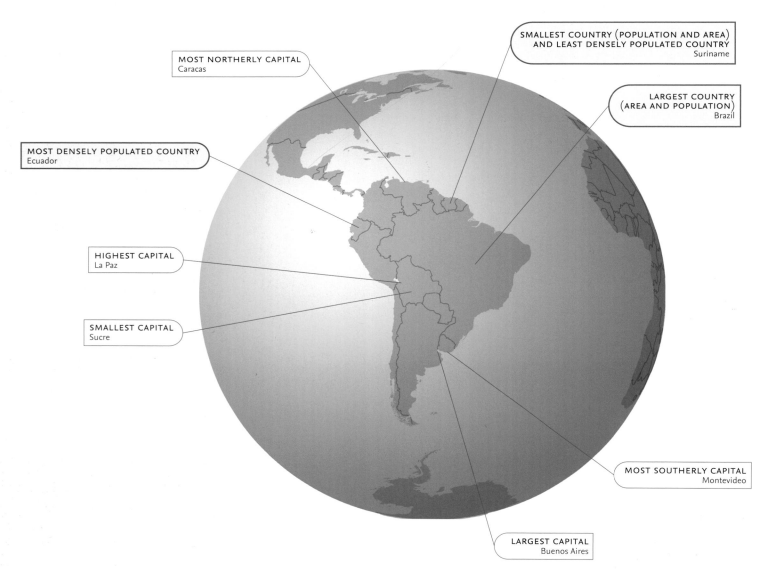

MOST NORTHERLY CAPITAL
Caracas

SMALLEST COUNTRY (POPULATION AND AREA) AND LEAST DENSELY POPULATED COUNTRY
Suriname

LARGEST COUNTRY (AREA AND POPULATION)
Brazil

MOST DENSELY POPULATED COUNTRY
Ecuador

HIGHEST CAPITAL
La Paz

SMALLEST CAPITAL
Sucre

MOST SOUTHERLY CAPITAL
Montevideo

LARGEST CAPITAL
Buenos Aires

South America's countries

Largest country (area)	Brazil	8 514 879 sq km	3 287 613 sq miles
Smallest country (area)	Suriname	163 820 sq km	63 251 sq miles
Largest country (population)	Brazil	186 405 000	
Smallest country (population)	Suriname	449 000	
Most densely populated country	Ecuador	48 per sq km	124 per sq mile
Least densely populated country	Suriname	3 per sq km	7 per sq mile

Internet Links

• UK Foreign and Commonwealth Office	www.fco.gov.uk
• CIA World Factbook	www.cia.gov/library/publications/the-world-factbook/index.html
• Caribbean Community (Caricom)	www.caricom.org
• Latin American Network Information Center	lanic.utexas.edu

South America's capitals

Largest capital (population)	Buenos Aires, Argentina	13 349 000
Smallest capital (population)	Sucre, Bolivia	231 000
Most northerly capital	Caracas, Venezuela	10° 28'N
Most southerly capital	Montevideo, Uruguay	34° 52'S
Highest capital	La Paz, Bolivia	3 630 metres 11 909 feet

Facts

- South America is often referred to as 'Latin America', reflecting the historic influences of Spain and Portugal

- The largest city in each South American country is the capital, except in Brazil and Ecuador

- South America has only two landlocked countries – Bolivia and Paraguay

- Chile is over 4 000 kilometres long but has an average width of only 177 kilometres

Falkland Islands, an overseas UK territory in the South Atlantic Ocean.

South Georgia
(U.K.)

PACIFIC

OCEAN

Galapagos Islands (Islas Galápagos)
(Ecuador)

1:14 000 000

NICARAGUA

COSTA RICA

PANAMA

COLOMBIA

VENEZUELA

GRENADA

ECUADOR

PERU

BOLIVIA

ARGENTINA

CHILE

Lambert Azimuthal Equal Area Projection

1:14 000 000

ATLANTIC

OCEAN

Equator

GEORGETOWN
New Amsterdam
Linden

PARAMARIBO
Nieuw Nickerie
Onverwacht
Albina
Organabo
Sinnamary
Kourou

SURINAME
Professor van
Blommestein Meer
Brokopondo
Wilhelmina
Gebergte
Juliana Top
Barrage du
Petit Saut
CAYENNE
Pointe Béhague

French
Guiana

Cabo Orange
Cabo Caciporé
Parque Nacional
de Cabo Orange

Serra
Tumucumaque
Parque Nacional
Montanhas do
Tumucumaque
Parque Indígena do
Tumucumaque
Calçoene
Amapá
Ilha de Maracá

Mouths of the
Amazon

Macapá
Ilha Caviana
Ilha Mexiana

Afuá
Ilha de
Marajó
Baía de Marajó
Salinópolis
Bragança

B R A Z I L

São Luís

Fortaleza
(Ceará)

Natal

João Pessoa

Recife
(Pernambuco)

Maceió

Teresina

Salvador
(Bahia)

Brazilian Highlands

BRASÍLIA

Goiânia

Belo
Horizonte

Vitória
Vila Velha

Campinas
São
Paulo
Rio de
Janeiro

PARAGUAY

South America
Northern South America

South America
Southern South America

1:14 000 000

Lambert Azimuthal Equal Area Projection

South America
Southeast Brazil

Lambert Azimuthal Equal Area Projection

1:7 000 000

Between them, the world's oceans and polar regions cover approximately seventy per cent of the Earth's surface. The oceans contain ninety-six per cent of the Earth's water and a vast range of flora and fauna. They are a major influence on the world's climate, particularly through ocean currents. The Arctic and Antarctica are the coldest and most inhospitable places on the Earth. They both have vast amounts of ice which, if global warming continues, could have a major influence on sea level across the globe.

Our understanding of the oceans and polar regions has increased enormously over the last twenty years through the development of new technologies, particularly that of satellite remote sensing, which can generate vast amounts of data relating to, for example, topography (both on land and the seafloor), land cover and sea surface temperature.

The oceans

The world's major oceans are the Pacific, the Atlantic and the Indian Oceans. The Arctic Ocean is generally considered as part of the Atlantic, and the Southern Ocean, which stretches around the whole of Antarctica is usually treated as an extension of each of the three major oceans.

One of the most important factors affecting the earth's climate is the circulation of water within and between the oceans. Differences in temperature and surface winds create ocean currents which move enormous quantities of water around the globe. These currents re-distribute heat which the oceans have absorbed from the sun, and so have a major effect on the world's climate system. El Niño is one climatic phenomenon directly influenced by these ocean processes.

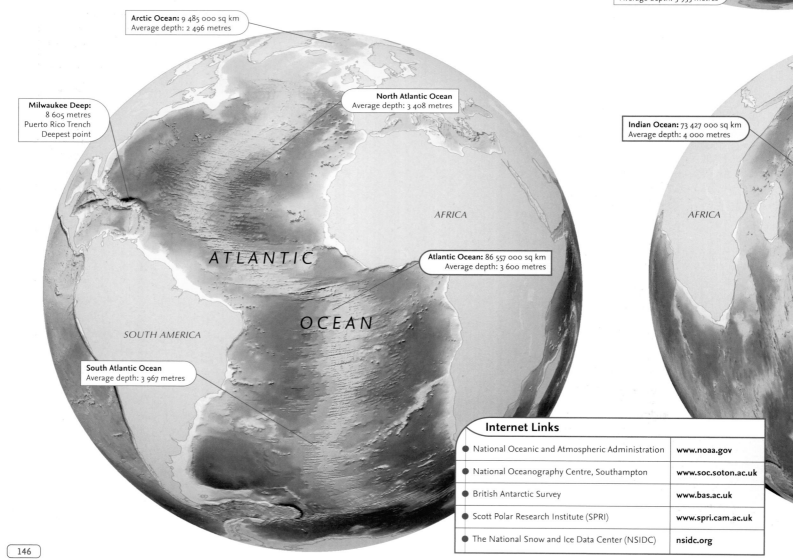

Pacific Ocean
World's largest ocean: 166 241 000 sq km
Average depth: 4 200m

Challenger Deep: 10 920 metres
Mariana Trench
Deepest point

PACIFI

OCEAN

AUSTRALIA

South Pacific Ocean
Average depth: 3 935 metres

Arctic Ocean: 9 485 000 sq km
Average depth: 2 496 metres

Milwaukee Deep:
8 605 metres
Puerto Rico Trench
Deepest point

North Atlantic Ocean
Average depth: 3 408 metres

Indian Ocean: 73 427 000 sq km
Average depth: 4 000 metres

AFRICA

ATLANTIC

AFRICA

Atlantic Ocean: 86 557 000 sq km
Average depth: 3 600 metres

SOUTH AMERICA

OCEAN

South Atlantic Ocean
Average depth: 3 967 metres

Internet Links	
National Oceanic and Atmospheric Administration	**www.noaa.gov**
National Oceanography Centre, Southampton	**www.soc.soton.ac.uk**
British Antarctic Survey	**www.bas.ac.uk**
Scott Polar Research Institute (SPRI)	**www.spri.cam.ac.uk**
The National Snow and Ice Data Center (NSIDC)	**nsidc.org**

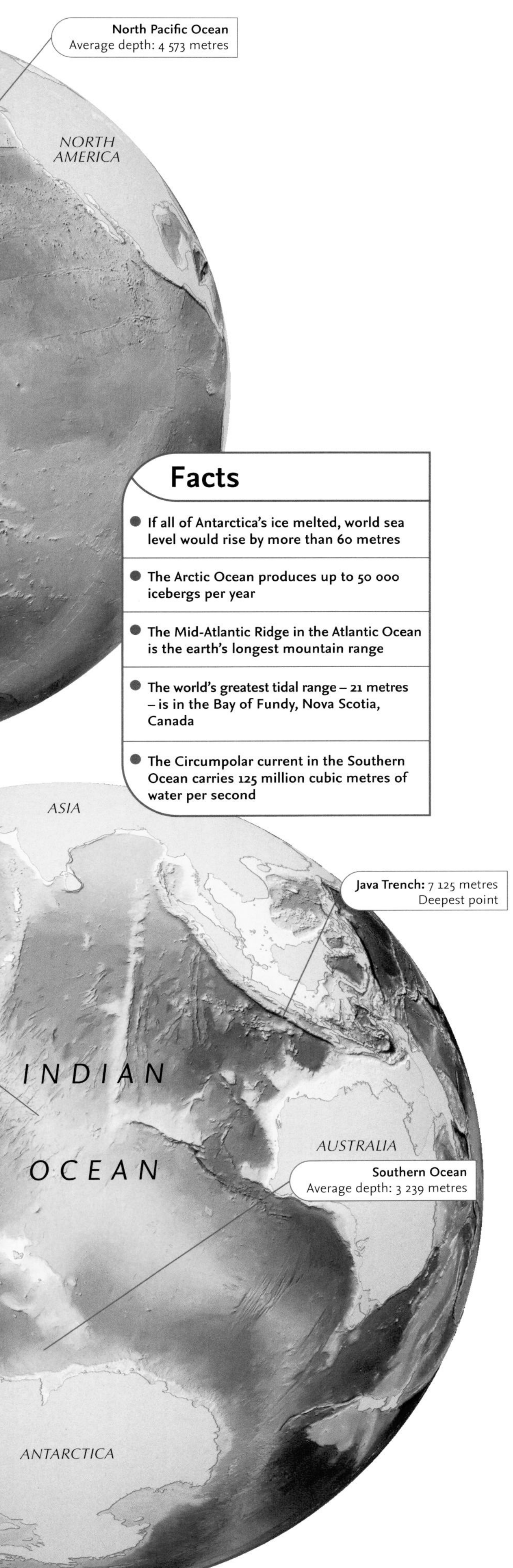

North Pacific Ocean
Average depth: 4 573 metres

NORTH
AMERICA

Facts

- If all of Antarctica's ice melted, world sea level would rise by more than 60 metres

- The Arctic Ocean produces up to 50 000 icebergs per year

- The Mid-Atlantic Ridge in the Atlantic Ocean is the earth's longest mountain range

- The world's greatest tidal range – 21 metres – is in the Bay of Fundy, Nova Scotia, Canada

- The Circumpolar current in the Southern Ocean carries 125 million cubic metres of water per second

ASIA

Java Trench: 7 125 metres
Deepest point

INDIAN

OCEAN

AUSTRALIA

Southern Ocean
Average depth: 3 239 metres

ANTARCTICA

Polar regions

Although a harsh climate is common to the two polar regions, there are major differences between the Arctic and Antarctica. The North Pole is surrounded by the Arctic Ocean, much of which is permanently covered by sea ice, while the South Pole lies on the huge land mass of Antarctica. This is covered by a permanent ice cap which reaches a maximum thickness of over four kilometres. Antarctica has no permanent population, but Europe, Asia and North America all stretch into the Arctic region which is populated by numerous ethnic groups. Antarctica is subject to the Antarctic Treaty of 1959 which does not recognize individual land claims and protects the continent in the interests of international scientific cooperation.

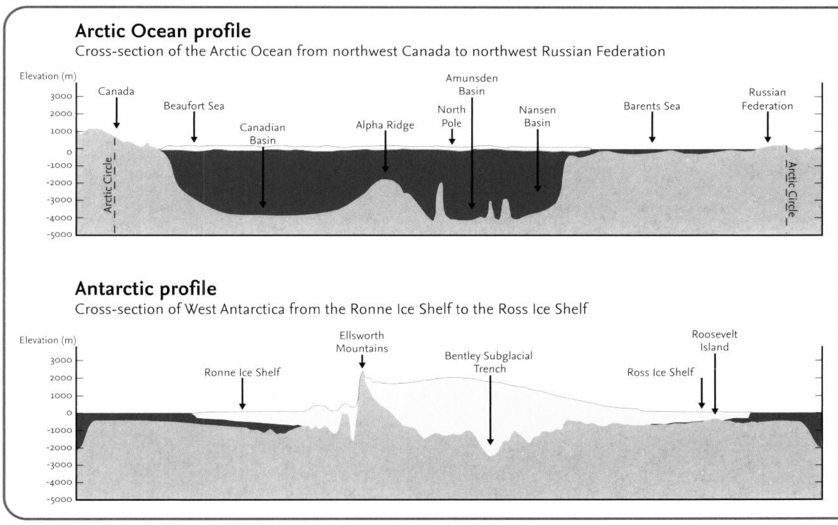

Arctic Ocean profile
Cross-section of the Arctic Ocean from northwest Canada to northwest Russian Federation

Antarctic profile
Cross-section of West Antarctica from the Ronne Ice Shelf to the Ross Ice Shelf

Antarctica's physical features

Highest mountain: Vinson Massif	4 897 m	16 066 ft
Total land area (excluding ice shelves)	12 093 000 sq km	4 669 107 sq miles
Ice shelves	1 559 000 sq km	601 930 sq miles
Exposed rock	49 000 sq km	18 919 sq miles
Lowest bedrock elevation (Bentley Subglacial Trench)	2 496 m below sea level	8 189 ft below sea level
Maximum ice thickness (Astrolabe Subglacial Basin)	4 776 m	15 669 ft
Mean ice thickness (including ice shelves)	1 859 m	6 099 ft
Volume of ice sheet (including ice shelves)	25 400 000 cubic km	6 094 628 cubic miles

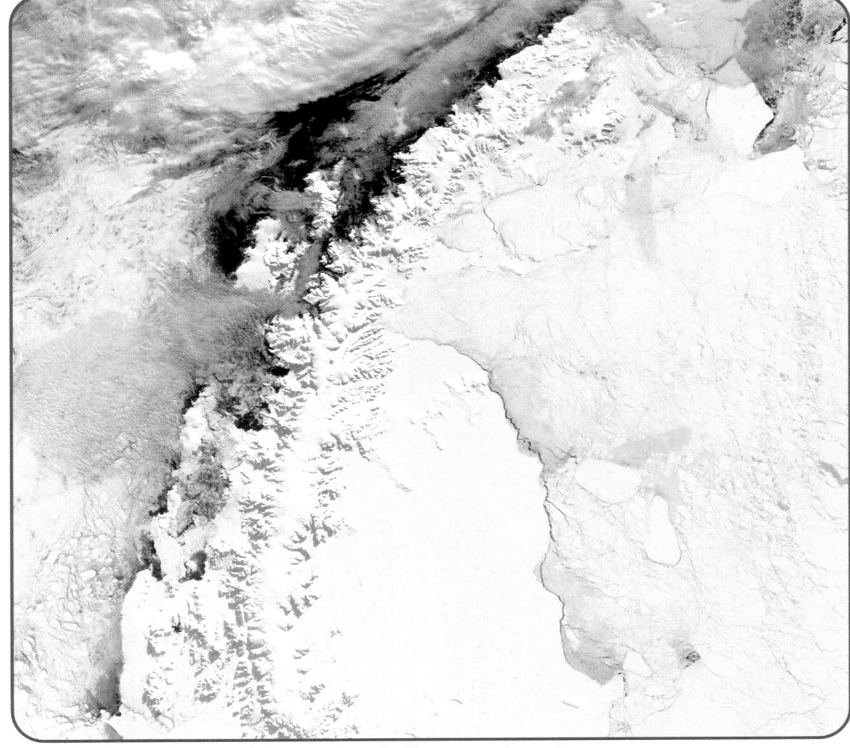

The **Antarctic Peninsula** and the **Larsen Ice Shelf** in western Antarctica.

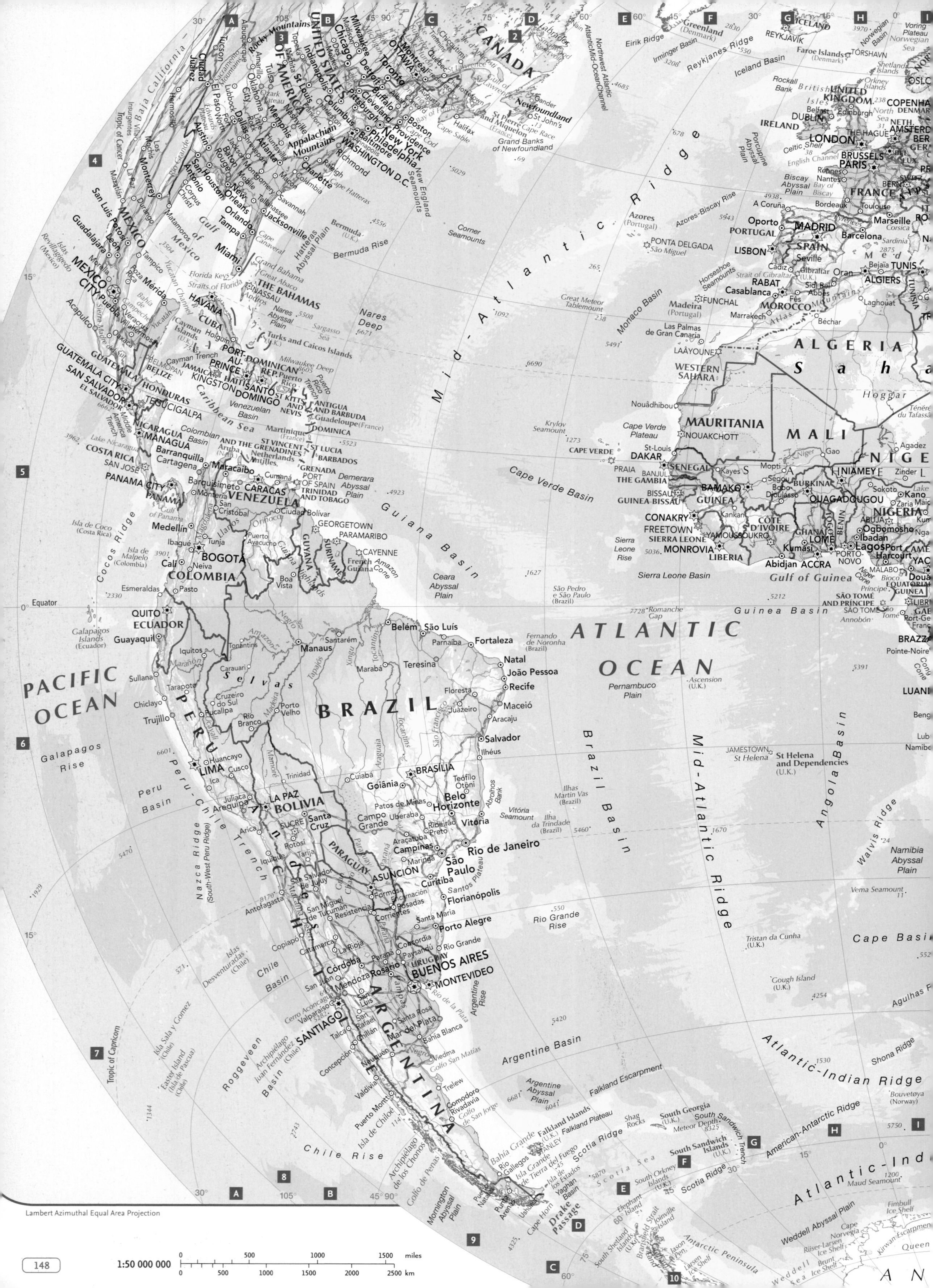

Lambert Azimuthal Equal Area Projection

1:50 000 000

0   500   1000   1500   miles

0   500   1000   1500   2000   2500 km

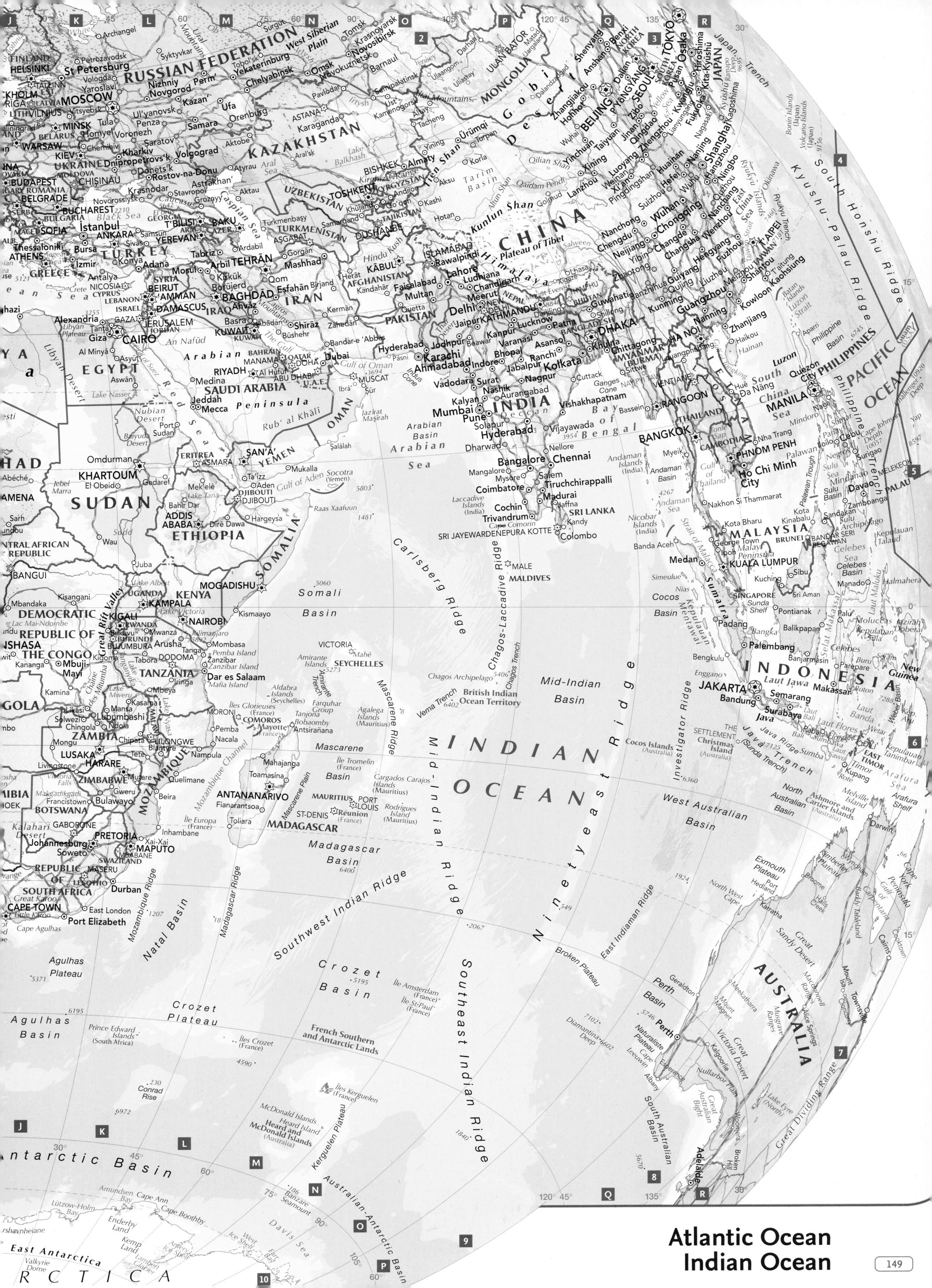

RUSSIAN FEDERATION
West Siberian Plain
MOSCOW
St Petersburg
KAZAKHSTAN
MONGOLIA
Gobi Desert
CHINA
Plateau of Tibet
BEIJING
SEOUL
TŌKYŌ
JAPAN
Shanghai
Kunlun Shan
Tarim Basin
Tien Shan
UZBEKISTAN
TURKMENISTAN
AFGHANISTAN
PAKISTAN
IRAN
IRAQ
TURKEY
Black Sea
Caspian Sea
Himalaya
Delhi
KATHMANDU
DHAKA
Kolkata
INDIA
Mumbai
Hyderabad
Chennai
Bangalore
SRI LANKA
Colombo
MALDIVES
MALE
Arabian Sea
Bay of Bengal
Arabian Peninsula
SAUDI ARABIA
RIYADH
OMAN
YEMEN
Red Sea
EGYPT
CAIRO
SUDAN
KHARTOUM
ETHIOPIA
ADDIS ABABA
SOMALIA
MOGADISHU
KENYA
NAIROBI
TANZANIA
Dar es Salaam
DEMOCRATIC REPUBLIC OF THE CONGO
ZAMBIA
ZIMBABWE
MOZAMBIQUE
BOTSWANA
SOUTH AFRICA
CAPE TOWN
Durban
PRETORIA
MADAGASCAR
ANTANANARIVO
SEYCHELLES
MAURITIUS
Mozambique Channel
Somali Basin
Carlsberg Ridge
Chagos-Laccadive Ridge
British Indian Ocean Territory
INDIAN OCEAN
Mid-Indian Basin
Mid-Indian Ridge
Mascarene Basin
Madagascar Basin
Southwest Indian Ridge
Ninetyeast Ridge
Southeast Indian Ridge
Crozet Basin
Crozet Plateau
Agulhas Basin
Agulhas Plateau
Natal Basin
Mozambique Ridge
Madagascar Ridge
Kerguelen Plateau
Îles Kerguelen
French Southern and Antarctic Lands
Heard and McDonald Islands
Broken Plateau
East Indiaman Ridge
Wharton Basin
West Australian Basin
Perth Basin
South Australian Basin
Investigator Ridge
Java Trench
Cocos Islands
Christmas Island
INDONESIA
JAKARTA
Sumatra
MALAYSIA
KUALA LUMPUR
SINGAPORE
THAILAND
BANGKOK
CAMBODIA
PHNOM PENH
Ho Chi Minh City
RANGOON
HA NOI
South China Sea
PHILIPPINES
MANILA
PACIFIC OCEAN
AUSTRALIA
Perth
Great Sandy Desert
Great Victoria Desert
Great Dividing Range
Antarctic Basin
ANTARCTICA
East Antarctica
Australian-Antarctic Basin

Atlantic Ocean
Indian Ocean

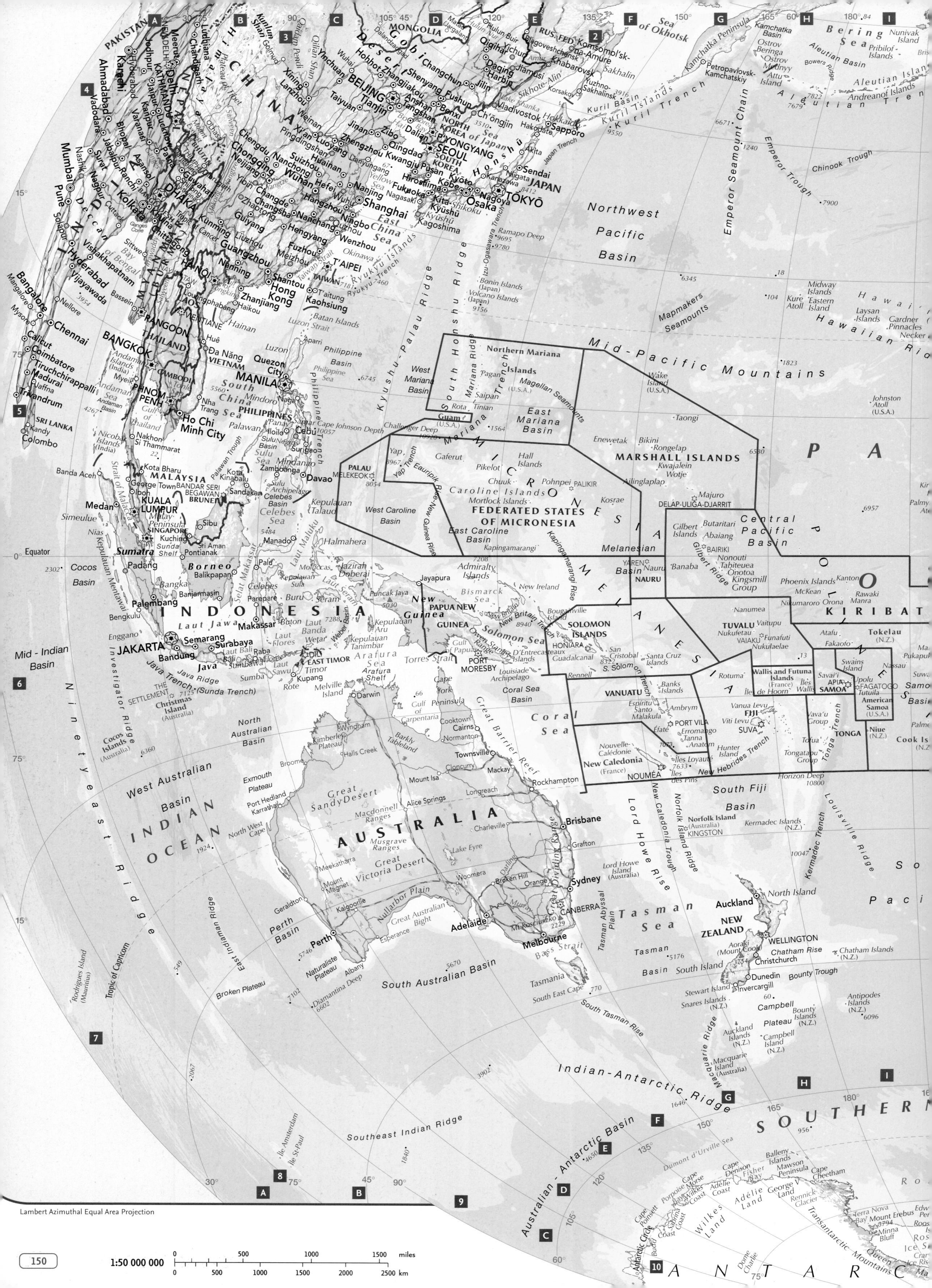

Lambert Azimuthal Equal Area Projection

1:50 000 000

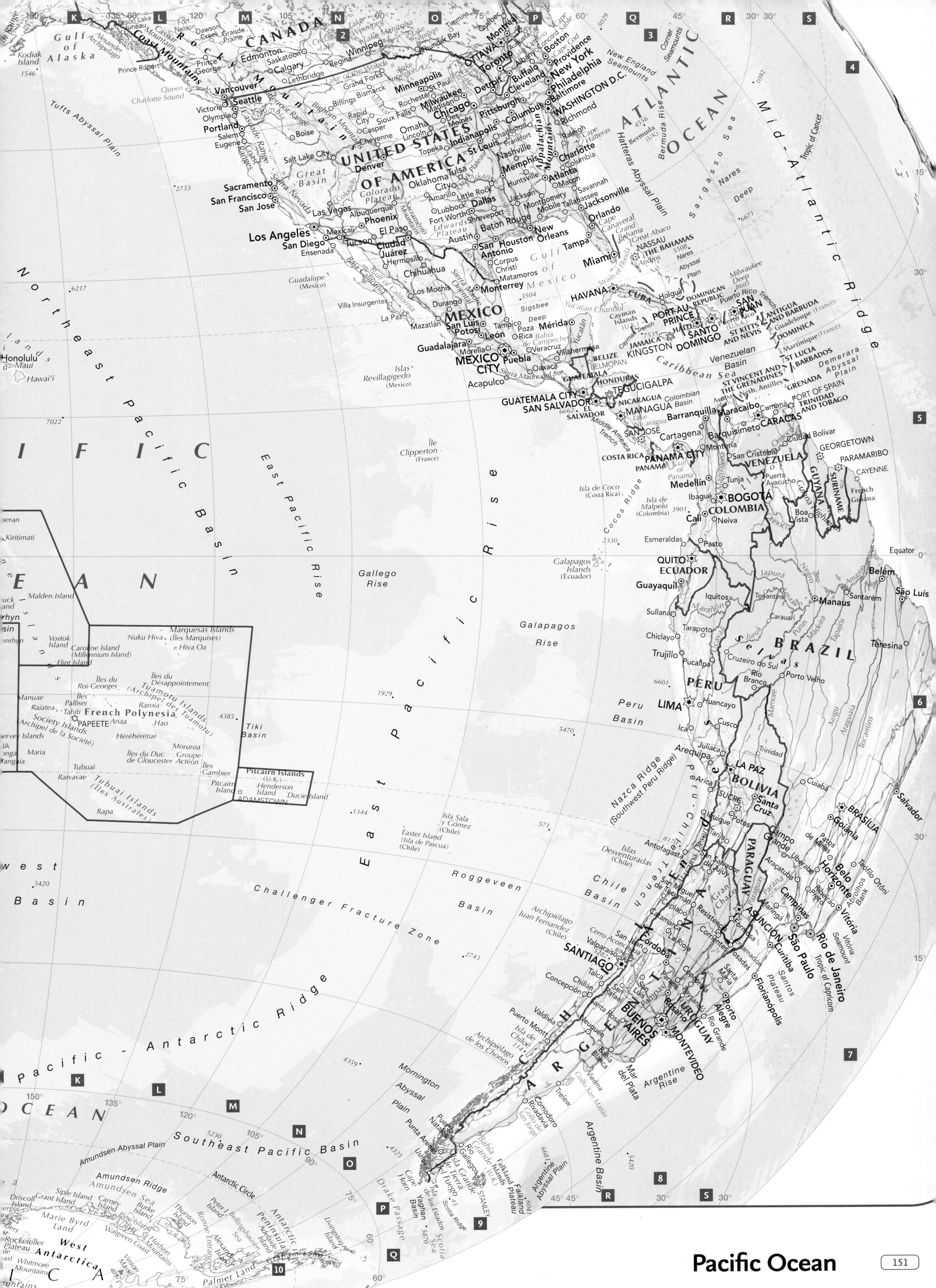

Pacific Ocean

151

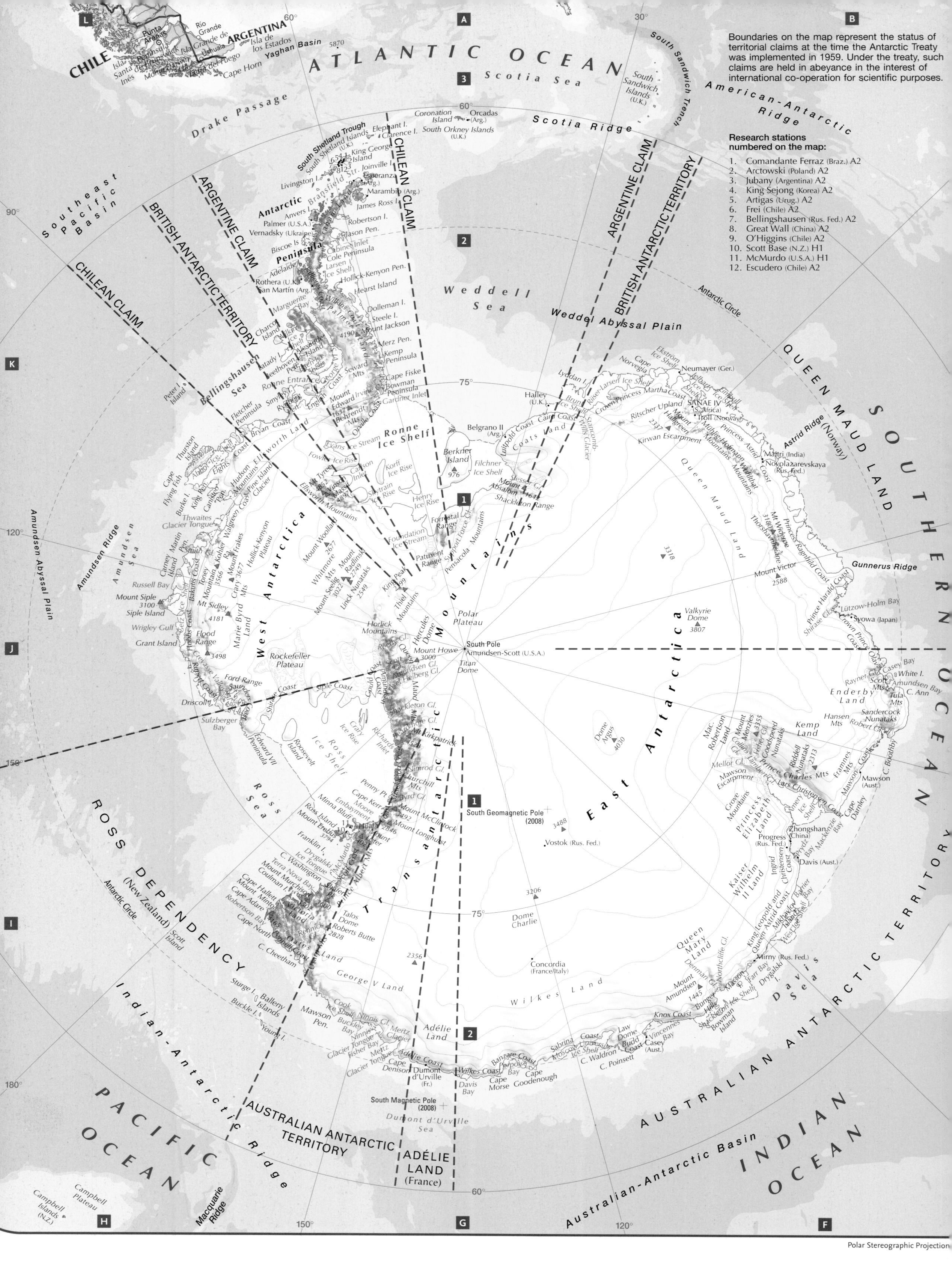

152

Antarctica

1:26 000 000

Polar Stereographic Projection

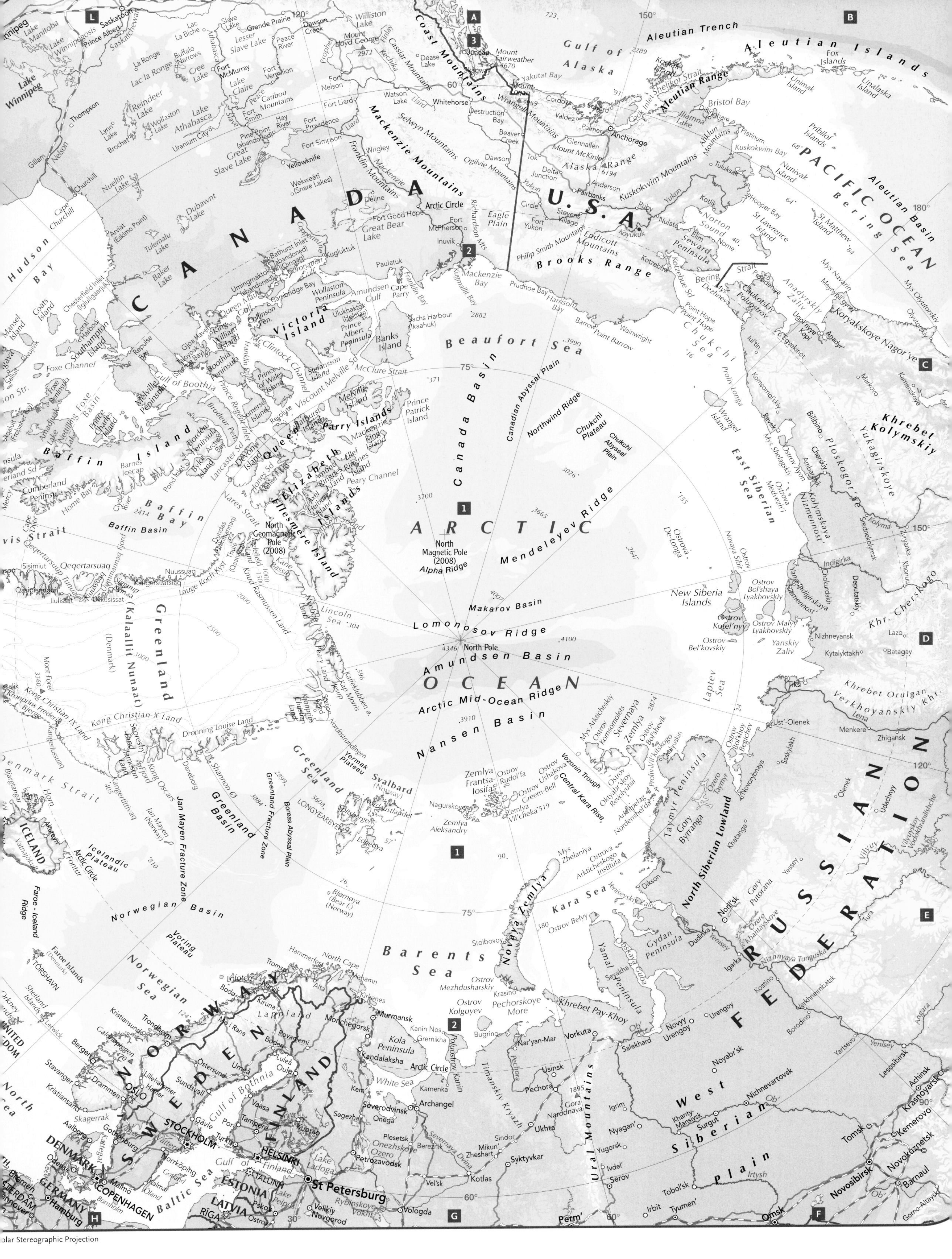

The Arctic

Polar Stereographic Projection

1:26 000 000

0   200   400   600   800   1000 miles
0   200   400   600   800   1000   1200   1400   1600 km

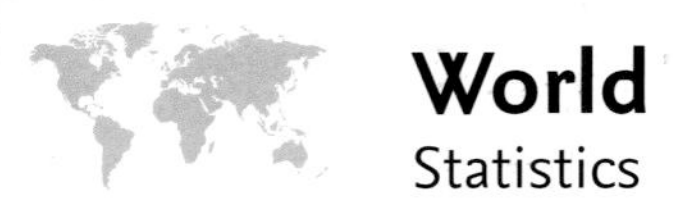

See page 160 for explanatory table and sources

		Population						Economy					
	Total population	Population change (%)	% urban	Total fertility	Population by age (%) 0–14	Population by age (%) 60 or over	2050 projected population	Total Gross National Income (GNI) (US$M)	GNI per capita (US$)	Debt service ratio (% GNI)	Total debt service (US$)	Aid receipts (% GNI)	Military spending (% GDP)
WORLD	6 671 226 000	1.2	49.2	2.6	28.2	10.4	9 075 903 000	48 694 077	7 448	...	...	...	2.5
AFGHANISTAN	27 145 000	3.9	24.3	7.1	46.5	4.4	97 324 000	8 092	...	0.1	9 260 000	35.7	9.9
ALBANIA	3 190 000	0.6	45.0	2.1	27.0	12.0	3 458 000	9 295	2 930	1.4	132 034 000	3.5	1.6
ALGERIA	33 858 000	1.5	60.0	2.4	29.6	6.5	49 500 000	101 206	3 030	12.4	13 351 425 000	0.2	2.7
ANDORRA	75 000	0.4	91.1	...	...	...	58 000	...	...	...	...	...	...
ANGOLA	17 024 000	2.8	37.2	6.4	46.5	3.9	43 501 000	32 646	1 970	10.8	4 296 094 000	0.4	5.4
ANTIGUA AND BARBUDA	85 000	1.2	38.4	...	...	...	112 000	929	11 050	...	...	0.4	...
ARGENTINA	39 531 000	1.0	90.6	2.3	26.4	13.9	51 382 000	201 347	5 150	9.1	18 993 819 000	0.1	0.9
ARMENIA	3 002 000	-0.2	64.1	1.4	20.8	14.5	2 506 000	5 788	1 920	2.6	167 008 000	3.3	2.8
AUSTRALIA	20 743 000	1.0	92.7	1.8	19.6	17.3	27 940 000	742 254	35 860	...	...	...	1.8
AUSTRIA	8 361 000	0.4	65.8	1.4	15.5	22.7	8 073 000	329 183	39 750	...	...	...	0.8
AZERBAIJAN	8 467 000	0.8	49.9	1.8	25.8	9.2	9 631 000	15 639	1 840	1.4	241 872 000	1.2	3.3
THE BAHAMAS	331 000	1.2	90.0	2.0	28.3	9.3	466 000	...	...	...	...	...	0.7
BAHRAIN	753 000	1.8	90.2	2.3	27.1	4.5	1 155 000	14 022	19 350	...	...	...	3.0
BANGLADESH	158 665 000	1.7	25.0	2.8	35.5	5.7	242 937 000	70 475	450	1.0	684 513 000	1.9	1.1
BARBADOS	294 000	0.3	52.9	1.5	18.9	13.2	255 000	...	...	...	...	...	...
BELARUS	9 689 000	-0.6	71.6	1.2	15.2	18.6	7 017 000	33 760	3 470	2.0	733 327 000	0.2	1.7
BELGIUM	10 457 000	0.2	97.3	1.7	16.8	22.4	10 302 000	405 419	38 460	...	...	...	1.1
BELIZE	288 000	2.1	48.6	2.9	36.8	5.9	442 000	1 114	3 740	12.3	134 775 000	0.7	...
BENIN	9 033 000	3.0	46.1	5.4	44.2	4.3	22 123 000	4 665	530	1.8	82 763 000	8.0	...
BHUTAN	658 000	1.4	9.1	2.2	38.4	7.0	4 393 000	928	1 430	1.1	10 105 000	10.2	...
BOLIVIA	9 525 000	1.8	64.4	3.5	38.1	6.7	14 908 000	10 293	1 100	4.0	430 341 000	5.4	1.5
BOSNIA-HERZEGOVINA	3 935 000	0.1	45.3	1.2	16.5	19.2	3 170 000	12 689	3 230	4.6	589 095 000	4.2	1.6
BOTSWANA	1 882 000	1.2	52.5	2.9	37.6	5.1	1 658 000	10 358	5 570	0.6	54 861 000	0.7	3.0
BRAZIL	191 791 000	1.3	84.2	2.3	27.9	8.8	253 105 000	892 639	4 710	6.0	62 144 534 000	0.0	1.5
BRUNEI	390 000	2.1	77.6	2.3	29.6	4.7	681 000	10 287	26 930	...	...	...	2.4
BULGARIA	7 639 000	-0.7	70.5	1.3	13.8	22.4	5 065 000	30 669	3 990	8.7	2 743 215 000	...	2.3
BURKINA	14 784 000	2.9	18.6	6.0	47.2	4.2	39 093 000	6 249	440	0.8	51 765 000	14.0	1.4
BURUNDI	8 508 000	3.9	10.6	6.8	45.0	4.2	25 812 000	815	100	4.5	39 523 000	52.8	5.5
CAMBODIA	14 444 000	1.7	19.7	3.2	37.1	5.6	25 972 000	6 990	490	0.4	30 584 000	7.7	1.7
CAMEROON	18 549 000	2.0	52.9	4.3	41.2	5.6	26 891 000	18 060	990	2.9	518 897 000	9.3	1.4
CANADA	32 876 000	0.9	81.1	1.5	17.6	17.9	42 844 000	1 196 626	36 650	...	...	...	1.2
CAPE VERDE	530 000	2.2	57.6	3.4	39.5	5.5	1 002 000	1 105	2 130	2.9	31 361 000	12.6	0.7
CENTRAL AFRICAN REPUBLIC	4 343 000	1.8	43.8	4.6	43.0	6.1	6 747 000	1 499	350	4.7	70 406 000	9.0	1.1
CHAD	10 781 000	2.9	25.8	6.2	47.3	4.7	31 497 000	4 708	450	1.3	67 834 000	5.5	0.9
CHILE	16 635 000	1.0	87.7	1.9	24.9	11.6	20 657 000	111 869	6 810	10.9	13 792 891 000	0.1	3.6
CHINA	1 313 437 000	0.6	40.5	1.7	21.4	10.9	1 402 062 000	2 620 951	2 000	1.0	27 876 906 000	0.1	1.9
COLOMBIA	46 156 000	1.3	77.4	2.2	31.0	7.5	65 679 000	141 982	3 120	7.2	10 639 506 000	0.8	3.5
COMOROS	839 000	2.5	36.3	4.3	42.0	4.3	1 781 000	406	660	0.9	3 616 000	7.6	...
CONGO	3 768 000	2.1	54.4	4.5	47.1	4.5	13 721 000	3 806	1 050	2.7	101 220 000	2.7	1.1
CONGO, DEM. REPUBLIC OF THE	62 636 000	3.2	32.7	6.7	47.3	4.3	177 271 000	7 742	130	3.9	319 345 000	25.2	0.0
COSTA RICA	4 468 000	1.5	61.7	2.1	28.4	8.3	6 426 000	21 894	4 980	2.8	597 316 000	0.1	...
CÔTE D'IVOIRE	19 262 000	1.8	45.8	4.5	41.9	5.3	33 959 000	16 578	880	0.8	126 329 000	1.6	1.6
CROATIA	4 555 000	-0.1	59.9	1.4	15.5	22.1	3 686 000	41 348	9 310	18.5	7 680 306 000	0.5	1.6
CUBA	11 268 000	0.0	76.0	1.5	19.1	15.3	9 749 000	...	...	...	...	...	...
CYPRUS	855 000	1.1	69.5	1.6	19.9	16.8	1 174 000	17 948	23 270	...	...	...	1.4
CZECH REPUBLIC	10 186 000	0.0	74.5	1.2	14.6	20.0	8 452 000	131 404	12 790	...	...	...	1.7
DENMARK	5 442 000	0.2	85.5	1.8	18.8	21.1	5 851 000	283 316	52 110	...	...	...	1.4
DJIBOUTI	833 000	1.7	84.6	4.0	41.5	4.7	1 547 000	864	1 060	2.6	22 564 000	14.0	...
DOMINICA	67 000	-0.3	72.7	...	...	...	98 000	300	4 160	6.9	21 255 000	7.0	...
DOMINICAN REPUBLIC	9 760 000	1.5	60.1	2.8	32.7	6.2	12 668 000	27 954	2 910	4.5	1 345 913 000	0.2	0.5
EAST TIMOR	1 155 000	3.5	7.8	6.5	41.1	5.0	3 265 000	865	840	...	...	24.7	...
ECUADOR	13 341 000	1.1	62.8	2.6	32.4	8.3	19 214 000	38 481	2 910	10.5	4 157 073 000	0.5	2.3
EGYPT	75 498 000	1.8	42.3	2.9	33.6	7.1	125 916 000	100 912	1 360	2.1	2 201 406 000	0.8	2.7
EL SALVADOR	6 857 000	1.4	60.1	2.7	34.0	7.6	10 823 000	18 096	2 680	6.2	1 133 017 000	0.9	0.6
EQUATORIAL GUINEA	507 000	2.4	50.0	5.4	44.4	6.0	1 146 000	4 216	8 510	0.1	4 307 000	0.5	...
ERITREA	4 851 000	3.2	20.8	5.1	44.8	4.0	11 229 000	888	190	1.2	12 682 000	12.0	24.1
ESTONIA	1 335 000	-0.4	69.6	1.5	15.2	21.6	1 119 000	15 302	11 400	...	...	...	1.4
ETHIOPIA	83 099 000	2.5	16.2	5.3	44.5	4.7	170 190 000	12 874	170	1.2	163 799 000	14.7	2.6
FIJI	839 000	0.6	53.2	2.8	31.7	6.4	934 000	3 098	3 720	0.5	16 360 000	2.0	1.2
FINLAND	5 277 000	0.3	60.9	1.8	17.3	21.3	5 329 000	217 803	41 360	...	...	...	1.4
FRANCE	61 647 000	0.5	76.7	1.9	18.2	21.1	63 116 000	2 306 714	36 560	...	...	...	2.4
GABON	1 331 000	1.5	85.2	3.1	40.0	6.2	2 279 000	7 032	5 360	1.1	84 901 000	0.4	1.2
THE GAMBIA	1 709 000	2.6	26.1	4.7	40.1	6.0	3 106 000	488	290	6.6	33 137 000	14.8	0.5
GEORGIA	4 395 000	-0.8	51.5	1.4	18.9	17.9	2 985 000	7 008	1 580	3.6	268 375 000	4.9	3.1

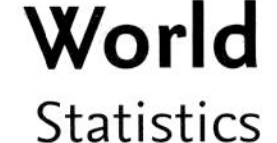

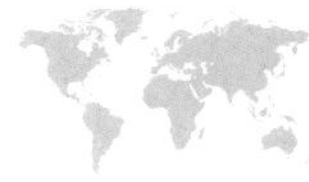

	Social Indicators				Environment				Communications				
Child mortality rate	Life expectancy	Literacy rate (%)	Access to safe water (%)	Doctors per 100 000 people	Forest area (%)	Annual change in forest area (%)	Protected land area (%)	CO_2 emissions (metric tonnes per capita)	Main telephone lines per 100 people	Cellular phone subscribers per 100 people	Internet users per 10 000 people	International dialling code	Time zone
72	**67.2**	**87.6**	**83**	**152**	**30.3**	**0.2**	**10.8**	**4.3**	**19.7**	**42.0**	**1 853**	**...**	**...**
257	43.8	34.3	39	19	1.3	-3.1	0.3	...	0.3	8.1	172	93	+4.5
17	76.4	99.4	96	139	29.0	0.6	0.7	1.2	11.3	60.4	1 498	355	+1
38	72.3	90.1	85	85	1.0	1.2	5.1	6.0	8.5	63.0	738	213	+1
3	...	...	100	259	35.6	0.0	9.7	...	51.3	96.9	3 257	376	+1
260	42.7	72.2	53	8	47.4	-0.2	10.0	0.5	0.6	14.3	60	244	+1
11	...	...	91	17	21.4	0.0	0.0	5.1	45.5	133.6	6 424	1 268	-4
16	75.3	98.9	96	301	12.1	-0.4	6.3	3.7	24.2	80.5	2 091	54	-3
24	72.0	99.8	92	353	10.0	-1.5	8.1	1.2	19.7	10.5	575	374	+4
6	81.2	...	100	249	21.3	-0.1	9.5	16.2	48.8	97.0	4 713	61	+8 to +10.5
5	79.8	...	100	324	46.7	0.1	28.3	8.5	43.4	112.8	5 131	43	+1
88	67.5	99.9	77	354	11.3	0.0	2.4	3.8	14.0	39.2	979	994	+4
14	73.5	...	97	106	51.5	0.0	0.1	6.3	40.2	77.3	3 188	1 242	-5
10	75.6	97.0	...	160	0.6	3.8	3.4	23.8	26.3	122.9	2 844	973	+3
69	64.1	63.6	74	23	6.7	-0.3	0.7	0.2	0.8	13.3	31	880	+6
12	77.3	...	100	121	4.0	0.0	0.1	4.4	50.1	87.8	5 948	1 246	-4
13	69.0	99.8	100	450	38.0	0.1	5.2	6.6	34.7	61.4	5 647	375	+2
4	79.4	...	...	418	22.0	0.0	3.2	9.7	45.2	92.6	5 260	32	+1
16	76.1	...	91	105	72.5	0.0	36.0	2.8	12.3	44.1	1 236	501	-6
148	56.7	45.3	67	6	21.3	-2.5	22.0	0.3	0.9	12.1	144	229	+1
70	65.6	...	62	5	68.0	0.3	31.5	0.7	3.8	9.8	357	975	+6
61	65.6	97.3	85	73	54.2	-0.5	20.0	0.8	7.1	30.8	620	591	-4
15	74.9	99.8	97	134	43.1	0.0	0.5	4.0	25.3	48.3	2 428	387	+1
124	50.7	94.0	95	29	21.1	-1.0	30.1	2.4	7.8	46.8	455	267	+2
20	72.4	96.8	90	206	57.2	-0.6	17.8	1.8	20.5	52.9	2 255	55	-2 to -5
9	77.1	98.9	...	101	52.8	-0.7	53.3	24.1	21.0	78.9	4 169	673	+8
14	73.0	98.2	99	338	32.8	1.4	10.0	5.5	31.3	107.6	2 166	359	+2
204	52.3	33.0	61	4	29.0	-0.3	14.0	0.1	0.7	7.5	59	226	GMT
181	49.6	73.3	79	5	5.9	-5.2	5.7	0.0	0.4	2.0	77	257	+2
82	59.7	83.4	41	16	59.2	-2.0	22.8	0.0	0.2	7.9	31	855	+7
149	50.4	...	66	7	45.6	-1.0	8.6	0.2	0.8	18.9	223	237	+1
6	80.7	...	100	209	33.6	0.0	4.8	20.0	64.5	57.6	6 789	1	-3.5 to -8
34	71.7	96.3	80	17	20.7	0.4	...	0.6	13.8	21.0	636	238	-1
175	44.7	58.5	75	4	36.5	-0.1	15.3	0.1	0.3	2.5	32	236	+1
209	50.7	37.6	42	3	9.5	-0.7	9.0	0.0	0.1	4.7	60	235	+1
9	78.6	99.0	95	109	21.5	0.4	3.9	3.9	20.2	75.6	2 524	56	-4
24	73.0	98.9	77	164	21.2	2.2	15.3	3.9	27.8	34.8	1 035	86	+8
21	72.9	98.0	93	135	58.5	-0.1	24.7	1.2	17.0	64.3	1 449	57	-5
68	65.2	...	86	7	2.9	-7.4	...	0.1	2.3	4.5	256	269	+3
126	55.3	97.4	58	25	65.8	-0.1	14.1	1.0	0.4	12.3	170	242	+1
205	46.5	70.4	46	7	58.9	-0.2	8.4	0.0	0.0	7.4	30	243	+1 to +2
12	78.8	97.6	97	172	46.8	0.1	21.1	1.5	30.7	32.8	2 761	506	-6
127	48.3	60.7	84	9	32.7	0.1	12.1	0.3	1.4	22.0	163	225	GMT
6	75.7	99.6	100	237	38.2	0.1	5.9	5.3	40.1	96.5	3 698	385	+1
7	78.3	100.0	91	591	24.7	2.2	1.4	2.3	8.6	1.4	213	53	-5
4	79.0	99.8	100	298	18.9	0.2	9.0	9.1	48.3	102.8	4 222	357	+2
4	76.5	...	100	343	34.3	0.1	15.9	11.5	28.3	116.4	3 469	420	+1
5	78.3	...	100	366	11.8	0.6	6.0	9.8	56.9	107.0	5 823	45	+1
130	54.8	...	73	13	0.2	0.0	...	0.5	1.6	6.4	136	253	+3
15	...	...	97	49	61.3	-0.6	46.8	1.5	29.4	58.7	3 722	1 767	-4
29	72.2	94.2	95	188	28.4	0.0	25.0	2.1	9.9	51.1	2 217	1 809	-4
55	60.8	...	58	...	53.7	-1.3	6.1	0.2	0.2	4.9	12	670	+9
24	75.0	96.4	94	148	39.2	-1.7	24.6	2.3	13.1	63.2	1 154	593	-5
35	71.3	84.9	98	212	0.1	2.6	5.3	2.2	14.3	23.9	795	20	+2
25	71.9	88.5	84	127	14.4	-1.7	1.0	0.9	14.8	55.0	1 000	503	-6
206	51.6	94.9	43	25	58.2	-0.9	17.1	11.5	2.0	19.3	155	240	+1
74	58.0	...	60	3	15.4	-0.3	4.2	0.2	0.8	1.4	219	291	+3
7	71.4	99.8	100	316	53.9	0.4	43.9	14.0	34.1	125.2	5 736	372	+2
123	52.9	49.9	22	3	11.9	-1.1	16.4	0.1	0.9	1.1	21	251	+3
18	68.8	...	47	34	54.7	0.0	0.9	1.3	13.3	15.9	936	679	+12
4	79.3	...	100	311	73.9	...	8.9	12.6	36.3	107.8	5 560	358	+2
4	80.7	...	100	329	28.3	0.3	10.2	6.2	55.8	85.1	4 957	33	+1
91	56.7	96.0	88	29	84.5	...	13.3	1.1	2.6	54.4	576	241	+1
113	59.4	...	82	4	41.7	0.4	...	0.2	3.0	26.0	529	220	GMT
32	71.0	...	82	391	39.7	...	3.9	0.9	12.5	38.4	749	995	+4

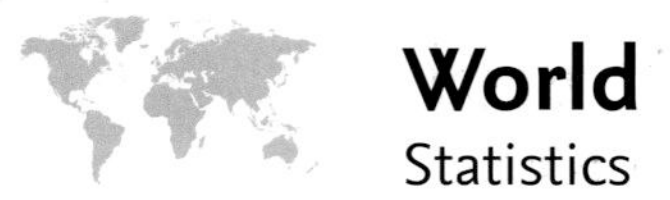
	Population						Economy					
	Total population	Population change (%)	% urban	Total fertility	Population by age (%) 0 – 14	60 or over	2050 projected population	Total Gross National Income (GNI) (US$M)	GNI per capita (US$)	Debt service ratio (% GNI)	Total debt service (US$)	Aid receipts (% GNI)	Military spending (% GDP)
GERMANY	82 599 000	-0.1	88.5	1.4	14.3	25.1	78 765 000	3 032 617	36 810	...	...	...	1.3
GHANA	23 478 000	2.0	46.3	3.8	39.0	5.7	40 573 000	11 778	510	2.0	261 043 000	9.2	0.7
GREECE	11 147 000	0.2	61.4	1.3	14.3	23.0	10 742 000	305 308	27 390	...	...	...	3.2
GRENADA	106 000	0.0	42.2	2.3	...	...	157 000	495	4 650	2.2	15 321 000	5.6	...
GUATEMALA	13 354 000	2.5	47.2	4.2	43.2	6.1	25 612 000	33 725	2 590	1.6	550 958 000	1.4	0.4
GUINEA	9 370 000	2.2	36.5	5.4	43.7	5.6	22 987 000	3 713	400	5.0	164 764 000	5.0	2.0
GUINEA-BISSAU	1 695 000	3.0	35.6	7.1	47.5	4.7	5 312 000	307	190	11.5	33 831 000	27.9	4.0
GUYANA	738 000	-0.2	38.5	2.3	29.3	7.4	488 000	849	1 150	3.8	32 940 000	20.1	...
HAITI	9 598 000	1.6	38.8	3.5	37.5	6.0	12 996 000	4 044	430	1.3	56 732 000	13.4	...
HONDURAS	7 106 000	2.0	46.4	3.3	39.2	5.6	12 776 000	8 844	1 270	3.6	325 235 000	6.6	0.6
HUNGARY	10 030 000	-0.3	65.9	1.3	15.7	20.8	8 262 000	109 461	10 870	29.4	30 827 896 000	...	1.2
ICELAND	301 000	0.8	93.0	2.1	22.0	15.8	370 000	15 078	49 960	...	...	...	0.0
INDIA	1 169 016 000	1.5	28.7	2.8	32.1	7.9	1 592 704 000	909 138	820	2.0	17 878 568 000	0.2	2.7
INDONESIA	231 627 000	1.2	47.9	2.2	28.3	8.4	284 640 000	315 845	1 420	5.9	20 434 246 000	0.4	1.2
IRAN	71 208 000	1.4	68.1	2.0	28.7	6.4	101 944 000	205 040	2 930	1.2	2 555 530 000	0.1	4.8
IRAQ	28 993 000	1.8	66.8	4.3	41.0	4.5	63 693 000	...	...	...	...	...	...
IRELAND	4 301 000	1.8	60.4	2.0	20.2	15.1	5 762 000	191 315	44 830	...	...	...	0.5
ISRAEL	6 928 000	1.7	91.7	2.8	27.8	13.3	10 403 000	142 199	20 170	...	...	...	8.4
ITALY	58 877 000	0.1	67.5	1.4	14.0	25.6	50 912 000	1 882 544	31 990	...	...	...	1.7
JAMAICA	2 714 000	0.5	52.2	2.4	31.2	10.2	2 586 000	9 504	3 560	8.8	824 547 000	0.4	0.6
JAPAN	127 967 000	0.0	65.7	1.3	14.0	26.3	112 198 000	4 934 676	38 630	...	...	...	0.9
JORDAN	5 924 000	3.0	79.3	3.1	37.2	5.1	10 225 000	14 653	2 650	4.7	688 206 000	3.9	4.9
KAZAKHSTAN	15 422 000	0.7	55.9	2.3	23.1	11.3	13 086 000	59 175	3 870	20.3	14 531 967 000	0.3	0.9
KENYA	37 538 000	2.7	41.6	5.0	42.8	4.1	83 073 000	21 335	580	1.9	432 974 000	4.5	1.6
KIRIBATI	95 000	1.6	50.2	...	...	...	177 000	124	1 240	...	...	-37.6	...
KOSOVO*	2 069 989	...	...	...	...	...	...	...	...	...	...	...	...
KUWAIT	2 851 000	2.4	96.4	2.2	24.3	3.1	5 279 000	77 660	30 630	...	...	...	4.8
KYRGYZSTAN	5 317 000	1.1	33.7	2.5	31.5	7.6	6 664 000	2 609	500	3.5	96 608 000	11.8	3.1
LAOS	5 859 000	1.7	21.6	3.2	40.9	5.3	11 586 000	2 890	500	5.6	169 326 000	12.1	...
LATVIA	2 277 000	-0.5	65.9	1.3	14.7	22.5	1 678 000	18 525	8 100	16.9	3 279 260 000	...	1.6
LEBANON	4 099 000	1.1	88.0	2.2	28.6	10.3	4 702 000	22 640	5 580	19.8	4 433 178 000	3.2	4.1
LESOTHO	2 008 000	0.6	18.2	3.4	38.6	7.5	1 601 000	1 957	980	2.5	47 040 000	4.0	2.4
LIBERIA	3 750 000	4.5	47.9	6.8	47.1	3.6	10 653 000	469	130	0.2	809 000	54.4	...
LIBYA	6 160 000	2.0	86.9	2.7	30.1	6.5	9 553 000	44 011	7 290	...	...	0.1	1.5
LIECHTENSTEIN	35 000	0.9	21.8	...	...	...	44 000	...	...	...	...	...	...
LITHUANIA	3 390 000	-0.5	66.6	1.3	16.7	20.7	2 565 000	26 917	7 930	15.3	4 215 870 000	...	1.2
LUXEMBOURG	467 000	1.1	92.4	1.7	18.9	18.3	721 000	32 904	71 240	...	...	...	0.8
MACEDONIA (F.Y.R.O.M.)	2 038 000	0.1	59.7	1.4	19.6	15.5	1 884 000	6 260	3 070	8.4	522 292 000	3.2	2.0
MADAGASCAR	19 683 000	2.7	27.0	4.8	44.0	4.8	43 508 000	5 343	280	1.2	67 571 000	13.9	1.0
MALAWI	13 925 000	2.6	17.2	5.6	47.3	4.7	29 452 000	3 143	230	2.9	90 044 000	30.5	0.5
MALAYSIA	26 572 000	1.7	65.1	2.6	32.4	7.0	38 924 000	146 754	5 620	5.2	7 630 086 000	0.2	2.0
MALDIVES	306 000	1.8	29.7	2.6	40.7	5.1	682 000	903	3 010	3.9	34 588 000	4.4	...
MALI	12 337 000	3.0	33.7	6.5	48.2	4.2	41 976 000	5 546	460	1.5	80 175 000	13.4	2.2
MALTA	407 000	0.4	92.1	1.4	17.6	18.8	428 000	6 216	15 310	...	...	...	0.6
MARSHALL ISLANDS	59 000	2.2	66.7	...	...	...	150 000	195	2 980	...	...	28.5	...
MAURITANIA	3 124 000	2.5	64.3	4.4	43.0	5.3	7 497 000	2 325	760	3.5	97 426 000	6.8	2.5
MAURITIUS	1 262 000	0.8	43.8	1.9	24.6	9.6	1 465 000	6 812	5 430	4.8	308 955 000	0.3	0.2
MEXICO	106 535 000	1.1	76.0	2.2	31.0	7.8	139 015 000	815 741	7 830	6.8	56 068 050 000	0.0	0.4
MICRONESIA, FED. STATES OF	111 000	0.5	30.0	3.7	39.0	4.9	99 000	264	2 390	...	...	41.4	...
MOLDOVA	3 794 000	-0.9	46.3	1.4	18.3	13.7	3 312 000	3 650	1 080	8.9	334 842 000	6.0	0.3
MONACO	33 000	0.3	100.0	...	...	...	55 000	...	...	...	...	...	...
MONGOLIA	2 629 000	1.0	57.0	1.9	30.5	5.7	3 625 000	2 576	1 000	1.6	48 462 000	7.8	1.3
MONTENEGRO*	598 000	-0.3	...	1.8	...	...	...	2 481	4 130	0.5	13 260 000	4.2	...
MOROCCO	31 224 000	1.2	58.8	2.4	31.1	6.8	46 397 000	65 793	2 160	5.3	3 404 801 000	1.8	3.7
MOZAMBIQUE	21 397 000	2.0	38.0	5.1	44.0	5.2	37 604 000	6 453	310	0.9	55 018 000	23.3	0.0
MYANMAR	48 798 000	0.9	30.6	2.1	29.5	7.5	63 657 000	...	...	...	86 428 000	...	...
NAMIBIA	2 074 000	1.3	33.5	3.2	41.5	5.3	3 060 000	6 573	3 210	...	...	2.3	2.9
NAURU	10 000	0.3	100.0	...	...	...	18 000	...	...	...	...	...	...
NEPAL	28 196 000	2.0	15.8	3.3	39.0	5.8	51 172 000	8 790	320	1.6	139 842 000	6.3	1.9
NETHERLANDS	16 419 000	0.2	66.8	1.7	18.2	19.2	17 139 000	703 484	43 050	...	...	...	1.5
NEW ZEALAND	4 179 000	0.9	86.0	2.0	21.3	16.7	4 790 000	111 958	26 750	...	...	...	1.0
NICARAGUA	5 603 000	1.3	58.1	2.8	38.9	4.9	9 371 000	5 163	930	2.4	122 997 000	13.9	0.7
NIGER	14 226 000	3.5	23.3	7.2	49.0	3.3	50 156 000	3 665	270	5.0	181 178 000	11.0	1.1
NIGERIA	148 093 000	2.3	48.3	5.3	44.3	4.8	258 108 000	90 025	620	6.8	6 805 053 000	11.1	0.7
NORTH KOREA	23 790 000	0.3	61.7	1.9	25.0	11.2	24 192 000	...	...	...	...	...	...

* See Serbia for figures prior to formation of independent states

	Social Indicators				Environment				Communications				
Child mortality rate	Life expectancy	Literacy rate (%)	Access to safe water (%)	Doctors per 100 000 people	Forest area (%)	Annual change in forest area (%)	Protected land area (%)	CO$_2$ emissions (metric tonnes per capita)	Main telephone lines per 100 people	Cellular phone subscribers per 100 people	Internet users per 10 000 people	International dialling code	Time zone
4	79.4	...	100	362	31.7	0.0	21.3	9.8	65.9	103.6	4 667	49	+1
120	60.0	70.7	75	9	24.2	-2.0	15.1	0.3	1.6	23.1	270	233	GMT
4	79.5	98.9	...	440	29.1	0.8	3.2	8.7	55.4	98.6	1 838	30	+2
20	68.7	...	95	50	12.2	0.0	3.5	2.0	26.7	44.6	1 864	1 473	-4
41	70.3	82.2	95	90	36.3	-1.3	32.2	1.0	10.5	55.6	1 022	502	-6
161	56.0	46.6	50	9	27.4	-0.5	6.1	0.2	0.3	2.4	52	224	GMT
200	46.4	...	59	17	73.7	-0.5	9.1	0.2	0.4	9.2	226	245	GMT
62	66.8	...	83	48	76.7	0.0	2.3	2.0	14.7	37.5	2 130	592	-4
80	60.9	...	54	25	3.8	-0.7	0.3	0.2	1.7	13.9	751	509	-5
27	70.2	88.9	87	83	41.5	-3.1	19.4	1.1	9.7	30.4	467	504	-6
7	73.3	...	99	316	21.5	0.7	5.7	5.7	33.4	99.0	3 475	36	+1
3	81.8	...	100	347	0.5	3.9	3.9	7.6	63.5	108.7	6 530	354	GMT
76	64.7	76.4	86	51	22.8	...	4.8	1.2	3.6	14.8	1 072	91	+5.5
34	70.7	98.7	77	16	48.8	-2.0	11.0	1.7	6.6	28.3	469	62	+7 to +9
34	71.0	97.4	94	105	6.8	0.0	6.2	6.4	31.2	21.8	2 554	98	+3.5
46	59.5	84.8	81	54	1.9	0.1	...	...	4.0	15.5	16	964	+3
5	78.9	...	...	237	9.7	1.9	1.2	10.4	49.9	112.6	3 423	353	GMT
5	80.7	99.8	100	391	8.3	0.8	14.9	10.5	43.9	122.7	2 774	972	+2
4	80.5	99.8	...	606	33.9	1.1	6.4	7.7	46.3	135.1	5 291	39	+1
31	72.6	...	93	85	31.3	-0.1	14.8	4.0	12.9	93.7	2 942	1 876	-5
4	82.6	...	100	201	68.2	...	9.3	9.8	43.0	79.3	6 827	81	+9
25	72.5	99.0	97	205	0.9	0.0	10.7	3.1	10.5	74.4	1 365	962	+2
29	67.0	99.8	86	330	1.2	-0.2	2.7	13.3	19.8	52.9	842	7	+5 to +6
121	54.1	80.3	61	13	6.2	-0.3	11.8	0.3	0.8	20.9	789	254	+3
64	...	...	65	30	3.0	0.0	...	0.3	5.1	0.7	215	686	+12 to +14
...	...	...	...	...	...	...	...	...	...	...	...	381	+1
11	77.6	99.7	...	153	0.3	2.7	0.0	40.4	18.7	91.5	2 953	965	+3
41	65.9	99.7	77	268	4.5	0.3	3.1	1.1	8.6	23.7	560	996	+6
75	64.4	78.5	51	59	69.9	-0.5	16.3	0.2	1.5	16.7	116	856	+7
9	72.7	99.8	99	291	47.4	0.4	16.1	3.1	28.6	95.1	4 665	371	+2
30	72.0	...	100	325	13.3	0.8	0.4	4.1	18.9	30.6	2 628	961	+2
132	42.6	...	79	5	0.3	2.7	0.2	...	3.0	20.0	287	266	+2
235	45.7	67.4	61	2	32.7	-1.8	15.9	0.1	0.2	4.9	...	231	GMT
18	74.0	98.0	...	129	0.1	0.0	0.1	10.3	8.1	65.8	436	218	+2
3	...	...	...	...	43.1	0.0	57.4	...	57.2	81.8	6 398	423	+1
8	73.0	99.7	...	403	33.5	0.8	5.5	3.9	23.2	138.1	3 169	370	+2
4	78.7	...	100	255	33.5	0.0	16.7	24.9	52.4	116.8	7 201	352	+1
17	74.2	98.7	...	219	35.8	0.0	7.2	5.1	24.1	69.6	1 315	389	+1
115	59.4	70.2	50	9	22.1	-0.3	2.6	0.2	0.7	5.5	58	261	+3
120	48.3	76.0	73	1	36.2	-0.9	15.7	0.1	0.8	3.3	45	265	+2
12	74.2	97.2	99	70	63.6	-0.7	18.2	7.0	16.8	75.5	5 423	60	+8
30	68.5	98.2	83	78	3.0	0.0	...	2.5	10.9	87.9	664	960	+5
217	54.5	24.2	50	4	10.3	-0.8	2.1	0.1	0.6	10.9	64	223	GMT
6	79.4	96.0	100	293	1.1	0.0	21.4	6.1	50.1	86.0	3 173	356	+1
56	...	...	87	47	...	0.0	...	...	8.3	1.1	...	692	+12
125	64.2	61.3	53	14	0.3	-3.4	...	0.9	1.1	33.6	95	222	GMT
14	72.8	94.5	100	85	18.2	-0.5	4.8	2.6	28.5	61.5	2 548	230	+4
35	76.2	97.6	97	171	33.7	-0.4	5.2	4.3	18.3	52.6	1 898	52	-6 to -8
41	68.5	...	94	60	90.6	0.0	32.7	...	11.2	12.7	1 439	691	+10 to +11
19	68.9	99.7	92	269	10.0	0.2	1.4	2.0	24.3	32.4	1 735	373	+2
4	...	...	100	586	0.0	0.0	...	...	96.8	51.6	5 634	377	+1
43	66.8	97.7	62	267	6.5	-0.8	14.0	3.4	5.9	28.9	1 157	976	+8
10	74.5	...	...	...	...	...	...	...	58.9	107.3	4 434	382	+1
37	71.2	70.5	81	48	9.8	0.2	1.2	1.4	4.1	52.1	1 985	212	GMT
138	42.1	47.0	43	2	24.6	-0.3	5.7	0.1	0.3	11.6	90	258	+2
104	62.1	94.5	78	30	49.0	-1.4	5.4	0.2	0.9	0.4	18	95	+6.5
61	52.9	92.3	87	30	9.3	-0.9	5.2	1.2	6.8	24.4	397	264	+1
30	...	...	...	...	0.0	0.0	...	...	...	...	...	674	+12
59	63.8	70.1	90	5	25.4	-1.4	15.4	0.1	2.2	4.2	114	977	+5.75
5	79.8	...	100	329	10.8	0.3	12.4	8.7	46.6	106.9	10 998	31	+1
6	80.2	...	...	223	31.0	0.2	24.2	7.7	44.1	94.0	7 877	64	+12
36	72.9	86.2	79	164	42.7	-1.3	16.4	0.7	4.4	32.7	277	505	-6
253	56.9	36.5	46	3	1.0	-1.0	7.1	0.1	0.2	3.4	28	227	+1
191	46.9	84.2	48	27	12.2	-3.3	6.2	0.8	1.3	24.1	595	234	+1
55	67.3	...	100	297	51.4	-1.9	2.6	3.4	4.4	...	...	850	+9

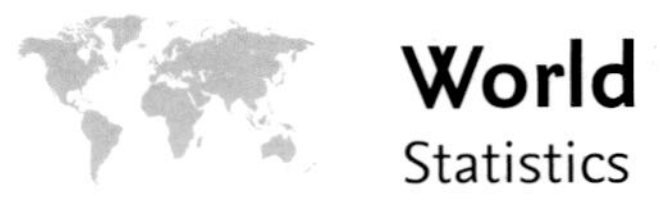
See page 160 for explanatory table and sources

	Population						Economy					
	Total population	Population change (%)	% urban	Total fertility	Population by age (%) 0 – 14	60 or over	2050 projected population	Total Gross National Income (GNI) (US$M)	GNI per capita (US$)	Debt service ratio (% GNI)	Total debt service (US$)	Aid receipts (% GNI)	Military spending (% GDP)
NORWAY	4 698 000	0.6	80.5	1.9	19.6	20.0	5 435 000	318 919	68 440	...	...	...	1.5
OMAN	2 595 000	2.0	78.6	3.0	34.5	4.2	4 958 000	27 887	11 120	5.1	310 065 000	...	11.8
PAKISTAN	163 902 000	1.8	34.8	3.5	38.3	5.8	304 700 000	126 711	800	1.8	2 282 421 000	1.7	3.8
PALAU	20 000	0.4	68.2	...	...	...	21 000	161	7 990	...	...	23.5	...
PANAMA	3 343 000	1.7	57.8	2.6	30.4	8.8	5 093 000	16 442	5 000	21.5	3 458 784 000	0.2	...
PAPUA NEW GUINEA	6 331 000	2.0	13.2	3.8	40.3	3.9	10 619 000	4 603	740	5.8	293 913 000	5.5	0.5
PARAGUAY	6 127 000	1.8	58.5	3.1	37.6	5.6	12 095 000	8 461	1 410	4.5	420 751 000	0.6	0.8
PERU	27 903 000	1.2	74.6	2.5	32.2	7.8	42 552 000	82 201	2 980	4.4	3 745 566 000	0.6	1.2
PHILIPPINES	87 960 000	1.9	62.6	3.2	35.1	6.1	127 068 000	120 190	1 390	10.7	13 680 640 000	0.4	0.9
POLAND	38 082 000	-0.2	62.0	1.2	16.3	16.8	31 916 000	312 994	8 210	11.1	36 044 403 000	...	2.0
PORTUGAL	10 623 000	0.4	55.6	1.5	15.9	22.3	10 723 000	189 017	17 850	...	...	...	2.1
QATAR	841 000	2.1	92.3	2.7	21.7	2.6	1 330 000	...	...	...	...	...	...
ROMANIA	21 438 000	-0.5	54.7	1.3	15.4	19.3	16 757 000	104 382	4 830	7.3	8 678 183 000	...	1.9
RUSSIAN FEDERATION	142 499 000	-0.5	73.3	1.3	15.3	17.1	111 752 000	822 328	5 770	5.2	50 222 974 000	...	4.0
RWANDA	9 725 000	2.8	21.8	5.9	43.5	3.9	18 153 000	2 341	250	1.2	30 612 000	23.6	2.7
SAMOA	187 000	0.9	22.5	3.9	40.7	6.5	157 000	421	2 270	7.0	29 506 000	11.3	...
SAN MARINO	31 000	0.8	88.7	...	...	...	30 000	1 291	45 130	...	...	...	...
SÃO TOMÉ AND PRÍNCIPE	158 000	1.6	37.9	3.9	39.5	5.7	295 000	124	800	7.8	9 337 000	18.0	...
SAUDI ARABIA	24 735 000	2.2	88.5	3.4	37.3	4.6	49 464 000	331 041	13 980	...	...	...	8.5
SENEGAL	12 379 000	2.5	51.0	4.7	42.6	4.9	23 108 000	9 117	760	2.2	202 197 000	9.3	1.6
SERBIA	7 788 448	0.1	52.3*	1.8	18.3*	18.5*	9 426 000*	29 961	4 030	8.5	2 679 730 000	5.1	2.1
SEYCHELLES	87 000	0.5	50.2	...	...	...	99 000	751	8 870	24.8	181 083 000	2.0	1.8
SIERRA LEONE	5 866 000	2.0	40.2	6.5	42.8	5.5	13 786 000	1 353	240	2.4	33 899 000	25.7	1.0
SINGAPORE	4 436 000	1.2	100.0	1.3	19.5	12.2	5 213 000	128 816	28 730	...	...	...	4.7
SLOVAKIA	5 390 000	0.0	58.0	1.3	16.7	16.2	4 612 000	51 807	9 610	7.8	4 125 305 000	...	1.7
SLOVENIA	2 002 000	0.0	50.8	1.3	13.9	20.5	1 630 000	37 445	18 660	...	...	...	1.7
SOLOMON ISLANDS	496 000	2.3	17.1	3.9	40.6	4.2	921 000	333	690	1.3	4 276 000	60.6	...
SOMALIA	8 699 000	2.9	35.9	6.0	44.1	4.2	21 329 000	...	...	...	19 000	...	...
SOUTH AFRICA, REPUBLIC OF	48 577 000	0.6	57.9	2.6	32.6	6.8	48 660 000	255 389	5 390	2.2	5 472 200 000	0.3	1.4
SOUTH KOREA	48 224 000	0.3	80.8	1.2	18.6	13.7	44 629 000	856 565	17 690	...	...	...	2.7
SPAIN	44 279 000	0.8	76.7	1.4	14.3	21.4	42 541 000	1 206 169	27 340	...	...	...	1.0
SRI LANKA	19 299 000	0.5	21.0	1.9	24.1	10.7	23 554 000	26 001	1 310	3.6	957 927 000	3.0	2.4
ST KITTS AND NEVIS	50 000	1.3	31.9	...	...	...	59 000	406	8 460	12.3	46 585 000	1.2	...
ST LUCIA	165 000	1.1	31.3	2.2	28.8	9.7	188 000	833	5 060	4.1	34 456 000	2.2	...
ST VINCENT AND THE GRENADINES	120 000	0.5	60.5	2.2	29.2	8.9	105 000	395	3 320	7.0	35 627 000	1.0	...
SUDAN	38 560 000	2.2	40.8	4.2	39.2	5.6	66 705 000	30 086	800	0.8	292 431 000	6.0	2.2
SURINAME	458 000	0.6	77.2	2.4	30.1	9.0	429 000	1 918	4 210	...	...	4.1	...
SWAZILAND	1 141 000	0.6	23.9	3.5	41.0	5.4	1 026 000	2 737	2 400	1.7	44 704 000	1.3	1.9
SWEDEN	9 119 000	0.5	83.4	1.8	17.5	23.4	10 054 000	395 411	43 530	...	...	...	1.4
SWITZERLAND	7 484 000	0.4	67.5	1.4	16.5	21.8	7 252 000	434 844	58 050	...	...	...	0.9
SYRIA	19 929 000	2.5	50.3	3.1	36.9	4.7	35 935 000	30 333	1 560	0.6	186 679 000	0.1	3.8
TAIWAN	22 880 000	...	...	...	19.8	9.2*	...	...	...	...	...	...	...
TAJIKISTAN	6 736 000	1.5	24.2	3.4	39.0	5.1	10 423 000	2 572	390	5.0	136 859 000	8.8	2.2
TANZANIA	40 454 000	2.5	37.5	5.2	42.6	5.1	66 845 000	13 404	350	0.9	113 148 000	14.5	1.1
THAILAND	63 884 000	0.7	32.5	1.9	23.8	10.5	74 594 000	193 734	3 050	7.3	14 685 762 000	-0.1	1.1
TOGO	6 585 000	2.7	36.3	4.8	43.5	4.9	13 544 000	2 265	350	0.7	15 432 000	3.6	1.6
TONGA	100 000	0.5	34.0	3.8	35.9	8.8	75 000	225	2 250	1.4	3 203 000	9.6	1.1
TRINIDAD AND TOBAGO	1 333 000	0.4	76.2	1.6	21.5	10.7	1 230 000	16 612	12 500	...	...	0.1	...
TUNISIA	10 327 000	1.1	64.4	1.9	25.9	8.6	12 927 000	30 091	2 970	8.8	2 520 202 000	1.5	1.4
TURKEY	74 877 000	1.3	67.3	2.1	29.2	8.0	101 208 000	393 903	5 400	10.1	40 511 288 000	0.1	2.9
TURKMENISTAN	4 965 000	1.3	45.8	2.5	31.8	6.2	6 780 000	...	...	2.6	254 770 000	0.3	...
TUVALU	11 000	0.4	57.0	...	...	...	12 000	...	...	...	...	...	...
UGANDA	30 884 000	3.2	12.4	6.5	50.5	3.8	126 950 000	8 996	300	1.2	114 694 000	16.9	2.1
UKRAINE	46 205 000	-0.8	67.3	1.2	14.9	20.9	26 393 000	90 740	1 940	9.0	9 388 953 000	0.5	2.1
UNITED ARAB EMIRATES	4 380 000	2.9	85.5	2.3	22.0	1.6	9 056 000	...	...	...	...	...	2.0
UNITED KINGDOM	60 769 000	0.4	89.2	1.8	17.9	21.2	67 143 000	2 455 691	40 560	...	...	...	2.6
UNITED STATES OF AMERICA	305 826 000	1.0	80.8	2.1	20.8	16.7	394 976 000	13 386 875	44 710	...	...	...	4.1
URUGUAY	3 340 000	0.3	93.0	2.1	24.3	17.4	4 043 000	17 591	5 310	30.3	5 689 614 000	0.1	1.2
UZBEKISTAN	27 372 000	1.4	36.4	2.5	33.2	6.2	38 665 000	16 179	610	5.4	923 830 000	0.9	0.5
VANUATU	226 000	2.4	23.7	3.7	39.9	5.1	375 000	373	1 690	1.0	3 725 000	13.6	...
VATICAN CITY	557	0.1	100.0	...	...	...	1 000	...	...	...	...	...	...
VENEZUELA	27 657 000	1.7	88.1	2.6	31.2	7.6	41 991 000	163 959	6 070	5.5	9 964 936 000	0.0	1.1
VIETNAM	87 375 000	1.3	26.7	2.1	29.5	7.5	116 654 000	58 506	700	1.5	918 307 000	3.1	...
YEMEN	22 389 000	3.0	26.3	5.5	46.4	3.6	59 454 000	16 444	760	1.3	225 869 000	1.6	6.0
ZAMBIA	11 922 000	1.9	36.5	5.2	45.8	4.6	22 781 000	7 413	630	1.6	153 699 000	14.3	2.3
ZIMBABWE	13 349 000	1.0	35.9	3.2	40.0	5.4	15 805 000	4 466	340	7.0	83 389 000	...	0.0

* Figures are for Serbia and Montenegro (including Kosovo) prior to formation of independent states

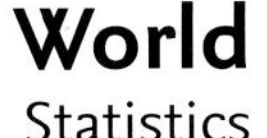

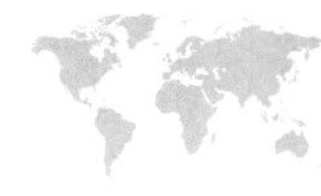

	Social Indicators				Environment				Communications				
Child mortality rate	Life expectancy	Literacy rate (%)	Access to safe water (%)	Doctors per 100 000 people	Forest area (%)	Annual change in forest area (%)	Protected land area (%)	CO$_2$ emissions (metric tonnes per capita)	Main telephone lines per 100 people	Cellular phone subscribers per 100 people	Internet users per 10 000 people	International dialling code	Time zone
4	80.2	...	100	356	30.7	0.2	5.1	19.1	44.3	108.6	8 168	47	+1
12	75.6	97.3	...	126	0.0	0.0	0.1	12.5	10.3	69.6	1 222	968	+4
97	65.5	65.1	91	66	2.5	-2.1	7.4	0.8	3.3	22.0	764	92	+5
11	...	...	85	109	87.6	0.4	0.0	11.9	...	...	...	680	+9
23	75.5	96.1	90	168	57.7	-0.1	10.3	1.8	14.9	66.1	669	507	-5
73	57.2	66.7	39	5	65.0	-0.5	7.9	0.4	1.1	1.3	183	675	+10
22	71.8	95.9	86	117	46.5	-0.9	5.8	0.7	5.3	51.3	413	595	-4
25	71.4	97.1	83	117	53.7	-0.1	13.6	1.2	8.5	30.9	2 581	51	-5
32	71.7	95.1	85	116	24.0	-2.1	10.7	1.0	4.3	50.8	548	63	+8
7	75.6	...	...	220	30.0	0.3	24.2	8.0	29.8	95.5	3 658	48	+1
5	78.1	99.6	...	324	41.3	1.1	5.1	5.6	40.2	116.0	3 025	351	GMT
21	75.6	95.9	100	221	0.0	0.0	0.0	69.2	27.2	109.6	3 455	974	+3
18	72.5	97.8	57	189	27.7	...	2.2	4.2	19.4	80.5	5 224	40	+2
16	65.5	99.7	97	417	47.9	...	6.6	10.6	30.8	105.7	1 802	7	+2 to +12
160	46.2	77.6	74	2	19.5	6.9	8.0	0.1	0.2	3.4	55	250	+2
28	71.5	99.3	88	70	60.4	0.0	2.8	0.8	10.9	25.4	446	685	-11
3	...	...	...	251	1.6	0.0	...	...	77.8	64.4	5 704	378	+1
96	65.5	95.4	79	47	28.4	0.0	...	0.6	4.7	11.5	1 811	239	GMT
25	72.8	95.8	...	140	1.3	0.0	42.3	13.7	15.7	78.1	1 866	966	+3
116	63.1	49.1	76	8	45.0	-0.5	10.9	0.4	2.4	25.0	545	221	GMT
8	74.0	99.4*	...	...	26.4*	...	3.2*	...	25.9	63.3	1 334	381	+1
13	...	99.1	88	132	88.9	0.0	17.2	6.6	25.4	86.5	3 567	248	+4
270	42.6	47.9	57	7	38.5	-0.7	4.0	0.2	0.5	2.2	19	232	GMT
3	80.0	99.5	100	140	3.4	0.0	7.3	12.3	42.3	109.3	4 362	65	+8
8	74.7	...	100	325	40.1	0.1	19.8	6.7	21.6	90.6	4 176	421	+1
4	77.9	99.8	...	219	62.8	0.4	6.5	8.1	42.6	92.6	6 362	386	+1
73	63.6	...	70	13	77.6	-1.7	1.0	0.4	1.6	1.3	163	677	+11
145	48.2	...	29	4	11.4	-1.0	0.3	...	1.2	6.1	111	252	+3
69	49.3	93.9	88	69	7.6	0.0	6.0	9.4	10.0	83.3	1 075	27	+2
5	78.6	...	92	181	63.5	-0.1	3.7	9.7	49.8	83.8	7 275	82	+9
4	80.9	...	100	320	35.9	1.7	8.2	7.7	42.4	106.4	4 283	34	+1
13	72.4	95.6	79	43	29.9	-1.5	17.5	0.6	9.0	25.9	169	94	+5.5
19	...	...	100	118	14.7	0.0	0.1	2.7	59.3	23.7	2 428	1 869	-4
14	73.7	...	98	518	27.9	0.0	29.3	2.3	32.6	65.7	6 169	1 758	-4
20	71.6	...	...	88	27.4	0.8	18.6	1.7	19.0	73.6	840	1 784	-4
89	58.6	77.2	70	16	28.4	-0.8	4.6	0.3	1.7	12.7	946	249	+3
39	70.2	94.9	92	45	94.7	0.0	12.9	5.1	18.0	70.8	712	597	-3
164	39.6	88.4	62	18	31.5	0.9	3.2	0.9	4.3	24.3	408	268	+2
3	80.9	...	100	305	66.9	...	9.6	5.9	59.5	105.9	7 697	46	+1
5	81.7	...	100	352	30.9	0.4	28.2	5.5	66.9	99.0	5 807	41	+1
14	74.1	92.5	93	140	2.5	1.3	0.7	3.7	16.6	24.0	794	963	+2
...	...	...	...	...	...	...	...	...	63.6	102.0	6 368	886	+8
68	66.7	99.8	59	218	2.9	0.0	13.6	0.8	4.3	4.1	30	992	+5
118	52.5	78.4	62	2	39.9	-1.1	36.4	0.1	0.4	14.8	100	255	+3
8	70.6	98.0	99	30	28.4	-0.4	19.7	4.3	10.9	62.9	1 307	66	+7
108	58.4	74.4	52	6	7.1	-4.5	10.7	0.4	1.3	11.2	507	228	GMT
24	73.3	99.3	100	34	5.0	0.0	24.4	1.2	13.7	29.8	302	676	+13
38	69.8	99.5	91	79	44.1	-0.2	5.5	24.7	24.9	126.4	1 248	1 868	-4
23	73.9	94.3	93	70	6.8	1.9	1.5	2.3	12.4	71.9	1 268	216	+1
26	71.8	95.6	96	124	13.2	0.2	1.6	3.2	25.4	71.0	1 773	90	+2
51	63.2	99.8	72	317	8.8	0.0	2.3	8.7	8.2	4.4	132	993	+5
38	...	...	100	...	33.3	0.0	...	...	10.3	15	4 673	688	+12
134	51.5	76.6	60	5	18.4	-2.2	25.6	0.1	0.4	6.7	251	256	+3
24	67.9	99.8	96	297	16.5	0.1	3.3	6.9	26.8	106.7	1 206	380	+2
8	78.7	97.0	100	202	3.7	0.1	0.3	37.8	28.1	118.5	3 669	971	+4
6	79.4	...	100	166	11.8	0.4	20.0	9.8	56.2	116.6	6 316	44	GMT
8	78.2	...	100	549	33.1	0.1	14.6	20.6	57.2	77.4	6 983	1	-5 to -10
12	76.4	98.6	100	365	8.6	1.3	0.3	1.7	28.3	66.8	2 055	598	-3
43	67.2	...	82	289	8.0	0.5	2.0	5.3	6.7	9.3	630	998	+5
36	70.0	...	60	11	36.1	0.0	1.0	0.4	3.2	5.9	346	678	+11
...	...	...	...	...	0.0	0.0	...	...	...	...	...	39	+1
21	73.7	97.2	83	194	54.1	-0.6	69.9	6.6	15.8	69.0	1 521	58	-4.5
17	74.2	93.9	85	53	39.7	2.0	5.0	1.2	18.8	18.2	1 721	84	+7
100	62.7	75.2	67	22	1.0	0.0	0.0	1.0	4.5	13.8	125	967	+3
182	42.4	69.5	58	7	57.1	-1.0	39.9	0.2	0.8	14.0	422	260	+2
105	43.5	97.7	81	6	45.3	-1.7	14.6	0.8	2.6	6.5	932	263	+2

Definitions

Indicator	Definition
Population	
Total population	Interpolated mid-year population, 2005.
Population change	Percentage average annual rate of change, 2005–2010.
% urban	Urban population as a percentage of the total population, 2005.
Total fertility	Average number of children a woman will have during her child-bearing years, 2005–2010.
Population by age	Percentage of population in age groups 0–14 and 60 or over, 2005.
2050 projected population	Projected total population for the year 2050.
Economy	
Total Gross National Income (GNI)	The sum of value added to the economy by all resident producers plus taxes, less subsidies, plus net receipts of primary income from abroad. Data are in U.S. dollars (millions), 2006. Formerly known as Gross National Product (GNP).
GNI per capita	Gross National Income per person in U.S. dollars using the World Bank Atlas method, 2006.
Debt service ratio	Debt service as a percentage of GNI, 2006.
Total debt service	Sum of principal repayments and interest paid on long-term debt, interest paid on short-term debt and repayments to the International Monetary Fund (IMF), 2006.
Aid receipts	Aid received as a percentage of GNI from the Development Assistance Committee (DAC) countries of the Organization for Economic Co-operation and Development (OECD), 2006.
Military spending	Military-related spending, including recruiting, training, construction and the purchase of military supplies and equipment, as a percentage of Gross National Income, 2006.
Social Indicators	
Child mortality rate	Number of deaths of children aged under 5 per 1 000 live births, 2006.
Life expectancy	Average life expectancy, at birth in years, male and female, 2005–2010.
Literacy rate	Percentage of population aged 15–24 with at least a basic ability to read and write, 2005.
Access to safe water	Percentage of population using improved drinking water, 2004.
Doctors	Number of trained doctors per 100 000 people, 2004.
Environment	
Forest area	Percentage of total land area covered by forest, 2005.
Change in forest area	Average annual percentage change in forest area, 2000–2005.
Protected land area	Percentage of total land area designated as protected land, 2006.
CO_2 emissions	Emissions of carbon dioxide from the burning of fossil fuels and the manufacture of cement, divided by the population, expressed in metric tons per capita, 2004.
Communications	
Telephone lines	Main (fixed) telephone lines per 100 inhabitants, 2006.
Cellular phone subscribers	Cellular mobile subscribers per 100 inhabitants, 2006.
Internet users	Internet users per 10 000 inhabitants, 2006.
International dialling code	The country code prefix to be used when dialling from another country.
Time zone	Time difference in hours between local standard time and Greenwich Mean Time.

Main Statistical Sources	Internet Links
United Nations Department of Economic and Social Affairs (UDESA) World Population Prospects: The 2006 Revision. World Urbanization Prospects: The 2005 Revision.	www.un.org/esa/population/unpop
UNESCO Education Data Centre	stats.uis.unesco.org
UN Human Development Report 2004	hdr.undp.org
World Bank World Development Indicators online	www.worldbank.org/data
OECD: Development Co-operation Report 2007	www.oecd.org
UNICEF: The State of the World's Children 2008	www.unicef.org
Food and Agriculture Organization (FAO) of the UN: Global Forest Resources Assessment 2005	www.fao.org
World Resources Institute Biodiversity and Protected Areas Database	www.wri.org
International Telecommunications Union (ITU)	www.itu.int

Introduction to the index

The index includes all names shown on the reference maps in the atlas. Each entry includes the country or geographical area in which the feature is located, a page number and an alphanumeric reference. Additional entry details and aspects of the index are explained below.

Name forms

The names policy in this atlas is generally to use local name forms which are officially recognized by the governments of the countries concerned. Rules established by the Permanent Committee on Geographical Names for British Official Use (PCGN) are applied to the conversion of non-roman alphabet names, for example in the Russian Federation, into the roman alphabet used in English.

However, English conventional name forms are used for the most well-known places for which such a form is in common use. In these cases, the local form is included in brackets on the map and appears as a cross-reference in the index. Other alternative names, such as well-known historical names or those in other languages, may also be included in brackets on the map and as cross-references in the index. All country names and those for international physical features appear in their English forms. Names appear in full in the index, although they may appear in abbreviated form on the maps.

Referencing

Names are referenced by page number and by grid reference. The grid reference relates to the alphanumeric values which appear on the edges of each map. These reflect the graticule on the map – the letter relates to longitude divisions, the number to latitude divisions. Names are generally referenced to the largest scale map page on which they appear. For large geographical features, including countries, the reference is to the largest scale map on which the feature appears in its entirety, or on which the majority of it appears.

Rivers are referenced to their lowest downstream point – either their mouth or their confluence with another river. The river name will generally be positioned as close to this point as possible.

Alternative names

Alternative names appear as cross-references and refer the user to the index entry for the form of the name used on the map.

For rivers with multiple names - for example those which flow through several countries - all alternative name forms are included within the main index entries, with details of the countries in which each form applies.

Administrative qualifiers

Administrative divisions are included in entries to differentiate duplicate names - entries of exactly the same name and feature type within the one country - where these division names are shown on the maps. In such cases, duplicate names are alphabetized in the order of the administrative division names.

Additional qualifiers are included for names within selected geographical areas, to indicate more clearly their location.

Descriptors

Entries, other than those for towns and cities, include a descriptor indicating the type of geographical feature. Descriptors are not included where the type of feature is implicit in the name itself, unless there is a town or city of exactly the same name.

Insets

Where relevant, the index clearly indicates [inset] if a feature appears on an inset map.

Alphabetical order

The Icelandic characters Þ and þ are transliterated and alphabetized as 'Th' and 'th'. The German character ß is alphabetized as 'ss'. Names beginning with Mac or Mc are alphabetized exactly as they appear. The terms Saint, Sainte, etc, are abbreviated to St, Ste, etc, but alphabetized as if in the full form.

Numerical entries

Entries beginning with numerals appear at the beginning of the index, in numerical order. Elsewhere, numerals are alphabetized before 'a'.

Permuted terms

Names beginning with generic geographical terms are permuted - the descriptive term is placed after, and the index alphabetized by, the main part of the name. For example, Mount Everest is indexed as Everest, Mount; Lake Superior as Superior, Lake. This policy is applied to all languages. Permuting has not been applied to names of towns, cities or administrative divisions beginning with such geographical terms. These remain in their full form, for example, Lake Isabella, USA.

Gazetteer entries

Selected entries have been extended to include gazetteer-style information. Important geographical facts which relate specifically to the entry are included within the entry.

Abbreviations

admin. dist.	administrative district	IL	Illinois	plat.	plateau
admin. div.	administrative division	imp. l.	impermanent lake	P.N.G.	Papua New Guinea
admin. reg.	administrative region	IN	Indiana	Port.	Portugal
Afgh.	Afghanistan	Indon.	Indonesia	pref.	prefecture
AK	Alaska	Kazakh.	Kazakhstan	prov.	province
AL	Alabama	KS	Kansas	pt	point
Alg.	Algeria	KY	Kentucky	Qld	Queensland
AR	Arkansas	Kyrg.	Kyrgyzstan	Que.	Québec
Arg.	Argentina	l.	lake	r.	river
aut. comm.	autonomous community	LA	Louisiana	reg.	region
aut. reg.	autonomous region	lag.	lagoon	res.	reserve
aut. rep.	autonomous republic	Lith.	Lithuania	resr	reservoir
AZ	Arizona	Lux.	Luxembourg	RI	Rhode Island
Azer.	Azerbaijan	MA	Massachusetts	Rus. Fed.	Russian Federation
b.	bay	Madag.	Madagascar	S.	South, Southern
Bangl.	Bangladesh	Man.	Manitoba	S.A.	South Australia
B.C.	British Columbia	MD	Maryland	salt l.	salt lake
Bol.	Bolivia	ME	Maine	Sask.	Saskatchewan
Bos.-Herz.	Bosnia-Herzegovina	Mex.	Mexico	SC	South Carolina
Bulg.	Bulgaria	MI	Michigan	SD	South Dakota
c.	cape	MN	Minnesota	sea chan.	sea channel
CA	California	MO	Missouri	Sing.	Singapore
Cent. Afr. Rep.	Central African Republic	Moz.	Mozambique	Switz.	Switzerland
CO	Colorado	MS	Mississippi	Tajik.	Tajikistan
Col.	Colombia	MT	Montana	Tanz.	Tanzania
CT	Connecticut	mt.	mountain	Tas.	Tasmania
Czech Rep.	Czech Republic	mts	mountains	terr.	territory
DC	District of Columbia	N.	North, Northern	Thai.	Thailand
DE	Delaware	nat. park	national park	TN	Tennessee
Dem. Rep. Congo	Democratic Republic of the Congo	N.B.	New Brunswick	Trin. and Tob.	Trinidad and Tobago
depr.	depression	NC	North Carolina	Turkm.	Turkmenistan
des.	desert	ND	North Dakota	TX	Texas
Dom. Rep.	Dominican Republic	NE	Nebraska	U.A.E.	United Arab Emirates
E.	East, Eastern	Neth.	Netherlands	U.K.	United Kingdom
Equat. Guinea	Equatorial Guinea	NH	New Hampshire	Ukr.	Ukraine
esc.	escarpment	NJ	New Jersey	U.S.A.	United States of America
est.	estuary	NM	New Mexico	UT	Utah
Eth.	Ethiopia	N.S.	Nova Scotia	Uzbek.	Uzbekistan
Fin.	Finland	N.S.W.	New South Wales	VA	Virginia
FL	Florida	N.T.	Northern Territory	Venez.	Venezuela
for.	forest	NV	Nevada	Vic.	Victoria
Fr. Guiana	French Guiana	N.W.T.	Northwest Territories	vol.	volcano
F.Y.R.O.M.	Former Yugoslav Republic of Macedonia	NY	New York	vol. crater	volcanic crater
g.	gulf	N.Z.	New Zealand	VT	Vermont
GA	Georgia	OH	Ohio	W.	West, Western
Guat.	Guatemala	OK	Oklahoma	WA	Washington
HI	Hawaii	OR	Oregon	W.A.	Western Australia
H.K.	Hong Kong	PA	Pennsylvania	WI	Wisconsin
Hond.	Honduras	Para.	Paraguay	WV	West Virginia
i.	island	P.E.I.	Prince Edward Island	WY	Wyoming
IA	Iowa	pen.	peninsula	Y.T.	Yukon Territory
ID	Idaho	Phil.	Philippines		

Alpine *NY* U.S.A. 135 G2
Alpine *TX* U.S.A. 131 C6
Alpine *WY* U.S.A. 126 F4
Alpine National Park Australia 112 C6
Alps *mts* Europe 56 H4
Al Qa'āmīyāt *reg.* Saudi Arabia 86 G6
Al Qaddāḥiyah Libya 97 E1
Al Qadmūs Syria 85 C2
Al Qaffāy *i.* U.A.E. 88 D5
Al Qāhirah Egypt *see* Cairo
Al Qā'īyah Saudi Arabia 86 F5
Al Qā'īyah *well* Saudi Arabia 88 B5
Al Qal'a Beni Hammad *tourist site* Alg. 57 I6
Al Qalībah Saudi Arabia 90 E5
Al Qāmishlī Syria 91 F3
Al Qar'ah Libya 90 B5
Al Qar'ah *well* Saudi Arabia 88 B5
Al Qar'ah *lava field* Syria 85 C3
Al Qardāḥah Syria 85 C2
Al Qarqar Saudi Arabia 85 C4
Al Qaryatayn Syria 85 C2
Al Qaṣab *Ar Riyāḍ* Saudi Arabia 88 B5
Al Qaṣab *Ash Sharqīyah* Saudi Arabia 88 C6
Al Qaṭīf Saudi Arabia 88 C5
Al Qaṭn Yemen 86 G6
Al Qaṭrānah Jordan 85 C4
Al Qaṭrūn Libya 97 E2
Al Qayṣūmah *well* Saudi Arabia 91 F5
Alqueva, Barragem de *resr* 57 C4
Al Qumur *country* Africa *see* Comoros
Al Qunayṭirah Syria 85 B3
Al Qunfidhah Saudi Arabia 86 F6
Al Qurayyāt Saudi Arabia 85 C4
Al Qurnah Iraq 91 G5
Al Quṣaymah Egypt 85 B4
Al Quṣayr Egypt 86 D4
Al Quṣayr Syria 85 C2
Al Quṣīyah Egypt 90 C6
Al Qūṣūrīyah Saudi Arabia 88 B6
Al Quṭayfah Syria 85 C3
Al Quwayi' Saudi Arabia 88 B6
Al Quwayīyah Saudi Arabia 86 G5
Al Quwayrah Jordan 85 B5
Al Rabbād *reg.* U.A.E. 88 D6
Alroy Downs Australia 110 B3
Alsace *admin. reg.* France 53 H6
Alsace *reg.* France 56 H2
Alsager U.K. 49 E5
Al Samīt *well* Iraq 91 F5
Alsask Canada 121 I5
Alsatia *reg.* France *see* Alsace
Alsek *r.* U.S.A. 120 B3
Alsfeld Germany 53 J4
Alsleben (Saale) Germany 53 L3
Alston U.K. 48 E4
Alstonville Australia 112 F2
Alsunga Latvia 45 L8
Alta Norway 44 M2
Alta, Mount N.Z. 113 B7
Altaelva *r.* Norway 44 M2
Altafjorden *sea chan.* Norway 44 M1
Alta Floresta Brazil 143 G5
Altai Mountains Asia 72 F3
Altamaha *r.* U.S.A. 133 D6
Altamira Brazil 143 H4
Altamura Italy 58 G4
Altan Shiret China 73 J5
Altan Xiret China *see* Altan Shiret
Alta Paraiso de Goiás Brazil 145 B1
Altar *r.* Mex. 127 F7
Altar, Desierto de *des.* Mex. 129 F6
Altavista U.S.A. 134 F5
Altay China 80 G2
Altay Mongolia 80 H3
Altay Mongolia 80 I2
Altayskiy Rus. Fed. 80 G1
Altayskiy Khrebet *mts* Asia *see* Altai Mountains
Altdorf Switz. 56 I3
Altea Spain 57 F4
Alteidet Norway 44 M1
Altenahr Germany 52 G4
Altenberge Germany 53 H2
Altenburg Germany 53 M4
Altenkirchen (Westerwald) Germany 53 H4
Altenqoke China 83 H1
Altin Köprü Iraq 91 G4
Altınoluk Turkey 59 L5
Altınözü Turkey 85 C1
Altıntaş Turkey 59 N5
Altiplano *plain* Bol. 142 E7
Altmark *reg.* Germany 53 L2
Altmühl *r.* Germany 53 L6
Alto, Monte *hill* Italy 58 D2
Alto Chicapa Angola 99 B5
Alto del Moncayo *mt.* Spain 57 F3
Alto de Pencoso *hills* Arg. 144 C4
Alto Garças Brazil 143 H7
Alto Madidi, Parque Nacional *nat. park* Bol. 142 E6
Alton *CA* U.S.A. 128 A1
Alton *IL* U.S.A. 130 F4
Alton *MO* U.S.A. 131 F4
Alton *NH* U.S.A. 135 J2
Altona Canada 120 F3
Altoona U.S.A. 135 F3
Alto Parnaíba Brazil 143 I5
Alto Taquarí *Mato Grosso* Brazil 143 H7
Altötting Germany 47 N6
Altrincham U.K. 48 E5
Alt Schwerin Germany 53 M1
Altūn Kūbrī Iraq *see* Altin Köprü
Altun Shan *mts* China 80 G4
Alturas U.S.A. 126 C4
Altus U.S.A. 131 D5
Al 'Ubaylah Saudi Arabia 98 F1
Alucra Turkey 90 E2
Alūksne Latvia 45 O8
Alūm Iran 88 C3
Alum Bridge U.S.A. 134 E4
Al 'Uqaylah Libya 97 E1
Al 'Uqaylah Saudi Arabia *see* An Nabk
Al Uqṣur Egypt *see* Luxor
Alur India 84 C3
Al 'Urayq *des.* Saudi Arabia 90 E5
Al 'Urdun *country* Asia *see* Jordan
Alur Setar Malaysia *see* Alor Setar
'Ālūt Iran 88 B3
Aluva India *see* Alwaye
Al 'Uwayjā' *well* Saudi Arabia 88 C6
Al 'Uwaynāt Libya 86 B5
Al 'Uwayqīlah Saudi Arabia 91 F5
Al 'Uzayr Iraq 91 G5
Alva U.S.A. 131 D4
Alvand, Kūh-e *mt.* Iran 88 C3
Alvarães Brazil 142 F4
Alvaton U.S.A. 134 B5
Alvdal Norway 44 G5
Älvdalen Sweden 45 I6
Alvesta Sweden 45 I8
Ålvik Norway 45 E6
Alvik Sweden 44 J5
Alvin U.S.A. 131 E6
Alvorada do Norte Brazil 145 B1
Älvsbyn Sweden 44 L4
Al Wafrah Kuwait 88 B4
Al Wajh Saudi Arabia 86 E4
Al Wakrah Qatar 88 C5
Al Waqbá *well* Saudi Arabia 88 B4
Alwar India 82 D4
Al Warī'ah Saudi Arabia 86 G4
Al Wāṭiyah *well* Egypt 90 B5
Alwaye India 84 C4
Al Widyān *plat.* Iraq/Saudi Arabia 91 F4
Al Wusayṭ *well* Saudi Arabia 88 B4
Alxa Youqi China *see* Ehen Hudag
Alxa Zuoqi China *see* Bayan Hot
Al Yamāmah Saudi Arabia 88 B5
Al Yaman *country* Asia *see* Yemen
Alyangula Australia 110 B2
Al Yāsāt *i.* U.A.E. 88 C5
Alyth U.K. 50 F4
Alytus Lith. 45 N9
Alzette *r.* Lux. 52 G5
Alzey Germany 53 I5
Amacayacu, Parque Nacional *nat. park* Col. 142 D4
Amadeus, Lake *salt flat* Australia 109 E6
Amadjuak Lake Canada 119 K3
Amadora Port. 57 B4
Amakusa-nada *b.* Japan 75 C6
Åmål Sweden 45 H7
Amalia S. Africa 101 G4
Amaliada Greece 59 I6
Amalner India 82 C5
Amamapare Indon. 69 J7
Amambaí Brazil 144 E2
Amambaí, Serra de *hills* Brazil/Para. 144 E2
Amami-Ō-shima *i.* Japan 75 C7
Amami-shotō *is* Japan 75 C8
Amamula Dem. Rep. Congo 98 C4
Amanab P.N.G. 69 K7
Amangel'dy Kazakh. 80 C1
Amankeldi Kazakh. *see* Amangel'dy
Amantea Italy 58 G5
Amanzimtoti S. Africa 101 J6
Amapá Brazil 143 H3
Amarante Brazil 143 J5
Amarapura Myanmar 70 B2
Amareleja Port. 57 C4
Amargosa Brazil 145 D1
Amargosa *watercourse* U.S.A. 128 E3
Amargosa Desert U.S.A. 128 E3
Amargosa Range *mts* U.S.A. 128 E3
Amargosa Valley U.S.A. 128 E3
Amarillo U.S.A. 131 C5
Amarillo, Cerro *mt.* Arg. 144 C4
Amarkantak India 83 E5
Amarpur *Madh. Prad.* India 82 E5
Amasia Turkey *see* Amasya
Amasine W. Sahara 96 B2
Amasra Turkey 90 D2
Amasya Turkey 90 D2
Amata Australia 109 E6
Amatulla India 83 H4
Amau P.N.G. 110 E1
Amay Belgium 52 F4
Amazar Rus. Fed. 74 A1
Amazar *r.* Rus. Fed. 74 A1

▶Amazon *r.* S. America 142 F4
Longest river and largest drainage basin in South America and 2nd longest river in the world.
Also known as Amazonas or Solimões

Amazon, Mouths of the Brazil 143 I3
Amazonas *r.* S. America 142 F4 *see* Amazon
Amazon Cone *sea feature* S. Atlantic Ocean 148 E5
Amazônia, Parque Nacional *nat. park* Brazil 143 G4
Ambajogai India 84 C2
Ambala India 82 D3
Ambalangoda Sri Lanka 84 D5
Ambalavao Madag. 99 E6
Ambam Cameroon 98 B3
Ambar Iran 88 E4
Ambarchik Rus. Fed. 65 R3
Ambarnyy Rus. Fed. 44 R4
Ambasa India *see* Ambassa
Ambasamudram India 84 C4
Ambassa India 83 G5
Ambathala Australia 111 D5
Ambato Ecuador 142 C4
Ambato Boeny Madag. 99 E5
Ambato Finandrahana Madag. 99 E6
Ambatolampy Madag. 99 E5
Ambatomainty Madag. 99 E5
Ambatondrazaka Madag. 99 E5
Ambejogai India *see* Ambajogai
Ambelau *i.* Indon. 69 H7
Ambeno *enclave* East Timor *see* Ocussi
Amberg Germany 53 L5
Ambergris Cay *i.* Belize 136 G5
Ambérieu-en-Bugey France 56 G4
Amberley Canada 134 E1
Ambgaon India 84 D1
Ambianum France *see* Amiens
Ambikapur India 83 E5
Ambilobe Madag. 99 E5
Ambition, Mount Canada 120 D3
Amble U.K. 48 F3
Ambler U.S.A. 118 C3
Ambleside U.K. 48 E4
Amblève *r.* Belgium 52 F4
Ambo India 83 F5
Amboasary Madag. 99 E6
Ambodifotatra Madag. 99 E5
Ambohimahasoa Madag. 99 E6
Ambohitra *mt.* Madag. 99 E5
Amboina Indon. *see* Ambon
Ambon Indon. 69 H7
Ambon *i.* Indon. 69 H7
Amboró, Parque Nacional *nat. park* Bol. 142 F7
Ambositra Madag. 99 E6
Ambovombe Madag. 99 E6
Amboy U.S.A. 129 F4
Ambre, Cap d' *c.* Madag. *see* Bobaomby, Tanjona
Ambrim *i.* Vanuatu *see* Ambrym
Ambriz Angola 99 B4
Ambrizete Angola *see* N'zeto
Ambrosia Lake U.S.A. 129 J4
Ambrym *i.* Vanuatu 107 G3
Ambunti P.N.G. 69 K7
Ambur India 84 C3
Am-Dam Chad 97 F3
Amded, Oued *watercourse* Alg. 96 D2
Amdo China *see* Lharigarbo
Ameland *i.* Neth. 52 F1
Amelia Court House U.S.A. 135 G5
Amenia U.S.A. 135 I3
Amer, Erg d' *des.* Alg. 98 A1
Amereli India *see* Amreli
American, North Fork *r.* U.S.A. 128 C2
Americana Brazil 145 B3
American-Antarctic Ridge *sea feature* S. Atlantic Ocean 148 G9
American Falls U.S.A. 126 E4
American Falls Reservoir U.S.A. 126 E4
American Fork U.S.A. 129 H1

▶American Samoa *terr.* S. Pacific Ocean 107 J3
United States Unincorporated Territory.

Americus U.S.A. 133 C5
Amersfoort Neth. 52 F2
Amersfoort S. Africa 101 I4
Amersham U.K. 49 G7
Amery Canada 121 M3
Amery Ice Shelf Antarctica 152 E2
Ames U.S.A. 130 E3
Amesbury U.K. 49 F7
Amesbury U.S.A. 135 J2
Amet India 82 C4
Amethi India 83 E4
Amfissa Greece 59 J5
Amga Rus. Fed. 65 O3
Amgalang China 73 L3
Amgu Rus. Fed. 74 E3
Amguid Alg. 96 D2
Amgun' *r.* Rus. Fed. 74 E1
Amherst Canada 123 I5
Amherst Myanmar *see* Kyaikkami
Amherst *MA* U.S.A. 135 I2
Amherst *OH* U.S.A. 134 D3
Amherst *VA* U.S.A. 134 F5
Amherstburg Canada 134 D2
Amherst Island Canada 135 G1
Amiata, Monte *mt.* Italy 58 D3
Amida Turkey *see* Diyarbakır
Amidon U.S.A. 130 C2
Amiens France 52 C5
'Amīj, Wādī *watercourse* Iraq 91 F4
Amik Ovası *marsh* Turkey 85 C1
'Amīnābād Iran 88 D4
Amindivi *atoll* India *see* Amini
Amindivi Islands India 84 B4
Amini *atoll* India 84 B4
Amino Eth. 98 E3
Aminuis Namibia 100 D2
Amīrābād Iran 88 B3
Amirante Islands Seychelles 149 L6
Amirante Trench *sea feature* Indian Ocean 149 L6
Amisk Lake Canada 121 K4
Amistad, Represa de *resr* Mex./U.S.A. *see* Amistad Reservoir
Amistad Reservoir Mex./U.S.A. 131 C6
Amisus Turkey *see* Samsun
Amite U.S.A. 131 F6
Amity Point Australia 112 F1
Amla India 82 D5
Amlapura Indon. *see* Karangasem
Amlash Iran 88 C2
Amlekhganj Nepal 83 F4
Åmli Norway 45 F7
Amlia Island U.S.A. 118 A4
Amlwch U.K. 48 C5

▶'Ammān Jordan 85 B4
Capital of Jordan.

Ammanazar Turkm. 88 D2
Ammanford U.K. 49 D7
Ämmänsaari Fin. 44 P4
'Ammār, Tall *hill* Syria 85 C3
Ammarnäs Sweden 44 J4
Ammaroo Australia 110 A4
Ammassalik Greenland 153 J2
Ammerland *reg.* Germany 53 H1
Ammern Germany 53 K3
Ammochostos Cyprus *see* Famagusta
Ammochostos Bay Cyprus 85 B2
Am Nābiyah Yemen 86 F7
Amne Machin Range *mts* China *see* A'nyêmaqên Shan
Amnok-kang *r.* China/N. Korea *see* Yalu Jiang
Amo Jiang *r.* China 76 D4
Amol Iran 88 D2
Amorbach Germany 53 J5
Amorgos *i.* Greece 59 K6
Amory U.S.A. 131 F5
Amos Canada 122 F4
Amourj Mauritania 96 C3
Amoy China *see* Xiamen
Ampani India 84 D2
Ampanihy Madag. 99 E6
Amparai Sri Lanka 84 D5
Amparo Brazil 145 B3
Ampasimanolotra Madag. 99 E5
Amphitheatre Australia 112 A6
Amphitrite Group *is* Paracel Is 68 E3
Ampoa Indon. 69 G7
Amraoti India *see* Amravati
Amravati India 84 C1
Amrawad India 82 D5
Amreli India 82 B5
Amri Pak. 89 H5
Amring India 83 H4
'Amrīt Syria 85 B2
Amritsar India 82 C3
Amroha India 82 D3
Amsden U.S.A. 134 D3
Åmsele Sweden 44 K4
Amstelveen Neth. 52 E2

▶Amsterdam Neth. 52 E2
Official capital of the Netherlands.

Amsterdam S. Africa 101 J4
Amsterdam U.S.A. 135 H2
Amsterdam, Île *i.* Indian Ocean 149 N8
Amstetten Austria 47 O6
Am Timan Chad 97 F3
Amudar'ya *r.* Asia 89 F2
Amudaryo *r.* Asia *see* Amudar'ya
Amund Ringnes Island Canada 119 I2
Amundsen, Mount Antarctica 152 F2
Amundsen Abyssal Plain *sea feature* Southern Ocean 152 J2
Amundsen Basin *sea feature* Arctic Ocean 153 H1
Amundsen Bay Antarctica 152 D2
Amundsen Coast Antarctica 152 J1
Amundsen Glacier Antarctica 152 I1
Amundsen Gulf Canada 118 F2
Amundsen Ridges *sea feature* Southern Ocean 152 J2
Amundsen-Scott *research station* Antarctica 152 C1
Amundsen Sea Antarctica 152 K2
Amuntai Indon. 68 F7
Amur *r.* China/Rus. Fed. 74 D2
also known as Heilong Jiang (China)
Amur *r.* Rus. Fed. 74 F1
'Amur, Wadi *watercourse* Sudan 86 D6
Amur Oblast *admin. div.* Rus. Fed. *see* Amurskaya Oblast'
Amursk Rus. Fed. 74 E2
Amurskaya Oblast' *admin. div.* Rus. Fed. 74 C1
Amurskiy Liman *strait* Rus. Fed. 74 F1
Amurzet Rus. Fed. 74 C3
Amvrosiyivka Ukr. 43 H7
Amyderya *r.* Asia *see* Amudar'ya
Am-Zoer Chad 97 F3
An Myanmar 70 A3
Anaa *atoll* Fr. Polynesia 151 K7
Anabanua Indon. 69 G7
Anabar *r.* Rus. Fed. 65 M2
Anacapa Islands U.S.A. 128 D4
Anaconda U.S.A. 126 E3
Anacortes U.S.A. 126 C2
Anadarko U.S.A. 131 D5
Anadolu *reg.* Turkey 90 D3
Anadolu Dağları *mts* Turkey 90 E2
Anadyr' Rus. Fed. 65 S3
Anadyr, Gulf of Rus. Fed. *see* Anadyrskiy Zaliv
Anadyrskiy Zaliv *b.* Rus. Fed. 65 T3
Anafi *i.* Greece 59 K6
Anagé Brazil 145 C1
'Ānah Iraq 91 F4
Anaheim U.S.A. 128 E5
Anahim Lake Canada 120 E4
Anáhuac Mex. 131 C7
Anahuac U.S.A. 131 E6
Anaimalai Hills India 84 C4
Anaiteum *i.* Vanuatu *see* Anatom
Anajás Brazil 143 I4
Anakie Australia 110 D4
Analalava Madag. 99 E5
Anamã Brazil 142 F4
Anambas, Kepulauan *is* Indon. 71 D7
Anamosa U.S.A. 130 F3
Anamur Turkey 85 A1
Anan Japan 75 D6
Anand India 82 C5
Anandapur India 83 F5
Anantapur India 84 C3
Ananthapur India *see* Anantapur
Anantnag India 82 C2
Anant Peth India 82 D4
Anantpur India *see* Anantapur
Ananyev Ukr. *see* Anan'yiv
Anan'yiv Ukr. 43 F7
Anapa Rus. Fed. 90 E1
Anápolis Brazil 145 A2
Anár Fin. *see* Inari
Anār Iran 88 D4
Anardara Afgh. 89 F3
Anatahan *i.* N. Mariana Is 69 L3
Anatajan *i.* N. Mariana Is *see* Anatahan
Anatom *i.* Vanuatu 107 G4
Añatuya Arg. 144 D3
Anaypazari Turkey *see* Gülnar
An Baile Breac Ireland 51 B6
An Bun Beag Ireland 51 D2
Anbūr-e Kālārī Iran 88 D5
Anbyon N. Korea 75 B5
Ancenis France 56 D3
Anchorage U.S.A. 118 D3
Anchorage Island *atoll* Cook Is *see* Suwarrow
Anchor Bay U.S.A. 134 D2
Anchuthengu India *see* Anjengo
Anci China *see* Langfang
An Clochán Liath Ireland 51 D3
An Cóbh Ireland *see* Cobh
Ancona Italy 58 E3
Ancud, Golfo de *g.* Chile 144 B6
Ancyra Turkey *see* Ankara
Anda *Heilong.* China *see* Daqing
Anda *Heilong.* China 74 B3
Andacollo Chile 144 B4
Andado Australia 110 A5
Andahuaylas Peru 142 D6
An Daingean Ireland 51 B5
Andal India 83 F5
Åndalsnes Norway 44 E5
Andalucía *aut. comm.* Spain 57 D5
Andalusia *aut. comm.* Spain *see* Andalucía
Andalusia U.S.A. 133 C6
Andaman Basin *sea feature* Indian Ocean 149 O5
Andaman Islands India 71 A4
Andaman Sea Indian Ocean 71 A5
Andaman Strait India 71 A4
Andamooka Australia 111 B6
Andapa Madag. 99 E5
Andarāb *reg.* Afgh. 89 H3
Ande China 76 E4
Andegavum France *see* Angers
Andelle *r.* France 52 B5
Andenes Norway 44 J2
Andenne Belgium 52 F4
Andéramboukane Mali 96 D3
Anderlecht Belgium 52 E4
Andermatt Switz. 56 I3
Andernos-les-Bains France 56 D4
Anderson *r.* Canada 118 F3
Anderson *AK* U.S.A. 118 D3
Anderson *IN* U.S.A. 134 C3
Anderson *SC* U.S.A. 133 D5
Anderson *TX* U.S.A. 131 E6
Anderson Bay Australia 111 [inset]
Anderson Lake Canada 120 F5
Andes *mts* S. America 144 C4
Andfjorden *sea chan.* Norway 44 J2
Andhíparos *i.* Greece *see* Antiparos
Andhra Lake India 84 B2
Andhra Pradesh *state* India 84 C2
Andijon Uzbek. 80 D3
Andikithira *i.* Greece *see* Antikythira
Andilamena Madag. 99 E5
Andilanatoby Madag. 99 E5
Andīmeshk Iran 88 C3
Andímilos *i.* Greece *see* Antimilos
Andípsara *i.* Greece *see* Antipsara
Andırın Turkey 90 E3
Andirlangar China 83 E1
Andizhan Uzbek. *see* Andijon
Andkhvoy Afgh. 89 G2
Andoany Madag. 99 E5
Andoas Peru 142 C4
Andogskaya Gryada *hills* Rus. Fed. 42 H4
Andol India 84 C2
Andong China *see* Dandong
Andong S. Korea 75 C5
Andongwei China 77 H1
Andoom Australia 110 C2
Andorra *country* Europe 57 G2

▶Andorra la Vella Andorra 57 G2
Capital of Andorra.

Andorra la Vieja Andorra *see* Andorra la Vella
Andover U.K. 49 F7
Andover *NY* U.S.A. 135 G2
Andover *OH* U.S.A. 134 E3
Andøya *i.* Norway 44 I2
Andrade U.S.A. 129 F5
Andradina Brazil 145 A3
Andranomavo Madag. 99 E5
Andranopasy Madag. 99 E6
Andreanof Islands U.S.A. 150 I2
Andreapol' Rus. Fed. 42 G4
Andreas Isle of Man 48 C4
André Félix, Parc National d' *nat. park* Cent. Afr. Rep. 98 C3
Andrelândia Brazil 145 B3
Andrew Canada 121 H4
Andrew Bay Myanmar 70 A3
Andrews *SC* U.S.A. 133 E5
Andrews *TX* U.S.A. 131 C5
Andria Italy 58 G4
Androka Madag. 99 E6
Andropov Rus. Fed. *see* Rybinsk
Andros *i.* Bahamas 133 E7
Andros *i.* Greece 59 K6
Androscoggin *r.* U.S.A. 135 K2
Andros Town Bahamas 133 E7
Androtti *i.* India 84 B4
Andselv Norway 44 K2
Andújar Spain 57 D4
Andulo Angola 99 B5
Anec, Lake *salt flat* Australia 109 E5
Āneen-Kio *terr.* N. Pacific Ocean *see* Wake Island
Anéfis Mali 96 D3
Anegada, Bahía *b.* Arg. 144 D6
Anegada Passage Virgin Is (U.K.) 137 L5
Aného Togo 96 D4
Aneityum *i.* Vanuatu *see* Anatom
'Aneiza, Jabal *hill* Iraq *see* 'Unayzah, Jabal
Anemourion *tourist site* Turkey 85 A1
Anepmete P.N.G. 69 L8
Anet France 52 B6
Anetchom, Île *i.* Vanuatu *see* Anatom
Aneto *mt.* Spain 57 G2
Änewetak *atoll* Marshall Is *see* Enewetak
Aney Niger 96 E3
Aneytioum, Île *i.* Vanuatu *see* Anatom
Anfu China 77 G3
Angalarri *r.* Australia 108 E3
Angamos, Punta *pt* Chile 144 B2
Ang'angxi China 74 A3

▶Angara *r.* Rus. Fed. 72 G1
Part of the Yenisey-Angara-Selenga, 3rd longest river in Asia.

Angarsk Rus. Fed. 72 I2
Angas Downs Australia 109 F6
Angatuba Brazil 145 A3
Angaur *i.* Palau 69 I5
Ånge Sweden 44 I5
Angel, Salto *waterfall* Venez. *see* Angel Falls
Ángel de la Guarda, Isla *i.* Mex. 127 E7

▶Angel Falls *waterfall* Venez. 142 F2
Highest waterfall in the world.

Ängelholm Sweden 45 H8
Angellala Creek *r.* Australia 112 C1
Angels Camp U.S.A. 128 C2
Ångermanälven *r.* Sweden 44 J5
Angers France 56 D3
Angikuni Lake Canada 121 L2
Angiola U.S.A. 128 D4
Angkor *tourist site* Cambodia 71 C4
Anglesea Australia 112 B7
Anglesey *i.* U.K. 48 C5
Angleton U.S.A. 131 E6
Anglo-Egyptian Sudan *country* Africa *see* Sudan
Angmagssalik Greenland *see* Ammassalik
Ang Mo Kio Sing. 71 [inset]
Ango Dem. Rep. Congo 98 C3
Angoche Moz. 99 D5
Angohrān Iran 88 E5
Angol Chile 144 B5
Angola *country* Africa 99 B5
Angola *IN* U.S.A. 134 C3
Angola *NY* U.S.A. 134 F2
Angola Basin *sea feature* S. Atlantic Ocean 148 H7
Angora Turkey *see* Ankara
Angostura Mex. 127 F8
Angoulême France 56 E4
Angra dos Reis Brazil 145 B3
Angren Uzbek. 80 D3
Ang Thong Thai. 71 C4
Anguang China 74 A3

▶Anguilla *terr.* West Indies 137 L5
United Kingdom Overseas Territory.

Anguilla Cays *is* Bahamas 133 E8
Anguille, Cape Canada 123 K5
Angul India 84 E1
Angus Canada 134 F1
Angutia Char *i.* Bangl. 83 G5
Anholt *i.* Denmark 45 G8
Anhua China 77 F2
Anhui *prov.* China 77 H1
Anhumas Brazil 143 H7
Anhwei *prov.* China *see* Anhui
Aniak U.S.A. 118 C3
Aniakchak National Monument and Preserve *nat. park* U.S.A. 118 C4
Anin Myanmar 70 B4
Anitápolis Brazil 145 A4
Antlı Turkey 85 A1
Aniva Rus. Fed. 74 F3
Aniva, Mys *c.* Rus. Fed. 74 F3
Aniva, Zaliv *b.* Rus. Fed. 74 F3
Anizy-le-Château France 52 D5
Anjadip *i.* India 84 B3
Anjalankoski Fin. 45 O6
Anjengo India 84 C4
Anji China 77 H2
Anjir Avand Iran 88 D3
Anjoman Iran 88 E3
Anjou *reg.* France 56 D3
Anjouan *i.* Comoros *see* Nzwani
Anjozorobe Madag. 99 E5
Anjuman *reg.* Afgh. 89 H3
Anjuthengu India *see* Anjengo
Ankang China 77 F1

▶Ankara Turkey 90 D3
Capital of Turkey.

Ankaratra *mt.* Madag. 99 E5
Ankazoabo Madag. 99 E6
Ankeny U.S.A. 130 E3
An Khê Vietnam 71 E4
Ankleshwar India 82 C5
Anklesvar India *see* Ankleshwar
Ankola India 84 B3
Ankouzhen China 76 E1
An Lôc Vietnam 71 D5
Anlong China 76 E3
Anlu China 77 G2
Anmoore U.S.A. 134 E4
An Muileann gCearr Ireland *see* Mullingar
Anmyŏn-do *i.* S. Korea 75 B5
Ann, Cape Antarctica 152 D2
Ann, Cape U.S.A. 135 J2
Anna Rus. Fed. 43 I6
Anna, Lake U.S.A. 135 G4
Annaba Alg. 58 B6
Annaberg-Buchholtz Germany 53 N4
An Nabk Saudi Arabia 85 C4
An Nabk Syria 85 C2
An Nafūd *des.* Saudi Arabia 91 F5
Annalee *r.* Ireland 51 E3
Annalong U.K. 51 G3
Annam *reg.* Vietnam 68 D3
Annam Highlands *mts* Laos/Vietnam 70 D3
Annan U.K. 50 F6
Annan *r.* U.K. 50 F6
'Annān, Wādī al *watercourse* Syria 85 D2
Annandale U.S.A. 135 G4
Anna Plains Australia 108 C4

▶Annapolis U.S.A. 135 G4
Capital of Maryland.

Annapurna Conservation Area *nature res.* Nepal 83 F3

▶Annapurna I *mt.* Nepal 83 E3
10th highest mountain in the world and in Asia.

Ann Arbor U.S.A. 134 D2
Anna Regina Guyana 143 G2
An Nás Ireland *see* Naas
An Naṣrānī, Jabal *mts* Syria 85 C3
Annean, Lake *salt flat* Australia 109 B6
Anne Arundel Town U.S.A. *see* Annapolis
Annecy France 56 H4
Anne Marie Lake Canada 123 J3
Annen Neth. 52 G1
Annette Island U.S.A. 120 D4
An Nimārah Syria 85 C3
An Nimāṣ Saudi Arabia 86 F6
Anning China 76 D3
Anniston U.S.A. 133 C5
Annobón *i.* Equat. Guinea 96 D5
Annonay France 56 G4
An Nu'mānīyah Iraq 91 G4
An Nuṣayrīyah, Jabal *mts* Syria 85 C2
Anonima *atoll* Micronesia *see* Namonuito
Anoón de Sardinas, Bahía de *b.* Col. 142 C3
Anorontany, Tanjona *hd* Madag. 99 E5
Ano Viannos *Kriti* Greece *see* Viannos
Anpu Gang *b.* China 77 F4
Anqing China 77 H2
Anren China 77 G3
Ans Belgium 52 F4
Ansbach Germany 53 K5
Anser Group *is* Australia 112 C7
Anshan China 74 A4
Anshun China 76 E3
Anshunchang China 76 D2
An Sirḥān, Wādī *watercourse* Saudi Arabia 90 E5
Ansley U.S.A. 130 D3
Anson U.S.A. 131 D5
Anson Bay Australia 108 E3

▶Ashmore and Cartier Islands terr. Australia 108 C3
Australian External Territory.

Ashmore Reef Australia 108 C3
Ashmore Reefs Australia 110 D1
Ashmyany Belarus 45 N9
Ashqelon Israel 85 B4
Ash Shabakah Iraq 91 F5
Ash Shaddādah Syria 91 F3
Ash Shallūfah Egypt 85 A4
Ash Sham Syria see Damascus
Ash Shanāfīyah Iraq 91 G5
Ash Shaqīq well Saudi Arabia 91 F5
Ash Sharāh mts Jordan 85 B4
Ash Sharawrah Saudi Arabia 86 G6
Ash Shāriqah U.A.E. see Sharjah
Ash Sharqāṭ Iraq 91 F4
Ash Shaṭrah Iraq 91 G5
Ash Shaṭṭ Egypt 85 A5
Ash Shawbak Jordan 85 B4
Ash Shaybānī well Saudi Arabia 91 F5
Ash Shaykh Ibrāhīm Syria 85 D2
Ash Shibīyāt hill Saudi Arabia 85 C5
Ash Shiḥr Yemen 86 G7
Ash Shu'āybah Saudi Arabia 91 F6
Ash Shu'bah Saudi Arabia 86 F4
Ash Shurayf Saudi Arabia see Khaybar
Ashta India 82 D5
Ashtabula U.S.A. 134 E3
Ashtarak Armenia 91 G2
Ashti Mahar. India 82 D5
Ashti Mahar. India 84 B2
Ashti Mahar. India 84 C2
Ashtiān Iran 88 C3
Ashton S. Africa 100 E7
Ashton U.S.A. 126 F3
Ashton-under-Lyne U.K. 48 E5
Ashuanipi r. Canada 123 I3
Ashuanipi Lake Canada 123 I3
Ashur Iraq see Ash Sharqāṭ
Ashville U.S.A. 133 C5
Ashwaubenon U.S.A. 134 A1
Asi r. Asia 90 E3 see 'Āṣī, Nahr al
'Āṣī r. Lebanon/Syria see Orontes
'Āṣī, Nahr al r. Asia 90 E3
also known as Asi or Orontes
Āsīā Bak Iran 88 C3
Asifabad India 84 C2
Asika India 84 E2
Asilah Morocco 57 C6
Asinara, Golfo dell' b. Sardinia Italy 58 C4
Asino Rus. Fed. 64 J4
Asipovichy Belarus 43 F5
Asīr Iran 88 D5
'Asīr reg. Saudi Arabia 86 F5
Asisium Italy see Assisi
Askale Pak. 82 C2
Aşkale Turkey 91 F3
Asker Norway 45 G7
Askersund Sweden 45 I7
Askim Norway 45 G7
Askī Mawṣil Iraq 91 F3
Askino Rus. Fed. 41 R4
Askival hill U.K. 50 C4
Asl Egypt see 'Asal
Aslanköy r. Turkey 85 B1
Asmar reg. Afgh. 89 H3

▶Asmara Eritrea 86 E6
Capital of Eritrea.

Āsmera Eritrea see Asmara
Åsnen l. Sweden 45 I8
Aso-Kuju Kokuritsu-kōen nat. park Japan 75 C6
Asonli India 76 B2
Asop India 82 C4
Asori Indon. 69 J7
Āsosa Eth. 98 D2
Asotin U.S.A. 126 D3
Aspang-Markt Austria 47 P7
Aspatria U.K. 48 D4
Aspen U.S.A. 126 G5
Asperg Germany 53 J6
Aspermont U.S.A. 131 C5
Aspiring, Mount N.Z. 113 B7
Aspro, Cape Cyprus 85 A2
Aspromonte, Parco Nazionale dell' nat. park Italy 58 F5
Aspron, Cape Cyprus see Aspro, Cape
Aspur India 89 I6
Asquith Canada 121 J4
As Sa'an Syria 85 C2
Assab Eritrea 86 F7
As Sabsab well Saudi Arabia 88 C5
Assad, Lake resr Syria see Asad, Buḥayrat al
Aş Şadr U.A.E. 88 D5
Aş Şafā lava field Syria 85 C3
Aş Şafāqis Tunisia see Sfax
Aş Şaff Egypt 90 C5
As Safīrah Syria 85 C1
Aş Şaḥrā' al Gharbīyah des. Egypt see Western Desert
Aş Şaḥrā' ash Sharqīyah des. Egypt see Eastern Desert
Assake-Audan, Vpadina depr. Kazakh./Uzbek. 91 J2
'Assal, Lac l. Djibouti see Assal, Lake

▶Assal, Lake Djibouti 86 F7
Lowest point in Africa.

Aş Şāliḥīyah Syria 91 F4
As Sallūm Egypt 90 B5
As Salmān Iraq 91 G5
As Salṭ Jordan 85 B3
Assam state India 83 G4
Assamakka Niger 96 D3
As Samāwah Iraq 91 G5
As Samrā' Jordan 85 C3
Aş Şanām reg. Saudi Arabia 86 H5
As Sarīr reg. Libya 97 F2
Assateague Island U.S.A. 135 H4
As Sawādah reg. Saudi Arabia 88 B6
Assayeta Eth. see Āsayita
As Sayḥ Saudi Arabia 88 B6
Assen Neth. 52 G1
Assenede Belgium 52 D3
Assesse Belgium 52 F4
As Sidrah Libya 97 E1
As Sīfah Oman 88 E6
Assigny, Lac l. Canada 123 I3
As Sikak Saudi Arabia 88 C5
Assiniboia Canada 121 J5
Assiniboine r. Canada 121 L5
Assiniboine, Mount Canada 118 G4
Assis Brazil 145 A3
Assisi Italy 58 E3
Aßlar Germany 53 I4
Aş Şubayḥīyah Kuwait 88 B4
Aş Şufayrī well Saudi Arabia 88 B4
As Sukhnah Syria 85 D2
As Sulaymī Saudi Arabia 86 F4
Aş Şulb reg. Saudi Arabia 88 C5
Aş Şummān plat. Saudi Arabia 88 B5
Aş Şummān plat. Saudi Arabia 88 C6
As Sūq Saudi Arabia 86 F5
As Sūrīyah country Asia see Syria
Aş Şuwar Syria 91 F4
As Suwaydā' Syria 85 C3
As Suways Egypt see Suez
As Suways governorate Egypt 85 A4
Assynt, Loch l. U.K. 50 D2
Astacus Kocaeli Turkey see İzmit
Astakida i. Greece 59 L7
Astakos Greece 59 I5
Astalu Island Pak. see Astola Island

▶Astana Kazakh. 80 D1
Capital of Kazakhstan.

Astaneh Iran 88 C2
Astara Azer. 91 H3
Āstārā Iran 86 G2
Asterabad Iran see Gorgān
Asti Italy 58 C2
Astillero Peru 142 E6
Astin Tag mts China see Altun Shan
Astipálaia i. Greece see Astypalaia
Astola Island Pak. 89 F5
Astor r. Pak. 89 I3
Astorga Spain 57 C2
Astoria U.S.A. 126 C3
Åstorp Sweden 45 H8
Astrabad Iran see Gorgān
Astrakhan' Rus. Fed. 43 K7
Astrakhan' Bazar Azer. see Cälilabad
Astravyets Belarus 45 N9
Astrida Rwanda see Butare
Asturias aut. comm. Spain 57 C2
Asturias, Principado de aut. comm. Spain see Asturias
Asturica Augusta Spain see Astorga
Astypalaia i. Greece 59 L6
Asuncion i. N. Mariana Is 69 L3

▶Asunción Para. 144 E3
Capital of Paraguay.

Aswad Oman 88 E5
Aswān Egypt 86 D5
Aswân Egypt see Aswān
Asyūṭ Egypt see Asyūṭ
Asyūṭ Egypt 90 C6
Ata i. Tonga 107 I4
Atacama, Desierto de des. Chile see Atacama Desert
Atacama, Salar de salt flat Chile 144 C2

▶Atacama Desert Chile 144 C3
Driest place in the world.

Atafu atoll Tokelau 107 I2
Atafu i. Tokelau 150 I6
'Aṭā'iṭah, Jabal al mt. Jordan 85 B4
Atakent Turkey 85 B1
Atakpamé Togo 96 D4
Atalándi Greece see Atalanti
Atalanti Greece 59 J5
Atalaya Peru 142 D6
Ataléia Brazil 145 C2
Atambua Indon. 108 D2
Atamyrat Turkm. 89 G2
Ataniya Turkey see Adana
'Ataq Yemen 86 G7
Atâr Mauritania 96 B2
Atari Pak. 89 I4
Atascadero U.S.A. 128 C4
Atasu Kazakh. 80 D2
Ataúro, Ilha de i. East Timor 108 D2
Atáviros mt. Greece see Attavyros
Atayurt Turkey 85 A1
Atbara Sudan 86 D6
Atbara r. Sudan 86 D6
Atbasar Kazakh. 80 C1
Atchison U.S.A. 130 E4
Atebubu Ghana 96 C4
Ateransk Kazakh. see Atyrau
Āteshān Iran 88 D3
Āteshkhāneh, Kūh-e hill Afgh. 89 F3
Atessa Italy 58 F3
Ath Belgium 52 D4
Athabasca r. Canada 121 I3
Athabasca, Lake Canada 121 I3
Athalia U.S.A. 134 D4
'Athāmīn, Birkat al well Iraq 88 A4
Atharan Hazari Pak. 89 I4
Athboy Ireland 51 F4
Athenae Greece see Athens
Athenry Ireland 51 D4
Athens Canada 135 H1

▶Athens Greece 59 J6
Capital of Greece.

Athens AL U.S.A. 133 C5
Athens GA U.S.A. 133 D5
Athens MI U.S.A. 134 C2
Athens OH U.S.A. 134 D4
Athens PA U.S.A. 135 G3
Athens TN U.S.A. 132 C5
Athens TX U.S.A. 131 E5
Atherstone U.K. 49 F6
Atherton Australia 110 D3
Athies France 52 C5
Athina Greece see Athens
Athínai Greece see Athens
Athleague Ireland 51 D4
Athlone Ireland 51 E4
Athnā', Wādī al watercourse Jordan 85 D3
Athni India 84 B2
Athol N.Z. 113 B7
Athol U.S.A. 135 I2
Atholl, Forest of reg. U.K. 50 E4
Athos mt. Greece 59 K4
Ath Thamad Egypt 85 B5
Ath Thāyat mt. Saudi Arabia 85 C5
Ath Thumāmī well Saudi Arabia 88 B5
Athy Ireland 51 F5
Ati Chad 97 E3
Aṭīābād Iran 88 E3
Atico Peru 142 D7
Atikameg Canada 120 H4
Atikameg r. Canada 122 E3
Atik Lake Canada 121 M4
Atikokan Canada 119 I5
Atikonak Lake Canada 123 I3
Atka Rus. Fed. 65 Q3
Atka Island U.S.A. 118 A4
Atkarsk Rus. Fed. 43 J6
Atkri Indon. 69 I7

▶Atlanta GA U.S.A. 133 C5
Capital of Georgia.

Atlanta IN U.S.A. 134 B3
Atlanta MI U.S.A. 134 C1
Atlantic IA U.S.A. 130 E3
Atlantic NC U.S.A. 133 E5
Atlantic City U.S.A. 135 H4
Atlantic-Indian-Antarctic Basin sea feature S. Atlantic Ocean 148 H10
Atlantic-Indian Ridge sea feature Southern Ocean 148 H9

▶Atlantic Ocean 148
2nd largest ocean in the world.

Atlantic Peak U.S.A. 126 F4
Atlantis S. Africa 100 D7
Atlas Méditerranéen mts Alg. see Atlas Tellien
Atlas Mountains Africa 54 C5
Atlas Saharien mts Alg. 54 E5
Atlas Tellien mts Alg. 57 H6
Atlin Lake Canada 120 C3
Atmakur India 84 C3
Atmore U.S.A. 133 C6
Atnur India 84 C2
Atocha Bol. 142 E8
Atoka U.S.A. 131 D5
Atouat mt. Laos 70 D3
Atouila, Erg des. Mali 96 C2
Atqan China see Aqqan
Atrak r. Iran/Turkm. see Atrek
Atrato r. Col. 142 C2
Atrek r. Iran/Turkm. 88 D2
also known as Atrak, alt. Etrek
Atropatene country Asia see Azerbaijan
Atsonupuri vol. Rus. Fed. 74 G3
Aṭ Ṭafīlah Jordan 85 B4
Aṭ Ṭā'if Saudi Arabia 86 F5
Attalea Turkey see Antalya
Attalia Turkey see Antalya
At Tamīmī Libya 90 A4
Attapu Laos 70 D4
Attavyros mt. Greece 59 L6
Attawapiskat Canada 122 E3
Attawapiskat r. Canada 122 E3
Attawapiskat Lake Canada 122 D3
Aṭ Ṭawīl mts Saudi Arabia 91 E5
At Taysīyah plat. Saudi Arabia 91 F5
Attendorn Germany 53 H3
Attersee l. Austria 47 N7
Attica IN U.S.A. 134 B3
Attica NY U.S.A. 135 F2
Attica OH U.S.A. 134 D3
Attigny France 52 E5
Attikamagen Lake Canada 123 I3
Attila Line Cyprus 85 A2
Attleborough U.K. 49 I6
Attopeu Laos see Attapu
Attu Greenland 119 M3
Aṭ Ṭubayq reg. Saudi Arabia 85 C5

▶Attu Island U.S.A. 65 S4
Most westerly point of North America.

At Tūnisīyah country Africa see Tunisia
Aṭ Ṭūr Egypt 90 D5
Attur India 84 C4
Aṭ Ṭuwayyah well Saudi Arabia 91 F6
Atuk Mountain hill U.S.A. 118 A3
Åtvidaberg Sweden 45 I7
Atwater U.S.A. 128 C3
Atwood U.S.A. 130 C4
Atwood Lake U.S.A. 134 E3
Atyashevo Rus. Fed. 43 J5
Atyrau Kazakh. 78 E2
Atyraū admin. div. Kazakh. see Atyrauskaya Oblast'
Atyrau Oblast admin. div. Kazakh. see Atyrauskaya Oblast'
Atyrauskaya Oblast' admin. div. Kazakh. 41 Q6
Aua Island P.N.G. 69 K7
Aub Germany 53 K5
Aubagne France 56 G5
Aubange Belgium 52 F5
Aubenas France 56 G4
Aubergenville France 52 B6
Auboué France 52 F5
Aubrey Cliffs mts U.S.A. 129 G4
Aubry Lake Canada 118 F3
Auburn r. Australia 111 E5
Auburn Canada 134 E2
Auburn AL U.S.A. 133 C5
Auburn CA U.S.A. 128 C2
Auburn IN U.S.A. 134 C3
Auburn KY U.S.A. 134 B5
Auburn ME U.S.A. 135 J1
Auburn NE U.S.A. 130 E3
Auburn NY U.S.A. 135 G2
Auburn Range hills Australia 110 E5
Aubusson France 56 F4
Auch France 56 E5
Auche Myanmar 70 B1
Auchterarder U.K. 50 F4

▶Auckland N.Z. 113 E3
5th most populous city in Oceania.

Auckland Islands N.Z. 107 G7
Auden Canada 122 D4
Audenarde Belgium see Oudenaarde
Audo mts Eth. 98 E3
Audo Range mts Eth. see Audo
Audruicq France 52 C4
Audubon U.S.A. 130 E3
Aue Germany 53 M4
Auerbach Germany 53 M4
Auerbach in der Oberpfalz Germany 53 L5
Auersberg mt. Germany 53 M4
Augathella Australia 111 D5
Augher U.K. 51 E3
Aughnacloy U.K. 51 F3
Aughrim Ireland 51 F5
Augrabies S. Africa 100 E5
Augrabies Falls S. Africa 100 E5
Augrabies Falls National Park S. Africa 100 E5
Au Gres U.S.A. 134 D1
Augsburg Germany 47 M6
Augusta Australia 109 A8
Augusta Sicily Italy 58 F6
Augusta AR U.S.A. 131 F5
Augusta GA U.S.A. 133 D5
Augusta KY U.S.A. 134 C4

▶Augusta ME U.S.A. 135 K1
Capital of Maine.

Augusta MT U.S.A. 126 E3
Augusta Auscorum France see Auch
Augusta Taurinorum Italy see Turin
Augusta Treverorum Germany see Trier
Augusta Vindelicorum Germany see Augsburg
Augusto de Lima Brazil 145 B2
Augustus, Mount Australia 109 B6
Auke Bay U.S.A. 120 C3
Aukštaitijos nacionalinis parkas nat. park Lith. 45 O9
Aulavik National Park Canada 118 G2
Auld, Lake salt flat Australia 108 C5
Auliye Ata Kazakh. see Taraz
Aulnoye-Aymeries France 52 D4
Aulon Albania see Vlorë
Ault France 52 B4
Aumale Alg. see Sour el Ghozlane
Aumale France 52 B5
Aundh India 84 B2
Aundhi India 84 D1
Aunglan Myanmar 70 A3
Auob watercourse Namibia/S. Africa 100 E4
Aupaluk Canada 123 H2
Aur i. Malaysia 71 D7
Aura Fin. 45 M6
Auraiya India 82 D4
Aurangabad Bihar India 83 F4
Aurangabad Mahar. India 84 B2
Aure r. France 49 F9
Aurich Germany 53 H1
Aurigny i. Channel Is see Alderney
Aurilândia Brazil 145 A2
Aurillac France 56 F4
Aurora CO U.S.A. 126 G5
Aurora IL U.S.A. 134 A3
Aurora MO U.S.A. 131 E4
Aurora NE U.S.A. 130 D3
Aurora UT U.S.A. 129 H2
Aurora Island Vanuatu see Maéwo
Aurukun Australia 110 C2
Aus Namibia 100 C4
Au Sable U.S.A. 134 D1
Au Sable Point U.S.A. 134 D1
Auskerry i. U.K. 50 G1
Austin IN U.S.A. 134 C4
Austin MN U.S.A. 130 E3
Austin NV U.S.A. 128 E2

▶Austin TX U.S.A. 131 D6
Capital of Texas.

Austin, Lake salt flat Australia 109 B6
Austintown U.S.A. 134 E3
Austral Downs Australia 110 B4
Australes, Îles is Fr. Polynesia see Tubuai Islands

▶Australia country Oceania 106 C4
Largest and most populous country in Oceania, and 6th largest in the world.

Australian-Antarctic Basin sea feature S. Atlantic Ocean 150 C9
Australian Antarctic Territory reg. Antarctica 152 G2
Australian Capital Territory admin. div. Australia 112 D5
Austria country Europe 47 N7
Austvågøy i. Norway 44 I2
Autazes Brazil 143 G4
Autesiodorum France see Auxerre
Authie r. France 52 B4
Autti Fin. 44 O3
Auvergne reg. France 56 F4
Auvergne, Monts d' mts France 56 F4
Auxerre France 56 F3
Auxi-le-Château France 52 C4
Auxonne France 56 G3
Auyuittuq National Park Canada 119 L3
Auzangate, Nevado mt. Peru 142 D6
Ava MO U.S.A. 131 E4
Ava NY U.S.A. 135 H2
Avallon France 56 F3
Avalon U.S.A. 128 D5
Avalon Peninsula Canada 123 L5
Avān Iran 91 G3
Avarau atoll Cook Is see Palmerston
Avaré Brazil 145 A3
Avaricum France see Bourges

▶Avarua Cook Is 151 J7
Capital of the Cook Islands, on Rarotonga.

Avawam U.S.A. 134 D5
Avaz Iran 89 F3
Aveiro Port. 57 B3
Aveiro, Ria de est. Port. 57 B3
Āvej Iran 88 C3
Avellino Italy 58 F4
Avenal U.S.A. 128 C3
Avenhorn Neth. 52 E2
Avenio France see Avignon
Aversa Italy 58 F4
Avesnes-sur-Helpe France 52 D4
Avesta Sweden 45 J6
Aveyron r. France 56 E4
Avezzano Italy 58 E3
Aviemore U.K. 50 F3
Avignon France 56 G5
Ávila Spain 57 D3
Avilés Spain 57 D2
Avion France 52 C4
Avis U.S.A. 135 G3
Avlama Dağı mt. Turkey 85 A1
Avlama Dağı mt. Turkey 85 A1
Avlona Albania see Vlorë
Avnyugskiy Rus. Fed. 42 J3
Avoca Australia 112 A6
Avoca r. Australia 112 A5
Avoca Ireland 51 F5
Avoca IA U.S.A. 130 E3
Avoca NY U.S.A. 135 G2
Avola Sicily Italy 58 F6
Avon r. England U.K. 49 E6
Avon r. England U.K. 49 E7
Avon r. England U.K. 49 F8
Avon r. Scotland U.K. 50 F3
Avon U.S.A. 135 G2
Avondale U.S.A. 129 G5
Avonmore r. Ireland 51 F5
Avonmore U.S.A. 134 F3
Avonmouth U.K. 49 E7
Avranches France 56 D2
Avre r. France 52 C5
Avsuyu Turkey 85 C1
Avuavu Solomon Is 107 G2
Avveel Fin. see Ivalo
Avvil Fin. see Ivalo
A'waj r. Syria 85 B3
Awakino N.Z. 113 E4
'Awālī Bahrain 88 C5
Awanui N.Z. 113 D2
Āwarē Eth. 98 E3
'Awāriḍ, Wādī al watercourse Syria 85 D2
Awarua Point N.Z. 113 B7
Āwash Eth. 98 E3
Āwash r. Eth. 98 E2
Awa-shima i. Japan 75 E5
Āwash National Park Eth. 98 D3
Awasib Mountains Namibia 100 B3
Awat China 80 F3
Awatere r. N.Z. 113 E5
Awbārī Libya 96 E2
Awbeg r. Ireland 51 D5
'Awdah well Saudi Arabia 88 C6
'Awdah, Hawr al imp. l. Iraq 91 G5
Aw Dheegle Somalia 97 H4
Awe, Loch l. U.K. 50 D4
Aweil Sudan 97 F4
Awka Nigeria 96 D4
Awserd W. Sahara 96 B2
Axe r. England U.K. 49 D8
Axe r. England U.K. 49 E7
Axedale Australia 112 B6
Axel Heiberg Glacier Antarctica 152 I1
Axel Heiberg Island Canada 119 I2
Axim Ghana 96 C4
Axminster U.K. 49 E8
Axum Eth. see Āksum
Ay France 52 E5
Ayachi, Jbel mt. Morocco 54 D5
Ayacucho Arg. 144 E5
Ayacucho Peru 142 D6
Ayadaw Myanmar 70 A2
Ayagoz Kazakh. 80 F2
Ayaguz Kazakh. see Ayagoz
Ayakkum Hu salt l. China 83 G1
Ayaköz Kazakh. see Ayagoz
Ayan Rus. Fed. 65 O4
Ayancık Turkey 90 D2
Ayang N. Korea 75 B5
Ayaş Turkey 90 D2
Āybak Afgh. 89 H2
Aybas Kazakh. 43 K7
Aydar r. Ukr. 43 H6
Aydarko'l ko'li l. Uzbek. 80 C3
Aydere Turkm. 88 E2
Aydın Turkey 59 L6
Aydıncık Turkey 85 A1
Aydın Dağları mts Turkey 59 L5
Aýdyň Turkm. 88 D2
Āyelu Terara vol. Eth. 86 F7
Ayer U.S.A. 135 J2
Ayers Rock hill Australia see Uluṟu
Ayeyarwady r. Myanmar see Irrawaddy
Ayila Ri'gyü mts China 82 D2
Áyios Dhimítrios Greece see Agios Dimitrios
Áyios Evstrátios i. Greece see Agios Efstratios
Áyios Nikólaos Greece see Agios Nikolaos
Áyios Yeóryios i. Greece see Agios Georgios
Aylesbury N.Z. 113 D6
Aylesbury U.K. 49 G7
Aylett U.S.A. 135 G5
Ayllón Spain 57 E3
Aylmer Ont. Canada 134 E2
Aylmer Que. Canada 135 H1
Aylmer Lake Canada 121 I1
'Ayn al 'Abd well Saudi Arabia 88 C4
'Ayn al Baīdā' Saudi Arabia 85 C4
'Ayn al Bayḍā' well Syria 85 C2
'Ayn al Ghazalah well Libya 90 A4
'Ayn al Maqfī spring Egypt 90 C6
'Ayn Dāllah spring Egypt 90 B6
Aynī Tajik. 89 H2
'Ayn 'Īsá Syria 85 D1
'Ayn Tabaghbugh spring Egypt 90 B5
'Ayn Tumayrah spring Egypt 90 B5
'Ayn Zaytūn Egypt 90 B5
Ayod Sudan 86 D8
Ayon, Ostrov i. Rus. Fed. 65 R3
'Ayoûn el 'Atroûs Mauritania 96 C3
Ayr Australia 110 D3
Ayr Canada 134 E2
Ayr U.K. 50 E5
Ayr r. U.K. 50 E5
Ayr, Point of U.K. 48 D5
Ayrancı Turkey 90 D3
Ayre, Point of Isle of Man 48 C4
Aytos Bulg. 59 L3
A Yun Pa Vietnam 71 E4
Ayutthia Thai. see Ayutthaya
Ayutthaya Thai. 71 C4
Ayvacık Turkey 59 L5
Ayvalı Turkey 90 E3
Ayvalık Turkey 59 L5
Azak Rus. Fed. see Azov
Azalia U.S.A. 134 C4
Azamgarh India 83 E4
Azaouâd reg. Mali 96 C3
Azaouagh, Vallée de watercourse Mali/Nig 96 D3
Azaran Iran see Hashtrud
Azärbaycan country Asia see Azerbaijan
Azärbayjan country Asia see Azerbaijan
Azare Nigeria 96 E3
A'zāz Syria 85 C1
Azbine mts Niger see L'Aïr, Massif de
Azdavay Turkey 90 D2
Azerbaijan country Asia 91 G2
Azerbaydzhanskaya S.S.R. country Asia see Azerbaijan
Azhikal India 84 B4
Aziscohos Lake U.S.A. 135 J1
'Azīzābād Iran 88 E4
Aziziye Turkey see Pınarbaşı
Azogues Ecuador 142 C4

▶Azores terr. N. Atlantic Ocean 148 G3
Autonomous region of Portugal.

Azores-Biscay Rise sea feature N. Atlantic Ocean 148 G3
Azotus Israel see Ashdod
Azov Rus. Fed. 43 H7
Azov, Sea of Rus. Fed./Ukr. 43 H7
Azovs'ke More sea Rus. Fed./Ukr. see Azov, Sea of
Azovskoye More sea Rus. Fed./Ukr. see Azov, Sea of
Azraq, Bahr el r. Eth./Sudan 86 D6 see Blue Nile
Azraq ash Shīshān Jordan 85 C4
Azrou Morocco 54 C5
Aztec U.S.A. 129 I3
Azuaga Spain 57 D4
Azuero, Península de pen. Panama 137 H7
Azul, Cordillera mts Peru 142 C5
Azuma-san vol. Japan 75 F5
'Azza Gaza see Gaza
Azzaba Alg. 58 B6
Aẓ Ẓahrān Saudi Arabia see Dhahran
Az Zaqāzīq Egypt 90 C5
Az Zarbah Syria 85 C1
Az Zarqā' Jordan 85 C3
Az Zawr, Ra's pt Saudi Arabia 91 H6
Azzeffāl hills Mauritania/W. Sahara 96 B2
Az Zubayr Iraq 91 G5
Az Zuqur i. Yemen 86 F7

B

Ba, Sông r. Vietnam 71 E4
Baa Indon. 108 C2
Baabda Lebanon 85 B3
Ba'albek Lebanon 85 C2
Ba'al Ḥazor mt. West Bank 85 B4
Baan Baa Australia 112 D3
Baardheere Somalia 98 E3
Bab India 82 D4
Bābā, Kūh-e mts Afgh. 89 H3
Baba Burnu pt Turkey 59 L5
Babadağ mt. Azer. 91 H2
Babadag Romania 59 M2
Babadurmaz Turkm. 88 E2
Babaeski Turkey 59 L4
Babahoyo Ecuador 142 C4
Babai India 82 D5
Babai r. Nepal 83 E3
Bābā Kalān Iran 88 C4
Bāb al Mandab strait Africa/Asia 86 F7
Babanusa Sudan 86 C7
Babao Qinghai China see Qilian
Babao Yunnan China 76 E4
Babar i. Indon. 108 E1
Babar, Kepulauan is Indon. 108 E1
Babati Tanz. 99 D4
Babayevo Rus. Fed. 42 G4
Babayurt Rus. Fed. 91 G2
B'abdā Lebanon see Baabda
Bab el Mandeb, Straits of Africa/Asia see Bāb al Mandab
Babi, Pulau i. Indon. 71 B7
Babian Jiang r. China 76 D4
Babine r. Canada 120 E4
Babine Lake Canada 120 E4
Babine Range mts Canada 120 E4
Bābol Iran 88 D2
Bābol Sar Iran 88 D2
Babongo Cameroon 97 E4
Baboon Point S. Africa 100 D7
Baboua Cent. Afr. Rep. 98 B3
Babruysk Belarus 43 F5
Babstovo Rus. Fed. 74 D2
Babu China see Hezhou
Babuhri India 82 B4
Babusar Pass Pak. 89 I3
Babuyan i. Phil. 69 G3
Babuyan Channel Phil. 69 G3
Babuyan Islands Phil. 69 G3
Bacaadweyn Somalia 98 E3
Bacabal Brazil 143 J4
Bacan i. Indon. 69 H7
Bacanora Mex. 127 F7
Bacău Romania 59 L1
Baccaro Point Canada 123 I6
Bắc Giang Vietnam 70 D2
Bacha China 74 D2
Bach Ice Shelf Antarctica 152 L2
Bach Long Vi, Đao i. Vietnam 70 D2
Bachu China 80 E4
Bachuan China see Tongliang
Back r. Australia 110 C3
Back r. Canada 121 M1
Bačka Palanka Serbia 59 H2
Backbone Mountain U.S.A. 134 F4
Backbone Ranges mts Canada 120 D2
Backe Sweden 44 J5
Backstairs Passage Australia 111 B7
Bạc Liêu Vietnam 71 D5
Bắc Ninh Vietnam 70 D2
Bacoachi Mex. 127 F7
Bacoachi watercourse Mex. 127 F7

acobampo Mex. 127 F8
acolod Phil. 69 G4
acqueville, Lac *l.* Canada 122 G2
acqueville-en-Caux France 49 H9
acubirito Mex. 127 G8
ad Iran 88 D3
ada China *see* Xilin
ada *mt.* Eth. 98 D3
ada *i.* Myanmar 71 B5
adabayhan Turkm. 89 F2
ad Abbach Germany 53 M6
adagara India 84 B4
adain Jaran Shamo *des.* China 80 J3
adajoz Spain 57 C4
adami India 84 B3
adampaharh India 83 F5
adanah Saudi Arabia 91 F5
adanjilin Shamo *des.* China *see* Badain Jaran Shamo
adaojiang China *see* Baishan
adarpur India 83 H4
adaun India *see* Budaun
ad Axe U.S.A. 134 D2
ad Bederkesa Germany 53 I1
ad Bergzabern Germany 53 H5
ad Berleburg Germany 53 I3
ad Bevensen Germany 53 K1
ad Blankenburg Germany 53 L4
ad Camberg Germany 53 I4
adderen Norway 44 M2
ad Driburg Germany 53 J3
ad Düben Germany 53 M3
ad Dürkheim Germany 53 I5
ad Dürrenberg Germany 53 M3
ademli Turkey *see* Aladağ
ademli Geçidi *pass* Turkey 90 C3
ad Ems Germany 53 H4
aden Austria 47 P6
aden Switz. 56 I3
aden-Baden Germany 53 I6
aden-Württemberg *land* Germany 53 I6
ad Essen Germany 53 I2
ad Grund (Harz) Germany 53 K3
ad Harzburg Germany 53 K3
ad Hersfeld Germany 53 J4
ad Hofgastein Austria 47 N7
ad Homburg vor der Höhe Germany 53 I4
adia Polesine Italy 58 D2
adin Pak. 89 H5
ad Ischl Austria 47 N7
ādiyat ash Shām *des.* Asia *see* Syrian Desert
ad Kissingen Germany 53 K4
ad Königsdorff Poland *see* Jastrzębie-Zdrój
ad Kösen Germany 53 L3
ad Kreuznach Germany 53 H5
ad Laasphe Germany 53 I4
adlands *reg.* ND U.S.A. 130 C2
adlands *reg.* SD U.S.A. 130 C3
adlands National Park U.S.A. 130 C3
ad Langensalza Germany 53 K3
ad Lauterberg im Harz Germany 53 K3
ad Liebenwerda Germany 53 N3
ad Lippspringe Germany 53 I3
ad Marienberg (Westerwald) Germany 53 H4
ad Mergentheim Germany 53 J5
ad Nauheim Germany 53 I4
adnawar India 82 C5
adnera India 84 C1
ad Neuenahr-Ahrweiler Germany 52 H4
ad Neustadt an der Saale Germany 53 K4
adnor India 82 C4
adong China 77 F2
a Đông Vietnam 71 D5
adou Togo 96 D4
ad Pyrmont Germany 53 J3
adrah Iraq 91 G4
ad Reichenhall Germany 47 N7
adr Ḥunayn Saudi Arabia 86 E5
ad Sachsa Germany 53 K3
ad Salzdetfurth Germany 53 K2
ad Salzuflen Germany 53 I2
ad Salzungen Germany 53 K4
ad Schwalbach Germany 53 I4
ad Schwartau Germany 47 M4
ad Segeberg Germany 47 M4
ad Sobernheim Germany 53 H5
adu Island Australia 110 C1
adulla Sri Lanka 84 D5
ad Vilbel Germany 53 I4
ad Wilsnack Germany 53 L2
ad Windsheim Germany 53 K5
adzhal Rus. Fed. 74 D2
adzhal'skiy Khrebet *mts* Rus. Fed. 74 D2
ad Zwischenahn Germany 53 I1
ae Colwyn U.K. *see* Colwyn Bay
aesweiler Germany 52 G4
aeza Spain 57 E5
afatá Guinea-Bissau 96 B3
affa Pak. 89 I3
affin Bay *sea* Canada/Greenland 119 L2

▶Baffin Island Canada 119 L3
2nd largest island in North America, and 5th in the world.

Bafia Cameroon 96 E4
Bafilo Togo 96 D4
Bafing *r.* Africa 96 B3
Bafoulabé Mali 96 B3
Bafoussam Cameroon 96 E4
Bāfq Iran 88 D4
Bafra Turkey 90 D2
Bafra Burnu *pt* Turkey 90 D2
Bāft Iran 88 E4
Bafwaboli Dem. Rep. Congo 98 C3
Bafwasende Dem. Rep. Congo 98 C3
Bagaha India 83 F4
Bagalkot India 84 B2
Bagalkote India *see* Bagalkot
Bagamoyo Tanz. 99 D4
Bagan China 76 C1
Bagan Datoh Malaysia *see* Bagan Datuk
Bagan Datuk Malaysia 71 C7
Bagansiapiapi Indon. 71 C7
Bagata Dem. Rep. Congo 98 B4
Bagdad U.S.A. 129 G4
Bagdarin Rus. Fed. 73 K2
Bagé Brazil 144 F4
Bagenalstown Ireland 51 F5
Bagerhat Bangl. 83 G5
Bageshwar India 82 D3
Baggs U.S.A. 126 G4
Baggy Point U.K. 49 C7
Bagh India 82 C5
Bàgh a' Chaisteil U.K. *see* Castlebay
Baghak Pak. 89 G4
Baghbaghū Iran 89 F2

▶Baghdād Iraq 91 G4
Capital of Iraq.

Bāgh-e Malek Iran 88 C4
Bagherhat Bangl. *see* Bagerhat
Bāghīn Iran 88 E4
Baghlān Afgh. 89 H2
Baghrān Afgh. 89 G3
Bağırsak *r.* Turkey 85 C1
Bağırsak Deresi *r.* Syria/Turkey *see* Sājūr, Nahr
Bagley U.S.A. 130 E2
Baglung Nepal 83 E3
Bagnères-de-Luchon France 56 E5
Bago Myanmar *see* Pegu
Bago Phil. 69 G4
Bagong China *see* Sansui
Bagor India 89 I5
Bagrationovsk Rus. Fed. 45 L9
Bagrax China *see* Bohu
Bagrax Hu *l.* China *see* Bosten Hu
Baguio Phil. 69 G3
Bagur, Cabo *c.* Spain *see* Begur, Cap de
Bagzane, Monts *mts* Niger 96 D3
Bahādorābād-e Bālā Iran 88 E4
Bahalda India 83 F5
Bahāmabād Iran *see* Rafsanjān
Bahamas, The *country* West Indies 133 E7
Bahara Pak. 89 G5
Baharampur India 83 G4
Bahardipur Pak. 89 H5
Bahariya Oasis *oasis* Egypt *see* Bahrīyah, Wāḩāt al
Bahau Malaysia 71 C7
Bahawalnagar Pak. 89 I4
Bahawalpur Pak. 89 H4
Bahçe *Adana* Turkey 85 B1
Bahçe *Osmaniye* Turkey 90 E3
Baher Dar Eth. *see* Bahir Dar
Baheri India 82 D3
Bahia Brazil *see* Salvador
Bahia *state* Brazil 145 C1
Bahía, Islas de la *is* Hond. 137 G5
Bahía Asunción Mex. 127 E8
Bahía Blanca Arg. 144 D5
Bahía Kino Mex. 127 F7
Bahía Laura Arg. 144 C7
Bahía Negra Para. 144 E2
Bahía Tortugas Mex. 127 E8
Bahir Dar Eth. 98 D2
Bahl India 82 C3
Bahlā Oman 88 E6
Bahomonte Indon. 69 G7
Bahraich India 83 E4
Bahrain *country* Asia 88 C5
Bahrain, Gulf of Asia 88 C5
Bahrām Beyg Iran 88 C2
Bahrāmjerd Iran 88 E4
Bahrīyah, Wāḩāt al *oasis* Egypt 90 C6
Bahuaja-Sonene, Parque Nacional *nat. park* Peru 142 E6
Baia Mare Romania 59 J1
Baiazeh Iran 88 D3
Baicang China 83 G3
Baicheng *Henan* China *see* Xiping
Baicheng *Jilin* China 74 A3
Baicheng *Xinjiang* China 80 F3
Baidoa Somalia *see* Baydhabo
Baidoi Co *l.* China 83 F2
Baidu China 77 H3
Baie-aux-Feuilles Canada *see* Tasiujaq
Baie-Comeau Canada 123 H4
Baie-du-Poste Canada *see* Mistissini
Baie-St-Paul Canada 123 H5
Baie-Trinité Canada 123 I4
Baie Verte Canada 123 K4
Baiguan China *see* Shangyu
Baiguo *Hubei* China 77 G2
Baiguo *Hunan* China 77 G3
Baihanchang China 76 C3
Baihar India 82 E5
Baihe *Jilin* China 74 C4
Baihe *Shaanxi* China 77 F1
Baiji Iraq *see* Bayjī

▶Baikal, Lake Rus. Fed. 72 J2
Deepest and 2nd largest lake in Asia, and 8th largest in the world.

Baikunthpur India 83 E5
Baile Átha Cliath Ireland *see* Dublin
Baile Átha Luain Ireland *see* Athlone
Baile Mhartainn U.K. 50 B3
Baile na Finne Ireland 51 D3
Băileşti Romania 59 J2
Bailey Range *hills* Australia 109 C7
Bailianhe Shuiku *resr* China 77 G2
Bailieborough Ireland 51 F4
Bailleul France 52 C4
Baillie *r.* Canada 121 J1
Bailong China *see* Hadapu
Bailong Jiang *r.* China 76 E1
Baima *Qinghai* China 76 D1
Baima *Xizang* China *see* Baxoi
Baima Jian *mt.* China 77 H2
Baimuru P.N.G. 69 K8
Bain *r.* U.K. 48 G5
Bainang China *see* Norkyung
Bainbridge *GA* U.S.A. 133 C6
Bainbridge *IN* U.S.A. 134 B4
Bainbridge *NY* U.S.A. 135 H2
Bainduru India 84 B3
Baingoin China *see* Porong
Baini China *see* Yuqing
Baiona Spain 57 B2
Baiqên China 76 D1
Baiquan China 74 B3
Bā'ir Jordan 85 C4
Bā'ir, Wādī *watercourse* Jordan/Saudi Arabia 85 C4
Bairab Co *l.* China 83 E2
Bairat India 82 D4
Baird U.S.A. 131 D5
Baird Mountains U.S.A. 118 C3

▶Bairiki Kiribati 150 H5
Capital of Kiribati, on Tarawa atoll.

Bairin Youqi China *see* Daban
Bairnsdale Australia 112 C6
Baisha *Chongqing* China 76 E2
Baisha *Hainan* China 77 F5
Baisha *Sichuan* China 77 F2
Baishan *Guangxi* China *see* Mashan
Baishan *Jilin* China 74 B4
Baishan *Jilin* China *see* Baishanzhen
Baishanzhen China 74 B4
Baishui *Shaanxi* China 77 F1
Baishui *Sichuan* China 76 E1
Baishui Jiang *r.* China 76 E1
Baisogala Lith. 45 M9
Baitadi Nepal 82 E3
Baitang China 76 C1
Bai Thương Vietnam 70 D3
Baixi China *see* Yibin
Baiyashi China *see* Dong'an
Baiyin China 72 I5
Baiyü China 76 C2
Baiyuda Desert Sudan 86 D6
Baja Hungary 58 H1
Baja, Punta *pt* Mex. 127 E7
Baja California *pen.* Mex. 127 E7
Baja California *state* Mex. 127 E7
Baja California Norte *state* Mex. *see* Baja California
Baja California Sur *state* Mex. 127 E8
Bajan Mex. 131 C7
Bajau *i.* Indon. 71 D7
Bajaur *reg.* Pak. 89 H3
Bajawa Indon. 108 C2
Baj Baj India 83 G5
Bājgīrān Iran 88 E2
Bājil Yemen 86 F7
Bajo Caracoles Arg. 144 B7
Bajoga Nigeria 96 E3
Bajoi China 76 D2
Bajrakot India 83 F5
Bakala Cent. Afr. Rep. 97 F4
Bakanas Kazakh. 80 E3
Bakar Pak. 89 H5
Bakel Senegal 96 B3
Baker *CA* U.S.A. 128 E4
Baker *ID* U.S.A. 126 E3
Baker *LA* U.S.A. 131 F6
Baker *MT* U.S.A. 126 G3
Baker *NV* U.S.A. 129 F2
Baker *OR* U.S.A. 126 D3
Baker *WV* U.S.A. 135 F4
Baker, Mount *vol.* U.S.A. 126 C2
Baker Butte *mt.* U.S.A. 129 H4

▶Baker Island *terr.* N. Pacific Ocean 107 I1
United States Unincorporated Territory.

Baker Island U.S.A. 120 C4
Baker Lake *salt flat* Australia 109 D6
Baker Lake Canada 121 M1
Baker Lake *l.* Canada 121 M1
Baker's Dozen Islands Canada 122 F2
Bakersfield U.S.A. 128 D4
Bakersville U.S.A. 132 D4
Bå Kêv Cambodia 71 D4
Bakhardok Turkm. *see* Bokurdak
Bākharz *mts* Iran 89 F3
Bakhasar India 82 B4
Bakhirevo Rus. Fed. 74 C2
Bakhmach Ukr. 43 G6
Bakhma Dam Iraq *see* Bēkma, Sadd
Bakhmut Ukr. *see* Artemivs'k
Bākhtarān Iran *see* Kermānshāh
Bakhtegan, Daryācheh-ye *l.* Iran 88 D4
Bakhtiari Country *reg.* Iran 88 C3
Bakı Azer. *see* Baku
Baki *Awdal* 98 E2
Bakırköy Turkey 59 M4
Bakkejord Norway 44 K2
Bakloh India 82 C2
Bako Eth. 98 D3
Bakongan Indon. 71 B7
Bakouma Cent. Afr. Rep. 98 C3
Baksan Rus. Fed. 91 F2

▶Baku Azer. 91 H2
Capital of Azerbaijan.

Baku Dem. Rep. Congo 98 D3
Bakutis Coast Antarctica 152 J2
Baky Azer. *see* Baku
Balâ Turkey 90 D3
Bala U.K. 49 D6
Bala, Cerros de *mts* Bol. 142 E6
Balabac *i.* Phil. 68 F5
Balabac Strait Malaysia/Phil. 68 F5
Baladeh *Māzandarān* Iran 88 C2
Baladeh *Māzandarān* Iran 88 C2
Baladek Rus. Fed. 74 D1
Balaghat India 82 E5
Balaghat Range *hills* India 84 B2
Bālā Ḩowz Iran 88 E4
Balaka Malawi 99 D5
Balakän Azer. 91 G2
Balakhna Rus. Fed. 42 I4
Balakhta Rus. Fed. 72 G1
Balaklava Australia 111 B7
Balaklava Ukr. 90 D1
Balakleya Ukr. *see* Balakliya
Balakliya Ukr. 43 H6
Balakovo Rus. Fed. 43 J5
Bala Lake *l.* U.K. 49 D6
Balaman India 82 E4
Balan India 82 B4
Balanda Rus. Fed. *see* Kalininsk
Balanda *r.* Rus. Fed. 43 J6
Balan Dağı *hill* Turkey 59 M6
Balanga Phil. 69 G4
Balangir India *see* Bolangir
Balaözen *r.* Kazakh./Rus. Fed. *see* Malyy Uzen'
Balarampur India *see* Balrampur
Balashov Rus. Fed. 43 I6
Balasore India *see* Baleshwar
Balaton, Lake Hungary 58 G1
Balatonboglár Hungary 58 G1
Balatonfüred Hungary 58 G1
Balbina Brazil 143 G4
Balbina, Represa de *resr* Brazil 143 G4
Balbriggan Ireland 51 F4
Balchik Bulg. 59 M3
Balclutha N.Z. 113 B8
Balcones Escarpment U.S.A. 131 C6
Bald Knob U.S.A. 134 E5
Bald Mountain U.S.A. 129 F3
Baldock Lake Canada 121 L3
Baldwin Canada 134 F1
Baldwin *FL* U.S.A. 133 D6
Baldwin *MI* U.S.A. 134 C2
Baldwin *PA* U.S.A. 134 F3
Baldy Mount Canada 126 D2
Baldy Mountain *hill* Canada 121 K5
Baldy Peak U.S.A. 129 I5
Bale Indon. 68 C7
Bâle Switz. *see* Basel
Baléa Mali 96 B3
Baleares *is* Spain *see* Balearic Islands
Baleares, Islas *is* Spain *see* Balearic Islands
Baleares Insulae *is* Spain *see* Balearic Islands
Balearic Islands *is* Spain 57 G4
Balears *is* Spain *see* Balearic Islands
Balears, Illes *is* Spain *see* Balearic Islands
Baleia, Ponta da *pt* Brazil 145 D2
Bale Mountains National Park Eth. 98 D3
Baler Phil. 69 G3
Baleshwar India 83 F5
Balestrand Norway 45 E6
Baléyara Niger 96 D3
Balezino Rus. Fed. 41 Q4
Balfe's Creek Australia 110 D4
Balfour Downs Australia 108 C5
Balgo Australia 108 D5
Balguntay China 80 G3
Bali India 82 C4
Bali *i.* Indon. 108 A2
Bali, Laut *sea* Indon. 108 A1
Balia India *see* Ballia
Baliapal India 83 F5
Balige Indon. 71 B7
Baliguda India 84 D1
Balıkesir Turkey 59 L5
Balīkh *r.* Syria/Turkey 85 D2
Balikpapan Indon. 68 F7
Balimila Reservoir India 84 D2
Balimo P.N.G. 69 K8
Balin China 74 A2
Baling Malaysia 71 C6
Balingen Germany 47 L6
Balintore U.K. 50 F3
Bali Sea Indon. *see* Bali, Laut
Balk Neth. 52 F2
Balkanabat Turkm. 88 D2
Balkan Mountains Bulg./Serbia 59 J3
Balkassar Pak. 89 I3
Balkhash Kazakh. 80 D2

▶Balkhash, Lake Kazakh. 80 D2
3rd largest lake in Asia.

Balkhash, Ozero *l.* Kazakh. *see* Balkhash, Lake
Balkuduk Kazakh. 43 J7
Ballachulish U.K. 50 D4
Balladonia Australia 109 C8
Balladoran Australia 112 D3
Ballaghaderreen Ireland 51 D4
Ballan Australia 112 B6
Ballangen Norway 44 J2
Ballantine U.S.A. 126 F3
Ballantrae U.K. 50 E5
Ballarat Australia 112 A6
Ballard, Lake *salt flat* Australia 109 C7
Ballarpur India 84 C2
Ballater U.K. 50 F3
Ballé Mali 96 C3
Ballena, Punta *pt* Chile 144 B3
Balleny Islands Antarctica 152 H2
Ballia India 83 F4
Ballina Australia 112 F2
Ballina Ireland 51 C3
Ballinafad Ireland 51 D3
Ballinalack Ireland 51 E4
Ballinamore Ireland 51 E3
Ballinasloe Ireland 51 D4
Ballindine Ireland 51 D4
Ballinger U.S.A. 131 D6
Ballinluig U.K. 50 F4
Ballinrobe Ireland 51 C4
Ballston Spa U.S.A. 135 I2
Ballybay Ireland 51 F3
Ballybunion Ireland 51 C5
Ballycanew Ireland 51 F5
Ballycastle Ireland 51 C3
Ballycastle U.K. 51 F2
Ballyclare U.K. 51 G3
Ballyconnell Ireland 51 E3
Ballygar Ireland 51 D4
Ballygawley U.K. 51 E3
Ballygorman Ireland 51 E2
Ballyhaunis Ireland 51 D4
Ballyheigue Ireland 51 C5
Ballykelly U.K. 51 E2
Ballylynan Ireland 51 E5
Ballymacmague Ireland 51 E5
Ballymahon Ireland 51 E4
Ballymena U.K. 51 F3
Ballymoney U.K. 51 F2
Ballymote Ireland 51 D3
Ballynahinch U.K. 51 G3
Ballyshannon Ireland 51 D3
Ballyteige Bay Ireland 51 F5
Ballyvaughan Ireland 51 C4
Ballyward U.K. 51 F3
Balmartin U.K. *see* Baile Mhartainn
Balmer India *see* Barmer
Balmertown Canada 121 M5
Balmorhea U.S.A. 131 C6
Balochistan *prov.* Pak. 89 G4
Balombo Angola 99 B5
Balonne *r.* Australia 112 D2
Balotra India 82 C4
Balqash Kazakh. *see* Balkhash
Balqash Köli *l.* Kazakh. *see* Balkhash, Lake
Balrampur India 83 E4
Balranald Australia 112 A5
Balş Romania 59 K2
Balsam Lake Canada 135 F1
Balsas Brazil 143 I5
Balta Ukr. 43 F7
Baltasound U.K. 50 [inset]
Baltay Rus. Fed. 43 J5
Bălţi Moldova 43 E7
Baltic U.S.A. 134 E3
Baltic Sea *g.* Europe 45 J9
Balṭīm Egypt 90 C5
Baltîm Egypt *see* Balṭīm
Baltimore S. Africa 101 I2
Baltimore *MD* U.S.A. 135 G4
Baltimore *OH* U.S.A. 134 D4
Baltinglass Ireland 51 F5
Baltistan *reg.* Pak. 82 C2
Baltiysk Rus. Fed. 45 K9
Balu India 76 B3
Baluarte, Arroyo *watercourse* U.S.A. 131 D7
Baluch Ab *well* Iran 88 E4
Balumundam Indon. 71 B7
Balurghat India 83 G4
Balve Germany 53 H3
Balvi Latvia 45 O8
Balya Turkey 59 L5
Balykchy Kyrg. 80 E3
Balykshi Kazakh. 78 E2
Balyqshy Kazakh. *see* Balykshi
Bam Iran 88 E4
Bām Iran 88 E2
Bama China 76 E3

▶Bamako Mali 96 C3
Capital of Mali.

Bamba Mali 96 C3
Bambari Cent. Afr. Rep. 98 C3
Bambel Indon. 71 B7
Bamberg Germany 53 K5
Bamberg U.S.A. 133 D5
Bambili Dem. Rep. Congo 98 C3
Bambio Cent. Afr. Rep. 98 B3
Bamboesberg *mts* S. Africa 101 H6
Bamboo Creek Australia 108 C5
Bambouti Cent. Afr. Rep. 98 C3
Bambuí Brazil 145 B3
Bamda China 76 C2
Bamenda Cameroon 96 E4
Bāmīān Afgh. 89 G3
Bamiantong China *see* Muling
Bamingui Cent. Afr. Rep. 98 C3
Bamingui-Bangoran, Parc National du *nat. park* Cent. Afr. Rep. 98 B3
Bâmnak Cambodia 71 D4
Bamnet Narong Thai. 70 C4
Bamor India 82 D4
Bamori India 84 C1
Bam Posht *reg.* Iran 89 F5
Bam Posht, Kūh-e *mts* Iran 89 F5
Bampton U.K. 49 D8
Bampūr Iran 89 F5
Bampūr *watercourse* Iran 89 E5
Bamrūd Iran 89 F3
Bam Tso *l.* China 83 G3
Bamyili Australia 108 F3
Banaba *i.* Kiribati 107 G2
Banabuiu, Açude *resr* Brazil 143 K5
Bañados del Izozog *swamp* Bol. 142 F7
Banagher Ireland 51 E4
Banalia Dem. Rep. Congo 98 C3
Banamana, Lagoa *l.* Moz. 101 K2
Banamba Mali 96 C3
Banámichi Mex. 127 F7
Banana Australia 110 E5
Bananal, Ilha do *i.* Brazil 143 H6
Bananga India 71 A6
Banapur India 84 E2
Banas *r.* India 82 D4
Banaz Turkey 59 M5
Ban Ban Laos 70 C3
Banbar China *see* Domartang
Ban Bo Laos 70 C3
Banbridge U.K. 51 F3
Ban Bua Chum Thai. 70 C4
Ban Bua Yai Thai. 70 C4
Ban Bungxai Laos 70 D4
Banbury U.K. 49 F6
Ban Cang Vietnam 70 C2
Banc d'Arguin, Parc National du *nat. park* Mauritania 96 B2
Ban Channabot Thai. 70 C3
Banchory U.K. 50 G3
Bancroft Canada 135 G1
Bancroft Zambia *see* Chililabombwe
Banda Dem. Rep. Congo 98 C3
Banda India 82 E4
Banda, Kepulauan *is* Indon. 69 H7
Banda, Laut *sea* Indon. 69 H8
Banda Aceh Indon. 71 A6
Banda Banda, Mount Australia 112 F3
Banda Daud Shah Pak. 89 H3
Bandahara, Gunung *mt.* Indon. 71 B7
Bandama *r.* Côte d'Ivoire 96 C4
Bandān Kūh *mts* Iran 89 F4
Bandar India *see* Machilipatnam
Bandar Moz. 99 D5
Bandar Abbas Iran *see* Bandar-e 'Abbās
Bandarban Bangl. 83 H5
Bandar-e 'Abbās Iran 88 E5
Bandar-e Anzalī Iran 88 C2
Bandar-e Deylam Iran 88 C4
Bandar-e Emām Khomeynī Iran 88 C4
Bandar-e Lengeh Iran 88 D5
Bandar-e Ma'shur Iran 88 C4
Bandar-e Nakhīlū Iran 88 D5
Bandar-e Pahlavī Iran *see* Bandar-e Anzalī
Bandar-e Shāh Iran *see* Bandar-e Torkeman
Bandar-e Shāhpūr Iran *see* Bandar-e Emām Khomeynī
Bandar-e Shīū' Iran 88 D5
Bandar-e Torkeman Iran 88 D2
Bandar Labuan Malaysia *see* Labuan
Bandar Lampung Indon. 68 D8
Bandarpunch *mt.* India 82 D3

▶Bandar Seri Begawan Brunei 68 E6
Capital of Brunei.

Banda Sea *sea* Indon. *see* Banda, Laut
Band-e Amīr *l.* Afgh. 89 G3
Band-e Amīr, Daryā-ye *r.* Afgh. 89 G2
Band-e Bābā *mts* Afgh. 89 F3
Bandeira Brazil 145 C1
Bandeirante Brazil 145 A1
Bandeiras, Pico de *mt.* Brazil 145 C3
Bandelierkop S. Africa 101 I2
Banderas Mex. 131 B6
Banderas, Bahía de *b.* Mex. 136 C4
Band-e Sar Qom Iran 88 D3
Band-e Torkestān *mts* Afgh. 89 F3
Bandhi Pak. 89 H5
Bandhogarh India 82 E5
Bandi *r.* India 82 C4
Bandiagara Mali 96 C3
Bandikui India 82 D4
Bandipur National Park India 84 C4
Bandırma Turkey 59 L4
Bandjarmasin Indon. *see* Banjarmasin
Bandon Ireland 51 D6
Bandon *r.* Ireland 51 D6
Ban Don Thai. *see* Surat Thani
Bandon U.S.A. 126 B4
Band Qīr Iran 88 C4
Bandra India 84 B2
Bandundu Dem. Rep. Congo 98 B4
Bandung Indon. 68 D8
Bandya Australia 109 C6
Bāneh Iran 88 B3
Banera India 82 C4
Banes Cuba 137 I4
Banff Canada 120 H5
Banff U.K. 50 G3
Banff National Park Canada 120 G5
Banfora Burkina 96 C3
Banga Dem. Rep. Congo 99 C4
Bangalore India 84 C3
Bangalow Australia 112 F2
Bangaon India 83 G5
Bangar Brunei 68 F6
Bangassou Cent. Afr. Rep. 98 C3
Bangdag Co *salt l.* China 83 E2
Banggai Indon. 69 G7
Banggai, Kepulauan *is* Indon. 69 G7
Banggi *i.* Malaysia 68 F5
Banghāzī Libya *see* Benghazi
Banghiang, Xé *r.* Laos 70 D3
Bangka *i.* Indon. 68 D7
Bangka, Selat *sea chan.* Indon. 68 D7
Bangkalan Indon. 68 E8
Bangkaru *i.* Indon. 71 B7
Bangko Indon. 68 C7

▶Bangkok Thai. 71 C4
Capital of Thailand.

Bangkok, Bight of *b.* Thai. 71 C4
Bangkor China 83 F3
Bangla *state* India *see* West Bengal

▶Bangladesh *country* Asia 83 G4
7th most populous country in the world.

Bangma Shan *mts* China 76 C4
Bang Mun Nak Thai. 70 C3
Ba Ngoi Vietnam 71 E5
Bangolo Côte d'Ivoire 96 C4
Bangong Co *salt l.* China/India 82 D2
Bangor Ireland 51 C3
Bangor *Northern Ireland* U.K. 51 G3
Bangor *Wales* U.K. 48 C5
Bangor *ME* U.S.A. 132 G2
Bangor *MI* U.S.A. 134 B2
Bangor *PA* U.S.A. 135 H3
Bangs, Mount U.S.A. 129 G3
Bang Saphan Yai Thai. 71 B5
Bangsund Norway 44 G4
Bangued Phil. 69 G3

▶Bangui Cent. Afr. Rep. 98 B3
Capital of the Central African Republic.

Bangweulu, Lake Zambia 99 C5
Banhā Egypt 90 C5
Banhine, Parque Nacional de *nat. park* Moz. 101 K2
Ban Hin Heup Laos 70 C3
Ban Houei Sai Laos *see* Huayxay
Ban Huai Khon Thai. 70 C3
Ban Huai Yang Thai. 71 B5
Bani, Jbel *ridge* Morocco 54 C6
Bania Cent. Afr. Rep. 98 B3
Bani-Bangou Niger 96 D3
Banifing *r.* Mali 96 C3
Banī Forūr, Jazīreh-ye *i.* Iran 88 D5
Banihal Pass and Tunnel India 82 C2
Banister *r.* U.S.A. 134 F5
Banī Suwayf Egypt 90 C5
Banī Walīd Libya 97 E1
Banī Wuṭayfān *well* Saudi Arabia 88 C5
Bāniyās *Al Qunayṭirah* Syria 85 B3
Bāniyās *Ṭarṭūs* Syria 85 B2
Bani Yas *reg.* U.A.E. 88 D6
Banja Luka Bos.-Herz. 58 G2
Banjarmasin Indon. 68 E7
Banjes, Liqeni i *resr* Albania 59 I4

▶Banjul Gambia 96 B3
Capital of The Gambia.

Banka India 83 F4
Banka Banka Australia 108 F4
Bankapur India 84 B3
Bankass Mali 96 C3
Ban Kengkabao Laos 70 D3
Ban Khao Yoi Thai. 71 B4
Ban Khok Kloi Thai. 71 B5
Bankilaré Niger 96 D3
Banks Island *B.C.* Canada 120 D4
Banks Island *N.W.T.* Canada 118 F2
Banks Islands Vanuatu 107 G3
Banks Lake Canada 121 M2
Banks Lake U.S.A. 126 D3
Banks Peninsula N.Z. 113 D6
Banks Strait Australia 111 [inset]
Bankura India 83 F5
Ban Lamduan Thai. 71 C4
Banlan China 77 F3
Ban Mae La Luang Thai. 70 B3
Banmaw Myanmar *see* Bhamo
Banmo Myanmar *see* Bhamo
Bann *r.* Ireland 51 F5
Bann *r.* U.K. 51 F2
Ban Nakham Laos 70 D3
Bannerman Town Bahamas 133 E7
Banning U.S.A. 128 E5
Banningville Dem. Rep. Congo *see* Bandundu

eernem Belgium 52 D3
eersheba Israel 85 B4
e'ér Sheva' Israel see Beersheba
e'ér Sheva' watercourse Israel 85 B4
eervlei Dam S. Africa 100 F7
eerwah Australia 112 F1
eetaloo Australia 108 F4
eethoven Peninsula Antarctica 152 L2
eeville U.S.A. 131 D6
efori Dem. Rep. Congo 98 C3
eg, Lough l. U.K. 51 F3
ega Australia 112 D6
egari r. Pak. 89 H4
egicheva, Ostrov i. Rus. Fed. see
Bol'shoy Begichev, Ostrov
egur, Cap de c. Spain 57 H3
egusarai India 83 F4
ehague, Pointe pt Fr. Guiana 143 H3
ehbehān Iran 88 C4
ehchokô Canada 120 G2
ehrendt Mountains Antarctica 152 L2
ehrūsī Iran 88 D4
ehshahr Iran 88 D2
ehsūd Afgh. 89 G3
ei'an China 74 B2
ei'ao China see Dongtou
eibei China 76 E2
eichuan China 76 E2
eida Libya see Al Bayḍā'
eigang Taiwan see Peikang
eiguan China see Anyang
eihai China 77 F4
ei Hulsan Hu salt l. China 83 H1

▶Beijing China 73 L5
Capital of China.

eijing municipality China 73 L4
eik Myanmar see Myeik
eilen Neth. 52 G2
eiliu China 77 F4
eilngries Germany 53 L5
eiluheyan China 76 B1
einn an Oir hill U.K. 50 D5
einn an Tuirc hill U.K. 50 D5
einn Bheigeir hill U.K. 50 C5
einn Bhreac hill U.K. 50 D4
einn Dearg mt. U.K. 50 E3
einn Heasgarnich mt. U.K. 50 E4
einn Mholach hill U.K. 50 C2
einn Mhòr hill U.K. 50 B3
einn na Faoghlia i. U.K. see Benbecula
eipan Jiang r. China 76 E3
eipiao China 73 M4
eira Moz. 99 D5

▶Beirut Lebanon 85 B3
Capital of Lebanon.

ei Shan mts China 80 I3
eitbridge Zimbabwe 99 C6
eith U.K. 50 E5
eit Jālā West Bank 85 B4
eja Port. 57 C4
eja Tunisia 58 C6
ejaïa Alg. 57 I5
ejar Spain 57 D3
eji r. Pak. 80 C6
ekaa valley Lebanon see El Béqaa
ekés Hungary 59 I1
ekéscsaba Hungary 59 I1
ekily Madag. 99 E6
ekkai Japan 74 G4
ekma, Sadd dam Iraq 91 G3
ekovo Rus. Fed. 43 I5
ekwai Ghana 96 C4
ela India 83 E4
la Pak. 89 G5
elab r. Pak. 89 H4
ela-Bela S. Africa 101 I3
elabo Cameroon 96 E4
ela Crkva Serbia 59 I2
el Air U.S.A. 135 G4
elalcázar Spain 57 D4
elá nad Radbuzou Czech Rep. 53 M5
elapur India 84 B2
elarus country Europe 43 E5
elau country N. Pacific Ocean see Palau
ela Vista Brazil 144 E2
ela Vista Moz. 101 K4
ela Vista de Goiás Brazil 145 A2
elawan Indon. 71 B7
elaya r. Rus. Fed. 65 S3
also known as Bila
elaya Glina Rus. Fed. 43 I7
elaya Kalitva Rus. Fed. 43 I6
elaya Kholunitsa Rus. Fed. 42 K4
elaya Tserkva Ukr. see Bila Tserkva
elbédji Niger 96 D3
ełchatów Poland 47 Q5
elcher U.S.A. 134 D5
elcher Islands Canada 122 F2
elchiragh Afgh. 89 G3
elcoo U.K. 51 E3
elden U.S.A. 128 C1
elding U.S.A. 134 C2
eleapani reef India see Cherbaniani Reef
elebey Rus. Fed. 41 Q5
eledweyne Somalia 98 E3
elém Brazil 143 I4
elém Novo Brazil 145 A5
elén Arg. 144 C3
elen Antalya Turkey 85 A1
elen Hatay Turkey 85 C1
elen U.S.A. 127 G6
elep, Îles is New Caledonia 107 G3
elev Rus. Fed. 43 H5
elfast S. Africa 101 J3

▶Belfast U.K. 51 G3
Capital of Northern Ireland.

elfast U.S.A. 132 G2
elfast Lough inlet U.K. 51 G3
elfodiyo Eth. 98 D2
elford U.K. 48 F3
elfort France 56 H3
elgaum India 84 B3
elgern Germany 53 N3
elgian Congo country Africa see
Congo, Democratic Republic of the
elgië country Europe see Belgium
Belgique country Europe see Belgium
Belgium country Europe 52 E4
Belgorod Rus. Fed. 43 H6
Belgorod-Dnestrovskyy Ukr. see
Bilhorod-Dnistrovs'kyy

▶Belgrade Serbia 59 I2
Capital of Serbia.

Belgrade ME U.S.A. 135 K1
Belgrade MT U.S.A. 126 F3
Belgrano II research station Antarctica
152 A1
Belice r. Sicily Italy 58 E6
Belinskiy Rus. Fed. 43 I5
Belinyu Indon. 68 D7
Belitung i. Indon. 68 D7
Belize Angola 99 B4

▶Belize Belize 136 G5
Former capital of Belize.

Belize country Central America 136 G5
Beljak Austria see Villach
Belkina, Mys pt Rus. Fed. 74 E3
Bel'kovskiy, Ostrov i. Rus. Fed. 65 O2
Bell Australia 112 E1
Bell r. Australia 112 D4
Bell r. Canada 122 F4
Bella Bella Canada 120 D4
Bellac France 56 E3
Bella Coola Canada 120 E4
Bellaire U.S.A. 134 C1
Bellary India 84 C3
Bellata Australia 112 D2
Bella Unión Uruguay 144 E4
Bella Vista U.S.A. 128 B1
Bellbrook Australia 112 F3
Bell Cay reef Australia 110 E4
Belledonne mts France 56 G4
Bellefontaine U.S.A. 134 D3
Bellefonte U.S.A. 135 G3
Belle Fourche U.S.A. 130 C2
Belle Fourche r. U.S.A. 130 C2
Belle Glade U.S.A. 133 D7
Belle-Île i. France 56 C3
Belle Isle i. Canada 123 L4
Belle Isle, Strait of Canada 123 K4
Belleville Canada 135 G1
Belleville IL U.S.A. 130 F4
Belleville KS U.S.A. 130 D4
Bellevue IA U.S.A. 130 F3
Bellevue MI U.S.A. 134 C2
Bellevue OH U.S.A. 134 D3
Bellevue WA U.S.A. 126 C3
Bellin Canada see Kangirsuk
Bellingham U.K. 48 E3
Bellingham U.S.A. 126 C2
Bellingshausen research station Antarctica
152 A2
Bellingshausen Sea Antarctica 152 L2
Bellinzona Switz. 56 I3
Bellows Falls U.S.A. 135 I2
Bellpat Pak. 89 H4
Belluno Italy 58 E1
Belluru India 84 C3
Bell Ville Arg. 144 D4
Bellville S. Africa 100 D7
Belm Germany 53 I2
Belmont Australia 112 E4
Belmont U.K. 50 [inset]
Belmont U.S.A. 135 F2
Belmonte Brazil 145 D1

▶Belmopan Belize 136 G5
Capital of Belize.

Belmore, Mount hill Australia 112 F2
Belo Madag. 99 E6
Belo Campo Brazil 145 C1
Belœil Belgium 52 D4
Belogorsk Rus. Fed. 74 C2
Belogorsk Ukr. see Bilohirs'k
Beloha Madag. 99 E6
Belo Horizonte Brazil 145 C2
Beloit KS U.S.A. 130 D4
Beloit WI U.S.A. 130 F3
Belokurikha Rus. Fed. 80 F1
Belo Monte Brazil 143 H4
Belomorsk Rus. Fed. 42 G2
Belonia India 83 G5
Belorechensk Rus. Fed. 91 E1
Belorechenskaya Rus. Fed. see
Belorechensk
Belören Turkey 90 D3
Beloretsk Rus. Fed. 64 G4
Belorussia country Europe see Belarus
Belorusskaya S.S.R. country Europe see
Belarus
Belostok Poland see Białystok
Belot, Lac l. Canada 118 F3
Belo Tsiribihina Madag. 99 E5
Belovo Rus. Fed. 72 F2
Beloyarskiy Rus. Fed. 41 T3
Beloye, Ozero l. Rus. Fed. 42 H3
Beloye More sea Rus. Fed. see White Sea
Belozersk Rus. Fed. 42 H3
Belpre U.S.A. 134 E4
Beltana Australia 111 B6
Belted Range mts U.S.A. 128 E3
Belton U.S.A. 131 D6
Bel'ts' Moldova see Bălţi
Bel'tsy Moldova see Bălţi
Belukha, Gora mt. Kazakh./Rus. Fed. 80 G2
Belush'ye Rus. Fed. 42 J2
Belvidere IL U.S.A. 130 F3
Belvidere NJ U.S.A. 135 H3
Belyando r. Australia 110 D4
Belyayevka Ukr. see Bilyayivka
Belyy Rus. Fed. 42 G5
Belyy, Ostrov i. Rus. Fed. 64 I2
Belzig Germany 53 M2
Belzoni U.S.A. 131 F5
Bemaraha, Plateau du Madag. 99 E5
Bembe Angola 99 B4
Bemidji U.S.A. 130 E2
Béna Burkina 96 C3
Bena Dibele Dem. Rep. Congo 98 C4
Ben Alder mt. U.K. 50 E4
Benalla Australia 112 B6
Benares India see Varanasi
Ben Arous Tunisia 58 D6
Benavente Spain 57 D2
Ben Avon mt. U.K. 50 F3
Benbane Head hd U.K. 51 F2
Benbecula i. U.K. 50 B3
Ben Boyd National Park Australia 112 E6
Benburb U.K. 51 F3
Bencha China 77 I1
Ben Chonzie hill U.K. 50 F4
Ben Cleuch hill U.K. 50 F4
Ben Cruachan mt. U.K. 50 D4
Bend U.S.A. 126 C3
Bendearg mt. S. Africa 101 H6
Bender Moldova see Tighina
Bender-Bayla Somalia 98 F3
Bendery Moldova see Tighina
Bendigo Australia 112 B6
Bendoc Australia 112 D6
Bene Moz. 99 D5
Benedict, Mount hill Canada 123 K3
Benenitra Madag. 99 E6
Benešov Czech Rep. 47 O6
Bénestroff France 52 G6
Benevento Italy 58 F4
Beneventum Italy see Benevento
Benezette U.S.A. 135 F3
Beng, Nam r. Laos 70 C3
Bengal, Bay of sea Indian Ocean 81 G8
Bengamisa Dem. Rep. Congo 98 C3
Bengbu China 77 H1
Benghazi Libya 97 F1
Bengkalis Indon. 71 C7
Bengkalis i. Indon. 71 C7
Bengkulu Indon. 68 C7
Bengtsfors Sweden 45 H7
Benguela Angola 99 B5
Benha Egypt see Banhā
Ben Hiant hill U.K. 50 C4
Ben Hope hill U.K. 50 E2
Ben Horn hill U.K. 50 E2
Beni r. Bol. 142 E6
Beni Dem. Rep. Congo 98 C3
Beni Nepal 83 E3
Beni Abbès Alg. 54 D5
Beniah Lake Canada 121 H2
Benidorm Spain 57 F4
Beni Mellal Morocco 54 C5
Benin country Africa 96 D4
Benin, Bight of g. Africa 96 D4
Benin City Nigeria 96 D4
Beni Saf Alg. 57 F6
Beni Snassen, Monts des mts Morocco
57 E6
Beni Suef Egypt see Banī Suwayf
Benito, Islas is Mex. 127 E7
Benito Juárez Arg. 144 E5
Benito Juárez Mex. 129 F5
Benjamim Constant Brazil 142 E4
Benjamin U.S.A. 131 D5
Benjamín Hill Mex. 127 F7
Benjina Indon. 69 I8
Benkelman U.S.A. 130 C3
Ben Klibreck hill U.K. 50 E2
Ben Lavin Nature Reserve S. Africa 101 I2
Ben Lawers mt. U.K. 50 E4
Ben Lomond mt. Australia 112 E3
Ben Lomond hill U.K. 50 E4
Ben Lomond National Park Australia
111 [inset]
Ben Macdui mt. U.K. 50 F3
Benmara Australia 110 B3
Ben More hill U.K. 50 C4
Ben More mt. U.K. 50 E4
Benmore, Lake N.Z. 113 C7
Ben More Assynt hill U.K. 50 E2
Bennetta, Ostrov i. Rus. Fed. 65 P2
Bennett Island Rus. Fed. see
Bennetta, Ostrov
Bennett Lake Canada 120 C3
Bennettsville U.S.A. 133 E5
Ben Nevis mt. U.K. 50 D4
Bennington NH U.S.A. 135 J2
Bennington VT U.S.A. 135 I2
Benoni S. Africa 101 I4
Ben Rinnes hill U.K. 50 F3
Bensheim Germany 53 I5
Benson AZ U.S.A. 129 H6
Benson MN U.S.A. 130 E2
Benta Seberang Malaysia 71 C6
Benteng Indon. 69 G8
Bentinck Island Myanmar 71 B5
Bentiu Sudan 86 C8
Bent Jbaïl Lebanon 85 B3
Bentley U.K. 48 F5
Bento Gonçalves Brazil 145 A5
Benton AR U.S.A. 131 E5
Benton CA U.S.A. 128 D3
Benton IL U.S.A. 130 F4
Benton KY U.S.A. 131 F4
Benton LA U.S.A. 131 E5
Benton MO U.S.A. 131 F4
Benton PA U.S.A. 135 G3
Bentong Malaysia see Bentung
Benton Harbor U.S.A. 134 B2
Bentonville U.S.A. 131 E4
Bên Tre Vietnam 71 D5
Bentung Malaysia 71 C7
Benue r. Nigeria 96 D4
Benum, Gunung mt. Malaysia 71 C7
Ben Vorlich hill U.K. 50 E4
Benwee Head hd Ireland 51 C3
Benwood U.S.A. 134 E3
Ben Wyvis mt. U.K. 50 E3
Benxi Liaoning China 74 A4
Benxi Liaoning China 74 B4
Beograd Serbia see Belgrade
Béoumi Côte d'Ivoire 96 C4
Beppu Japan 75 C6
Béqaa valley Lebanon see El Béqaa
Berach r. India 82 C4
Beraketa Madag. 99 E6
Bérard, Lac l. Canada 123 H2
Berasia India 82 D5
Berat Albania 59 H4
Beravina Madag. 99 E5
Berbak, Taman Nasional Indon. 68 C7
Berber Sudan 86 D6
Berbera Somalia 98 E2
Berbérati Cent. Afr. Rep. 98 B3
Berchtesgaden, Nationalpark nat. park
Germany 47 N7
Berck France 52 B4
Berdichev Ukr. see Berdychiv
Berdigestyakh Rus. Fed. 65 N3
Berdyans'k Ukr. 43 H7
Berdychiv Ukr. 43 F6
Berea KY U.S.A. 134 C5
Berea OH U.S.A. 134 E3
Beregovo Ukr. see Berehove
Beregovoy Rus. Fed. 74 B1
Berehove Ukr. 43 D6
Bereina P.N.G. 69 L8
Bere Island Ireland 51 C6
Bereket Turkm. 88 D2
Berekum Ghana 96 C4
Berenice Egypt see Baranīs
Berenice Libya see Benghazi
Berens r. Canada 121 L4
Berens Island Canada 121 L4
Berens River Canada 121 L4
Beresford U.S.A. 130 D3
Bereza Belarus see Byaroza
Berezino Belarus see Byerazino
Berezivka Ukr. 43 F7
Berezne Ukr. 43 E6
Bereznik Rus. Fed. 42 I3
Berezniki Rus. Fed. 41 R4
Berezov Rus. Fed. see Berezovo
Berezovka Rus. Fed. 74 B2
Berezovka Ukr. see Berezivka
Berezovo Rus. Fed. 41 T3
Berezovyy Rus. Fed. 74 D2
Berga Germany 53 L3
Berga Spain 57 G2
Bergama Turkey 59 L5
Bergamo Italy 58 C2
Bergby Sweden 45 J6
Bergen Mecklenburg-Vorpommern Germany
47 N3
Bergen Niedersachsen Germany 53 J2
Bergen Norway 45 D6
Bergen U.S.A. 135 G2
Bergen op Zoom Neth. 52 E3
Bergerac France 56 E4
Bergères-lès-Vertus France 52 E6
Bergheim (Erft) Germany 52 G4
Bergisches Land reg. Germany 53 H4
Bergisch Gladbach Germany 52 H4
Bergland Namibia 100 C2
Bergomum Italy see Bergamo
Bergoo U.S.A. 134 E4
Bergsjö Sweden 45 J6
Bergsviken Sweden 44 L4
Bergtheim Germany 53 K5
Bergues France 52 C4
Bergum Neth. see Burgum
Bergville S. Africa 101 I5
Berhampur India see Baharampur
Beringa, Ostrov i. Rus. Fed. 65 R4
Beringen Belgium 52 F3
Beringovskiy Rus. Fed. 65 S3
Bering Sea N. Pacific Ocean 65 S4
Bering Strait Rus. Fed./U.S.A. 65 U3
Berīs, Ra's pt Iran 89 F5
Berislav Ukr. see Beryslav
Berkåk Norway 44 G5
Berkane Morocco 57 E6
Berkel r. Neth. 52 G2
Berkeley U.S.A. 128 B3
Berkeley Springs U.S.A. 135 F4
Berkhout Neth. 52 F2
Berkner Island Antarctica 152 A1
Berkovitsa Bulg. 59 J3
Berkshire Downs hills U.K. 49 F7
Berkshire Hills U.S.A. 135 I2
Berland r. Canada 120 G4
Berlare Belgium 52 E3
Berlevåg Norway 44 P1

▶Berlin Germany 53 N2
Capital of Germany.

Berlin land Germany 53 N2
Berlin MD U.S.A. 135 H4
Berlin NH U.S.A. 135 J1
Berlin PA U.S.A. 135 F4
Berlin Lake U.S.A. 134 E3
Bermagui Australia 112 E6
Bermejo r. Arg./Bol. 144 E3
Bermejo Bol. 142 F8
Bermen, Lac l. Canada 123 H3

▶Bermuda terr. N. Atlantic Ocean 137 L2
United Kingdom Overseas Territory.
north america 9, 116–117

Bermuda Rise sea feature N. Atlantic Ocean
148 D4

▶Bern Switz. 56 H3
Capital of Switzerland.

Bernalillo U.S.A. 127 G6
Bernardino de Campos Brazil 145 A3
Bernardo O'Higgins, Parque Nacional
nat. park Chile 144 B7
Bernasconi Arg. 144 D5
Bernau Germany 53 N2
Bernburg (Saale) Germany 53 L3
Berne Germany 53 I1
Berne Switz. see Bern
Berne U.S.A. 134 C3
Berner Alpen mts Switz. 56 H3
Berneray i. Scotland U.K. 50 B3
Berneray i. Scotland U.K. 50 B4
Bernier Island Australia 109 A6
Bernina Pass Switz. 56 J3
Bernkastel-Kues Germany 52 H5
Beroea Greece see Veroia
Beroea Syria see Aleppo
Beroroha Madag. 99 E6
Beroun Czech Rep. 47 O6
Berounka r. Czech Rep. 47 O6
Berovina Madag. see Beravina
Berri Australia 111 C7
Berriane Alg. 54 E5
Berridale Australia 112 D6
Berriedale U.K. 50 F2
Berrigan Australia 112 B5
Berrima Australia 112 E5
Berrouaghia Alg. 57 H5
Berry Australia 112 E5
Berry U.S.A. 134 C4
Berryessa, Lake U.S.A. 128 B2
Berry Head hd U.K. 49 D8
Berry Islands Bahamas 133 E7
Berryville U.S.A. 135 G4
Berseba Namibia 100 C4
Bersenbrück Germany 53 H2
Bertam Malaysia 71 C6
Berté, Lac l. Canada 123 H4
Berthoud Pass U.S.A. 126 G5
Bertolinía Brazil 143 J5
Bertoua Cameroon 96 E4
Bertraghboy Bay Ireland 51 C4
Beru atoll Kiribati 107 H2
Beruri Brazil 142 F4
Beruwala Sri Lanka 84 C5
Berwick Australia 112 B7
Berwick U.S.A. 135 G3
Berwick-upon-Tweed U.K. 48 E3
Berwyn hills U.K. 49 D6
Beryslav Ukr. 59 O1
Berytus Lebanon see Beirut
Besalampy Madag. 99 E5
Besançon France 56 H3
Besar, Gunung mt. Malaysia 71 C7
Besbay Kazakh. 80 A2
Beserah Malaysia 71 C7
Beshkent Uzbek. 89 G2
Beshneh Iran 88 D4
Besikama Indon. 108 D2
Besitang Indon. 71 B6
Beskra Alg. see Biskra
Beslan Rus. Fed. 91 G2
Besnard Lake Canada 121 J4
Besni Turkey 90 E3
Besor watercourse Israel 85 B4
Beşparmak Dağları mts Cyprus see
Pentadaktylos Range
Bessbrook U.K. 51 F3
Bessemer U.S.A. 133 C5
Besshoky, Gora hill Kazakh. 91 I1
Besskorbnaya Rus. Fed. 43 I7
Bessonovka Rus. Fed. 43 J5
Betanzos Spain 57 B2
Bethal S. Africa 101 I4
Bethanie Namibia 100 C4
Bethany U.S.A. 130 E3
Bethel U.S.A. 123 H5
Bethel Park U.S.A. 134 E3
Bethesda U.K. 48 C5
Bethesda MD U.S.A. 135 G4
Bethesda OH U.S.A. 134 E3
Bethlehem S. Africa 101 I5
Bethlehem U.S.A. 135 H3
Bethlehem West Bank 85 B4
Bethulie S. Africa 101 G6
Béthune France 52 C4
Beti Pak. 89 H4
Betim Brazil 145 B2
Bet Lehem West Bank see Bethlehem
Betma India 82 C5
Betong Thai. 71 C6
Betoota Australia 110 C5
Betpak-Dala plain Kazakh. 80 D2
Betroka Madag. 99 E6
Bet She'an Israel 85 B3
Betsiamites Canada 123 H4
Betsiamites r. Canada 123 H4
Bettiah India 83 F4
Bettyhill U.K. 50 E2
Bettystown Ireland 51 F4
Betul India 82 D5
Betung Kerihun, Taman Nasional Indon.
68 E6
Betwa r. India 82 D4
Betws-y-coed U.K. 49 D5
Betzdorf Germany 53 H4
Beulah Australia 111 C7
Beulah MI U.S.A. 134 B1
Beulah ND U.S.A. 130 C2
Beult r. U.K. 49 H7
Beuthen Poland see Bytom
Bever r. Germany 53 H2
Beverley U.K. 48 G5
Beverly MA U.S.A. 135 J2
Beverly OH U.S.A. 134 E4
Beverly Hills U.S.A. 128 D4
Beverly Lake Canada 121 K1
Beverstedt Germany 53 I1
Beverungen Germany 53 J3
Beverwijk Neth. 52 E2
Bewani P.N.G. 69 K7
Bexbach Germany 53 H5
Bexhill U.K. 49 H8
Bexley, Cape Canada 118 G3
Beyānlū Iran 88 B3
Beyce Turkey see Orhaneli
Bey Dağları mts Turkey 59 N6
Beykoz Turkey 59 M4
Beyla Guinea 96 C4
Beylagan Azer. see Beyläqan
Beyläqan Azer. 91 G3
Beyneu Kazakh. 78 E2
Beypazarı Turkey 59 N4
Beypınarı Turkey 90 E3
Beypore India 84 B4
Beyrouth Lebanon see Beirut
Beyşehir Turkey 90 C3
Beyşehir Gölü l. Turkey 90 C3
Beytonovo Rus. Fed. 74 B1
Beytüşşebap Turkey 91 F3
Bezameh Iran 88 E3
Bezbozhnik Rus. Fed. 42 K4
Bezhanitsy Rus. Fed. 42 F4
Bezhetsk Rus. Fed. 42 H4
Béziers France 56 F5
Bezmein Turkm. see Abadan
Bezwada India see Vijayawada
Bhabha India see Bhabhua
Bhabhar India 82 B4
Bhabhua India 83 E4
Bhabua India see Bhabhua
Bhachau India 82 B5
Bhachbhar India 82 B4
Bhadgaon Nepal see Bhaktapur
Bhadohi India 83 E4
Bhadra India 82 C3
Bhadrachalam Road Station India see
Kottagudem
Bhadrak India 83 F5
Bhadrakh India see Bhadrak
Bhadravati India 84 B3
Bhag Pak. 89 G4
Bhagalpur India 83 F4
Bhainsa India 84 C2
Bhainsdehi India 82 D5
Bhairab Bazar Bangl. 83 G4
Bhairi Hol mt. Pak. 89 G5
Bhaktapur Nepal 83 F4
Bhalki India 84 C2
Bhamo Myanmar 70 B1
Bhamragarh India 84 D2
Bhandara India 82 D5
Bhanjanagar India 84 E2
Bhanrer Range hills India 82 D5
Bhaptiahi India 83 F4
Bharat country Asia see India
Bharatpur India 82 D4
Bhareli r. India 83 H4
Bharuch India 82 C5
Bhatapara India 83 E5
Bhatarsaigh i. U.K. see Vatersay
Bhatghar Lake India 84 B2
Bhatinda India see Bathinda
Bhatnair India see Hanumangarh
Bhatpara India 83 G5
Bhaunagar India see Bhavnagar
Bhavani r. India 84 C4
Bhavani Sagar l. India 84 C4
Bhavnagar India 82 C5
Bhawana Pak. 89 I4
Bhawanipatna India 84 D2
Bhearnaraigh, Eilean i. U.K. see Berneray
Bheemavaram India see Bhimavaram
Bhekuzulu S. Africa 101 J4
Bhera Pak. 89 I3
Bhigvan India 84 B2
Bhikhna Thori Nepal 83 F4
Bhilai India 82 E5
Bhildi India 82 C4
Bhilwara India 82 C4
Bhima r. India 84 C2
Bhimar India 82 B4
Bhimavaram India 84 D2
Bhimlath India 82 E5
Bhind India 82 D4
Bhinga India 83 E4
Bhisho S. Africa 101 H7
Bhiwandi India 84 B2
Bhiwani India 82 D3
Bhogaipur India 82 D4
Bhojpur Nepal 83 F4
Bhola Bangl. 83 G5
Bhongweni S. Africa 101 I6
Bhopal India 82 D5
Bhopalpatnam India 84 D2
Bhrigukaccha India see Bharuch
Bhuban India 84 E1
Bhubaneshwar India 84 E1
Bhubaneswar India see Bhubaneshwar
Bhuj India 82 B5
Bhusawal India 82 C5
Bhutan country Asia 83 G4
Bhuttewala India 82 B4
Bia r. Ghana 96 C4
Bia, Phou mt. Laos 70 C3
Bīābān mts Iran 88 E5
Biafo Glacier Pak. 82 C2
Biafra, Bight of g. Africa see
Benin, Bight of
Biak Indon. 69 J7
Biak i. Indon. 69 J7
Biała Podlaska Poland 43 D5
Białogard Poland 47 O4
Białystok Poland 43 D5
Bianco, Monte mt. France/Italy see
Mont Blanc
Biandangang Kou r. mouth China 77 I1
Bianzhao China 74 A3
Bianzhuang China see Cangshan
Biaora India 82 D5
Biarritz France 56 D5
Bi'ār Tabrāk well Saudi Arabia 88 B5
Bibai Japan 74 F4
Bibbenluke Australia 112 D6
Bibbiena Italy 58 D3
Bibby Island Canada 121 M2
Biberach an der Riß Germany 47 L6
Bibile Sri Lanka 84 D5
Biblis Germany 53 I5
Biblos Lebanon see Jbail
Bicas Brazil 145 C3
Biçer Turkey 59 N5
Bicester U.K. 49 F7
Bichabhera India 82 C4
Bicheng China see Bishan
Bichevaya Rus. Fed. 74 D3
Bichi r. Rus. Fed. 74 E1
Bickerton Island Australia 110 B2
Bickleigh U.K. 49 D8
Bicknell U.S.A. 134 B4
Bicuari, Parque Nacional do nat. park
Angola 99 B5
Bid India 84 B2
Bida Nigeria 96 D4
Bidar India 84 C2
Biddeford U.S.A. 135 J2
Biddinghuizen Neth. 52 F2
Bidean nam Bian mt. U.K. 50 D4
Bideford U.K. 49 C7
Bideford Bay U.K. see Barnstaple Bay
Bidokht Iran 88 E3
Bidzhan Rus. Fed. 74 C3
Bié Angola see Kuito
Bié, Planalto do Angola 99 B5
Biebrzański Park Narodowy nat. park
Poland 45 M10
Biedenkopf Germany 53 I4
Biel Switz. 56 H3
Bielawa Poland 47 P5
Bielefeld Germany 53 I2
Bielitz Poland see Bielsko-Biała
Biella Italy 58 C2
Bielsko-Biała Poland 47 Q6
Bielstein hill Germany 53 J3
Bienenbüttel Germany 53 K1
Biên Hoa Vietnam 71 D5
Bienne Switz. see Biel
Bienville, Lac l. Canada 123 G3
Bierbank Australia 112 B1
Biesiesvlei S. Africa 101 G4
Bietigheim-Bissingen Germany 53 J6
Bièvre Belgium 52 F5
Bifoun Gabon 98 B4
Big r. Canada 123 K3
Biga Turkey 59 L4
Bigadiç Turkey 59 M5

Biga Yarımadası pen. Turkey 59 L5
Big Baldy Mountain U.S.A. 126 F3
Big Bar Creek Canada 120 F5
Big Bear Lake U.S.A. 128 E4
Big Belt Mountains U.S.A. 126 F3
Big Bend Swaziland 101 J4
Big Bend National Park U.S.A. 131 C6
Bigbury-on-Sea U.K. 49 D8
Big Canyon watercourse U.S.A. 131 C6
Biger Nuur salt l. Mongolia 80 I2
Big Falls U.S.A. 130 E1
Big Fork r. U.S.A. 130 E1
Biggar Canada 121 J4
Biggar U.K. 50 F5
Biggar, Lac l. Canada 122 G4
Bigge Island Australia 108 D3
Biggenden Australia 111 F5
Bigger, Mount Canada 120 B3
Biggesee l. Germany 53 H3
Biggleswade U.K. 49 G6
Biggs CA U.S.A. 128 C2
Biggs OR U.S.A. 126 C3
Big Hole r. U.S.A. 126 E3
Bighorn r. U.S.A. 126 G3
Bighorn Mountains U.S.A. 126 G3
Big Island Nunavut Canada 119 K3
Big Island N.W.T. Canada 120 G2
Big Island Ont. Canada 121 M5
Big Kalzas Lake Canada 120 C2
Big Lake l. Canada 121 H1
Big Lake U.S.A. 131 C6
Bignona Senegal 96 B3
Big Pine U.S.A. 128 D3
Big Pine Peak U.S.A. 128 D4
Big Raccoon r. U.S.A. 134 B4
Big Rapids U.S.A. 134 C2
Big River Canada 121 J4
Big Sable Point U.S.A. 134 B1
Big Salmon r. Canada 120 C2
Big Sand Lake Canada 121 L3
Big Sandy r. U.S.A. 126 F4
Big Sandy Lake Canada 121 J4
Big Smokey Valley U.S.A. 128 E2
Big South Fork National River and Recreation Area park U.S.A. 134 C5
Big Spring U.S.A. 131 C5
Big Stone Canada 121 I5
Big Stone Gap U.S.A. 134 D5
Bigstone Lake Canada 121 M4
Big Timber U.S.A. 126 F3
Big Trout Lake Canada 121 N4
Big Trout Lake l. Canada 121 N4
Big Valley Canada 121 H4
Big Water U.S.A. 129 H3
Bihać Bos.-Herz. 58 F2
Bihar state India 83 F4
Bihariganj India 83 F4
Bihar Sharif India 83 F4
Bihor, Vârful mt. Romania 59 J1
Bihoro Japan 74 G4
Bijagós, Arquipélago dos is Guinea-Bissau 96 B3
Bijaipur India 82 D4
Bijapur India 84 B2
Bījār Iran 88 B3
Bijbehara India 82 C2
Bijeljina Bos.-Herz. 59 H2
Bijelo Polje Montenegro 59 H3
Bijeraghogarh India 82 E5
Bijiang China see Zhiziluo
Bijie China 76 E3
Bijji India 84 D2
Bijnor India 82 D3
Bijnore India see Bijnor
Bijnot Pak. 89 H4
Bijrān well Saudi Arabia 88 C5
Bijrān, Khashm hill Saudi Arabia 88 C5
Bikampur India 82 C4
Bikaner India 82 C3
Bikhūyeh Iran 88 D5
Bikin Rus. Fed. 74 D3
Bikin r. Rus. Fed. 74 D3
Bikini atoll Marshall Is 150 H5
Bikori Sudan 86 D7
Bikoro Dem. Rep. Congo 98 B4
Bikou China 76 E1
Bikramganj India 83 F4
Bilād Banī Bū 'Alī Oman 87 I5
Bilaigarh India 84 D1
Bilara India 82 C4
Bilaspur Chhattisgarh India 83 E5
Bilaspur Hima. Prad. India 82 D3
Biläsuvar Azer. 91 H3
Bila Tserkva Ukr. 43 F6
Bilauktaung Range mts Myanmar/Thai. 71 B4
Bilbao Spain 57 E2
Bilbays Egypt 90 C5
Bilbeis Egypt see Bilbays
Bilbo Spain see Bilbao
Bilecik Turkey 59 M4
Biłgoraj Poland 43 D6
Bilharamulo Tanz. 98 D4
Bilhaur India 82 E4
Bilhorod-Dnistrovs'kyy Ukr. 59 N1
Bili Dem. Rep. Congo 98 C3
Bilibino Rus. Fed. 65 R3
Bilin Myanmar 70 B3
Bill U.S.A. 126 G4
Billabalong Australia 109 A6
Billabong Creek r. Australia see Moulamein Creek
Billericay U.K. 49 H7
Billiluna Australia 108 D4
Billingham U.K. 48 F4
Billings U.S.A. 126 F3
Billiton i. Indon. see Belitung
Bill of Portland hd U.K. 49 E8
Bill Williams r. U.S.A. 129 F4
Bill Williams Mountain U.S.A. 129 G4
Bilma Niger 96 E3
Bilo r. Rus. Fed. see Belaya
Biloela Australia 110 E5
Bilohirs'k Ukr. 90 D1
Bilohir"ya Ukr. 43 E6
Biloku Guyana 143 G3
Biloli India 84 C2
Bilovods'k Ukr. 43 H6
Biloxi U.S.A. 131 F6
Bilpa Morea Claypan salt flat Australia 110 B5
Bilston U.K. 50 F5
Biltine Chad 97 F3
Bilto Norway 44 L2
Bilugyun Island Myanmar 70 B3
Bilyayivka Ukr. 59 N1
Bilzen Belgium 52 F4
Bima Indon. 108 B2
Bimberi, Mount Australia 112 D5
Bimbo Ombella-Mpoko 97 E4
Bimini Islands Bahamas 133 E7
Bimlipatam India 84 D2
Bināb Iran 88 C2
Bina-Etawa India 82 D4
Binaija, Gunung mt. Indon. 67 E8
Bīnālūd, Kūh-e mts Iran 88 E2
Binboğa Daği mt. Turkey 90 E3
Bincheng China see Binzhou
Binchuan China 76 D3
Bindebango Australia 112 C1
Bindle Australia 112 D1
Bindu Dem. Rep. Congo 99 B4
Bindura Zimbabwe 99 D5
Binefar Spain 57 G3
Binga Zimbabwe 99 C5
Binga, Monte mt. Moz. 99 D5
Bingara Australia 112 B2
Bingaram i. India 84 B4
Bing Bong Australia 110 B2
Bingen am Rhein Germany 53 H5
Bingham U.S.A. 135 K1
Binghamton U.S.A. 135 H2
Bingmei China see Congjiang
Bingöl Turkey 91 F3
Bingol Dağı mt. Turkey 91 F3
Bingxi China see Yushan
Bingzhongluo China 76 C2
Binh Gia Vietnam 70 D2
Binika India 83 E5
Binjai Indon. 71 B7
Bin Mūrkhan well U.A.E. 88 D5
Binnaway Australia 112 D3
Binpur India 83 F5
Bintan i. Indon. 71 D7
Bint Jbeil Lebanon see Bent Jbaïl
Bintulu Sarawak Malaysia 68 E6
Binxian Heilong. China 74 B3
Binxian Shaanxi China 77 F1
Binya Australia 112 C5
Binyang China 77 F4
Bin-Yauri Nigeria 96 D3
Binzhou Guangxi China see Binyang
Binzhou Heilong. China see Binxian
Binzhou Shandong China 73 L5
Bioco i. Equat. Guinea 96 D4
Biograd na Moru Croatia 58 F3
Bioko i. Equat. Guinea see Bioco
Biokovo mts Croatia 58 G3
Biquinhas Brazil 145 B2
Bir India see Bid
Bira Rus. Fed. 74 D2
Bi'r Abū Jady oasis Syria 85 D1
Bīrag, Kūh-e mts Iran 89 F5
Birāk Libya 97 E2
Birakan Rus. Fed. 74 C2
Bi'r al 'Abd Egypt 85 A4
Bi'r al Ḥalbā well Syria 85 D2
Bi'r al Jifjāfah well Egypt 85 A4
Bi'r al Khamsah well Egypt 90 B5
Bi'r al Māliḥah well Egypt 85 A5
Bi'r al Mulūsi Iraq 91 F4
Bi'r al Munbaṭiḥ well Syria 85 D2
Bi'r al Qaṭrānī well Egypt 90 B5
Bi'r al Ubbayiḍ well Egypt 90 B6
Birandozero Rus. Fed. 42 H3
Bi'r an Nuṣf well Egypt see Bi'r an Nuṣṣ
Bi'r an Nuṣṣ well Egypt 90 B5
Bir Anzarane W. Sahara 96 B2
Birao Cent. Afr. Rep. 98 C2
Bi'r ar Rābiyah well Egypt 90 B5
Birata Turkm. 89 F1
Biratnagar Nepal 83 F4
Bi'r aṭ Ṭarfāwī well Libya 90 B5
Bi'r Başīrī well Syria 85 C2
Bi'r Bayḍā' well Egypt 85 B4
Bi'r Baylī well Egypt 90 B5
Bir Beida well Egypt see Bi'r Bayḍā'
Bi'r Buṭaymān Syria 91 E3
Birch r. Canada 121 H3
Birch Hills Canada 121 J4
Birch Island Canada 120 G5
Birch Lake N.W.T. Canada 120 G2
Birch Lake Ont. Canada 121 M5
Birch Lake Sask. Canada 121 I4
Birch Mountains Canada 120 H3
Birch River U.S.A. 134 E4
Birch Run U.S.A. 134 D2
Bircot Eth. 98 E3
Birdaard Neth. see Burdaard
Bîr Dignâsh well Egypt see Bi'r Diqnāsh
Bi'r Diqnāsh well Egypt 90 B5
Bird Island N. Mariana Is see Farallon de Medinilla
Birdseye U.S.A. 129 H2
Birdsville Australia 111 B5
Birecik Turkey 90 E3
Bîr el 'Abd Egypt see Bi'r al 'Abd
Bir el Arbi well Alg. 57 I6
Bîr el Istabl well Egypt see Bi'r Iṣṭabl
Bîr el Khamsa well Egypt see Bi'r al Khamsah
Bîr el Nuṣṣ well Egypt see Bi'r an Nuṣṣ
Bîr el Obeiyid well Egypt see Bi'r al Ubbayiḍ
Bîr el Qaṭrâni well Egypt see Bi'r al Qaṭrānī
Bîr el Râbia well Egypt see Bi'r ar Rābiyah
Birendranagar Nepal see Surkhet
Bir en Natrûn well Sudan 86 C6
Bireun Indon. 71 B6
Bi'r Fāḍil well Saudi Arabia 88 C6
Bi'r Fajr well Saudi Arabia 90 E5
Bi'r Fu'ād well Egypt 90 B5
Bîr Gifgâfa well Egypt see Bi'r al Jifjāfah
Bi'r Ḥajal well Syria 85 D2
Birhan mt. Eth. 98 D2
Bi'r Ḥasanah well Egypt 85 A4
Bi'r Ḥayzān well Saudi Arabia 90 E6
Bi'r Ibn Hirmās Saudi Arabia see Al Bi'r
Bir Ibn Juhayyim Saudi Arabia 88 C6
Birigüi Brazil 145 A3
Bīrīn Syria 85 C2
Bi'r Iṣṭabl well Egypt 90 B5
Bīrjand Iran 88 E3
Bi'r Jubnī well Libya 90 B5
Birkát Hamad well Iraq 91 G5
Birkenfeld Germany 53 H5
Birkenhead U.K. 48 D5
Birkirkara Malta 58 F7
Birksgate Range hills Australia 109 E6
Bîrlad Romania see Bârlad
Bi'r Laḥfān well Egypt 85 A4
Birlik Kazakh. 80 D3
Birmal reg. Afgh. 89 H3
Birmingham U.K. 49 F6
Birmingham U.S.A. 133 C5
Bîr Mogreïn Mauritania 96 B2
Bi'r Muḥaymid al Wazwaz well Syria 85 D2
Bi'r Nāḥid oasis Egypt 90 C5
Birnin-Gwari Nigeria 96 D3
Birnin-Kebbi Nigeria 96 D3
Birnin Konni Niger 96 D3
Birobidzhan Rus. Fed. 74 D2
Bi'r Qaṣīr as Sirr well Egypt 90 B5
Birr Ireland 51 E4
Bi'r Rawḍ Sālim well Egypt 85 A4
Birrie r. Australia 112 C2
Birrindudu Australia 108 E4
Bîr Rôḍ Sâlim well Egypt see Bi'r Rawḍ Sālim
Birsay U.K. 50 F1
Bi'r Shalatayn Egypt 86 E5
Bîr Shalatein Egypt see Bi'r Shalatayn
Birsk Rus. Fed. 41 R4
Birstall U.K. 49 F6
Birstein Germany 53 J4
Bir Ṭalḥah well Saudi Arabia 88 B6
Birthday Mountain hill Australia 110 C2
Birtle Canada 121 K5
Biru China 76 B2
Birur India 84 B3
Bi'r Usaylīlah well Saudi Arabia 88 B6
Biruxiong China see Biru
Biržai Lith. 45 N8
Bisa India 70 A1
Bisa i. Indon. 69 H7
Bisalpur India 82 D3
Bisau India 82 C3
Bisbee U.S.A. 127 F7
Biscay, Bay of sea France/Spain 56 B4
Biscay Abyssal Plain sea feature N. Atlantic Ocean 148 H3
Biscayne National Park U.S.A. 133 D7
Biscoe Islands Antarctica 152 L2
Biscotasi Lake Canada 122 E5
Biscotasing Canada 122 E5
Bisezhai China 76 D4
Bishan China 76 E2
Bishbek Kyrg. see Bishkek
Bishenpur India see Bishnupur

▶Bishkek Kyrg. 80 D3
Capital of Kyrgyzstan.

Bishnath India 76 B3
Bishnupur Manipur India 83 H4
Bishnupur W. Bengal India 83 F5
Bishop U.S.A. 128 D3
Bishop Auckland U.K. 48 F4
Bishop Lake Canada 120 G1
Bishop's Stortford U.K. 49 H7
Bishopville U.S.A. 133 D5
Bishrī, Jabal hills Syria 85 D2
Bishui Heilong. China 74 A1
Bishui Henan China see Biyang
Biskra Alg. 54 F5
Bislig Phil. 69 H5

▶Bismarck U.S.A. 130 C2
Capital of North Dakota.

Bismarck Archipelago is P.N.G. 69 L7
Bismarck Range mts P.N.G. 69 K7
Bismarck Sea P.N.G. 69 L7
Bismark (Altmark) Germany 53 L2
Bismil Turkey 91 F3
Bismo Norway 44 F6
Bison U.S.A. 130 C2
Bispgården Sweden 44 J5
Bispingen Germany 53 K1
Bissa, Djebel mt. Alg. 57 G5
Bissamcuttak India 84 D2

▶Bissau Guinea-Bissau 96 B3
Capital of Guinea-Bissau.

Bissaula Nigeria 96 E4
Bissett Canada 121 M5
Bistcho Lake Canada 120 G3
Bistrița Romania 59 K1
Bistrița r. Romania 59 L1
Bitburg Germany 52 G5
Bitche France 53 H5
Bithur India 82 E4
Bithynia reg. Turkey 59 M4
Bitkine Chad 97 E3
Bitlis Turkey 91 F3
Bitola Macedonia 59 I4
Bitolj Macedonia see Bitola
Bitonto Italy 58 G4
Bitrān, Jabal hill Saudi Arabia 88 B6
Bitra Par reef India 84 B4
Bitter Creek r. U.S.A. 129 I2
Bitterfeld Germany 53 M3
Bitterfontein S. Africa 100 D6
Bitter Lakes Egypt 90 D5
Bitterroot r. U.S.A. 126 E3
Bitterroot Range mts U.S.A. 126 E3
Bitterwater U.S.A. 128 C3
Bittkau Germany 53 L2
Bitung Indon. 69 H6
Biu Nigeria 96 E3
Biwa-ko l. Japan 75 D6
Biwmaris U.K. see Beaumaris
Biyang China 77 G1
Bīye K'obē Eth. 98 E2
Biysk Rus. Fed. 72 F2
Bizana S. Africa 101 I6
Bizerta Tunisia see Bizerte
Bizerte Tunisia 58 C6
Bīzhanābād Iran 88 E5

▶Bjargtangar hd Iceland 44 [inset]
Most westerly point of Europe.

Bjästa Sweden 44 K5
Bjelovar Croatia 58 G2
Bjerkvik Norway 44 J2
Bjerringbro Denmark 45 F8
Bjørgan Norway 44 G5
Björkliden Sweden 44 K2
Björklinge Sweden 45 J6
Bjorli Norway 44 F5
Björna Sweden 44 K5
Björneborg Fin. see Pori

▶Bjørnøya i. Arctic Ocean 64 C2
Part of Norway.

Bjurholm Sweden 44 K5
Bla Mali 96 C3
Black r. Man. Canada 121 L5
Black r. Ont. Canada 122 E4
Black r. AR U.S.A. 131 F5
Black r. AR U.S.A. 131 F5
Black r. AZ U.S.A. 129 H5
Black r. Vietnam 70 D2
Blackadder Water r. U.K. 50 G5
Blackall Australia 110 D5
Blackbear r. Canada 121 N4
Black Birch Lake Canada 121 J3
Black Bourton U.K. 49 F7
Blackbull Australia 110 C3
Blackburn U.K. 48 E5
Blackbutt Australia 112 F1
Black Butte mt. U.S.A. 128 B2
Black Butte Lake U.S.A. 128 B2
Black Canyon gorge U.S.A. 129 F4
Black Canyon of the Gunnison National Park U.S.A. 129 J2
Black Combe hill U.K. 48 D4
Black Creek watercourse U.S.A. 129 I4
Black Donald Lake Canada 135 G1
Blackdown Tableland National Park Australia 110 E4
Blackduck U.S.A. 130 E2
Blackfalds Canada 120 H4
Blackfoot U.S.A. 126 E4
Black Foot r. U.S.A. 126 E3
Black Forest mts Germany 47 L7
Black Hill hill U.K. 48 F5
Black Hills SD U.S.A. 124 G3
Black Hills SD U.S.A. 126 G3
Black Island Canada 121 L5
Black Lake Canada 121 J3
Black Lake l. Canada 121 J3
Black Lake l. U.S.A. 134 C1
Black Mesa mt. U.S.A. 129 I5
Black Mesa ridge U.S.A. 129 H3
Black Mountain Pak. 89 I3
Black Mountain hill U.K. 49 D7
Black Mountain AK U.S.A. 118 B3
Black Mountain CA U.S.A. 128 E4
Black Mountain KY U.S.A. 134 D5
Black Mountain NM U.S.A. 129 I5
Black Mountains hills U.K. 49 D7
Black Mountains U.S.A. 129 F4
Black Nossob watercourse Namibia 100 D2
Black Pagoda India see Konarka
Blackpool U.K. 48 D5
Black Range mts U.S.A. 129 I5
Black River MI U.S.A. 134 D1
Black River NY U.S.A. 135 H1
Black River Falls U.S.A. 130 F2
Black Rock hill Jordan see 'Unāb, Jabal al
Black Rock Desert U.S.A. 126 D4
Blacksburg U.S.A. 134 E5
Black Sea Asia/Europe 43 H8
Blacks Fork r. U.S.A. 126 F4
Blackshear U.S.A. 133 D6
Blacksod Bay Ireland 51 B3
Black Springs U.S.A. 128 D2
Blackstairs Mountains hills Ireland 51 F5
Blackstone U.S.A. 135 F5
Black Sugarloaf mt. Australia 112 E3
Black Tickle Canada 123 L3
Blackville Australia 112 E3
Blackwater Australia 110 E4
Blackwater Ireland 51 F5
Blackwater r. Ireland 51 E5
Blackwater r. Ireland/U.K. 51 F3
Blackwater watercourse U.S.A. 131 C5
Blackwater Lake Canada 120 F2
Blackwater Reservoir U.K. 50 E4
Blackwood r. Australia 109 A8
Blackwood National Park Australia 110 D4
Bladensburg National Park Australia 110 C4
Blaenavon U.K. 49 D7
Blagodarnyy Rus. Fed. 91 F1
Blagoevgrad Bulg. 59 J3
Blagoveshchensk Amurskaya Oblast' Rus. Fed. 74 B2
Blagoveshchensk Respublika Bashkortostan Rus. Fed. 41 R4
Blaikiston, Mount Canada 120 H5
Blaine Lake Canada 121 J4
Blair U.S.A. 130 D3
Blair Athol Australia 110 D4
Blair Atholl U.K. 50 F4
Blairgowrie U.K. 50 F4
Blairsden U.S.A. 128 C2
Blairsville U.S.A. 133 D5
Blakang Mati, Pulau i. Sing. see Sentosa
Blakely U.S.A. 133 C6
Blakeney U.K. 49 I6

▶Blanc, Mont mt. France/Italy 56 H4
5th highest mountain in Europe.

Blanca, Bahía b. Arg. 144 D5
Blanca, Sierra mt. U.S.A. 127 G6
Blanca Peak U.S.A. 127 G5
Blanche, Lake salt flat S.A. Australia 111 B6
Blanche, Lake salt flat W.A. Australia 108 C5
Blanchester U.S.A. 134 D4
Blanc Nez, Cap c. France 52 B4
Blanco r. Bol. 142 F6
Blanco U.S.A. 129 J3
Blanco, Cape U.S.A. 126 B4
Blanc-Sablon Canada 123 K4
Bland r. Australia 112 C4
Bland U.S.A. 134 E5
Blanda r. Iceland 44 [inset]
Blandford Forum U.K. 49 E8
Blanding U.S.A. 129 I3
Blanes Spain 57 H3
Blangah, Telok Sing. 71 [inset]
Blangkejeren Indon. 71 B7
Blangpidie Indon. 71 B7
Blankenberge Belgium 52 D3
Blankenheim Germany 52 G4
Blanquilla, Isla i. Venez. 142 F1
Blansko Czech Rep. 47 P6
Blantyre Malawi 99 D5
Blarney Ireland 51 D6
Blaufelden Germany 53 J5
Blåviksjön Sweden 44 K4
Blaye France 56 D4
Blayney Australia 112 D4
Blaze, Point Australia 108 E3
Bleckede Germany 53 K1
Bleilochtalsperre resr Germany 53 L4
Blenheim Canada 134 E2
Blenheim N.Z. 113 D5
Blenheim Palace tourist site U.K. 49 F7
Blerick Neth. 52 G3
Blessington Lakes Ireland 51 F4
Bletchley U.K. 49 G6
Blida Alg. 57 H5
Blies r. Germany 53 H5
Bligh Water b. Fiji 107 H3
Blind River Canada 122 E5
Bliss U.S.A. 126 E4
Blissfield U.S.A. 134 D3
Blitta Togo 96 D4
Blocher U.S.A. 134 C4
Block Island U.S.A. 135 J3
Block Island Sound sea chan. U.S.A. 135 J3
Bloemfontein S. Africa 101 H5
Bloemhof S. Africa 101 G4
Bloemhof Dam S. Africa 101 G4
Bloemhof Dam Nature Reserve S. Africa 101 G4
Blomberg Germany 53 J3
Blönduós Iceland 44 [inset]
Blongas Indon. 108 B2
Bloods Range mts Australia 109 E6
Bloodsworth Island U.S.A. 135 G4
Bloodvein r. Canada 121 L5
Bloody Foreland pt Ireland 51 D2
Bloomer U.S.A. 130 F2
Bloomfield Canada 135 G2
Bloomfield IA U.S.A. 130 E3
Bloomfield IN U.S.A. 134 B4
Bloomfield MO U.S.A. 131 F4
Bloomfield NM U.S.A. 129 J3
Blooming Prairie U.S.A. 130 E3
Bloomington IL U.S.A. 130 F3
Bloomington IN U.S.A. 134 B4
Bloomington MN U.S.A. 130 E2
Bloomsburg U.S.A. 135 G3
Blossburg U.S.A. 135 G3
Blosseville Kyst coastal area Greenland 119 P3
Blouberg S. Africa 101 I2
Blouberg Nature Reserve S. Africa 101 I2
Blountstown U.S.A. 133 C6
Blountville U.S.A. 134 D5
Bloxham U.K. 49 F6
Blue r. Canada 120 D3
Blue watercourse U.S.A. 129 I5
Blue Bell Knoll mt. U.S.A. 129 H2
Blueberry r. Canada 120 F3
Blue Diamond U.S.A. 129 F3
Blue Earth U.S.A. 130 E3
Bluefield VA U.S.A. 132 D4
Bluefield WV U.S.A. 134 E5
Bluefields Nicaragua 137 H6
Blue Hills Turks and Caicos Is 133 F8
Blue Knob hill U.S.A. 135 F3
Blue Mesa Reservoir U.S.A. 129 J2
Blue Mountain hill Canada 123 K4
Blue Mountain India 83 H5
Blue Mountain Lake U.S.A. 135 H2
Blue Mountain Pass Lesotho 101 H5
Blue Mountains Australia 112 D4
Blue Mountains U.S.A. 126 D3
Blue Mountains National Park Australia 112 E4
Blue Nile r. Eth./Sudan 86 D6
also known as Ābay Wenz (Ethiopia), Bahr el Azraq (Sudan)
Bluenose Lake Canada 118 G3
Blue Ridge GA U.S.A. 133 C5
Blue Ridge VA U.S.A. 134 F5
Blue Ridge mts U.S.A. 134 E5
Blue Stack hill Ireland 51 D3
Blue Stack Mts hills Ireland 51 D3
Bluestone Lake U.S.A. 134 E5
Bluewater U.S.A. 129 J4
Bluff N.Z. 113 B8
Bluff U.S.A. 129 I3
Bluffdale U.S.A. 129 H1
Bluff Island H.K. China 77 [inset]
Bluff Knoll mt. Australia 109 B8
Bluffton IN U.S.A. 134 C3
Bluffton OH U.S.A. 134 D3
Blumenau Brazil 145 A4
Blustry Mountain Canada 126 C2
Blyde River Canyon Nature Reserve S. Africa 101 J3
Blyth Canada 134 E2
Blyth England U.K. 48 F3
Blyth England U.K. 48 F5
Blythe U.S.A. 129 F5
Blytheville U.S.A. 131 F5
Bø Norway 45 F7
Bo Sierra Leone 96 B4
Boa Esperança Brazil 145 B3
Bo'ai Henan China 77 G1
Bo'ai Yunnan China 76 E4
Boali Cent. Afr. Rep. 98 B3
Boalsert Neth. see Bolsward
Boane Moz. 101 K4
Boa Nova Brazil 145 C1
Boardman U.S.A. 134 E3
Boatlaname Botswana 101 G2
Boa Viagem Brazil 143 K5
Boa Vista Brazil 142 F3
Boa Vista i. Cape Verde 96 [inset]
Bobadah Australia 112 C4
Bobai China 77 F4
Bobaomby, Tanjona c. Madag. 99 E5
Bobbili India 84 D2
Bobcaygeon Canada 135 F1
Bobo-Dioulasso Burkina 96 C3
Bobotov Kuk mt. Montenegro see Durmitor
Bobriki Rus. Fed. see Novomoskovsk
Bobrinets Ukr. see Bobrynets'
Bobrov Rus. Fed. 43 I6
Bobrovitsa Ukr. see Bobrovytsya
Bobrovytsya Ukr. 43 F6
Bobruysk Belarus see Babruysk
Bobrynets' Ukr. 43 G6
Bobs Lake Canada 135 G1
Bobuk Sudan 86 D7
Bobures Venez. 142 D2
Boby mt. Madag. 99 E6
Boca de Macareo Venez. 142 F2
Boca do Acre Brazil 142 E5
Boca do Jari Brazil 143 H4
Bocaiúva Brazil 145 C2
Bocaranga Cent. Afr. Rep. 98 B3
Boca Raton U.S.A. 133 D7
Bocas del Toro Panama 137 H7
Bochnia Poland 47 R6
Bocholt Germany 52 G3
Bochum Germany 53 H3
Bockenem Germany 53 K2
Bocoio Angola 99 B5
Bocoyna Mex. 127 G8
Boda Cent. Afr. Rep. 98 B3
Bodalla Australia 112 E6
Bodallin Australia 109 B7
Bodaybo Rus. Fed. 65 M4
Boddam U.K. 50 H3
Bode r. Germany 53 L3
Bodega Head hd U.S.A. 128 B2
Bodélé reg. Chad 97 E3
Boden Sweden 44 L4
Bodenham U.K. 49 E6
Bodensee l. Germany/Switz. see Constance, Lake
Bodenteich Germany 53 K2
Bodenwerder Germany 53 J3
Bodie (abandoned) U.S.A. 128 D2
Bodinayakkanur India 84 C4
Bodmin U.K. 49 C8
Bodmin Moor moorland U.K. 49 C8
Bodø Norway 44 I3
Bodoquena Brazil 143 G7
Bodoquena, Serra da hills Brazil 144 E2
Bodrum Turkey 59 L6
Bodträskfors Sweden 44 L3
Boechout Belgium 52 E3
Boende Dem. Rep. Congo 97 F5
Boerne U.S.A. 131 D6
Boeuf r. U.S.A. 131 F6
Boffa Guinea 96 B3
Bogalay Myanmar see Bogale
Bogale Myanmar 70 A3
Bogale r. Myanmar 70 A4
Bogalusa U.S.A. 131 F6
Bogan r. Australia 112 C2
Bogandé Burkina 96 C3
Bogan Gate Australia 112 C4
Bogani Nani Wartabone, Taman Nasional Indon. 69 G6
Boğazlıyan Turkey 90 D3
Bogcang Zangbo r. China 83 F3
Bogd Övörhangay Mongolia 80 J3
Bogda Shan mts China 80 G3
Boggabilla Australia 112 E2
Boggabri Australia 112 E3
Boggeragh Mts hills Ireland 51 C5
Boghar Alg. 57 H6
Boghari Alg. see Ksar el Boukhari
Bognor Regis U.K. 49 G8
Bogodukhov Ukr. see Bohodukhiv
Bog of Allen reg. Ireland 51 E4
Bogong, Mount Australia 112 C6
Bogopol' Rus. Fed. 74 D3
Bogor Indon. 68 D8
Bogoroditsk Rus. Fed. 43 H5
Bogorodsk Rus. Fed. 42 I4
Bogorodskoye Khabarovskiy Kray Rus. Fed. 74 F1
Bogorodskoye Kirovskaya Oblast' Rus. Fed. 42 K4

▶Bogotá Col. 142 D3
Capital of Colombia. 4th most populous city in South America.

Bogotol Rus. Fed. 64 J4
Bogoyavlenskoye Rus. Fed. see Pervomayskiy
Bogra Bangl. 83 G4
Boguchany Rus. Fed. 65 K4
Boguchar Rus. Fed. 43 I6
Bogué Mauritania 96 B3
Bo Hai g. China 73 L5
Bohain-en-Vermandois France 52 D5
Bohai Wan b. China 66 D4
Bohemian Forest mts Germany see Böhmer Wald
Böhlen Germany 53 M3
Bohlokong S. Africa 101 I5
Böhme r. Germany 53 J2
Böhmer Wald mts Germany 53 M5
Bohmte Germany 53 I2
Bohodukhiv Ukr. 43 G6
Bohol i. Phil. 69 G5
Bohol Sea Phil. 69 G5
Bohu China 80 G3
Boiaçu Brazil 142 F4
Boichoko S. Africa 100 F5
Boigu Island Australia 69 K8
Boikhutso S. Africa 101 H4
Boileau, Cape Australia 108 C4
Boim Brazil 143 G4
Boipeba, Ilha i. Brazil 145 D1
Bois r. Brazil 145 A2
Bois Blanc Island U.S.A. 132 C2

▶Boise U.S.A. 126 D4
Capital of Idaho.

Boise City U.S.A. 131 C4
Boissevain Canada 121 K5
Boitumelong S. Africa 101 G4
Boizenburg Germany 53 K1
Bojd Iran 88 E3
Bojnūrd Iran 88 E2
Bokaak atoll Marshall Is see Taongi
Bokajan India 83 H4
Bokaro India 83 F5

Bridgetown Canada 123 I5
Bridgeville U.S.A. 135 H4
Bridgewater Canada 123 I5
Bridgewater U.S.A. 135 H2
Bridgnorth U.K. 49 E6
Bridgton U.S.A. 135 J1
Bridgwater U.K. 49 D7
Bridgwater Bay U.K. 49 D7
Bridlington U.K. 48 G4
Bridlington Bay U.K. 48 G4
Bridport Australia 111 [inset]
Bridport U.K. 49 E8
Brie *reg.* France 56 F2
Brie-Comte-Robert France 52 C6
Brieg Poland *see* **Brzeg**
Briery Knob *mt.* U.S.A. 134 E4
Brig Switz. 56 H3
Brigg U.K. 48 G5
Brigham City U.S.A. 126 E4
Brightlingsea U.K. 49 I7
Brighton Canada 135 G1
Brighton U.K. 49 G8
Brighton *CO* U.S.A. 126 G5
Brighton *MI* U.S.A. 134 D2
Brighton *NY* U.S.A. 135 G2
Brighton *WV* U.S.A. 134 D4
Brignoles France 56 H5
Brikama Gambia 96 B3
Brillion U.S.A. 134 A1
Brilon Germany 53 I3
Brindisi Italy 58 G4
Brinkley U.S.A. 131 F5
Brion, Île *i.* Canada 123 J5
Brioude France 56 F4
Brisay Canada 123 H3

▶**Brisbane** Australia 112 F1
Capital of Queensland. 3rd most populous city in Oceania.

Brisbane Ranges National Park Australia 112 B6
Bristol U.K. 49 E7
Bristol *CT* U.S.A. 135 I3
Bristol *FL* U.S.A. 133 C6
Bristol *NH* U.S.A. 135 J2
Bristol *RI* U.S.A. 135 J3
Bristol *TN* U.S.A. 134 D5
Bristol *VT* U.S.A. 135 I1
Bristol Bay U.S.A. 118 B4
Bristol Channel *est.* U.K. 49 C7
Bristol Lake U.S.A. 129 F4
Britannia Island New Caledonia *see* **Maré**
British Antarctic Territory *reg.* Antarctica 152 L2
British Columbia *prov.* Canada 120 F5
British Empire Range *mts* Canada 119 J1
British Guiana *country* S. America *see* **Guyana**
British Honduras *country* Central America *see* **Belize**

▶**British Indian Ocean Territory** *terr.* Indian Ocean 149 M6
United Kingdom Overseas Territory.

British Solomon Islands *country* S. Pacific Ocean *see* **Solomon Islands**
Brito Godins Angola *see* **Kiwaba N'zogi**
Brits S. Africa 101 H3
Britstown S. Africa 100 F6
Brittany *reg.* France 56 C2
Britton U.S.A. 130 D2
Brive-la-Gaillarde France 56 E4
Briviesca Spain 57 E2
Brixham U.K. 49 D8
Brixia Italy *see* **Brescia**
Brlik Kazakh. *see* **Birlik**
Brno Czech Rep. 47 P6
Broach India *see* **Bharuch**
Broad *r.* U.S.A. 133 D5
Broadalbin U.S.A. 135 H2
Broad Arrow Australia 109 C7
Broadback *r.* Canada 122 F4
Broad Bay U.K. *see* **Tuath, Loch a'**
Broadford Australia 112 B6
Broadford Ireland 51 D5
Broadford U.K. 50 D3
Broad Law *hill* U.K. 50 F5
Broadmere Australia 110 A3
Broad Peak China/Pakistan 89 J3
Broad Sound *sea chan.* Australia 110 E4
Broadstairs U.K. 49 I7
Broadus U.S.A. 126 G3
Broadview Canada 121 K5
Broadway U.S.A. 135 F4
Broadwood N.Z. 113 D2
Brochet Canada 121 K3
Brochet, Lac *l.* Canada 121 K3
Brochet, Lac au *l.* Canada 123 H4
Brocken *mt.* Germany 53 K3
Brockman, Mount Australia 108 B5
Brockport *NY* U.S.A. 135 G2
Brockport *PA* U.S.A. 135 F3
Brockton U.S.A. 135 J2
Brockville Canada 135 H1
Brockway U.S.A. 135 F3
Brodeur Peninsula Canada 119 J2
Brodhead U.S.A. 134 C5
Brodick U.K. 50 D5
Brodnica Poland 47 Q4
Brody Ukr. 43 E6
Broken Arrow U.S.A. 131 E4
Broken Bay Australia 112 E4
Broken Bow *NE* U.S.A. 130 D3
Broken Bow *OK* U.S.A. 131 E5
Brokenhead *r.* Canada 121 L5
Broken Hill Australia 111 C6
Broken Hill Zambia *see* **Kabwe**
Broken Plateau *sea feature* Indian Ocean 149 O8
Brokopondo Suriname 143 G2
Brokopondo Stuwmeer *resr* Suriname *see* **Professor van Blommestein Meer**
Bromberg Poland *see* **Bydgoszcz**
Brome Germany 53 K2
Bromsgrove U.K. 49 E6
Brønderslev Denmark 45 F8
Brønnøysund Norway 44 H4
Bronson *FL* U.S.A. 133 D6
Bronson *MI* U.S.A. 134 C3
Brooke U.K. 49 I6
Brookfield U.S.A. 134 A2
Brookhaven U.S.A. 131 F6
Brookings *OR* U.S.A. 126 B4
Brookings *SD* U.S.A. 130 D2
Brookline U.S.A. 135 J2
Brooklyn U.S.A. 134 C2
Brooklyn Park U.S.A. 130 E2
Brookneal U.S.A. 135 F5
Brooks Canada 121 I5
Brooks Brook Canada 120 C2
Brooks Range *mts* U.S.A. 118 D3
Brookston U.S.A. 134 B3
Brooksville *FL* U.S.A. 133 D6
Brooksville *KY* U.S.A. 134 C4
Brookton Australia 109 B8
Brookville *IN* U.S.A. 134 C4
Brookville *PA* U.S.A. 134 F3
Brookville Lake U.S.A. 134 C4
Broom, Loch *inlet* U.K. 50 D3
Broome Australia 108 C4
Brora U.K. 50 F2
Brora *r.* U.K. 50 F2
Brösarp Sweden 45 I9
Brosna *r.* Ireland 51 E4
Brosville U.S.A. 134 F5
Brothers *is* India 71 A5
Brough U.K. 48 E4
Brough Ness *pt* U.K. 50 G2
Broughshane U.K. 51 F3
Broughton Island Canada *see* **Qikiqtarjuaq**
Broughton Islands Australia 112 F4
Brovary Ukr. 43 F6
Brovinia Australia 111 E5
Brovst Denmark 45 F8
Brown City U.S.A. 134 D2
Brown Deer U.S.A. 134 B2
Browne Range *hills* Australia 109 D6
Brownfield U.S.A. 131 C5
Browning U.S.A. 126 E2
Brown Mountain U.S.A. 128 E4
Brownstown U.S.A. 134 B4
Brownsville *KY* U.S.A. 134 B5
Brownsville *PA* U.S.A. 134 F3
Brownsville *TN* U.S.A. 131 F5
Brownsville *TX* U.S.A. 131 D7
Brownwood U.S.A. 131 D6
Browse Island Australia 108 C3
Bruay-la-Bussière France 52 C4
Bruce Peninsula Canada 134 E1
Bruce Peninsula National Park Canada 134 E1
Bruce Rock Australia 109 B7
Bruchsal Germany 53 I5
Brück Germany 53 M2
Bruck an der Mur Austria 47 O7
Brue *r.* U.K. 49 E7
Bruges Belgium *see* **Brugge**
Brugge Belgium 52 D3
Brühl *Baden-Württemberg* Germany 53 I5
Brühl *Nordrhein-Westfalen* Germany 52 G4
Bruin *KY* U.S.A. 134 D4
Bruin *PA* U.S.A. 134 F3
Bruin Point *mt.* U.S.A. 129 H2
Bruint India 83 I3
Brûk, Wâdi el *watercourse* Egypt *see* **Burūk, Wādī al**
Brukkaros Namibia 100 D3
Brûlé Canada 120 G4
Brûlé, Lac *l.* Canada 123 J3
Brûly Belgium 52 E5
Brumado Brazil 145 C1
Brumath France 53 H6
Brumunddal Norway 45 G6
Brunau Germany 53 L2
Brundisium Italy *see* **Brindisi**
Bruneau U.S.A. 126 E4
Brunei *country* Asia 68 E6
Brunei Brunei *see* **Bandar Seri Begawan**
Brunette Downs Australia 110 A3
Brunflo Sweden 44 I5
Brunico Italy 58 D1
Brünn Czech Rep. *see* **Brno**
Brunner, Lake N.Z. 113 C6
Bruno Canada 121 J4
Brunswick Germany *see* **Braunschweig**
Brunswick *GA* U.S.A. 133 D6
Brunswick *MD* U.S.A. 135 G4
Brunswick *ME* U.S.A. 135 K2
Brunswick, Península de *pen.* Chile 144 B8
Brunswick Bay Australia 108 D3
Brunswick Lake Canada 122 E4
Bruntál Czech Rep. 47 P6
Brunt Ice Shelf Antarctica 152 B2
Bruntville S. Africa 101 J5
Bruny Island Australia 111 [inset]
Brusa Turkey *see* **Bursa**
Brusenets Rus. Fed. 42 I3
Brushton U.S.A. 135 H1
Brusque Brazil 145 A4
Brussel Belgium *see* **Brussels**

▶**Brussels** Belgium 52 E4
Capital of Belgium.

Bruthen Australia 112 C6
Bruxelles Belgium *see* **Brussels**
Bruzual Venez. 142 E2
Bryan *OH* U.S.A. 134 C3
Bryan *TX* U.S.A. 131 D6
Bryan, Mount *hill* Australia 111 B7
Bryan Coast Antarctica 152 L2
Bryansk Rus. Fed. 43 G5
Bryanskoye Rus. Fed. 91 G1
Bryant Pond U.S.A. 135 J1
Bryantsburg U.S.A. 134 C4
Bryce Canyon National Park U.S.A. 129 G3
Bryce Mountain U.S.A. 129 I5
Brynbuga U.K. *see* **Usk**
Bryne Norway 45 D7
Bryukhovetskaya Rus. Fed. 43 H7
Brzeg Poland 47 P5
Brześć nad Bugiem Belarus *see* **Brest**
Bua *r.* Malawi 99 D5
Bu'aale Somalia 98 E3
Buala Solomon Is 107 F2
Bu'ayj *well* Saudi Arabia 88 C5
Būbiyān, Jazīrat Kuwait 88 C4
Bucak Turkey 59 N6
Bucaramanga Col. 142 D2
Buccaneer Archipelago *is* Australia 108 C4
Buchanan Liberia 96 B4
Buchanan *MI* U.S.A. 134 B3
Buchanan *VA* U.S.A. 134 F5
Buchanan, Lake *salt flat* Australia 110 D4
Buchan Gulf Canada 119 K2

▶**Bucharest** Romania 59 L2
Capital of Romania.

Büchen Germany 53 K1
Buchen (Odenwald) Germany 53 J5
Buchholz Germany 53 M1
Bucholz in der Nordheide Germany 53 J1
Buchon, Point U.S.A. 128 C4
Buchy France 52 B5
Bucin, Pasul *pass* Romania 59 K1
Buckambool Mountain *hill* Australia 112 B3
Bückeburg Germany 53 J2
Bücken Germany 53 J2
Buckeye U.S.A. 129 G5
Buckhannon U.S.A. 134 E4
Buckhaven U.K. 50 F4
Buckhorn Lake Canada 135 F1
Buckie U.K. 50 G3
Buckingham U.K. 49 G6
Buckingham U.S.A. 135 F5
Buckingham Bay Australia 67 F9
Buckland Tableland *reg.* Australia 110 E5
Buckleboo Australia 109 G8
Buckle Island Antarctica 152 H2
Buckley *watercourse* Australia 110 B4
Buckley Bay Antarctica 152 G2
Bucklin U.S.A. 130 D4
Buckskin Mountains U.S.A. 129 G4
Bucks Mountain U.S.A. 128 C2
Bucksport U.S.A. 123 H5
Bückwitz Germany 53 M2
Bucureşti Romania *see* **Bucharest**
Bucyrus U.S.A. 134 D3
Buda-Kashalyova Belarus 43 F5
Budalin Myanmar 70 A2

▶**Budapest** Hungary 59 H1
Capital of Hungary.

Budaun India 82 D3
Budawang National Park Australia 112 E5
Budda Australia 112 B3
Budd Coast Antarctica 152 F2
Buddusò *Sardinia* Italy 58 C4
Bude U.K. 49 C8
Bude U.S.A. 131 F6
Budennovsk Rus. Fed. 91 G1
Buderim Australia 112 F1
Būding Iran 88 E5
Büdingen Germany 53 J4
Budīyah, Jabal *hills* Egypt 85 A5
Budongquan China 83 H2
Budoni *Sardinia* Italy 58 C4
Budū, Ḥadabat al *plain* Saudi Arabia 88 C6
Budū', Sabkhat al *salt pan* Saudi Arabia 88 C6
Budweis Czech Rep. *see* **České Budějovice**
Buenaventura Col. 142 C3
Buena Vista *i.* N. Mariana Is *see* **Tinian**
Buena Vista *CO* U.S.A. 126 G5
Buena Vista *VA* U.S.A. 134 F5
Buendia, Embalse de *resr* Spain 57 E3

▶**Buenos Aires** Arg. 144 E4
Capital of Argentina. 2nd most populous city in South America.

Buenos Aires, Lago *l.* Arg./Chile 144 B7
Buerarema Brazil 145 D1
Buet *r.* Canada 123 H1
Búfalo Mex. 131 B7
Buffalo *r.* Canada 120 H2
Buffalo *KY* U.S.A. 134 C5
Buffalo *MO* U.S.A. 130 E4
Buffalo *NY* U.S.A. 135 F2
Buffalo *OK* U.S.A. 131 D4
Buffalo *SD* U.S.A. 130 C2
Buffalo *TX* U.S.A. 131 D6
Buffalo *WY* U.S.A. 126 G3
Buffalo Head Hills Canada 120 G3
Buffalo Head Prairie Canada 120 G3
Buffalo Hump *mt.* U.S.A. 126 E3
Buffalo Lake *Alta* Canada 121 H4
Buffalo Lake *N.W.T.* Canada 120 H2
Buffalo Narrows Canada 121 I4
Buffels *watercourse* S. Africa 100 C5
Buffels Drift S. Africa 101 H2
Buftea Romania 59 K2
Bug *r.* Poland 47 S5
Buga Col. 142 C3
Bugaldie Australia 112 D3
Bugdaýly Turkm. 88 D2
Buggenhout Belgium 52 E3
Bugojno Bos.-Herz. 58 G2
Bugrino Rus. Fed. 42 K1
Bugsuk *i.* Phil. 68 F5
Bugt China 74 A2
Bugul'ma Rus. Fed. 41 Q5
Bugun' Kazakh. 80 B2
Bügür China *see* **Luntai**
Buguruslan Rus. Fed. 41 Q5
Būhābād Iran 88 D4
Buḩayrat Dahūk *res.* Iraq 91 F3
Buhera Zimbabwe 99 D5
Bühl Germany 53 I6
Buhuşi Romania 59 L1
Buick Canada 120 F3
Builth Wells U.K. 49 D6
Bui National Park Ghana 96 C4
Buinsk Rus. Fed. 43 K5
Bu'in Zahrā Iran 88 C3
Buir Nur *l.* Mongolia 73 L3
Buitepos Namibia 100 D2
Bujanovac Serbia 59 I3

▶**Bujumbura** Burundi 98 C4
Capital of Burundi.

Bukachacha Rus. Fed. 73 L2
Buka Daban *mt.* China 83 G1
Buka Island P.N.G. 106 F2
Būkān Iran 88 B2
Būkand Iran 88 D4
Bukavu Dem. Rep. Congo 98 C4
Bukhara *Buxoro* Uzbek. *see* **Buxoro**
Bukhoro Uzbek. *see* **Buxoro**
Bukit Baka-Bukit Raya, Taman Nasional Indon. 68 E7
Bukit Timah Sing. 71 [inset]
Bukittinggi Indon. 68 C7
Bukkapatnam India 84 C3
Bukoba Tanz. 98 D4
Bükreş Romania *see* **Bucharest**
Būl, Kūh-e *mt.* Iran 88 D4
Bula P.N.G. 69 K8
Bülach Switz. 56 I3
Bulan *i.* Indon. 71 C7
Bulancak Turkey 90 E2
Bulandshahr India 82 D3
Bulanık Turkey 91 F3
Bulava Rus. Fed. 74 F2
Bulawayo Zimbabwe 99 C6
Buldan Turkey 59 M5
Buldana India *see* **Buldhana**
Buldhana India 84 C1
Buleda *reg.* Pak. 89 F5
Bulembu Swaziland 101 J3
Bulgan *Bulgan* Mongolia 80 J2
Bulgan Mongolia 80 H2
Bulgar Rus. Fed. *see* **Bolgar**
Bulgaria *country* Europe 59 K3
Bŭlgariya *country* Europe *see* **Bulgaria**
Bulkley Ranges *mts* Canada 120 D4
Bullawarra, Lake *salt flat* Australia 112 A1
Bullen *r.* Canada 121 K1
Buller *r.* N.Z. 113 C5
Buller, Mount Australia 112 C6
Bulleringa National Park Australia 110 C3
Bullfinch Australia 109 B7
Bullhead City U.S.A. 129 F4
Bulli Australia 112 E5
Bullion Mountains U.S.A. 128 E4
Bullo *r.* Australia 108 E3
Bulloo Downs Australia 111 C6
Bulloo Lake *salt flat* Australia 111 C6
Büllsport Namibia 100 C3
Bully Choop Mountain U.S.A. 128 B1
Bulman Australia 108 F3
Bulman Gorge Australia 108 F3
Bulmer Lake Canada 120 F2
Buloh, Pulau *i.* Sing. 71 [inset]
Buloke, Lake *dry lake* Australia 112 A6
Bulolo P.N.G. 69 L8
Bulsar India *see* **Valsad**
Bultfontein S. Africa 101 H5
Bulukumba Indon. 69 G8
Bulun Rus. Fed. 65 N2
Bulungu Dem. Rep. Congo 99 C4
Bulung'ur Uzbek. 89 G2
Bumba Dem. Rep. Congo 98 C3
Būmbah Libya 90 A4
Būmbah, Khalīj *b.* Libya 90 A4
Bumhkang Myanmar 70 B1
Bumpha Bum *mt.* Myanmar 70 B1
Buna Dem. Rep. Congo 98 B4
Buna Kenya 98 D3
Bunayyān *well* Saudi Arabia 88 C6
Bunazi Tanz. 98 D4
Bunbury Australia 109 A8
Bunclody Ireland 51 F5
Buncrana Ireland 51 E2
Bunda Tanz. 98 D4
Bundaberg Australia 110 F5
Bundaleer Australia 112 C2
Bundarra Australia 112 E3
Bundi India 82 C4
Bundjalung National Park Australia 112 F2
Bundoran Ireland 51 D3
Bunduqiya Sudan 97 G4
Buner *reg.* Pak. 89 I3
Bungalaut, Selat *sea chan.* Indon. 68 B7
Bungay U.K. 49 I6
Bungendore Australia 112 D5
Bunger Hills Antarctica 152 F2
Bungle Bungle National Park Australia *see* **Purnululu National Park**
Bungo-suidō *sea chan.* Japan 75 D6
Bunguran, Kepulauan *is* Indon. *see* **Natuna, Kepulauan**
Bunguran, Pulau *i.* Indon. *see* **Natuna Besar**
Bunia Dem. Rep. Congo 98 D3
Bunianga Dem. Rep. Congo 98 C4
Buningonia *well* Australia 109 C7
Bunji Pak. 82 C2
Bunker Group *atolls* Australia 110 F4
Bunkeya Dem. Rep. Congo 99 C5
Bunnell U.S.A. 133 D6
Bünsum China 83 E3
Bunya Mountains National Park Australia 112 E1
Bünyan Turkey 90 D3
Bunyu *i.* Indon. 68 F6
Buôn Đôn Vietnam 71 D4
Buôn Ma Thuôt Vietnam 71 E4
Buorkhaya, Guba *b.* Rus. Fed. 65 O2
Bup *r.* China 83 F3
Buqayq Saudi Arabia *see* **Abqaiq**
Buqbuq Egypt 90 B5
Bura Kenya 98 D4
Buraan Somalia 98 E2
Buram Sudan 97 F3
Buran Kazakh. 80 G2
Buranhaém Brazil 145 C2
Buranhaém *r.* Brazil 145 D2
Burāq Syria 85 C3
Buray *r.* India 82 C5
Buraydah Saudi Arabia 86 F4
Burbach Germany 53 I4
Burbank U.S.A. 128 D4
Burcher Australia 112 C4
Burco Somalia 98 E3
Burdaard Neth. 52 F1
Burdalyk Turkm. 89 G2
Burdigala France *see* **Bordeaux**
Burdur Turkey 59 N6
Burdur Gölü *l.* Turkey 59 N6
Burdwan India *see* **Barddhaman**
Burē Eth. 98 D2
Bure *r.* U.K. 49 I6
Bureå Sweden 44 L4
Bureinskiy Khrebet *mts* Rus. Fed. 74 D2
Bureinskiy Zapovednik *nature res.* Rus. Fed. 74 D2
Bureya *r.* Rus. Fed. 74 C2
Bureya Range *mts* Rus. Fed. *see* **Bureinskiy Khrebet**
Burford Canada 134 E2
Burgas Bulg. 59 L3
Burgaw U.S.A. 133 E5
Burg bei Magdeburg Germany 53 L2
Burgbernheim Germany 53 K5
Burgdorf Germany 53 K2
Burgeo Canada 123 K5
Burgersdorp S. Africa 101 H6
Burgersfort S. Africa 101 J3
Burges, Mount *hill* Australia 109 C7
Burgess Hill U.K. 49 G8
Burghaun Germany 53 J4
Burghausen Germany 47 N6
Burghead U.K. 50 F3
Burgh-Haamstede Neth. 52 D3
Burgio, Serra di *hill Sicily* Italy 58 F6
Burglengenfeld Germany 53 M5
Burgos Mex. 131 D7
Burgos Spain 57 E2
Burgstädt Germany 53 M4
Burgsvik Sweden 45 K8
Burgum Neth. 52 G1
Burgundy *reg.* France 56 G3
Burhan Budai Shan *mts* China 80 H4
Burhaniye Turkey 59 L5
Burhanpur India 82 D5
Burhar-Dhanpuri India 83 E5
Buri Brazil 145 A3
Burias *i.* Phil. 69 G4
Burin Canada 123 L5
Burin Peninsula Canada 123 L5
Buriram Thai. 70 C4
Buritama Brazil 145 A3
Buriti Alegre Brazil 145 A2
Buriti Bravo Brazil 143 J5
Buritirama Brazil 143 J6
Buritis Brazil 145 B1
Burj Aziz Khan Pak. 89 G4
Burke U.S.A. 130 D3
Burke Island Antarctica 152 K2
Burke Pass N.Z. *see* **Burkes Pass**
Burkes Pass N.Z. 113 C7
Burkesville U.S.A. 134 C5
Burketown Australia 110 B3
Burkeville U.S.A. 135 F5
Burkina *country* Africa 96 C3
Burkina Faso *country* Africa *see* **Burkina**
Burk's Falls Canada 122 F5
Burley U.S.A. 126 E4
Burlington Canada 134 F2
Burlington *CO* U.S.A. 130 C4
Burlington *IA* U.S.A. 130 F3
Burlington *KS* U.S.A. 130 E4
Burlington *KY* U.S.A. 134 C4
Burlington *VT* U.S.A. 135 I1
Burlington *WI* U.S.A. 134 A2
Burmantovo Rus. Fed. 41 S3
Burnaby Canada 120 F5
Burnet U.S.A. 131 D6
Burney U.S.A. 128 C1
Burney, Monte *vol.* Chile 144 B8
Burnham U.S.A. 135 G3
Burnie Australia 111 [inset]
Burniston U.K. 48 G4
Burnley U.K. 48 E5
Burns U.S.A. 126 D4
Burnside *r.* Canada 118 H3
Burnside U.S.A. 134 C5
Burnside, Lake *salt flat* Australia 109 C6
Burns Junction U.S.A. 126 D4
Burns Lake Canada 120 E4
Burntisland U.K. 50 F4
Burnt Lake Canada *see* **Brûlé, Lac**
Burntwood *r.* Canada 121 L4
Burog Co *l.* China 83 F2
Buron *r.* Canada 123 H2
Burovoy Uzbek. 89 F1
Burqin China 80 G2
Burqu' Jordan 85 D3
Burra Australia 111 B7
Burra *i.* U.K. 50 [inset]
Burravoe U.K. 50 [inset]
Burrel Albania 59 I4
Burrel U.S.A. 128 D3
Burren *reg.* Ireland 51 C4
Burrendong, Lake Australia 112 D4
Burren Junction Australia 112 D3
Burrewarra Point Australia 112 E5
Burrinjuck Australia 112 D5
Burrinjuck Reservoir Australia 112 D5
Burro, Serranías del *mts* Mex. 131 C6
Burr Oak Reservoir U.S.A. 134 D4
Burro Creek *watercourse* U.S.A. 129 G4
Burro Peak U.S.A. 129 I5
Burrowa Pine Mountain National Park Australia 112 C6
Burrow Head *hd* U.K. 50 E6
Burrows U.S.A. 134 B3
Burrundie Australia 108 E3
Bursa Turkey 59 M4
Bûr Safâga Egypt *see* **Būr Safājah**
Būr Safājah Egypt 86 D4
Būr Sa'īd Egypt *see* **Port Said**
Bûr Sa'îd Egypt *see* **Port Said**
Bûr Sa'îd *governorate* Egypt *see* **Būr Sa'īd**
Būr Sa'īd *governorate* Egypt 85 A4
Bursinskoye Vodokhranilishche *resr* Rus. Fed. 74 C2
Bürstadt Germany 53 I5
Būr Sudan Sudan *see* **Port Sudan**
Burt Lake U.S.A. 132 C2
Burton U.S.A. 134 D2
Burton, Lac *l.* Canada 122 F3
Burton upon Trent U.K. 49 F6
Burträsk Sweden 44 L4
Burt Well Australia 109 F5
Buru *i.* Indon. 69 H7
Burūk, Wādī al *watercourse* Egypt 85 A4
Burullus, Baḥra el *lag.* Egypt *see* **Burullus, Lake**
Burullus, Buḩayrat al *lag.* Egypt *see* **Burullus, Lake**
Burullus, Lake *lag.* Egypt 90 C5
Burultokay China *see* **Fuhai**
Burūn, Ra's *pt* Egypt 85 A4
Burundi *country* Africa 98 C4
Burunniy Rus. Fed. *see* **Tsagan Aman**
Bururi Burundi 98 C4
Burwash Landing Canada 120 B2
Burwick U.K. 50 G2
Buryn' Ukr. 43 G6
Bury St Edmunds U.K. 49 H6
Burzil Pass Pak. 82 C2
Busan S. Korea *see* **Pusan**
Busanga Dem. Rep. Congo 98 C4
Busby U.S.A. 126 G3
Buseire Syria *see* **Al Buşayrah**
Bush *r.* U.K. 51 F2
Būshehr Iran 88 C4
Bushêngcaka China 83 E2
Bushenyi Uganda 98 D4
Bushire Iran *see* **Būshehr**
Bushmills U.K. 51 F2
Bushnell U.S.A. 133 D6
Businga Dem. Rep. Congo 98 C3
Buşrá ash Shām Syria 85 C3
Busse Rus. Fed. 74 B2
Busselton Australia 109 A8
Bussum Neth. 52 F2
Bustillos, Lago *l.* Mex. 127 G7
Busto Arsizio Italy 58 C2
Buta Dem. Rep. Congo 98 C3
Butare Rwanda 98 C4
Butaritari *atoll* Kiribati 150 H5
Bute Australia 111 B7
Bute *i.* U.K. 50 D5
Butedale Canada 120 D4
Butha Buthe Lesotho 101 I5
Butha Qi China *see* **Zalantun**
Buthidaung Myanmar 70 A2
Butler *AL* U.S.A. 131 F5
Butler *GA* U.S.A. 133 C5
Butler *IN* U.S.A. 134 C3
Butler *KY* U.S.A. 134 C4
Butler *MO* U.S.A. 130 E4
Butler *PA* U.S.A. 134 F3
Butlers Bridge Ireland 51 E3
Buton *i.* Indon. 69 G7
Bütow Germany 53 M1
Butte *MT* U.S.A. 126 E3
Butte *NE* U.S.A. 130 D3
Buttelstedt Germany 53 L3
Butterworth Malaysia 71 C6
Butterworth S. Africa 101 I7
Buttes, Sierra *mt.* U.S.A. 128 C2
Buttevant Ireland 51 D5
Butt of Lewis *hd* U.K. 50 C2
Button Bay Canada 121 M3
Butuan Phil. 69 H5
Butuo China 76 D3
Buturlinovka Rus. Fed. 43 I6
Butwal Nepal 83 E4
Butzbach Germany 53 I4
Buulobarde Somalia 98 E3
Buur Gaabo Somalia 98 E4
Buurhabaka Somalia 98 E3
Buutsagaan Mongolia 80 I2
Buxar India 83 F4
Buxoro Uzbek. 89 G2
Buxtehude Germany 53 J1
Buxton U.K. 48 F5
Buy Rus. Fed. 42 I4
Buynaksk Rus. Fed. 91 G2
Büyükçekmece Turkey 90 C2
Büyük Egri Dağ *mt.* Turkey 85 A1
Büyükmenderes *r.* Turkey 59 L6
Buzancy France 52 E5
Buzău Romania 59 L2
Buzdyak Rus. Fed. 41 Q5
Búzi Moz. 99 D5
Büzmeýin Turkm. *see* **Abadan**
Buzuluk Rus. Fed. 41 Q5
Buzuluk *r.* Rus. Fed. 43 I6
Buzzards Bay U.S.A. 135 J3
Byakar Bhutan *see* **Jakar**
Byala Bulg. 59 K3
Byala Slatina Bulg. 59 J3
Byalynichy Belarus 43 F5
Byarezina *r.* Belarus 43 F5
Byaroza Belarus 45 N10
Byblos *tourist site* Lebanon 85 B2
Bydgoszcz Poland 47 Q4
Byelorussia *country* Europe *see* **Belarus**
Byerazino Belarus 43 F5
Byers U.S.A. 126 G5
Byeshankovichy Belarus 43 F5
Byesville U.S.A. 134 E4
Bygland Norway 45 E7
Bykhaw Belarus 43 F5
Bykhov Belarus *see* **Bykhaw**
Bykle Norway 45 E7
Bykovo Rus. Fed. 43 J6
Bylas U.S.A. 129 H5
Bylot Island Canada 119 K2
Byramgore Reef India 84 A4
Byrd Glacier Antarctica 152 H1
Byrdstown U.S.A. 134 C5
Byrkjelo Norway 45 E6
Byrock Australia 112 C3
Byron U.S.A. 135 J1
Byron, Cape Australia 112 F2
Byron Bay Australia 112 F2
Byron Island Kiribati *see* **Nikunau**
Byrranga, Gory *mts* Rus. Fed. 65 K2
Byske Sweden 44 L4
Byssa Rus. Fed. 74 C1
Byssa *r.* Rus. Fed. 74 C1
Bytom Poland 47 Q5
Bytów Poland 47 P3
Byurgyutli Turkm. 88 D2
Byzantium Turkey *see* **İstanbul**

Ca, Sông *r.* Vietnam 70 D3
Caacupé Para. 144 E3
Caatinga Brazil 145 B2
Caazapá Para. 144 E3
Cabaiguán Cuba 133 E8
Caballas Peru 142 C6
Caballococha Peru 142 D4
Caballos Mesteños, Llano de los *plain* Mex. 131 B6
Cabanaconde Peru 142 D7
Cabanatuan Phil. 69 G3
Cabano Canada 123 H5
Cabdul Qaadir Somalia 98 E2
Cabeceira Rio Manso Brazil 143 G7
Cabeceiras Brazil 145 B1
Cabeza del Buey Spain 57 D4
Cabezas Bol. 142 F7
Cabimas Venez. 142 D1

173

Carnes Australia 109 F7
Carney Island Antarctica 152 J2
Carnforth U.K. 48 E4
Carn Glas-choire hill U.K. 50 F3
Car Nicobar i. India 71 A5
Carnlough U.K. 51 G3
Carn nan Gabhar mt. U.K. 50 F4
Carn Odhar hill U.K. 50 E3
Carnot Cent. Afr. Rep. 98 B3
Carnoustie U.K. 50 G4
Carnsore Point Ireland 51 F5
Carnwath U.K. 50 F5
Caro U.S.A. 134 D2
Carola Cay reef Australia 110 F3
Carol City U.S.A. 133 D7
Carolina Brazil 143 I5
Carolina S. Africa 101 J4
Carolina Beach U.S.A. 133 E5
Caroline Canada 120 H4
Caroline Island atoll Kiribati 151 J6
Caroline Islands N. Pacific Ocean 69 K5
Caroline Peak N.Z. 113 A7
Caroline Range hills Australia 108 D4
Caroní r. Venez. 142 F2
Carp Canada 135 G1
Carpathian Mountains Europe 43 C6
Carpații mts Europe see Carpathian Mountains
Carpații Meridionali mts Romania see Transylvanian Alps
Carpații Occidentali mts Romania 59 J2
Carpentaria, Gulf of Australia 110 B2
Carpentras France 56 G4
Carpi Italy 58 D2
Carpinteria U.S.A. 128 D4
Carpio U.S.A. 130 C1
Carra, Lough l. Ireland 51 C4
Carraig na Siuire Ireland see Carrick-on-Suir
Carrantuohill mt. Ireland 51 C6
Carrara Italy 58 D2
Carrasco, Parque Nacional nat. park Bol. 142 F7
Carrathool Australia 112 B5
Carrhae Turkey see Harran
Carrickfergus U.K. 51 G3
Carrickmacross Ireland 51 F4
Carrick-on-Shannon Ireland 51 D4
Carrick-on-Suir Ireland 51 E5
Carrigallen Ireland 51 E4
Carrigtohill Ireland 51 D6
Carrillo Mex. 131 C7
Carrington U.S.A. 130 D2
Carrizal Mex. 127 G7
Carrizal Bajo Chile 144 B3
Carrizo U.S.A. 129 H4
Carrizo Creek r. U.S.A. 131 C4
Carrizo Springs U.S.A. 131 D6
Carrizo Wash watercourse U.S.A. 129 I4
Carrizozo U.S.A. 127 G6
Carroll U.S.A. 130 E3
Carrollton AL U.S.A. 131 F5
Carrollton GA U.S.A. 133 C5
Carrollton IL U.S.A. 130 F4
Carrollton KY U.S.A. 134 C4
Carrollton MO U.S.A. 130 E4
Carrollton OH U.S.A. 134 E3
Carrolltown U.S.A. 135 F3
Carron r. U.K. 50 E3
Carrot r. Canada 121 K4
Carrothers U.S.A. 134 D3
Carrot River Canada 121 K4
Carrowmore Lake Ireland 51 C3
Carrsville U.S.A. 135 G5
Carruthers Lake Canada 121 K2
Carruthersville U.S.A. 131 F4
Carry Falls Reservoir U.S.A. 135 H1
Çarşamba Turkey 90 E2
Carson r. U.S.A. 128 D2
Carson City MI U.S.A. 134 C2
▶Carson City NV U.S.A. 128 D2
Capital of Nevada.
Carson Escarpment Australia 108 D3
Carson Lake U.S.A. 128 D2
Carson Sink l. U.S.A. 128 D2
Carstensz Pyramid mt. Indon. see Jaya, Puncak
Carstensz-top mt. Indon. see Jaya, Puncak
Carswell Lake Canada 121 I3
Cartagena Col. 142 C1
Cartagena Spain 57 F5
Carteret Group is P.N.G. see Kilinailau Islands
Carteret Island Solomon Is see Malaita
Cartersville U.S.A. 133 C5
Carthage tourist site Tunisia 58 D6
Carthage MO U.S.A. 131 E4
Carthage NC U.S.A. 133 E5
Carthage NY U.S.A. 135 H2
Carthage TX U.S.A. 131 E5
Carthago tourist site Tunisia see Carthage
Carthago Nova Spain see Cartagena
Cartier Island Australia 108 C3
Cartmel U.K. 48 E4
Cartwright Man. Canada 121 L5
Cartwright Nfld. and Lab. Canada 123 K3
Caruarú Brazil 143 K5
Carúpano Venez. 142 F1
Carver U.S.A. 134 D5
Carvin France 52 C4
Cary U.S.A. 132 E5
Caryapundy Swamp Australia 111 C6
Casablanca Morocco 54 C5
Casa Branca Brazil 145 B3
Casa de Piedra, Embalse resr Arg. 144 C5
Casa Grande U.S.A. 129 H5
Casale Monferrato Italy 58 C2
Casalmaggiore Italy 58 D2
Casas Grandes Mex. 127 G7
Casca Brazil 145 A5
Cascada de Bassaseachic, Parque Nacional nat. park Mex. 127 F7
Cascade Australia 109 C8
Cascade r. N.Z. 113 B7
Cascade ID U.S.A. 126 D3
Cascade MT U.S.A. 126 F3
Cascade Point N.Z. 113 B7
Cascade Range mts Canada/U.S.A. 126 C4
Cascade Reservoir U.S.A. 126 D3
Cascais Port. 57 B4
Cascavel Brazil 144 F2
Casco Bay U.S.A. 135 K2
Caserta Italy 58 F4
Casey research station Antarctica 152 F2
Casey Bay Antarctica 152 D2
Caseyr, Raas c. Somalia see Gwardafuy, Gees
Cashel Ireland 51 E5
Cashmere Australia 112 D1
Casino Australia 112 F2
Casiquiare, Canal r. Venez. 142 E3
Casita Mex. 127 F7
Casnewydd U.K. see Newport
Caspe Spain 57 F3
Casper U.S.A. 126 G4
Caspian Lowland Kazakh./Rus. Fed. 78 D2
▶Caspian Sea l. Asia/Europe 91 H1
Largest lake in the world and in Asia/Europe, and lowest point in Europe.
Cass U.S.A. 134 F4
Cass r. U.S.A. 134 D2
Cassacatiza Moz. 99 D5
Cassadaga U.S.A. 134 F2
Cassaigne Alg. see Sidi Ali
Cassamba Angola 99 C5
Cass City U.S.A. 134 D2
Cassel France 52 C4
Casselman Canada 135 H1
Cássia Brazil 145 B3
Cassiar Mountains Canada 120 D2
Cassilândia Brazil 145 A2
Cassilis Australia 112 D4
Cassino Italy 58 E4
Cassley r. U.K. 50 E3
Cassongue Angola 99 B5
Cassopolis U.S.A. 134 B3
Cassville U.S.A. 131 E4
Castanhal Brazil 143 I4
Castanho Brazil 142 F5
Castaños Mex. 131 C7
Castelfranco Veneto Italy 58 D2
Castell-nedd U.K. see Neath
Castell Newydd Emlyn U.K. see Newcastle Emlyn
Castellón Spain see Castellón de la Plana
Castellón de la Plana Spain 57 F4
Castelo Branco Port. 57 C4
Castelo de Vide Port. 57 C4
Casteltermini Sicily Italy 58 E6
Castelvetrano Sicily Italy 58 E6
Castiglione della Pescaia Italy 58 D3
Castignon, Lac l. Canada 123 H2
Castilla y León reg. Spain 56 B6
Castlebar Ireland 51 C4
Castlebay U.K. 50 B4
Castlebellingham Ireland 51 F4
Castleblayney Ireland 51 F3
Castlebridge Ireland 51 F5
Castle Carrock U.K. 48 E4
Castle Cary U.K. 49 E7
Castle Dale U.S.A. 129 H2
Castlederg U.K. 51 E3
Castledermot Ireland 51 F5
Castle Dome Mountains U.S.A. 129 F5
Castle Donington U.K. 49 F6
Castle Douglas U.K. 50 F6
Castleford U.K. 48 F5
Castlegar Canada 120 G5
Castlegregory Ireland 51 B5
Castle Island Bahamas 133 F8
Castleisland Ireland 51 C5
Castlemaine Australia 112 B6
Castlemaine Ireland 51 C5
Castlemartyr Ireland 51 D6
Castle Mountain Alta Canada 120 H5
Castle Mountain Y.T. Canada 120 C1
Castle Mountain U.S.A. 128 C4
Castle Peak hill H.K. China 77 [inset]
Castle Peak Bay H.K. China 77 [inset]
Castlepoint N.Z. 113 F5
Castlepollard Ireland 51 E4
Castlerea Ireland 51 D4
Castlereagh r. Australia 112 C3
Castle Rock U.S.A. 126 G5
Castletown Ireland 51 E5
Castletown Isle of Man 48 C4
Castor Canada 121 I4
Castor r. U.S.A. 131 F4
Castor, Rivière du r. Canada 122 F3
Castra Regina Germany see Regensburg
Castres France 56 F5
Castricum Neth. 52 E2
▶Castries St Lucia 137 L6
Capital of St Lucia.
Castro Brazil 145 A4
Castro Chile 144 B6
Castro Alves Brazil 145 D1
Castro Verde Port. 57 B5
Castroville U.S.A. 128 C3
Çat Turkey 91 F3
Catacaos Peru 142 B5
Cataguases Brazil 145 C3
Catahoula Lake U.S.A. 131 E6
Çatak Turkey 91 F3
Catalão Brazil 145 B2
Çatalca Yarımadası pen. Turkey 59 M4
Catalina U.S.A. 129 H5
Catalonia aut. comm. Spain see Cataluña
Cataluña aut. comm. Spain 57 G3
Catalunya aut. comm. Spain see Cataluña
Catamarca Arg. 144 C3
Catana Sicily Italy see Catania
Catanduanes i. Phil. 69 G4
Catanduva Brazil 145 A3
Catania Sicily Italy 58 F6
Catanzaro Italy 58 G5
Cataract Creek watercourse U.S.A. 129 G3
Catarina U.S.A. 131 D6
Catarino Rodríguez Mex. 131 C7
Catarman Phil. 69 G4
Catastrophe, Cape Australia 111 A7
Catawba r. U.S.A. 133 D5
Cataxa Moz. 99 D5
Cat Ba, Đao i. Vietnam 70 D2
Catbalogan Phil. 69 G4
Catembe Moz. 101 K4
Catengue Angola 99 B5
Catete Angola 99 B4
Cathair Dónall Ireland 51 B6
Cathcart Australia 112 D6
Cathcart S. Africa 101 H7
Cathedral Peak S. Africa 101 I5
Cathedral Rock National Park Australia 112 F3
Catherine, Mount U.S.A. 129 G2
Catheys Valley U.S.A. 128 C3
Cathlamet U.S.A. 126 C3
Catió Guinea-Bissau 96 B3
Catisimiña Venez. 142 F3
Cat Island Bahamas 133 F7
Cat Lake Canada 121 N5
Catlettsburg U.S.A. 134 D4
Catoche, Cabo c. Mex. 133 C8
Cato Island and Bank reef Australia 110 F4
Catriló Arg. 144 D5
Cats, Mont des hill France 52 C4
Catskill U.S.A. 135 I2
Catskill Mountains U.S.A. 135 H2
Catuane Moz. 101 K4
Cauayan Phil. 69 G5
Caubvick, Mount Canada 123 J2
Cauca r. Col. 137 J7
Caucaia Brazil 143 K4
Caucasia Col. 142 C2
Caucasus mts Asia/Europe 91 F2
Cauchon Lake Canada 121 L4
Caudry France 52 D4
Câu Giat Vietnam 70 D3
Caulonia Italy 58 G5
Caungula Angola 99 B4
Cauquenes Chile 144 B5
Causapscal Canada 123 I4
Cavaglià Italy 58 C2
Cavalcante, Serra do hills Brazil 145 B1
Cavalier U.S.A. 130 D1
Cavan Ireland 51 E4
Çavdır Turkey 59 M6
Cave City U.S.A. 134 C5
Cave Creek U.S.A. 129 H5
Caveira r. Brazil 145 C1
Cavern Island Myanmar 71 B5
Cave Run Lake U.S.A. 134 D4
Caviana, Ilha i. Brazil 143 H3
Cawdor U.K. 50 F3
Cawnpore India see Kanpur
Cawston U.K. 49 I6
Caxias Brazil 143 J4
Caxias do Sul Brazil 145 A5
Caxito Angola 99 B4
Çay Turkey 59 N5
Cayambe, Volcán vol. Ecuador 142 C3
Çaybaşı Turkey see Çayeli
Çaycuma Turkey 59 O4
Çayeli Turkey 91 F2
▶Cayenne Fr. Guiana 143 H3
Capital of French Guiana.
Cayeux-sur-Mer France 52 B4
Çayırhan Turkey 59 N4
Cayman Brac i. Cayman Is 137 I5
▶Cayman Islands terr. West Indies 137 H5
United Kingdom Overseas Territory.
Cayman Trench sea feature Caribbean Sea 148 C4
Caynabo Somalia 98 E3
Cay Sal i. Bahamas 133 D8
Cay Sal Bank sea feature Bahamas 133 D8
Cay Santa Domingo i. Bahamas 133 F8
Cayucos U.S.A. 128 C4
Cayuga Canada 134 F2
Cayuga Lake U.S.A. 135 G2
Cay Verde i. Bahamas 133 F8
Cazê China 83 F3
Cazenovia U.S.A. 135 H2
Cazombo Angola 99 C5
Ceadâr-Lunga Moldova see Ciadîr-Lunga
Ceananus Mór Ireland see Kells
Ceann a Deas na Hearadh pen. U.K. see South Harris
Ceará Brazil see Fortaleza
Ceara Abyssal Plain sea feature S. Atlantic Ocean 148 F6
Ceatharlach Ireland see Carlow
Ceballos Mex. 131 B7
Cebu Phil. 69 G4
Cebu i. Phil. 69 G4
Čechy reg. Czech Rep. 47 N6
Cecil Plains Australia 112 E1
Cecil Rhodes, Mount hill Australia 109 C6
Cecina Italy 58 D3
Cedar r. ND U.S.A. 130 C2
Cedar r. NE U.S.A. 130 D3
Cedar City U.S.A. 129 G3
Cedaredge U.S.A. 129 J2
Cedar Falls U.S.A. 130 E3
Cedar Grove U.S.A. 134 B2
Cedar Hill NM U.S.A. 129 J3
Cedar Hill TN U.S.A. 134 B5
Cedar Island U.S.A. 135 H5
Cedar Lake Canada 121 K4
Cedar Point U.S.A. 134 D3
Cedar Rapids U.S.A. 130 F3
Cedar Run U.S.A. 135 H4
Cedar Springs U.S.A. 134 C2
Cedartown U.S.A. 133 C5
Cedarville S. Africa 101 I6
Cedros Mex. 127 F8
Cedros, Cerro mt. Mex. 127 E7
Cedros, Isla i. Mex. 127 E7
Ceduna Australia 109 F8
Ceeldheere Somalia 98 E3
Ceerigaabo Somalia 98 E2
Cefalù Sicily Italy 58 F5
Cegléd Hungary 59 H1
Cêgnê China 76 B1
Ceheng China 76 E3
Çekerek Turkey 90 D2
Çekiçler Turkm. 88 D2
Celaya Mex. 136 D4
Celbridge Ireland 51 F4
▶Celebes i. Indon. 69 G7
4th largest island in Asia.
Celebes Basin sea feature Pacific Ocean 150 E5
Celebes Sea Indon./Phil. 69 G6
Celestún Mex. 136 F4
Celina OH U.S.A. 134 C3
Celina TN U.S.A. 134 C5
Celje Slovenia 58 F1
Celle Germany 53 K2
Celovec Austria see Klagenfurt
Celtic Sea Ireland/U.K. 46 D5
Celtic Shelf sea feature N. Atlantic Ocean 148 H2
Çemenibit Turkm. 89 F3
Cenderawasih, Teluk b. Indon. 69 J7
Çendir r. Turkm. 88 D2
Centane S. Africa see Kentani
Centenary Zimbabwe 99 D5
Center NE U.S.A. 130 D3
Center TX U.S.A. 131 E6
Centereach U.S.A. 135 I3
Center Point U.S.A. 133 C5
Centerville IA U.S.A. 130 E3
Centerville MO U.S.A. 131 F4
Centerville TX U.S.A. 131 E6
Centerville WV U.S.A. 134 E4
Centrafricaine, République country Africa see Central African Republic
Central admin. dist. Botswana 101 H2
Central U.S.A. 129 I5
Central, Cordillera mts Col. 142 C3
Central, Cordillera mts Peru 142 C6
Central African Empire country Africa see Central African Republic
Central African Republic country Africa 98 B3
Central Brahui Range mts Pak. 89 G4
Central Butte Canada 126 G2
Central City U.S.A. 130 D3
Centralia IL U.S.A. 130 F4
Centralia WA U.S.A. 126 C3
Central Kalahari Game Reserve nature res. Botswana 100 F2
Central Kara Rise sea feature Arctic Ocean 153 F1
Central Makran Range mts Pak. 89 G5
Central Mount Stuart hill Australia 108 F5
Central Pacific Basin sea feature Pacific Ocean 150 H5
Central Provinces state India see Madhya Pradesh
Central Range mts P.N.G. 69 K7
Central Russian Upland hills Rus. Fed. 43 H5
Central Siberian Plateau Rus. Fed. 65 M3
Central Square U.S.A. 135 G2
Centre U.S.A. 133 C5
Centreville AL U.S.A. 133 C5
Centreville U.S.A. 135 G4
Cenxi China 77 F4
Cenyang China see Hengfeng
Ceos i. Greece see Tzia
Ceos i. Notio Aigaio Greece see Tzia
Cephaloedium Sicily Italy see Cefalù
Cephalonia i. Greece 59 I5
Ceram i. Indon. see Seram
Ceram Sea Indon. see Seram, Laut
Cerbat Mountains U.S.A. 129 F4
Čerchov mt. Czech Rep. 53 M5
Ceres Arg. 144 D3
Ceres Brazil 145 A1
Ceres S. Africa 100 D7
Ceres U.S.A. 128 C3
Céret France 56 F5
Cerezo de Abajo Spain 57 E3
Cerignola Italy 58 F4
Cerigo i. Greece see Kythira
Cêringgolêb China see Dongco
Çerkeş Turkey 90 D2
Çerkeşli Turkey 59 M4
Çermik Turkey 91 E3
Cernăuţi Ukr. see Chernivtsi
Cernavodă Romania 59 M2
Cerralvo, Isla i. Mex. 136 C4
Cërrik Albania 59 H4
Cerritos Mex. 136 D4
Cerro Azul Brazil 145 A4
Cerro de Pasco Peru 142 C6
Cerros Colorados, Embalse resr Arg. 144 C5
Cervantes, Cerro mt. Arg. 144 B8
Cervati, Monte mt. Italy 58 F4
Cervione Corsica France 56 I5
Cervo Spain 57 C2
Cesena Italy 58 E2
Cēsis Latvia 45 N8
Česká Republika country Europe see Czech Republic
České Budějovice Czech Rep. 47 O6
Českomoravská vysočina hills Czech Rep. 47 O6
Český Krumlov Czech Rep. 47 O6
Český les mts Czech Rep./Germany 53 M5
Çeşme Turkey 59 L5
Cessnock Australia 112 E4
Cetatea Albă Ukr. see Bilhorod-Dnistrovs'kyy
Cetinje Montenegro 58 H3
Cetraro Italy 58 F5
▶Ceuta N. Africa 57 D6
Autonomous Community of Spain.
Ceva-i-Ra reef Fiji 107 H4
Cévennes mts France 56 F5
Cévennes, Parc National des nat. park France 56 F4
Cevizli Turkey 85 C1
Cevizlik Turkey see Maçka
Ceyhan Turkey 90 D3
Ceyhan r. Turkey 85 B1
Ceyhan Boğazı r. mouth Turkey 85 B1
Ceylanpınar Turkey 91 F3
Ceylon country Asia see Sri Lanka
Chābahār Iran 89 F5
Chabrol i. New Caledonia see Lifou
Chabug China 83 E2
Chabyêr Caka salt l. China 83 F3
Chachapoyas Peru 142 C5
Chacharan Pak. 89 H4
Chäche Turkm. see Çäçe
Chachoengsao Thai. 71 C4
Chachro Pak. 89 H5
Chaco r. U.S.A. 129 I3
Chaco Boreal reg. Para. 144 E2
Chaco Culture National Historical Park nat. park U.S.A. 129 J3
Chaco Mesa plat. U.S.A. 129 J4
▶Chad country Africa 97 E3
5th largest country in Africa.
Chad, Lake Africa 97 E3
Chadaasan Mongolia 72 I3
Chadan Rus. Fed. 80 H1
Chadibe Botswana 101 H2
Chadron U.S.A. 130 C3
Chadyr-Lunga Moldova see Ciadîr-Lunga
Chae Hom Thai. 70 B3
Chaeryŏng N. Korea 75 B5
Chae Son National Park Thai. 70 B3
Chagai Pak. 89 G4
Chagai Hills Afgh./Pak. 89 F4
Chagdo Kangri mt. China 83 F2
Chaghā Khūr mt. Iran 88 C4
Chaghcharān Afgh. 89 G3
Chagny France 56 G3
Chagoda Rus. Fed. 42 G4
Chagos Archipelago is B.I.O.T. 149 M6
Chagos-Laccadive Ridge sea feature Indian Ocean 149 M6
Chagos Trench sea feature Indian Ocean 149 M6
Chagoyan Rus. Fed. 74 C1
Chagrayskoye Plato plat. Kazakh. see Shagyray, Plato
Chāh Ākhvor Iran 89 E3
Chāh 'Ali Akbar Iran 88 E3
Chahbounia Alg. 57 H6
Chahchaheh Turkm. 89 F2
Chāh-e Āb Afgh. 89 H2
Chāh-e Bāgh well Iran 88 D4
Chāh-e Bāzargānī Iran 88 D4
Chāh-e Dow Chāhī Iran 88 D4
Chāh-e Gonbad well Iran 88 D3
Chāh-e Kavīr well Iran 88 E3
Chāh-e Khorāsān well Iran 88 D3
Chāh-e Khoshāb Iran 88 E3
Chāh-e Malek well Iran 88 D3
Chāh-e Malek Mīrzā well Iran 88 D4
Chāh-e Mūjān well Iran 88 D3
Chāh-e Qeyşar well Iran 88 D4
Chāh-e Qobād well Iran 88 D3
Chāh-e Rāh Iran 88 D4
Chāh-e Raḥmān well Iran 89 E4
Chāh-e Shūr well Iran 88 D3
Chāh-e Tūnī well Iran 88 E3
Chāh Kūh Iran 88 D4
Chāh Lak Iran 88 E5
Chāh Pās well Iran 88 D3
Chah Sandan Pak. 89 F4
Chaibasa India 83 F5
Chaigneau, Lac l. Canada 123 I3
Chainat Thai. 70 C4
Chainjoin Co l. China 83 F2
Chai Prakan Thai. 70 B3
Chaitén Chile 144 B6
Chai Wan H.K. China 77 [inset]
Chaiya Thai. 71 B5
Chaiyaphum Thai. 70 C4
Chajarí Arg. 144 E4
Chakai India 83 F4
Chak Amru Pak. 89 I3
Chakar r. Pak. 89 H4
Chakaria Bangl. 83 H5
Chakdarra Pak. 89 I3
Chakku Pak. 89 G5
Chakonipau, Lac l. Canada 123 H2
Chakoria Bangl. see Chakaria
Ch'ak'vi Georgia 91 F2
Chala Peru 142 D7
Chalap Dalan mts Afgh. 89 G3
Chalatenango El Salvador 136 G6
Chaláua Moz. 99 D5
Chalaxung China 76 C1
Chalcedon Turkey see Kadıköy
Chalengkou China 80 H4
Chaleur Bay inlet Canada 123 I4
Chaleurs, Baie des inlet Canada see Chaleur Bay
Chali China 76 C2
Chaling China 77 G3
Chalisgaon India 84 B1
Chalki i. Greece 59 L6
Chalkida Greece 59 J5
Challakere India 84 C3
Challans France 56 D3
Challapata Bol. 142 E7
▶Challenger Deep sea feature N. Pacific Ocean 150 F5
Deepest point in the world (Mariana Trench).
Challenger Fracture Zone sea feature S. Pacific Ocean 150 M8
Challis U.S.A. 126 E3
Chalmette U.S.A. 131 F6
Châlons-en-Champagne France 52 E6
Châlons-sur-Marne France see Châlons-en-Champagne
Chalon-sur-Saône France 56 G3
Chaltan Pass Azer. 91 H2
Chālūs Iran 88 C2
Cham Germany 53 M5
Cham, Kūh-e hill Iran 88 C3
Chamah, Gunung mt. Malaysia 71 C6
Chamaico Arg. 144 D5
Chamais Bay Namibia 100 B4
Chaman Pak. 78 F3
Chaman Bid Iran 88 E2
Chamao, Khao mt. Thai. 71 C4
Chamba India 82 D2
Chamba Tanz. 99 D5
Chambal r. India 82 D4
Chambas Cuba 133 E8
Chambeaux, Lac l. Canada 123 H3
Chamberlain r. Australia 108 D4
Chamberlain Canada 121 J5
Chamberlain U.S.A. 130 D3
Chamberlain Lake U.S.A. 132 G2
Chambers U.S.A. 129 I4
Chambersburg U.S.A. 135 G4
Chambers Island U.S.A. 134 B1
Chambéry France 56 G4
Chambeshi r. Zambia 99 C5
Chambi, Jebel mt. Tunisia 58 C7
Chamdo China see Qamdo
Chamechaude mt. France 56 G4
Chamiss Bay Canada 120 E5
Chamoli India see Gopeshwar
Chamonix-Mont-Blanc France 56 H4
Champa India 83 E5
Champagne-Ardenne admin. reg. France 52 E6
Champagne Castle mt. S. Africa 101 I5
Champagne Humide reg. France 56 G2
Champagne Pouilleuse reg. France 56 F2
Champagnole France 56 G3
Champagny Islands Australia 108 D3
Champaign U.S.A. 130 F3
Champasak Laos 70 D4
Champdoré, Lac l. Canada 123 I3
Champhai India 83 H5
Champion Canada 120 H5
Champlain U.S.A. 135 G4
Champlain, Lake Canada/U.S.A. 135 I1
Champotón Mex. 136 F5
Chamrajnagar India 84 C4
Chamzinka Rus. Fed. 43 J5
Chana Thai. 71 C6
Chanak Turkey see Çanakkale
Chañaral Chile 144 B3
Chanārān Iran 88 E2
Chanda India see Chandrapur
Chandalar r. U.S.A. 118 D3
Chandausi India 82 D3
Chandbali India 83 F5
Chandeleur Islands U.S.A. 131 F6
Chanderi India 82 D4
Chandigarh India 82 D3
Chandil India 83 F5
Chandir Uzbek. 89 G2
Chandler Canada 123 I4
Chandler AZ U.S.A. 129 H5
Chandler IN U.S.A. 134 B4
Chandler OK U.S.A. 131 D5
Chandod India 82 C5
Chandos Lake Canada 135 G1
Chandpur Bangl. 83 G5
Chandpur India 82 D3
Chandragiri India 84 C3
Chandrapur India 84 C2
Chandvad India 84 B1
Chang, Ko i. Thai. 71 C4
Chang'an China 77 F1
Changane r. Moz. 101 K3
Changbai China 74 C4
Changbai Shan mts China/N. Korea 74 B4
Chang Cheng research station Antarctica see Great Wall
Changcheng China 77 F5
Changchow Fujian China see Zhangzhou
Changchow Jiangsu China see Changzhou
Changchun China 74 B4
Changchunling China 74 B3
Changde China 77 F2
Changgang China 77 G3
Changge China 77 G1
Changgi-ap pt S. Korea 75 C5
Changgo China 83 F3
Chang Hu l. China 77 G2
Changhua Taiwan 77 I3
Changhŭng S. Korea 75 B6
Changhwa Taiwan see Changhua
Changi Sing. 71 [inset]
Changji China 80 G3
Changjiang China 77 F5
Chang Jiang r. China 77 I2 see Yangtze
Changjiang Kou China see Mouth of the Yangtze
Changjin-ho resr N. Korea 75 B4
Changkiang China see Zhanjiang
Changlang India 83 H4
Changleng China see Xinjian
Changling China 74 A3
Changlung India 87 M3
Changma China 80 I4
Changning Jiangxi China see Xunwu
Changning Sichuan China 76 E2
Changnyŏn N. Korea 75 B5
Ch'ang-pai Shan mts China/N. Korea see Changbai Shan
Changpu China see Suining
Changp'yŏng S. Korea 75 C5
Changsan-got pt N. Korea 75 B5
Changsha China 77 G2
Changshan China 77 H2
Changshi China 76 E3
Changshoujie China 77 G2
Changshu China 77 I2
Changtai China 77 H3
Changteh China see Changde
Changting Fujian China 77 H3
Changting Heilong. China 74 C3
Ch'angwŏn S. Korea 75 C6
Changxing China 77 H2
Changyang China 77 F2
Changyŏn N. Korea 75 B5
Changyuan China 77 G1
Changzhi China 73 K5
Changzhou China 77 H2
Chañi, Nevado de mt. Arg. 144 C2
Chania Greece 59 K7
Chanion, Kolpos b. Greece 59 J7
Chankou China 76 E1
Channahon U.S.A. 134 A3
Channapatna India 84 C3
Channel Islands English Chan. 49 E9
Channel Islands U.S.A. 128 D5
Channel Islands National Park U.S.A. 128 D4
Channel-Port-aux-Basques Canada 123 K5
Channel Rock i. Bahamas 133 E8
Channel Tunnel France/U.K. 49 I7
Channing U.S.A. 131 C5
Chantada Spain 57 C2
Chanthaburi Thai. 71 C4
Chantilly France 52 C5
Chanumla India 71 A5
Chanute U.S.A. 130 E4
Chanuwala Pak. 89 I3
Chany, Ozero salt l. Rus. Fed. 64 I4
Chaohu China 77 H2
Chao Hu l. China 77 H2
Chaor He r. China see Qulin Gol
Chaouèn Morocco 57 D6
Chaowula Shan mt. China 76 C1
Chaoyang Guangdong China 77 H4

aoyang Heilong. China see Jiayin
aoyang Liaoning China 73 M4
aoyangcun China 74 B2
aoyang Hu l. China 83 F2
aozhong China 74 A2
aozhou China 77 H4
apada Diamantina, Parque Nacional nat. park Brazil 145 C1
apada dos Veadeiros, Parque Nacional da nat. park Brazil 145 B1
apais Canada 122 G4
apak Guzar Afgh. 89 G2
apala, Laguna de l. Mex. 136 D4
āpārī, Kowtal-e Afgh. 89 G3
apayevo Kazakh. 78 E1
apayevsk Rus. Fed. 43 K5
apecó Brazil 144 F3
apecó r. Brazil 144 F3
apel-en-le-Frith U.K. 48 F5
apelle-lez-Herlaimont Belgium 52 E4
apeltown U.K. 48 F5
apleau Canada 122 E5
aplin Canada 121 J5
aplin Lake Canada 121 J5
aplygin Rus. Fed. 43 H5
apman, Mount Canada 120 G5
apmanville U.S.A. 134 D5
appell U.S.A. 130 C3
appell Islands Australia 111 [inset]
apra Bihar India see Chhapra
apra Jharkhand India see Chatra
aqmaqtīn, Kowl-e Afgh. 89 I2
aragua Bol. 142 F7
aray Mex. 127 F8
arcas Mex. 136 D4
arcot Island Antarctica 152 L2
ard Canada 121 I4
ard U.K. 49 E8
ardara Kazakh. see Shardara
ardara, Step' plain Kazakh. 80 C3
ardon U.S.A. 134 E3
ardzhev Lebap Turkm. see Türkmenabat
ardzhev Turkm. see Türkmenabat
ardzhou Lebap Turkm. see Türkmenabat
ardzhou Turkm. see Türkmenabat
aref Alg. 57 H6
aref, Oued watercourse Morocco 54 D5
arente r. France 56 D4
ari r. Cameroon/Chad 97 E3
ārī Iran 88 E4
ārīkār Afgh. 89 H3
ariton U.S.A. 130 E3
ärjew Lebap Turkm. see Türkmenabat
ärjew Turkm. see Türkmenabat
arkayuvom Rus. Fed. 42 L2
är Kent Afgh. 89 G2
arkhlik China see Ruoqiang
arleroi Belgium 52 E4
arles, Cape U.S.A. 135 H5
arlesbourg Canada 123 H5
arles City IA U.S.A. 130 E3
arles City VA U.S.A. 135 G5
arles Hill Botswana 100 E2
arles Island Galápagos Ecuador see Santa María, Isla
arles Lake Canada 121 I3
arles Point Australia 108 E3
arleston N.Z. 113 C5
arleston IL U.S.A. 130 F4
arleston MO U.S.A. 131 F4
arleston SC U.S.A. 133 E5

Charleston WV U.S.A. 134 E4
Capital of West Virginia.

arleston Peak U.S.A. 129 F3
arlestown Ireland 51 D4
arlestown IN U.S.A. 134 C4
arlestown NH U.S.A. 135 I2
arlestown RI U.S.A. 135 J3
arles Town U.S.A. 135 G4
arleville Australia 111 D5
arleville Ireland 51 D5
arleville-Mézières France 52 E5
arlevoix U.S.A. 134 C1
arlie Lake Canada 120 F3
arlotte MI U.S.A. 134 C2
arlotte NC U.S.A. 133 D5
arlotte TN U.S.A. 134 B5

Charlotte Amalie Virgin Is (U.S.A.) 137 L5
Capital of the U.S. Virgin Islands.

arlotte Harbor b. U.S.A. 133 D7
arlotte Lake Canada 120 E4
arlottesville U.S.A. 135 F4

Charlottetown Canada 123 J5
Capital of Prince Edward Island.

arlton Australia 112 A6
arlton Island Canada 122 F3
arron Lake Canada 121 M4
arsadda Pak. 89 H3
arshanga Turkm. see Köýtendag
arshangngy Turkm. see Köýtendag
arters Towers Australia 110 D4
artres France 56 E2
as India 83 F5
ase Canada 120 G5
ase U.S.A. 134 C2
ase City U.S.A. 135 F5
ashmeh Nūrī Iran 88 E3
ashmeh-ye Ab-e Garm spring Iran 88 E3
ashmeh-ye Magu well Iran 88 E3
ashmeh-ye Mūkīk spring Iran 88 E3
ashmeh-ye Palasi Iran 88 D3
ashmeh-ye Safīd spring Iran 88 E3
ashmeh-ye Shotoran well Iran 88 D3
ashniki Belarus 43 F5
aska U.S.A. 130 E2
aslands Mistake c. N.Z. 113 B8
asŏng N. Korea 74 B4
asseral mt. Switz. 47 K7
assiron, Pointe de pt France 56 D3
astab, Kūh-e mts Iran 88 D3
āt Iran 88 D2
atanika U.S.A. 118 D3
âteaubriant France 56 D3
âteau-du-Loir France 56 E3
âteaudun France 56 E2
ateaugay U.S.A. 135 H1
Châteauguay Canada 135 I1
Châteauguay r. Canada 123 H2
Châteauguay, Lac l. Canada 123 H2
Châteaulin France 56 B2
Châteaumeillant France 56 F3
Châteauneuf-en-Thymerais France 52 B6
Châteauneuf-sur-Loire France 56 F3
Chateau Pond l. Canada 123 K3
Châteauroux France 56 E3
Château-Salins France 52 G6
Château-Thierry France 52 D5
Chateh Canada 120 G3
Châtelet Belgium 52 E4
Châtellerault France 56 E3
Chatfield U.S.A. 122 B6
Chatham Canada 134 D2
Chatham U.K. 49 H7
Chatham MA U.S.A. 135 K3
Chatham NY U.S.A. 135 I2
Chatham PA U.S.A. 135 H4
Chatham VA U.S.A. 134 F5
Chatham, Isla i. Chile 144 B8
Chatham Island Galápagos Ecuador see San Cristóbal, Isla
Chatham Island N.Z. 107 I6
Chatham Island Samoa see Savai'i
Chatham Islands N.Z. 107 I6
Chatham Rise sea feature S. Pacific Ocean 150 I8
Chatham Strait U.S.A. 120 C3
Châtillon-sur-Seine France 56 G3
Chatkal Range mts Kyrg./Uzbek. 80 D3
Chatom U.S.A. 131 F6
Chatra India 83 F4
Chatra Nepal 83 F4
Chatsworth Canada 134 E1
Chatsworth U.S.A. 135 H4
Chattagam Bangl. see Chittagong
Chattanooga U.S.A. 133 C5
Chattarpur India see Chhatarpur
Chatteris U.K. 49 H6
Chattisgarh state India see Chhattisgarh
Chatturat Thai. 70 C4
Chatyr-Tash Kyrg. 80 E3
Châu Đôc Vietnam 71 D5
Chauhtan India 82 B4
Chauk Myanmar 70 A2
Chaumont France 56 G2
Chauncey U.S.A. 134 D4
Chaungzon Myanmar 70 B3
Chaunskaya Guba b. Rus. Fed. 65 R3
Chauny France 52 D5
Chau Phu Vietnam see Châu Đôc
Chausy Belarus see Chavusy
Chautauqua, Lake U.S.A. 134 F2
Chauter Pak. 89 G4
Chauvin Canada 121 I4
Chavakachcheri Sri Lanka 84 D4
Chaves Port. 57 C3
Chavigny, Lac l. Canada 122 G2
Chavusy Belarus 43 F5
Chawal r. Pak. 89 G4
Chay, Sông r. Vietnam 70 D2
Chayatyn, Khrebet ridge Rus. Fed. 74 E1
Chayevo Rus. Fed. 42 H4
Chaykovskiy Rus. Fed. 41 Q4
Chazhegovo Rus. Fed. 42 L3
Chazy U.S.A. 135 I1
Cheadle U.K. 49 F6
Cheaha Mountain hill U.S.A. 133 C5
Cheat r. U.S.A. 134 F4
Cheatham Lake U.S.A. 134 B5
Cheb Czech Rep. 53 M4
Chebba Tunisia 58 D7
Cheboksarskoye Vodokhranilishche resr Rus. Fed. 42 J5
Cheboksary Rus. Fed. 42 J4
Cheboygan U.S.A. 132 C2
Chechen', Ostrov i. Rus. Fed. 91 G2
Chech'ŏn S. Korea 75 C5
Chedabucto Bay Canada 123 J5
Cheddar U.K. 49 E7
Cheduba Myanmar see Man-aung
Cheduba Island i. Myanmar see Man-aung Kyun
Chée r. France 52 E6
Cheektowaga U.S.A. 135 F2
Cheepie Australia 112 B1
Cheetham, Cape Antarctica 152 H2
Chefoo China see Yantai
Chefornak U.S.A. 118 B3
Chefu Moz. 101 K2
Chegdomyn Rus. Fed. 74 D2
Chegga Mauritania 96 C2
Chegutu Zimbabwe 99 D5
Chehalis U.S.A. 126 C3
Chehar Burj Iran 88 E2
Chehardeh Iran 88 E3
Chehel Chashmeh, Kūh-e hill Iran 88 B3
Chehel Dokhtarān, Kūh-e mt. Iran 89 F4
Chehell'āyeh Iran 88 E4
Cheju S. Korea 75 B6
Cheju-do i. S. Korea 75 B6
Cheju-haehyŏp sea chan. S. Korea 75 B6
Chek Chue H.K. China see Stanley
Chekhov Moskovskaya Oblast' Rus. Fed. 43 H5
Chekhov Sakhalinskaya Oblast' Rus. Fed. 74 F3
Chekiang prov. China see Zhejiang
Chekichler Turkm. see Çekiçler
Chek Lap Kok reg. H.K. China 77 [inset]
Chek Mun Hoi Hap H.K. China see Tolo Channel
Chekunda Rus. Fed. 74 D2
Chela, Serra da mts Angola 99 B5
Chelan, Lake U.S.A. 126 C2
Cheleken Turkm. see Hazar
Cheline Moz. 101 L2
Chelkar Kazakh. see Shalkar
Chełm Poland 43 D6
Chelmer r. U.K. 49 H7
Chełmno Poland 47 Q4
Chelmsford U.K. 49 H7
Chelsea MI U.S.A. 134 C2
Chelsea VT U.S.A. 135 I2
Cheltenham U.K. 49 E7
Chelva Spain 57 F4
Chelyabinsk Rus. Fed. 64 H4
Chelyuskin Rus. Fed. 153 E1
Chemba Moz. 99 D5
Chêm Co l. China 82 D2
Chemnitz Germany 53 M4
Chemulpo S. Korea see Inch'ŏn
Chenab r. India/Pak. 82 B3
Chenachane, Oued watercourse Alg. 96 C2
Chendir r. Turkm. see Çendir
Cheney U.S.A. 126 D3
Cheney Reservoir U.S.A. 130 D4
Chengalpattu India 84 D3
Chengbu China 77 F3
Chengchow China see Zhengzhou
Chengde China 73 L4
Chengdu China 76 E2
Chengele India 76 C2
Chenggong China 76 D3
Chenghai China 77 H4
Cheng Hai l. China 76 D3
Chengjiang China see Taihe
Chengmai China 77 F5
Chengtu China see Chengdu
Chengwu China 77 G1
Chengxian China 76 E1
Chengxiang Chongqing China see Wuxi
Chengxiang Jiangxi China see Quannan
Chengzhong China see Ningming
Cheniu Shan i. China 77 H1
Chenkaladi Sri Lanka 84 D5
Chennai India 84 D3
Chenqian Shan i. China 77 I2
Chenqing China 74 B2
Chenqingqiao China see Chenqing
Chenstokhov Poland see Częstochowa
Chentejn Nuruu mts Mongolia 73 J3
Chenxi China 77 F3
Chenyang China see Chenxi
Chenying China see Wannian
Chenzhou China 77 G3
Chepén Peru 142 C5
Chepes Arg. 144 C4
Chepo Panama 137 I7
Chepstow U.K. 49 E7
Cheptsa r. Rus. Fed. 42 K4
Chequamegon Bay U.S.A. 130 F2
Cher r. France 56 E3
Chera state India see Kerala
Cheraw U.S.A. 133 E5
Cherbaniani Reef India 84 A3
Cherbourg France 56 D2
Cherchell Alg. 57 H5
Cherchen China see Qiemo
Cherdakly Rus. Fed. 43 K5
Cherdyn' Rus. Fed. 41 R3
Chereapani reef India see Byramgore Reef
Cheremkhovo Rus. Fed. 72 I2
Cheremshany Rus. Fed. 74 D3
Cheremukhovka Rus. Fed. 42 K4
Cherepanovo Rus. Fed. 72 E2
Cherepovets Rus. Fed. 42 H4
Cherevkovo Rus. Fed. 42 J3
Chergui, Chott ech imp. l. Alg. 54 D5
Chéria Alg. 58 B7
Cheriton U.S.A. 135 H5
Cheriyam atoll India 84 B4
Cherkassy Ukr. see Cherkasy
Cherkasy Ukr. 43 G6
Cherkessk Rus. Fed. 91 F1
Cherla India 84 D2
Chernaya Rus. Fed. 42 M1
Chernaya r. Rus. Fed. 42 M1
Chernigov Ukr. see Chernihiv
Chernigovka Rus. Fed. 74 D3
Chernihiv Ukr. 43 F6
Cherninivka Ukr. 43 H7
Chernivtsi Ukr. 43 E6
Chernobyl' Ukr. see Chornobyl'
Chernogorsk Rus. Fed. 72 G2
Chernovtsy Ukr. see Chernivtsi
Chernoye More sea Asia/Europe see Black Sea
Chernushka Rus. Fed. 41 R4
Chernyakhiv Ukr. 43 F6
Chernyakhovsk Rus. Fed. 45 L9
Chernyanka Rus. Fed. 43 H6
Chernyayeve Rus. Fed. 74 B1
Chernyshevsk Rus. Fed. 73 L2
Chernyshevskiy Rus. Fed. 65 M3
Chernyshkovskiy Rus. Fed. 43 I6
Chernyye Zemli reg. Rus. Fed. 43 J7
Chernyy Irtysh r. China/Kazakh. see Ertix He
Chernyy Porog Rus. Fed. 42 G3
Chernyy Yar Rus. Fed. 43 J6
Cherokee U.S.A. 130 E3
Cherokee Sound Bahamas 133 E7

Cherrapunji India 83 G4
Highest recorded annual rainfall in the world.

Cherry Creek r. U.S.A. 130 C2
Cherry Creek Mountains U.S.A. 129 F1
Cherry Hill U.S.A. 135 H4
Cherry Island Solomon Is 107 G3
Cherry Lake U.S.A. 128 D2
Cherskiy Rus. Fed. 153 C2
Cherskiy Range mts Rus. Fed. see Cherskogo, Khrebet
Cherskogo, Khrebet mts Rus. Fed. 65 P3
Cherskogo, Khrebet mts Rus. Fed. 73 K2
Chertkov Ukr. see Chortkiv
Chertkovo Rus. Fed. 43 I6
Cherven Bryag Bulg. 59 K3
Chervonoarmeyskoye Ukr. see Vil'nyans'k
Chervonoarmiys'k Donets'ka Oblast' Ukr. see Krasnoarmiys'k
Chervonoarmiys'k Rivnens'ka Oblast' Ukr. see Radyvyliv
Chervonograd Ukr. see Chervonohrad
Chervonohrad Ukr. 43 E6
Chervyen' Belarus 43 F5
Cherwell r. U.K. 49 F7
Cherykaw Belarus 43 F5
Chesapeake U.S.A. 135 G5
Chesapeake Bay U.S.A. 135 G4
Chesham U.K. 49 G7
Cheshire Plain U.K. 48 E5
Cheshme Vtoroy Turkm. 89 F2
Cheshskaya Guba b. Rus. Fed. 42 J2
Cheshtebe Tajik. 89 I2
Cheshunt U.K. 49 G7
Chesnokovka Rus. Fed. see Novoaltaysk
Chester Canada 123 I5
Chester U.K. 48 E5
Chester CA U.S.A. 128 C1
Chester IL U.S.A. 130 F4
Chester MT U.S.A. 126 F2
Chester OH U.S.A. 134 E4
Chester SC U.S.A. 133 D5
Chester r. U.S.A. 135 G4
Chesterfield U.K. 48 F5
Chesterfield U.S.A. 135 G5
Chesterfield, Îles is New Caledonia 107 F3
Chesterfield Inlet Canada 121 N2
Chesterfield Inlet inlet Canada 121 M2
Chester-le-Street U.K. 48 F4
Chestertown MD U.S.A. 135 G4
Chestertown NY U.S.A. 135 I2
Chesterville Canada 135 H1
Chestnut Ridge U.S.A. 134 F3
Chesuncook Lake U.S.A. 132 G2
Chetaïbi Alg. 58 B6
Chéticamp Canada 123 J5
Chetlat i. India 84 B4
Chetumal Mex. 136 G5
Chetwynd Canada 120 F4
Cheung Chau H.K. China 77 [inset]
Chevelon Creek r. U.S.A. 129 H4
Cheviot N.Z. 113 D6
Cheviot Hills U.K. 48 E3
Cheviot Range hills Australia 110 C5
Chevreulx r. Canada 122 G3
Cheyenne OK U.S.A. 131 D5

Cheyenne WY U.S.A. 126 G4
Capital of Wyoming.

Cheyenne r. U.S.A. 130 C2
Cheyenne Wells U.S.A. 130 C4
Cheyne Bay Australia 109 B8
Cheyur India 84 D3
Chezacut Canada 120 E4
Chhapra India 83 F4
Chhata India 82 D4
Chhatak Bangl. 83 G4
Chhatarpur Jharkhand India 83 F4
Chhatarpur Madh. Prad. India 82 D4
Chhatr Pak. 89 H4
Chhatrapur India 84 E2
Chhattisgarh state India 83 E5
Chhay Arêng, Stœng r. Cambodia 71 C5
Chhindwara India 82 D5
Chhitkul India 82 D3
Chhukha Bhutan 83 G4
Chi, Lam r. Thai. 71 C4
Chi, Mae Nam r. Thai. 70 D4
Chiai Taiwan 77 I4
Chiamboni Somalia 98 E4
Chiange Angola 99 B5
Chiang Kham Thai. 70 C3
Chiang Khan Thai. 70 C3
Chiang Mai Thai. 70 B3
Chiang Rai Thai. 70 B3
Chiang Saen Thai. 70 C2
Chiari Italy 58 C2
Chiautla Mex. 136 E5
Chiavenna Italy 58 C1
Chiayi Taiwan see Chiai
Chiba Japan 75 F6
Chibi China 77 G2
Chibia Angola 99 B5
Chibizovka Rus. Fed. see Zherdevka
Chiboma Moz. 99 D6
Chibougamau Canada 122 G4
Chibougamau, Lac l. Canada 122 G4
Chibuto Moz. 101 K3
Chicacole India see Srikakulam

Chicago U.S.A. 134 B3
4th most populous city in North America.

Chic-Chocs, Monts mts Canada 123 I4
Chichagof U.S.A. 120 B3
Chichagof Island U.S.A. 120 C3
Chichak r. Pak. 89 G5
Chichaoua Morocco 54 C5
Chichatka Rus. Fed. 74 A1
Chicheng China see Pengxi
Chichester U.K. 49 G8
Chichester Range mts Australia 108 B5
Chichgarh India 84 D1
Chichibu Japan 75 E6
Chichibu-Tama Kokuritsu-kōen nat. park Japan 75 E6
Chichijima-rettō is Japan 75 F8
Chickasha U.S.A. 131 D5
Chiclana de la Frontera Spain 57 C5
Chiclayo Peru 142 C5
Chico r. Arg. 144 C6
Chico U.S.A. 128 C2
Chicomo Moz. 101 L3
Chicopee U.S.A. 135 I2
Chicoutimi Canada 123 H4
Chicualacuala Moz. 101 J2
Chidambaram India 84 C4
Chidenguele Moz. 101 L3
Chidley, Cape Canada 119 L3
Chido China see Sêndo
Chido S. Korea 75 B6
Chiducuane Moz. 101 L3
Chiefland U.S.A. 133 D6
Chiemsee l. Germany 47 N7
Chiengmai Thai. see Chiang Mai
Chiers r. France 52 F5
Chieti Italy 58 F3
Chifeng China 73 L4
Chifre, Serra do mts Brazil 145 C2
Chiganak Kazakh. 80 D2
Chiginagak Volcano, Mount U.S.A. 118 C4
Chigu China 83 G3
Chigubo Moz. 101 K2
Chigu Co l. China 83 G3
Chihli, Gulf of China see Bo Hai
Chihuahua Mex. 127 G7
Chihuahua state Mex. 127 G7
Chihuahua, Desierto de des. Mex. 127 G7
Chiili Kazakh. 80 C3
Chikalda India 82 D5
Chikan China 77 F4
Chikaskia r. U.S.A. 131 D4
Chikhali Kalan Parasia India 82 D5
Chikhli India 84 C1
Chikishlyar Turkm. see Çekiçler
Chikmagalur India 84 B3
Chikodi India 84 B2
Chilanko r. Canada 120 F4
Chilas Pak. 82 C2
Chilaw Sri Lanka 84 C5
Chilcotin r. Canada 120 F5
Childers Australia 110 F5
Childress U.S.A. 131 C5
Chile country S. America 144 B4
Chile Basin sea feature S. Pacific Ocean 151 O8
Chile Chico Chile 144 B7
Chile Rise sea feature S. Pacific Ocean 151 O8
Chilgir Rus. Fed. 43 J7
Chilhowie U.S.A. 134 E5
Chilia-Nouă Ukr. see Kiliya
Chilik Kazakh. 80 E3
Chilika Lake India 84 E2
Chililabombwe Zambia 99 C5
Chilko r. Canada 120 F4
Chilko Lake Canada 120 E5
Chilkoot Pass Canada/U.S.A. 120 C3
Chilkoot Trail National Historic Site nat. park Canada 120 C3
Chillán Chile 144 B5
Chillicothe MO U.S.A. 130 E4
Chillicothe OH U.S.A. 134 D4
Chilliwack Canada 120 F5
Chilo India 82 C4
Chiloé, Isla de i. Chile 144 B6
Chiloé, Isla Grande de i. Chile see Chiloé, Isla de
Chilpancingo Mex. 136 E5
Chilpancingo de los Bravos Mex. see Chilpancingo
Chilpi Pak. 82 C1
Chiltern Hills U.K. 49 G7
Chilton U.S.A. 134 A1
Chiluage Angola 99 C4
Chilubi Zambia 99 C5
Chilung Taiwan 77 I3
Chilwa, Lake Malawi 99 D5
Chimala Tanz. 99 D4
Chimaltenango Guat. 136 F6
Chi Ma Wan H.K. China 77 [inset]
Chimay Belgium 52 E4
Chimbas Arg. 144 C4
Chimbay Uzbek. see Chimboy
Chimborazo mt. Ecuador 142 C4
Chimbote Peru 142 C5
Chimboy Uzbek. 80 A3
Chimian Pak. 89 I4
Chimishliya Moldova see Cimişlia
Chimkent Kazakh. see Shymkent
Chimney Rock U.S.A. 129 J3
Chimoio Moz. 99 D5
Chimtargha, Qullai mt. Tajik. 89 H2
Chimtorga, Gora mt. Tajik. see Chimtargha, Qullai

China country Asia 72 H5
Most populous country in the world and in Asia. 2nd largest country in Asia and 4th largest in the world.

China Mex. 131 D7
China, Republic of country Asia see Taiwan
China Bakir r. Myanmar see To
China Lake CA U.S.A. 128 E4
China Lake ME U.S.A. 135 K1
Chinandega Nicaragua 136 G6
China Point U.S.A. 128 D5
Chinati Peak U.S.A. 131 B6
Chincha Alta Peru 142 C6
Chinchaga r. Canada 120 G3
Chinchilla Australia 112 E1
Chincholi India 84 C2
Chinchorro, Banco sea feature Mex. 137 G5
Chincoteague Bay U.S.A. 135 H5
Chinde Moz. 99 D5
Chindo S. Korea 75 B6
Chin-do i. S. Korea 75 B6
Chindwin r. Myanmar 70 A2
Chinese Turkestan aut. reg. China see Xinjiang Uygur Zizhiqu
Chinghai prov. China see Qinghai
Chingiz-Tau, Khrebet mts Kazakh. 80 E2
Chingleput India see Chengalpattu
Chingola Zambia 99 C5
Chinguar Angola 99 B5
Chinguetti Mauritania 96 B2
Chinhae S. Korea 75 C6
Chinhoyi Zimbabwe 99 D5
Chini India see Kalpa
Chining China see Jining
Chiniot Pak. 89 I4
Chinipas Mex. 127 F8
Chinit, Stœng r. Cambodia 71 D4
Chinju S. Korea 75 C6
Chinle U.S.A. 129 I3
Chinmen Taiwan 77 H3
Chinmen Tao i. Taiwan 77 H3
Chinnamp'o N. Korea see Namp'o
Chinnur India 84 C2
Chino Creek watercourse U.S.A. 129 G4
Chinon France 56 E3
Chinook U.S.A. 126 F2
Chinook Trough sea feature N. Pacific Ocean 150 I3
Chino Valley U.S.A. 129 G4
Chin-shan China see Zhujing
Chintamani India 84 C3
Chioggia Italy 58 E2
Chios Greece 59 L5
Chios i. Greece 59 K5
Chipata Zambia 99 D5
Chipchihua, Sierra de mts Arg. 144 C6
Chiphu Cambodia 71 D5
Chipindo Angola 99 B5
Chipinga Zimbabwe see Chipinge
Chipinge Zimbabwe 99 D6
Chipley U.S.A. 133 C6
Chipman Canada 123 I5
Chippenham U.K. 49 E7
Chippewa, Lake U.S.A. 130 F2
Chippewa Falls U.S.A. 130 F2
Chipping Norton U.K. 49 F7
Chipping Sodbury U.K. 49 E7
Chipurupalle Andhra Prad. India 84 D2
Chipurupalle Andhra Prad. India 84 D2
Chiquilá Mex. 133 C8
Chiquinquira Col. 142 D2
Chir r. Rus. Fed. 43 I6
Chirada India 84 D3
Chirala India 84 D3
Chiras Afgh. 89 G3
Chirchiq Uzbek. 80 C3
Chiredzi Zimbabwe 99 D6
Chirfa Niger 96 E2
Chiricahua National Monument nat. park U.S.A. 129 I5
Chiricahua Peak U.S.A. 129 I6
Chirikof Island U.S.A. 118 C4
Chiriquí, Golfo de b. Panama 137 H7
Chiriquí, Volcán de vol. Panama see Barú, Volcán
Chiri-san mt. S. Korea 75 B6
Chirk U.K. 49 D6
Chirnside U.K. 50 G5
Chirripó mt. Costa Rica 137 H7
Chisamba Zambia 99 C5
Chisana r. U.S.A. 120 A2
Chisasibi Canada 122 F3
Chishima-retto is Rus. Fed. see Kuril Islands
Chisholm Canada 120 H4
Chishtian Mandi Pak. 89 I4
Chishui China 76 E2
Chishuihe China 76 E3
Chisimaio Somalia see Kismaayo

Chişinău Moldova 59 M1
Capital of Moldova.

Chistopol' Rus. Fed. 42 K5
Chita Rus. Fed. 73 K2
Chitado Angola 99 B5
Chitaldrug India see Chitradurga
Chitalwana India 82 B4
Chitambo Zambia 99 D5
Chita Oblast admin. div. Rus. Fed. see Chitinskaya Oblast'
Chitato Angola 99 C4
Chitek Lake Canada 121 J4
Chitek Lake l. Canada 121 L4
Chitembo Angola 99 B5
Chitina U.S.A. 118 D3
Chitinskaya Oblast' admin. div. Rus. Fed. 74 A1
Chitipa Malawi 99 D4
Chitkul India see Chhitkul
Chitobe Moz. 99 D6
Chitoor India see Chittoor
Chitor India see Chittaurgarh
Chitose Japan 74 F4
Chitradurga India 84 C3
Chitrakoot India 82 E4
Chitrakut India see Chitrakoot
Chitral Pak. 89 H3
Chitral r. Pak. 89 H3
Chitravati r. India 84 C3
Chitré Panama 137 H7
Chitrod India 82 B5
Chittagong Bangl. 83 G5
Chittaurgarh India 82 C4
Chittoor India 84 C3
Chittor India see Chittoor
Chittorgarh India see Chittaurgarh
Chittur India 84 C4
Chitungwiza Zimbabwe 99 D5
Chiu Lung H.K. China see Kowloon
Chiume Angola 99 C5
Chivasso Italy 58 B2
Chívato, Punta pt Mex. 127 F8
Chivhu Zimbabwe 99 D5
Chixi China 77 G4
Chizarira National Park Zimbabwe 99 C5
Chizha Vtoraya Kazakh. 43 K6
Chizhou China 77 H2
Chizu Japan 75 D6
Chkalov Rus. Fed. see Orenburg
Chkalovsk Rus. Fed. 42 I4
Chkalovskoye Rus. Fed. 74 D3
Chlef Alg. 57 G5
Chlef, Oued r. Alg. 57 G5
Chloride U.S.A. 129 F4
Chlya, Ozero l. Rus. Fed. 74 F1
Choa Chu Kang Sing. 71 [inset]
Choa Chu Kang hill Sing. 71 [inset]
Chobe National Park Botswana 99 C5
Chodov Czech Rep. 53 M4
Choele Choel Arg. 144 C5
Chogar r. Rus. Fed. 74 D1
Chogori Feng mt. China/Pakistan see K2
Chograyskoye Vodokhranilishche resr Rus. Fed. 43 J7
Choiseul i. Solomon Is 107 F2
Choix Mex. 127 F8
Chojnice Poland 47 P4
Chōkai-san vol. Japan 75 F5
Ch'ok'ē mts Eth. 98 D2
Ch'ok'ē Mountains Eth. see Ch'ok'ē
Chokola mt. China 82 E3
Choksum China 83 F3
Chokue Moz. see Chókwé
Chokurdakh Rus. Fed. 65 P2
Chókwé Moz. 101 K3
Cho La pass China 76 C2
Cholame U.S.A. 128 C4
Chola Shan mts China 76 C1
Cholet France 56 D3
Cholpon-Ata Kyrg. 80 E3
Choluteca Hond. 137 G6
Choma Zambia 99 C5
Chomo Ganggar mt. China 83 G3
Chơ Moi Vietnam 70 D2
Chomo Lhari mt. China/Bhutan 83 G4
Chom Thong Thai. 70 B3
Chomutov Czech Rep. 47 N5
Ch'ŏnan S. Korea 75 B5
Chon Buri Thai. 71 C4
Ch'ŏnch'ŏn N. Korea 74 B4
Chone Ecuador 142 B4
Ch'ŏngch'ŏn-gang r. N. Korea 75 B5
Ch'ŏngdo S. Korea 75 C6
Chonggye China see Qonggyai
Ch'ŏngjin N. Korea 74 C4
Ch'ŏngju S. Korea 75 B5
Chŏng Kal Cambodia 71 C4
Chongkü China 76 C2
Chonglong China see Zizhong
Chongming Dao i. China 77 I2
Chongoroi Angola 99 B5
Chŏngp'yŏng N. Korea 75 B5

Chongqing China 76 E2
Chongqing municipality China 76 E2
Chonguene Moz. 101 K3
Chŏngŭp S. Korea 75 B6
Chongyang China 77 G2
Chongyi China 77 G3
Chongzuo China 76 E4
Chŏnju S. Korea 75 B6

▶Cho Oyu mt. China/Nepal 83 F3
6th highest mountain in the world and in Asia.

Chopda India 82 C5
Chor Pak. 89 H5
Chora Sfakion Greece 59 K7
Chorley U.K. 48 E5
Chornobyl' Ukr. 43 F6
Chornomors'ke Ukr. 59 O2
Chortkiv Ukr. 43 E6
Ch'osan N. Korea 74 B4
Chōshi Japan 75 F6
Chosŏn country Asia see South Korea
Chosŏn-minjujuŭi-inmin-konghwaguk country Asia see North Korea
Choszczno Poland 47 O4
Chota Peru 142 C5
Chota Sinchula hill India 83 G4
Choteau U.S.A. 126 E3
Choti Pak. 89 H4
Choûm Mauritania 96 B2
Chowchilla U.S.A. 128 C3
Chowghat India 84 B4
Chown, Mount Canada 120 G4
Choybalsan Mongolia 73 K3
Choyr Mongolia 73 J3
Chrétiens, Île aux i. Canada see Christian Island
Chřiby hills Czech Rep. 47 P6
Chrisman U.S.A. 134 B4
Chrissiesmeer S. Africa 101 J4
Christchurch N.Z. 113 D6
Christchurch U.K. 49 F8
Christian, Cape Canada 119 L2
Christiana S. Africa 101 G4
Christiania Norway see Oslo
Christian Island Canada 134 E1
Christiansburg U.S.A. 134 E5
Christianshåb Greenland see Qasigiannguit
Christie Bay Canada 121 I2
Christie Island Myanmar 71 B5
Christina r. Canada 121 I3
Christina, Mount N.Z. 113 B7

▶Christmas Island terr. Indian Ocean 68 D9
Australian External Territory.

Christopher, Lake salt flat Australia 109 D6
Chrudim Czech Rep. 47 O6
Chrysi i. Kriti Greece see Gaïdouronisi
Chrysochou Bay Cyprus 85 A2
Chrysochous, Kolpos b. Cyprus see Chrysochou Bay
Chu Kazakh. see Shu
Chu r. Kazakh./Kyrg. 80 C3
Chuadanga Bangl. 83 G5
Chuali, Lago l. Moz. 101 K3
Chuanhui China see Zhoukou
Chuansha China 77 I2
Chubalung China 76 C2
Chubarovka Ukr. see Polohy
Chubartau Kazakh. see Barshatas
Chūbu-Sangaku Kokuritsu-kōen nat. park Japan 75 E5
Chu-ching China see Zhujing
Chuchkovo Rus. Fed. 43 I5
Chuckwalla Mountains U.S.A. 129 F5
Chudniv Ukr. 43 F6
Chudovo Rus. Fed. 42 F4
Chudskoye, Ozero l. Estonia/Rus. Fed. see Peipus, Lake
Chugach Mountains U.S.A. 118 D3
Chūgoku-sanchi mts Japan 75 D6
Chugqênsumdo China see Jigzhi
Chuguchak China see Tacheng
Chuguyev Ukr. see Chuhuyiv
Chuguyevka Rus. Fed. 74 D3
Chugwater U.S.A. 126 G4
Chuhai China see Zhuhai
Chuhuyiv Ukr. 43 H6
Chu-Iliyskiye Gory mts Kazakh. 80 D3
Chujiang China see Shimen
Chukai Malaysia see Cukai
Chukchagirskoye, Ozero l. Rus. Fed. 74 E1
Chukchi Abyssal Plain sea feature Arctic Ocean 153 B1
Chukchi Peninsula Rus. Fed. see Chukotskiy Poluostrov
Chukchi Plateau sea feature Arctic Ocean 153 B1
Chukchi Sea Rus. Fed./U.S.A. 65 T3
Chukhloma Rus. Fed. 42 I4
Chukotskiy, Mys c. Rus. Fed. 118 A3
Chukotskiy Poluostrov pen. Rus. Fed. 65 T3
Chulakkurgan Kazakh. see Sholakkorgan
Chulaktau Kazakh. see Karatau
Chulasa Rus. Fed. 42 J2
Chula Vista U.S.A. 128 E5
Chulucanas Peru 142 B5
Chulung Pass Pak. 82 D2
Chulym Rus. Fed. 64 J4
Chumar India 82 D2
Chumbicha Arg. 144 C3
Chumda China 76 C1
Chumikan Rus. Fed. 65 O4
Chum Phae Thai. 70 C3
Chumphon Thai. 71 B5
Chum Saeng Thai. 70 C4
Chunar India 83 E4
Ch'unch'ŏn S. Korea 75 B5
Chunchura India 83 G5
Chundzha Kazakh. 80 E3
Chunga Zambia 99 C5
Chung-hua Jen-min Kung-ho-kuo country Asia see China
Chung-hua Min-kuo country Asia see Taiwan
Ch'ungju S. Korea 75 B5
Chungking China see Chongqing
Ch'ungmu S. Korea see T'ongyŏng
Chŭngsan N. Korea 75 B5
Chungyang Shanmo mts Taiwan 77 I4
Chunskiy Rus. Fed. 72 H1
Chunya r. Rus. Fed. 65 K3
Chuôi, Hon i. Vietnam 71 D5
Chuosijia China see Guanyinqiao
Chupa Rus. Fed. 44 R3
Chūplū Iran 88 B2
Chuquicamata Chile 144 C2
Chur Switz. 56 I3
Churachandpur India 83 H4
Chūrān Iran 88 D4
Churapcha Rus. Fed. 65 O3
Churchill Canada 121 M3
Churchill r. Man. Canada 121 M3
Churchill r. Nfld. and Lab. Canada 123 J3
Churchill, Cape Canada 121 M3
Churchill Falls Canada 123 J3
Churchill Lake Canada 121 I4
Churchill Mountains Antarctica 152 H1
Churchill Sound sea chan. Canada 122 F2
Churchs Ferry U.S.A. 130 D1
Churchville U.S.A. 134 F4
Churia Ghati Hills Nepal 83 F4
Churu India 82 C3
Churubusco U.S.A. 134 C3
Churún-Merú waterfall Venez. see Angel Falls
Chushul India 82 D2
Chuska Mountains U.S.A. 129 I3
Chusovaya r. Rus. Fed. 41 R4
Chusovoy Rus. Fed. 41 R4
Chust Ukr. see Khust
Chute-des-Passes Canada 123 H4
Chutia Assam India 83 H4
Chutia Jharkhand India 83 F5
Chutung Taiwan 77 I3
Chuuk is Micronesia 150 G5
Chuxiong China 76 D3
Chüy r. Kazakh./Kyrg. see Chu
Chư Yang Sin mt. Vietnam 71 E4
Chuzhou Anhui China 77 H1
Chuzhou Jiangsu China 77 H1
Chymyshliya Moldova see Cimişlia
Chyulu Hills National Park Kenya 98 D4
Ciadâr-Lunga Moldova see Ciadîr-Lunga
Ciadîr-Lunga Moldova 59 M1
Ciamis Indon. 68 D8
Cianjur Indon. 68 D8
Cianorte Brazil 144 F2
Cibecue U.S.A. 129 H4
Cibolo Creek r. U.S.A. 131 D6
Cibuta, Sierra mt. Mex. 127 F7
Čičarija mts Croatia 58 E2
Cicero U.S.A. 134 B3
Cide Turkey 90 D2
Ciechanów Poland 47 R4
Ciego de Ávila Cuba 137 I4
Ciénaga Col. 142 D1
Ciénega Mex. 131 C7
Ciénega de Flores Mex. 131 C7
Cienfuegos Cuba 137 H4
Cieza Spain 57 F4
Çiftlik Turkey see Kelkit
Cifuentes Spain 57 E3
Cigüela r. Spain 57 E4
Cihanbeyli Turkey 90 D3
Cijara, Embalse de resr Spain 57 D4
Cilacap Indon. 68 D8
Çıldır Turkey 91 F2
Çıldır Gölü l. Turkey 91 F2
Çıldıroba Turkey 85 C1
Cilento e del Vallo di Diano, Parco Nazionale del nat. park Italy 58 F4
Cili China 77 F2
Cilician Gates pass Turkey see Gülek Boğazı
Cill Airne Ireland see Killarney
Cill Chainnigh Ireland see Kilkenny
Cill Mhantáin Ireland see Wicklow
Çilmämmetgum des. Turkm. 88 D1
Cilo Dağı mt. Turkey 91 G3
Çilov Adası i. Azer. 91 H2
Cimarron CO U.S.A. 129 J2
Cimarron KS U.S.A. 130 C4
Cimarron NM U.S.A. 127 G5
Cimarron r. U.S.A. 131 D4
Cimişlia Moldova 59 M1
Cimone, Monte mt. Italy 58 D2
Cîmpina Romania see Câmpina
Cîmpulung Romania see Câmpulung
Cîmpulung Moldovenesc Romania see Câmpulung Moldovenesc
Cina, Tanjung c. Indon. 68 C8
Çinar Turkey 91 F3
Cinaruco-Capanaparo, Parque Nacional nat. park Venez. 142 E2
Cinca r. Spain 57 G3
Cincinnati U.S.A. 134 C4
Cinco de Outubro Angola see Xá-Muteba
Cinderford U.K. 49 E7
Çine Turkey 59 M6
Ciney Belgium 52 F4
Cintalapa Mex. 136 F5
Cinto, Monte mt. France 56 I5
Ciping China see Jinggangshan
Circeo, Parco Nazionale del nat. park Italy 58 E4
Circle AK U.S.A. 118 D3
Circle MT U.S.A. 126 G3
Circleville OH U.S.A. 134 D4
Circleville UT U.S.A. 129 G2
Cirebon Indon. 68 D8
Cirencester U.K. 49 F7
Cirò Marina Italy 58 G5
Cirta Alg. see Constantine
Cisco U.S.A. 129 I2
Cisne, Islas del is Caribbean Sea 137 H5
Citlaltépetl vol. Mex. see Orizaba, Pico de
Čitluk Bos.-Herz. 58 G3
Citronelle U.S.A. 131 F6
Citrus Heights U.S.A. 128 C2
Città di Castello Italy 58 E3
Ciucaş, Vârful mt. Romania 59 K2
Ciudad Acuña Mex. 131 C6
Ciudad Altamirano Mex. 136 D5
Ciudad Bolívar Venez. 142 F2
Ciudad Camargo Mex. 131 B7
Ciudad Constitución Mex. 136 B3
Ciudad del Carmen Mex. 136 F5
Ciudad Delicias Mex. 131 B6
Ciudad de Panamá Panama see Panama City
Ciudad de Valles Mex. 136 E4
Ciudad Flores Guat. see Flores
Ciudad Guayana Venez. 142 F2
Ciudad Guerrero Mex. 127 G7
Ciudad Guzmán Mex. 136 D5
Ciudad Juárez Mex. 127 G7
Ciudad Lerdo Mex. 131 C7
Ciudad Mante Mex. 136 E4
Ciudad Obregón Mex. 127 F8
Ciudad Real Spain 57 E4
Ciudad Río Bravo Mex. 131 D7
Ciudad Rodrigo Spain 57 C3
Ciudad Trujillo Dom. Rep. see Santo Domingo
Ciudad Victoria Mex. 131 D8
Ciutadella Spain 57 H3
Civa Burnu pt Turkey 90 E2
Cividale del Friuli Italy 58 E1
Civitanova Marche Italy 58 E3
Civitavecchia Italy 58 D3
Çivril Turkey 59 M5
Cixi China 77 I2
Cizre Turkey 91 F3
Clacton-on-Sea U.K. 49 I7
Clady U.K. 51 E3
Claire, Lake Canada 121 H3
Clairfontaine Alg. see El Aouinet
Clamecy France 56 F3
Clane Ireland 51 F4
Clanton U.S.A. 133 C5
Clanwilliam Dam S. Africa 100 D7
Clara Ireland 51 E4
Clara Island Myanmar 71 B5
Claraville Australia 110 C3
Clare N.S.W. Australia 112 A4
Clare S.A. Australia 111 B7
Clare r. Ireland 51 C4
Clare U.S.A. 134 C2
Clarecastle Ireland 51 D5
Clare Island Ireland 51 B4
Claremont U.S.A. 135 I2
Claremore U.S.A. 131 E4
Claremorris Ireland 51 D4
Clarence r. Australia 112 F2
Clarence N.Z. 113 D6
Clarence Island Antarctica 152 A2
Clarence Strait Iran see Khūran
Clarence Strait U.S.A. 120 C3
Clarence Town Bahamas 133 F8
Clarendon AR U.S.A. 131 F5
Clarendon PA U.S.A. 134 F3
Clarendon TX U.S.A. 131 C5
Clarenville Canada 123 L4
Claresholm Canada 120 H5
Clarie Coast Antarctica see Wilkes Coast
Clarinda U.S.A. 130 E3
Clarington U.S.A. 134 E4
Clarion IA U.S.A. 130 E3
Clarion PA U.S.A. 134 F3
Clarion r. U.S.A. 134 F3
Clarión, Isla i. Mex. 136 B5
Clark U.S.A. 130 D2
Clark, Mount Canada 120 F1
Clarkdale U.S.A. 129 G4
Clarkebury S. Africa 101 I6
Clarke Range mts Australia 110 D4
Clarke River Australia 110 D3
Clarke's Head Canada 123 L4
Clark Mountain U.S.A. 129 F4
Clark Point Canada 134 E1
Clarksburg U.S.A. 134 E4
Clarksdale U.S.A. 131 F5
Clarks Hill U.S.A. 134 B3
Clarksville AR U.S.A. 131 E5
Clarksville TN U.S.A. 134 B5
Clarksville TX U.S.A. 131 E5
Clarksville VA U.S.A. 135 F5
Claro r. Goiás Brazil 145 A2
Claro r. Mato Grosso Brazil 145 A1
Clashmore Ireland 51 E5
Claude U.S.A. 131 C5
Claudy U.K. 51 E3
Clavier Belgium 52 F4
Claxton U.S.A. 133 D5
Clay U.S.A. 134 E4
Clayburg U.S.A. 135 I1
Clay Center KS U.S.A. 130 D4
Clay Center NE U.S.A. 130 D3
Clay City IN U.S.A. 134 B4
Clay City KY U.S.A. 134 D5
Clayhole Wash watercourse U.S.A. 129 G3
Claypool U.S.A. 129 H5
Clay Springs U.S.A. 129 H4
Clayton DE U.S.A. 135 H4
Clayton GA U.S.A. 133 D5
Clayton MI U.S.A. 134 C3
Clayton MO U.S.A. 130 F4
Clayton NM U.S.A. 131 C4
Clayton NY U.S.A. 135 G1
Claytor Lake U.S.A. 134 E5
Clay Village U.S.A. 134 C4
Clear, Cape Ireland 51 C6
Clearco U.S.A. 134 E4
Clear Creek Canada 134 E2
Clear Creek r. U.S.A. 129 H4
Cleare, Cape U.S.A. 118 D4
Clearfield PA U.S.A. 135 F3
Clearfield UT U.S.A. 126 E4
Clear Fork Brazos r. U.S.A. 131 D5
Clear Hills Canada 120 G3
Clear Island Ireland 51 C6
Clear Lake IA U.S.A. 130 E3
Clear Lake SD U.S.A. 130 D2
Clear Lake l. CA U.S.A. 128 B2
Clear Lake l. UT U.S.A. 129 G2
Clearmont U.S.A. 126 G3
Clearwater Canada 120 G5
Clearwater r. Alberta/Saskatchewan Canada 121 I3
Clearwater r. Alta Canada 120 H4
Clearwater U.S.A. 133 D7
Clearwater Lake Canada 121 K4
Clearwater Mountains U.S.A. 126 E3
Cleaton U.S.A. 134 B5
Cleburne U.S.A. 131 D5
Cleethorpes U.K. 48 G5
Clementi Sing. 71 [inset]
Clendenin U.S.A. 134 E4
Clendening Lake U.S.A. 134 E3
Clères France 52 B5
Clerf Lux. see Clervaux
Clerke Reef Australia 108 B4
Clermont Australia 110 D4
Clermont France 52 C5
Clermont-en-Argonne France 52 F5
Clermont-Ferrand France 56 F4
Clervaux Lux. 52 G4
Cles Italy 58 D1
Clevedon U.K. 49 E7
Cleveland MS U.S.A. 131 F5
Cleveland OH U.S.A. 134 E3
Cleveland TN U.S.A. 133 C5
Cleveland UT U.S.A. 129 H2
Cleveland WI U.S.A. 134 B2
Cleveland, Cape Australia 110 D3
Cleveland, Mount U.S.A. 126 E2
Cleveland Heights U.S.A. 134 E3
Cleveland Hills U.K. 48 F4
Cleveleys U.K. 48 D5
Cleves Germany see Kleve
Clew Bay Ireland 51 C4
Clifden Ireland 51 B4
Cliff U.S.A. 129 I5
Cliffoney Ireland 51 D3
Clifton Australia 112 E1
Clifton U.S.A. 129 I5
Clifton Beach Australia 110 D3
Clifton Forge U.S.A. 134 F5
Clifton Park U.S.A. 135 I2
Climax Canada 121 I5
Climax U.S.A. 134 C2
Clinch Mountain mts U.S.A. 134 D5
Cline River Canada 120 G4
Clinton B.C. Canada 120 F5
Clinton Ont. Canada 134 E2
Clinton IA U.S.A. 130 F3
Clinton IL U.S.A. 130 F3
Clinton IN U.S.A. 134 B4
Clinton KY U.S.A. 131 F4
Clinton MI U.S.A. 134 D2
Clinton MO U.S.A. 130 E4
Clinton MS U.S.A. 131 F5
Clinton NC U.S.A. 133 E5
Clinton OK U.S.A. 131 D5
Clinton-Colden Lake Canada 121 J1
Clintwood U.S.A. 134 D5

▶Clipperton, Île terr. N. Pacific Ocean 151 M5
French Overseas Territory. Most easterly point of Oceania.

Clisham hill U.K. 50 C3
Clitheroe U.K. 48 E5
Clive Lake Canada 120 G2
Cliza Bol. 142 E7
Clocolan S. Africa 101 H5
Cloghan Ireland 51 E4
Clonakilty Ireland 51 D6
Clonbern Ireland 51 D4
Cloncurry Australia 110 C4
Cloncurry r. Australia 110 C3
Clones Ireland 51 E3
Clonmel Ireland 51 E5
Clonygowan Ireland 51 E4
Cloonbannin Ireland 51 C5
Clooneagh Ireland 51 E4
Cloppenburg Germany 53 I2
Cloquet U.S.A. 130 E2
Cloquet r. U.S.A. 130 E2
Cloud Peak WY U.S.A. 124 F3
Cloud Peak WY U.S.A. 126 G3
Clova Canada 122 G4
Clover U.S.A. 129 G1
Cloverdale CA U.S.A. 128 B2
Cloverdale IN U.S.A. 134 B4
Cloverport U.S.A. 134 B5
Clovis CA U.S.A. 128 D3
Clovis NM U.S.A. 131 C5
Cloyne Canada 135 G1
Cluain Meala Ireland see Clonmel
Cluanie, Loch l. U.K. 50 D3
Cluff Lake Mine Canada 121 I3
Cluj-Napoca Romania 59 J1
Clun U.K. 49 D6
Clunes Australia 112 A6
Cluny Australia 110 B5
Cluses France 56 H3
Cluster Springs U.S.A. 135 F5
Clut Lake Canada 120 G1
Clutterbuck Head hd Canada 123 H1
Clutterbuck Hills hill Australia 109 D6
Clwydian Range hills U.K. 48 D5
Clyde Canada 120 H4
Clyde r. U.K. 50 E5
Clyde NY U.S.A. 135 G2
Clyde OH U.S.A. 134 D3
Clyde, Firth of est. U.K. 50 E5
Clydebank U.K. 50 E5
Clyde River Canada 119 L2
Côa r. Port. 57 C3
Coachella U.S.A. 128 E5
Coahuila state Mex. 131 C7
Coahuila de Zaragoza state Mex. see Coahuila
Coal r. Canada 120 E3
Coal City U.S.A. 134 A3
Coaldale U.S.A. 128 E2
Coalgate U.S.A. 131 D5
Coal Harbour Canada 120 E5
Coalinga U.S.A. 128 C3
Coalport U.S.A. 135 F3
Coal River Canada 120 E3
Coal Valley U.S.A. 129 F3
Coalville U.K. 49 F6
Coalville U.S.A. 129 H1
Coari Brazil 142 F4
Coari r. Brazil 142 F4
Coarsegold U.S.A. 128 D3
Coastal Plain U.S.A. 131 E6
Coast Mountains Canada 120 E4
Coast Range hills Australia 111 E5
Coast Ranges mts U.S.A. 128 B1
Coatbridge U.K. 50 E5
Coatesville U.S.A. 135 H4
Coaticook Canada 135 J1
Coats Island Canada 119 J3
Coats Land reg. Antarctica 152 A1
Coatzacoalcos Mex. 136 F5
Cobar Australia 112 B3
Cobargo Australia 112 D6
Cobden Australia 112 A7
Cobh Ireland 51 D6
Cobham r. Canada 121 M4
Cobija Bol. 142 E6
Coblenz Germany see Koblenz
Cobleskill U.S.A. 135 H2
Cobourg Peninsula Australia 108 F2
Cobra Australia 109 B6
Cobram Australia 112 B5
Coburg Germany 53 K4
Coburg Island Canada 119 K2
Coca Ecuador 142 C4
Coca Spain 57 D3
Cocalinho Brazil 145 A1
Cocanada India see Kakinada
Cochabamba Bol. 142 E7
Cochem Germany 53 H4
Cochin India 84 C4
Cochin reg. Vietnam 71 D5
Cochinos, Bahía de b. Cuba see Pigs, Bay of
Cochise U.S.A. 129 I5
Cochise Head mt. U.S.A. 129 I5
Cochrane Alta Canada 120 H5
Cochrane Ont. Canada 122 E4
Cochrane r. Canada 121 K3
Cockburn Australia 111 C7
Cockburnspath U.K. 50 G5
Cockburn Town Bahamas 133 F7
Cockburn Town Turks and Caicos Is see Grand Turk
Cockermouth U.K. 48 D4
Cocklebiddy Australia 109 D8
Cockscomb mt. S. Africa 100 G7
Coco r. Hond./Nicaragua 137 H6
Coco, Cayo i. Cuba 133 E8
Coco, Isla de i. N. Pacific Ocean 137 G7
Cocobeach Gabon 98 A3
Coco Channel India 71 A4
Cocomórachic Mex. 127 G7
Coconino Plateau U.S.A. 129 G4
Cocopara National Park Australia 112 C5
Cocos Brazil 145 B1
Cocos Basin sea feature Indian Ocean 149 O5

▶Cocos Islands terr. Indian Ocean 68 B9
Australian External Territory.

Cocos Ridge sea feature N. Pacific Ocean 151 O5
Cocuy, Sierra Nevada del mt. Col. 142 D2
Cod, Cape U.S.A. 135 J3
Codajás Brazil 142 F4
Coderre Canada 121 J5
Codfish Island N.Z. 113 A8
Codigoro Italy 58 E2
Cod Island Canada 123 J2
Codlea Romania 59 K2
Codó Brazil 143 J4
Codsall U.K. 49 E6
Cod's Head hd Ireland 51 B6
Cody U.S.A. 126 F3
Coeburn U.S.A. 134 D5
Coen Australia 110 C2
Coesfeld Germany 53 H3
Coeur d'Alene U.S.A. 126 D3
Coeur d'Alene Lake U.S.A. 126 D3
Coevorden Neth. 52 G2
Coffee Bay S. Africa 101 I6
Coffeyville U.S.A. 131 E4
Coffin Bay Australia 111 A7
Coffin Bay National Park Australia 111 A7
Coffs Harbour Australia 112 F3
Cofimvaba S. Africa 101 H7
Cognac France 56 D4
Cogo Equat. Guinea 96 D4
Coguno Moz. 101 L3
Cohoes U.S.A. 135 I2
Cohuna Australia 112 B5
Coiba, Isla de i. Panama 137 H7
Coigeach, Rubha pt U.K. 50 D2
Coihaique Chile 144 B7
Coimbatore India 84 C4
Coimbra Port. 57 B3
Coipasa, Salar de salt flat Bol. 142 E7
Coire Switz. see Chur
Colac Australia 112 A7
Colair Lake India see Kolleru Lake
Colatina Brazil 145 C2
Colbitz Germany 53 L2
Colborne Canada 135 G2
Colby U.S.A. 130 C4
Colchester U.K. 49 H7
Colchester U.S.A. 135 I3
Cold Bay U.S.A. 118 B4
Coldingham U.K. 50 G5
Colditz Germany 53 M3
Cold Lake Canada 121 I4
Cold Lake l. Canada 121 I4
Coldspring U.S.A. 131 E6
Coldstream Canada 120 G5
Coldstream U.K. 50 G5
Coldwater Canada 134 F1
Coldwater KS U.S.A. 131 D4
Coldwater MI U.S.A. 134 C3
Coldwater r. U.S.A. 131 F5
Coleambally Australia 112 B5
Colebrook U.S.A. 135 J1
Coleman r. Australia 110 C2
Coleman U.S.A. 131 D6
Çölemerik Turkey see Hakkâri
Colenso S. Africa 101 I5
Cole Peninsula Antarctica 152 L2
Coleraine Australia 111 C8
Coleraine U.K. 51 F2
Coles, Punta de pt Peru 142 D7
Coles Bay Australia 111 [inset]
Colesberg S. Africa 101 G6
Coleville Canada 121 I5
Colfax CA U.S.A. 128 C2
Colfax LA U.S.A. 131 E6
Colfax WA U.S.A. 126 D3
Colhué Huapí, Lago l. Arg. 144 C7
Coligny S. Africa 101 H4
Colima Mex. 136 D5
Colima, Nevado de vol. Mex. 136 D5
Coll i. U.K. 50 C4
Collado Villalba Spain 57 E3
Collarenebri Australia 112 D2
College Station U.S.A. 131 D6
Collerina Australia 112 C2
Collie N.S.W. Australia 112 D3
Collie W.A. Australia 109 B8
Collier Bay Australia 108 D4
Collier Range National Park Australia 109 B6
Collingwood Canada 134 E1
Collingwood N.Z. 113 D5
Collins U.S.A. 131 F6
Collins Glacier Antarctica 152 E2
Collinson Peninsula Canada 119 H2
Collipulli Chile 144 B5
Collmberg hill Germany 53 N3
Collooney Ireland 51 D3
Colmar France 56 H2
Colmenar Viejo Spain 57 E3
Colmonell U.K. 50 E5
Colne r. U.K. 49 H7
Cologne Germany 52 G4
Coloma U.S.A. 134 B2
Colomb-Béchar Alg. see Béchar
Colômbia Brazil 145 A3
Colombia Mex. 131 D7

▶Colombia country S. America 142 D3
2nd most populous and 4th largest count in South America.

Colombian Basin sea feature S. Atlantic Ocean 148 C5

▶Colombo Sri Lanka 84 C5
Former capital of Sri Lanka.

Colomiers France 56 E5
Colón Buenos Aires Arg. 144 D4
Colón Entre Ríos Arg. 144 E4
Colón Cuba 133 D8
Colón Panama 137 I7
Colon U.S.A. 134 C3
Colón, Archipiélago de is Ecuador see Galapagos Islands
Colona Australia 109 F7
Colonelganj India 83 E4
Colonel Hill Bahamas 133 F8
Colonet, Cabo c. Mex. 127 D7
Colônia r. Brazil 145 D1
Colonia Micronesia 69 J5
Colonia Agrippina Germany see Cologne
Colonia Díaz Mex. 127 F7
Colonia Julia Fenestris Italy see Fano
Colonia Las Heras Arg. 144 C7
Colonial Heights U.S.A. 135 G5
Colonna, Capo c. Italy 58 G5
Colonsay i. U.K. 50 C4
Colorado r. Arg. 144 D5
Colorado r. Mex./U.S.A. 127 E7
Colorado r. U.S.A. 131 D6
Colorado state U.S.A. 126 G5
Colorado City AZ U.S.A. 129 G3
Colorado City TX U.S.A. 131 C5
Colorado Desert U.S.A. 128 E5
Colorado National Monument nat. park U.S.A. 129 I2
Colorado Plateau U.S.A. 129 I3
Colorado River Aqueduct canal U.S.A. 129 F4
Colorado Springs U.S.A. 126 G5
Colossae Turkey see Honaz
Colotlán Mex. 136 D4
Cölpin Germany 53 N1
Colquiri Bol. 142 E7
Colquitt U.S.A. 133 C6
Colson U.S.A. 134 D5
Colsterworth U.K. 49 G6
Colstrip U.S.A. 126 G3
Coltishall U.K. 49 I6
Colton CA U.S.A. 128 E4
Colton NY U.S.A. 135 H1
Colton UT U.S.A. 129 H2
Columbia KY U.S.A. 134 C5
Columbia LA U.S.A. 131 E5
Columbia MD U.S.A. 135 G4
Columbia MO U.S.A. 130 E4
Columbia MS U.S.A. 131 F6
Columbia NC U.S.A. 132 E5
Columbia PA U.S.A. 135 G3

▶Columbia SC U.S.A. 133 D5
Capital of South Carolina.

Columbia TN U.S.A. 132 C5
Columbia r. U.S.A. 126 C3
Columbia, District of admin. dist. U.S.A. 135 G4
Columbia, Mount Canada 120 G4
Columbia, Sierra mts Mex. 127 E7
Columbia City U.S.A. 134 C3
Columbia Lake Canada 120 H5
Columbia Mountains Canada 120 F4
Columbia Plateau U.S.A. 126 D3
Columbine, Cape S. Africa 100 C7
Columbus GA U.S.A. 133 C5
Columbus IN U.S.A. 134 C4
Columbus MS U.S.A. 131 F5
Columbus MT U.S.A. 126 F3
Columbus NC U.S.A. 133 D5
Columbus NE U.S.A. 130 D3
Columbus NM U.S.A. 127 G7

▶Columbus OH U.S.A. 134 D4
Capital of Ohio.

Columbus TX U.S.A. 131 D6
Columbus Grove U.S.A. 134 C3
Columbus Salt Marsh U.S.A. 128 D2
Colusa U.S.A. 128 B2
Colville N.Z. 113 E3
Colville U.S.A. 126 D2
Colville r. U.S.A. 118 C2
Colville Channel N.Z. 113 E3
Colville Lake Canada 118 F3
Colwyn Bay U.K. 48 D5
Comacchio Italy 58 E2
Comacchio, Valli di lag. Italy 58 E2
Comai China 83 G3
Comalcalco Mex. 136 F5
Comanche U.S.A. 131 D6
Comandante Ferraz research station Antarctica 152 A2
Comandante Salas Arg. 144 C4
Comănești Romania 59 L1
Combahee r. U.S.A. 133 D5
Combarbalá Chile 144 B4
Comber U.K. 51 G3
Combermere Bay Myanmar 70 A3
Combles France 52 C4
Combol i. Indon. 71 C7

Cuenca, Serranía de mts Spain 57 E3
Cuencamé Mex. 131 C7
Cuernavaca Mex. 136 E5
Cuero U.S.A. 131 D6
Cuervos Mex. 129 F5
Cugir Romania 59 J2
Cuiabá Amazonas Brazil 143 G5
Cuiabá Mato Grosso Brazil 143 G7
Cuiabá r. Brazil 143 G7
Cuihua China see **Daguan**
Cuijiang China see **Ninghua**
Cuijk Neth. 52 F3
Cuilcagh hill Ireland/U.K. 51 E3
Cuillin Hills U.K. 50 C3
Cuillin Sound sea chan. U.K. 50 C3
Cuilo Angola 99 B4
Cuiluan China 74 C3
Cuité r. Brazil 145 C2
Cuito r. Angola 99 C5
Cuito Cuanavale Angola 99 B5
Cukai Malaysia 71 C6
Çukurca Turkey 88 A2
Çukurova plat. Turkey 85 B1
Cu Lao Cham i. Vietnam 70 E4
Cu Lao Xanh i. Vietnam 71 E4
Culcairn Australia 112 C5
Culfa Azer. 91 G3
Culgoa r. Australia 112 C2
Culiacán Mex. 136 C4
Culiacán Rosales Mex. see **Culiacán**
Culion Phil. 69 F4
Culion i. Phil. 68 F4
Cullen U.K. 50 G3
Cullen Point Australia 110 C1
Cullera Spain 57 F4
Cullivoe U.K. 50 [inset]
Cullman U.S.A. 133 C5
Cullybackey U.K. 51 F3
Cul Mòr hill U.K. 50 D2
Culpeper U.S.A. 135 G4
Culuene r. Brazil 143 H6
Culver, Point Australia 109 D8
Culverden N.Z. 113 D6
Cumaná Venez. 142 F1
Cumari Brazil 145 A2
Cumbal, Nevado de vol. Col. 142 C3
Cumberland KY U.S.A. 134 D5
Cumberland MD U.S.A. 135 F4
Cumberland VA U.S.A. 135 F5
Cumberland r. U.S.A. 132 C4
Cumberland, Lake U.S.A. 134 C5
Cumberland Lake Canada 121 K4
Cumberland Mountains U.S.A. 134 D5
Cumberland Peninsula Canada 119 L3
Cumberland Plateau U.S.A. 132 C5
Cumberland Point U.S.A. 130 F2
Cumberland Sound sea chan. Canada 119 L3
Cumbernauld U.K. 50 F5
Cumbres de Majalca, Parque Nacional nat. park Mex. 127 G7
Cumbres de Monterey, Parque Nacional nat. park Mex. 131 C7
Cumbum India 84 C3
Cumlosen Germany 53 L1
Cummings U.S.A. 128 B2
Cummins Australia 111 A7
Cummins Range hills Australia 108 D4
Cumnock Australia 112 D4
Cumnock U.K. 50 E5
Çumra Turkey 90 D3
Cumuruxatiba Brazil 145 D2
Cunagua Cuba see **Bolivia**
Cunderdin Australia 109 B7
Cunene r. Angola 99 B5
also known as Kunene
Cuneo Italy 58 B2
Cung Sơn Vietnam 71 E4
Cunnamulla Australia 112 B2
Cunningsburgh U.K. 50 [inset]
Cupar U.K. 50 F4
Cupica, Golfo de b. Col. 142 C2
Curaçá Brazil 143 K5
Curaçá r. Brazil 142 D4
Curaçao i. Neth. Antilles 137 K6
Curaray r. Ecuador 142 D4
Curdlawidny Lagoon salt flat Australia 111 B6
Curia Switz. see **Chur**
Curicó Chile 144 B4
Curitiba Brazil 145 A4
Curitibanos Brazil 145 A4
Curlewis Australia 112 E3
Curnamona Australia 111 B6
Currabubula Australia 112 E3
Currais Novos Brazil 143 K5
Curran U.S.A. 134 D1
Currane, Lough l. Ireland 51 B6
Currant U.S.A. 129 F2
Curranyalpa Australia 112 B3
Currawilla Australia 110 C5
Currawinya National Park Australia 112 B2
Currie Australia 106 E5
Currie U.S.A. 129 F1
Currituck U.S.A. 135 G5
Currockbilly, Mount Australia 112 E5
Curtis Channel Australia 110 F5
Curtis Island Australia 110 E4
Curtis Island N.Z. 107 I5
Curuá r. Brazil 143 H5
Curup Indon. 68 C7
Curupira, Serra mts Brazil/Venez. 142 F3
Cururupu Brazil 143 J4
Curvelo Brazil 145 B2
Curwood, Mount hill U.S.A. 130 F2
Cusco Peru 142 D6
Cushendall U.K. 51 F2
Cushendun U.K. 51 F2
Cushing U.S.A. 131 D4
Cusseta U.S.A. 133 C5
Custer MT U.S.A. 126 G3
Custer SD U.S.A. 130 C3
Cut Bank U.S.A. 126 E2
Cuthbert U.S.A. 133 C6
Cuthbertson Falls Australia 108 F3
Cut Knife Canada 121 I4
Cutler Ridge U.S.A. 133 D7
Cuttaburra Creek r. Australia 112 B2
Cuttack India 84 E1
Cuvelai Angola 99 B5
Cuxhaven Germany 47 L4
Cuya Chile 142 D7
Cuyahoga Falls U.S.A. 134 E3
Cuyama U.S.A. 128 D4
Cuyama r. U.S.A. 128 C4
Cuyo Islands Phil. 69 G4
Cuyuni r. Guyana 143 G2
Cuzco Peru see **Cusco**
Cwmbrân U.K. 49 D7
Cyangugu Rwanda 98 C4
Cyclades is Greece 59 K6
Cydonia Greece see **Chania**
Cygnet U.S.A. 134 D3
Cymru admin. div. U.K. see **Wales**
Cynthiana U.S.A. 134 C4
Cypress Hills Canada 121 I5
Cyprus country Asia 85 A2
Cyrenaica reg. Libya 97 F2
Cythera i. Greece see **Kythira**
Czar Canada 121 I4
Czechia country Europe see **Czech Republic**

▶Czechoslovakia
Divided in 1993 into the Czech Republic and Slovakia.

Czech Republic country Europe 47 O6
Czernowitz Ukr. see **Chernivtsi**
Czersk Poland 47 P4
Częstochowa Poland 47 Q5

Đa, Sông r. Vietnam see **Black**
Da'an China 74 B3
Ḑabāb, Jabal aḑ mt. Jordan 85 B4
Dabakala Côte d'Ivoire 96 C4
Daban China 73 L4
Dabao China 76 D2
Daba Shan mts China 77 F1
Dabba China see **Daocheng**
Dabein Myanmar 70 B3
Dabhoi India 82 C5
Ḑab'ī, Wādī aḑ watercourse Jordan 85 C4
Dabie Shan mts China 77 G2
Dablana India 82 C4
Dabola Guinea 96 B3
Dabqig China 73 J5
Dąbrowa Górnicza Poland 47 Q5
Dabsan Hu salt l. China 83 H1
Dabs Nur l. China 74 A3
Dabu Guangdong China 77 H3
Dabu Guangxi China see **Liucheng**
Dabusu Pao l. China see **Dabs Nur**
Dacca Bangl. see **Dhaka**
Dachau Germany 47 M6
Dachuan China see **Dazhou**
Dacre Canada 135 G1
Daday Turkey 90 D2
Dade City U.S.A. 133 D6
Dadeville U.S.A. 133 C5
Dādkān Iran 89 F5
Dadong China see **Donggang**
Dadra India see **Achalpur**
Dadu Pak. 89 G5
Daegu S. Korea see **Taegu**
Daejŏn S. Korea see **Taejŏn**
Daet Phil. 69 G4
Dafang China 76 E3
Dafeng China 77 I1
Dafengman China 74 B4
Dafla Hills India 83 H4
Dafoe Canada 121 J5
Dafoe r. Canada 121 M4
Dagana Senegal 96 B3
Dagcagoin China see **Zoigê**
Dagcanglhamo China 76 D1
Daghmar Oman 88 E6
Dağlıq Qarabağ aut. reg. Azer. 91 G3
Daglung China 83 G3
Dagö i. Estonia see **Hiiumaa**
Dagon Myanmar see **Rangoon**
Daguan China 76 D3
Daguokui Shan hill China 74 C3
Dagupan Phil. 69 G3
Dagxoi Sichuan China see **Yidun**
Dagxoi Sichuan China see **Sowa**
Dagzê China 83 G3
Dagzê Co salt l. China 83 F3
Dahadinni r. Canada 120 E2
Dahalach, Isole is Eritrea see **Dahlak Archipelago**
Dahana des. Saudi Arabia see **Ad Dahnā'**
Dahe China see **Ziyuan**
Daheiding Shan mt. China 74 C3
Dahei Shan mts China 74 B4
Dahej India 82 C5
Daheng China 77 H3
Dahezhen China 74 D3
Da Hinggan Ling mts China 74 A2
Dahlak Archipelago is Eritrea 86 F6
Dahlak Marine National Park Eritrea 86 F6
Daḩl al Furayy well Saudi Arabia 88 B5
Dahlem Germany 52 G4
Dahlenburg Germany 53 K1
Dahm, Ramlat des. Saudi Arabia/Yemen 86 G6
Dahmani Tunisia 58 C7
Dahme Germany 53 N3
Dahn Germany 53 H5
Dahnā' plain Saudi Arabia 88 B5
Dahod India 82 C5
Dahomey country Africa see **Benin**
Dahongliutan Aksai Chin 82 D2
Dahra Senegal see **Dara**
Dähre Germany 53 K2
Dahūk Iraq 91 F3
Dai i. Indon. 108 E1
Daik Indon. 68 C7
Daik-U Myanmar 70 B3
Đai Lanh, Mui pt Vietnam 71 E4
Dailekh Nepal 83 E3
Dailly U.K. 50 E5
Daimiel Spain 57 E4
Dainkog China 76 C1
Dainkognubma China 76 C1
Daintree National Park Australia 110 D3
Dair, Jebel ed mt. Sudan 86 D7
Dairen China see **Dalian**
Dai-sen vol. Japan 75 D6
Daisetsu-zan Kokuritsu-kōen nat. park Japan 74 F4
Daishan China 77 I2
Daiyun Shan mts China 77 H3
Dajarra Australia 110 B4
Dajin Chuan r. China 76 D2
Da Juh China 83 H1

▶Dakar Senegal 96 B3
Capital of Senegal.

Dākhilah, Wāḩāt ad oasis Egypt 86 C4
Dakhla W. Sahara see **Ad Dakhla**
Dakhla Oasis oasis Egypt see **Dākhilah, Wāḩāt ad**
Đăk Lăk, Cao Nguyên plat. Vietnam 71 E4
Dakoank India 71 A6
Dakol'ka r. Belarus 43 F5
Dakor India 82 C5
Dakoro Niger 96 D3
Dakota City IA U.S.A. 130 E3
Dakota City NE U.S.A. 130 D3
Đakovica Kosovo see **Gjakovë**
Đakovo Croatia 58 H2
Daktuy Rus. Fed. 74 B1
Dala Angola 99 C5
Dalaba Guinea 96 B3
Dalai China see **Da'an**
Dalain Hob China 80 J3
Dālakī Iran 88 C4
Dalälven r. Sweden 45 J6
Dalaman Turkey 59 M6
Dalandzadgad Mongolia 72 I4
Dalap-Uliga-Darrit Marshall Is see **Delap-Uliga-Djarrit**
Đa Lat Vietnam 71 E5
Dalatando Angola see **N'dalatando**
Dalaud India 82 C5
Dalauda India 82 C5
Dalbandin Pak. 89 G4
Dalbeattie U.K. 50 F6
Dalbeg Australia 110 D4
Dalby Australia 112 E1
Dalby Isle of Man 48 C4
Dale Hordaland Norway 45 D6
Dale Sogn og Fjordane Norway 45 D6
Dale City U.S.A. 135 G4
Dale Hollow Lake U.S.A. 134 C5
Dalen Neth. 52 G2
Dalet Myanmar 70 A3
Daletme Myanmar 70 A2
Dalfors Sweden 45 I6
Dalgān Iran 88 E5
Dalgety Australia 112 D6
Dalgety r. Australia 109 A6
Dalhart U.S.A. 131 C4
Dalhousie Canada 123 I4
Dalhousie, Cape Canada 118 F2
Dali Shaanxi China 77 F1
Dali Yunnan China 76 D3
Dalian China 73 M5
Daliang China see **Shunde**
Daliang Shan mts China 76 D2
Daliji China 77 H1
Dalin China 74 A4
Dalizi China 74 B4
Dalkeith U.K. 50 F5
Dallas OR U.S.A. 126 C3
Dallas TX U.S.A. 131 D5
Dalles City U.S.A. see **The Dalles**
Dall Island U.S.A. 120 C4
Dalmā i. U.A.E. 88 D5
Dalmacija reg. Bos.-Herz./Croatia see **Dalmatia**
Dalmas, Lac l. Canada 123 H3
Dalmatia reg. Bos.-Herz./Croatia 78 A2
Dalmau India 82 E4
Dalmellington U.K. 50 E5
Dalmeny Canada 121 J4
Dalmi India 83 F5
Dal'negorsk Rus. Fed. 74 D3
Dal'nerechensk Rus. Fed. 74 D3
Dal'niye Zelentsy Rus. Fed. 42 H1
Dalny China see **Dalian**
Daloa Côte d'Ivoire 96 C4

▶Dalol Eth. 86 F7
Highest recorded annual mean temperature in the world.

Daloloia Group is P.N.G. 110 E1
Dalou Shan mts China 76 E3
Dalqān well Saudi Arabia 88 B5
Dalry U.K. 50 E5
Dalrymple U.K. 50 E5
Dalrymple, Lake Australia 110 D4
Daltenganj India 83 F4
Dalton Canada 122 D4
Dalton S. Africa 101 J5
Dalton GA U.S.A. 133 C5
Dalton MA U.S.A. 135 I2
Dalton PA U.S.A. 135 H3
Daltonganj India see **Daltenganj**
Dalton-in-Furness U.K. 48 D4
Daludalu Indon. 71 C7
Daluo China 76 D4
Daly r. Australia 108 E3
Daly City U.S.A. 128 B3
Daly River Australia 108 E3
Daly Waters Australia 108 F4
Damagaram Takaya Niger 96 D3
Daman India 84 B1
Daman and Diu union terr. India 84 A1
Damanhūr Egypt 90 C5
Damanhûr Egypt see **Damanhūr**
Damant Lake Canada 121 J2
Damão India see **Daman**
Damar i. Indon. 108 E1
Damara Cent. Afr. Rep. 98 B3
Damaraland reg. Namibia 99 B6
Damas Syria see **Damascus**

▶Damascus Syria 85 C3
Capital of Syria.

Damascus U.S.A. 134 E5
Damaturu Nigeria 96 E3
Damāvand Iran 88 D3
Damāvand, Qolleh-ye mt. Iran 88 D3
Dambulla Sri Lanka 84 D5
Damdy Kazakh. 80 B1
Damghan Iran 88 D2
Damianópolis Brazil 145 B1
Damietta Egypt see **Dumyāţ**
Daming Shan mt. China 77 F4
Dāmiyā Jordan 85 B3
Damjong China 76 B1
Damlasu Turkey 85 D1
Dammam Saudi Arabia 86 H4
Damme Belgium 52 D3
Damme Germany 53 I2
Damoh India 82 D5
Damour Lebanon 85 B3
Dampar, Tasik l. Malaysia 71 C7
Dampier Archipelago is Australia 108 B5
Dampier Island P.N.G. see **Karkar Island**
Dampier Land reg. Australia 108 C4
Dampier Strait P.N.G. 69 L8
Dampir, Selat sea chan. Indon. 69 I7
Damqoq Zangbo r. China see **Maquan He**
Dam Qu r. China 76 B1
Dâmrei, Chuŏr Phnum mts Cambodia 71 D5
Damroh India 76 B2
Damwâld Neth. see **Damwoude**
Damwoude Neth. 52 G1
Damxoi China see **Comai**
Damxung China 83 G3
Ḑanā Jordan 85 B4
Dana Nepal 83 E3
Danakil reg. Africa see **Denakil**
Danané Côte d'Ivoire 96 C4
Đa Năng Vietnam 70 E3
Đa Năng, Vung b. Vietnam 70 E3
Danao Phil. 69 G4
Danata Turkm. 88 D2
Danba China 76 D2
Danbury CT U.S.A. 135 I3
Danbury NC U.S.A. 132 D4
Danby U.S.A. 135 I2
Danby Lake U.S.A. 129 F4
Dandaragan Australia 109 A7
Dande Eth. 98 D3
Dandeldhura Nepal 82 E3
Dandeli India 84 B3
Dandong China 75 B4
Dandot Pak. 89 I3
Dandridge U.S.A. 132 D4
Dane r. U.K. 48 E5
Daneborg Greenland 153 I2
Danese U.S.A. 134 E5
Danfeng China see **Shizong**
Dangan Liedao i. China 77 G4
Dangara Tajik. see **Danghara**
Dangbizhen Rus. Fed. 74 C3
Dangchang China 76 E1
Dangchengwan China see **Subei**
Danger Islands atoll Cook Is see **Pukapuka**
Danger Point S. Africa 100 D8
Danghara Tajik. 89 H2
Danghe Nanshan mts China 80 H4
Dang La pass China see **Tanggula Shankou**
Dangla Shan mts China see **Tanggula Shan**
Dangqên China 83 G3
Dângrêk, Chuŏr Phnum mts Cambodia/Thai. see **Phanom Dong Rak, Thiu Khao**
Dangriga Belize 136 G5
Dangshan China 77 H1
Dangtu China 77 H2
Daniel's Harbour Canada 123 K4
Daniëlskuil S. Africa 100 F5
Danilov Rus. Fed. 42 I4
Danilovka Rus. Fed. 43 J6
Danilovskaya Vozvyshennost' hills Rus. Fed. 42 H4
Danjiang China see **Leishan**
Danjiangkou China 77 F1
Danjiangkou Shuiku resr China 77 F1
Danjo-guntō is Japan 75 C6
Ḑank Oman 88 E6
Dankhar India 82 D2
Dankov Rus. Fed. 43 H5
Danlí Hond. 137 G6
Danmark country Europe see **Denmark**
Dannebrog Ø i. Greenland see **Qillak**
Dannenberg (Elbe) Germany 53 L1
Dannenwalde Germany 53 N1
Dannevirke N.Z. 113 F5
Dannhauser S. Africa 101 J5
Dano Burkina 96 C3
Danshui Taiwan see **Tanshui**
Dansville U.S.A. 135 G2
Danta India 82 C4
Dantan India 83 F5
Dantevada India see **Dantewara**
Dantewada India see **Dantewara**
Dantewara India 84 D2
Dantu China see **Zhenjiang**

▶Danube r. Europe 47 P6
2nd longest river in Europe. Also spelt Donau (Austria/Germany) or Duna (Hungary) or Dunaj (Slovakia) or Dunărea (Romania) or Dunav (Bulgaria/Croatia/Serbia) or Dunay (Ukraine).

Danube Delta Romania/Ukr. 59 M2
Danubyu Myanmar 70 A3
Danville IL U.S.A. 134 B3
Danville IN U.S.A. 134 B4
Danville KY U.S.A. 134 C5
Danville OH U.S.A. 134 D3
Danville PA U.S.A. 135 G3
Danville VA U.S.A. 134 F5
Danville VT U.S.A. 135 I1
Danxian China see **Danzhou**
Danzhai China 76 E3
Danzhou Guangxi China 77 F3
Danzhou Hainan China 77 F5
Danzig Poland see **Gdańsk**
Danzig, Gulf of Poland/Rus. Fed. see **Gdańsk, Gulf of**
Daocheng China 76 D2
Daokou China see **Huaxian**
Dao Tay Sa is S. China Sea see **Paracel Islands**
Daoud Alg. see **Aïn Beïda**
Daoukro Côte d'Ivoire 96 C4
Daozhen China 76 E2
Dapaong Togo 96 D3
Dapeng Wan b. H.K. China see **Mirs Bay**
Daphabum mt. India 83 I4
Dapitan Phil. 69 G5
Daporijo India 83 H4
Dapu China see **Liucheng**
Da Qaidam Zhen China 80 I4
Daqiao China 76 D3
Daqing China 74 B3
Daqiu China 77 H3
Dāq Mashī Iran 88 E3
Daqq-e Patargān salt flat Iran 89 F3
Daqq-e Sorkh, Kavīr-e salt flat Iran 88 D3
Daqq-e Tundi, Dasht-e imp. l. Afgh. 89 F3
Daqu Shan i. China 77 I2
Dara Senegal 96 B3
Dar'ā Syria 85 C3
Dâra, Gebel mt. Egypt see **Dārah, Jabal**
Dārāb Iran 88 D4
Darāgāh Iran 88 D4
Dārah, Jabal mt. Egypt 90 D6
Daraj Libya 96 E1
Dārākūyeh Iran 88 D4
Dārān Iran 88 C3
Daraut-Korgon Kyrg. 89 I2
Darazo Nigeria 96 E3
Darband, Kūh-e mt. Iran 88 E4
Darband-e Hajjī Boland Turkm. 89 F2
Darbhanga India 83 F4
Darcang China 76 C1
Dardanelle U.S.A. 131 E5
Dardanelles strait Turkey 59 L4
Dardania prov. Europe see **Kosovo**
Dardesheim Germany 53 K3
Dardo China see **Kangding**
Dar el Beida Morocco see **Casablanca**
Darende Turkey 90 E3

▶Dar es Salaam Tanz. 99 D4
Former capital of Tanzania.

Darfo Boario Terme Italy 58 D2
Dargai Pak. 89 H3
Dargaville N.Z. 113 D2
Dargo Australia 112 C6
Dargo Zangbo r. China 83 F3
Darhan Mongolia 72 J3
Darien U.S.A. 133 D6
Darién, Golfo del g. Col. 142 C2
Darién, Parque Nacional de nat. park Panama 137 I7
Dariga Pak. 89 G5
Darīganga Mongolia 73 K3
Darjeeling India see **Darjiling**
Darjiling India 83 G4
Darkhazīneh Iran 88 C4
Darlag China 76 C1

▶Darling r. Australia 112 B3
2nd longest river in Oceania, and a major part of the longest (Murray-Darling)

Darling Downs hills Australia 112 D1
Darling Range hills Australia 109 A8
Darlington U.K. 48 F4
Darlington U.S.A. 130 F3
Darlington Point Australia 112 C5
Darlot, Lake salt flat Australia 109 C6
Darłowo Poland 47 P3
Darma Pass China/India 82 E3
Darmstadt Germany 53 I5
Darnah Libya 90 A4
Darnall S. Africa 101 J5
Darnick Australia 112 A4
Darnley, Cape Antarctica 152 E2
Daroca Spain 57 F3
Daroot-Korgon Kyrg. see **Daraut-Korgon**
Darovskoy Rus. Fed. 42 J4
Darr watercourse Australia 110 C4
Darreh Bīd Iran 88 E3
Darreh-ye Bāhābād Iran 88 D4
Darreh-ye Shahr Iran 88 B3
Darsi India 84 C3
Dart r. U.K. 49 D8
Dartang China see **Baqên**
Dartford U.K. 49 H7
Dartmoor Australia 111 C8
Dartmoor hills U.K. 49 C8
Dartmoor National Park U.K. 49 D8
Dartmouth Canada 123 J5
Dartmouth U.K. 49 D8
Dartmouth, Lake salt flat Australia 111 D5
Dartmouth Reservoir Australia 112 C6
Darton U.K. 48 F5
Daru P.N.G. 69 K8
Daru Sierra Leone 96 B4
Daruba Indon. 69 H6
Darvaza Turkm. see **Derweze**
Darvoz, Qatorkŭhi mts Tajik. 89 H2
Darwazgai Afgh. 89 G4
Darwen U.K. 48 E5
Darweshan Afgh. 89 G4

▶Darwin Australia 108 E3
Capital of Northern Territory.

Darwin, Monte mt. Chile 144 C8
Daryācheh-ye Orūmīyeh salt l. Iran see **Urmia, Lake**
Dar'yalyktakyr, Ravnina plain Kazakh. 80 B2
Dar"yoi Amu r. Asia see **Amudar'ya**
Dārzīn Iran 88 E4
Dās i. U.A.E. 88 D5
Dasada India 82 B5
Dashennongjia mt. China see **Shennong Ding**
Dashhowuz Daşoguz Turkm. see **Daşoguz**
Dashkesan Azer. see **Daşkəsən**
Dashkhovuz Daşoguz Turkm. see **Daşoguz**
Dashköpri Turkm. see **Daşköpri**
Dashoguz Daşoguz Turkm. see **Daşoguz**
Dasht Iran 88 E2
Dashtiari Iran 89 F5
Daska Pak. 89 I3
Daşkəsən Azer. 91 G2
Daşköpri Turkm. 89 F2
Daşoguz Turkm. 87 I1
Daşoguz Turkm. see **Daşoguz**
Dasongshu China 76 E3
Daspar mt. Pak. 89 I2
Dassel Germany 53 J3
Dastgardān Iran 88 E3
Datadian Indon. 68 F6
Datça Turkey 59 L6
Date Japan 74 F4
Date Creek watercourse U.S.A. 129 G4
Dateland U.S.A. 129 G5
Datha India 82 C5
Datia India 82 D4
Datian China 77 H3
Datian Ding mt. China 77 F4
Datil U.S.A. 129 J4
Datong Anhui China 77 H2
Datong Heilong. China 74 B3
Datong Shanxi China 73 K4
Datong He r. China 72 I5
Dattapur India 84 C1
Datu, Tanjung c. Indon./Malaysia 71 E7
Daudkandi Bangl. 83 G5
Daugava r. Latvia 45 N8
Daugavpils Latvia 45 O9
Daulatabad India 84 B2
Daulatabad Iran see **Malāyer**
Daulatpur Bangl. 83 G5
Daun Germany 52 G4
Daungyu r. Myanmar 70 A2
Dauphin Canada 121 K5
Dauphiné reg. France 56 G4
Dauphiné, Alpes du mts France 56 G4
Dauphin Lake Canada 121 L5
Daurie Creek r. Australia 109 A6
Dausa India 82 D4
Dâu Tiêng, Hồ resr Vietnam 71 D5
Dava U.K. 50 F3
Dävəçi Azer. 91 H2
Davanagere India see **Davangere**
Davangere India 84 B3
Davao Phil. 69 H5
Davao Gulf Phil. 69 H5
Dāvarī Iran 88 E5
Dāvarzan Iran 88 E2
Davel S. Africa 101 I4
Davenport IA U.S.A. 130 F3
Davenport WA U.S.A. 126 D3
Davenport Downs Australia 110 C5
Davenport Range hills Australia 108 F5
Daventry U.K. 49 F6
Daveyton S. Africa 101 I4
David Panama 137 H7
David City U.S.A. 130 D3
Davidson Canada 121 J5
Davidson, Mount hill Australia 108 E5
Davis research station Antarctica 152 E2
Davis r. Australia 108 C5
Davis i. Myanmar see **Than Kyun**
Davis CA U.S.A. 128 C2
Davis WV U.S.A. 134 F4
Davis, Mount hill U.S.A. 134 F4
Davis Bay Antarctica 152 G2
Davis Dam U.S.A. 129 F4
Davis Inlet (abandoned) Canada 123 J3
Davis Sea Antarctica 152 F2
Davis Strait Canada/Greenland 119 M3
Davlekanovo Rus. Fed. 41 Q5
Davos Switz. 56 I3
Davy Lake Canada 121 I3
Dawa Co l. China 83 F3
Dawa Wenz r. Eth. 98 E3
Dawaxung China 83 F3
Dawê China 76 D2
Dawei Myanmar see **Tavoy**
Dawei r. mouth Myanmar see **Tavoy**
Dawera i. Indon. 108 E1
Dawna Range mts Myanmar/Thai. 70 B3
Dawna Taungdan mts Myanmar/Thai. see **Dawna Range**
Dawo China see **Maqên**
Dawqah Oman 87 H6
Dawson r. Australia 110 E4
Dawson Canada 120 B1
Dawson GA U.S.A. 133 C6
Dawson ND U.S.A. 130 D2
Dawson, Mount Canada 120 G5
Dawson Bay Canada 121 K4
Dawson Creek Canada 120 F4
Dawson Inlet Canada 121 M2
Dawson Range mts Canada 120 A2
Dawsons Landing Canada 120 E5
Dawu Hubei China 77 G2
Dawu Qinghai China see **Maqên**
Dawu Taiwan see **Tawu**
Dawukou China see **Shizuishan**
Dawu Shan hill China 77 G2
Dax France 56 D5
Daxian China see **Dazhou**
Daxiang Ling mts China 76 D2
Daxin China 76 E4
Daxing Yunnan China see **Ninglang**
Daxing Yunnan China see **Lüchun**
Daxing'an Ling mts China see **Da Hinggan Ling**
Da Xueshan mts China 76 D2
Dayan China see **Lijiang**
Dayangshu China 74 B2
Dayao China 76 D3
Dayao Shan mts China 77 F4
Daye China 77 G2
Daying China 76 E2
Daying Jiang r. China 76 C3
Dayishan China see **Guanyun**
Dāykundī Afgh. 89 G3
Daylesford Australia 112 B6
Daylight Pass U.S.A. 128 E3
Dayong China see **Zhangjiajie**
Dayr Abū Sa'īd Jordan 85 B3
Dayr az Zawr Syria 91 F4
Dayr Ḩāfir Syria 85 C1
Daysland Canada 121 H4
Dayton OH U.S.A. 134 C4
Dayton TN U.S.A. 132 C5
Dayton VA U.S.A. 135 F4
Dayton WA U.S.A. 126 D3
Daytona Beach U.S.A. 133 D6
Dayu Ling mts China 77 G3
Da Yunhe canal China 77 H1
Dayyer Iran 88 C5
Dayyina i. U.A.E. 88 D5
Dazhongji China see **Dafeng**
Dazhou China 76 E2
Dazhou Dao i. China 77 F5
Dazhu China 76 E2
Dazu China 76 E2
Dazu Rock Carvings tourist site China 76 E2
De Aar S. Africa 100 G6
Dead r. Ireland 51 D5
Deadman Lake U.S.A. 128 E4
Deadman's Cay Bahamas 133 F8

ad Mountains U.S.A. 129 F4
Dead Sea salt l. Asia 85 B4
owest point in the world and in Asia.
adwood U.S.A. 130 C2
akin Australia 109 E7
al U.K. 49 I7
alesville S. Africa 101 G5
an China 77 G2
an, Forest of U.K. 49 E7
án Funes Arg. 144 D4
anuvuotna inlet Norway see Tanafjorden
arborn U.S.A. 134 D2
arne r. U.K. 48 F5
ary U.S.A. 126 D3
ase r. Canada 120 D3
ase Lake Canada 120 D3
ase Lake l. Canada 120 D3
ase Strait Canada 118 H3
Death Valley depr. U.S.A. 128 E3
owest point in the Americas.
ath Valley Junction U.S.A. 128 E3
ath Valley National Park U.S.A. 128 E3
auville France 56 E2
aver U.S.A. 126 F3
Baai S. Africa see Port Elizabeth
bao China 76 E4
bar Macedonia 59 I4
bden Canada 121 J4
benham U.K. 49 I6
Beque U.S.A. 129 I2
Biesbosch, Nationaal Park nat. park
Neth. 52 E3
bo, Lac l. Mali 96 C3
borah East, Lake salt flat Australia
09 B7
borah West, Lake salt flat Australia
09 B7
brecen Hungary 59 I1
bre Markos Eth. 86 E7
bre Tabor Eth. 86 E7
bre Zeyit Eth. 98 D3
catur AL U.S.A. 133 C5
catur GA U.S.A. 133 C5
catur IL U.S.A. 130 F4
catur IN U.S.A. 134 C3
catur MI U.S.A. 134 C2
catur MS U.S.A. 131 F5
catur TX U.S.A. 131 D5
Deccan plat. India 84 C2
lateau making up most of southern and
entral India.
ception Bay Australia 112 F1
chang China 76 D3
čín Czech Rep. 47 O5
cker U.S.A. 126 G3
corah U.S.A. 130 F3
dap i. Indon. see Penasi, Pulau
daye Myanmar 70 A3
ddington U.K. 49 F7
degöl Dağları mts Turkey 59 N6
deleben Germany 53 K2
delstorf Germany 53 K2
demsvaart Neth. 52 G2
do de Deus mt. Brazil 145 B4
dougou Burkina 96 C3
dovichi Rus. Fed. 42 F4
du China see Wudalianchi
e r. Ireland 51 F4
e est. U.K. 48 D5
e r. England/Wales U.K. 49 D5
e r. Scotland U.K. 50 G3
el r. Ireland 51 D5
el r. Ireland 51 F4
ep Bay H.K. China 77 [inset]
ep Creek Lake U.S.A. 134 F4
ep Creek Range mts U.S.A. 129 G2
ep River Canada 122 F5
epwater Australia 112 E2
eri Somalia 98 E3
ering U.S.A. 118 B3
ering, Mount Australia 109 E6
er Island U.S.A. 118 B4
er Lake Canada 121 M4
er Lake l. Canada 121 M4
er Lodge U.S.A. 126 E3
esa India see Disa
eth U.S.A. 126 E4
feng China see Liping
fensores del Chaco, Parque Nacional
at. park Para. 144 D2
fiance U.S.A. 134 C3
fiance Plateau U.S.A. 129 I4
gana India 82 C4
geh Bur Eth. 98 E3
gema Nigeria 96 D4
ggendorf Germany 53 M6
gh r. Pak. 89 I4
Grey r. Australia 108 B5
Groote Peel, Nationaal Park nat. park
Neth. 52 F3
gtevo Rus. Fed. 43 I6
Haan Belgium 52 D3
hak Iran 89 F4
Hamert, Nationaal Park nat. park Neth.
2 G3
h-Dasht Iran 88 C4
heq Iran 88 C3
hestān Iran 88 D4
h Golān Iran 88 B3
hgon Afgh. 89 F3
hi Afgh. 89 G3
hküyeh Iran 88 D5
hlorān Iran 88 B3
Hoge Veluwe, Nationaal Park nat. park
Neth. 52 F2
Hoop Nature Reserve S. Africa 100 E8
hqonobod Uzbek. 89 G2
hra Dun India 82 D3
hradun India see Dehra Dun
hri India 83 F4
h Shū Afgh. 89 F4
im Zubeir Sudan 97 F4
inze Belgium 52 D4
ir-ez-Zor Syria see Dayr az Zawr
j Romania 59 J1
ji China see Rinbung

Dejiang China 77 F2
De Jouwer Neth. see Joure
De Kalb IL U.S.A. 130 F3
De Kalb MS U.S.A. 131 F5
De Kalb TX U.S.A. 131 E5
De Kalb Junction U.S.A. 135 H1
De-Kastri Rus. Fed. 74 F2
Dekemhare Eritrea 86 E6
Dekhkanabad Uzbek. see Dehqonobod
Dekina Nigeria 96 D4
Dékoa Cent. Afr. Rep. 98 B3
De Koog Neth. 52 E1
De Kooy Neth. 52 E2
Delaki Indon. 108 D2
Delamar Lake U.S.A. 129 F3
De Land U.S.A. 133 D6
Delano U.S.A. 128 D4
Delano Peak U.S.A. 129 G2

▶Delap-Uliga-Djarrit Marshall Is 150 H5
Capital of the Marshall Islands, on Majuro atoll.

Delārām Afgh. 89 F3
Delareyville S. Africa 101 G4
Delaronde Lake Canada 121 J4
Delavan U.S.A. 122 C6
Delaware U.S.A. 134 D3
Delaware r. U.S.A. 135 H4
Delaware state U.S.A. 135 H4
Delaware, East Branch r. U.S.A. 135 H3
Delaware Bay U.S.A. 135 H4
Delaware Lake U.S.A. 134 D3
Delaware Water Gap National Recreational Area park U.S.A. 135 H3
Delay r. Canada 123 H2
Delbarton U.S.A. 134 D5
Delbrück Germany 53 I3
Delburne Canada 120 H4
Délêg China 83 F3
Delegate Australia 112 D6
De Lemmer Neth. see Lemmer
Delémont Switz. 56 H3
Delevan CA U.S.A. 128 B2
Delevan NY U.S.A. 135 F2
Delfinópolis Brazil 145 B3
Delft Neth. 52 E2
Delfzijl Neth. 52 G1
Delgada, Point U.S.A. 128 A1
Delgado, Cabo c. Moz. 99 E5
Delgerhaan Mongolia 72 I3
Delhi Canada 134 E2
Delhi China 80 I4

▶Delhi India 82 D3
3rd most populous city in Asia and 6th in the world.

Delhi CO U.S.A. 127 G5
Delhi LA U.S.A. 131 F5
Delhi NY U.S.A. 135 H2
Delice Turkey 90 D3
Delice r. Turkey 90 D2
Delījān Iran 88 C3
Déline Canada 120 F1
Delingha China see Delhi
Delisle Canada 121 J5
Delitzsch Germany 53 M3
Delligsen Germany 53 J3
Dell Rapids U.S.A. 130 D3
Dellys Alg. 57 H5
Del Mar U.S.A. 128 E5
Delmenhorst Germany 53 I1
Delnice Croatia 58 F2
Del Norte U.S.A. 127 G5
Delong China see Ande
De-Longa, Ostrova is Rus. Fed. 65 Q2
De Long Islands Rus. Fed. see De-Longa, Ostrova
De Long Mountains U.S.A. 118 B3
De Long Strait Rus. Fed. see Longa, Proliv
Deloraine Canada 121 K5
Delphi U.S.A. 134 B3
Delphos U.S.A. 134 C3
Delportshoop S. Africa 100 G5
Delray Beach U.S.A. 133 D7
Delrey U.S.A. 134 A3
Del Río Mex. 127 F7
Del Rio U.S.A. 131 C6
Delsbo Sweden 45 J6
Delta CO U.S.A. 129 I2
Delta OH U.S.A. 134 C3
Delta UT U.S.A. 129 G2
Delta Downs Australia 110 C3
Delta Junction U.S.A. 118 D3
Deltona U.S.A. 133 D6
Delungra Australia 112 E2
Delvin Ireland 51 E4
Delvinë Albania 59 I5
Delwara India 82 C4
Demavend mt. Iran see Damāvand, Qolleh-ye
Demba Dem. Rep. Congo 99 C4
Dembī Dolo Eth. 86 D8
Demerara Guyana see Georgetown
Demerara Abyssal Plain sea feature S. Atlantic Ocean 148 E5
Demidov Rus. Fed. 43 F5
Deming U.S.A. 127 G6
Demirci Turkey 59 M5
Demirköy Turkey 59 L4
Demirtaş Turkey 85 A1
Demmin Germany 47 N4
Demopolis U.S.A. 133 C5
Demotte U.S.A. 134 B3
Dempo, Gunung vol. Indon. 68 C7
Dêmqog China 82 D2
Demta Indon. 69 K7
Dem'yanovo Rus. Fed. 42 J3
De Naawte S. Africa 100 E6
Denakil reg. Africa 98 E2
Denali mt. U.S.A. see McKinley, Mount
Denali National Park and Preserve U.S.A. 118 C3
Denan Eth. 98 E3
Denbigh Canada 135 G1
Denbigh U.K. 48 D5
Den Bosch Neth. see 's-Hertogenbosch
Den Burg Neth. 52 E1
Den Chai Thai. 70 C3
Dendāra Mauritania 96 C3
Dendermonde Belgium 52 E3

Dendi mt. Eth. 98 D3
Dendre r. Belgium 52 E3
Dendron S. Africa see Mogwadi
Denezhkin Kamen', Gora mt. Rus. Fed. 41 R3
Dêngka China see Têwo
Dêngkagoin China see Têwo
Dengkou China 72 J4
Dêngqên China 76 B2
Dengta China 77 G4
Dengxian China see Dengzhou
Dengzhou China 77 G1
Den Haag Neth. see The Hague
Denham Australia 109 A6
Denham r. Australia 108 E3
Den Ham Neth. 52 G2
Denham Range mts Australia 110 E4
Den Helder Neth. 52 E2
Denholm Canada 121 I4
Denia Spain 57 G4
Denial Bay Australia 111 A7
Deniliquin Australia 112 B5
Denio U.S.A. 126 D4
Denison IA U.S.A. 130 E3
Denison TX U.S.A. 131 D5
Denison, Cape Antarctica 152 G2
Denison Plains Australia 108 E4
Deniyaya Sri Lanka 84 D5
Denizli Turkey 59 M6
Denman Australia 112 E4
Denman Glacier Antarctica 152 F2
Denmark Australia 106 B5
Denmark country Europe 45 G8
Denmark U.S.A. 134 B1
Denmark Strait Greenland/Iceland 40 A2
Dennis, Lake salt flat Australia 108 E5
Dennison IL U.S.A. 134 B4
Dennison OH U.S.A. 134 E3
Denny U.K. 50 F4
Denov Uzbek. 89 G2
Denow Uzbek. see Denov
Denpasar Indon. 108 A2
Denton MD U.S.A. 135 H4
Denton TX U.S.A. 131 D5
D'Entrecasteaux, Point Australia 109 A8
D'Entrecasteaux, Récifs reef New Caledonia 107 G3
D'Entrecasteaux Islands P.N.G. 106 F2
D'Entrecasteaux National Park Australia 109 A8

▶Denver CO U.S.A. 126 G5
Capital of Colorado.

Denver PA U.S.A. 135 G3
Denys r. Canada 122 F3
Deo India 83 F4
Deoband India 82 D3
Deogarh Jharkhand India see Deoghar
Deogarh Orissa India 83 F5
Deogarh Rajasthan India 82 C4
Deogarh Uttar Prad. India 82 D4
Deogarh mt. India 83 E5
Deoghar India 83 F4
Deolali India 84 B2
Deoli India 83 F5
Deori Madh. Prad. India 82 D5
Deoria India 83 E4
Deosai, Plains of Pak. 82 C2
Deosil India 83 E5
Deothang Bhutan 83 G4
De Panne Belgium 52 C3
De Pere U.S.A. 134 A1
Deposit U.S.A. 135 H2
Depsang Point hill Aksai Chin 82 D2
Deputatskiy Rus. Fed. 65 O3
Dêqên Xizang China see Dagzê
Dêqên Xizang China 83 G3
Dêqên Xizang China 83 G3
De Queen U.S.A. 131 E5
Dera Ghazi Khan Pak. 89 H4
Dera Ismail Khan Pak. 89 H4
Derajat reg. Pak. 89 H4
Derawar Fort Pak. 89 H4
Derbent Rus. Fed. 91 H2
Derbesiye Turkey see Şenyurt
Derbur China 74 A2
Derby Australia 108 C4
Derby U.K. 49 F6
Derby CT U.S.A. 135 I3
Derby KS U.S.A. 131 D4
Derby NY U.S.A. 135 F2
Dereham U.K. 49 H6
Derg r. Ireland/U.K. 51 E3
Derg, Lough l. Ireland 51 D5
Dergachi Rus. Fed. 43 K6
Dergachi Ukr. see Derhachi
Derhachi Ukr. 43 H6
De Ridder U.S.A. 131 E6
Derik Turkey 91 F3
Derm Namibia 100 D2
Derna Libya see Darnah
Dernberg, Cape Namibia 100 B4
Dêrong China 76 C2
Derravaragh, Lough l. Ireland 51 E4
Derry U.K. see Londonderry
Derry U.S.A. 135 J2
Derryveagh Mts hills Ireland 51 D3
Dêrub China 82 D2
Derudeb Sudan 86 E6
De Rust S. Africa 100 F7
Derventa Bos.-Herz. 58 G2
Derwent r. England U.K. 48 F6
Derwent r. England U.K. 48 G5
Derwent Water l. U.K. 48 D4
Derweze Turkm. 88 E1
Derzhavinsk Kazakh. 80 C1
Derzhavinskiy Kazakh. see Derzhavinsk
Desaguadero r. Arg. 144 C4
Désappointement, Îles du is Fr. Polynesia 151 K6
Desatoya Mountains U.S.A. 128 E2
Deschambault Lake Canada 121 K4
Deschutes r. U.S.A. 126 C3
Desē Eth. 98 D2
Deseado Arg. 144 C7
Deseado r. Arg. 144 C7
Desengaño, Punta pt Arg. 144 C7
Deseret U.S.A. 129 G2
Deseret Peak U.S.A. 129 G1
Deseronto Canada 135 G1
Desert Canal Pak. 89 H4

Desert Center U.S.A. 129 F5
Desert Lake U.S.A. 129 F3
Desert View U.S.A. 129 H3
Deshler U.S.A. 134 D3
De Smet U.S.A. 130 D2

▶Des Moines IA U.S.A. 130 E3
Capital of Iowa.

Des Moines NM U.S.A. 131 C4
Des Moines r. U.S.A. 130 F3
Desna r. Rus. Fed./Ukr. 43 F6
Desnogorsk Rus. Fed. 43 G5
Desolación, Isla i. Chile 144 B8
Des Plaines U.S.A. 134 B2
Dessau Germany 53 M3
Dessye Eth. see Desē
Destelbergen Belgium 52 D3
Destruction Bay Canada 153 A2
Desventuradas, Islas is S. Pacific Ocean 151 O7
Desvres France 52 B4
Detah Canada 120 H2
Dete Zimbabwe 99 C5
Detmold Germany 53 I3
Detrital Wash watercourse U.S.A. 129 F3
Detroit U.S.A. 134 D2
Detroit Lakes U.S.A. 130 E2
Dett Zimbabwe see Dete
Deua National Park Australia 112 D5
Deuben Germany 53 M3
Deurne Neth. 52 F3
Deutschland country Europe see Germany
Deutschlandsberg Austria 47 O7
Deutzen Germany 53 M3
Deva Romania 59 J2
Deva U.K. see Chester
Devana U.K. see Aberdeen
Devangere India see Davangere
Devanhalli India 84 C3
Deve Bair pass Bulg./Macedonia see Velbŭzhdki Prokhod
Develi Turkey 90 D3
Deventer Neth. 52 G2
Deveron r. U.K. 50 G3
Devét Skal hill Czech Rep. 47 P6
Devgarh India 84 B2
Devghar India see Deoghar
Devikot India 82 B4
Devil's Bridge U.K. 49 D6
Devil's Gate pass U.S.A. 128 D2
Devil's Lake U.S.A. 130 D1
Devil's Paw mt. U.S.A. 120 C3
Devil's Peak U.S.A. 128 D3
Devil's Point Bahamas 133 F7
Devine U.S.A. 131 D6
Devizes U.K. 49 F7
Devli India 82 C4
Devnya Bulg. 59 L3
Devon r. U.K. 50 F4
Devon Island Canada 119 I2
Devonport Australia 111 [inset]
Devrek Turkey 59 N4
Devrukh India 84 B2
Dewa, Tanjung pt Indon. 71 A7
Dewas India 82 D5
De Weerribben, Nationaal Park nat. park Neth. 52 G2
Dewetsdorp S. Africa 101 H5
De Witt AR U.S.A. 131 F5
De Witt IA U.S.A. 130 F3
Dewsbury U.K. 48 F5
Dexing China 77 H2
Dexter ME U.S.A. 135 K1
Dexter MI U.S.A. 134 D2
Dexter MO U.S.A. 131 F4
Dexter NM U.S.A. 127 G6
Dexter NY U.S.A. 135 G1
Deyang China 76 E2
Dey-Dey Lake salt flat Australia 109 E7
Deyhuk Iran 88 E3
Deyong, Tanjung pt Indon. 69 J8
Dez r. Iran 86 G3
Dezadeash Lake Canada 120 B2
Dezfūl Iran 88 C3

▶Dezhneva, Mys c. Rus. Fed. 65 T3
Most easterly point of Asia.

Dezhou Shandong China 73 L5
Dezhou Sichuan China see Dechang
Dezh Shāhpūr Iran see Marīvān
Dhabarau India 83 E4
Dhahab, Wādī adh r. Syria 85 B3
Dhāhiriya West Bank 85 B4
Dhahran Saudi Arabia 88 C5

▶Dhaka Bangl. 83 G5
Capital of Bangladesh. 10th most populous city in the world.

Dhalbhum reg. India 83 F5
Dhalgaon India 84 B2
Dhamār Yemen 86 F7
Dhamoni India 82 D4
Dhamtari India 84 D1
Dhana Pak. 89 H5
Dhana Sar Pak. 89 H4
Dhanbad India 83 F5
Dhanera India 82 C4
Dhang Range mts Nepal 83 E3
Dhankuta Nepal 83 F4
Dhansia India 82 C3
Dhar India 82 C5
Dhar Adrar hills Mauritania 96 B3
Dharampur India 84 B1
Dharan Bazar Nepal 83 F4
Dharashiv India see Osmanabad
Dhari India 82 B5
Dharmapuri India 84 C3
Dharmavaram India 84 C3
Dharmsala Hima. Prad. India see Dharmshala
Dharmsala Orissa India 83 F5
Dharmshala India 82 D2
Dharnaoda India 82 D4
Dhar Oualâta hills Mauritania 96 C3
Dhar Tîchît hills Mauritania 96 C3
Dharug National Park Australia 112 E4
Dharur India 84 C2
Dharwad India 84 B3
Dharwar India see Dharwad

Dharwas India 82 D2
Dhasan r. India 82 D4
Dhāt al Ḥājj Saudi Arabia 90 E5

▶Dhaulagiri mt. Nepal 83 E3
7th highest mountain in the world and in Asia.

Dhaulpur India see Dholpur
Dhaura India 82 D4
Dhaurahra India 82 E4
Dhawlagiri mt. Nepal see Dhaulagiri
Dhebar Lake India see Jaisamand Lake
Dhekelia Sovereign Base Area military base Cyprus 85 A2
Dhemaji India 83 H4
Dhenkanal India 84 E1
Dhībān Jordan 85 B4
Dhidhimótikhon Greece see Didymoteicho
Dhing India 83 H4
Dhirwah, Wādī adh watercourse Jordan 85 C4
Dhodhekánisos is Greece see Dodecanese
Dhola India 82 B5
Dholera India 82 C5
Dholpur India 82 D4
Dhomokós Greece see Domokos
Dhone India 84 C3
Dhoraji India 82 B5
Dhori India 82 B5
Dhrangadhra India 82 B5
Dhubāb Yemen 86 F7
Dhubri India 83 G4
Dhuburi India see Dhubri
Dhudial Pak. 89 I3
Dhule India 84 B1
Dhulia India see Dhule
Dhulian India 83 F4
Dhulian Pak. 89 I3
Dhuma India 82 D5
Dhund r. India 82 D4
Dhurwai India 82 D4
Dhuusa Marreeb Somalia 98 E3
Dia i. Greece 59 K7
Diablo, Mount U.S.A. 128 C3
Diablo, Picacho del mt. Mex. 127 E7
Diablo Range mts U.S.A. 128 C3
Diagbe Dem. Rep. Congo 98 C3
Diamante Arg. 144 D4
Diamantina watercourse Australia 110 B5
Diamantina Brazil 145 C2
Diamantina, Chapada plat. Brazil 145 C1
Diamantina Deep sea feature Indian Ocean 149 O8
Diamantina Gates National Park Australia 110 C4
Diamantino Brazil 143 G6
Diamond Islets Australia 110 E3
Diamond Peak U.S.A. 129 F2
Dianbai China 77 F4
Diancang Shan mt. China 76 D3
Dian Chi l. China 76 D3
Diandioumé Mali 96 C3
Diane Bank sea feature Australia 110 E2
Dianjiang China 76 E2
Dianópolis Brazil 143 I6
Dianyang China see Shidian
Diaobingshan China 74 A4
Diaoling China 74 C3
Diapaga Burkina 96 D3
Diarizos r. Cyprus 85 A2
Diavolo, Mount hill India 71 A4
Diaz Point Namibia 100 B4
Dibaya Dem. Rep. Congo 99 C4
Dibella well Niger 96 E3
Dibeng S. Africa 100 F4
Dibete Botswana 101 H2
Dibrugarh India 83 H4
Dibse Syria see Dibsī
Dibsī Syria 85 D2
Dickens U.S.A. 131 C5
Dickinson U.S.A. 130 C2
Dicle r. Asia 91 F3 see Tigris
Dīdēsa Wenz r. Eth. 98 D3
Didiéni Mali 96 C3
Didsbury Canada 120 H5
Didwana India 82 C4
Didymoteicho Greece 59 L4
Die France 56 G4
Dieblich Germany 53 H4
Diébougou Burkina 96 C3
Dieburg Germany 53 I5
Diedenhofen France see Thionville
Diefenbaker, Lake Canada 121 I5
Diego de Almagro, Isla i. Chile 144 A8
Diégo Suarez Madag. see Antsirañana
Diekirch Lux. 52 G5
Diéma Mali 96 C3
Diemel r. Germany 53 J3
Điện Biên Vietnam see Điện Biên Phu
Điện Biên Phu Vietnam 70 C2
Diên Châu Vietnam 70 D3
Diên Khanh Vietnam 71 E4
Diepholz Germany 53 I2
Dieppe France 52 B5
Dierks U.S.A. 131 E5
Di'er Songhua Jiang r. China 74 B3
Diessen Neth. 52 F3
Diest Belgium 52 F4
Dietikon Switz. 56 I3
Diez Germany 53 I4
Diffa Niger 96 E3
Digby Canada 123 I5
Diggi India 82 C4
Diglur India 84 C2
Digne France see Digne-les-Bains
Digne-les-Bains France 56 H4
Digoin France 56 F3
Digos Phil. 69 H5
Digras India 84 C1
Digri Pak. 89 H5
Digul r. Indon. 69 K8
Digya National Park Ghana 96 C4
Dihang r. India 83 H4 see Brahmaputra
Dihōk Iraq see Dahūk
Dihourse, Lac l. Canada 123 I2
Diinsoor Somalia 98 E3
Dijon France 56 G3
Dik Chad 97 E4
Diken India 82 C4
Dikhil Djibouti 86 F7
Dikili Turkey 59 L5

Diklosmta mt. Rus. Fed. 43 J8
Diksmuide Belgium 52 C3
Dikson Rus. Fed. 64 J2
Dīla Eth. 98 D3
Dilaram Iran 88 E4

▶Dili East Timor 108 D2
Capital of East Timor.

Di Linh Vietnam 71 E5
Dillenburg Germany 53 I4
Dilley U.S.A. 131 D6
Dillingen (Saar) Germany 52 G5
Dillingen an der Donau Germany 47 M6
Dillingham U.S.A. 118 C4
Dillon r. Canada 121 I4
Dillon MT U.S.A. 126 E3
Dillon SC U.S.A. 133 E5
Dillwyn U.S.A. 135 F5
Dilolo Dem. Rep. Congo 99 C5
Dilsen Belgium 52 F3
Dimapur India 83 H4
Dimashq Syria see Damascus
Dimbokro Côte d'Ivoire 96 C4
Dimboola Australia 111 C8
Dimitrov Ukr. see Dymytrov
Dimitrovgrad Bulg. 59 K3
Dimitrovgrad Rus. Fed. 43 K5
Dimitrovo Bulg. see Pernik
Dimmitt U.S.A. 131 C5
Dīmona Israel 85 B4
Dimpho Pan salt pan Botswana 100 E3
Dinagat i. Phil. 69 H4
Dinajpur Bangl. 83 G4
Dinan France 56 C2
Dinant Belgium 52 E4
Dinapur India 83 F4
Dinar Turkey 59 N5
Dīnār, Kūh-e mt. Iran 88 C4
Dinara Planina mts Bos.-Herz./Croatia see Dinaric Alps
Dinaric Alps mts Bos.-Herz./Croatia 58 G2
Dinbych U.K. see Denbigh
Dinbych-y-pysgod U.K. see Tenby
Dinder National Park Sudan 97 G3
Dindi r. India 84 C2
Dindigul India 84 C4
Dindima Nigeria 96 E3
Dindiza Moz. 101 K2
Dindori India 82 E5
Dingcheng China see Dingyuan
Dingelstädt Germany 53 K3
Dingla Nepal 83 F4
Dingle Bay Ireland 51 B5
Dingnan China 77 G3
Dingo Australia 110 E4
Dingolfing Germany 53 M6
Dingping China see Linshui
Dingtao China 77 G1
Dinguiraye Guinea 96 B3
Dingwall U.K. 50 E3
Dingxi China 76 E1
Dingyuan China 77 H1
Dinh Lập Vietnam 70 D2
Dinkelsbühl Germany 53 K5
Dinngyê China 83 F3
Dinokwe Botswana 101 H2
Dinosaur U.S.A. 129 I1
Dinosaur National Monument nat. park U.S.A. 129 I1
Dinslaken Germany 52 G3
Dinwiddie U.S.A. 135 G5
Dioïla Mali 96 C3
Dionísio Cerqueira Brazil 144 F3
Diorama Brazil 145 A2
Dioscurias Georgia see Sokhumi
Diouloulou Senegal 96 B3
Diourbel Senegal 96 B3
Dipayal Far Western 82 E3
Diphu India 83 H4
Dipkarpaz Cyprus see Rizokarpason
Diplo Pak. 89 H5
Dipperu National Park Australia 110 E4
Dipu China see Anji
Dir reg. Pak. 89 I3
Dirang India 83 H4
Diré Mali 96 C3
Direction, Cape Australia 110 C2
Dirē Dawa Eth. 98 E3
Dirico Angola 99 C5
Dirk Hartog Island Australia 109 A6
Dirranbandi Australia 112 D2
Ḑirs Saudi Arabia 98 E2
Dirschau Poland see Tczew
Dirty Devil r. U.S.A. 129 H3
Disa India 82 C4
Disang r. India 83 H4
Disappointment, Cape S. Georgia 144 I8
Disappointment, Cape U.S.A. 126 B3
Disappointment, Lake salt flat Australia 109 C5
Disappointment Islands Fr. Polynesia see Désappointement, Îles du
Disappointment Lake Canada 123 J3
Disaster Bay Australia 112 D6
Discovery Bay Australia 111 C8
Disko i. Greenland see Qeqertarsuaq
Disko Bugt b. Greenland see Qeqertarsuup Tunua
Dismal Swamp U.S.A. 132 E4
Dispur India 83 G4
Disputanta U.S.A. 135 G5
Disraëli Canada 123 H5
Diss U.K. 49 I6
Distrito Federal admin. dist. Brazil 145 B1
Disūq Egypt 90 C5
Ditloung S. Africa 100 F5
Dittaino r. Sicily Italy 58 F6
Diu India 84 A1
Dīvān Darreh Iran 88 B3
Divehi country Indian Ocean see Maldives
Divi, Point India 84 D3
Divichi Azer. see Dāvāçi
Divide Mountain U.S.A. 120 A2
Divinópolis Brazil 145 B3
Divnoye Rus. Fed. 43 I7
Divo Côte d'Ivoire 96 C4
Divriği Turkey 90 E3
Diwana Pak. 89 G5
Diwaniyah Iraq see Ad Dīwānīyah
Dixfield U.S.A. 135 J1
Dixon CA U.S.A. 128 C2

Dixon IL U.S.A. 130 F3
Dixon KY U.S.A. 134 B5
Dixon MT U.S.A. 126 E3
Dixon Entrance sea chan. Canada/U.S.A. 120 C4
Dixonville Canada 120 G3
Dixville Canada 135 J1
Diyadin Turkey 91 F3
Diyarbakır Turkey 91 F3
Diz Pak. 89 F5
Diz Chah Iran 88 D3
Dize Turkey see Yüksekova
Dizney U.S.A. 134 D5
Djado Niger 96 E2
Djado, Plateau du Niger 96 E2
Djaja, Puntjak mt. Indon. see Jaya, Puncak
Djakarta Indon. see Jakarta
Djakovica Kosovo see Gjakovë
Djakovo Croatia see Đakovo
Djambala Congo 98 B4
Djanet Alg. 96 D2
Djarrit-Uliga-Dalap Marshall Is see Delap-Uliga-Djarrit
Djelfa Alg. 57 H6
Djéma Cent. Afr. Rep. 98 C3
Djenné Mali 96 C3
Djerdap nat. park Serbia 59 J2
Djibo Burkina 96 C3
Djibouti country Africa 86 F7

▶Djibouti Djibouti 86 F7
Capital of Djibouti.

Djidjelli Alg. see Jijel
Djizak Uzbek. see Jizzax
Djougou Benin 96 D4
Djoum Cameroon 96 E4
Djourab, Erg du des. Chad 97 E3
Djúpivogur Iceland 44 [inset]
Djurås Sweden 45 I6
Djurdjura, Parc National du Alg. 57 I5
Dmitriya Lapteva, Proliv sea chan. Rus. Fed. 65 P2
Dmitriyev-L'govskiy Rus. Fed. 43 G5
Dmitriyevsk Ukr. see Makiyivka
Dmitrov Rus. Fed. 42 H4
Dmytriyevs'k Ukr. see Makiyivka
Dnepr r. Europe 43 F5 see Dnieper
Dneprodzerzhinsk Ukr. see Dniprodzerzhyns'k
Dnepropetrovsk Ukr. see Dnipropetrovs'k

▶Dnieper r. Europe 43 G7
3rd longest river in Europe. Also spelt Dnepr (Rus. Fed.) or Dnipro (Ukraine) or Dnyapro (Belarus).

Dniester r. Ukr. 43 F6
also spelt Dnister (Ukraine) or Nistru (Moldova)
Dnipro r. Europe 43 G7 see Dnieper
Dniprodzerzhyns'k Ukr. 43 G6
Dnipropetrovs'k Ukr. 43 G6
Dnister r. Ukr. 43 F6 see Dniester
Dno Rus. Fed. 42 F4
Dnyapro r. Europe 43 F6 see Dnieper
Doāb Afgh. 89 G3
Doaba Pak. 89 H3
Doan Hung Vietnam 70 D2
Doba Chad 97 E4
Doba China see Toiba
Dobele Latvia 45 M8
Döbeln Germany 53 N3
Doberai, Jazirah pen. Indon. 69 I7
Doberai Peninsula Indon. see Doberai, Jazirah
Dobo Indon. 69 I8
Doboj Bos.-Herz. 58 H2
Do Borjī Iran 88 D4
Döbraberg hill Germany 53 L4
Dobrich Bulg. 59 L3
Dobrinka Rus. Fed. 43 I5
Dobroye Rus. Fed. 43 H5
Dobrudja reg. Romania see Dobruja
Dobruja reg. Romania 59 L3
Dobrush Belarus 43 F5
Dobryanka Rus. Fed. 41 R4
Dobzha China 83 G3
Doce r. Brazil 145 D2
Dochart r. U.K. 50 E4
Do China Qala Afgh. 89 H4
Docking U.K. 49 H6
Doctor Hicks Range hills Australia 109 D7
Doctor Pedro P. Peña Para. 144 D2
Doda India 82 C2
Doda Betta mt. India 84 C4
Dod Ballapur India 84 C3
Dodecanese is Greece 59 L7
Dodekanisa is Greece see Dodecanese
Dodekanisos is Greece see Dodecanese
Dodge City U.S.A. 130 C4
Dodgeville U.S.A. 130 F3
Dodman Point U.K. 49 C8

▶Dodoma Tanz. 99 D4
Capital of Tanzania.

Dodsonville U.S.A. 134 D4
Doetinchem Neth. 52 G3
Dog r. Canada 122 C4
Dogai Coring salt l. China 83 G2
Dogaicoring Qangco salt l. China 83 G2
Doğanşehir Turkey 90 E3
Dogên Co l. Xizang China 83 G3
Dogên Co l. Xizang China see Bam Tso
Doghārūn Iran 89 F3
Dog Island Canada 123 J2
Dog Lake Man. Canada 121 L5
Dog Lake Ont. Canada 122 C4
Dog Lake Ont. Canada 122 D4
Dōgo i. Japan 75 D5
Dogondoutchi Niger 96 D3
Dog Rocks is Bahamas 133 E7
Doğubeyazıt Turkey 91 G3
Doğu Menteşe Dağları mts Turkey 59 M6
Dogxung Zangbo r. China 83 F3
Do'gyaling China 83 G3

▶Doha Qatar 88 C5
Capital of Qatar.

Dohad India see Dahod
Dohazari Bangl. 83 H5
Dohrighat India 83 E4
Doi i. Fiji 107 I4
Doi Inthanon National Park Thai. 70 B3
Doi Luang National Park Thai. 70 B3
Doire U.K. see Londonderry
Doi Saket Thai. 70 B3
Dois Irmãos, Serra dos hills Brazil 143 J5
Dokan, Sadd Iraq 91 G4
Dok-do i. Asia see Liancourt Rocks
Dokhara, Dunes de des. Alg. 54 F5
Dokka Norway 45 G6
Dokkum Neth. 52 F1
Dokog He r. China 76 D2
Dokri Pak. 89 H5
Dokshukino Rus. Fed. see Nartkala
Dokshytsy Belarus 45 O9
Dokuchayeva, Mys c. Rus. Fed. 74 G3
Dokuchayevka Kazakh. see Karamendy
Dokuchayevs'k Ukr. 43 H7
Dolbeau-Mistassini Canada 123 G4
Dolbenmaen U.K. 49 C6
Dol-de-Bretagne France 56 D2
Dole France 56 G3
Dolgellau U.K. 49 D6
Dolgen Germany 53 N1
Dolgiy, Ostrov i. Rus. Fed. 42 L1
Dolgorukovo Rus. Fed. 43 H5
Dolina Ukr. see Dolyna
Dolinsk Rus. Fed. 74 F3
Dolisie Congo see Loubomo
Dolleman Island Antarctica 152 L2
Dollnstein Germany 53 L6
Dolok, Pulau i. Indon. 69 J8
Dolomites mts Italy 58 D2
Dolomiti mts Italy see Dolomites
Dolomiti Bellunesi, Parco Nazionale delle nat. park Italy 58 D1
Dolomitiche, Alpi mts Italy see Dolomites
Dolonnur China 73 L4
Dolo Odo Eth. 98 E3
Dolores Arg. 144 E5
Dolores Uruguay 144 E4
Dolores U.S.A. 129 I3
Dolphin and Union Strait Canada 118 G3
Dolphin Head hd Namibia 100 B3
Đô Lương Vietnam 70 D3
Dolyna Ukr. 43 D6
Domaila India 82 D3
Domaniç Turkey 59 M5
Domar China 80 F5
Domartang China 76 B2
Domažlice Czech Rep. 53 M5
Domba China 76 B1
Dom Bākh Iran 88 B3
Dombås Norway 44 F5
Dombóvár Hungary 58 H1
Dombrau Poland see Dąbrowa Górnicza
Dombrovitsa Ukr. see Dubrovytsya
Dombrowa Poland see Dąbrowa Górnicza
Domda China see Qingshuihe
Dome Argus ice feature Antarctica 152 E1
Dome Charlie ice feature Antarctica 152 F2
Dome Creek Canada 120 F4
Dome Rock Mountains U.S.A. 129 F5
Domeyko Chile 144 B3
Domfront France 56 D2
Dominica country West Indies 137 L5
Dominicana, República country West Indies see Dominican Republic
Dominican Republic country West Indies 137 J5
Dominion, Cape Canada 119 K3
Dominique i. Fr. Polynesia see Hiva Oa
Dömitz Germany 53 L1
Dom Joaquim Brazil 145 C2
Dommel r. Neth. 52 F3
Domo Eth. 98 E3
Domokos Greece 59 J5
Dompu Indon. 108 B2
Domula China see Duomula
Domuyo, Volcán vol. Arg. 144 B5
Domville, Mount hill Australia 112 E2
Don Mex. 127 F8

▶Don r. Rus. Fed. 43 H7
5th longest river in Europe.

Don r. U.K. 50 G3
Don, Xé r. Laos 70 D4
Donaghadee U.K. 51 G3
Donaghmore U.K. 51 F3
Donald Australia 112 A6
Donaldsonville U.S.A. 131 F6
Donalsonville U.S.A. 133 C6
Doñana, Parque Nacional de nat. park Spain 57 C5
Donau r. Europe 47 P6 see Danube
Donauwörth Germany 53 K6
Don Benito Spain 57 D4
Doncaster U.K. 48 F5
Dondo Angola 99 B4
Dondo Moz. 99 D5
Dondra Head hd Sri Lanka 84 D5
Donegal Ireland 51 D3
Donegal Bay Ireland 51 D3
Donets'k Ukr. 43 H7
Donetsko-Amrovsiyevka Ukr. see Amvrosiyivka
Donets'kyy Kryazh hills Rus. Fed./Ukr. 43 H6
Donga r. Cameroon/Nigeria 96 D4
Dong'an China 77 F3
Dongane, Lagoa lag. Moz. 101 L3
Dongara Australia 109 A7
Dongbo China see Mêdog
Dongchuan Yunnan China 76 D3
Dongchuan Yunnan China see Yao'an
Dongco China 83 F2
Dong Co l. China 83 F2
Dongfang China 77 F5
Dongfanghong China 74 D3
Donggang China 75 B5
Donggang Shandong China 77 H1
Donggi Conag l. China 76 C1
Donggou China see Donggang
Donggu China 77 G3
Dongguan China 77 G4
Dong Hai sea N. Pacific Ocean see East China Sea
Đông Hơi Vietnam 70 D3
Donghuang China see Xishui
Dongjiang Shuiku resr China 77 G3
Dongjug China 76 B2
Dongkou China 77 F3
Donglan China 76 E3
Dongliao He r. China 74 A4
Dongmen China see Luocheng
Dongminzhutun China 74 A3
Dongning China 74 C3
Dongo Angola 99 B5
Dongo Dem. Rep. Congo 98 B3
Dongola Sudan 86 D6
Dongou Congo 98 B3
Dong Phraya Yen esc. Thai. 70 C4
Dongping Guangdong China 77 G4
Dongping Hunan China see Anhua
Dongpo China see Meishan
Dongqiao China 83 G3
Dongshan Fujian China 77 H4
Dongshan Jiangsu China 77 I2
Dongshan Jiangxi China see Shangyou
Dongshao China 77 G3
Dongsha Qundao is China 68 F2
Dongsheng Nei Mongol China see Ordos
Dongsheng Sichuan China see Shuangliu
Dongshuan China see Tangdan
Dongtai China 77 I1
Dongting Hu l. China 77 G2
Dongtou China 77 I3
Đông Triều Vietnam 70 D2
Dong Ujimqin Qi China see Uliastai
Đông Văn Vietnam 70 D2
Dongxiang China 77 H2
Dongxi Liandao i. China 77 H1
Dongxing Guangxi China 76 E4
Dongxing Heilong. China 74 B3
Dongyang China 77 I2
Dongying China 73 L5
Dongzhi China 77 H2
Donkerbroek Neth. 52 G1
Donnacona Canada 123 H5
Donnellys Crossing N.Z. 113 D2
Donner Pass U.S.A. 128 C2
Donnersberg hill Germany 53 H5
Donostia-San Sebastián Spain 57 F2
Donousa i. Greece 59 K6
Donoussa i. Greece see Donousa
Donskoye Rus. Fed. 43 I7
Donyztau, Sor dry lake Kazakh. 80 A2
Dooagh Ireland 51 B4
Doomadgee Australia 110 B3
Doon r. U.K. 50 E5
Doon, Loch l. U.K. 50 E5
Doonbeg r. Ireland 51 C5
Doorn Neth. 52 F2
Door Peninsula U.S.A. 134 B1
Doorwerth Neth. 52 F3
Dooxo Nugaaleed valley Somalia 98 E3
Doqêmo China 76 B2
Dor watercourse Afgh. 89 F4
Dor Israel 85 B3
Dora U.S.A. 131 C5
Dora, Lake salt flat Australia 108 C5
Dorado Mex. 131 B7
Dorah Pass Pak. 89 H2
Doran Lake Canada 121 I2
Dorbiljin China see Emin
Dorbod China see Taikang
Dorbod Qi China see Ulan Hua
Dorchester U.K. 49 E8
Dordabis Namibia 100 C2
Dordogne r. France 56 D4
Dordrecht Neth. 52 E3
Dordrecht S. Africa 101 H6
Doreenville Namibia 100 D2
Doré Lake Canada 121 J4
Doré Lake l. Canada 121 J4
Dores do Indaiá Brazil 145 B2
Dorgê Co l. China 83 H2
Dori r. Afgh. 89 G4
Dori Burkina 96 C3
Doring r. S. Africa 100 D6
Dorisvale Australia 108 E3
Dorking U.K. 49 G7
Dormagen Germany 52 G3
Dormans France 52 D5
Dormidontovka Rus. Fed. 74 D3
Dornoch U.K. 50 E3
Dornoch Firth est. U.K. 50 E3
Dornum Germany 53 H1
Doro Mali 96 C3
Dorogobuzh Rus. Fed. 43 G5
Dorogorskoye Rus. Fed. 42 J2
Dorohoi Romania 43 E7
Döröö Nuur salt l. Mongolia 80 H2
Dorostol Bulg. see Silistra
Dorotea Sweden 44 J4
Dorpat Estonia see Tartu
Dorre Island Australia 109 A6
Dorrigo Australia 112 F3
Dorris U.S.A. 126 C4
Dorset Canada 135 F1
Dorsoidong Co l. China 83 G2
Dortmund Germany 53 H3
Dörtyol Turkey 85 C1
Dorum Germany 53 I1
Doruma Dem. Rep. Congo 98 C3
Dorūneh, Kūh-e mts Iran 88 E3
Dörverden Germany 53 J2
Dorylaeum Turkey see Eskişehir
Dos Bahías, Cabo c. Arg. 144 C6
Dos de Mayo Peru 142 C5
Doshakh, Koh-i- mt. Afgh. see Do Shākh, Kūh-e
Do Shākh, Kūh-e mt. Afgh. 89 F3
Đo Sơn Vietnam 70 D2
Dos Palos U.S.A. 128 C3
Dosse r. Germany 53 M2
Dosso Niger 96 D3
Dothan U.S.A. 133 C6
Dotsero U.S.A. 129 J2
Douai France 52 D4
Douala Cameroon 96 D4
Douarnenez France 56 B2
Double Headed Shot Cays is Bahamas 133 D8
Double Island H.K. China 77 [inset]
Double Island Point Australia 111 F5
Double Mountain Fork r. U.S.A. 131 C5
Double Peak U.S.A. 128 D4
Double Point Australia 110 D3
Double Springs U.S.A. 133 C5
Doubs r. France/Switz. 56 G3
Doubtful Sound inlet N.Z. 113 A7
Doubtless Bay N.Z. 113 D2
Douentza Mali 96 C3
Dougga tourist site Tunisia 58 C6

▶Douglas Isle of Man 48 C4
Capital of the Isle of Man.

Douglas S. Africa 100 F5
Douglas U.K. 50 F5
Douglas AZ U.S.A. 127 F7
Douglas GA U.S.A. 133 D6
Douglas WY U.S.A. 126 G4
Douglas Reef i. Japan see Okino-Tori-shima
Douglasville U.S.A. 133 C5
Douhudi China see Gong'an
Doulatpur Bangl. see Daulatpur
Douliu Taiwan see Touliu
Doullens France 52 C4
Douna Mali 96 C3
Doune U.K. 50 E4
Doupovské hory mts Czech Rep. 53 N4
Dourada, Serra hills Brazil 145 A2
Dourada, Serra mts Brazil 145 A1
Dourados Brazil 144 F2
Douro r. Port. 57 B3
also known as Duero (Spain)
Doushi China see Gong'an
Doushui Shuiku resr China 77 G3
Douve r. France 49 F9
Douzy France 52 F5
Dove r. U.K. 49 F6
Dove Brook Canada 123 K3
Dove Creek U.S.A. 129 I3
Dover U.K. 49 I7

▶Dover DE U.S.A. 135 H4
Capital of Delaware.

Dover NH U.S.A. 135 J2
Dover NJ U.S.A. 135 H3
Dover OH U.S.A. 134 E3
Dover TN U.S.A. 132 C4
Dover, Strait of France/U.K. 56 E1
Dover-Foxcroft U.S.A. 135 K1
Dovey r. U.K. 49 D6
Dovrefjell Nasjonalpark nat. park Norway 44 F5
Dowagiac U.S.A. 134 B3
Dowi, Tanjung pt Indon. 71 B7
Dowlaiswaram India 84 D2
Dowlatābād Afgh. 89 F3
Dowlatābād Afgh. 89 G2
Dowlatābād Fārs Iran 88 C4
Dowlatābād Fārs Iran 88 D4
Dowlatābād Khorāsān Iran 88 E2
Dowlatābād Khorāsān Iran 89 F2
Dowl at Yār Afgh. 89 G3
Downieville U.S.A. 128 C2
Downpatrick U.K. 51 G3
Downsville U.S.A. 135 H2
Dow Rūd Iran 88 C3
Doyle U.S.A. 128 C1
Doylestown U.S.A. 135 H3
Dozdān r. Iran 88 E5
Dōzen is Japan 75 D5
Dozois, Réservoir resr Canada 122 F5
Dozulé France 49 G9
Drâa, Hamada du plat. Alg. 54 C6
Dracena Brazil 145 A3
Drachten Neth. 52 G1
Drăgănești-Olt Romania 59 K2
Drăgășani Romania 59 K2
Dragonera, Isla i. Spain see Sa Dragonera
Dragoon U.S.A. 129 H5
Dragsfjärd Fin. 45 M6
Draguignan France 56 H5
Drahichyn Belarus 45 N10
Drake Australia 112 F2
Drake U.S.A. 130 C2
Drakensberg mts S. Africa 101 I3
Drake Passage S. Atlantic Ocean 148 D9
Drakes Bay U.S.A. 128 B3
Drama Greece 59 K4
Drammen Norway 45 G7
Drang, Prêk r. Cambodia 71 D4
Drangedal Norway 45 F7
Dransfeld Germany 53 J3
Draper, Mount U.S.A. 120 B3
Draperstown U.K. 51 F3
Drapsaca Afgh. see Kunduz
Dras India 82 C2
Drasan Pak. 89 I2
Drau r. Europe 47 O7 see Drava
Drava r. Europe 58 H2
also known as Drau (Austria), Drave or Drava (Slovenia and Croatia), Dráva (Hungary)
Dráva r. Europe see Drava
Drave r. Europe see Drava
Drayton Valley Canada 120 H4
Drazinda Pak. 89 H4
Dréan Alg. 58 B6
Dreistelzberge hill Germany 53 J4
Drentse Hoofdvaart canal Neth. 52 G2
Drepano, Akra pt Greece see Laimos, Akrotirio
Dresden Canada 134 D2
Dresden Germany 47 N5
Dreux France 52 B6
Drevsjø Norway 45 H6
Drewryville U.S.A. 135 G5
Dri China 76 C2
Driffield U.K. 48 G4
Driftwood U.S.A. 135 F3
Driggs U.S.A. 126 F4
Drillham Australia 112 E1
Drimoleague Ireland 51 C6
Drina r. Bosnia-Herzegovina/Serbia 59 H2
Driscoll Island Antarctica 152 J1
Drissa Belarus see Vyerkhnyadzvinsk
Drniš Croatia 58 G3
Drobeta-Turnu Severin Romania 59 J2
Drochtersen Germany 53 J1
Drogheda Ireland 51 F4
Drogichin Belarus see Drahichyn
Drogobych Ukr. see Drohobych
Drohobych Ukr. 43 D6
Droichead Átha Ireland see Drogheda
Droichead Nua Ireland see Newbridge
Droitwich U.K. see Droitwich Spa
Droitwich Spa U.K. 49 E6
Dromedary, Cape Australia 112 E6
Dromod Ireland 51 E4
Dromore Northern Ireland U.K. 51 E3
Dromore Northern Ireland U.K. 51 F3
Dronfield U.K. 48 F5
Dronning Louise Land reg. Greenland 153 I1
Dronning Maud Land reg. Antarctica see Queen Maud Land
Dronten Neth. 52 F2
Druk-Yul country Asia see Bhutan
Drumheller Canada 121 H5
Drummond atoll Kiribati see Tabiteuea
Drummond U.S.A. 126 E3
Drummond, Lake U.S.A. 135 G5
Drummond Island Kiribati see McKean
Drummond Range hills Australia 110 D5
Drummondville Canada 123 G5
Drummore U.K. 50 E6
Drury Lake Canada 120 C2
Druskieniki Lith. see Druskininkai
Druskininkai Lith. 45 N10
Druzhina Rus. Fed. 65 P3
Druzhnaya Gorka Rus. Fed. 45 Q7
Dry r. Australia 108 F3
Dryanovo Bulg. 59 K3
Dryberry Lake Canada 121 M5
Dryden Canada 121 M5
Dryden U.S.A. 135 G2
Dry Fork r. U.S.A. 126 G4
Drygalski Ice Tongue Antarctica 152 H1
Drygalski Island Antarctica 152 F2
Dry Lake U.S.A. 129 F3
Dry Lake l. U.S.A. 130 D1
Drymen U.K. 50 E4
Dry Ridge U.S.A. 134 C4
Drysdale r. Australia 108 D3
Drysdale River National Park Australia 108 D3
Dry Tortugas is U.S.A. 133 D7
Du'an China 77 F4
Duaringa Australia 110 E4
Duarte, Pico mt. Dom. Rep. 137 J5
Duartina Brazil 145 A3
Ḑubā Saudi Arabia 86 E4
Dubai U.A.E. 88 D5
Dubakella Mountain U.S.A. 128 B1
Dubawnt r. Canada 121 L2
Dubawnt Lake Canada 121 K2
Dubayy U.A.E. see Dubai
Dubbo Australia 112 D4

▶Dublin Ireland 51 F4
Capital of Ireland.

Dublin U.S.A. 133 D5
Dubna Rus. Fed. 42 H4
Dubno Ukr. 43 E6
Dubois ID U.S.A. 126 E3
Dubois IN U.S.A. 134 B4
Du Bois U.S.A. 135 F3
Dubovka Rus. Fed. 43 J6
Dubovskoye Rus. Fed. 43 I7
Dubréka Guinea 96 B4
Dubris U.K. see Dover
Dubrovnik Croatia 58 H3
Dubrovytsya Ukr. 43 E6
Dubuque U.S.A. 130 F3
Dubysa r. Lith. 45 M9
Đức Bôn Vietnam 71 D5
Duc de Gloucester, Îles du is Fr. Polynesia 151 K7
Duchang China 77 H2
Ducheng China see Yunan
Duchesne U.S.A. 129 H1
Duchesne r. U.S.A. 129 I1
Duchess Australia 110 B4
Duchess Canada 121 I5
Ducie Island atoll Pitcairn Is 151 L7
Duck Bay Canada 121 K4
Duck Creek r. Australia 108 B5
Duck Lake Canada 121 J4
Duckwater Peak U.S.A. 129 F2
Duc Tho Vietnam 70 D3
Dudelange Lux. 52 G5
Duderstadt Germany 53 K3
Dudhi India 83 E4
Dudhwa India 82 E3
Dudinka Rus. Fed. 64 J3
Dudley U.K. 49 E6
Dudleyville U.S.A. 129 H5
Dudna r. India 84 C2
Dudu India 82 C4
Duékoué Côte d'Ivoire 96 C4
Duen, Bukit vol. Indon. 68 C7
Duero r. Spain 57 C3
also known as Douro (Portugal)
Duffel Belgium 52 E3
Dufferin, Cape Canada 122 F2
Duffer Peak U.S.A. 126 D4
Duff Islands Solomon Is 107 G2
Duffreboy, Lac l. Canada 123 H2
Dufftown U.K. 50 F3
Dufourspitze mt. Italy/Switz. 56 H4
Dufrost, Pointe pt Canada 122 F1
Dugi Otok i. Croatia 58 F2
Dugi Rat Croatia 58 G3
Du He r. China 77 F1
Duida-Marahuaca, Parque Nacional nat. park Venez. 142 E3
Duisburg Germany 52 G3
Duiwelskloof S. Africa 101 J2
Dujiangyan China 76 D2
Dukathole S. Africa 101 H6
Duke Island U.S.A. 120 D4
Duke of Clarence atoll Tokelau see Nukunonu
Duke of Gloucester Islands Fr. Polynesia see Duc de Gloucester, Îles du
Duke of York atoll Tokelau see Atafu
Duk Fadiat Sudan 97 G4
Dukhovnitskoye Rus. Fed. 43 K5
Duki Pak. 89 H4
Duki Rus. Fed. 74 D2
Duki r. Rus. Fed. 74 D2
Dukou China see Panzhihua
Dūkštas Lith. 45 O9
Dulac U.S.A. 131 F6
Dulan China 80 I4
Dulce r. Arg. 144 D4
Dulce U.S.A. 127 G5
Dul'durga Rus. Fed. 73 K2
Dulhunty r. Australia 110 C1
Dulishi Hu salt l. China 83 E2
Duliu Jiang r. China 77 F3
Dullewala Pak. 89 H4
Dullstroom S. Africa 101 J3
Dülmen Germany 53 H3
Dulmera India 82 C3
Dulovo Bulg. 59 L3
Duluth U.S.A. 130 E2
Dulverton U.K. 49 D7
Dūmā Syria 85 C3
Dumaguete Phil. 69 G5
Dumai Indon. 71 C7
Dumaran i. Phil. 68 G4
Dumaresq r. Australia 112 E2
Dumas U.S.A. 131 C5
Dumat al Jandal Saudi Arabia 91 E5
Ḑumayr Syria 85 C3
Ḑumayr, Jabal mts Syria 85 C3
Dumbakh Iran see Dom Bākh
Dumbarton U.K. 50 E5
Dumbe S. Africa 101 J4
Ďumbier mt. Slovakia 47 Q6
Dumchele India 82 D2
Dumdum i. Indon. 71 D7
Dum Duma India 83 H4
Dumfries U.K. 50 F5
Dumka India 83 F4
Dumont d'Urville research station Antarctica 152 G2
Dumont d'Urville Sea Antarctica 152 G2
Dümpelfeld Germany 52 G4
Dumyāṭ Egypt 90 C5
Dumyât Egypt see Dumyāṭ
Duna r. Europe 58 H2 see Danube
Dünaburg Latvia see Daugavpils
Dunaj r. Europe see Danube
Dunajská Streda Slovakia 47 P7
Dunakeszi Hungary 59 H1
Dunany Point Ireland 51 F4
Dunărea r. Europe 59 L2 see Danube
Dunării, Delta Romania/Ukr. see Danube Delta
Dunaújváros Hungary 58 H1
Dunav r. Europe 58 L2 see Danube
Dunay r. Europe see Danube
Dunayivtsi Ukr. 43 E6
Dunbar Australia 110 C3
Dunbar U.K. 50 G4
Dunblane U.K. 50 F4
Dunboyne Ireland 51 F4
Duncan Canada 120 F5
Duncan AZ U.S.A. 129 I5
Duncan OK U.S.A. 131 D5
Duncan, Cape Canada 122 E3
Duncan, Lac l. Canada 122 F3
Duncan Lake Canada 120 H2
Duncan Passage India 71 A5
Duncansby Head hd U.K. 50 F2
Duncan Town Bahamas 133 F8
Duncormick Ireland 51 F5
Dundaga Latvia 45 M8
Dundalk Ireland 51 F3
Dundalk U.S.A. 135 G4
Dundalk Bay Ireland 51 F4
Dundas Canada 134 F2
Dundas Greenland 119 L2
Dundas, Lake salt flat Australia 109 C8
Dundas Island Canada 120 D4
Dundas Strait Australia 108 E2
Dún Dealgan Ireland see Dundalk
Dundee S. Africa 101 J5
Dundee U.K. 50 G4
Dundee MI U.S.A. 134 D3
Dundee NY U.S.A. 135 G2
Dundonald U.K. 51 G3
Dundoo Australia 112 B1
Dundrennan U.K. 50 F6
Dundrum U.K. 51 G3
Dundrum Bay U.K. 51 G3
Dundwa Range mts India/Nepal 83 E4
Dune, Lac l. Canada 122 G2
Dunedin N.Z. 113 C7
Dunedin U.S.A. 133 D6
Dunfermline U.K. 50 F4
Dungannon U.K. 51 F3
Dún Garbhán Ireland see Dungarvan
Dungarpur India 82 C5
Dungarvan Ireland 51 E5
Dung Co l. China 83 G3
Dungeness hd U.K. 49 H8
Dungeness, Punta pt Arg. 144 C8
Düngenheim Germany 53 H4
Dungiven U.K. 51 F3
Dungog Australia 112 E4
Dungu Dem. Rep. Congo 98 C3
Dungun Malaysia 71 C6
Dungunab Sudan 86 E5
Dunhua China 74 C4
Dunhuang China 80 H3
Dunkeld Australia 112 D1
Dunkeld U.K. 50 F4
Dunkellin r. Ireland 51 D4
Dunkerque France see Dunkirk
Dunkery Hill hill U.K. 49 D7
Dunkirk France 52 C3
Dunkirk U.S.A. 134 F2
Dún Laoghaire Ireland 51 F4
Dunlap IA U.S.A. 130 E3
Dunlap TN U.S.A. 132 C5
Dunlavin Ireland 51 F4
Dunleer Ireland 51 F4
Dunloy U.K. 51 F2
Dunmanway Ireland 51 C6
Dunmarra Australia 108 F4
Dunmor U.S.A. 134 B5
Dunmore Ireland 51 D4
Dunmore U.S.A. 135 H3
Dunmore Town Bahamas 133 E7
Dunmurry U.K. 51 G3
Dunnet Head hd U.K. 50 F2
Dunnigan U.S.A. 128 C2
Dunning U.S.A. 130 C3
Dunnville Canada 134 F2
Dunnville U.S.A. 134 C5
Dunolly Australia 112 A6
Dunoon U.K. 50 E5
Dunphy U.S.A. 128 E1
Duns U.K. 50 G5
Dunseith U.S.A. 130 C1
Dunstable U.K. 49 G7
Dunstan Mountains N.Z. 113 B7
Dun-sur-Meuse France 52 F5

Elkhart IN U.S.A. 134 C3
Elkhart KS U.S.A. 131 C4
El Kharţûm Sudan see Khartoum
El Khenachich esc. Mali see El Khnâchîch
El Khnâchîch esc. Mali 96 C2
Elkhorn U.S.A. 130 F3
Elkhorn City U.S.A. 134 D5
Elkhovo Bulg. 59 L3
Elki Turkey see Beytüşşebap
Elkin U.S.A. 132 D4
Elkins U.S.A. 134 F4
Elk Island National Park Canada 121 H4
Elk Lake Canada 122 E5
Elk Lake l. U.S.A. 134 C1
Elkland U.S.A. 135 G3
Elk Mountain U.S.A. 126 G4
Elk Mountains U.S.A. 129 J2
Elko Canada 120 H5
Elko U.S.A. 129 F1
Elk Point Canada 121 I4
Elk Point U.S.A. 130 D3
Elk Springs U.S.A. 129 I1
Elkton MD U.S.A. 135 H4
Elkton VA U.S.A. 135 F4
El Kûbri Egypt see Al Kūbrī
El Kuntilla Egypt see Al Kuntillah
Elkview U.S.A. 134 E4
Ellas country Europe see Greece
Ellaville U.S.A. 133 C5
Ell Bay Canada 121 O1
Ellef Ringnes Island Canada 119 H2
Ellen, Mount U.S.A. 129 H2
Ellenburg Depot U.S.A. 135 I1
Ellendale U.S.A. 130 D2
Ellensburg U.S.A. 126 C3
Ellenville U.S.A. 135 H3
El León, Cerro mt. Mex. 131 B7
Ellesmere, Lake N.Z. 113 D6

▶Ellesmere Island Canada 119 J2
4th largest island in North America, and 10th in the world.

Ellesmere Island National Park Reserve Canada see Quttinirpaaq National Park
Ellesmere Port U.K. 48 E5
Ellettsville U.S.A. 134 B4
Ellice r. Canada 121 K1
Ellice Island atoll Tuvalu see Funafuti
Ellice Islands country S. Pacific Ocean see Tuvalu
Ellicott City U.S.A. 135 G4
Ellijay U.S.A. 133 C5
Ellingen Germany 53 K5
Elliot S. Africa 101 H6
Elliot, Mount Australia 110 D3
Elliotdale S. Africa 101 I6
Elliot Knob mt. U.S.A. 134 F4
Elliot Lake Canada 122 E5
Elliott Australia 108 F4
Elliston U.S.A. 134 E5
Ellon U.K. 50 G3
Ellora Caves tourist site India 84 B1
Ellsworth KS U.S.A. 130 D4
Ellsworth ME U.S.A. 132 G2
Ellsworth NE U.S.A. 130 C3
Ellsworth WI U.S.A. 130 E2
Ellsworth Land reg. Antarctica 152 K1
Ellsworth Mountains Antarctica 152 L1
Ellwangen (Jagst) Germany 53 K6
El Maghreb country Africa see Morocco
Elmakuz Dağı mt. Turkey 85 A1
Elmalı Turkey 59 M6
El Malpais National Monument nat. park U.S.A. 129 J4
El Manşûra Egypt see Al Manşūrah
El Maţarîya Egypt see Al Maţarīyah
El Mazâr Egypt see Al Mazār
El Meghaïer Alg. 54 F5
El Milia Alg. 54 F4
El Minya Egypt see Al Minyā
Elmira Ont. Canada 134 E2
Elmira P.E.I. Canada 123 J5
Elmira MI U.S.A. 134 C1
Elmira NY U.S.A. 135 G2
El Mirage U.S.A. 129 G5
El Moral Spain 57 E5
Elmore Australia 112 B6
El Mreyyé reg. Mauritania 96 C3
Elmshorn Germany 53 J1
El Muglad Sudan 86 C7
Elmvale Canada 134 F1
Elnesvågen Norway 44 E5
El Nevado, Cerro mt. Col. 142 D3
El Oasis Mex. 129 F5
El Obeid Sudan 86 D7
El Odaiya Sudan 86 C7
El Oro Mex. 131 C7
Elorza Venez. 142 E2
El Oued Alg. 54 F5
Eloy U.S.A. 129 H5
El Palmito Mex. 131 B7
El Paso IL U.S.A. 130 F3
El Paso KS U.S.A. see Derby
El Paso TX U.S.A. 127 G7
Elphin U.K. 50 D2
Elphinstone i. Myanmar see Thayawthadangyi Kyun
El Portal U.S.A. 128 D3
El Porvenir Mex. 131 B6
El Porvenir Panama 137 I7
El Prat de Llobregat Spain 57 H3
El Progreso Hond. 136 G5
El Puerto de Santa María Spain 57 C5
El Qâhira Egypt see Cairo
El Qasimiye r. Lebanon 85 B3
El Quds Israel/West Bank see Jerusalem
El Quşeima Egypt see Al Quşaymah
El Quşeir Egypt see Al Quşayr
El Qûşîya Egypt see Al Qūşīyah
El Regocijo Mex. 131 B8
El Reno U.S.A. 131 D5
Elrose Canada 121 I5
Elsa Canada 120 C2
El Şaff Egypt see Aş Şaff
El Sahuaro Mex. 127 E7
El Salado Mex. 131 C7
El Salto Mex. 131 B8
El Salvador country Central America 136 G6
El Salvador Chile 144 C3
El Salvador Mex. 131 C7
Elsass reg. France see Alsace
El Sauz Mex. 127 G7
Else r. Germany 53 I2
El Sellûm Egypt see As Sallūm
Elsey Australia 108 F3
El Shallûfa Egypt see Ash Shallūfah
El Sharana Australia 108 F3
El Shaţţ Egypt see Ash Shaţţ
Elsie U.S.A. 134 C2
Elsinore Denmark see Helsingør
Elsinore CA U.S.A. 128 E5
Elsinore UT U.S.A. 129 G2
Elsinore Lake U.S.A. 128 E5
El Sueco Mex. 127 G7
El Suweis Egypt see Suez
El Suweis governorate Egypt see As Suways
El Tama, Parque Nacional nat. park Venez. 142 D2
El Tarf Alg. 58 C6
El Teleno mt. Spain 57 C2
El Temascal Mex. 131 D7
El Ter r. Spain 57 H2
El Thamad Egypt see Ath Thamad
El Tigre Venez. 142 F2
Eltmann Germany 53 K5
El'ton Rus. Fed. 43 J6
El'ton, Ozero l. Rus. Fed. 43 J6
El Tren Mex. 127 E7
El Tuparro, Parque Nacional nat. park Col. 142 E2
El Ţûr Egypt see Aţ Ţūr
El Turbio Arg. 144 B8
El Uqşur Egypt see Luxor
Eluru India 84 D2
Elva Estonia 45 O7
Elvanfoot U.K. 50 F5
Elvas Port. 57 C4
Elverum Norway 45 G6
Elvira Brazil 142 D5
El Wak Kenya 98 E3
El Wâţya well Egypt see Al Wāţiyah
Elwood IN U.S.A. 134 C3
Elwood NE U.S.A. 130 D3
El Wuz Sudan 86 D7
Elx Spain see Elche-Elx
Elxleben Germany 53 K3
Ely U.K. 49 H6
Ely MN U.S.A. 130 F2
Ely NV U.S.A. 129 F2
Elyria U.S.A. 134 D3
Elz Germany 53 I4
El Zagâzîg Egypt see Az Zaqāzīq
Elze Germany 53 J2
Émaé i. Vanuatu 107 G3
Emāmrūd Iran 88 D2
Emām Şaḩēb Afgh. 89 H2
Emām Taqī Iran 88 E2
Emån r. Sweden 45 J8
Emas, Parque Nacional das nat. park Brazil 143 H7
Emba Kazakh. 80 A2
Emba r. Kazakh. 80 A2
Embalenhle S. Africa 101 I4
Embarcación Arg. 144 D2
Embarras Portage Canada 121 I3
Embi Kazakh. see Emba
Embira r. Brazil see Envira
Emborcação, Represa de resr Brazil 145 B2
Embrun Canada 135 H1
Embu Kenya 98 D4
Emden Germany 53 H1
Emden Deep sea feature N. Pacific Ocean see Cape Johnson Depth
Emei China see Emeishan
Emeishan China 76 D2
Emei Shan mt. China 76 D2
Emerald Australia 110 E4
Emeril Canada 123 I3
Emerita Augusta Spain see Mérida
Emerson Canada 121 L5
Emerson U.S.A. 134 D4
Emery U.S.A. 129 H2
Emesa Syria see Homs
Emet Turkey 59 M5
eMgwenya S. Africa 101 J3
Emigrant Pass U.S.A. 128 E1
Emigrant Valley U.S.A. 129 F3
Emi Koussi mt. Chad 97 E3
Emile r. Canada 120 G2
Emiliano Zapata Mex. 136 F5
Emin China 80 F2
Emine, Nos pt Bulg. 59 L3
Eminence U.S.A. 134 C4
Eminska Planina hills Bulg. 59 L3
Emirdağ Turkey 59 N5
Emir Dağı mt. Turkey 59 N5
Emir Dağları mts Turkey 59 N5
eMjindini S. Africa 101 J3
Emmaboda Sweden 45 I8
Emmaste Estonia 45 M7
Emmaville Australia 112 E2
Emmeloord Neth. 52 F2
Emmelshausen Germany 53 H4
Emmen Neth. 52 G2
Emmen Switz. 56 I3
Emmerich Germany 52 G3
Emmet Australia 110 D5
Emmetsburg U.S.A. 130 E3
Emmett U.S.A. 126 D4
Emmiganuru India 84 C3
Emo Canada 121 M5
Emona Slovenia see Ljubljana
Emory Peak U.S.A. 131 C6
Empalme Mex. 127 F8
Empangeni S. Africa 101 J5
Emperor Seamount Chain sea feature N. Pacific Ocean 150 H2
Emperor Trough sea feature N. Pacific Ocean 150 H2
Empingham Reservoir U.K. see Rutland Water
Emplawas Indon. 108 E2
Empoli Italy 58 D3
Emporia KS U.S.A. 130 D4
Emporia VA U.S.A. 135 G5
Emporium U.S.A. 135 F3
Empress Canada 121 I5
Empty Quarter des. Saudi Arabia see Rub' al Khālī
Ems r. Germany 53 H1
Emsdale Canada 134 F1
Emsdetten Germany 53 H2
Ems-Jade-Kanal canal Germany 53 H1
eMzinoni S. Africa 101 I4
Enafors Sweden 44 H5
Encantadas, Serra das hills Brazil 144 F4
Encarnación Para. 144 E3
Enchi Ghana 96 C4
Encinal U.S.A. 131 D6
Encinitas U.S.A. 128 E5
Encino U.S.A. 127 G6
Encruzilhada Brazil 145 C1
Endako Canada 120 E4
Endau-Rompin National Park nat. park Malaysia 71 C7
Ende Indon. 108 C2
Endeavour Strait Australia 110 C1
Endeh Indon. see Ende
Enderby Canada 120 G5
Enderby atoll Micronesia see Puluwat
Enderby Land reg. Antarctica 152 D2
Endicott U.S.A. 135 G2
Endicott Mountains U.S.A. 118 C3
EnenKio terr. N. Pacific Ocean see Wake Island
Energodar Ukr. see Enerhodar
Enerhodar Ukr. 43 G7
Enewetak atoll Marshall Is 150 G5
Enez Turkey 59 L4
Enfe Lebanon 85 B2
Enfião, Ponta do pt Angola 99 B5
Enfidaville Tunisia 58 D6
Enfield U.S.A. 132 E4
Engan Norway 44 F5
Engaru Japan 74 F3
Engcobo S. Africa 101 H6
En Gedi Israel 85 B4
Engelhard U.S.A. 132 F5
Engel's Rus. Fed. 43 J6
Engelschmangat sea chan. Neth. 52 E1
Enggano i. Indon. 68 C8
Enghien Belgium 52 E4
England admin. div. U.K. 49 E6
Englee Canada 123 L4
Englehart Canada 122 F5
Englewood FL U.S.A. 133 D7
Englewood OH U.S.A. 134 C4
English r. Canada 121 M5
English U.S.A. 134 B4
English Bazar India see Ingraj Bazar
English Channel France/U.K. 49 F9
English Coast Antarctica 152 L2
Engozero Rus. Fed. 42 G2
Enhlalakahle S. Africa 101 J5
Enid U.S.A. 131 D4
Eniwa Japan 74 F4
Eniwetok atoll Marshall Is see Enewetak
Enjiang China see Yongfeng
Enkeldoorn Zimbabwe see Chivhu
Enkhuizen Neth. 52 F2
Enköping Sweden 45 J7
Enna Sicily Italy 58 F6
Ennadai Lake Canada 121 K2
En Nahud Sudan 86 C7
Ennedi, Massif mts Chad 97 F3
Ennell, Lough l. Ireland 51 E4
Enngonia Australia 112 B2
Enning U.S.A. 130 C2
Ennis Ireland 51 D5
Ennis MT U.S.A. 126 F3
Ennis TX U.S.A. 131 D5
Enniscorthy Ireland 51 F5
Enniskillen U.K. 51 E3
Ennistymon Ireland 51 C5
Enn Nâqoûra Lebanon 85 B3
Enns r. Austria 47 O6
Eno Fin. 44 Q5
Enoch U.S.A. 129 G3
Enontekiö Fin. 44 M2
Enosburg Falls U.S.A. 135 I1
Enosville U.S.A. 134 B4
Enping China 77 G4
Ens Neth. 52 F2
Ensay Australia 112 C6
Enschede Neth. 52 G2
Ense Germany 53 I3
Ensenada Mex. 127 D7
Enshi China 77 F2
Ensley U.S.A. 133 C6
Entebbe Uganda 98 D3
Enterprise Canada 120 G2
Enterprise AL U.S.A. 133 C6
Enterprise OR U.S.A. 126 D3
Enterprise UT U.S.A. 129 G3
Entre Ríos Bol. 142 F8
Entre Rios Brazil 143 H5
Entre Rios de Minas Brazil 145 B3
Entroncamento Port. 57 B4
Enugu Nigeria 96 D4
Enurmino Rus. Fed. 65 T3
Envira Brazil 142 D5
Envira r. Brazil 142 D5
'En Yahav Israel 85 B4
Enyamba Dem. Rep. Congo 98 C4
Eochaill Ireland see Youghal
Epe Neth. 52 F2
Epéna Congo 98 B3
Épernay France 52 D5
Ephraim U.S.A. 129 H2
Ephrata U.S.A. 135 G3
Epi i. Vanuatu 107 G3
Epidamnus Albania see Durrës
Épinal France 56 H2
Episkopi Bay Cyprus 85 A2
Episkopis, Kolpos b. Cyprus see Episkopi Bay
ePitoli S. Africa see Pretoria
Epomeo, Monte hill Italy 58 E4
Epping U.K. 49 H7
Epping Forest National Park Australia 110 D4
Eppstein Germany 53 I4
Eppynt, Mynydd hills U.K. 49 D6
Epsom U.K. 49 G7
Epte r. France 52 B5
Eqlīd Iran 88 D4
Equatorial Guinea country Africa 96 D4
Équeurdreville-Hainneville France 49 F9
Erac Creek watercourse Australia 112 B1
Erandol India 84 B1
Erawadi r. Myanmar see Irrawaddy
Erawan National Park Thai. 71 B4
Erbaa Turkey 90 E2
Erbendorf Germany 53 M5
Erbeskopf hill Germany 52 H5
Ercan airport Cyprus 85 A2
Erciş Turkey 91 F3
Erciyes Dağı mt. Turkey 90 D3
Érd Hungary 58 H1
Erdaobaihe China see Baihe
Erdaogou China 76 B1
Erdao Jiang r. China 74 B4
Erdek Turkey 59 L4
Erdemli Turkey 85 B1
Erdenedalay Mongolia 72 I3
Erdenet Mongolia 80 J2
Erdenetsagaan Mongolia 73 L3
Erdi reg. Chad 97 F3
Erdniyevskiy Rus. Fed. 43 J7

▶Erebus, Mount vol. Antarctica 152 H1
Highest active volcano in Antarctica.

Erechim Brazil 144 F3
Ereentsav Mongolia 73 L3
Ereğli Konya Turkey 90 D3
Ereğli Zonguldak Turkey 59 N4
Erego Moz. see Errego
Erei, Monti mts Sicily Italy 58 F6
Erementaū Kazakh. see Yereymentau
Erenhot China 73 K4
Erepucu, Lago de l. Brazil 143 G4
Erevan Armenia see Yerevan
Erfurt Germany 53 L4
Erfurt airport Germany 53 K4
Ergani Turkey 91 E3
'Erg Chech des. Alg./Mali 96 C2
Ergene r. Turkey 59 L4
Ērgļi Latvia 45 N8
Ergu China 74 C3
Ergun China 73 M2
Ergun He r. China/Rus. Fed. see Argun'
Ergun Youqi China see Ergun
Ergun Zuoqi China see Genhe
Er Hai l. China 76 D3
Erhulai China 74 B4
Eriboll, Loch inlet U.K. 50 E2
Ericht r. U.K. 50 F4
Ericht, Loch l. U.K. 50 E4
Erickson Canada 121 L5
Erie KS U.S.A. 131 E4
Erie PA U.S.A. 134 E2
Erie, Lake Canada/U.S.A. 134 E2
'Erîgât des. Mali 96 C3
Erik Eriksenstretet sea chan. Svalbard 64 D2
Eriksdale Canada 121 L5
Erimo-misaki c. Japan 74 F4
Erin Canada 134 E2
Erinpura Road India 82 C4
Eriskay i. U.K. 50 B3
Eritrea country Africa 86 E6
Erlangen Germany 53 L5
Erlangping China 77 F1
Erldunda Australia 109 F6
Erlistoun watercourse Australia 109 C6
Erlong Shan mt. China 74 C4
Erlongshan Shuiku resr China 74 B4
Ermak Kazakh. see Aksu
Ermelo Neth. 52 F2
Ermelo S. Africa 101 I4
Ermenek Turkey 85 A1
Ermenek r. Turkey 85 A1
Ermont Egypt see Armant
Ermoupoli Greece 59 K6
Ernakulam India 84 C4
Erne r. Ireland/U.K. 51 D3
Ernest Giles Range hills Australia 109 C6
Erode India 84 C4
Eromanga Australia 111 C5
Erongo admin. reg. Namibia 100 B1
Erp Neth. 52 F3
Erqu China see Zhouzhi
Errabiddy Hills Australia 109 A6
Er Rachidia Morocco 54 D5
Er Raoui des. Alg. 54 D6
Errego Moz. 99 D5
Er Remla Tunisia 58 D7
Er Renk Sudan 86 D7
Errigal hill Ireland 51 D2
Errinundra National Park Australia 112 D6
Erris Head hd Ireland 51 B3
Errol U.S.A. 135 J1
Erromango i. Vanuatu 107 G3
Erronan i. Vanuatu see Futuna
Erseka Albania see Ersekë
Ersekë Albania 59 I4
Erskine U.S.A. 130 D2
Ersmark Sweden 44 L5
Ertai China 80 H2
Ertil' Rus. Fed. 43 I6
Ertis r. Kazakh./Rus. Fed. see Irtysh
Ertix He r. China/Kazakh. 80 G2
Ērtra country Africa see Eritrea
Eruh Turkey 91 F3
Erwin U.S.A. 132 D4
Erwitte Germany 53 I3
Erxleben Sachsen-Anhalt Germany 53 L2
Erxleben Sachsen-Anhalt Germany 53 L2
Eryuan China 76 C3
Erzerum Turkey see Erzurum
Erzgebirge mts Czech Rep./Germany 53 N4
Erzhan China 74 B2
Erzin Turkey 85 C1
Erzincan Turkey 91 E3
Erzurum Turkey 91 F3
Esa-ala P.N.G. 110 E1
Esan-misaki pt Japan 74 F4
Esashi Japan 74 F3
Esbjerg Denmark 45 F9
Esbo Fin. see Espoo
Escalante U.S.A. 129 H3
Escalante r. U.S.A. 129 H3
Escalante Desert U.S.A. 129 G3
Escalón Mex. 131 B7
Escambia r. U.S.A. 133 C6
Escanaba U.S.A. 132 C2
Escárcega Mex. 136 F5
Escatrón Spain 57 F3
Escaut r. Belgium 52 D4
Esch Neth. 52 F3
Eschede Germany 53 K2
Eschscholtz atoll Marshall Is see Bikini
Esch-sur-Alzette Lux. 52 F5
Eschwege Germany 53 K3
Eschweiler Germany 52 G4
Escondido r. Mex. 131 C6
Escondido U.S.A. 128 E5
Escudilla mt. U.S.A. 129 I5
Escuinapa Mex. 136 C4
Escuintla Guat. 136 F6
Eséka Cameroon 96 E4
Eşen Turkey 59 M6
Esenguly Turkm. 88 D2
Esenguly Döwlet Gorugy nature res. Turkm. 88 D2
Esens Germany 53 H1
Eşfahān Iran 88 C3
Esfarayen, Reshteh-ye mts Iran 88 E2
Esfīdeh Iran 89 E3
Eshan China 76 D3
Eshāqābād Iran 88 E3
Eshkamesh Afgh. 89 H2
Eshkanān Iran 88 D5
Eshowe S. Africa 101 J5
Esikhawini S. Africa 101 K5
Esil Kazakh. see Yesil'
Esil r. Kazakh./Rus. Fed. see Ishim
Esk Australia 112 F1
Esk r. Australia 111 [inset]
Esk r. U.K. 48 D4
Eskdalemuir U.K. 50 F5
Esker Canada 123 I3
Eskifjörður Iceland 44 [inset]
Eski Gediz Turkey 59 M5
Eskilstuna Sweden 45 J7
Eskimo Lakes Canada 118 E3
Eskimo Point Canada see Arviat
Eskipazar Turkey 90 D2
Eskişehir Turkey 59 N5
Eski-Yakkabog' Uzbek. 89 G2
Esla r. Spain 57 C3
Eslāmābād-e Gharb Iran 88 B3
Esler Dağı mt. Turkey 59 M6
Eslohe (Sauerland) Germany 53 I3
Eslöv Sweden 45 H9
Esmā'īlī-ye Soflá Iran 88 E4
Eşme Turkey 59 M5
Esmeraldas Ecuador 142 C3
Esmont U.S.A. 135 F5
Esnagami Lake Canada 122 D4
Esnes France 52 D4
Espakeh Iran 89 F5
Espalion France 56 F4
España country Europe see Spain
Espanola Canada 122 E5
Espanola U.S.A. 131 B4
Espelkamp Germany 53 I2
Esperance Australia 109 C8
Esperance Bay Australia 109 C8
Esperanza research station Antarctica 152 A2
Esperanza Arg. 144 B8
Esperanza Mex. 127 F8
Espichel, Cabo c. Port. 57 B4
Espigão, Serra do mts Brazil 145 A4
Espigüete mt. Spain 57 D2
Espinazo Mex. 131 C7
Espinhaço, Serra do mts Brazil 145 C2
Espinosa Brazil 145 C1
Espírito Santo Brazil see Vila Velha
Espírito Santo state Brazil 145 C2
Espíritu Santo i. Vanuatu 107 G3
Espíritu Santo, Isla i. Mex. 124 E7
Espoo Fin. 45 N6
Espuña mt. Spain 57 F5
Esqueda Mex. 127 F7
Esquel Arg. 144 B6
Esquimalt Canada 120 F5
Essaouira Morocco 96 C1
Es Semara W. Sahara 96 B2
Essen Belgium 52 E3
Essen Germany 52 H3
Essen (Oldenburg) Germany 53 H2
Essequibo r. Guyana 143 G2
Essex Canada 134 D2
Essex CA U.S.A. 129 F4
Essex MD U.S.A. 135 G4
Essex NY U.S.A. 135 I1
Essexville U.S.A. 134 D2
Esslingen am Neckar Germany 53 J6
Esso Rus. Fed. 65 Q4
Essoyla Rus. Fed. 42 G3
Eşţahbān Iran 88 D4
Estância Brazil 143 K6
Estancia U.S.A. 127 G6
Estand, Kūh-e mt. Iran 89 F4
Estats, Pic d' mt. France/Spain 56 E5
Estcourt S. Africa 101 I5
Este r. Germany 53 J1
Estelí Nicaragua 137 G6
Estella Spain 57 E2
Estepa Spain 57 D5
Estepona Spain 57 D5
Esteras de Medinaceli Spain 57 E3
Esterhazy Canada 121 K5
Estero Bay U.S.A. 128 C4
Esteros Para. 144 D2
Estevan Canada 121 K5
Estevan Group is Canada 120 D4
Estherville U.S.A. 130 E3
Estill U.S.A. 133 D5
Eston Canada 121 I5
Estonia country Europe 45 N7
Estonskaya S.S.R. country Europe see Estonia
Estrées-St-Denis France 52 C5
Estrela Brazil 145 A5
Estrela, Serra da mts Port. 57 C3
Estrela do Sul Brazil 145 B2
Estrella mt. Spain 57 E4
Estrella, Punta pt Mex. 127 E7
Estremoz Port. 57 C4
Estrondo, Serra hills Brazil 143 I5
Etadunna Australia 111 B6
Etah India 82 D4
Étain France 52 F5
Étamamiou Canada 123 K4
Étampes France 56 F2
Étaples France 52 B4
Etawah Rajasthan India 82 D4
Etawah Uttar Prad. India 82 D4
Ethandakukhanya S. Africa 101 J4
Ethelbert Canada 121 K5
Ethel Creek Australia 109 C5
E'Thembini S. Africa 100 F5

▶Ethiopia country Africa 98 D3
2nd most populous country in Africa.

Etimesğut Turkey 90 D3
Etive, Loch inlet U.K. 50 D4

▶Etna, Mount vol. Sicily Italy 58 F6
Highest active volcano in Europe.

Etne Norway 45 D7
Etobicoke Canada 134 F2
Etolin Strait U.S.A. 118 B3
Etorofu-tō i. Rus. Fed. see Iturup, Ostrov
Etosha National Park Namibia 99 B5
Etosha Pan salt pan Namibia 99 B5
Etoumbi Congo 98 B3
Etrek r. Iran/Turkm. see Atrek
Etrek Turkm. 88 D2
Étrépagny France 52 B5
Étretat France 49 H9
Ettelbruck Lux. 52 G5
Etten-Leur Neth. 52 E3
Ettlingen Germany 53 I6
Ettrick Water r. U.K. 50 F5
Euabalong Australia 112 C4
Euboea i. Greece see Evvoia
Eucla Australia 109 E7
Euclid U.S.A. 134 E3
Euclides da Cunha Brazil 143 K6
Eucumbene, Lake Australia 112 D6
Eudistes, Lac des l. Canada 123 I4
Eudora U.S.A. 131 F5
Eudunda Australia 111 B7
Eufaula AL U.S.A. 133 C6
Eufaula OK U.S.A. 131 E5
Eufaula Lake resr U.S.A. 131 E5
Eugene U.S.A. 126 C3
Eugenia, Punta pt Mex. 127 E8
Eugowra Australia 112 D4
Eulo Australia 112 B2
Eumungerie Australia 112 D3
Eungella Australia 110 E4
Eungella National Park Australia 110 E4
Eunice LA U.S.A. 131 E6
Eunice NM U.S.A. 131 C5
Eupen Belgium 52 G4

▶Euphrates r. Asia 91 G5
Longest river in western Asia. Also known as Al Furāt (Iraq/Syria) or Fırat (Turkey).

Eura Fin. 45 M6
Eure r. France 52 B5
Eureka CA U.S.A. 126 B4
Eureka KS U.S.A. 130 D4
Eureka MT U.S.A. 126 E2
Eureka NV U.S.A. 129 F2
Eureka OH U.S.A. 134 D4
Eureka SD U.S.A. 130 D2
Eureka UT U.S.A. 129 G2
Eureka Sound sea chan. Canada 119 J2
Eureka Springs U.S.A. 131 E4
Eureka Valley U.S.A. 128 E3
Euriowie Australia 111 C6
Euroa Australia 112 B6
Eurombah Australia 111 E5
Eurombah Creek r. Australia 111 E5
Europa, Île i. Indian Ocean 99 E6
Europa, Punta de pt Gibraltar see Europa Point
Europa Point Gibraltar 57 D5
Euskirchen Germany 52 G4
Eutaw U.S.A. 133 C5
Eutsuk Lake Canada 120 E4
Eutzsch Germany 53 M3
Eva Downs Australia 108 F4
Evans, Lac l. Canada 122 F4
Evans, Mount U.S.A. 126 G5
Evansburg Canada 120 H4
Evans City U.S.A. 134 E3
Evans Head Australia 112 F2
Evans Head hd Australia 112 F2
Evans Ice Stream Antarctica 152 L1
Evans Strait Canada 121 P2
Evanston IL U.S.A. 134 B2
Evanston WY U.S.A. 126 F4
Evansville Canada 122 E5
Evansville IN U.S.A. 134 B5
Evansville WY U.S.A. 126 G4
Evant U.S.A. 131 D6
Eva Perón Arg. see La Plata
Evart U.S.A. 134 C2
Evaton S. Africa 101 H4
Evaz Iran 88 D5
Evening Shade U.S.A. 131 F4
Evensk Rus. Fed. 65 Q3
Everard, Lake salt flat Australia 111 A6
Everard, Mount Australia 109 F5
Everard Range hills Australia 109 F6
Everdingen Neth. 52 F3
Evereck Turkey see Develi

▶Everest, Mount China/Nepal 83 F4
Highest mountain in the world and in Asia.

Everett PA U.S.A. 135 F3
Everett WA U.S.A. 126 C3
Evergem Belgium 52 D3
Everglades swamp U.S.A. 133 D7
Everglades National Park U.S.A. 133 D7
Evergreen U.S.A. 133 C6
Evesham Australia 110 C4
Evesham U.K. 49 F6
Evesham, Vale of valley U.K. 49 F6
Evijärvi Fin. 44 M5
Evje Norway 45 E7
Évora Port. 57 C4
Evoron, Ozero l. Rus. Fed. 74 E2
Évreux France 52 B5
Evros r. Bulg. see Maritsa
Evros r. Turkey see Meriç
Evrotas r. Greece 59 J6
Évry France 52 C6
Evrychou Cyprus 85 A2
Evrykhou Cyprus see Evrychou
Evvoia i. Greece 59 K5
Ewan Australia 110 D3
Ewaso Ngiro r. Kenya 98 E3
Ewe, Loch b. U.K. 50 D3

ving U.S.A. 134 D5
vo Congo 98 B4
altación Bol. 142 E6
celsior S. Africa 101 H5
celsior Mountain U.S.A. 128 D2
celsior Mountains U.S.A. 128 D2
e r. U.K. 49 D8
eter Australia 112 E5
eter Canada 134 E2
eter U.K. 49 D8
eter CA U.S.A. 128 D3
eter NH U.S.A. 135 J2
eter Lake Canada 121 I1
loo Neth. 52 G2
minster U.K. 49 D8
moor hills U.K. 49 D7
moor National Park U.K. 49 D7
more U.S.A. 135 H5
mouth Australia 108 A5
mouth U.K. 49 D8
mouth, Mount Australia 112 D3
mouth Gulf Australia 108 A5
mouth Lake Canada 120 H1
mouth Plateau sea feature Indian Ocean 149 P7
pedition National Park Australia 110 E5
pedition Range mts Australia 110 E5
ploits r. Canada 123 L4
ton U.S.A. 135 H3
tremadura aut. comm. Spain 57 D4
uma Cays is Bahamas 133 E7
uma Sound sea chan. Bahamas 133 F7
asi, Lake salt l. Tanz. 98 D4
awadi r. Myanmar see Irrawaddy
e U.K. 49 I6
eberry Lake Canada 121 J2
elenoborsk Rus. Fed. 41 S3
emouth U.K. 50 G5
jafjörður inlet Iceland 44 [inset]
l Somalia 98 E3
lau Rus. Fed. see Bagrationovsk
nsham U.K. 49 F7
re (North), Lake Australia 111 B6
re (South), Lake Australia 111 B6

Eyre, Lake Australia 111 B6
Largest lake in Oceania and lowest point.

re Creek watercourse Australia 110 B5
re Mountains N.Z. 113 B7
re Peninsula Australia 111 A7
strup Germany 53 J2
sturoy i. Faroe Is 44 [inset]
akheni S. Africa 101 J5
el U.S.A. 134 D5
enzeleni S. Africa 101 I4
equiel Ramos Mexía, Embalse resr Arg. 144 C5
hou China 77 G2
hva Rus. Fed. 42 K3
ine Turkey 59 L5
o i. Japan see Hokkaidō
ousa r. Cyprus 85 A2

F

aaborg Denmark 45 G9
aadhippolhu Atoll Maldives 84 B5
afxadhuun Somalia 98 E3
bens U.S.A. 127 G7
ber, Mount hill Sing. 71 [inset]
ber Lake Canada 120 G2
borg Denmark see Faaborg
briano Italy 58 E3
ches-Thumesnil France 52 D4
chi Niger 96 E3
da Chad 97 F3
da-N'Gourma Burkina 96 D3
dghāmī Syria 91 F4
adiffolu Atoll Maldives see Faadhippolhu Atoll
adippolu Atoll Maldives see Faadhippolhu Atoll
enza Italy 58 D2
eroerne terr. N. Atlantic Ocean see Faroe Islands
eroes terr. N. Atlantic Ocean see Faroe Islands
ăgăraş Romania 59 K2

Fagatogo American Samoa 107 I3
Capital of American Samoa.

agersta Sweden 45 I7
agne reg. Belgium 52 E4
agurhólsmýri Iceland 44 [inset]
agwir Sudan 86 D8
ahraj Iran 88 D4
ā'id Egypt 90 D5
airbanks U.S.A. 118 D3
airborn U.S.A. 134 C4
airbury U.S.A. 130 D3
airchance U.S.A. 134 F4
airfax U.S.A. 135 G4
airfield CA U.S.A. 128 B2
airfield IA U.S.A. 130 F3
airfield ID U.S.A. 126 E4
airfield IL U.S.A. 130 F4
airfield OH U.S.A. 134 C4
airfield TX U.S.A. 131 D6
air Haven U.S.A. 135 I2
air Head hd U.K. 51 F2
air Isle i. U.K. 50 H1
airlee U.S.A. 135 I2
airlie Canterbury 113 C7
airmont MN U.S.A. 130 E3
airmont WV U.S.A. 134 E4
air Oaks U.S.A. 134 B3
airview Australia 110 D2
airview Canada 120 G3
airview MI U.S.A. 134 C1
airview OK U.S.A. 131 D4
airview PA U.S.A. 134 E2
airview UT U.S.A. 129 H2
airview Park H.K. China 77 [inset]
airweather, Cape U.S.A. 120 B3
airweather, Mount Canada/U.S.A. 120 B3
ais i. Micronesia 69 K5
aisalabad Pak. 89 I4

Faissault France 52 E5
Faith U.S.A. 130 C2
Faizabad Afgh. see Feyzābād
Faizabad India 83 E4
Fakaofo atoll Tokelau 107 I2
Fakaofu atoll Tokelau see Fakaofo
Fakenham U.K. 49 H6
Fåker Sweden 44 I5
Fakfak Indon. 69 I7
Fakhrābād Iran 88 D4
Fakiragram India 83 G4
Fako vol. Cameroon see Cameroun, Mont
Fal r. U.K. 49 C8
Falaba Sierra Leone 96 B4
Falaise Lake Canada 120 G2
Falam Myanmar 70 A2
Falavarjan Iran 88 C3
Falcon Lake Canada 121 M5
Falcon Lake l. Mex./U.S.A. 131 D7
Falenki Rus. Fed. 42 K4
Falfurrias U.S.A. 131 D7
Falher Canada 120 G4
Falkenberg Germany 53 N3
Falkenberg Sweden 45 H8
Falkenhagen Germany 53 M1
Falkenhain Germany 53 M3
Falkensee Germany 53 N2
Falkenstein Germany 53 M5
Falkirk U.K. 50 F5
Falkland U.K. 50 F4
Falkland Escarpment sea feature S. Atlantic Ocean 148 E9

▶Falkland Islands terr. S. Atlantic Ocean 144 E8
United Kingdom Overseas Territory.

Falkland Plateau sea feature S. Atlantic Ocean 148 E9
Falkland Sound sea chan. Falkland Is 144 D8
Falköping Sweden 45 H7
Fallbrook U.S.A. 128 E5
Fallieres Coast Antarctica 152 L2
Fallingbostel Germany 53 J2
Fallon U.S.A. 128 D2
Fall River U.S.A. 135 J3
Fall River Pass U.S.A. 126 G4
Falls City U.S.A. 130 E3
Falmouth U.K. 49 B8
Falmouth KY U.S.A. 134 C4
Falmouth VA U.S.A. 135 G4
False r. Canada 123 H2
False Bay S. Africa 100 D8
False Point India 83 F5
Falster i. Denmark 45 G9
Fălticeni Romania 43 E7
Falun Sweden 45 I6
Famagusta Cyprus 85 A2
Famagusta Bay Cyprus see Ammochostos Bay
Fameck France 52 G5
Famenin Iran 88 C3
Fame Range hills Australia 109 C6
Family Lake Canada 121 M5
Family Well Australia 108 D5
Fāmūr, Daryācheh-ye l. Iran 88 C4
Fana Mali 96 C3
Fanad Head hd Ireland 51 E2
Fandriana Madag. 99 E6
Fane r. Ireland 51 F4
Fang Thai. 70 B3
Fangcheng Guangxi China see Fangchenggang
Fangcheng Henan China 77 G1
Fangchenggang China 77 F4
Fangdou Shan mts China 77 F2
Fangliao Taiwan 77 I4
Fangshan Taiwan 77 I4
Fangxian China 77 F1
Fangzheng China 74 C3
Fankuai China 77 F2
Fankuaidian China see Fankuai
Fanling H.K. China 77 [inset]
Fannich, Loch l. U.K. 50 D3
Fannūj Iran 89 E5
Fano Italy 58 E3
Fanshan Anhui China 77 H2
Fanshan Zhejiang China 77 I3
Fanum Fortunae Italy see Fano
Faqīh Aḥmadān Iran 88 C4
Farab Turkm. see Farap
Faraba Mali 96 B3
Faradofay Madag. see Tôlañaro
Farafangana Madag. 99 E6
Farāfirah, Wāḥāt al oasis Egypt 86 C4
Farafra Oasis oasis Egypt see Farāfirah, Wāḥāt al
Farāh Afgh. 89 F3
Farahābād Iran see Khezerābād
Farallon de Medinilla i. N. Mariana Is 69 L3
Farallon de Pajaros vol. N. Mariana Is 69 K2
Farallones de Cali, Parque Nacional nat. park Col. 142 C3
Faranah Guinea 96 B3
Farap Turkm. 89 F2
Fararah Oman 87 I6
Farasān, Jazā'ir is Saudi Arabia 86 F6
Faraulep atoll Micronesia 69 K5
Fareham U.K. 49 F8
Farewell, Cape Greenland 119 N3
Farewell, Cape N.Z. 113 D5
Farewell Spit N.Z. 113 D5
Färgelanda Sweden 45 H7
Farghona Uzbek. see Farg'ona
Fargo U.S.A. 130 D2
Farg'ona Uzbek. 87 L1
Faribault U.S.A. 130 E2
Faribault, Lac l. Canada 123 H2
Faridabad India 82 D3
Faridkot India 82 C3
Faridpur Bangl. 83 G5
Farīmān Iran 89 E3
Farkhar Afgh. see Farkhato
Farkhato Afgh. 89 H2
Farkhor Tajik. 89 H2
Farmahin Iran 88 C3
Farmer Island Canada 122 E2
Farmerville U.S.A. 131 E5
Farmington Canada 120 F4

Farmington ME U.S.A. 135 J1
Farmington MO U.S.A. 130 F4
Farmington NH U.S.A. 135 J2
Farmington NM U.S.A. 129 I3
Farmington Hills U.S.A. 134 D2
Far Mountain Canada 120 E4
Farmville U.S.A. 135 F5
Farnborough U.K. 49 G7
Farne Islands U.K. 48 F3
Farnham U.K. 49 G7
Farnham, Lake salt flat Australia 109 D6
Farnham, Mount Canada 120 G5
Faro Brazil 143 G4
Faro Canada 120 C2
Faro Port. 57 C5
Fårö i. Sweden 45 K8
Faroe - Iceland Ridge sea feature Arctic Ocean 153 I2

▶Faroe Islands terr. N. Atlantic Ocean 44 [inset]
Self-governing Danish territory.

Fårösund Sweden 45 K8
Farquhar Group is Seychelles 99 F5
Farquharson Tableland hills Australia 109 C6
Farrāshband Iran 88 D4
Farr Bay Antarctica 152 F2
Farristown U.S.A. 134 C5
Farrukhabad India see Fatehgarh
Fārsī Afgh. 89 F3
Farsund Norway 45 E7
Fārūj Iran 88 E2
Farwell MI U.S.A. 134 C2
Farwell TX U.S.A. 131 C5
Fasā Iran 88 D4
Fasano Italy 58 G4
Faşikan Geçidi pass Turkey 85 A1
Faßberg Germany 53 K2
Fastiv Ukr. 43 F6
Fastov Ukr. see Fastiv
Fatehabad India 82 C3
Fatehgarh India 82 D4
Fatehpur Rajasthan India 82 C4
Fatehpur Uttar Prad. India 82 E4
Fatick Senegal 96 B3
Fattoilep atoll Micronesia see Faraulep
Faughan r. U.K. 51 E2
Faulkton U.S.A. 130 D2
Faulquemont France 52 G5
Fauresmith S. Africa 101 G5
Fauske Norway 44 I3
Faust Canada 120 H4
Fawcett Canada 120 H4
Fawley U.K. 49 F8
Fawn r. Canada 121 N4
Faxaflói b. Iceland 44 [inset]
Faxälven r. Sweden 44 J5
Faya Chad 97 E3
Fayette AL U.S.A. 133 C5
Fayette MO U.S.A. 130 E4
Fayette MS U.S.A. 131 F6
Fayette OH U.S.A. 134 C3
Fayetteville AR U.S.A. 131 E4
Fayetteville NC U.S.A. 133 E5
Fayetteville TN U.S.A. 133 C5
Fayetteville WV U.S.A. 134 E4
Fâyid Egypt see Fā'id
Faylakah i. Kuwait 88 C4
Fazao Malfakassa, Parc National de nat. park Togo 96 D4
Fazilka India 82 C3
Fazrān, Jabal hill Saudi Arabia 88 C5
Fdérik Mauritania 96 B2
Fead Group is P.N.G. see Nuguria Islands
Feale r. Ireland 51 C5
Fear, Cape U.S.A. 133 E5
Featherston N.Z. 113 E5
Feathertop, Mount Australia 112 C6
Fécamp France 56 E2
Federal District admin. dist. Brazil see Distrito Federal
Federalsburg U.S.A. 135 H4
Federated Malay States country Asia see Malaysia
Fedusar India 82 C4
Fehet Lake Canada 121 M1
Fehmarn i. Germany 47 M3
Fehrbellin Germany 53 M2
Feia, Lagoa lag. Brazil 145 C3
Feicheng China see Feixian
Feijó Brazil 142 D5
Feilding N.Z. 113 E5
Fei Ngo Shan hill H.K. China see Kowloon Peak
Feio r. Brazil see Aguapeí
Feira de Santana Brazil 145 D1
Feixi China 77 H2
Feixian China 77 H1
Fejd el Abiod pass Alg. 58 B6
Feke Turkey 90 D3
Felanitx Spain 57 H4
Feldberg Germany 53 N1
Feldberg mt. Germany 47 L7
Feldkirch Austria 47 L7
Feldkirchen in Kärnten Austria 47 O7
Felidhu Atoll Maldives 81 D11
Felidu Atoll Maldives see Felidhu Atoll
Felipe C. Puerto Mex. 136 G5
Felixlândia Brazil 145 B2
Felixstowe U.K. 49 I7
Felixton S. Africa 101 J5
Fellowsville U.S.A. 134 F4
Felsina Italy see Bologna
Felton U.S.A. 135 H4
Feltre Italy 58 D1
Femunden l. Norway 44 G5
Femundsmarka Nasjonalpark nat. park Norway 44 H5
Fenaio, Punta del pt Italy 58 D3
Fence Lake U.S.A. 129 I4
Fener Burnu hd Turkey 85 B1
Fénérive Madag. see Fenoarivo Atsinanana
Fengari mt. Greece 59 K4
Fengcheng Fujian China see Lianjiang
Fengcheng Fujian China see Yongding
Fengcheng Fujian China see Anxi
Fengcheng Guangdong China see Xinfeng
Fengcheng Guangxi China see Fengshan

Fengcheng Guizhou China see Tianzhu
Fengcheng Jiangxi China 77 G2
Fenggang Fujian China see Shaxian
Fenggang Guizhou China 76 E3
Fenggang Jiangxi China see Yihuang
Fengguang China 74 B3
Fenghuang China 77 F3
Fengjiaba China see Wangcang
Fengjie China 77 F2
Fengkai China 77 F4
Fenglin Taiwan 77 I4
Fengming Shaanxi China see Qishan
Fengming Sichuan China see Pengshan
Fengqing China 76 C3
Fengshan Fujian China see Luoyuan
Fengshan Guangxi China 76 E3
Fengshan Hubei China see Luotian
Fengshan Yunnan China see Fengqing
Fengshuba Shuiku resr China 77 G3
Fengshui Shan mt. China 74 A1
Fengtongzhai Giant Panda Reserve nature res. China 76 D2
Fengxian China 76 E1
Fengxiang Heilong. China see Luobei
Fengxiang Yunnan China see Lincang
Fengyang China 77 H1
Fengyüan Taiwan 77 I3
Fengzhen China 73 K4
Feni Bangl. 83 G5
Feni Islands P.N.G. 106 F2
Fennville U.S.A. 134 B2
Feno, Capo di c. Corsica France 56 I6
Fenoarivo Atsinanana Madag. 99 E5
Fenshui Guan pass China 77 H3
Fenton U.S.A. 134 D2
Fenua Ura atoll Fr. Polynesia see Manuae
Fenyi China 77 G3
Feodosiya Ukr. 90 D1
Fer, Cap de c. Alg. 58 B6
Férai Greece see Feres
Ferdows Iran 88 E3
Fère-Champenoise France 52 D6
Feres Greece 59 L4
Fergus Canada 134 E2
Fergus Falls U.S.A. 130 D2
Ferguson Lake Canada 121 L2
Fergusson Island P.N.G. 106 F2
Fériana Tunisia 58 C7
Ferijaz Kosovo 59 I3
Ferkessédougou Côte d'Ivoire 96 C4
Fermo Italy 58 E3
Fermont Canada 123 I3
Fermoselle Spain 57 C3
Fermoy Ireland 51 D5
Fernandina, Isla i. Galápagos Ecuador 142 [inset]
Fernandina Beach U.S.A. 133 D6
Fernando de Magallanes, Parque Nacional nat. park Chile 144 B8
Fernando de Noronha i. Brazil 148 F6
Fernandópolis Brazil 145 A3
Fernando Poó i. Equat. Guinea see Bioco
Fernão Dias Brazil 145 B2
Ferndale U.S.A. 128 A1
Ferndown U.K. 49 F8
Fernlee Australia 112 C2
Fernley U.S.A. 128 D2
Ferns Ireland 51 F5
Ferozepore India see Firozpur
Ferrara Italy 58 D2
Ferreira-Gomes Brazil 143 H3
Ferro, Capo c. Sardinia Italy 58 C4
Ferrol Spain 57 B2
Ferron U.S.A. 129 H2
Ferros Brazil 145 C2
Ferryland Canada 123 L5
Ferryville Tunisia see Menzel Bourguiba
Fertő-tavi nat. park Hungary 58 G1
Ferwerd Neth. see Ferwert
Ferwert Neth. 52 F1
Fès Morocco 54 D5
Feshi Dem. Rep. Congo 99 B4
Fessenden U.S.A. 130 D2
Festus U.S.A. 130 F4
Fété Bowé Senegal 96 B3
Fethard Ireland 51 E5
Fethiye Malatya Turkey see Yazıhan
Fethiye Muğla Turkey 59 M6
Fethiye Körfezi b. Turkey 59 M6
Fetisovo Kazakh. 91 I2
Fetlar i. U.K. 50 [inset]
Fettercairn U.K. 50 G4
Feucht Germany 53 L5
Feuchtwangen Germany 53 K5
Feuilles, Rivière aux r. Canada 123 H2
Fevral'sk Rus. Fed. 74 C1
Fevzipaşa Turkey 90 E3
Feyzābād Afgh. 89 H2
Feyzābād Kermān Iran 88 D4
Feyzābād Khorāsān Iran 88 E3
Fez Morocco see Fès
Ffestiniog U.K. 49 D6
Fianarantsoa Madag. 99 E6
Fichē Eth. 98 D3
Fichtelgebirge hills Germany 53 M4
Field U.S.A. 134 D5
Fier Albania 59 H4
Fiery Creek r. Australia 110 B3
Fife Lake U.S.A. 134 C1
Fife Ness pt U.K. 50 G4
Fifield Australia 112 C4
Fifth Meridian Canada 120 H3
Figeac France 56 F4
Figueira da Foz Port. 57 B3
Figueras Spain see Figueres
Figueres Spain 57 H2
Figuig Morocco 54 D5
Figuil Cameroon 97 E4

▶Fiji country S. Pacific Ocean 107 H3
4th most populous and 5th largest country in Oceania.

Fīk' Eth. 98 E3
Filadelfia Para. 144 D2
Filchner Ice Shelf Antarctica 152 A1
Filey U.K. 48 G4
Filibe Bulg. see Plovdiv
Filingué Niger 96 D3
Filipinas country Asia see Philippines
Filippiada Greece 59 I5
Filipstad Sweden 45 I7

Fillan Norway 44 F5
Fillmore CA U.S.A. 128 D4
Fillmore UT U.S.A. 129 G2
Fils r. Germany 53 J6
Filtu Eth. 98 E3
Fimbull Ice Shelf Antarctica 152 C2
Fin Iran 88 C3
Finch Canada 135 H1
Findhorn r. U.K. 50 F3
Fındık Turkey 88 A2
Findlay U.S.A. 134 D3
Fine U.S.A. 135 H1
Finger Lake Canada 121 M4
Finger Lakes U.S.A. 135 G2
Finike Turkey 59 N6
Finike Körfezi b. Turkey 59 N6
Finisterre Spain see Fisterra
Finisterre, Cabo c. Spain see Finisterre, Cape
Finisterre, Cape Spain 57 B2
Finke watercourse Australia 110 A5
Finke, Mount hill Australia 109 F7
Finke Bay Australia 108 E3
Finke Gorge National Park Australia 109 F6
Finland country Europe 44 O5
Finland, Gulf of Europe 45 M7

▶Finlay r. Canada 120 E3
Part of the Mackenzie-Peace-Finlay, the 2nd longest river in North America.

Finlay, Mount Canada 120 E3
Finlay Forks Canada 120 F4
Finley U.S.A. 130 D2
Finn r. Ireland 51 E3
Finne ridge Germany 53 L3
Finnigan, Mount Australia 110 D2
Finniss, Cape Australia 109 F8
Finnmarksvidda reg. Norway 44 H2
Finnsnes Norway 44 J2
Fins Oman 88 E6
Finschhafen P.N.G. 69 L8
Finspång Sweden 45 I7
Fintona U.K. 51 E3
Finucane Range hills Australia 110 C4
Fionn Loch l. U.K. 50 D3
Fionnphort U.K. 50 C4
Fiordland National Park N.Z. 113 A7
Fir reg. Saudi Arabia 88 B4
Fırat r. Asia 90 E3 see Euphrates
Firebaugh U.S.A. 128 C3
Firedrake Lake Canada 121 J2
Firenze Italy see Florence
Fireside Canada 120 E3
Firk, Sha'īb watercourse Iraq 91 G5
Firmat Arg. 144 D4
Firminy France 56 G4
Firmum Italy see Fermo
Firmum Picenum Italy see Fermo
Firovo Rus. Fed. 42 G4
Firozabad India 82 D4
Firozkoh reg. Afgh. 89 G3
Firozpur India 82 C3
Fīrūzābād Iran 88 D4
Fīrūzkūh Iran 88 D3
Firyuza Turkm. see Pōwrize
Fischbach Germany 53 H5
Fischersbrunn Namibia 100 B3
Fish watercourse Namibia 100 C5
Fisher (abandoned) Australia 109 E7
Fisher Bay Antarctica 152 G2
Fisher Glacier Antarctica 152 E2
Fisher River Canada 121 L5
Fishers U.S.A. 134 B4
Fishers Island U.S.A. 135 J3
Fisher Strait Canada 119 J3
Fishguard U.K. 49 C7
Fishing Creek U.S.A. 135 G4
Fishing Lake Canada 121 M4
Fish Lake Canada 120 F2
Fish Point U.S.A. 134 D2
Fish Ponds H.K. China 77 [inset]
Fiske, Cape Antarctica 152 L2
Fiskenæsset Greenland see Qeqertarsuatsiaat
Fismes France 52 D5
Fisterra Spain 57 B2
Fisterra, Cabo c. Spain see Finisterre, Cape
Fitchburg U.S.A. 130 F3
Fitri, Lac l. Chad 97 E3
Fitzgerald Canada 121 I3
Fitzgerald U.S.A. 133 D6
Fitzgerald River National Park Australia 109 B8
Fitz Hugh Sound sea chan. Canada 120 D5
Fitz Roy Arg. 144 C7
Fitzroy r. Australia 108 C4
Fitz Roy, Cerro mt. Arg. 144 B7
Fitzroy Crossing Australia 108 D4
Fitzwilliam Island Canada 134 E1
Fiume Croatia see Rijeka
Fivemiletown U.K. 51 E3
Five Points U.S.A. 128 C3
Fizi Dem. Rep. Congo 99 C4
Fizuli Azer. see Füzuli
Flå Norway 45 F6
Flagstaff S. Africa 101 I6
Flagstaff U.S.A. 129 H4
Flagstaff Lake U.S.A. 132 G2
Flaherty Island Canada 122 F2
Flambeau r. U.S.A. 130 F2
Flamborough Head hd U.K. 48 G4
Fläming hills Germany 53 M2
Flaming Gorge Reservoir U.S.A. 126 F4
Flaminksvlei salt pan S. Africa 100 E6
Flanagan r. Canada 121 M4
Flandre reg. France 52 C4
Flannagan Lake U.S.A. 134 D5
Flannan Isles U.K. 50 B2
Flåsjön l. Sweden 44 I4
Flat r. Canada 120 E2
Flat r. U.S.A. 134 C2
Flat Creek Canada 120 B2
Flathead r. U.S.A. 124 E2
Flathead Lake U.S.A. 126 E3
Flatiron mt. U.S.A. 126 E3
Flat Island S. China Sea 68 F4
Flat Lick U.S.A. 134 D5
Flattery, Cape Australia 110 D2
Flattery, Cape U.S.A. 126 B2
Flat Top mt. Canada 120 B2
Flatwillow Creek r. U.S.A. 126 G3

Flatwoods U.S.A. 134 E4
Fleetmark Germany 53 L2
Fleetwood Australia 110 D4
Fleetwood U.K. 48 D5
Fleetwood U.S.A. 135 H3
Flekkefjord Norway 45 E7
Flemingsburg U.S.A. 134 D4
Flemington U.S.A. 135 H3
Flen Sweden 45 J7
Flensburg Germany 47 L3
Flers France 56 D2
Flesherton Canada 134 E1
Fletcher Lake Canada 121 I2
Fletcher Peninsula Antarctica 152 L2
Fleur de Lys Canada 123 K4
Fleur-de-May, Lac l. Canada 123 I4
Flinders r. Australia 110 C3
Flinders Chase National Park Australia 111 B7
Flinders Group National Park Australia 110 D2
Flinders Island Australia 111 [inset]
Flinders Passage Australia 110 E3
Flinders Ranges mts Australia 111 B7
Flinders Ranges National Park Australia 111 B6
Flinders Reefs Australia 110 E3
Flin Flon Canada 121 K4
Flint U.K. 48 D5
Flint U.S.A. 134 D2
Flint r. U.S.A. 133 C6
Flint Island Kiribati 151 J6
Flinton Australia 112 D1
Flisa Norway 45 H6

▶Flissingskiy, Mys c. Rus. Fed. 64 H2
Most easterly point of Europe.

Flixecourt France 52 C4
Flodden U.K. 48 E3
Flöha Germany 53 N4
Flood Range mts Antarctica 152 J1
Flora r. Australia 108 E3
Flora U.S.A. 134 B3
Florac France 56 F4
Florala U.S.A. 133 C6
Florange France 52 G5
Flora Reef Australia 110 D3
Florence Italy 58 D3
Florence AL U.S.A. 133 C5
Florence AZ U.S.A. 129 H5
Florence CO U.S.A. 127 G5
Florence OR U.S.A. 126 B4
Florence SC U.S.A. 133 E5
Florence WI U.S.A. 130 F2
Florence Junction U.S.A. 129 H5
Florencia Col. 142 C3
Florennes Belgium 52 E4
Florentia Italy see Florence
Florentino Ameghino, Embalse resr Arg. 144 C6
Flores r. Arg. 144 E5
Flores Guat. 136 G5
Flores i. Indon. 108 C2
Flores, Laut sea Indon. 108 B1
Flores Island Canada 120 E5
Flores Sea Indon. see Flores, Laut
Floresta Brazil 143 K5
Floresville U.S.A. 131 D6
Floriano Brazil 143 J5
Florianópolis Brazil 145 A4
Florida Uruguay 144 E4
Florida state U.S.A. 133 D6
Florida, Straits of Bahamas/U.S.A. 133 D8
Florida Bay U.S.A. 133 D7
Florida City U.S.A. 133 D7
Florida Islands Solomon Is 107 G2
Florida Keys is U.S.A. 133 D7
Florin U.S.A. 128 C2
Florina Greece 59 I4
Florissant U.S.A. 130 F4
Florø Norway 45 D6
Flour Lake Canada 123 I3
Floyd U.S.A. 134 E5
Floyd, Mount U.S.A. 129 G4
Floydada U.S.A. 131 C5
Fluessen l. Neth. 52 F2
Flushing Neth. see Vlissingen
Fly r. P.N.G. 69 K8
Flying Fish, Cape Antarctica 152 K2
Flying Mountain U.S.A. 129 I6
Flylân i. Neth. see Vlieland
Foam Lake Canada 121 K5
Foča Bos.-Herz. 58 H3
Foça Turkey 59 L5
Fochabers U.K. 50 F3
Focşani Romania 59 L2
Fogang China 77 G4
Foggia Italy 58 F4
Fogi Indon. 69 H7
Fogo i. Cape Verde 96 [inset]
Fogo Island Canada 123 L4
Foinaven hill U.K. 50 E2
Foix France 56 E5
Folda sea chan. Norway 44 I3
Foldereid Norway 44 H4
Foldfjorden sea chan. Norway 44 G4
Folegandros i. Greece 59 K6
Foleyet Canada 122 E4
Foley Island Canada 119 K3
Foligno Italy 58 E3
Folkestone U.K. 49 I7
Folkingham U.K. 49 G6
Folkston U.S.A. 133 D6
Folldal Norway 44 G5
Follonica Italy 58 D3
Folsom Lake U.S.A. 128 C2
Fomboni Comoros 99 E5
Fomento Cuba 133 E8
Fomin Rus. Fed. 43 I7
Fominskaya Rus. Fed. 42 K2
Fominskoye Rus. Fed. 42 I4
Fonda U.S.A. 135 H2
Fond-du-Lac Canada 121 J3
Fond du Lac r. Canada 121 J3
Fond du Lac U.S.A. 134 A2
Fondevila Spain 57 B3
Fondi Italy 58 E4
Fonni Sardinia Italy 58 C4
Fonsagrada Spain see A Fonsagrada
Fonseca, Golfo do b. Central America 136 G6

'allaorol Uzbek. 89 G1
allatin MO U.S.A. 130 E4
allatin TN U.S.A. 134 B5
alle Sri Lanka 84 D5
allego Rise sea feature Pacific Ocean 151 M6
allegos r. Arg. 144 C8
allia country Europe see France

Gallinas, Punta pt Col. 142 D1
Most northerly point of South America.

allipoli Italy 58 H4
allipoli Turkey 59 L4
allipolis U.S.A. 134 D4
ällivare Sweden 44 L3
ällö Sweden 44 I5
allo Island U.S.A. 135 G2
allo Mountains U.S.A. 129 I4
allup U.S.A. 129 I4
almisdale U.K. 50 C4
along Australia 112 D5
aloya Sri Lanka 84 D4
al Oya National Park Sri Lanka 84 D5
alston U.K. 50 E5
alt U.S.A. 128 C2
altat Zemmour W. Sahara 96 B2
altee Mountains hills Ireland 51 D5
altymore hill Ireland 46 C4
alūgāh, Kūh-e mts Iran 88 D4
alveston IN U.S.A. 134 B3
alveston TX U.S.A. 131 E6
alveston Bay U.S.A. 131 E6
alwa Nepal 83 E3
alway Ireland 51 C4
alway Bay Ireland 51 C4
âm, Sông r. Vietnam 70 D2
amalakhe S. Africa 101 J6
amba China see Gongbalou
amba Gabon 98 A4
ambēla Eth. 98 D3
ambēla National Park Eth. 98 D3
ambell U.S.A. 118 A3
ambella Eth. see Gambēla
ambia, The country Africa 96 B3
ambier, Îles is Fr. Polynesia 151 L7
ambier Islands Australia 111 B7
ambier Islands Fr. Polynesia see Gambier, Îles
ambo Canada 123 L4
amboma Congo 98 B4
amboola Australia 110 C3
amboula Cent. Afr. Rep. 98 B3
amda China see Zamtang
amêtì Canada 120 G1
amlakarleby Fin. see Kokkola
amleby Sweden 45 J8
ammelstaden Sweden 44 M4
ammon Ranges National Park Australia 111 B6
amova, Mys pt Rus. Fed. 74 C4
amshadzai Kūh mts Iran 89 F4
amtog China 76 C2
amud mt. Eth. 98 D3
ana China 76 D1
anado U.S.A. 129 I4
ananoque Canada 135 G1
äncä Azer. 91 G2
ancheng China 77 F5
anda Angola 99 B5
andaingoin China 83 G3
andajika Dem. Rep. Congo 99 C4
andak Barrage Nepal 83 E4
andari Mountain Pak. 89 H4
andava Pak. 89 G4
ander Canada 123 L4
anderkesee Germany 53 I1
andesa Spain 57 G3
andhidham India 82 B5
andhinagar India 82 C5
andhi Sagar resr India 82 C4
andia Spain 57 F4
andzha Azer. see Gäncä
anga r. Bangl./India 83 G5 see Ganges
anga Cone sea feature Indian Ocean see Ganges Cone
angán Arg. 144 C6
anganagar India 82 C3
angapur India 82 D4
anga Sera India 82 B4
angaw Myanmar 70 A2
angawati India 84 C3
angaw Range mts Myanmar 70 B2
angca China 80 J4
angdisê Shan mts China 83 E3
anges r. Bangl./India 83 G5
also known as Ganga
anges France 56 F5
anges, Mouths of the Bangl./India 83 G5
anges Cone sea feature Indian Ocean 149 N4
angouyi China 72 J5
angra Turkey see Çankırı
angtok India 83 G4
angu China 76 E1
ani Indon. 69 H7
an Jiang r. China 77 H2
anjig China 73 M4
anluo China 76 D2
anmain Australia 112 C5
annan China 74 A3
annat France 56 F3
annett Peak U.S.A. 126 F4
anq China 80 H4
anshui China 76 E2
ansu prov. China 76 D1
antheaume Point Australia 108 C4
antsevichi Belarus see Hantsavichy
anxian China 77 G3
anye Nigeria 96 E4
anyu China 77 H1
anyushkino Kazakh. 41 P6
anzhou China 77 G3
anzi Sudan 97 G4
ao Mali 96 C3
aocheng China see Litang
aocun China see Mayang
aohe China see Huaining
aohebu China see Huaining
aoleshan China see Xianfeng
aoliangjian China see Hongze
aomutang China 77 F3
Gaoping China 77 G1
Gaotai China 80 I4
Gaoth Dobhair Ireland 51 D2
Gaoting China see Daishan
Gaotingzhen China see Daishan
Gaoua Burkina 96 C3
Gaoual Guinea 96 B3
Gaoxiong Taiwan see Kaohsiung
Gaoyao China see Zhaoqing
Gaoyou China 77 H1
Gaoyou Hu l. China 77 H1
Gap France 56 H4
Gapuwiyak Australia 110 A2
Gaqoi China 83 E3
Gar China 82 E2
Gar Pak. 89 F5
Gar' r. Rus. Fed. 74 C1
Gara, Lough l. Ireland 51 D4
Garabekevyul Turkm. see Garabekewül
Garabekewül Turkm. 89 G2
Garabil Belentligi hills Turkm. 89 F2
Garabogaz Turkm. 91 I2
Garabogaz Aylagy b. Turkm. see Garabogazköl Aýlagy
Garabogazköl Aýlagy b. Turkm. see Garabogazköl Aýlagy
Garabogazköl Aýlagy b. Turkm. 91 I2
Garabogazköl Bogazy sea chan. Turkm. 91 I2
Garāgheh Iran 89 F4
Garagum des. Turkm. 88 E2
Garagum des. Turkm. see Karakum Desert
Garagum Kanaly canal Turkm. 89 F2
Garah Australia 112 D2
Garalo Mali 96 C3
Garamätnyýaz Turkm. 89 G2
Garamätnyýaz Turkm. see Garamätnyýaz
Garamba r. Dem. Rep. Congo 98 C3
Garanhuns Brazil 143 K5
Ga-Rankuwa S. Africa 101 H3
Garapuava Brazil 145 B2
Gárasavvon Sweden see Karesuando
Garautha India 82 D4
Garba China see Jiulong
Garbahaarrey Somalia 98 E3
Garba Tula Kenya 98 D3
Garberville U.S.A. 128 B1
Garbo China see Lhozhag
Garbsen Germany 53 J2
Garça Brazil 145 A3
Garco China 83 G2
Garda, Lago di Italy see Garda, Lake
Garda, Lake Italy 58 D2
Garde, Cap de c. Alg. 58 B6
Gardelegen Germany 53 L2
Garden City U.S.A. 130 C4
Garden Hill Canada 121 M4
Garden Mountain U.S.A. 134 E5
Gardeyz Afgh. see Gardēz
Gardēz Afgh. 89 H3
Gardinas Belarus see Hrodna
Gardiner U.S.A. 135 K1
Gardiner, Mount Australia 108 F5
Gardiner Range hills Australia 108 E4
Gardiners Island U.S.A. 135 I3
Gardīz Afgh. see Gardēz
Gardner atoll Micronesia see Faraulep
Gardner U.S.A. 135 J2
Gardner Inlet Antarctica 152 L1
Gardner Island atoll Kiribati see Nikumaroro
Gardner Pinnacles is U.S.A. 150 I4
Gáregasnjárga Fin. see Karigasniemi
Garelochhead U.K. 50 E4
Garet el Djenoun mt. Alg. 96 D2
Gargano, Parco Nazionale del nat. park Italy 58 F4
Gargantua, Cape Canada 122 D5
Gargunsa China see Gar
Gargždai Lith. 45 L9
Garhchiroli India see Gadchiroli
Garhi Madh. Prad. India 84 C1
Garhi Rajasthan India 82 C5
Garhi Khairo Pak. 89 G4
Garhwa India 83 E4
Gari Rus. Fed. 41 S4
Gariau Indon. 69 I7
Garibaldi, Mount Canada 120 F5
Gariep Dam resr S. Africa 101 G6
Garies S. Africa 100 C6
Garigliano r. Italy 58 E4
Garissa Kenya 98 D4
Garkalne Latvia 45 N8
Garkung Caka l. China 83 F2
Garland U.S.A. 131 D5
Garm Tajik. see Gharm
Garm Āb Iran 89 E3
Garmāb Iran 88 E3
Garm Āb, Chashmeh-ye spring Iran 88 E3
Garmī Iran 88 C2
Garmsar Iran 88 D3
Garmsel reg. Afgh. 89 F4
Garner IA U.S.A. 130 E3
Garner KY U.S.A. 134 D5
Garnett U.S.A. 130 E4
Garnpung Lake imp. l. Australia 112 A4
Garo Hills India 83 G4
Garonne r. France 56 D4
Garoowe Somalia 98 E3
Garopaba Brazil 145 A5
Garoua Cameroon 96 E4
Garoua Boulai Cameroon 97 E4
Garqêntang China see Sog
Garré Arg. 144 D5
Garrett U.S.A. 134 C3
Garrison U.S.A. 130 E2
Garruk Pak. 89 G4
Garry r. U.K. 50 E3
Garrychyrla Turkm. see Garryçyrla
Garryçyrla Turkm. 89 F2
Garry Lake Canada 121 K1
Garrynahine U.K. 50 C2
Garsen Kenya 98 E4
Garshy Turkm. see Garşy
Garsila Sudan 97 F3
Garşy Turkm. 91 I2
Gartar China see Qianning
Garth U.K. 49 D6
Gartog China see Markam
Gartok China see Garyarsa
Gartow Germany 53 L1
Garub Namibia 100 C4
Garvagh U.K. 51 F3
Garve U.K. 50 E3
Garwa India see Garhwa
Garwha India see Garhwa
Gar Xincun China 82 E2
Gary IN U.S.A. 134 B3
Gary WV U.S.A. 134 E5
Garyarsa China 82 E3
Garyi China 76 C2
Garyū-zan mt. Japan 75 D6
Garza García Mex. 131 C7
Garzê China 76 C2
Gasan-Kuli Turkm. see Esenguly
Gas City U.S.A. 134 C3
Gascogne reg. France see Gascony
Gascogne, Golfe de g. France see Gascony, Gulf of
Gascony reg. France 56 D5
Gascony, Gulf of France 56 C5
Gascoyne r. Australia 109 A6
Gascoyne Junction Australia 109 A6
Gasherbrum I mt. China/Pakistan 82 D2
Gashua Nigeria 96 E3
Gask Iran 89 E3
Gaspar Cuba 133 E8
Gaspar, Selat sea chan. Indon. 68 D7
Gaspé Canada 123 I4
Gaspé, Cap c. Canada 123 I4
Gaspésie, Péninsule de la pen. Canada 123 I4
Gassan vol. Japan 75 F5
Gassaway U.S.A. 134 E4
Gasselte Neth. 52 G2
Gasteiz Spain see Vitoria-Gasteiz
Gastello Rus. Fed. 74 F2
Gaston U.S.A. 135 G5
Gaston, Lake U.S.A. 135 G5
Gastonia U.S.A. 133 D5
Gata, Cabo de c. Spain 57 E5
Gata, Cape Cyprus 85 A2
Gata, Sierra de mts Spain 57 C3
Gataga r. Canada 120 E3
Gatas, Akra c. Cyprus see Gata, Cape
Gatchina Rus. Fed. 45 Q7
Gate City U.S.A. 134 D5
Gatehouse of Fleet U.K. 50 E6
Gatentiri Indon. 69 K8
Gateshead U.K. 48 F4
Gates of the Arctic National Park and Preserve U.S.A. 118 C3
Gatesville U.S.A. 131 D6
Gateway U.S.A. 129 I2
Gatineau Canada 135 H1
Gatineau r. Canada 122 G5
Gatong China see Jomda
Gatooma Zimbabwe see Kadoma
Gatton Australia 112 F1
Gatvand Iran 88 C3
Gatyana S. Africa see Willowvale
Gau i. Fiji 107 H3
Gauer Lake Canada 121 L3
Gauhati India see Guwahati
Gaujas nacionālais parks nat. park Latvia 45 N8
Gaul country Europe see France
Gaula r. Norway 44 G5
Gaume reg. Belgium 52 F5
Gaurama Brazil 145 A4
Gauribidanur India 84 C3
Gauteng prov. S. Africa 101 I4
Gavarr Armenia 91 G2
Gāvbandī Iran 88 D5
Gāvbūs, Kūh-e mts Iran 88 D5

Gavdos i. Greece 59 K7
Most southerly point of Europe.

Gavião r. Brazil 145 C1
Gavīleh Iran 88 B3
Gav Khūnī Iran 88 D3
Gävle Sweden 45 J6
Gavrilovka Vtoraya Rus. Fed. 43 I5
Gavrilov-Yam Rus. Fed. 42 H4
Gawachab Namibia 100 C4
Gawai Myanmar 76 C3
Gawan India 83 F4
Gawilgarh Hills India 82 D5
Gawler Australia 111 B7
Gawler Ranges hills Australia 111 A7
Gaxun Nur salt l. China 80 J3
Gaya India 83 F4
Gaya Niger 96 D3
Gaya He r. China 74 C4
Gayéri Burkina 96 D3
Gaylord U.S.A. 134 C1
Gayndah Australia 111 E5
Gayny Rus. Fed. 42 L3
Gaysin Ukr. see Haysyn
Gayutino Rus. Fed. 42 H4
Gaz Iran 88 C3

Gaza terr. Asia 85 B4
Semi-autonomous region.

Gaza Gaza 85 B4
Capital of Gaza.

Gaza prov. Moz. 101 K2
Gazan Pak. 89 G4
Gazandzhyk Turkm. see Bereket
Gazanjyk Turkm. see Bereket
Gaza Strip terr. Asia see Gaza
Gaziantep Turkey 90 E3
Gaziantep prov. Turkey 85 C1
Gazibenli Turkey see Yahyalı
Gazik Iran 89 F3
Gazimağusa Cyprus see Famagusta
Gazimurskiy Khrebet mts Rus. Fed. 73 L2
Gazimurskiy Zavod Rus. Fed. 73 L2
Gazipaşa Turkey 85 A1
Gazli Uzbek. 89 F1
Gaz Māhū Iran 88 E5
Gbarnga Liberia 96 C4
Gboko Nigeria 96 D4
Gcuwa S. Africa see Butterworth
Gdańsk Poland 47 Q3
Gdańsk, Gulf of Poland/Rus. Fed. 47 Q3
Gdańska, Zatoka g. Poland/Rus. Fed. see Gdańsk, Gulf of
Gdingen Poland see Gdynia
Gdov Rus. Fed. 45 O7
Gdynia Poland 47 Q3
Geaidnovuohppi Norway 44 M2
Gearhart Mountain U.S.A. 126 C4
Gearraidh na h-Aibhne U.K. see Garrynahine
Gebe i. Indon. 69 H6
Gebesee Germany 53 K3
Geçitkale Cyprus see Lefkonikon
Gedaref Sudan 86 E7
Gedern Germany 53 J4
Gedinne Belgium 52 E5
Gediz r. Turkey 59 L5
Gedney Drove End U.K. 49 H6
Gedong, Tanjong pt Sing. 71 [inset]
Gedser Denmark 45 G9
Geel Belgium 52 F3
Geelong Australia 112 B7
Geelvink Channel Australia 109 A7
Geel Vloer salt pan S. Africa 100 E5
Gees Gwardafuy c. Somalia see Gwardafuy, Gees
Geeste Germany 53 H2
Geesthacht Germany 53 K1
Ge Hu l. China 77 H2
Geidam Nigeria 96 E3
Geiersberg hill Germany 53 J5
Geikie r. Canada 121 K3
Geilenkirchen Germany 52 G4
Geilo Norway 45 F6
Geiranger Norway 44 E5
Geislingen an der Steige Germany 53 J6
Geisûm, Gezâ'ir is Egypt see Qaysūm, Juzur
Geita Tanz. 98 D4
Geithain Germany 53 M3
Gejiu China 76 D4
Gëkdepe Turkm. 88 E2
Gela Sicily Italy 58 F6
Gêladaindong mt. China 83 G2
Geladī Eth. 98 E3
Gelang, Tanjung pt Malaysia 71 C7
Geldern Germany 52 G3
Gelendzhik Rus. Fed. 90 E1
Gelibolu Turkey see Gallipoli
Gelidonya Burnu pt Turkey see Yardımcı Burnu
Gelincik Dağı mt. Turkey 59 N5
Gelmord Iran 88 E3
Gelnhausen Germany 53 J4
Gelsenkirchen Germany 52 H3
Gemas Malaysia 71 C7
Gemena Dem. Rep. Congo 98 B3
Geminokağı Cyprus see Karavostasi
Gemlik Turkey 59 M4
Gemona del Friuli Italy 58 E1
Gemsa Egypt see Jamsah
Gemsbok National Park Botswana 100 E3
Gemsbokplein well S. Africa 100 E4
Genalē Wenz r. Eth. 98 E3
Genappe Belgium 52 E4
Genäveh Iran 88 C4
General Acha Arg. 144 D5
General Alvear Arg. 144 C5
General Belgrano II research station Antarctica see Belgrano II
General Bravo Mex. 131 D7

General Carrera, Lago l. Arg./Chile 144 B7
Deepest lake in South America.

General Conesa Arg. 144 D6
General Freire Angola see Muxaluando
General Juan Madariaga Arg. 144 E5
General La Madrid Arg. 144 D5
General Machado Angola see Camacupa
General Pico Arg. 144 D5
General Pinedo Arg. 144 D3
General Roca Arg. 144 C5
General Salgado Brazil 145 A3
General San Martín research station Antarctica see San Martín
General Santos Phil. 69 H5
General Simón Bolívar Mex. 131 C7
General Trías Mex. 127 G7
General Villegas Arg. 144 D5
Genesee U.S.A. 135 G3
Geneseo U.S.A. 135 G2
Geneva S. Africa 101 H4
Geneva Switz. 56 H3
Geneva AL U.S.A. 133 C6
Geneva IL U.S.A. 134 A3
Geneva NE U.S.A. 130 D3
Geneva NY U.S.A. 135 G2
Geneva OH U.S.A. 134 E3
Geneva, Lake France/Switz. 56 H3
Genève Switz. see Geneva
Genf Switz. see Geneva
Gengda China see Gana
Gengma China 76 C4
Gengxuan China see Gengma
Genhe China 74 A2
Genichesk Ukr. see Heniches'k
Genji India 82 C5
Genk Belgium 52 F4
Gennep Neth. 52 F3
Genoa Australia 112 D6
Genoa Italy 58 C2
Genoa, Gulf of Italy 58 C2
Genova Italy see Genoa
Genova, Golfo di Italy see Genoa, Gulf of
Gent Belgium see Ghent
Genthin Germany 53 M2
Gentioux, Plateau de France 56 F4
Genua Italy see Genoa
Geographe Bay Australia 109 A8
Geographical Society Ø i. Greenland 119 P2
Geok-Tepe Turkm. see Gëkdepe
Georga, Zemlya i. Rus. Fed. 64 F1
George r. Canada 123 I2
George S. Africa 100 F7
George, Lake Australia 112 D5
George, Lake FL U.S.A. 133 D6
George, Lake NY U.S.A. 135 I2
George Land i. Rus. Fed. see Georga, Zemlya
Georges Mills U.S.A. 135 I2
George Sound inlet N.Z. 113 A7
Georgetown Australia 110 C3

George Town Cayman Is 137 H5
Capital of the Cayman Islands.

Georgetown Gambia 96 B3

Georgetown Guyana 143 G2
Capital of Guyana.

George Town Malaysia 71 C6
Georgetown DE U.S.A. 135 H4
Georgetown GA U.S.A. 133 C6
Georgetown IL U.S.A. 134 B4
Georgetown KY U.S.A. 134 C4
Georgetown OH U.S.A. 134 D4
Georgetown SC U.S.A. 133 E5
Georgetown TX U.S.A. 131 D6
George VI Sound sea chan. Antarctica 152 L2
George V Land reg. Antarctica 152 G2
George West U.S.A. 131 D6
Georgia country Asia 91 F2
Georgia state U.S.A. 133 D5
Georgia, Strait of Canada 120 E5
Georgiana U.S.A. 133 C6
Georgian Bay Canada 134 E1
Georgian Bay Islands National Park Canada 134 F1
Georgienne, Baie b. Canada see Georgian Bay
Georgina watercourse Australia 110 B5
Georgiu-Dezh Rus. Fed. see Liski
Georgiyevka Vostochnyy Kazakhstan Kazakh. 80 F2
Georgiyevka Zhambylskaya Oblast' Kazakh. see Korday
Georgiyevsk Rus. Fed. 91 F1
Georgiyevskoye Rus. Fed. 42 J4
Georg von Neumayer research station Antarctica see Neumayer
Gera Germany 53 M4
Geraardsbergen Belgium 52 D4
Geral, Serra mts Brazil 145 A4
Geral de Goiás, Serra hills Brazil 145 B1
Geraldine N.Z. 113 C7
Geral do Paraná, Serra hills Brazil 145 B1
Geraldton Australia 109 A7
Gerar watercourse Israel 85 B4
Gerber U.S.A. 128 B1
Gercüş Turkey 91 F3
Gerede Turkey 90 D2
Gereshk Afgh. 89 G4
Gerik Malaysia 71 C6
Gerlach U.S.A. 128 D1
Gerlachovský štít mt. Slovakia 47 R6
Germaine, Lac l. Canada 123 I3
Germania country Europe see Germany
Germanicea Turkey see Kahramanmaraş
Germansen Landing Canada 120 E4
German South-West Africa country Africa see Namibia
Germantown OH U.S.A. 134 C4
Germantown WI U.S.A. 134 A2

Germany country Europe 47 L5
2nd most populous country in Europe.

Germersheim Germany 53 I5
Gernsheim Germany 53 I5
Gerolstein Germany 52 G4
Gerolzhofen Germany 53 K5
Gerona Spain see Girona
Gerrit Denys is P.N.G. see Lihir Group
Gers r. France 56 E4
Gersfeld (Rhön) Germany 53 J4
Gersoppa India 84 B3
Gerstungen Germany 53 K4
Gerwisch Germany 53 L2
Géryville Alg. see El Bayadh
Gêrzê China 83 F2
Gerze Turkey 90 D2
Gescher Germany 52 H3
Gesoriacum France see Boulogne-sur-Mer
Gessie U.S.A. 134 B3
Gete r. Belgium 52 F4
Gettysburg PA U.S.A. 135 G4
Gettysburg SD U.S.A. 130 D2
Gettysburg National Military Park nat. park U.S.A. 135 G4
Getz Ice Shelf Antarctica 152 J2
Geumpang Indon. 71 B6
Geureudong, Gunung vol. Indon. 71 B6
Geurie Australia 112 D4
Gevaş Turkey 91 F3
Gevgelija Macedonia 59 J4
Gexto Spain see Algorta
Gey Iran see Nīkshahr
Geyikli Turkey 59 L5
Geylegphug Bhutan 83 G4
Geysdorp S. Africa 101 G4
Geyserville U.S.A. 128 B2
Geyve Turkey 59 N4
Gezīr Iran 88 D5
Ghaap Plateau S. Africa 100 F4
Ghāb, Wādī al r. Syria 85 C2
Ghabāghib Syria 85 C3
Ghabeish Sudan 86 C7
Ghadaf, Wādī al watercourse Jordan 85 C4
Ghadamés Libya see Ghadāmis
Ghadāmis Libya 96 D1
Gha'em Shahr Iran 88 D2
Ghaghara r. India 83 F4
Ghaibi Dero Pak. 89 G5
Ghalend Iran 89 F4
Ghallaorol Uzbek. see G'allaorol
Ghana country Africa 96 C4
Ghanādah, Rās pt U.A.E. 88 D5
Ghantila India 82 B5
Ghanwā Saudi Arabia 86 G4
Ghanzi Botswana 99 C6
Ghanzi admin. dist. Botswana 100 F2
Ghap'an Armenia see Kapan
Ghār, Ras al pt Saudi Arabia 88 C5
Ghardaïa Alg. 54 E5
Gharghoda India 84 D1
Ghārib, Gebel mt. Egypt see Ghārib, Jabal
Ghārib, Jabal mt. Egypt 90 D5
Gharm Tajik. 89 H2
Gharq Ābād Iran 88 C3
Gharwa India see Garhwa
Gharyān Libya 97 E1
Ghāt Libya 96 E2
Ghatgan India 83 F5
Ghatol India 82 C5
Ghawdex i. Malta see Gozo
Ghazal, Bahr el watercourse Chad 97 E3
Ghazaouet Alg. 57 F6
Ghaziabad India 82 D3
Ghazi Ghat Pak. 89 H4
Ghazipur India 83 E4
Ghazna Afgh. see Ghaznī
Ghaznī Afgh. 89 H3
Ghaznī r. Afgh. 89 G3
Ghazoor Afgh. 89 G3
Ghazzah Gaza see Gaza
Ghebar Gumbad Iran 88 E3
Ghent Belgium 52 D3
Gheorghe Gheorghiu-Dej Romania see Onești
Gheorgheni Romania 59 K1
Gherla Romania 59 J1
Ghijduwon Uzbek. see G'ijduvon
Ghilzai reg. Afgh. 89 G4
Ghīnah, Wādī al watercourse Saudi Arabia 85 D4
Ghisonaccia Corsica France 56 I5
Ghorak Afgh. 89 G3
Ghost Lake Canada 120 H2
Ghotaru India 82 B4
Ghotki Pak. 89 H5
Ghudamis Libya see Ghadāmis
Ghugri r. India 83 F4
Ghurayfah hill Saudi Arabia 85 C4
Ghūrī Iran 88 D4
Ghurian Afgh. 89 F3
Ghurrab, Jabal hill Saudi Arabia 88 B5
Ghuzor Uzbek. see G'uzor
Ghyvelde France 52 C3
Giaginskaya Rus. Fed. 91 F1
Gialias r. Cyprus 85 A2
Gia Nghia Vietnam 71 D4
Gianisada i. Greece 59 L7
Giannitsa Greece 59 J4
Giant's Castle mt. S. Africa 101 I5
Giant's Causeway lava field U.K. 51 F2
Gianysada i. Kriti Greece see Gianisada
Gia Rai Vietnam 71 D5
Giarre Sicily Italy 58 F6
Gibb r. Australia 108 D3
Gibbonsville U.S.A. 126 E3
Gibeon Namibia 100 C3
Gibraltar terr. Europe 57 D5

Gibraltar Gibraltar 148 H3
United Kingdom Overseas Territory.

Gibraltar, Strait of Morocco/Spain 57 C6
Gibraltar Range National Park Australia 112 F2
Gibson Australia 109 C8
Gibson City U.S.A. 134 A3
Gibson Desert Australia 109 C6
Gichgeniyn Nuruu mts Mongolia 80 H2
Gidar Pak. 89 G4
Giddalur India 84 C3
Giddi, Gebel el hill Egypt see Jiddī, Jabal al
Giddings U.S.A. 131 D6
Gīdolē Eth. 97 G4
Gien France 56 F3
Gießen Germany 53 I4
Gīfan Iran 88 E2
Gifford r. Canada 119 J2
Gifhorn Germany 53 K2
Gift Lake Canada 120 H4
Gifu Japan 75 E6
Giganta, Cerro mt. Mex. 127 F8
Gigha i. U.K. 50 D5
Gīgīga Eth. see Jijiga
G'ijduvon Uzbek. 89 G1
Gijón Spain see Gijón-Xixón
Gijón-Xixón Spain 57 D2
Gila r. U.S.A. 129 F5
Gila Bend U.S.A. 129 G5
Gila Bend Mountains U.S.A. 129 G5
Gīlān-e Gharb Iran 88 B3
Gilbert r. Australia 110 C3
Gilbert AZ U.S.A. 129 H5
Gilbert WV U.S.A. 134 E5
Gilbert Islands Kiribati 150 H5
Gilbert Islands country Pacific Ocean see Kiribati
Gilbert Peak U.S.A. 129 H1
Gilbert Ridge sea feature Pacific Ocean 150 H6
Gilbert River Australia 110 C3
Gilbués Brazil 143 I5
Gil Chashmeh Iran 88 E3
Gilé Moz. 99 D5
Giles Creek r. Australia 108 E4
Gilford Island Canada 120 E5
Gilgai Australia 112 E2
Gilgandra Australia 112 D3
Gil Gil Creek r. Australia 112 D2
Gilgit Pak. 82 C2
Gilgit r. Pak. 87 L2
Gilgunnia Australia 112 C4
Gilindire Turkey see Aydıncık
Gillam Canada 121 M3
Gillen, Lake salt flat Australia 109 D6
Gilles, Lake salt flat Australia 111 B7
Gillett U.S.A. 135 G3
Gillette U.S.A. 126 G3
Gilliat Australia 110 C4
Gillingham England U.K. 49 E7
Gillingham England U.K. 49 H7
Gilling West U.K. 48 F4
Gilman U.S.A. 134 B3
Gilmer U.S.A. 131 E5
Gilmour Island Canada 122 F2
Gilroy U.S.A. 128 C3
Gīmbī Eth. 98 D3
Gimhae S. Korea see Kimhae
Gimli Canada 121 L5
Gimol'skoye, Ozero l. Rus. Fed. 42 G3
Ginebra, Laguna l. Bol. 142 E6
Gineifa Egypt see Junayfah
Gin Gin Australia 110 E5
Gingin Australia 109 A7
Gīnīr Eth. 98 E3
Ginosa Italy 58 G4
Ginzo de Limia Spain see Xinzo de Limia
Gioia del Colle Italy 58 G4
Gipouloux r. Canada 122 G3
Gippsland reg. Australia 112 B7

Girâ, Wâdi watercourse Egypt see Jirā', Wādī
Gīrān Rīg mt. Iran 88 E4
Girard U.S.A. 134 E2
Girardin, Lac l. Canada 123 I2
Girdab Iran 88 E3
Giresun Turkey 90 E2
Girgenti Sicily Italy see Agrigento
Giridh India see Giridih
Giridih India 83 F4
Girilambone Australia 112 C3
Girna r. India 82 C5
Gir National Park India 82 B5
Girne Cyprus see Kyrenia
Girón Ecuador 142 C4
Giron Sweden see Kiruna
Girona Spain 57 H3
Gironde est. France 56 D4
Girot Pak. 89 I3
Girral Australia 112 C4
Girraween National Park Australia 112 E2
Girvan U.K. 50 E5
Girvas Rus. Fed. 42 G3
Gisborne N.Z. 113 G4
Giscome Canada 120 F4
Gislaved Sweden 45 H8
Gisors France 52 B5
Gissar Tajik. see Hisor
Gissar Range mts Tajik./Uzbek. 89 G2
Gissarskiy Khrebet mts Tajik./Uzbek. see Gissar Range
Gitarama Rwanda 98 C4
Gitega Burundi 98 C4
Giuba r. Somalia see Jubba
Giulianova Italy 58 E3
Giurgiu Romania 59 K3
Giuvala, Pasul pass Romania 59 K2
Givar Iran 88 E2
Givet France 52 E4
Givors France 56 G4
Givry-en-Argonne France 52 E6
Giyani S. Africa 101 J2
Giza Egypt 90 C5
Gizhiga Rus. Fed. 65 R3
Gjakovë Kosovo 59 I3
Gjilan Kosovo 59 I3
Gjirokastër Albania 59 I4
Gjirokastra Albania see Gjirokastër
Gjoa Haven Canada 119 I3
Gjøra Norway 44 F5
Gjøvik Norway 45 G6
Gkinas, Akrotirio pt Greece 59 M6
Glace Bay Canada 123 K5
Glacier Bay National Park and Preserve U.S.A. 120 B3
Glacier National Park Canada 120 G5
Glacier National Park U.S.A. 126 E2
Glacier Peak vol. U.S.A. 126 C2
Gladstad Norway 44 G4
Gladstone Australia 110 E4
Gladstone Canada 121 L5
Gladwin U.S.A. 134 C2
Gladys U.S.A. 134 F5
Gladys Lake Canada 120 C3
Glamis U.K. 50 F4
Glamis U.S.A. 129 F5
Glamoč Bos.-Herz. 58 G2
Glan r. Germany 53 H5
Glandorf Germany 53 I2
Glanton U.K. 48 F3
Glasgow U.K. 50 E5
Glasgow KY U.S.A. 134 C5
Glasgow MT U.S.A. 126 G2
Glasgow VA U.S.A. 134 F5
Glaslyn Canada 121 I4
Glass, Loch l. U.K. 50 E3
Glass Mountain U.S.A. 128 D3
Glastonbury U.K. 49 E7
Glauchau Germany 53 M4
Glazov Rus. Fed. 42 L4
Gleiwitz Poland see Gliwice
Glen U.S.A. 135 J1
Glen Allen U.S.A. 135 G5
Glen Alpine Dam S. Africa 101 I2
Glenamaddy Ireland 51 D4
Glenamoy r. Ireland 51 C3
Glen Arbor U.S.A. 134 C1
Glenbawn, Lake Australia 112 E4
Glenboro Canada 121 L5
Glen Canyon gorge U.S.A. 129 H3
Glen Canyon Dam U.S.A. 129 H3
Glencoe Canada 134 E2
Glencoe S. Africa 101 J5
Glencoe U.S.A. 130 E2
Glendale AZ U.S.A. 129 G5
Glendale CA U.S.A. 128 D4
Glendale UT U.S.A. 129 G3
Glendale Lake U.S.A. 135 F3
Glen Davis Australia 112 E4
Glenden Australia 110 E4
Glendive U.S.A. 126 G3
Glendon Canada 121 I4
Glendo Reservoir U.S.A. 126 G4
Glenfield U.S.A. 135 H2
Glengavlen Ireland 51 E3
Glengyle Australia 110 B5
Glen Innes Australia 112 E2
Glenluce U.K. 50 E6
Glen Lyon U.S.A. 135 G3
Glenlyon Peak Canada 120 C2
Glen More valley U.K. 50 E3
Glenmorgan Australia 112 D1
Glenn U.S.A. 128 B2
Glennallen U.S.A. 118 D3
Glennie U.S.A. 134 D1
Glenns Ferry U.S.A. 126 E4
Glenora Canada 120 D3
Glenore Australia 110 C3
Glenormiston Australia 110 B4
Glenreagh Australia 112 F3
Glen Rose U.S.A. 131 D5
Glenrothes U.K. 50 F4
Glens Falls U.S.A. 135 I2
Glen Shee valley U.K. 50 F4
Glenties Ireland 51 D3
Glenveagh National Park Ireland 51 E2
Glenville U.S.A. 134 E4
Glenwood AR U.S.A. 131 E5
Glenwood IA U.S.A. 130 E3
Glenwood MN U.S.A. 130 E2
Glenwood NM U.S.A. 129 I5
Glenwood Springs U.S.A. 129 J2
Glevum U.K. see Gloucester
Glinde Germany 53 K1
Glittertinden mt. Norway 45 F6
Gliwice Poland 47 Q5
Globe U.S.A. 129 H5
Glogau Poland see Głogów
Głogów Poland 47 P5
Glomfjord Norway 44 H3
Glomma r. Norway 44 G7
Glommersträsk Sweden 44 K4
Glorieuses, Îles is Indian Ocean 99 E5
Glorioso Islands Indian Ocean see Glorieuses, Îles
Gloster U.S.A. 131 F6
Gloucester Australia 112 E3
Gloucester U.K. 49 E7
Gloucester MA U.S.A. 135 J2
Gloucester VA U.S.A. 135 G5
Gloversville U.S.A. 135 H2
Glovertown Canada 123 L4
Glöwen Germany 53 M2
Glubinnoye Rus. Fed. 74 D3
Glubokiy Krasnoyarskiy Kray Rus. Fed. 72 H2
Glubokiy Rostovskaya Oblast' Rus. Fed. 43 I6
Glubokoye Belarus see Hlybokaye
Glubokoye Kazakh. 80 F1
Gluggarnir hill Faroe Is 44 [inset]
Glukhov Ukr. see Hlukhiv
Glusburn U.K. 48 F5
Glynebwy U.K. see Ebbw Vale
Gmelinka Rus. Fed. 43 J6
Gmünd Austria 47 O6
Gmunden Austria 47 N7
Gnarp Sweden 45 J5
Gnarrenburg Germany 53 J1
Gnesen Poland see Gniezno
Gniezno Poland 47 P4
Gnjilane Kosovo see Gjilan
Gnowangerup Australia 109 B8
Gnows Nest Range hills Australia 109 B7
Goa India 84 B3
Goa state India 84 B3
Goageb Namibia 100 C4
Goalen Head hd Australia 112 E6
Goalpara India 83 G4
Goat Fell hill U.K. 50 D5
Goba Eth. 98 E3
Gobabis Namibia 100 D2
Gobannium U.K. see Abergavenny
Gobas Namibia 100 D4
Gobi Desert des. China/Mongolia 72 J4
Gobindpur India 83 F5
Gobles U.S.A. 134 C2
Gobō Japan 75 D6
Goch Germany 52 G3
Gochas Namibia 100 D3
Go Công Vietnam 71 D5
Godalming U.K. 49 G7
Godavari r. India 84 D2
Godavari, Cape India 84 D2
Godda India 83 F4
Godē Eth. 98 E3
Godere Eth. 98 E3
Goderich Canada 134 E2
Goderville France 49 H9
Godhavn Greenland see Qeqertarsuaq
Godhra India 82 C5
Godia Creek b. India 89 H6
Gods r. Canada 121 M3
Gods Lake Canada 121 M4
God's Mercy, Bay of Canada 121 O2
Godthåb Greenland see Nuuk
Godwin-Austen, Mount China/Pakistan see K2
Goedereede Neth. 52 D3
Goedgegun Swaziland see Nhlangano
Goegap Nature Reserve S. Africa 100 D5
Goélands, Lac aux l. Canada 123 J3
Goes Neth. 52 D3
Gogama Canada 122 E5
Gogebic Range hills U.S.A. 130 F2
Gogra r. India see Ghaghara
Goiana Brazil 143 L5
Goiandira Brazil 145 A2
Goianésia Brazil 145 A1
Goiânia Brazil 145 A2
Goiás Brazil 145 A1
Goiás state Brazil 145 A2
Goinsargoin China 76 C2
Goio-Erê Brazil 144 F2
Gojra Pak. 89 I4
Gokak India 84 B2
Gokarn India 84 B3
Gök Çay r. Turkey 85 A1
Gökçeada i. Turkey 59 K4
Gökdepe Turkm. see Gëkdepe
Gökdere r. Turkey 85 A1
Goklenkuy, Solonchak salt l. Turkm. 88 E1
Gökova Körfezi b. Turkey 59 L6
Gokprosh Hills Pak. 89 F5
Göksun Turkey 90 E3
Goksu Parkı Turkey 85 A1
Gokteik Myanmar 70 B2
Gokwe Zimbabwe 99 C5
Gol Norway 45 F6
Golaghat India 83 H4
Golbāf Iran 88 E4
Gölbaşı Turkey 90 E3
Golconda U.S.A. 128 E1
Gölcük Turkey 59 M4
Gold U.S.A. 135 G3
Gołdap Poland 47 S3
Gold Beach U.S.A. 126 B4
Goldberg Germany 53 M1
Gold Coast country Africa see Ghana
Gold Coast Australia 112 F2
Golden U.S.A. 126 G5
Golden Bay N.Z. 113 D5
Goldendale U.S.A. 126 C3
Goldene Aue reg. Germany 53 K3
Golden Gate Highlands National Park S. Africa 101 I5
Golden Hinde mt. Canada 120 E5
Golden Lake Canada 135 G1
Golden Prairie Canada 121 I5
Goldenstedt Germany 53 I2
Goldfield U.S.A. 128 E3
Goldsand Lake Canada 121 K3
Goldsboro U.S.A. 133 E5
Goldstone Lake U.S.A. 128 E4
Goldsworthy (abandoned) Australia 108 B5
Goldthwaite U.S.A. 131 D6
Goldvein U.S.A. 135 G4
Göle Turkey 91 F2
Golestān Afgh. 89 F3
Goleta U.S.A. 128 D4
Golets-Davydov, Gora mt. Rus. Fed. 73 J2
Golfo di Orosei Gennargentu e Asinara, Parco Nazionale del nat. park Sardinia Italy 58 C4
Gölgeli Dağları mts Turkey 59 M6
Goliad U.S.A. 131 D6
Golingka China see Gongbo'gyamda
Gölköy Turkey 90 E2
Gollel Swaziland see Lavumisa
Golm Germany 53 M2
Golmberg hill Germany 53 N2
Golmud China 80 H4
Golovnino Rus. Fed. 74 G4
Golpāyegān Iran 88 C3
Gölpazarı Turkey 59 N4
Golspie U.K. 50 F3
Gol Vardeh Iran 89 F3
Golyama Syutkya mt. Bulg. 59 K4
Golyam Persenk mt. Bulg. 59 K4
Golyshi Rus. Fed. see Vetluzhskiy
Golzow Germany 53 M2
Goma Dem. Rep. Congo 98 C4
Gomang Co salt l. China 83 G3
Gomati r. India 87 N4
Gombak, Bukit hill Sing. 71 [inset]
Gombe Nigeria 96 E3
Gombe r. Tanz. 99 D4
Gombi Nigeria 96 E3
Gombroon Iran see Bandar-e 'Abbās
Gomel' Belarus see Homyel'
Gómez Palacio Mex. 131 C7
Gomīshān Iran 88 D2
Gommern Germany 53 L2
Gomo Co salt l. China 83 F2
Gonābād Iran 88 E2
Gonaïves Haiti 137 J5
Gonarezhou National Park Zimbabwe 99 D6
Gonbad-e Kavus Iran 88 D2
Gonda India 83 E4
Gondal India 82 B5
Gondar Eth. see Gonder
Gonder Eth. 98 D2
Gondia India 82 E5
Gondiya India see Gondia
Gönen Turkey 59 L4
Gonfreville-l'Orcher France 49 H9
Gong'an China 77 G2
Gongbalou China 83 G3
Gongbo'gyamda China 76 B2
Gongchang China see Longxi
Gongcheng China 77 F3
Gongga Shan mt. China 76 D2
Gonghe Qinghai China 80 J4
Gonghe Yunnan China see Mouding
Gongjiang China see Yudu
Gongogi r. Brazil 145 D1
Gongolgon Australia 112 C3
Gongpoquan China 80 I3
Gongquan China 76 E2
Gongtang China see Damxung
Gongwang Shan mts China 76 D3
Gongxian China see Gongquan
Gonjo China see Kasha
Gonjog China see Coqên
Gonzales CA U.S.A. 128 C3
Gonzales TX U.S.A. 131 D6
Gonzha Rus. Fed. 74 B1
Goochland U.S.A. 135 G5
Goodenough, Cape Antarctica 152 G2
Goodenough Island P.N.G. 106 F2
Gooderham Canada 135 F1
Good Hope, Cape of S. Africa 100 D8
Good Hope Mountain Canada 126 B2
Gooding U.S.A. 126 E4
Goodland IN U.S.A. 134 B3
Goodland KS U.S.A. 130 C4
Goodlettsville U.S.A. 134 B5
Goodooga Australia 112 C2
Goodspeed Nunataks Antarctica 152 E2
Goole U.K. 48 G5
Goolgowi Australia 112 B5
Goolma Australia 112 D4
Gooloogong Australia 112 D4
Goomalling Australia 109 B7
Goombalie Australia 112 B2
Goondiwindi Australia 112 E2
Goongarrie, Lake salt flat Australia 109 C7
Goongarrie National Park Australia 109 C7
Goonyella Australia 110 D4
Goorly, Lake salt flat Australia 109 B7
Goose Bay Canada see Happy Valley-Goose Bay
Goose Creek U.S.A. 133 D5
Goose Lake U.S.A. 126 C4
Gooty India 84 C3
Gopalganj Bangl. 83 G5
Gopalganj India 83 F4
Gopeshwar India 82 D3
Göppingen Germany 53 J6
Gorakhpur India 83 E4
Goražde Bos.-Herz. 58 H3
Gorbernador U.S.A. 129 J3
Gorczański Park Narodowy nat. park Poland 47 R6
Gorda, Punta pt U.S.A. 128 A1
Gördes Turkey 59 M5
Gordil Cent. Afr. Rep. 98 C3
Gordon r. Canada 121 O1
Gordon U.K. 50 G5
Gordon U.S.A. 130 C3
Gordon, Lake Australia 111 [inset]
Gordon Downs (abandoned) Australia 108 E4
Gordon Lake Canada 121 I3
Gordon Lake U.S.A. 135 F4
Gordonsville U.S.A. 135 F4
Goré Chad 97 E4
Gorē Eth. 98 D3
Gore N.Z. 113 B8
Gore U.S.A. 135 F4
Gorebridge U.K. 50 F5
Gore Point U.S.A. 118 C4
Gorey Ireland 51 F5
Gorg Iran 89 E4
Gorgān Iran 88 D2
Gorgān, Khalīj-e Iran 88 D2
Gorge Range hills Australia 108 B5
Gorgona, Isla i. Col. 142 C3
Gorham U.S.A. 135 J1
Gori Georgia 86 F1
Gorinchem Neth. 52 E3
Goris Armenia 91 G3
Gorizia Italy 58 E2
Gorki Belarus see Horki
Gor'kiy Rus. Fed. see Nizhniy Novgorod
Gor'kovskoye Vodokhranilishche resr Rus. Fed. 42 I4
Gorlice Poland 43 D6
Görlitz Germany 47 O5
Gorlovka Ukr. see Horlivka
Gorna Dzhumaya Bulg. see Blagoevgrad
Gorna Oryakhovitsa Bulg. 59 K3
Gornji Milanovac Serbia 59 I2
Gornji Vakuf Bos.-Herz. 58 G3
Gorno-Altaysk Rus. Fed. 80 G1
Gornotrakiyska Nizina lowland Bulg. 59 K3
Gornozavodsk Permskaya Oblast' Rus. Fed. 41 R4
Gornozavodsk Sakhalinskaya Oblast' Rus. Fed. 74 F3
Gornyak Rus. Fed. 80 F1
Gornyy Rus. Fed. 43 K6
Gornyye Klyuchi Rus. Fed. 74 D3
Goro i. Fiji see Koro
Gorodenka Ukr. see Horodenka
Gorodets Rus. Fed. 42 I4
Gorodishche Penzenskaya Oblast' Rus. Fed. 43 J5
Gorodishche Volgogradskaya Oblast' Rus. Fed. 43 J6
Gorodok Belarus see Haradok
Gorodok Rus. Fed. see Zakamensk
Gorodok Khmel'nyts'ka Oblast' Ukr. see Horodok
Gorodok L'vivs'ka Oblast' Ukr. see Horodok
Gorodovikovsk Rus. Fed. 43 I7
Goroka P.N.G. 69 L8
Gorokhovets Rus. Fed. 42 I4
Gorom Gorom Burkina 96 C3
Gorong, Kepulauan is Indon. 69 I7
Gorongosa mt. Moz. 99 D5
Gorongosa, Parque Nacional de nat. park Moz. 99 D5
Gorontalo Indon. 69 G6
Gorshechnoye Rus. Fed. 43 H6
Gort Ireland 51 D4
Gort an Choirce Ireland 51 D2
Gorutuba r. Brazil 145 C1
Gorveh Iran 88 E4
Goryachiy Klyuch Rus. Fed. 91 E1
Görzke Germany 53 M2
Gorzów Wielkopolski Poland 47 O4
Gosainthan mt. China see Xixabangma Feng
Gosforth U.K. 48 F3
Goshen CA U.S.A. 128 D3
Goshen IN U.S.A. 134 C3
Goshen NH U.S.A. 135 I2
Goshen NY U.S.A. 135 H3
Goshen VA U.S.A. 134 F5
Goshoba Turkm. see Goşoba
Goslar Germany 53 K3
Goşoba Turkm. 91 I2
Gospić Croatia 58 F2
Gosport U.K. 49 F8
Gossi Mali 96 C3
Gostivar Macedonia 59 I4
Gosu China 76 C1
Göteborg Sweden see Gothenburg
Götene Sweden 45 H7
Gotenhafen Poland see Gdynia
Gotha Germany 53 K4
Gothenburg Sweden 45 G8
Gothenburg U.S.A. 130 C3
Gotland i. Sweden 45 K8
Gotō-rettō is Japan 75 C6
Gotse Delchev Bulg. 59 J4
Gotska Sandön i. Sweden 45 K7
Gōtsu Japan 75 D6
Göttingen Germany 53 J3
Gott Peak Canada 120 F5
Gottwaldow Czech Rep. see Zlín
Gouda Neth. 52 E2
Goudiri Senegal 96 B3
Goudoumaria Niger 96 E3
Goûgaram Niger 96 D3
▶Gough Island S. Atlantic Ocean 148 H8
Dependency of St Helena.
Gouin, Réservoir resr Canada 122 G4
Goulburn Australia 112 D5
Goulburn r. N.S.W. Australia 112 E4
Goulburn r. Vic. Australia 112 B6
Goulburn Islands Australia 108 F2
Goulburn River National Park Australia 112 E4
Gould Coast Antarctica 152 J1
Goulou atoll Micronesia see Ngulu
Goundam Mali 96 C3
Goundi Chad 97 E4
Goupil, Lac l. Canada 123 H3
Gouraya Alg. 57 G5
Gourcy Burkina 96 C3
Gourdon France 56 E4
Gouré Niger 96 E3
Gouripur Bangl. 83 G4
Gourits r. S. Africa 100 E8
Gourma-Rharous Mali 96 C3
Gournay-en-Bray France 52 B5
Goussainville France 52 C5
Gouverneur U.S.A. 135 H1
Governador Valadares Brazil 145 C2
Governor's Harbour Bahamas 133 E7
Govĭ Altayn Nuruu mts Mongolia 80 I3
Govind Ballash Pant Sagar resr India 83 E4
Gowanda U.S.A. 135 F2
Gowan Range hills Australia 110 D5
Gowārān Afgh. 89 G4
Gowd-e Mokh l. Iran 88 D4
Gowd-e Zereh plain Afgh. 89 F4
Gowmal Kalay Afgh. 89 H3
Gowna, Lough l. Ireland 51 E4
Goya Arg. 144 E3
Göyçay Azer. 91 G2
Goyder watercourse Australia 109 F6
Goymatdag hills Turkm. 88 D1
Goymatdag hills Turkm. see Goýmatdag
Göynük Turkey 59 N4
Goyoum Cameroon 96 E4
Gozareh Afgh. 89 F3
Goz-Beïda Chad 97 F3
Gozha Co salt l. China 82 E2
Gözkaya Turkey 85 C1
Gozo i. Malta 58 F6
Graaff-Reinet S. Africa 100 G7
Grabfeld plain Germany 53 K4
Grabo Côte d'Ivoire 96 C4
Grabouw S. Africa 100 D8
Grabow Germany 53 L1
Gračac Croatia 58 F2
Gracefield Canada 122 F5
Gracey U.S.A. 134 B5
Gradaús, Serra dos hills Brazil 143 H5
Gradiška Bos.-Herz. see Bosanska Gradiška
Grady U.S.A. 131 C5
Gräfenhainichen Germany 53 M3
Grafenwöhr Germany 53 L5
Grafton Australia 112 F2
Grafton ND U.S.A. 130 D1
Grafton WI U.S.A. 134 B2
Grafton WV U.S.A. 134 E4
Grafton, Cape Australia 110 D3
Grafton, Mount U.S.A. 129 F2
Grafton Passage Australia 110 D3
Graham NC U.S.A. 132 E4
Graham TX U.S.A. 131 D5
Graham, Mount U.S.A. 129 I5
Graham Bell Island Rus. Fed. see Greem-Bell, Ostrov
Graham Island B.C. Canada 120 C4
Graham Island Nunavut Canada 119 I2
Graham Land reg. Antarctica 152 L2
Grahamstown S. Africa 101 H7
Grahovo Bos.-Herz. see Bosansko Grahovo
Graigue Ireland 51 F5
Grajaú Brazil 143 I5
Grajaú r. Brazil 143 J4
Grammont Belgium see Geraardsbergen
Grammos mt. Greece 59 I4
Grampian Mountains U.K. 50 E4
Grampians National Park Australia 111 C8
Granada Nicaragua 137 G6
Granada Spain 57 E5
Granada U.S.A. 130 C4
Granard Ireland 51 E4
Granbury U.S.A. 131 D5
Granby Canada 123 G5
Gran Canaria i. Canary Is 96 B2
Gran Chaco reg. Arg./Para. 144 D3
Grand r. MO U.S.A. 134 B2
Grand r. SD U.S.A. 130 C2
Grand Atlas mts Morocco see Haut Atlas
Grand Bahama i. Bahamas 133 E7
Grand Ballon mt. France 47 K7
Grand Bank Canada 123 L5
Grand Banks of Newfoundland sea feature N. Atlantic Ocean 148 E3
Grand-Bassam Côte d'Ivoire 96 C4
Grand Bay-Westfield Canada 123 I5
Grand Bend Canada 134 E2
Grand Blanc U.S.A. 134 D2
Grand Canal Ireland 51 E4
Grand Canary i. Canary Is see Gran Canaria
Grand Canyon U.S.A. 129 G3
Grand Canyon gorge U.S.A. 129 G3
Grand Canyon National Park U.S.A. 129 G3
Grand Canyon - Parashant National Monument nat. park U.S.A. 129 G3
Grand Cayman i. Cayman Is 137 H5
Grand Drumont mt. France 47 K7
Grande r. Bahia Brazil 145 B1
Grande r. São Paulo Brazil 145 A3
Grande r. Nicaragua 137 H6
Grande, Bahía b. Arg. 144 C8
Grande, Ilha i. Brazil 145 B3
Grande Cache Canada 120 G4
Grande Comore i. Comoros see Njazidja
Grande Prairie Canada 120 G4
Grand Erg de Bilma des. Niger 96 E3
Grand Erg Occidental des. Alg. 54 D5
Grand Erg Oriental des. Alg. 54 F6
Grande-Rivière Canada 123 I4
Grandes, Salinas salt marsh Arg. 144 C4
Grande-Vallée Canada 123 I4
Grand Falls N.B. Canada 123 I5
Grand Falls-Windsor Nfld. and Lab. Canada 123 L4
Grand Forks Canada 120 G5
Grand Forks U.S.A. 130 D2
Grand Gorge U.S.A. 135 H2
Grand Haven U.S.A. 134 B2
Grandin, Lac l. Canada 120 G1
Grandioznyy, Pik mt. Rus. Fed. 72 H2
Grand Island U.S.A. 130 D3
Grand Isle U.S.A. 131 F6
Grand Junction U.S.A. 129 I2
Grand Lac Germain l. Canada 123 I4
Grand-Lahou Côte d'Ivoire 96 C4
Grand Lake N.B. Canada 123 I5
Grand Lake Nfld. and Lab. Canada 123 J3
Grand Lake Nfld. and Lab. Canada 123 K4
Grand Lake LA U.S.A. 131 E6
Grand Lake MI U.S.A. 134 D1
Grand Lake St Marys U.S.A. 134 C3
Grand Ledge U.S.A. 134 C2
Grand Manan Island Canada 123 I5
Grand Marais MI U.S.A. 132 C2
Grand Marais MN U.S.A. 130 F2
Grand-Mère Canada 123 G5
Grand Mesa U.S.A. 129 J2
Grândola Port. 57 B4
Grand Passage New Caledonia 107 G3
Grand Rapids Canada 121 L4
Grand Rapids MI U.S.A. 134 C2
Grand Rapids MN U.S.A. 130 E2
Grand-Sault Canada see Grand Falls
Grand St-Bernard, Col du pass Italy/Switz. see Great St Bernard Pass
Grand Teton mt. U.S.A. 126 F4
Grand Teton National Park U.S.A. 126 F4
Grand Traverse Bay U.S.A. 134 C1
▶Grand Turk Turks and Caicos Is 137 J4
Capital of the Turks and Caicos Islands.
Grandville U.S.A. 134 C2
Grandvilliers France 52 B5
Grand Wash Cliffs mts U.S.A. 129 F4
Grange Ireland 51 E6
Grängesberg Sweden 45 I6
Grangeville U.S.A. 126 D3
Granisle Canada 120 E4
Granite Falls U.S.A. 130 E2
Granite Mountain U.S.A. 128 E1
Granite Mountains CA U.S.A. 129 F4
Granite Mountains CA U.S.A. 129 F5
Granite Peak MT U.S.A. 126 F3
Granite Peak UT U.S.A. 129 G1
Granite Range mts AK U.S.A. 120 A3
Granite Range mts NV U.S.A. 128 D1
Granitola, Capo c. Sicily Italy 58 E6
Granja Brazil 143 J4
Gran Laguna Salada l. Arg. 144 C6
Gränna Sweden 45 I7
Gran Paradiso mt. Italy 58 B2
Gran Paradiso, Parco Nazionale del nat. park Italy 58 B2
Gran Pilastro mt. Austria/Italy 47 M7
Gran San Bernardo, Colle del pass Italy/Switz. see Great St Bernard Pass
Gran Sasso e Monti della Laga, Parco Nazionale del nat. park Italy 58 E3
Granschütz Germany 53 M3
Gransee Germany 53 N1
Grant U.S.A. 130 C3
Grant, Mount U.S.A. 128 E2
Grantham U.K. 49 G6
Grant Island Antarctica 152 J2
Grant Lake Canada 120 G1
Grantown-on-Spey U.K. 50 F3
Grant Range mts U.S.A. 129 F2
Grants U.S.A. 129 J4
Grants Pass U.S.A. 126 C4
Grantsville UT U.S.A. 129 G1
Grantsville WV U.S.A. 134 E4
Granville France 56 D2
Granville AZ U.S.A. 129 I5
Granville NY U.S.A. 135 I2
Granville TN U.S.A. 134 C5
Granville (abandoned) Canada 120 B2
Granville Lake Canada 121 K3
Grão Mogol Brazil 145 C2
Grapevine Mountains U.S.A. 128 E3
Gras, Lac de l. Canada 121 I1
Graskop S. Africa 101 J3
Grasplatz Namibia 100 B4
Grass r. Canada 121 L3
Grass r. U.S.A. 135 H1
Grasse France 56 H5
Grassflat U.S.A. 135 F3
Grassington U.K. 48 F4
Grasslands National Park Canada 121 J5
Grassrange U.S.A. 126 F3
Grass Valley U.S.A. 128 C2
Grassy Butte U.S.A. 130 C2
Grästorp Sweden 45 H7
Gratz U.S.A. 134 C4
Graudenz Poland see Grudziądz
Graus Spain 57 G2
Gravatai Brazil 145 A5
Grave, Pointe de pt France 56 D4
Gravelbourg Canada 121 J5
Gravel Hill Lake Canada 121 K2
Gravelines France 52 C4
Gravelotte S. Africa 101 J2
Gravenhurst Canada 134 F1
Grave Peak U.S.A. 126 E3
Gravesend Australia 112 E2
Gravesend U.K. 49 H7
Gravina in Puglia Italy 58 G4
Grawn U.S.A. 134 C1
Gray France 56 G3
Gray GA U.S.A. 133 D5
Gray KY U.S.A. 134 C5
Gray ME U.S.A. 135 J2
Grayback Mountain U.S.A. 126 C4
Gray Lake Canada 121 I2
Grayling r. Canada 120 E3
Grayling U.S.A. 134 C1
Grays U.K. 49 H7
Grays Harbor inlet U.S.A. 126 B3
Grays Lake U.S.A. 126 F4
Grayson U.S.A. 134 D4
Graz Austria 47 O7
Greasy Lake Canada 120 F2
Great Abaco i. Bahamas 133 E7
Great Australian Bight g. Australia 109 E8
Great Baddow U.K. 49 H7
Great Bahama Bank sea feature Bahamas 133 E7
Great Barrier Island N.Z. 113 E3
Great Barrier Reef Australia 110 D1
Great Barrier Reef Marine Park (Cairns Section) Australia 110 D3
Great Barrier Reef Marine Park (Capricorn Section) Australia 110 E4
Great Barrier Reef Marine Park (Central Section) Australia 110 E3
Great Barrier Reef Marine Park (Far North Section) Australia 110 D2
Great Barrington U.S.A. 135 I2
Great Basalt Wall National Park Australia 110 D3
Great Basin U.S.A. 128 E2
Great Basin National Park U.S.A. 129 F2
Great Bear r. Canada 120 E1
▶Great Bear Lake Canada 120 G1
4th largest lake in North America, and 7th in the world.
Great Belt sea chan. Denmark 45 G9
Great Bend U.S.A. 130 D4
Great Bitter Lake Egypt 85 A4
Great Blasket Island Ireland 51 B5
▶Great Britain i. U.K. 46 G4
Largest island in Europe, and 8th in the world.
Great Clifton U.K. 48 D4
Great Coco Island Cocos Is 68 A4
Great Cumbrae i. U.K. 50 E5

reat Dismal Swamp National Wildlife Refuge nature res. U.S.A. 135 G5
reat Dividing Range mts Australia 112 B6
reat Eastern Erg des. Alg. see Grand Erg Oriental
reater Antarctica reg. Antarctica see East Antarctica
reater Antilles is Caribbean Sea 137 H4
reater Khingan Mountains China see Da Hinggan Ling
reater Tunb i. The Gulf 88 D5
reat Exuma i. Bahamas 133 F8
reat Falls U.S.A. 126 F3
reat Fish r. S. Africa 101 H7
reat Fish Point S. Africa 101 H7
reat Fish River Reserve Complex nature res. S. Africa 101 H7
reat Gandak r. India 83 F4
reat Ganges atoll Cook Is see Manihiki
reat Guana Cay i. Bahamas 133 E7
reat Inagua i. Bahamas 137 J4
reat Karoo plat. S. Africa 100 F7
reat Kei r. S. Africa 101 I7
reat Lake Australia 111 [inset]
reat Limpopo Transfrontier Park 101 J2
reat Malvern U.K. 49 E6
reat Meteor Tablemount sea feature N. Atlantic Ocean 148 G4
reat Namaqualand reg. Namibia 100 C4
reat Nicobar i. India 71 A6
reat Ormes Head hd U.K. 48 D5
reat Ouse r. U.K. 49 H6
reat Oyster Bay Australia 111 [inset]
reat Palm Islands Australia 110 D3
reat Plain of the Koukdjuak Canada 119 K3
reat Plains U.S.A. 130 C3
reat Point U.S.A. 135 J3
reat Rift Valley Africa 98 D4
reat Ruaha r. Tanz. 99 D4
reat Sacandaga Lake U.S.A. 135 H2
reat St Bernard Pass Italy/Switz. 58 B2
reat Salt Lake U.S.A. 129 G1
reat Salt Lake Desert U.S.A. 129 G1
reat Sand Hills Canada 121 I5
reat Sand Sea des. Egypt/Libya 90 B5
reat Sandy Desert Australia 108 C5
reat Sandy Island Australia see Fraser Island
reat Sea Reef Fiji 107 H3

Great Slave Lake Canada 120 H2
Deepest and 5th largest lake in North America and 10th largest in the world.

reat Smoky Mountains U.S.A. 133 C5
reat Smoky Mountains National Park U.S.A. 132 D5
reat Snow Mountain Canada 120 E3
reatstone-on-Sea U.K. 49 H8
reat Stour r. U.K. 49 I7
reat Torrington U.K. 49 C8
reat Victoria Desert Australia 109 E7
reat Wall research station Antarctica 152 A2
reat Wall tourist site China 73 L4
reat Waltham U.K. 49 H7
reat Western Erg des. Alg. see Grand Erg Occidental
reat West Torres Islands Myanmar 71 B5
reat Whernside hill U.K. 48 F4
reat Yarmouth U.K. 49 I6
rebenkovskiy Ukr. see Hrebinka
rebyonka Ukr. see Hrebinka
reco, Cape Cyprus see Greko, Cape
redos, Sierra de mts Spain 57 D3
reece country Europe 59 I5
reece U.S.A. 135 G2
reeley U.S.A. 126 G4
reely Center U.S.A. 130 D3
reem-Bell, Ostrov i. Rus. Fed. 64 H1
reen r. KY U.S.A. 134 B5
reen r. WY U.S.A. 129 I2
reen Bay U.S.A. 134 A1
reen Bay b. U.S.A. 134 B1
reenbrier U.S.A. 134 B5
reenbrier r. U.S.A. 134 E5
reen Cape Australia 112 E6
reencastle Bahamas 133 E7
reencastle U.K. 51 F3
reencastle U.S.A. 134 B4
reen Cove Springs U.S.A. 133 D6
reene ME U.S.A. 135 J1
reene NY U.S.A. 135 H2
reeneville U.S.A. 132 D4
reenfield CA U.S.A. 128 C3
reenfield IN U.S.A. 134 C4
reenfield MA U.S.A. 135 I2
reenfield OH U.S.A. 134 D4
reen Head hd Australia 109 A7
reenhill Island Australia 108 F2
reen Island Taiwan see Lü Tao
reen Lake Canada 121 J4

Greenland terr. N. America 119 N3
Self-governing Danish territory. Largest island in North America and in the world, and 3rd largest political entity in North America.

reenland Basin sea feature Arctic Ocean 153 I2
reenland Fracture Zone sea feature Arctic Ocean 153 I1
reenland Sea Greenland/Svalbard 64 A2
reenlaw U.K. 50 G5
reen Mountains U.S.A. 135 I1
reenock U.K. 50 E5
reenore Ireland 51 F3
reenport U.S.A. 135 I3
reen River P.N.G. 69 K7
reen River UT U.S.A. 129 H2
reen River WY U.S.A. 126 F4
reen River Lake U.S.A. 134 C5
reensboro U.S.A. 133 D5
reensburg IN U.S.A. 134 C4
reensburg KS U.S.A. 130 D4
reensburg KY U.S.A. 134 C5
reensburg LA U.S.A. 131 F6
reensburg PA U.S.A. 134 F3
reens Peak U.S.A. 129 I4
reenstone Point U.K. 50 D3
Green Swamp U.S.A. 133 E5
Greentown U.S.A. 134 C3
Greenup IL U.S.A. 130 F4
Greenup KY U.S.A. 134 D4
Green Valley Canada 135 H1
Greenville Liberia 96 C4
Greenville AL U.S.A. 133 C6
Greenville IL U.S.A. 130 F4
Greenville KY U.S.A. 134 B5
Greenville ME U.S.A. 132 G2
Greenville MI U.S.A. 134 C2
Greenville MS U.S.A. 131 F5
Greenville NC U.S.A. 132 E5
Greenville NH U.S.A. 135 J2
Greenville OH U.S.A. 134 C3
Greenville PA U.S.A. 134 E3
Greenville SC U.S.A. 133 D5
Greenville TX U.S.A. 131 D5
Greenwich atoll Micronesia see Kapingamarangi
Greenwich CT U.S.A. 135 I3
Greenwich OH U.S.A. 134 D3
Greenwood AR U.S.A. 131 E5
Greenwood IN U.S.A. 134 B4
Greenwood MS U.S.A. 131 F5
Greenwood SC U.S.A. 133 D5
Gregory r. Australia 110 B3
Gregory, Lake salt flat S.A. Australia 111 B6
Gregory, Lake salt flat W.A. Australia 108 D5
Gregory, Lake salt flat W.A. Australia 109 B6
Gregory Downs Australia 110 B3
Gregory National Park Australia 108 E4
Gregory Range hills Qld Australia 110 C3
Gregory Range hills W.A. Australia 108 C5
Greifswald Germany 47 N3
Greiz Germany 53 M4
Greko, Cape Cyprus 85 B2
Gremikha Rus. Fed. 153 G2
Gremyachinsk Rus. Fed. 41 R4
Grenå Denmark 45 G8
Grenaa Denmark see Grenå
Grenada U.S.A. 131 F5
Grenada country West Indies 137 L6
Grenade France 56 E5
Grenen spit Denmark 45 G8
Grenfell Australia 112 D4
Grenfell Canada 121 K5
Grenoble France 56 G4
Grense-Jakobselv Norway 44 Q2
Grenville, Cape Australia 110 C1
Grenville Island Fiji see Rotuma
Greshak Pak. 89 G5
Gresham U.S.A. 126 C3
Gressåmoen Nasjonalpark nat. park Norway 44 H4
Greta r. U.K. 48 E4
Gretna U.K. 50 F6
Gretna LA U.S.A. 131 F6
Gretna VA U.S.A. 134 F5
Greußen Germany 53 K3
Grevelingen sea chan. Neth. 52 D3
Greven Germany 53 H2
Grevena Greece 59 I4
Grevenbicht Neth. 52 F3
Grevenbroich Germany 52 G3
Grevenmacher Lux. 52 G5
Grevesmühlen Germany 47 M4
Grey, Cape Australia 110 B2
Greybull U.S.A. 126 F3
Greybull r. U.S.A. 126 F3
Grey Hunter Peak Canada 120 C2
Grey Islands Canada 123 L4
Greylock, Mount U.S.A. 135 I2
Greymouth N.Z. 113 C6
Grey Range hills Australia 112 A2
Grey's Plains Australia 109 A6
Greytown S. Africa 101 J5
Grez-Doiceau Belgium 52 E4
Gribanovskiy Rus. Fed. 43 I6
Gridley U.S.A. 128 C2
Griffin U.S.A. 133 C5
Griffith Australia 112 C5
Grigan i. N. Mariana Is see Agrihan
Grik Malaysia see Gerik
Grim, Cape Australia 111 [inset]
Grimari Cent. Afr. Rep. 98 C3
Grimma Germany 53 M3
Grimmen Germany 47 N3
Grimnitzsee l. Germany 53 N2
Grimsby U.K. 48 G5
Grímsey i. Iceland 44 [inset]
Grimshaw Canada 120 G3
Grímsstaðir Iceland 44 [inset]
Grimstad Norway 45 F7
Grindavík Iceland 44 [inset]
Grindsted Denmark 45 F9
Grind Stone City U.S.A. 134 D1
Grindul Chitue spit Romania 59 M2
Grinnell Peninsula Canada 119 I2
Griqualand East reg. S. Africa 101 I6
Griqualand West reg. S. Africa 100 F5
Griquatown S. Africa 100 F5
Grise Fiord Canada 119 J2
Grishino Ukr. see Krasnoarmiys'k
Gris Nez, Cap c. France 52 B4
Gritley U.K. 50 G2
Grizzly Bear Mountain hill Canada 120 F1
Grmeč mts Bos.-Herz. 58 G2
Grobbendonk Belgium 52 E3
Groblersdal S. Africa 101 I3
Groblershoop S. Africa 100 F5
Grodno Belarus see Hrodna
Groen watercourse S. Africa 100 F6
Groen watercourse S. Africa 100 C6
Groix, Île de i. France 56 C3
Grombalia Tunisia 58 D6
Gronau (Westfalen) Germany 52 H2
Grong Norway 44 H4
Groningen Neth. 52 G1
Groninger Wad tidal flat Neth. 52 G1
Grønland terr. N. America see Greenland
Groom Lake U.S.A. 129 F3
Groot-Aar Pan salt pan S. Africa 100 E4
Groot Berg r. S. Africa 100 D7
Groot Brakrivier S. Africa 100 F8
Grootdraaidam dam S. Africa 101 I4
Grootdrink S. Africa 100 E5
Groote Eylandt i. Australia 110 B2
Grootfontein Namibia 99 B5
Groot Karas Berg plat. Namibia 100 D4
Groot Letaba r. S. Africa 101 J2
Groot Marico S. Africa 101 H3
Groot Swartberge mts S. Africa 100 E7
Grootvloer salt pan S. Africa 100 E5
Groot Winterberg mt. S. Africa 101 H7
Gros Morne National Park Canada 123 K4
Gross Barmen Namibia 100 C2
Große Aue r. Germany 53 J2
Große Laaber r. Germany 53 M6
Großengottern Germany 53 K3
Großenkneten Germany 53 I2
Großenlüder Germany 53 J4
Großer Arber mt. Germany 53 N5
Großer Beerberg hill Germany 53 K4
Großer Eyberg hill Germany 53 H5
Großer Gleichberg hill Germany 53 K4
Großer Kornberg hill Germany 53 M4
Großer Osser mt. Czech Rep./Germany 53 N5
Großer Rachel mt. Germany 47 N6
Grosser Speikkogel mt. Austria 47 O7
Grosseto Italy 58 D3
Grossevichi Rus. Fed. 74 E3
Groß-Gerau Germany 53 I5
Großglockner mt. Austria 47 N7
Groß Oesingen Germany 53 K2
Großrudestedt Germany 53 L3
Groß Schönebeck Germany 53 N2
Gross Ums Namibia 100 D2
Großvenediger mt. Austria 47 N7
Gros Ventre Range mts U.S.A. 126 F4
Groswater Bay Canada 123 K3
Groton U.S.A. 130 D2
Grottoes U.S.A. 135 F4
Grou Neth. 52 F1
Groundhog r. Canada 122 E4
Grouw Neth. see Grou
Grove U.S.A. 131 E4
Grove City U.S.A. 134 D4
Grove Hill U.S.A. 133 C6
Grove Mountains Antarctica 152 E2
Grover Beach U.S.A. 128 C4
Grovertown U.S.A. 134 B3
Groveton NH U.S.A. 135 J1
Groveton TX U.S.A. 131 E6
Growler Mountains U.S.A. 129 G5
Groznyy Rus. Fed. 91 G2
Grubišno Polje Croatia 58 G2
Grudovo Bulg. see Sredets
Grudziądz Poland 47 Q4
Grünau Namibia 100 D4
Grünberg Poland see Zielona Góra
Grundarfjörður Iceland 44 [inset]
Grundy U.S.A. 134 D5
Gruñidora Mex. 131 C7
Grünstadt Germany 53 I5
Gruver U.S.A. 131 C4
Gruzinskaya S.S.R. country Asia see Georgia
Gryazi Rus. Fed. 43 H5
Gryazovets Rus. Fed. 42 I4
Gryfice Poland 47 O4
Gryfino Poland 47 O4
Gryfów Śląski Poland 47 O5
Gryllefjord Norway 44 J2
Grytviken S. Georgia 144 I8
Gua India 83 F5
Guacanayabo, Golfo de b. Cuba 137 I4
Guachochi Mex. 127 G8
Guadajoz r. Spain 57 D5
Guadalajara Mex. 136 D4
Guadalajara Spain 57 E3
Guadalcanal i. Solomon Is 107 G2
Guadalete r. Spain 57 C5
Guadalope r. Spain 57 F3
Guadalquivir r. Spain 57 C5
Guadalupe Mex. 131 C7
Guadalupe i. Mex. 127 D7
Guadalupe watercourse Mex. 128 E5
Guadalupe U.S.A. 128 C4
Guadalupe, Sierra de mts Spain 57 D4
Guadalupe Aguilera Mex. 131 B7
Guadalupe Bravos Mex. 127 G7
Guadalupe Mountains National Park U.S.A. 127 G7
Guadalupe Peak U.S.A. 127 G7
Guadalupe Victoria Baja California Mex. 129 F5
Guadalupe Victoria Durango Mex. 131 B7
Guadarrama, Sierra de mts Spain 57 D3

Guadeloupe terr. West Indies 137 L5
French Overseas Department.

Guadeloupe Passage Caribbean Sea 137 L5
Guadiana r. Port./Spain 57 C5
Guadix Spain 57 E5
Guafo, Isla i. Chile 144 B6
Guaíba Brazil 145 A5
Guaiçuí Brazil 145 B2
Guaíra Brazil 144 F2
Guajaba, Cayo i. Cuba 133 E8
Guaje, Llano de plain Mex. 131 C7
Gualala U.S.A. 128 B2
Gualeguay Arg. 144 E4
Gualeguaychu Arg. 144 E4
Gualicho, Salina salt flat Arg. 144 C6

Guam terr. N. Pacific Ocean 69 K4
United States Unincorporated Territory.

Guamblin, Isla i. Chile 144 A6
Guampí, Sierra de mts Venez. 142 E2
Guamúchil Mex. 127 F8
Guanabacoa Cuba 133 D8
Guanacevi Mex. 131 B7
Guanahacabibes, Península de pen. Cuba 133 C8
Guanajay Cuba 133 D8
Guanajuato Mex. 136 D4
Guanambi Brazil 145 C1
Guanare Venez. 142 E2
Guandu China 77 G3
Guane Cuba 137 H4
Guang'an China 76 E2
Guangchang China 77 H3
Guangdong prov. China 77 [inset]
Guanghai China 77 G4
Guanghan China 76 E2
Guanghua China see Laohekou
Guangming China see Xide
Guangming Ding mt. China 77 H2
Guangnan China 76 E3
Guangshan China 77 G2
Guangxi aut. reg. China see Guangxi Zhuangzu Zizhiqu
Guangxi Zhuangzu Zizhiqu aut. reg. China 76 F4
Guangyuan China 76 E1
Guangze China 77 H3
Guangzhou China 77 G4
Guanhães Brazil 145 C2
Guanhe Kou r. mouth China 77 H1
Guanipa r. Venez. 142 F2
Guanling China 76 E3
Guanmian Shan mts China 77 F2
Guannan China 77 H1
Guanpo China 77 F1
Guanshui China 74 B4
Guansuo China see Guanling
Guantánamo Cuba 137 I4
Guanxian China see Dujiangyan
Guanyang China 77 F3
Guanyinqiao China 76 D2
Guanyun China 77 H1
Guapé Brazil 145 B3
Guapí Col. 142 C3
Guaporé r. Bol./Brazil 142 E6
Guaporé Brazil 145 A5
Guaqui Bol. 142 E7
Guará r. Brazil 145 B1
Guarabira Brazil 143 K5
Guaranda Ecuador 142 C4
Guarapari Brazil 145 C3
Guarapuava Brazil 145 A4
Guararapes Brazil 145 A3
Guaratinguetá Brazil 145 B3
Guaratuba Brazil 145 A4
Guaratuba, Baía de b. Brazil 145 A4
Guarda Port. 57 C3
Guardafui, Cape Somalia see Gwardafuy, Gees
Guardiagrele Italy 58 F3
Guardo Spain 57 D2
Guárico, del Embalse resr Venez. 142 E2
Guarujá Brazil 145 B3
Guasave Mex. 127 F8
Guasdualito Venez. 142 D2

▶Guatemala country Central America 136 F5
4th most populous country in North America.

▶Guatemala City Guat. 136 F6
Capital of Guatemala.

Guaviare r. Col. 142 E3
Guaxupé Brazil 145 B3
Guayaquil Ecuador 142 C4
Guayaquil, Golfo de g. Ecuador 142 B4
Guaymas Mex. 127 F8
Guba Eth. 98 D2
Gubakha Rus. Fed. 41 R4
Gubbi India 84 C3
Gubio Nigeria 96 E3
Gubkin Rus. Fed. 43 H6
Gucheng China 77 F1
Gudari India 84 D2
Gudbrandsdalen valley Norway 45 F6
Gudermes Rus. Fed. 91 G2
Gudivada India 84 D2
Gudiyattam India 84 C3
Gudur Andhra Prad. India 84 C3
Gudur Andhra Prad. India 84 C3
Gudvangen Norway 45 E6
Gudzhal r. Rus. Fed. 74 D2
Gué, Rivière du r. Canada 123 H2
Guecho Spain see Algorta
Guéckédou Guinea 96 B4
Guelma Alg. 58 B6
Guelmine Morocco 96 B2
Guelph Canada 134 E2
Guémez Mex. 131 D8
Guénange France 52 G5
Guerara Alg. 54 E5
Guérard, Lac l. Canada 123 I2
Guercif Morocco 54 D5
Guéret France 56 E3

▶Guernsey terr. Channel Is 49 E9
United Kingdom Crown Dependency.

Guernsey U.S.A. 126 G4
Guérou Mauritania 96 B3
Guerrah Et-Tarf salt pan Alg. 58 B7
Guerrero Negro Mex. 127 E8
Guers, Lac l. Canada 123 I2
Gueugnon France 56 G3
Gufeng China see Pingnan
Gufu China see Xingshan
Gugē mt. Eth. 98 D3
Gügerd, Küh-e mts Iran 88 D3
Guguan i. N. Mariana Is 69 L3
Guhakolak, Tanjung pt Indon. 68 D8
Guhe China 77 H2
Güh Küh mt. Iran 88 E5
Guhuai China see Pingyu
Guiana Basin sea feature N. Atlantic Ocean 148 E5
Guiana Highlands mts S. America 142 E2
Guichi China see Chizhou
Guidan-Roumji Niger 96 D3
Guider Cameroon 97 E4
Guiding China 76 E3
Guidong China 77 G3
Guidonia-Montecelio Italy 58 E4
Guigang China 77 F4
Guiglo Côte d'Ivoire 96 C4
Guignicourt France 52 D5
Guija Moz. 101 K3
Guiji Shan mts China 77 I2
Guildford U.K. 49 G7
Guilford U.S.A. 132 G2
Guilherme Capelo Angola see Cacongo
Guilin China 77 F3
Guillaume-Delisle, Lac l. Canada 122 F2
Guimarães Brazil 143 J4
Guimarães Port. 57 B3
Guinan China 76 D1
Guinea country Africa 96 B3
Guinea, Gulf of Africa 96 D4
Guinea Basin sea feature N. Atlantic Ocean 148 H5
Guinea-Bissau country Africa 96 B3
Guinea-Conakry country Africa see Guinea
Guinea Ecuatorial country Africa see Equatorial Guinea
Guiné-Bissau country Africa see Guinea-Bissau
Guinée country Africa see Guinea
Güines Cuba 137 H4
Guînes France 52 B4
Guines, Lac l. Canada 123 J3
Guingamp France 56 C2
Guipavas France 56 B2
Guiping China 77 F4
Güira de Melena Cuba 133 D8
Guiratinga Brazil 143 H7
Guiscard France 52 D5
Guise France 52 D5
Guishan China see Xinping
Guishun China 76 E3
Guixi Chongqing China see Dianjiang
Guixi Jiangxi China 77 H2
Guiyang Guizhou China 76 E3
Guiyang Hunan China 77 G3
Guizhou prov. China 76 E3
Guizi China 77 F4
Gujarat state India 82 C5
Gujar Khan Pak. 89 I3
Gujerat state India see Gujarat
Gujranwala Pak. 89 I3
Gujrat Pak. 89 I3
Gukovo Rus. Fed. 43 H6
Gulabgarh India 82 D2
Gulbarga India 84 C2
Gulbene Latvia 45 O8
Gul'cha Kyrg. see Gülchö
Gülchö Kyrg. 80 D3
Gülcihan Turkey 85 B1
Gülek Boğazı pass Turkey 90 D3
Gulf, The Asia 88 C4
Gulfport U.S.A. 131 F6
Gulian China 74 A1
Gulin China 76 E3
Gulistan Uzbek. see Guliston
Guliston Uzbek. 80 C3
Gülitz Germany 53 L1
Guliya Shan mt. China 74 A2
Gulja China see Yining
Gul Kach Pak. 89 H4
Gul'kevichi Rus. Fed. 91 F1
Gull Lake Canada 121 I5
Gullrock Lake Canada 121 M5
Gullträsk Sweden 44 L3
Güllük Körfezi b. Turkey 59 L6
Gülnar Turkey 85 A1
Gulü China see Xincai
Gulu Uganda 98 D3
Guluwuru Island Australia 110 B1
Gulyayevskiye Koshki, Ostrova is Rus. Fed. 42 L1
Guma China see Pishan
Gumal r. Pak. 89 H4
Gumare Botswana 99 C5
Gumbaz Pak. 89 H4
Gumbinnen Rus. Fed. see Gusev
Gumdag Turkm. 88 D2
Gumel Nigeria 96 D3
Gümgüm Turkey see Varto
Gumla India 83 F5
Gummersbach Germany 53 H3
Gümüşhacıköy Turkey 90 D2
Gümüşhane Turkey 91 E2
Guna India 82 D4
Gunan China see Qijiang
Guna Terara mt. Eth. 86 E7
Gunbar Australia 112 B5
Gunbower Australia 112 B5
Güncang China 76 B2
Gund r. Tajik. see Gunt
Gundagai Australia 112 D5
Gundelsheim Germany 53 J5
Güney Turkey 59 M5
Güneydoğu Toroslar plat. Turkey 90 F3
Gunglilap Myanmar 70 B1
Gungu Dem. Rep. Congo 99 B4
Gunib Rus. Fed. 91 G2
Gunisao r. Canada 121 L4
Gunisao Lake Canada 121 L4
Gunnaur India 82 D3
Gunnbjørn Fjeld nunatak Greenland 119 P3
Gunnedah Australia 112 E3
Gunning Australia 112 D5
Gunnison U.S.A. 127 G5
Gunnison r. U.S.A. 129 I2
Güns Hungary see Kőszeg
Gunt r. Tajik. 89 H2
Guntakal India 84 C3
Güntersberge Germany 53 K3
Guntur India 84 D2
Gunung Gading National Park Malaysia 71 E7
Gunung Leuser, Taman Nasional Indon. 71 B7
Gunung Niyut, Suaka Margasatwa nature res. Indon. 71 E7
Gunung Palung, Taman Nasional Indon. 68 E7
Gunungsitoli Indon. 71 B7
Günyüzü Turkey 90 C3
Gunza Angola see Porto Amboim
Günzburg Germany 47 M6
Gunzenhausen Germany 53 K5
Guo He r. China 77 H1
Guovdageaidnu Norway see Kautokeino
Guozhen China see Baoji
Gupis Pak. 82 C1
Gurbantünggüt Shamo des. China 80 G3
Gurdaspur India 82 C2
Gurdon U.S.A. 131 E5
Gurdzhaani Georgia see Gurjaani
Güre Turkey 59 M5
Gurgan Iran see Gorgān
Gurgaon India 82 D3
Gurgei, Jebel mt. Sudan 97 F3
Gurha India 82 B4
Guri, Embalse de resr Venez. 142 F2
Gurig National Park Australia 108 F2
Gurinhatã Brazil 145 A2
Gurjaani Georgia 91 G2
Gur Khar Iran 89 E4
Guro Moz. 99 D5
Gurşunmagdan Kärhanasy Turkm. 89 G2
Guru China 83 G3
Gürün Turkey 90 E3
Gurupá Brazil 143 H4
Gurupi Brazil 143 I6
Gurupi r. Brazil 143 I4
Gurupi, Serra do hills Brazil 143 I4
Guru Sikhar mt. India 82 C4
Guruzala India 84 C2
Gur'yev Kazakh. see Atyrau
Gur'yevsk Rus. Fed. 45 L9
Gur'yevskaya Oblast' admin. div. Kazakh. see Atyrauskaya Oblast'
Gurz Afgh. 89 G3
Gusau Nigeria 96 D3
Güsen Germany 53 L2
Gusev Rus. Fed. 45 M9
Gushan China 75 A5
Gushgy Turkm. see Serhetabat
Gushi China 77 G1
Gusino Rus. Fed. 43 F5
Gusinoozersk Rus. Fed. 72 J2
Gus'-Khrustal'nyy Rus. Fed. 42 I5
Guspini Sardinia Italy 58 C5
Gustav Holm, Kap c. Greenland see Tasiilap Karra
Gustavo Sotelo Mex. 127 E7
Güsten Germany 53 L3
Gustine U.S.A. 128 C3
Güstrow Germany 47 N4
Güterfelde Germany 53 N2
Gütersloh Germany 53 I3
Guthrie AZ U.S.A. 129 I5
Guthrie KY U.S.A. 134 B5
Guthrie OK U.S.A. 131 D5
Guthrie TX U.S.A. 131 C5
Gutian Fujian China 77 H3
Gutian Fujian China 77 H3
Gutian Shuiku resr China 77 H3
Guting China see Yutai
Gutsuo China 83 F3
Guwahati India 83 G4
Guwēr Iraq 91 F3
Guwlumaýak Turkm. 88 D1
Guwlumayak Turkm. see Guwlumaýak
Guxhagen Germany 53 J3
Guxian China 77 G3
Guyana country S. America 143 G2
Guyane Française terr. S. America see French Guiana
Guyang Hunan China see Guzhang
Guyang Nei Mongol China 73 K4
Guyenne reg. France 56 D4
Guy Fawkes River National Park Australia 112 F3
Guyi China see Sanjiang
Guymon U.S.A. 131 C4
Guyra Australia 112 E3
Guysborough Canada 123 J5
Guyuan Hebei China 73 L4
Guyuan Ningxia China 72 J5
Güzelolük Turkey 85 B1
Güzelyurt Cyprus see Morfou
Guzhang China 77 F2
Guzhen China 77 H1
Guzhou China see Rongjiang
Guzmán Mex. 127 G7
Guzmán, Lago de l. Mex. 127 G7
G'uzor Uzbek. 89 G2
Gvardeysk Rus. Fed. 45 L9
Gvasyugi Rus. Fed. 74 E3
Gwa Myanmar 70 A3
Gwabegar Australia 112 D3
Gwadar West Bay Pak. 89 F5
Gwaii Haanas National Park Reserve Canada 120 D4
Gwal Haidarzai Pak. 89 H4
Gwalior India 82 D4
Gwanda Zimbabwe 99 C6
Gwane Dem. Rep. Congo 98 C3
Gwardafuy, Gees c. Somalia 98 F2
Gwash Pak. 89 G4
Gwatar Bay Pak. 89 F5
Gwedaukkon Myanmar 70 A1
Gweebarra Bay Ireland 51 D3
Gwelo Zimbabwe see Gweru
Gweru Zimbabwe 99 C5
Gweta Botswana 99 C6
Gwinner U.S.A. 130 D2
Gwoza Nigeria 96 E3
Gwydir r. Australia 112 D2
Gyablung China 76 B2
Gyaca China 76 B2
Gyagartang China 76 D1
Gya'gya China see Saga
Gyaijêpozhanggê China see Zhidoi
Gyai Qu r. China 76 B2
Gyairong China 76 C1
Gyaisi China see Jiulong
Gyali i. Greece 59 L6
Gyamotang China see Dêngqên
Gyamug China 82 E2
Gyandzha Azer. see Gäncä
Gyangkar China see Dinngyê
Gyangnyi Caka salt l. China 83 F2
Gyangrang China 83 F3
Gyangtse China see Gyangzê
Gyangzê China 83 G3
Gyaring China 76 C1
Gyaring Co l. China 83 G3
Gyaring Hu l. China 76 C1
Gyarishing India 76 B2
Gyaros i. Greece 59 K6
Gyarubtang China 76 B2
Gydan, Khrebet mts Rus. Fed. see Kolymskiy, Khrebet
Gydan Peninsula Rus. Fed. 64 I2
Gydanskiy Poluostrov pen. Rus. Fed. see Gydan Peninsula
Gyêgu China see Yushu
Gyêmdong China 76 B2
Gyigang China 76 C2
Gyimda China 76 B2
Gyirong Xizang China 83 F3
Gyirong Xizang China 83 F3

Holzhausen Germany 53 M3
Holzkirchen Germany 47 M7
Holzminden Germany 53 J3
Homand Iran 89 E3
Homāyūnshahr Iran see Khomeynīshahr
Homberg (Efze) Germany 53 J3
Hombori Mali 96 C3
Homburg Germany 53 H5
Home Bay Canada 119 L3
Homécourt France 52 F5
Homer GA U.S.A. 133 D5
Homer LA U.S.A. 131 E5
Homer MI U.S.A. 134 C2
Homer NY U.S.A. 135 G2
Homerville U.S.A. 133 D6
Homestead Australia 110 D4
Homnabad India 84 C2
Homoine Moz. 101 L2
Homs Libya see Al Khums
Homs Syria 85 C2
Homyel' Belarus 43 F5
Honan prov. China see Henan
Honavar India 84 B3
Honaz Turkey 59 M6
Hon Chông Vietnam 71 D5
Hondeklipbaai S. Africa 100 C6
Hondo U.S.A. 131 D6
Hondsrug reg. Neth. 52 G1

▶Honduras country Central America 137 G6
5th largest country in Central and North America.

Hønefoss Norway 45 G6
Honesdale U.S.A. 135 H3
Honey Lake salt l. U.S.A. 128 C1
Honeyoye Lake U.S.A. 135 G2
Honfleur France 56 E2
Hong, Mouths of the Vietnam see Red River, Mouths of the
Hông, Sông r. Vietnam see Red
Hongchuan China see Hongya
Hongguo China see Panxian
Honghai Wan b. China 77 G4
Honghe China 76 D4
Hong He r. China 77 G1
Honghu China 77 G2
Hongjiang Hunan China 77 F3
Hongjiang Sichuan China see Wangcang
Hong Kong H.K. China 77 [inset]
Hong Kong aut. reg. China 77 [inset]
Hong Kong Harbour sea chan. H.K. China 77 [inset]
Hong Kong Island H.K. China 77 [inset]
Hongliuwan China see Aksay
Hongliuyuan China 80 I3
Hongqiao China see Qidong
Hongqizhen China see Wuzhishan
Hongqizhen Hainan China see Wuzhishan
Hongshi China 74 B4
Hongshui He r. China 76 F4
Honguedo, Détroit d' sea chan. Canada 123 I4
Hongwŏn N. Korea 75 B4
Hongxing China 74 A3
Hongya China 76 D2
Hongyuan China 76 D1
Hongze China 77 H1
Hongze Hu l. China 77 H1

▶Honiara Solomon Is 107 F2
Capital of the Solomon Islands.

Honiton U.K. 49 D8
Honjō Japan 75 F5
Honkajoki Fin. 45 M6
Honningsvåg Norway 44 N1
Honoka'a U.S.A. 127 [inset]

▶Honolulu U.S.A. 127 [inset]
Capital of Hawaii.

▶Honshū i. Japan 75 D6
Largest island in Japan, 3rd largest in Asia and 7th in the world.

Honwad India 84 B2
Hood, Mount vol. U.S.A. 126 C3
Hood Point Australia 109 B8
Hood Point P.N.G. 110 D1
Hood River U.S.A. 126 C3
Hoogeveen Neth. 52 G2
Hoogezand-Sappemeer Neth. 52 G1
Hooghly r. mouth India see Hugli
Hooker U.S.A. 131 C4
Hook Head hd Ireland 51 F5
Hook of Holland Neth. 52 E3
Hook Reef Australia 110 E3
Hoonah U.S.A. 120 C3
Hooper Bay U.S.A. 153 B2
Hooper Island U.S.A. 135 G4
Hoopeston U.S.A. 134 B3
Hoopstad S. Africa 101 G4
Höör Sweden 45 H9
Hoorn Neth. 52 F2
Hoorn, Îles de is Wallis and Futuna Is 107 I3
Hoosick U.S.A. 135 I2
Hoover Dam U.S.A. 129 F3
Hoover Memorial Reservoir U.S.A. 134 D3
Hopa Turkey 91 F2
Hope Canada 120 F5
Hope r. N.Z. 113 D6
Hope AR U.S.A. 131 E5
Hope IN U.S.A. 134 C4
Hope, Lake salt flat Australia 109 C8
Hope, Point U.S.A. 118 B3
Hopedale Canada 123 J3
Hopefield S. Africa 100 D7
Hopei prov. China see Hebei
Hope Mountains Canada 123 J3
Hope Saddle pass N.Z. 113 D5
Hopes Advance, Baie b. Canada 123 H2
Hopes Advance, Cap c. Canada 119 L3
Hopes Advance Bay Canada see Aupaluk
Hopetoun Australia 111 C7
Hopetown S. Africa 100 G5
Hopewell U.S.A. 135 G5
Hopewell Islands Canada 122 F2
Hopin Myanmar 70 B1
Hopkins r. Australia 111 C8
Hopkins, Lake salt flat Australia 109 E6
Hopkinsville U.S.A. 134 B5
Hopland U.S.A. 128 B2
Hoquiam U.S.A. 126 C3
Hor China 76 D1
Horasan Turkey 91 F2
Hörby Sweden 45 H9

▶Horizon Deep sea feature S. Pacific Ocean 150 I7
Deepest point in the Tonga Trench, and 2nd in the world.

Horki Belarus 43 F5
Horlick Mountains Antarctica 152 K1
Horlivka Ukr. 43 H6
Hormoz i. Iran 88 E5
Hormoz, Kūh-e mt. Iran 88 D5
Hormuz, Strait of Iran/Oman 88 E5
Horn Austria 47 O6
Horn r. Canada 120 G2
Horn c. Iceland 44 [inset]

▶Horn, Cape Chile 144 C9
Most southerly point of South America.

Hornavan l. Sweden 44 J3
Hornbrook U.S.A. 126 C4
Hornburg Germany 53 K2
Horncastle U.K. 48 G5
Horndal Sweden 45 J6
Horne, Îles de is Wallis and Futuna Is see Hoorn, Îles de
Horneburg Germany 53 J1
Hörnefors Sweden 44 K5
Hornell U.S.A. 135 G2
Hornepayne Canada 122 D4
Hornillos Mex. 127 F8
Hornisgrinde mt. Germany 47 L6
Hornkranz Namibia 100 C2
Horn Mountains Canada 120 F2
Hornos, Cabo de Chile see Horn, Cape
Hornoy-le-Bourg France 52 B5
Horn Peak Canada 120 D2
Hornsby Australia 112 E4
Hornsea U.K. 48 G5
Hornslandet pen. Sweden 45 J6
Horodenka Ukr. 43 E6
Horodnya Ukr. 43 F6
Horodok Khmel'nyts'ka Oblast' Ukr. 43 E6
Horodok L'vivs'ka Oblast' Ukr. 43 D6
Horokanai Japan 74 F3
Horoshiri-dake mt. Japan 74 F4
Horqin Youyi Qianqi China see Ulanhot
Horqin Zuoyi Houqi China see Ganjig
Horqin Zuoyi Zhongqi China see Baokang
Horrabridge U.K. 49 C8
Horrocks Australia 109 A7
Horru China 83 G3
Horse Cave U.S.A. 134 C5
Horsefly Canada 120 F4
Horseheads U.S.A. 135 G2
Horse Islands Canada 123 L4
Horseleap Ireland 51 D4
Horsens Denmark 45 F9
Horseshoe Bend Australia 109 F6
Horseshoe Reservoir U.S.A. 129 H4
Horseshoe Seamounts sea feature N. Atlantic Ocean 148 G3
Horsham Australia 111 C8
Horsham U.K. 49 G7
Horšovský Týn Czech Rep. 53 M5
Horst hill Germany 53 J4
Hörstel Germany 53 H2
Horten Norway 45 G7
Hortobágyi nat. park Hungary 59 I1
Horton r. Canada 118 F3
Horwood Lake Canada 122 E4
Hösbach Germany 53 J4
Hose, Pegunungan mts Malaysia 68 E6
Ḩoseynābād Iran 88 B3
Ḩoseynīyeh Iran 88 C4
Hoshab Pak. 89 F5
Hoshangabad India 82 D5
Hoshiarpur India 82 C3
Hospet India 84 C3
Hospital Ireland 51 D5
Hosséré Vokre mt. Cameroon 96 E4
Hosta Butte mt. U.S.A. 129 I4
Hotagen r. Sweden 44 I5
Hotahudo East Timor see Hatudo
Hotan China 82 E1
Hotazel S. Africa 100 F4
Hot Creek Range mts U.S.A. 128 E2
Hotgi India 84 C2
Hotham r. Australia 109 B8
Hoting Sweden 44 J4
Hot Springs AR U.S.A. 131 E5
Hot Springs NM U.S.A. see Truth or Consequences
Hot Springs SD U.S.A. 130 C3
Hot Sulphur Springs U.S.A. 126 G4
Hottah Lake Canada 120 G1
Hottentots Bay Namibia 100 B4
Hottentots Point Namibia 100 B4
Houdan France 52 B6
Houffalize Belgium 52 F4
Hougang Sing. 71 [inset]
Houghton MI U.S.A. 130 F2
Houghton NY U.S.A. 135 F2
Houghton Lake U.S.A. 134 C1
Houghton Lake l. U.S.A. 134 C1
Houghton le Spring U.K. 48 F4
Houie Moc, Phou mt. Laos 70 C2
Houlton U.S.A. 132 H2
Houma China 77 F1
Houma U.S.A. 131 F6
Houmen China 77 G4
House Range mts U.S.A. 129 G2
Houston Canada 120 E4
Houston MO U.S.A. 131 F4
Houston MS U.S.A. 131 F5
Houston TX U.S.A. 131 E6
Hout r. S. Africa 101 I2
Houtman Abrolhos is Australia 109 A7
Houton U.K. 50 F2
Houwater S. Africa 100 F6
Hovd Hovd Mongolia 80 H2
Hove U.K. 49 G8
Hoveton U.K. 49 I6
Hovmantorp Sweden 45 I8
Hövsgöl Nuur l. Mongolia 80 J1
Howar, Wadi watercourse Sudan 86 C6
Howard Australia 110 F5
Howard PA U.S.A. 135 G3
Howard SD U.S.A. 130 D2
Howard WI U.S.A. 134 A1
Howard City U.S.A. 134 C2
Howard Lake Canada 121 J2
Howden U.K. 48 G5
Howe, Cape Australia 112 D6
Howe, Mount Antarctica 152 J1
Howell U.S.A. 134 D2
Howick Canada 135 I1
Howick S. Africa 101 J5
Howland U.S.A. 132 G2

▶Howland Island terr. N. Pacific Ocean 107 I1
United States Unincorporated Territory.

Howlong Australia 112 C5
Howrah India see Haora
Howth Ireland 51 F4
Ḩowz well Iran 88 E3
Ḩowz-e Khān well Iran 88 E3
Ḩowz-e Panj Iran 88 E4
Ḩowz-e Panj waterhole Iran 88 D3
Howz i-Mian i-Tak Iran 88 D3
Hô Xa Vietnam 70 D3
Höxter Germany 53 J3
Hoy i. U.K. 50 F2
Hoya Germany 53 J2
Høyanger Norway 45 E6
Hoyerswerda Germany 47 O5
Høylandet Norway 44 H4
Hoym Germany 53 L3
Höytiäinen l. Fin. 44 P5
Hoyt Peak U.S.A. 129 H1
Hpa-an Myanmar 70 B3
Hpapun Myanmar 70 B3
Hradec Králové Czech Rep. 47 O5
Hradiště hill Czech Rep. 53 N4
Hrasnica Bos.-Herz. 58 H3
Hrazdan Armenia 91 G2
Hrebinka Ukr. 43 G6
Hrodna Belarus 45 M10
Hrvatska country Europe see Croatia
Hrvatsko Grahovo Bos.-Herz. see Bosansko Grahovo
Hsenwi Myanmar 70 B2
Hsiang Chang i. H.K. China see Hong Kong Island
Hsiang Kang H.K. China see Hong Kong
Hsi-hseng Myanmar 70 B2
Hsin-chia-p'o country Asia see Singapore
Hsin-chia-p'o Sing. see Singapore
Hsinchu Taiwan 77 I3
Hsinking China see Changchun
Hsinying Taiwan 77 I4
Hsipaw Myanmar 70 B2
Hsi-sha Ch'ün-tao is S. China Sea see Paracel Islands
Hsiyüp'ing Yü i. Taiwan 77 H4
Hsü-chou Jiangsu China see Xuzhou
Hsüeh Shan mt. Taiwan 77 I3
Huab watercourse Namibia 99 B6
Huachinera Mex. 127 F7
Huacho Peru 142 C6
Huachuan China 74 C3
Huade China 73 K4
Huadian China 74 B4
Huadu China 77 G4
Hua Hin Thai. 71 B4
Huai'an Jiangsu China 77 H1
Huai'an Jiangsu China see Chuzhou
Huaibei China 77 H1
Huaibin China 77 G1
Huaicheng Guangdong China see Huaiji
Huaicheng Jiangsu China see Chuzhou
Huaidezhen China 74 B4
Huaidian China see Shenqiu
Huai Had National Park Thai. 70 D3
Huaihua China 77 F3
Huaiji China 77 G4
Huai Kha Khaeng Wildlife Reserve nature res. Thai. 70 B4
Huailillas mt. Peru 142 C5
Huainan China 77 H1
Huaining Anhui China 77 H2
Huaining Anhui China see Shipai
Huaiyang China 77 G1
Huaiyin Jiangsu China see Huai'an
Huaiyin Jiangsu China 77 H1
Huaiyuan China 77 H1
Huajialing China 76 E1
Huajuápan de León Mex. 136 E5
Hualapai Peak U.S.A. 129 G4
Hualian Taiwan see Hualien
Hualien Taiwan 77 I3
Huallaga r. Peru 142 C5
Huambo Angola 99 B5
Huanan China 74 C3
Huancane Peru 142 E7
Huancavelica Peru 142 C6
Huancayo Peru 142 C6
Huangbei China 77 G3
Huangcaoba China see Xingyi
Huang-chou Hubei China see Huanggang
Huangchuan China 77 G1
Huanggang China 77 G2
Huang Hai sea N. Pacific Ocean see Yellow Sea
Huang He r. China see Yellow River
Huangjiajian China 77 I1
Huang-kang Hubei China see Huanggang
Huangling China 77 F1
Huangliu China 77 F5
Huanglongsi China see Kaifeng
Huangmao Jian mt. China 77 H3
Huangmei China 77 G2
Huangpu China 77 G4
Huangqi China 77 H3
Huangshan China 77 H2
Huangshi China 77 G2
Huangtu Gaoyuan plat. China 73 J5
Huangyan China 77 I2
Huangzhou Hubei China see Huanggang
Huaning China 76 D3
Huanjiang China 77 F3
Huanren China 74 B4
Huanshan China see Yuhuan
Huánuco Peru 142 C5
Huaping China 76 D3
Huap'ing Yü i. Taiwan 77 I3
Huaqiao China 76 E2
Huaqiaozhen China see Huaqiao
Huaráz Peru 142 C5
Huarmey Peru 142 C6
Huarong China 77 G2
Huascarán, Nevado de mt. Peru 142 C5
Huasco Chile 144 B3
Hua Shan mt. China 77 F1
Huashixia China 76 C1
Huashugou China see Jingtieshan
Huashulinzi China 74 B4
Huatabampo Mex. 127 F8
Huaxian Guangdong China see Huadu
Huaxian Henan China 77 G1
Huayang China see Jixi
Huayin China 77 F1
Huayuan China 77 F2
Huayxay Laos 70 C2
Huazangsi China see Tianzhu
Hubbard, Mount Canada/U.S.A. 120 B2
Hubbard, Pointe pt Canada 123 I2
Hubbard Lake U.S.A. 134 D1
Hubbart Point Canada 121 M3
Hubei prov. China 77 G2
Hubli India 84 B3
Hückelhoven Germany 52 G3
Hucknall U.K. 49 F5
Huddersfield U.K. 48 F5
Huder China 74 A2
Hudiksvall Sweden 45 J6
Hudson MA U.S.A. 135 J2
Hudson MD U.S.A. 135 G4
Hudson MI U.S.A. 134 C3
Hudson NH U.S.A. 135 J2
Hudson NY U.S.A. 135 I2
Hudson r. U.S.A. 135 I3
Hudson, Baie d' sea Canada see Hudson Bay
Hudson, Détroit d' strait Canada see Hudson Strait
Hudson Bay Canada 121 K4
Hudson Bay sea Canada 119 J4
Hudson Falls U.S.A. 135 I2
Hudson Island Tuvalu see Nanumanga
Hudson Mountains Antarctica 152 K2
Hudson's Hope Canada 120 F3
Hudson Strait Canada 119 K3
Huê Vietnam 70 D3
Huehuetenango Guat. 136 F5
Huehueto, Cerro mt. Mex. 131 B7
Huelva Spain 57 C5
Huentelauquén Chile 144 B4
Huépac Mex. 127 F7
Huércal-Overa Spain 57 F5
Huertecillas Mex. 131 C7
Huesca Spain 57 F2
Huéscar Spain 57 E5
Hughenden Australia 110 D4
Hughes r. Canada 121 K3
Hughes (abandoned) Australia 109 E7
Hughson U.S.A. 128 C3
Hugli r. mouth India 83 F5
Hugo CO U.S.A. 130 C4
Hugo OK U.S.A. 131 E5
Hugo Lake U.S.A. 131 E5
Hugoton U.S.A. 131 C4
Huhehot China see Hohhot
Huhhot China see Hohhot
Huhudi S. Africa 100 G4
Hui'an China 77 H3
Hui'anpu China 72 J5
Huiarau Range mts N.Z. 113 F4
Huib-Hoch Plateau Namibia 100 C4
Huichang China 77 G3
Huicheng Anhui China see Shexian
Huicheng Guangdong China see Huilai
Huidong China 76 D3
Huijbergen Neth. 52 E3
Huila, Nevado de vol. Col. 142 C3
Huíla, Planalto da Angola 99 B5
Huilai China 77 H4
Huili China 76 D3
Huimanguillo Mex. 136 F5
Huinan China see Nanhui
Huining China 76 E1
Huishi China see Huining
Huishui China 76 E3
Huiten Nur l. China 83 G2
Huitong China 77 F3
Huittinen Fin. 45 M6
Huixian Gansu China 76 E1
Huixian Henan China 77 G1
Huiyang China see Huizhou
Huize China 76 D3
Huizhou China 77 G4
Hujr Saudi Arabia 86 F4
Hukawng Valley Myanmar 70 B1
Hukuntsi Botswana 100 E2
Hulan China 74 B3
Hulan Ergi China 74 A3
Ḩulayfah Saudi Arabia 86 F4
Ḩulayḩilah well Syria 85 D2
Huliao China see Dabu
Hulilan Iran 88 B3
Hulin China 74 D3
Hulin Gol r. China 74 B3
Hull Canada 135 H1
Hull U.K. see Kingston upon Hull
Hull Island atoll Kiribati see Orona
Hultsfred Sweden 45 I8
Hulun China see Hulun Buir
Hulun Nei Mongol China see Hulun Buir
Hulun Buir China 73 L3
Hulun Nur l. China 73 L3
Ḩulwān Egypt 90 C5
Huma China 74 B2
Humahuaca Arg. 144 C2
Humaitá Brazil 142 F5
Humaya r. Mex. 127 G8
Humaym well U.A.E. 88 D6
Humayyān, Jabal hill Saudi Arabia 88 B5
Humber, Mouth of the U.K. 48 H5
Humboldt Canada 121 J4
Humboldt AZ U.S.A. 129 G4
Humboldt NE U.S.A. 130 E3
Humboldt NV U.S.A. 128 D1
Humboldt r. U.S.A. 128 D1
Humboldt Bay U.S.A. 126 B4
Humboldt Range mts U.S.A. 128 D1
Humbolt Salt Marsh U.S.A. 128 E2
Hume r. Canada 120 D1
Humeburn Australia 112 B1
Hu Men sea chan. China 77 G4
Hume Reservoir Australia 112 C5
Humphrey Island atoll Cook Is see Manihiki
Humphreys, Mount U.S.A. 128 D3
Humphreys Peak U.S.A. 129 H4
Hūn Libya 97 E2
Húnaflói b. Iceland 44 [inset]
Hunan prov. China 77 F3
Hundeluft Germany 53 M3
Hunedoara Romania 59 J2
Hünfeld Germany 53 J4
Hungary country Europe 55 H2
Hungerford Australia 112 B2
Hung Fa Leng hill H.K. China see Robin's Nest
Hŭngnam N. Korea 75 B5
Hung Shui Kiu H.K. China 77 [inset]
Hưng Yên Vietnam 70 D2
Hunjiang China see Baishan
Huns Mountains Namibia 100 C4
Hunstanton U.K. 49 H6
Hunte r. Germany 53 I1
Hunter r. Australia 112 E4
Hunter Island Australia 111 [inset]
Hunter Island Canada 120 D5
Hunter Island S. Pacific Ocean 107 H4
Hunter Islands Australia 111 [inset]
Huntingburg U.S.A. 134 B4
Huntingdon Canada 135 H1
Huntingdon U.K. 49 G6
Huntingdon PA U.S.A. 135 G3
Huntingdon TN U.S.A. 131 F4
Huntington IN U.S.A. 134 C3
Huntington OR U.S.A. 126 D3
Huntington WV U.S.A. 134 D4
Huntington Beach U.S.A. 128 D5
Huntington Creek r. U.S.A. 129 F1
Huntly N.Z. 113 E3
Huntly U.K. 50 G3
Hunt Mountain U.S.A. 126 G3
Huntsville Canada 134 F1
Huntsville AL U.S.A. 133 C5
Huntsville AR U.S.A. 131 E4
Huntsville TN U.S.A. 134 C5
Huntsville TX U.S.A. 131 E6
Hunza reg. Pak. 82 C1
Huolin He r. China see Hulin Gol
Huolongmen China 74 B2
Hương Khê Vietnam 70 D3
Huonville Australia 111 [inset]
Huoqiu China 77 H1
Huoshan China 77 H2
Huo Shan mt. China see Baima Jian
Huoshao Tao i. Taiwan see Lü Tao
Hupeh prov. China see Hubei
Hupnik r. Turkey 85 C1
Hupu India 76 B2
Ḩūr Iran 88 E4
Hurault, Lac l. Canada 123 H3
Ḩuraydīn, Wādī watercourse Egypt 85 A4
Huraysān reg. Saudi Arabia 88 B6
Hurd, Cape Canada 134 E1
Hurd Island Kiribati see Arorae
Hurghada Egypt see Al Ghurdaqah
Hurler's Cross Ireland 51 D5
Hurley NM U.S.A. 129 I5
Hurley WI U.S.A. 130 F2
Hurmagai Pak. 89 G4
Huron CA U.S.A. 128 C3
Huron SD U.S.A. 130 D2

▶Huron, Lake Canada/U.S.A. 134 D1
2nd largest lake in North America, and 4th in the world.

Hurricane U.S.A. 129 G3
Hursley U.K. 49 F7
Hurst Green U.K. 49 H7
Husain Nika Pak. 89 H4
Húsavík Norðurland eystra Iceland 44 [inset]
Húsavík Vestfirðir Iceland 44 [inset]
Huseyinabat Turkey see Alaca
Huseyinli Turkey see Kızılırmak
Hushan Zhejiang China 77 H2
Hushan Zhejiang China see Wuyi
Hushan Zhejiang China see Cixi
Huşi Romania 59 M1
Huskvarna Sweden 45 I8
Husn Jordan see Al Ḩişn
Ḩuşn Āl 'Abr Yemen 86 G6
Husnes Norway 45 D7
Husum Germany 47 L3
Husum Sweden 44 K5
Hutag-Öndör Mongolia 80 J2
Hutchinson KS U.S.A. 130 D4
Hutchinson MN U.S.A. 130 E2
Hutch Mountain U.S.A. 129 H4
Hutou China 74 D3
Hutsonville U.S.A. 134 B4
Hutton, Mount hill Australia 111 E5
Hutton Range hills Australia 109 C6
Huvadhu Atoll Maldives 81 D11
Hüvek Turkey see Bozova
Hūvīān, Kūh-e mts Iran 89 E5
Ḩuwār i. Bahrain 88 C5
Huwaytat reg. Saudi Arabia 85 C5
Huxi China 77 G3
Huzhong China 74 A2
Huzhou China 77 I2
Hvannadalshnúkur vol. Iceland 44 [inset]
Hvar i. Croatia 58 G3
Hvide Sande Denmark 45 F8
Hvíta r. Iceland 44 [inset]
Hwange Zimbabwe 99 C5
Hwange National Park Zimbabwe 99 C5
Hwang Ho r. China see Yellow River
Hwedza Zimbabwe 99 D5
Hwlffordd U.K. see Haverfordwest
Hyannis MA U.S.A. 135 J3
Hyannis NE U.S.A. 130 C3
Hyargas Nuur salt l. Mongolia 80 H2
Hyco Lake U.S.A. 134 F5
Hyde N.Z. 113 C7
Hyden Australia 109 B8
Hyden U.S.A. 134 D5
Hyde Park U.S.A. 135 I1
Hyderabad India 84 C2
Hyderabad Pak. 89 H5
Hydra i. Greece see Ydra
Hyères France 56 H5
Hyères, Îles d' is France 56 H5
Hyesan N. Korea 74 C4
Hyland, Mount Australia 112 F3
Hyland Post Canada 120 D3
Hyllestad Norway 45 D6
Hyltebruk Sweden 45 H8
Hyndman Peak U.S.A. 126 E4
Hyōno-sen mt. Japan 75 D6
Hyrcania Iran see Gorgān
Hyrynsalmi Fin. 44 P4
Hysham U.S.A. 126 G3
Hythe Canada 120 G4
Hythe U.K. 49 I7
Hyūga Japan 75 C6
Hyvinkää Fin. 45 N6

Iaciara Brazil 145 B1
Iaco r. Brazil 142 E5
Iaçu Brazil 145 C1
Iadera Croatia see Zadar
Iaeger U.S.A. 134 E5
Iakora Madag. 99 E6
Ialomița r. Romania 59 L2
Ianca Romania 59 L2
Iași Romania 59 L1
Iba Phil. 69 F3
Ibadan Nigeria 96 D4
Ibagué Col. 142 C3
Ibaiti Brazil 145 A3
Ibapah U.S.A. 129 G1
Ibarra Ecuador 142 C3
Ibb Yemen 86 F7
Ibbenbüren Germany 53 H2
Iberá, Esteros del marsh Arg. 144 E3
Iberia Peru 142 E6

▶Iberian Peninsula Europe 57
Consists of Portugal, Spain and Gibraltar.

Iberville, Lac d' l. Canada 123 G3
Ibeto Nigeria 96 D3
iBhayi S. Africa see Port Elizabeth
Ibi Indon. 71 B6
Ibi Nigeria 96 D4
Ibiá Brazil 145 B2
Ibiaí Brazil 145 B2
Ibiapaba, Serra da hills Brazil 143 J4
Ibiassucê Brazil 145 C1
Ibicaraí Brazil 145 D1
Ibiquera Brazil 145 C1
Ibirama Brazil 145 A4
Ibiranhém Brazil 145 C2
Ibitinga Brazil 145 A3
Ibiza Spain 57 G4
Ibiza i. Spain 57 G4
Iblei, Monti mts Sicily Italy 58 F6
Ibn Buşayyiş well Saudi Arabia 88 B5
Ibotirama Brazil 143 J6
Iboundji, Mont hill Gabon 98 B4
Ibrā' Oman 88 E6
İbradı Turkey 90 C3
Ibrī Oman 88 E6
Ica r. Col. see Putumayo
Ica Peru 142 C6
Içana Brazil 142 E3
Içana r. Brazil 142 E3
Icaria i. Greece see Ikaria
Icatu Brazil 143 J4
Iceberg Canyon gorge U.S.A. 129 F3
İçel Mersin Turkey see Mersin

▶Iceland country Europe 44 [inset]
2nd largest island in Europe.

Iceland Basin sea feature N. Atlantic Ocean 148 G2
Icelandic Plateau sea feature N. Atlantic Ocean 153 I2
Ichalkaranji India 84 B2
Ichifusa-yama mt. Japan 75 C6
Ichinomiya Japan 75 E6
Ichinoseki Japan 75 F5
Ichinskaya Sopka vol. Rus. Fed. 65 Q4
Ichkeul, Parc National de l' Tunisia 58 C6
Ichnya Ukr. 43 G6
Ichtegem Belgium 52 D3
Ichtershausen Germany 53 K4
Icó Brazil 143 K5
Iconha Brazil 145 C3
Iconium Turkey see Konya
Icosium Alg. see Algiers
Iculisma France see Angoulême
Icy Cape U.S.A. 118 B2
İd Turkey see Narman
Idabel U.S.A. 131 E5
Ida Grove U.S.A. 130 E3
Idah Nigeria 96 D4
Idaho state U.S.A. 126 E3
Idaho City U.S.A. 126 E4
Idaho Falls U.S.A. 126 E4
Idalia National Park Australia 110 D5
Idar India 82 C5
Idar-Oberstein Germany 53 H5
Ideriyn Gol r. Mongolia 80 J2
Idfū Egypt 86 D5
Idhān Awbārī des. Libya 96 E2
Idhān Murzūq des. Libya 96 E2
Idhra i. Greece see Ydra
Idi Amin Dada, Lake Dem. Rep. Congo/Uganda see Edward, Lake
Idiofa Dem. Rep. Congo 99 B4
Idivuoma Sweden 44 M2
Idkū Egypt 90 C5
Idle r. U.K. 48 G5
Idlewild airport U.S.A. see John F. Kennedy
Idlib Syria 85 C2
Idra i. Greece see Ydra

·e Sweden 45 H6
stein Germany 53 I4
utywa S. Africa 101 I7
chevan Armenia see Ijevan
cava Latvia 45 N8
pê Brazil 145 A3
per Belgium 52 C4
apetra Greece 59 K7
issou, Kolpos b. Greece 59 J4
sjávri l. Norway 44 N2
kara Tanz. 99 D4
lik atoll Micronesia 69 K5
luk atoll Micronesia see Ifalik
nadiana Madag. 99 E6
Nigeria 96 D4
nat Chad 97 E3
erouâne Niger 96 D3
ley Australia 110 C3
ord Norway 44 O1
ghas, Adrar des hills Mali 96 D3
oras, Adrar des hills Mali see
Ifôghas, Adrar des
an Sarawak Malaysia 68 E6
anga Uganda 97 G4
arapava Brazil 145 B3
arka Rus. Fed. 64 J3
atpuri India 84 B2
beti Nigeria see Igbetti
betti Nigeria 96 D4
dir Iran 88 B2
dir Turkey 91 G3
gesund Sweden 45 J6
kpak, Mount U.S.A. 118 C3
zyar China 89 J2
lesias Sardinia Italy 58 C5
lesiente reg. Sardinia Italy 58 C5
loolik Canada 119 J3
luligaarjuk Canada see
Chesterfield Inlet
nace Canada 121 N5
nacio Zaragosa Mex. 127 G7
nacio Zaragoza Mex. 131 C8
nalina Lith. 45 O9
neada Turkey 59 L4
neada Burnu pt Turkey 59 M4
noitijala India 71 A5
oli S. Africa see Johannesburg
oumenitsa Greece 59 I5
a Rus. Fed. 41 Q4
im Rus. Fed. 41 S3
uaçu r. Brazil 145 A4
uaçu, Saltos do waterfall Arg./Brazil see
Iguaçu Falls
uaçu Falls Arg./Brazil 144 F3
uaí Brazil 145 C1
uala Mex. 136 E5
ualada Spain 57 G3
uape Brazil 145 B4
uaraçu Brazil 145 A3
uatama Brazil 145 B3
uatemi Brazil 144 F2
uatu Brazil 143 K5
uazú, Cataratas do waterfall Arg./Brazil
see Iguaçu Falls
uéla Gabon 98 A4
uidi, Erg des. Alg./Mauritania 96 C2
unga Tanz. 99 D4
araña Madag. 99 E5
avandhippolhu Atoll Maldives 84 B5
avandiffulu Atoll Maldives see
Ihavandhippolhu Atoll
Bogd Uul mt. Mongolia 80 J3
osy Madag. 99 E6
le-san mt. Japan 75 E5
ärvi l. Fin. 44 O2
oki r. Fin. 44 N4
salmi Fin. 44 O5
uka Japan 75 C6
ebu-Ode Nigeria 96 D4
evan Armenia 91 G2
muiden Neth. 52 E2
ssel r. Neth. 52 F2
sselmeer l. Neth. 52 F2
zer r. France see Yser
aahuk Canada see Sachs Harbour
aalinen Fin. 45 M6
ageleng S. Africa 101 H3
ageng S. Africa 101 H4
apa S. Africa see Cape Town
are Nigeria 96 D4
aria i. Greece 59 L6
ast Denmark 45 F8
eda Japan 74 F4
ela Dem. Rep. Congo 98 C4
htiman Bulg. 59 J3
hutseng S. Africa 100 G5
i-Burul Rus. Fed. 43 J7
om Nigeria 96 D4
san S. Korea 75 B6
ungu Tanz. 99 D4
agan Phil. 77 I5
aisamis Kenya 98 D3
im Iran 88 B3
am Nepal 83 F4
an Taiwan 77 I3
ave Peru 142 E7
awa Poland 47 Q4
azārān, Kūh-e mt. Iran 88 E4
e-à-la-Crosse Canada 121 J4
e-à-la-Crosse, Lac l. Canada 121 J4
ebo Dem. Rep. Congo 99 C4
e-de-France admin. reg. France 52 C6
e Europa i. Indian Ocean see
Europa, Île
ek Kazakh. 41 Q5
en r. Ireland 51 C6
eret Kenya 98 D3
eza Rus. Fed. 42 I3
feld Germany 53 K3
ford Canada 121 M3
ford U.K. 49 H7
fracombe Australia 110 D4
fracombe U.K. 49 C7
gaz Turkey 90 D2
gın Turkey 90 C3
ha Grande, Represa resr Brazil 144 F2
ha Solteíra, Represa resr Brazil 145 A3
havo Port. 57 B3
héus Brazil 145 D1
i Kazakh. see Kapchagay
iamna Lake U.S.A. 118 C4
iç Turkey 90 E3

Il'ichevsk Azer. see Şärur
Il'ichevsk Ukr. see Illichivs'k
Ilici Spain see Elche-Elx
Iligan Phil. 69 G5
Ilimananngip Nunaa i. Greenland 119 P2
Il'inka Rus. Fed. 43 J7
Il'inskiy Permskaya Oblast' Rus. Fed. 41 R4
Il'inskiy Sakhalinskaya Oblast'
Rus. Fed. 74 F3
Il'insko-Podomskoye Rus. Fed. 42 J3
Ilion U.S.A. 135 H2
Ilium tourist site Turkey see Troy
Iliysk Kazakh. see Kapchagay
Ilkal India 84 C3
Ilkeston U.K. 49 F6
Ilkley U.K. 48 F5
Illapel Chile 144 B4
Illéla Niger 96 D3
Iller r. Germany 47 L6
Illichivs'k Ukr. 59 N1
Illimani, Nevado de mt. Bol. 142 E7
Illinois r. U.S.A. 130 F4
Illinois state U.S.A. 134 A3
Illizi Alg. 96 D2
Illogwa watercourse Australia 110 A5
Ilm r. Germany 53 L3
Ilmajoki Fin. 44 M5
Il'men', Ozero l. Rus. Fed. 42 F4
Ilmenau Germany 53 K4
Ilmenau r. Germany 53 K1
Ilminster U.K. 49 E8
Ilo Peru 142 D7
Iloilo Phil. 69 G4
Ilomantsi Fin. 44 Q5
Ilong India 76 B3
Ilorin Nigeria 96 D4
Ilovlya Rus. Fed. 43 I6
Ilsede Germany 53 K2
Iluka Australia 112 F2
Ilulissat Greenland 119 M3
Iluppur India 84 C4
Ilva i. Italy see Elba, Isola d'
Imabari Japan 75 D6
Imaichi Japan 75 E5
Imala Moz. 99 D5
Imam-baba Turkm. 89 F2
İmamoğlu Turkey 90 D3
Iman Rus. Fed. see Dal'nerechensk
Iman r. Rus. Fed. 74 D3
Imari Japan 75 C6
Imaruí Brazil 145 A5
Imataca, Serranía de mts Venez. 142 F2
Imatra Fin. 45 P6
Imbituva Brazil 145 A4
imeni 26 Bakinskikh Komissarov Azer. see
Uzboy
imeni Babushkina Rus. Fed. 42 I4
imeni Chapayevka Turkm. see
S. A. Nyýazow Adyndaky
imeni Kalinina Tajik. see Cheshtebe
imeni Kirova Kazakh. see Kopbirlik
imeni Petra Stuchki Latvia see Aizkraukle
imeni Poliny Osipenko Rus. Fed. 74 E1
imeni Tel'mana Rus. Fed. 74 D2
Īmī Eth. 98 E3
Imishli Azer. see İmişli
İmişli Azer. 91 H3
Imit Pak. 82 C1
Imja-do i. S. Korea 75 B6
Imlay U.S.A. 128 D1
Imlay City U.S.A. 134 D2
Imola Italy 58 D2
iMonti S. Africa see East London
Impendle S. Africa 101 I5
Imperatriz Brazil 143 I5
Imperia Italy 58 C3
Imperial CA U.S.A. 129 F5
Imperial NE U.S.A. 130 C3
Imperial Beach U.S.A. 128 E5
Imperial Dam U.S.A. 129 F5
Imperial Valley plain U.S.A. 129 F5
Imperieuse Reef Australia 108 B4
Impfondo Congo 98 B3
Imphal India 83 H4
İmralı Adası i. Turkey 59 M4
İmroz Turkey 59 K4
İmroz i. Turkey see Gökçeada
Imtān Syria 85 C3
Imuris Mex. 127 F7
In r. Rus. Fed. 74 D2
Ina Japan 75 E6
Inambari r. Peru 142 E6
Inari Fin. 44 O2
Inarijärvi l. Fin. 44 O2
Inarijoki r. Fin./Norway 44 N2
Inca Spain 57 H4
İnce Burnu pt Turkey 59 L4
İnce Burun pt Turkey 90 D2
Inch Ireland 51 F5
Inchard, Loch b. U.K. 50 D2
Incheon S. Korea see Inch'ŏn
Inchicronan Lough l. Ireland 51 D5
Inch'ŏn S. Korea 75 B5
Incirli Turkey see Karasu
Indaal, Loch b. U.K. 50 C5
Indalsälven r. Sweden 44 J5
Indalstø Norway 45 D6
Inda Silasē Eth. 98 D2
Indaw Myanmar 70 A2
Indawgyi, Lake Myanmar 76 C3
Indé Mex. 131 B7
Indefatigable Island Galápagos Ecuador see
Santa Cruz, Isla
Independence CA U.S.A. 128 D3
Independence IA U.S.A. 130 F3
Independence KS U.S.A. 131 E4
Independence KY U.S.A. 134 C4
Independence MO U.S.A. 130 E4
Independence VA U.S.A. 134 E5
Independence Mountains U.S.A. 126 D4
Inder China 74 A3
Inderborskiy Kazakh. 78 E2
Indi India 84 C2

▶India country Asia 81 E7
2nd most populous country in the world and in Asia. 3rd largest country in Asia, and 7th in the world.

Indian r. Canada 120 B2
Indiana U.S.A. 134 F3
Indiana state U.S.A. 134 B3
Indian-Antarctic Ridge sea feature
Southern Ocean 150 D9

▶Indianapolis U.S.A. 134 B4
Capital of Indiana.

Indian Cabins Canada 120 G3
Indian Desert India/Pak. see Thar Desert
Indian Harbour Canada 123 K3
Indian Head Canada 121 K5
Indian Lake U.S.A. 135 H2
Indian Lake l. NY U.S.A. 135 H2
Indian Lake l. OH U.S.A. 134 D3
Indian Lake l. PA U.S.A. 135 F3

▶Indian Ocean 149
3rd largest ocean in the world.

Indianola IA U.S.A. 130 E3
Indianola MS U.S.A. 131 F5
Indian Peak U.S.A. 129 G2
Indian Springs IN U.S.A. 134 B4
Indian Springs NV U.S.A. 129 F3
Indian Wells U.S.A. 129 H4
Indiga Rus. Fed. 42 K2
Indigirka r. Rus. Fed. 65 P2
Indigskaya Guba b. Rus. Fed. 42 K2
Inđija Serbia 59 I2
Indin Lake Canada 120 H1
Indio U.S.A. 128 E5
Indira Point India see Pygmalion Point
Indira Priyadarshini Pench National Park
India 82 D5
Indispensable Reefs Solomon Is 107 G3
Indjija Serbia see Inđija
Indo-China reg. Asia 70 D3

▶Indonesia country Asia 68 E7
4th most populous country in the world and 3rd in Asia.

Indore India 82 C5
Indrapura, Gunung vol. Indon. see
Kerinci, Gunung
Indravati r. India 84 D2
Indre r. France 56 E3
Indulkana Australia 109 F6
Indur India see Nizamabad
Indus r. China/Pakistan 89 G6
also known as Sênggê Zangbo (China) or Shiquan He (China)
Indus, Mouths of the Pak. 89 G5
Indus Cone sea feature Indian Ocean
149 M4
Indwe S. Africa 101 H6
İnebolu Turkey 90 D2
İnegöl Turkey 59 M4
Inevi Turkey see Cihanbeyli
Inez U.S.A. 134 D5
Infantes Spain see
Villanueva de los Infantes
Infiernillo, Presa resr Mex. 136 D5
Ing, Nam Mae r. Thai. 70 C2
Inga Rus. Fed. 44 S3
Ingalls, Mount U.S.A. 128 C2
Ingelmunster Belgium 52 D4
Ingenika r. Canada 120 E3
Ingersoll Canada 134 E2
Ingham Australia 110 D3
Ingichka Uzbek. 89 G2
Ingleborough hill U.K. 48 E4
Inglefield Land reg. Greenland 119 K2
Ingleton U.K. 48 E4
Inglewood Qld Australia 112 E2
Inglewood Vic. Australia 112 A6
Inglewood U.S.A. 128 D5
Ingoka Pum mt. Myanmar 70 B1
Ingoldmells U.K. 48 H5
Ingolstadt Germany 53 L6
Ingomar Australia 109 F7
Ingomar U.S.A. 126 G3
Ingonish Canada 123 J5
Ingraj Bazar India 83 G4
Ingram U.S.A. 134 F5
Ingray Lake Canada 120 G1
Ingrid Christensen Coast
Antarctica 152 E2
Ingwavuma S. Africa 101 K4
Ingwavuma r. S. Africa/Swaziland see
Ngwavuma
Ingwiller France 53 H6
Inhaca Moz. 101 K3
Inhaca, Península pen. Moz. 101 K4
Inhambane Moz. 101 L2
Inhambane prov. Moz. 101 L2
Inhaminga Moz. 99 D5
Inharrime Moz. 101 L3
Inhassoro Moz. 99 D6
Inhaúmas Brazil 145 B1
Inhobim Brazil 145 C1
Inhumas Brazil 145 A2
Inis Ireland see Ennis
Inis Córthaidh Ireland see Enniscorthy
Inishark i. Ireland 51 B4
Inishbofin i. Ireland 51 B4
Inisheer i. Ireland 51 C4
Inishkea North i. Ireland 51 B3
Inishkea South i. Ireland 51 B3
Inishmaan i. Ireland 51 C4
Inishmore i. Ireland 51 C4
Inishmurray i. Ireland 51 D3
Inishowen pen. Ireland 51 E2
Inishowen Head hd Ireland 51 F2
Inishtrahull i. Ireland 51 E2
Inishturk i. Ireland 51 B4
Injune Australia 111 E5
Inkerman Australia 110 C3
Inklin Canada 120 C3
Inklin r. Canada 120 C3
Inkylap Turkm. 89 F2
Inland Kaikoura Range mts N.Z. 113 D6
Inland Sea Japan see Seto-naikai
Inlet U.S.A. 135 H2
Inn r. Europe 47 M7
Innaanganeq c. Greenland 119 L2
Innamincka Australia 111 C5
Innamincka Regional Reserve nature res.
Australia 111 C5
Inndyr Norway 44 I3
Inner Sound sea chan. U.K. 50 D3
Innes National Park Australia 111 B7
Innisfail Australia 110 D3

Innisfail Canada 120 H4
Innokent'yevka Rus. Fed. 74 C2
Innoko r. U.S.A. 118 C3
Innsbruck Austria 47 M7
Innuksuak r. Canada 122 F2
Inny r. Ireland 51 E4
Inocência Brazil 145 A2
Inongo Dem. Rep. Congo 98 B4
İnönü Turkey 59 N5
Inoucdjouac Canada see Inukjuak
Inowrocław Poland 47 Q4
In Salah Alg. 96 D2
Insch U.K. 50 G3

▶Inscription, Cape Australia 110 B3
Most westerly point of Oceania.

Insein Myanmar 70 B3
Insterburg Rus. Fed. see Chernyakhovsk
Inta Rus. Fed. 41 S2
Interamna Italy see Teramo
Interlaken Switz. 56 H3
International Falls U.S.A. 130 E1
Interview Island India 71 A4
Intracoastal Waterway canal U.S.A. 131 E6
Intutu Peru 142 D4
Inubō-zaki pt Japan 75 F6
Inukjuak Canada 122 F2
Inuvik Canada 118 E3
Inveraray U.K. 50 D4
Inverbervie U.K. 50 G4
Invercargill N.Z. 113 B8
Inverell Australia 112 E2
Invergordon U.K. 50 E3
Inverkeithing U.K. 50 F4
Inverleigh Australia 110 C3
Invermay Canada 121 K5
Inverness Canada 123 J5
Inverness U.K. 50 E3
Inverness CA U.S.A. 128 B2
Inverness FL U.S.A. 133 D6
Inverurie U.K. 50 G3
Investigator Channel Myanmar 71 B4
Investigator Group is Australia 109 F8
Investigator Ridge sea feature Indian Ocean
149 O6
Investigator Strait Australia 111 B7
Inwood U.S.A. 135 F4
Inya Rus. Fed. 80 G1
Inyanga Zimbabwe see Nyanga
Inyangani mt. Zimbabwe 99 D5
Inyokern U.S.A. 128 E4
Inyo Mountains U.S.A. 128 D3
Inyonga Tanz. 99 D4
Inza Rus. Fed. 43 J5
Inzhavino Rus. Fed. 43 I5
Ioannina Greece 59 I5
Iokanga r. Rus. Fed. 42 H2
Iola U.S.A. 130 E4
Iolgo, Khrebet mts Rus. Fed. 80 G1
Iolotan' Turkm. see Yolöten
Iona Canada 123 J5
Iona i. U.K. 50 C4
Iona, Parque Nacional do nat. park Angola
99 B5
Ione U.S.A. 128 E2
Iongo Angola 99 B4
Ionia U.S.A. 134 C2
Ionia Nisia is Ionia Nisia Greece see
Ionian Islands
Ionian Islands Greece 59 H5
Ionian Sea Greece/Italy 58 H5
Ionioi Nisoi is Ionia Nisia Greece see
Ionian Islands
Ionioi Nisoi r. Greece see Ionian Islands
Ios i. Greece 59 K6
Iowa state U.S.A. 130 E3
Iowa City U.S.A. 130 F3
Iowa Falls U.S.A. 130 E3
Ipameri Brazil 145 A2
Ipanema Brazil 145 C2
Iparía Peru 142 D5
Ipatinga Brazil 145 C2
Ipatovo Rus. Fed. 43 I7
Ipelegeng S. Africa 101 G4
Ipiales Col. 142 C3
Ipiaú Brazil 145 D1
Ipirá Brazil 145 D1
Ipiranga Brazil 145 A4
iPitoli S. Africa see Pretoria
Ipixuna r. Brazil 142 F5
Ipoh Malaysia 71 C6
Iporá Brazil 145 A2
Ippy Cent. Afr. Rep. 98 C3
İpsala Turkey 59 L4
Ipswich Australia 112 F1
Ipswich U.K. 49 I6
Ipswich U.S.A. 130 D2
Ipu Brazil 143 J4

▶Iqaluit Canada 119 L3
Capital of Nunavut.

Iquique Chile 144 B2
Iquiri r. Brazil see Ituxi
Iquitos Peru 142 D4
Īrafshān reg. Iran 89 F5
Irai Brazil 144 F3
Irakleio Greece see Iraklion
Iraklion Greece 59 K7
Iramaia Brazil 145 C1
Iran country Asia 88 D3
Iran, Pegunungan mts Indon. 68 E6
Īrānshahr Iran 89 F5
Irapuato Mex. 136 D4
Iraq country Asia 91 F4
Irara Brazil 145 D1
Irati Brazil 145 A4
Irayel' Rus. Fed. 42 L2
Irazú, Volcán vol. Costa Rica 137 H7
Irbid Jordan 85 B3
Irbil Iraq see Arbīl
Irbit Rus. Fed. 64 H4
Irecê Brazil 143 J6
Ireland country Europe 51 E4

▶Ireland i. Ireland/U.K. 51
4th largest island in Europe.

Irema Dem. Rep. Congo 98 C4
Irgiz Kazakh. 80 B2
Irgiz r. Kazakh. 80 B2

Iri S. Korea see Iksan
Irian, Teluk b. Indon. see
Cenderawasih, Teluk
Iriba Chad 97 F3
Īrī Dāgh mt. Iran 88 B2
Iriga Phil. 69 G4
Irîgui reg. Mali/Mauritania 96 C3
Iringa Tanz. 99 D4
Iriri r. Brazil 143 H4
Irish Sea Ireland/U.K. 51 G4
Irituia Brazil 143 I4
'Irj well Saudi Arabia 88 C5
Irkutsk Rus. Fed. 72 I2
Irma Canada 121 I4
Irmak Turkey 90 D3
Irminger Basin sea feature
N. Atlantic Ocean 148 F2
Iron Baron Australia 111 B7
Irondequoit U.S.A. 135 G2
Iron Mountain U.S.A. 130 F2
Iron Mountain mt. U.S.A. 129 G3
Iron Range National Park Australia 110 C2
Iron River U.S.A. 130 F2
Ironton MO U.S.A. 130 F4
Ironton OH U.S.A. 134 D4
Ironwood Forest National Monument
nat. park U.S.A. 129 H5
Iroquois r. U.S.A. 134 B3
Iroquois Falls Canada 122 E4
Irosin Phil. 69 G4
Irpen' Ukr. see Irpin'
Irpin' Ukr. 43 F6
'Irq al Ḩarūrī des. Saudi Arabia 88 B5
'Irq Banbān des. Saudi Arabia 88 B5
Irrawaddy r. Myanmar 70 A4
Irrawaddy, Mouths of the Myanmar 70 A4
Irshad Pass Afgh./Pak. 89 I2
Irta Rus. Fed. 42 K3
Irthing r. U.K. 48 E4

▶Irtysh r. Kazakh./Rus. Fed. 80 E1
5th longest river in Asia and 10th in the world, and a major part of the 2nd longest in Asia (Ob'-Irtysh).

Irun Spain 57 F2
Iruña Spain see Pamplona
Iruñea Spain see Pamplona
Irvine U.K. 50 E5
Irvine CA U.S.A. 128 E5
Irvine KY U.S.A. 134 D5
Irvine Glacier Antarctica 152 L2
Irving U.S.A. 131 D5
Irvington U.S.A. 134 B5
Irwin r. Australia 109 A7
Irwinton U.S.A. 133 D5
Isa Nigeria 96 D3
Isaac r. Australia 110 E4
Isabel U.S.A. 130 C2
Isabela Phil. 69 G5
Isabela, Isla i. Galápagos Ecuador
142 [inset]
Isabelia, Cordillera mts Nicaragua 137 G6
Isabella Lake U.S.A. 128 D4
Isachsen, Cape Canada 119 H2
Ísafjarðardjúp est. Iceland 44 [inset]
Ísafjörður Iceland 44 [inset]
Isa Khel Pak. 89 H3
Isar r. Germany 53 M6
Isbister U.K. 50 [inset]
Ischia, Isola d' i. Italy 58 E4
Ise Japan 75 E6
Isère r. France 56 G4
Isère, Pointe pt Fr. Guiana 143 H2
Iserlohn Germany 53 H3
Isernhagen Germany 53 J2
Isernia Italy 58 F4
Ise-shima Kokuritsu-kōen nat. park Japan
75 E6
Ise-wan b. Japan 75 E6
Iseyin Nigeria 96 D4
Isfahan Iran see Eşfahān
Isfana Kyrg. 89 H2
Isheyevka Rus. Fed. 43 K5
Ishigaki Japan 73 M8
Ishikari-wan b. Japan 74 F4
Ishim r. Kazakh./Rus. Fed. 80 D1
Ishinomaki Japan 75 F5
Ishinomaki-wan b. Japan 73 Q5
Ishioka Japan 75 F5
Ishkoshim Tajik. 89 H2
Ishpeming U.S.A. 132 C2
Ishtikhon Uzbek. see Ishtixon
Ishtixon Uzbek. 89 G2
Ishtragh Afgh. 89 H2
Ishurdi Bangl. 83 G4
Ishwardi Bangl. see Ishurdi
Isiboro Sécure, Parque Nacional nat. park
Bol. 142 E7
Isigny-sur-Mer France 49 F9
Işıklar Dağı mts Turkey 59 L4
Işıklı Turkey 59 M5
Isil'kul' Rus. Fed. 64 I4
Isimangaliso Wetland Park nature res.
S. Africa 101 K4
Isipingo S. Africa 101 J5
Isiro Dem. Rep. Congo 98 C3
Isisford Australia 110 D5
Iskateley Rus. Fed. 42 L2
İskenderun Turkey 85 C1
İskenderun Körfezi b. Turkey 85 B1
İskilip Turkey 90 D2
Iskitim Rus. Fed. 64 J4
Iskŭr r. Bulg. 59 K3
Iskushuban Somalia 98 F2
Isla r. Scotland U.K. 50 F4
Isla r. Scotland U.K. 50 G3
Isla Gorge National Park Australia 110 E5
İslahiye Turkey 90 E3
Islamabad India see Anantnag

▶Islamabad Pak. 89 I3
Capital of Pakistan.

Islamgarh Pak. 89 H5
Islamkot Pak. 89 H5
Island r. Canada 120 F2
Ísland country Europe see Iceland
Island U.S.A. 134 B5
Island Falls U.S.A. 132 G2
Island Lagoon salt flat Australia 111 B6
Island Lake Canada 121 M4

Island Lake l. Canada 121 M4
Island Magee pen. U.K. 51 G3
Island Pond U.S.A. 135 J1
Islands, Bay of N.Z. 113 E2
Islay i. U.K. 50 C5

▶Isle of Man terr. Irish Sea 48 C4
United Kingdom Crown Dependency.

Isle of Wight U.S.A. 135 G5
Isle Royale National Park U.S.A. 130 F2
Ismail Ukr. see Izmayil
Ismâ'ilîya Egypt see Al Ismā'īlīyah
Ismâ'ilîya governorate Egypt see
Al Ismā'īlīyah
Ismailly Azer. see İsmayıllı
İsmayıllı Azer. 91 H2
Isojoki Fin. 44 L5
Isoka Zambia 99 D5
Isokylä Fin. 44 O3
Isokyrö Fin. 44 M5
Isola di Capo Rizzuto Italy 58 G5
Ispahan Iran see Eşfahān
Isparta Turkey 59 N6
Isperikh Bulg. 59 L3
Ispikan Pak. 89 F5
İspir Turkey 91 F2
Ispisar Tajik. see Khŭjand
Isplinji Pak. 89 G4
Israel country Asia 85 B4
Israelite Bay Australia 109 C8
Isra'il country Asia see Israel
Isselburg Germany 52 G3
Issia Côte d'Ivoire 96 C4
Issoire France 56 F4
Issyk-Kul' Kyrg. see Balykchy
Issyk-Kul', Ozero salt l. Kyrg. see Ysyk-Köl
Istalif Afgh. 89 H3

▶İstanbul Turkey 59 M4
2nd most populous city in Europe.

İstanbul Boğazı strait Turkey see Bosporus
Īstgāh-e Eznā Iran 88 C3
Istiaia Greece 59 J5
Istik r. Tajik. 89 I2
Istočni Drvar Bos.-Herz. 58 G2
Istra pen. Croatia see Istria
Istres France 56 G5
Istria pen. Croatia 58 E2
Iswardi Bangl. see Ishurdi
Itabapoana r. Brazil 145 C3
Itaberá Brazil 145 A3
Itaberaba Brazil 145 C1
Itaberaí Brazil 145 A2
Itabira Brazil 145 C2
Itabirito Brazil 145 C3
Itabuna Brazil 145 D1
Itacajá Brazil 143 I5
Itacarambi Brazil 145 B1
Itacoatiara Brazil 143 G4
Itaetê Brazil 145 C1
Itagmatana Iran see Hamadān
Itaguaçu Brazil 145 C2
Itaí Brazil 145 A3
Itaiópolis Brazil 145 A4
Itäisen Suomenlahden kansallispuisto
nat. park Fin. 45 O6
Itaituba Brazil 143 G4
Itajaí Brazil 145 A4
Itajubá Brazil 145 B3
Itajuipe Brazil 145 D1
Italia country Europe see Italy
Italia, Laguna l. Bol. 142 F6

▶Italy country Europe 58 E3
5th most populous country in Europe.

Itamarandiba Brazil 145 C2
Itambé Brazil 145 C1
Itambé, Pico de mt. Brazil 145 C2
It Amelân i. Neth. see Ameland
Itampolo Madag. 99 E6
Itanagar India 83 H4
Itanguari r. Brazil 145 B1
Itanhaém Brazil 145 B4
Itanhém Brazil 145 C2
Itanhém r. Brazil 145 D2
Itaobím Brazil 145 C2
Itapaci Brazil 145 A1
Itapajipe Brazil 145 A2
Itapebi Brazil 145 D1
Itapecerica Brazil 145 B3
Itapemirim Brazil 145 C3
Itaperuna Brazil 145 C3
Itapetinga Brazil 145 C1
Itapetininga Brazil 145 A3
Itapeva Brazil 145 A3
Itapeva, Lago l. Brazil 145 A5
Itapicuru Brazil 143 J6
Itapicuru, Serra de hills Brazil 143 I5
Itapicuru Mirim Brazil 143 J4
Itapipoca Brazil 143 K4
Itapira Brazil 145 B3
Itaporanga Brazil 145 A3
Itapuã Brazil 145 A5
Itaqui Brazil 144 E3
Itararé Brazil 145 A4
Itarsi India 82 D5
Itarumã Brazil 145 A2
Itatiba Brazil 145 B3
Itatuba Brazil 142 F5
Itaúna Brazil 145 B3
Itaúnas Brazil 145 D2
Itbayat i. Phil. 69 G2
Itchen Lake Canada 121 H1
Itea Greece 59 J5
Ithaca MI U.S.A. 134 C2
Ithaca NY U.S.A. 135 G2
It Hearrenfean Neth. see Heerenveen
iThekweni S. Africa see Durban
Ith Hils ridge Germany 53 J2
Ithrah Saudi Arabia 85 C4
Itilleq Greenland 119 M3
Itimbiri r. Dem. Rep. Congo 98 C3
Itinga Brazil 145 C2
Itiquira Brazil 143 H7
Itiruçu Brazil 145 C1
Itiúba, Serra de hills Brazil 143 K6
Itō Japan 75 E6
iTswane S. Africa see Pretoria
Ittiri Sardinia Italy 58 C4

Ittoqqortoormiit Greenland 119 P2
Itu Brazil 145 B3
Itu Abu Island Spratly Is 68 E4
Ituaçu Brazil 145 C1
Ituberá Brazil 145 D1
Ituí r. Brazil 142 D4
Ituiutaba Brazil 145 A2
Itumbiara Brazil 145 A2
Itumbiara, Barragem resr Brazil 145 A2
Ituni Guyana 143 G2
Itupiranga Brazil 143 I5
Ituporanga Brazil 145 A4
Iturama Brazil 145 A2
Iturbide Mex. 131 D7
Ituri r. Dem. Rep. Congo 98 C3
Iturup, Ostrov i. Rus. Fed. 74 G3
Itutinga Brazil 145 B3
Ituxi r. Brazil 142 F5
Ītyop'ia country Africa see Ethiopia
Itz r. Germany 53 K5
Itzehoe Germany 47 L4
Iuka U.S.A. 131 F5
Iul'tin Rus. Fed. 65 T3
Ivalo Fin. 44 O2
Ivalojoki r. Fin. 44 O2
Ivanava Belarus 45 N10
Ivanhoe Australia 112 B4
Ivanhoe U.S.A. 130 D2
Ivanhoe Lake Canada 121 J2
Ivankiv Ukr. 43 F6
Ivankovtsy Rus. Fed. 74 D2
Ivano-Frankivs'k Ukr. 43 E6
Ivano-Frankovsk Ukr. see Ivano-Frankivs'k
Ivanovka Rus. Fed. 74 B2
Ivanovo Belarus see Ivanava
Ivanovo tourist site Bulg. 59 K3
Ivanovo Rus. Fed. 42 I4
Ivanteyevka Rus. Fed. 43 K5
Ivantsevichi Belarus see Ivatsevichy
Ivatsevichy Belarus 45 N10
Ivaylovgrad Bulg. 59 L4
Ivdel' Rus. Fed. 41 S3
Ivittuut Greenland 119 N3
Iviza i. Spain see Ibiza
Ivory Coast country Africa see Côte d'Ivoire
Ivrea Italy 58 B2
İvrindi Turkey 59 L5
Ivris Ugheltekhili pass Georgia 91 G2
Ivry-la-Bataille France 52 B6
Ivugivik Canada see Ivujivik
Ivujivik Canada 119 K3
Ivyanyets Belarus 45 O10
Ivydale U.S.A. 134 E4
Iwaki Japan 75 F5
Iwaki-san vol. Japan 74 F4
Iwakuni Japan 75 D6
Iwamizawa Japan 74 F4
Iwo Nigeria 96 D4
Iwye Belarus 45 N10
Ixelles Belgium 52 E4
Ixiamas Bol. 142 E6
Ixmiquilpán Mex. 136 E4
Ixopo S. Africa 101 J6
Ixtlán Mex. 136 D4
Ixworth U.K. 49 H6
İyirmi Altı Bakı Komissarı Azer. see Uzboy
Izabal, Lago de l. Guat. 136 G5
Izberbash Rus. Fed. 91 G2
Izegem Belgium 52 D4
Īzeh Iran 88 C4
Izgal Pak. 89 I3
Izhevsk Rus. Fed. 41 Q4
Izhma Respublika Komi Rus. Fed. 42 L2
Izhma Respublika Komi Rus. Fed. see Sosnogorsk
Izhma r. Rus. Fed. 42 L2
Izmail Ukr. see Izmayil
Izmayil Ukr. 59 M2
İzmir Turkey 59 L5
İzmir Körfezi g. Turkey 59 L5
İzmit Turkey 59 M4
İzmit Körfezi b. Turkey 59 M4
Izozog Bol. 142 F7
Izra' Syria 85 C3
Iztochni Rodopi mts Bulg. 59 K4
Izu-hantō pen. Japan 75 E6
Izuhara Japan 75 C6
Izumo Japan 75 D6

▶Izu-Ogasawara Trench sea feature N. Pacific Ocean 150 F3
5th deepest trench in the world.

Izu-shotō is Japan 75 E6
Izyaslav Ukr. 43 E6
Iz"yayu Rus. Fed. 42 M2
Izyum Ukr. 43 H6

Jabal Dab Saudi Arabia 88 C6
Jabalón r. Spain 57 D4
Jabalpur India 82 D5
Jabbūl, Sabkhat al salt flat Syria 85 C2
Jabir reg. Oman 88 E6
Jabiru Australia 108 F3
Jablah Syria 85 B2
Jablanica Bos.-Herz. 58 G3
Jaboatão Brazil 143 L5
Jaboticabal Brazil 145 A3
Jabung, Tanjung pt Indon. 68 C7
Jacaraci Brazil 145 C1
Jacareacanga Brazil 143 G5
Jacareí Brazil 145 B3
Jacarézinho Brazil 145 A3
Jáchymov Czech Rep. 53 M4
Jacinto Brazil 145 C2
Jack r. Australia 110 D2
Jack Lake Canada 135 F1
Jackman U.S.A. 132 G2
Jacksboro U.S.A. 131 D5
Jackson Australia 112 D1
Jackson AL U.S.A. 133 C6
Jackson CA U.S.A. 128 C2
Jackson GA U.S.A. 133 D5
Jackson KY U.S.A. 134 D5
Jackson MI U.S.A. 134 C2
Jackson MN U.S.A. 130 E3

▶Jackson MS U.S.A. 131 F5
Capital of Mississippi.

Jackson NC U.S.A. 132 E4
Jackson OH U.S.A. 134 D4
Jackson TN U.S.A. 131 F5
Jackson WY U.S.A. 126 F4
Jackson, Mount Antarctica 152 L2
Jackson Head hd N.Z. 113 B6
Jacksonville AR U.S.A. 131 E5
Jacksonville FL U.S.A. 133 D6
Jacksonville IL U.S.A. 130 F4
Jacksonville NC U.S.A. 133 E5
Jacksonville OH U.S.A. 134 D4
Jacksonville TX U.S.A. 131 E6
Jacksonville Beach U.S.A. 133 D6
Jack Wade U.S.A. 118 D3
Jacmel Haiti 137 J5
Jacobabad Pak. 89 H4
Jacobina Brazil 143 J6
Jacob Lake U.S.A. 129 G3
Jacobsdal S. Africa 100 G5
Jacques-Cartier, Détroit de sea chan. Canada 123 I4
Jacques-Cartier, Mont mt. Canada 123 I4
Jacques Cartier Passage Canada see Jacques-Cartier, Détroit de
Jacuí Brazil 145 B3
Jacuípe r. Brazil 143 K6
Jacunda Brazil 143 I4
Jaddangi India 84 D2
Jaddi, Ras pt Pak. 89 F5
Jadebusen b. Germany 53 I1
J. A. D. Jensen Nunatakker nunataks Greenland 119 N3
Jadotville Dem. Rep. Congo see Likasi
Jādū Libya 96 E1
Jaén Spain 57 E5
Ja'farābād Iran 88 E2
Jaffa, Cape Australia 111 B8
Jaffna Sri Lanka 84 C4
Jafr, Qā' al imp. l. Jordan 85 C4
Jagadhri India 82 D3
Jagalur India 84 C3
Jagatsinghapur India see Jagatsinghpur
Jagatsinghpur India 83 F5
Jagdalpur India 84 D2
Jagdaqi China 74 B2
Jagersfontein S. Africa 101 G5
Jaggang China 82 D2
Jaggayyapeta India 84 D2
Jaghīn Iran 88 E5
Jagok Tso salt l. China see Urru Co
Jagsamka China see Luding
Jagst r. Germany 53 J5
Jagtial India 84 C2
Jaguariaíva Brazil 145 A4
Jaguaripe Brazil 145 D1
Jagüey Grande Cuba 133 D8
Jahām, 'Irq des. Saudi Arabia 88 B5
Jahanabad India see Jehanabad
Jahmah well Iraq 91 G5
Jahrom Iran 88 D4
Jaicós Brazil 143 J5
Jaigarh India 84 B2
Jailolo Gilolo i. Indon. see Halmahera
Jainpur India 83 E4
Jaintapur Bangl. see Jaintiapur
Jaintiapur Bangl. 83 H4
Jaipur India 82 C4
Jaipurhat Bangl. see Joypurhat
Jais India 83 E4
Jaisalmer India 82 B4
Jaisamand Lake India 82 C4
Jaitaran India 82 C4
Jaitgarh hill India 84 C1
Jajapur India see Jajpur
Jajarkot Nepal 87 N4
Jajce Bos.-Herz. 58 G2
Jajnagar state India see Orissa
Jajpur India 83 F5
Jakar Bhutan 83 G4

▶Jakarta Indon. 68 D8
Capital of Indonesia. 9th most populous city in the world.

Jakes Corner Canada 120 C2
Jakhau India 82 B5
Jakin mt. Afgh. 89 G4
Jakkī Kowr Iran 89 F5
Jäkkvik Sweden 44 J3
Jakliat India 82 C3
Jakobshavn Greenland see Ilulissat
Jakobstad Fin. 44 M5
Jal U.S.A. 131 C5
Jalaid China see Inder
Jalājil Saudi Arabia 88 B5
Jalālābād Afgh. 89 H3
Jalal-Abad Kyrg. 80 D3
Jalālah al Baḩrīyah, Jabal plat. Egypt 90 C5
Jalalpur Pirwala Pak. 89 H4
Jalāmīd, Ḩazm al ridge Saudi Arabia 91 E5
Jalandhar India 82 C3
Jalapa Mex. 136 E5
Jalapa Enríquez Mex. see Jalapa
Jalasjärvi Fin. 44 M5
Jalaun India 82 D4
Jalawlā' Iraq 91 G4
Jaldak Afgh. 89 G4
Jaldrug India 84 C2
Jales Brazil 145 A3
Jalesar India 82 D4
Jalgaon India 82 C5
Jalībah Iraq 91 G5
Jalingo Nigeria 96 E4
Jallābī Iran 88 E5
Jalna India 84 B2
Jālo Iran 89 F5
Jalón r. Spain 57 F3
Jalor India see Jalore
Jalore India 82 C4
Jalpa Mex. 136 D4
Jalpaiguri India 83 G4
Jālū Libya 97 F2
Jalūlā Iraq see Jalawlā'
Jām reg. Iran 89 F3
Jamaica country West Indies 137 I5
Jamaica Channel Haiti/Jamaica 137 I5
Jamalpur Bangl. 83 G4
Jamalpur India 83 F4
Jamanxim r. Brazil 143 G4
Jambi Indon. 68 C7
Jambin Australia 110 E5
Jambo India 82 C4
Jambuair, Tanjung pt Indon. 71 B6
Jamda India 83 F5
Jamekunte India 84 C2
James r. N. Dakota/S. Dakota U.S.A. 130 D3
James r. VA U.S.A. 135 G5
James, Baie b. Canada see James Bay
Jamesabad Pak. 89 H5
James Bay Canada 122 E3
Jamesburg U.S.A. 135 H3
James Island Galápagos Ecuador see San Salvador, Isla
Jameson Land reg. Greenland 119 P2
James Peak N.Z. 113 B7
James Ranges mts Australia 109 F6
James Ross Island Antarctica 152 A2
James Ross Strait Canada 119 I3
Jamestown Australia 111 B7
Jamestown Canada see Wawa
Jamestown S. Africa 101 H6

▶Jamestown St Helena 148 H7
Capital of St Helena.

Jamestown ND U.S.A. 130 D2
Jamestown NY U.S.A. 134 F2
Jamestown TN U.S.A. 134 C5
Jamkhed India 84 B2
Jammu India 82 C2

▶Jammu and Kashmir terr. Asia 82 D2
Disputed territory (India/Pakistan).

Jamnagar India 82 B5
Jampur Pak. 89 H4
Jamrud Pak. 89 H3
Jämsä Fin. 45 N6
Jamsah Egypt 90 D6
Jämsänkoski Fin. 44 N6
Jamshedpur India 83 F5
Jamtari Nigeria 96 E4
Jamui India 83 F4
Jamuna r. Bangl. see Raimangal
Jamuna r. India see Yamuna
Janā i. Saudi Arabia 88 C5
Janāb, Wādī al watercourse Jordan 85 C4
Janakpur India 83 E5
Janaúba Brazil 145 C1
Jand Pak. 89 I3
Jandaia Brazil 145 A2
Jandaq Iran 88 D3
Jandola Pak. 89 H3
Jandowae Australia 112 E1
Janesville CA U.S.A. 128 C1
Janesville WI U.S.A. 130 F3
Jangada Brazil 145 A4
Jangal Iran 88 E3
Jangamo Moz. 101 L3
Jangaon India 84 C2
Jangipur India 83 G4
Jangnga Turkm. see Jaňňa
Jangngai Ri mts China 83 F2
Jänickendorf Germany 53 N2
Jani Khel Pak. 89 H3

▶Jan Mayen terr. Arctic Ocean 153 I2
Part of Norway.

Jan Mayen Fracture Zone sea feature Arctic Ocean 153 I2
Jaňňa Turkm. 88 D1
Janos Mex. 127 F7
Jans Bay Canada 121 I4
Jansenville S. Africa 100 G7
Januária Brazil 145 B1
Janūb Sīnā' governorate Egypt 85 A5
Janûb Sînâ' governorate Egypt see Janūb Sīnā'
Janzar mt. Pak. 89 F5
Jaodar Pak. 89 F5

▶Japan country Asia 75 D5
10th most populous country in the world.

Japan, Sea of N. Pacific Ocean 75 D5
Japan Alps National Park Japan see Chūbu-Sangaku Kokuritsu-kōen
Japan Trench sea feature N. Pacific Ocean 150 F3
Japiim Brazil 142 D5
Japurá r. Brazil 142 F4
Japvo Mount India 83 H4
Jarābulus Syria 85 D1
Jaraguá Brazil 145 A1
Jaraguá, Serra mts Brazil 145 A4
Jaraguá do Sul Brazil 145 A4
Jarash Jordan 85 B3
Jarboesville U.S.A. see Lexington Park
Jardine River National Park Australia 110 C1
Jardinésia Brazil 145 A2
Jardinópolis Brazil 145 B3
Jargalang China 74 A4
Jargalant Bayanhongor Mongolia 80 I2
Jargalant Hovd Mongolia see Hovd
Jari r. Brazil 143 H4
Järna Sweden 45 J7
Jarocin Poland 47 P5
Jarosław Poland 43 D6
Järpen Sweden 44 H5
Jarqo'rg'o'n Uzbek. 89 G2
Jarqŭrghon Uzbek. see Jarqo'rg'o'n
Jarrettsville U.S.A. 135 G4
Jarú Brazil 142 F6
Jarud China see Lubei
Järvakandi Estonia 45 N7
Järvenpää Fin. 45 N6

▶Jarvis Island terr. S. Pacific Ocean 150 J6
United States Unincorporated Territory.

Jarwa India 83 E4
Jashpurnagar India 83 F5
Jāsk Iran 88 E5
Jāsk-e Kohneh Iran 88 E5
Jasliq Uzbek. 91 J2
Jasło Poland 43 D6
Jasol India 82 C4
Jason Islands Falkland Is 144 D8
Jason Peninsula Antarctica 152 L2
Jasonville U.S.A. 134 B4
Jasper Canada 120 G4
Jasper AL U.S.A. 133 C5
Jasper FL U.S.A. 133 D6
Jasper GA U.S.A. 133 C5
Jasper IN U.S.A. 134 B4
Jasper NY U.S.A. 135 G2
Jasper TN U.S.A. 133 C5
Jasper TX U.S.A. 131 E6
Jasper National Park Canada 120 G4
Jasrasar India 82 C4
Jaṣṣān Iraq 91 G4
Jassy Romania see Iaşi
Jastrzębie-Zdrój Poland 47 Q6
Jaswantpura India 82 C4
Jászberény Hungary 59 H1
Jataí Brazil 145 A2
Jatapu r. Brazil 143 G4
Jath India 84 B2
Jati Pak. 89 H5
Jatibonico Cuba 133 E8
Játiva Spain see Xàtiva
Jatoi Pak. 89 H4
Jat Poti Afgh. 89 G4
Jaú Brazil 145 A3
Jaú r. Brazil 142 F4
Jaú, Parque Nacional do nat. park Brazil 142 F4
Jaua Sarisariñama, Parque Nacional nat. park Venez. 142 F3
Jauja Peru 142 C6
Jaunlutriņi Latvia 45 M8
Jaunpiebalga Latvia 45 O8
Jaunpur India 83 E4
Jauri Iran 89 F4
Java Georgia 91 F2

▶Java i. Indon. 108 A1
5th largest island in Asia.

Javaés r. Brazil see Formoso
Javand Afgh. 89 G3
Javari r. Brazil/Peru see Yavari
Java Ridge sea feature Indian Ocean 149 P6
Java Sea Indon. see Jawa, Laut

▶Java Trench sea feature Indian Ocean 149 P6
Deepest point in the Indian Ocean.

Jävenitz Germany 53 L2
Jävre Sweden 44 L4
Jawa i. Indon. see Java
Jawa, Laut sea Indon. 68 E7
Jawhar India 84 B2
Jawhar Somalia 98 E3
Jawor Poland 47 P5
Jay U.S.A. 131 E4

▶Jaya, Puncak mt. Indon. 69 J7
Highest mountain in Oceania.

Jayakusumu mt. Indon. see Jaya, Puncak
Jayakwadi Sagar l. India 84 B2
Jayantiapur Bangl. see Jaintiapur
Jayapura Indon. 69 K7
Jayawijaya, Pegunungan mts Indon. 69 J7
Jayb, Wādī al watercourse Israel/Jordan 85 B4
Jayfī, Wādī al watercourse Egypt 85 B4
Jaypur India 84 D2
Jayrūd Syria 85 C3
Jayton U.S.A. 131 C5
Jazīreh-ye Shīf Iran 88 C4
Jazminal Mex. 131 C7
Jbail Lebanon 85 B2
J. C. Murphey Lake U.S.A. 134 B3
Jean U.S.A. 129 F4
Jean Marie River Canada 120 F2
Jeannin, Lac l. Canada 123 I2
Jebāl Bārez, Kūh-e mts Iran 88 E4
Jebel, Bahr el r. Sudan/Uganda see White Nile
Jebel Abyad Plateau Sudan 86 C6
Jech Doab lowland Pak. 89 I4
Jedburgh U.K. 50 G5
Jeddah Saudi Arabia 86 E5
Jedeida Tunisia 58 C6
Jeetze r. Germany 53 L1
Jefferson IA U.S.A. 130 E3
Jefferson NC U.S.A. 132 D4
Jefferson OH U.S.A. 134 E3
Jefferson TX U.S.A. 131 E5
Jefferson, Mount U.S.A. 128 E2
Jefferson, Mount vol. U.S.A. 126 C3

▶Jefferson City U.S.A. 130 E4
Capital of Missouri.

Jeffersonville GA U.S.A. 133 D5
Jeffersonville IN U.S.A. 134 C4
Jeffersonville OH U.S.A. 134 D4
Jeffreys Bay S. Africa 100 G8
Jehanabad India 83 F4
Jeju S. Korea see Cheju
Jejuí Guazú r. Para. 144 E2
Jēkabpils Latvia 45 N8
Jelbart Ice Shelf Antarctica 152 B2
Jelenia Góra Poland 47 O5
Jelep La pass China/India 83 G4
Jelgava Latvia 45 M8
Jellico U.S.A. 134 C5
Jellicoe Canada 122 D4
Jelloway U.S.A. 134 D3
Jemaja i. Indon. 71 D7
Jember Indon. 68 E8
Jempang, Danau l. Indon. 68 F7
Jena Germany 53 L4
Jena U.S.A. 131 E6
Jendouba Tunisia 58 C6
Jengish Chokusu mt. China/Kyrg. see Pobeda Peak
Jenīn West Bank 85 B3
Jenkins U.S.A. 134 D5
Jenne Mali see Djenné
Jenner Canada 121 I5
Jennings r. Canada 120 C3
Jennings U.S.A. 131 E6
Jenolan Caves Australia 112 E4
Jenpeg Canada 121 L4
Jensen U.S.A. 129 I1
Jens Munk Island Canada 119 K3
Jeparit Australia 111 C8
Jequié Brazil 145 C1
Jequitaí r. Brazil 145 B2
Jequitinhonha Brazil 145 C2
Jequitinhonha r. Brazil 145 D1
Jerba, Île de i. Tunisia 54 G5
Jerbar Sudan 97 G4
Jereh Iran 88 C4
Jérémie Haiti 137 J5
Jerez Mex. 136 D4
Jerez de la Frontera Spain 57 C5
Jergol Norway 44 N2
Jergucat Albania 59 I5
Jericho Australia 110 D4
Jericho West Bank 85 B4
Jerichow Germany 53 M2
Jerid, Chott el salt l. Tunisia 54 F5
Jerilderie Australia 112 B5
Jerimoth Hill hill U.S.A. 135 J3
Jeroaquara Brazil 145 A1
Jerome U.S.A. 126 E4
Jerruck Pak. 89 H5

▶Jersey terr. Channel Is 49 E9
United Kingdom Crown Dependency.

Jersey City U.S.A. 135 H3
Jersey Shore U.S.A. 135 G3
Jerseyville U.S.A. 130 F4
Jerumenha Brazil 143 J5

▶Jerusalem Israel/West Bank 85 B4
De facto capital of Israel, disputed.

Jervis Bay Australia 112 E5
Jervis Bay b. Australia 112 E5
Jervis Bay Territory admin. div. Australia 112 E5
Jesenice Slovenia 58 F1
Jesenice, Vodní nádrž resr Czech Rep. 53 M4
Jesi Italy 58 E3
Jesselton Sabah Malaysia see Kota Kinabalu
Jessen Germany 53 M3
Jessheim Norway 45 G6
Jessore Bangl. 83 G5
Jesteburg Germany 53 J1
Jesu Maria Island P.N.G. see Rambutyo Island
Jesup U.S.A. 133 D6
Jesús María, Barra spit Mex. 131 D7
Jetmore U.S.A. 130 D4
Jetpur India 82 B5
Jever Germany 53 H1
Jewell Ridge U.S.A. 134 E5
Jewish Autonomous Oblast admin. div. Rus. Fed. see Yevreyskaya Avtonomnaya Oblast'
Jeypur India see Jaypur
Jezzine Lebanon 85 B3
Jhabua India 82 C5
Jhajhar India see Jhajjar
Jhajjar India 82 D3
Jhal Pak. 89 G4
Jhalawar India 82 D4
Jhal Jhao Pak. 89 G5
Jhang Pak. 89 I4
Jhansi India 82 D4
Jhanzi r. India 70 A1
Jhapa Nepal 83 F4
Jharia India 83 F5
Jharkhand state India 83 F5
Jharsuguda India 83 F5
Jhawani Nepal 83 F4
Jhelum r. India/Pak. 89 I4
Jhelum Pak. 89 I3
Jhenaidah Bangl. 83 G5
Jhenaidaha Bangl. see Jhenaidah
Jhenida Bangl. see Jhenaidah
Jhimpir Pak. 89 H5
Jhudo Pak. 89 H5
Jhumritilaiya India 83 F4
Jhund India 82 B5
Jhunjhunun India 82 C3
Jiachuan China 76 E1
Jiachuanzhen China see Jiachuan
Jiading Jiangxi China see Xinfeng
Jiading Shanghai China 77 I2
Jiahe China 77 G3
Jiajiang China 76 D2
Jiamusi China 74 C3
Ji'an Jiangxi China 77 G3
Ji'an Jilin China 74 B4
Jianchuan China 76 C3
Jiande China 77 H2
Jiangbei China see Yubei
Jiangbiancun China 77 G3
Jiangcheng China 76 D4
Jiangcun China 77 F3
Jiangdu China 77 H1
Jiange China see Pu'an
Jianghong China 77 F4
Jiangjin China 76 E2
Jiangjunmiao China 80 G3
Jiangkou Guangdong China see Fengkai
Jiangkou Guizhou China 77 F3
Jiangkou Shaanxi China 76 E1
Jiangling China see Jingzhou
Jiangluozhen China 76 E1
Jiangmen China 77 G4
Jiangna China see Yanshan
Jiangshan China 77 H2
Jiangsi China see Dejiang
Jiangsu prov. China 77 H1
Jiangxi prov. China 77 G3
Jiangxia China 77 G2
Jiangyan China 77 I1
Jiangyin China 77 I2
Jiangyou China 76 E2
Jiangzhesongrong China 83 F3
Jianjun China see Yongshou
Jiankang China 76 D3
Jianli China 77 G2
Jian'ou China 77 H3
Jianping China see Langxi
Jianshe China see Baiyü
Jianshi China 77 F2
Jianshui China 76 D4
Jianshui Hu l. China 83 E2
Jianxing China 76 E2
Jianyang Fujian China 77 H3
Jianyang Sichuan China 76 E2
Jiaochang China 76 D1
Jiaochangba China see Jiaochang
Jiaocheng China see Jiaoling
Jiaohe China 74 B4
Jiaojiang China see Taizhou
Jiaokui China see Yiliang
Jiaoling China 77 H3
Jiaopingdu China 76 D3
Jiaowei China 77 H3
Jiaozuo China 77 G1
Jiasa China 76 D3
Jiashan China see Mingguang
Jia Tsuo La pass China 83 F3
Jiawang China 77 H1
Jiaxian China 77 G1
Jiaxing China 77 I2
Jiayi Taiwan see Chiai
Jiayin China 74 C2
Jiayuguan China 80 I4
Jiazi China 77 H4
Jībūtī country Africa see Djibouti
Jibuti Djibouti see Djibouti
Jiddah Saudi Arabia see Jeddah
Jiddī, Jabal al hill Egypt 85 A4
Jidong China 74 C3
Jiehkkevárri mt. Norway 44 K2
Jieshi China 77 G4
Jieshipu China 76 E1
Jieshi Wan b. China 77 G4
Jiexi China 77 G4
Jiexiu China 73 K5
Jieyang China 77 H4
Jieznas Lith. 45 N9
Jigzhi China 76 D1
Jiḩār, Wādī al watercourse Syria 85 C2
Jih-chao Shandong China see Donggang
Jih-chao Shandong China see Donggang
Jihlava Czech Rep. 47 O6
Jija Sarai Afgh. 89 F3
Jijel Alg. 54 F4
Jijiga Eth. 98 E3
Jījīrud Iran 88 C3
Jijü China 76 D2
Jil'ād reg. Jordan 85 B3
Jilf al Kabīr, Haḍabat al plat. Egypt 86 C5
Jilh al 'Ishār plain Saudi Arabia 88 B5
Jilib Somalia 98 E3
Jilin China 74 B4
Jilin prov. China 74 B4
Jilin Hada Ling mts China 74 B4
Jiliu He r. China 74 A2
Jilo India 82 C4
Jilong Taiwan see Chilung
Jīma Eth. 98 D3
Jimda China see Zindo
Jiménez Chihuahua Mex. 131 B7
Jiménez Coahuila Mex. 131 C6
Jiménez Tamaulipas Mex. 131 D7
Jimía, Cerro mt. Hond. 136 G5
Jimsar China 80 G3
Jim Thorpe U.S.A. 135 H3
Jinan China 73 L5
Jin'an China see Songpan
Jinbi China see Dayao
Jinchang China 72 I5
Jincheng Shanxi China 77 G1
Jincheng Sichuan China see Yilong
Jincheng Yunnan China see Wuding
Jinchengjiang China see Hechi
Jinchuan Gansu China see Jinchang
Jinchuan Jiangxi China see Xingan
Jind India 82 D3
Jinding China see Lanping
Jindřichův Hradec Czech Rep. 47 O6
Jin'e China see Longchang
Jingbian China 73 J5
Jingchuan China 76 E1
Jingde China 77 H2
Jingdezhen China 77 H2
Jingellic Australia 112 C5
Jinggangshan China 77 G3
Jinggang Shan hill China 77 G3
Jinggongqiao China 77 H2
Jinggu China 76 D4
Jing He r. China 77 F1
Jinghong China 76 D4
Jingle China 73 K5
Jingmen China 77 G2
Jingpo China 74 C4
Jingpo Hu resr China 74 C4
Jingsha China see Jingzhou
Jingtai China 72 I5
Jingtieshan China 80 I4
Jingxi China 76 E4
Jingxian Anhui China 77 H2
Jingxian Hunan China see Jingzhou
Jingyang China see Jingde
Jingyu China 74 B4
Jingyuan China 72 I5
Jingzhou Hubei China 77 G2
Jingzhou Hubei China 77 G2
Jingzhou Hunan China 77 F3
Jinhe Nei Mongol China 74 A2
Jinhe Yunnan China see Jinping
Jinhu China 77 H1
Jinhua Yunnan China see Jianchuan
Jinhua Zhejiang China 77 H2
Jining Nei Mongol China 73 K4
Jining Shandong China 77 H1
Jinja Uganda 98 D3
Jinjiang Hainan China see Chengmai
Jinjiang Yunnan China 76 D3
Jin Jiang r. China 77 G2
Jinka Eth. 98 D3
Jinmen Taiwan see Chinmen
Jinmen Dao i. Taiwan see Chinmen Tao
Jinmu Jiao pt China 77 F5
Jinning China 76 D3
Jinotepe Nicaragua 137 G6
Jinping Guizhou China 77 F3
Jinping Yunnan China 76 D4
Jinping Yunnan China see Qiubei
Jinping Shan mts China 76 D3
Jinsen S. Korea see Inch'ŏn
Jinsha China 76 E3
Jinsha Jiang r. China 76 E2 see Yangtze
Jinshan Nei Mongol China see Guyang

193

Kamenskoye Ukr. see Dniprodzerzhyns'k
Kamensk-Shakhtinskiy Rus. Fed. 43 I6
Kamensk-Ural'skiy Rus. Fed. 64 H4
Kamet mt. China 82 D3
Kamiesberge mts S. Africa 100 D6
Kamieskroon S. Africa 100 C6
Kamileroi Australia 110 C3
Kamilukuak Lake Canada 121 K2
Kamina Dem. Rep. Congo 99 C4
Kaminak Lake Canada 121 M2
Kaminuriak Lake Canada see Qamanirjuaq Lake
Kamishihoro Japan 74 F4
Kamloops Canada 120 F5
Kamo Armenia see Gavarr
Kamoke Pak. 89 I4
Kamonia Dem. Rep. Congo 99 C4

▶Kampala Uganda 98 D3
Capital of Uganda.

Kampar r. Indon. 68 C6
Kampar Malaysia 71 C6
Kampara India 84 D1
Kampen Neth. 52 F2
Kampene Dem. Rep. Congo 98 C4
Kamphaeng Phet Thai. 70 B3
Kampinoski Park Narodowy nat. park Poland 47 R4
Kâmpóng Cham Cambodia 71 D5
Kâmpóng Chhnăng Cambodia 71 D4
Kâmpóng Khleăng Cambodia 71 D4
Kâmpóng Saôm Cambodia see Sihanoukville
Kâmpóng Spœ Cambodia 71 D5
Kâmpóng Thum Cambodia 71 D4
Kâmpóng Trâbêk Cambodia 71 D5
Kâmpôt Cambodia 71 D5
Kampuchea country Asia see Cambodia
Kamrau, Teluk b. Indon. 69 I7
Kamsack Canada 121 K5
Kamskoye Vodokhranilishche resr Rus. Fed. 41 R4
Kamsuuma Somalia 98 E3
Kamuchawie Lake Canada 121 K3
Kamuli Uganda 98 D3
Kam"yanets'-Podil's'kyy Ukr. 43 E6
Kam"yanka-Buz'ka Ukr. 43 E6
Kamyanyets Belarus 45 M10
Kāmyārān Iran 88 B3
Kamyshin Rus. Fed. 43 J6
Kamystybas, Ozero l. Kazakh. 80 B2
Kamyzyak Rus. Fed. 43 K7
Kamzar Oman 88 E5
Kanaaupscow r. Canada 122 F3
Kanab U.S.A. 129 G3
Kanab Creek r. U.S.A. 129 G3
Kanairiktok r. Canada 123 K3
Kanak Pak. 89 G4
Kananga Dem. Rep. Congo 99 C4
Kanangio, Mount vol. P.N.G. 69 L7
Kanangra-Boyd National Park Australia 112 E4
Kanarak India see Konarka
Kanarraville U.S.A. 129 G3
Kanas watercourse Namibia 100 C4
Kanash Rus. Fed. 42 J5
Kanauj India see Kannauj
Kanazawa Japan 75 E5
Kanbalu Myanmar 70 A2
Kanchanaburi Thai. 71 B4
Kanchanjanga mt. India/Nepal see Kangchenjunga
Kanchipuram India 84 C3
Kand mt. Pak. 89 G4
Kanda Pak. 89 G4
Kandahār Afgh. 89 G4
Kandalaksha Rus. Fed. 44 R3
Kandalakshskiy Zaliv g. Rus. Fed. 44 R3
Kandang Indon. 71 B7
Kandar Indon. 108 E2
Kandavu i. Fiji see Kadavu
Kandavu Passage Fiji see Kadavu Passage
Kandé Togo 96 D4
Kandh Kot Pak. 89 H4
Kandi Benin 96 D3
Kandi India 84 C2
Kandiaro Pak. 89 H5
Kandıra Turkey 59 N4
Kandos Australia 112 D4
Kandreho Madag. 99 E5
Kandrian P.N.G. 69 L8
Kandukur India 84 C3
Kandy Sri Lanka 84 D5
Kandyagash Kazakh. 80 A2
Kane U.S.A. 135 F3
Kane Bassin b. Greenland 153 K1
Kaneh watercourse Iran 88 D5
Kāne'ohe U.S.A. 127 [inset]
Kaneti Pak. 89 G4
Kanevskaya Rus. Fed. 43 H7
Kang Afgh. 89 F4
Kang Botswana 100 F2
Kangaamiut Greenland 119 M3
Kangaarsussuaq c. Greenland 119 K2
Kangaba Mali 96 C3
Kangal Turkey 90 E3
Kangān Būshehr Iran 88 D5
Kangān Hormozgan Iran 88 E5
Kangandala, Parque Nacional de nat. park Angola see Cangandala, Parque Nacional de
Kangar Malaysia 71 C6
Kangaroo Island Australia 111 B7
Kangaroo Point Australia 110 B3
Kangaslampi Fin. 44 P5
Kangasniemi Fin. 44 O6
Kangāvar Iran 88 B3

▶Kangchenjunga mt. India/Nepal 83 G4
3rd highest mountain in Asia and in the world.

Kangding China 76 D2
Kangean, Kepulauan is Indon. 68 F8
Kangen r. Sudan 97 G4
Kangerlussuaq Greenland 119 M3
Kangerlussuaq inlet Greenland 119 M3
Kangerlussuaq inlet Greenland 153 J2
Kangersuatsiaq Greenland 119 M2
Kangertittivaq sea chan. Greenland 119 P2
Kanggye N. Korea 74 B4
Kanghwa S. Korea 75 B5
Kangikajik c. Greenland 119 P2
Kangiqsualujjuaq Canada 123 I2
Kangirsuk Canada 123 H1
Kang Krung National Park Thai. 71 B5
Kangle Gansu China 76 D1
Kangle Jiangxi China see Wanzai
Kanglong China 76 C1
Kangmar China 83 F3
Kangnŭng S. Korea 75 C5
Kango Gabon 98 B3
Kangping China 74 A4
Kangri Karpo Pass China/India 83 I3
Kangrinboqê Feng mt. China 82 E3
Kangsangdobdê China see Xainza
Kangto mt. China/India 83 H4
Kangtog China 83 F2
Kangxian China 76 E1
Kanibongan Sabah Malaysia 68 F5
Kanifing Gambia 96 B3
Kanigiri India 84 C3
Kanin, Poluostrov pen. Rus. Fed. 42 J2
Kanin Nos Rus. Fed. 153 G2
Kanin Nos, Mys c. Rus. Fed. 42 I1
Kaninskiy Bereg coastal area Rus. Fed. 42 I2
Kanjiroba mt. Nepal 83 E3
Kankaanpää Fin. 45 M6
Kankakee U.S.A. 134 B3
Kankan Guinea 96 C3
Kanker India 84 D1
Kankesanturai Sri Lanka 84 D4
Kankossa Mauritania 96 B3
Kanmaw Kyun i. Myanmar 71 B5
Kannauj India 82 D4
Kanniya Kumari c. India see Comorin, Cape
Kannonkoski Fin. 44 N5
Kannur India see Cannanore
Kannus Fin. 44 M5
Kano Nigeria 96 D3
Kanonpunt pt S. Africa 100 E8
Kanosh U.S.A. 129 G2
Kanovlei Namibia 99 B5
Kanoya Japan 75 C7
Kanpur Orissa India 84 E1
Kanpur Uttar Prad. India 82 E4
Kanrach reg. Pak. 89 G5
Kansai airport Japan 75 D6
Kansas U.S.A. 134 B4
Kansas r. U.S.A. 130 E4
Kansas state U.S.A. 130 D4
Kansas City KS U.S.A. 130 E4
Kansas City MO U.S.A. 130 E4
Kansk Rus. Fed. 65 K4
Kansu prov. China see Gansu
Kantang Thai. 71 B6
Kantara hill Cyprus 85 A2
Kantaralak Thai. 71 D4
Kantavu i. Fiji see Kadavu
Kantchari Burkina 96 D3
Kantemirovka Rus. Fed. 43 H6
Kanthi India 83 F5
Kantishna r. U.S.A. 118 C3
Kanton atoll Kiribati 107 I2
Kantulong Myanmar 70 B3
Kanturk Ireland 51 D5
Kanuku Mountains Guyana 143 G3
Kanur India 84 C3
Kanus Namibia 100 D4
Kanyakubja India see Kannauj
Kanyamazane S. Africa 101 J3
Kanye Botswana 101 G3
Kaôh Pring i. Cambodia 71 C5
Kaohsiung Taiwan 77 I4
Kaôh Smăch i. Cambodia 71 C5
Kaôh Tang i. Cambodia 71 C5
Kaokoveld plat. Namibia 99 B5
Kaolack Senegal 96 B3
Kaoma Zambia 99 C5
Kaouadja Cent. Afr. Rep. 98 C3
Kapa S. Africa see Cape Town
Kapa'a U.S.A. 127 [inset]
Kapa'au U.S.A. 127 [inset]
Kapan Armenia 91 G3
Kapanga Dem. Rep. Congo 99 C4
Kaparhā Iran 88 C4
Kapatu Zambia 99 D4
Kapchagay Kazakh. 80 E3
Kapchagayskoye Vodokhranilishche resr Kazakh. 80 E3
Kap Dan Greenland see Kulusuk
Kapellen Belgium 52 E3
Kapello, Akra pt Attiki Greece see Kapello, Akrotirio
Kapello, Akrotirio pt Greece 59 J6
Kapellskär Sweden 45 K7
Kapellskär Sweden see Kapellskär
Kapili r. India 83 G4
Kapingamarangi atoll Micronesia 150 G5
Kapingamarangi Rise sea feature N. Pacific Ocean 150 G5
Kapıorman Dağları mts Turkey 59 N4
Kapip Pak. 89 H4
Kapiri Mposhi Zambia 99 C5
Kapisillit Greenland 119 M3
Kapiskau r. Canada 122 E3
Kapit Sarawak Malaysia 68 E6
Kapiti Island N.Z. 113 E5
Kaplankyr, Chink hills Asia 91 I2
Kaplankyr Döwlet Gorugy nature res. Turkm. 88 E1
Kapoeta Sudan 97 G4
Kapondai, Tanjung pt Indon. 69 G8
Kaposvár Hungary 58 G1
Kappel Germany 53 H5
Kappeln Germany 47 L3
Kapsukas Lith. see Marijampolė
Kaptai Bangl. 83 H5
Kapuas r. Indon. 68 D7
Kapuriya India 82 C4
Kapurthala India 82 C3
Kapuskasing Canada 122 E4
Kapustin Yar Rus. Fed. 43 J6
Kaputar mt. Australia 112 E3
Kaputir Kenya 98 D3
Kapuvár Hungary 58 G1
Kapydzhik, Gora mt. Armenia/Azer. see Qazangödağ
Kapyl' Belarus 45 O10
Kaqung China 89 J2
Kara India 82 E4
Kara Togo 96 D4
Kara r. Turkey 91 F3
Kara Art Pass China 89 I2
Kara-Balta Kyrg. 80 D3
Karabalyk Kazakh. 78 F1
Karabekaul' Turkm. see Garabekewül
Karabiga Turkey 59 L4
Karabil', Vozvyshennost' hills Turkm. see Garabil Belentligi
Kara-Bogaz-Gol, Proliv sea chan. Turkm. see Garabogazköl Bogazy
Kara-Bogaz-Gol'skiy Zaliv b. Turkm. see Garabogazköl Aýlagy
Karabük Turkey 90 D2
Karaburun Turkey 59 L5
Karabutak Kazakh. 80 B2
Karacabey Turkey 59 M4
Karacaköy Turkey 59 M4
Karacalı Dağ mt. Turkey 91 E3
Karaçal Tepe mt. Turkey 85 A1
Karacasu Turkey 59 M6
Karaca Yarımadası pen. Turkey 59 N6
Karachayevsk Rus. Fed. 91 F2
Karachev Rus. Fed. 43 G5
Karachi Pak. 89 G5
Karacurun Turkey see Hilvan
Karad India 84 B2
Kara Dağ hill Turkey 85 D1
Kara Dağ mt. Turkey 90 D3
Kara-Dar'ya Uzbek. see Payshanba
Kara Deniz sea Asia/Europe see Black Sea
Karagan Rus. Fed. 74 A1
Karaganda Kazakh. 80 D2
Karagayly Kazakh. 80 E2
Karaginskiy Zaliv b. Rus. Fed. 65 R4
Karagiye, Vpadina depr. Kazakh. 91 H2
Karagola India 83 F4
Karahallı Turkey 59 M5
Karahasanlı Turkey 90 D3
Karaikal India 84 C4
Karaikkudi India 84 C4
Karaisalı Turkey 90 D3
Karaj Iran 88 C3
Karak Jordan see Al Karak
Karakalli Turkey see Özalp
Karakax China see Moyu
Karakax He r. China 82 E1
Karakax Shan mts China 82 E2
Karakelong i. Indon. 69 H6
Karaki China 82 E1
Karaklis Armenia see Vanadzor
Karakoçan Turkey 91 F3
Kara-Köl Kyrg. 79 G2
Karakol Kyrg. 80 E3
Karakoram Pass China/India 82 D2
Karakoram Range mts Asia 79 G3
Karakoram Range mts Asia 89 I2
Kara K'orē Eth. 98 D2
Karakorum Range mts Asia see Karakoram Range
Karakorum Range mts Asia see Karakoram Range
Karaköse Turkey see Ağrı
Kara Kul' Kyrg. see Kara-Köl
Karakul', Ozero l. Tajik. see Qarokŭl
Kara Kum des. Turkm. see Garagum
Kara Kum des. Turkm. see Karakum Desert
Karakum, Peski Kazakh. see Karakum Desert
Karakum Desert Kazakh. 78 E2
Karakum Desert Turkm. see Garagum
Karakum Desert Turkm. 88 F2
Karakumskiy Kanal canal Turkm. see Garagum Kanaly
Karakumy des. Turkm. see Garagum
Karakurt Turkey 91 F2
Karakuş Dağı ridge Turkey 59 N5
Karal Chad 97 E3
Karala Estonia 45 L7
Karalundi Australia 109 B6
Karama r. Indon. 68 F7
Karaman Turkey 90 D3
Karaman prov. Turkey 85 A1
Karamanlı Turkey 59 M6
Karamay China 80 F2
Karambar Pass Afgh./Pak. 89 I2
Karamea N.Z. 113 D5
Karamea Bight b. N.Z. 113 C5
Karamendy Kazakh. 80 B1
Karamiran China 83 F1
Karamiran Shankou pass China 83 F1
Karamürsel Turkey 59 M4
Karamyshevo Rus. Fed. 45 P8
Karān i. Saudi Arabia 88 C5
Karangasem Indon. 108 A2
Karanja India 84 C1
Karanjia India 82 E5
Karapınar Gaziantep Turkey 85 C1
Karapınar Konya Turkey 90 D3
Karas admin. reg. Namibia 100 C4
Karasay China 83 E1
Karasburg Namibia 100 D5
Kara Sea Rus. Fed. 64 I2
Kárášjohka Finnmark Norway see Karasjok
Karasjok Norway 44 N2
Kara Strait Rus. Fed. see Karskiye Vorota, Proliv
Karasu r. Syria/Turkey 85 C1
Karasu Bitlis Turkey see Hizan
Karasu Sakarya Turkey 59 N4
Karasu r. Turkey 91 F3
Karasubazar Ukr. see Bilohirs'k
Karasuk Rus. Fed. 64 I4
Karāt Iran 89 F3
Karataş Turkey 85 B1
Karataş Burnu hd Turkey see Fener Burnu
Karatau Kazakh. 80 D3
Karatau, Khrebet mts Kazakh. 80 C3
Karatepe Turkey 85 A1
Karathuri Myanmar 71 B5
Karativu i. Sri Lanka 84 C4
Karatsu Japan 75 C6
Karaudanawa Guyana 143 G3
Karauli India 82 D4
Karavan Kyrg. see Kerben
Karavostasi Cyprus 85 A2
Karawang Indon. 68 D8
Karayılan Turkey 85 C1
Karayulgan China 80 F3
Karazhal Kazakh. 80 D2
Karbalā' Iraq 91 G4
Karben Germany 53 I4
Karcag Hungary 59 I1
Karden Germany 53 H4
Kardhítsa Greece see Karditsa
Karditsa Greece 59 I5
Kärdla Estonia 45 M7
Karee S. Africa 101 H5
Kareeberge mts S. Africa 100 E6
Kareima Sudan 86 D6
Kareli India 82 D5
Karelia aut. rep. Rus. Fed. see Kareliya, Respublika
Kareliya, Respublika aut. rep. Rus. Fed. 44 R5
Karel'skaya A.S.S.R. aut. rep. Rus. Fed. see Kareliya, Respublika
Karel'skiy Bereg coastal area Rus. Fed. 44 R3
Karema Tanz. 99 D4
Karera India 82 D4
Karesuando Sweden 44 M2
Karevāndar Iran 89 F5
Kargalinskaya Rus. Fed. 91 G2
Kargalinski Rus. Fed. see Kargalinskaya
Kargapazarı Dağları mts Turkey 91 F3
Karghalik China see Yecheng
Kargı Turkey 90 D2
Kargil India 82 D2
Kargilik China see Yecheng
Kargıpınarı Turkey 85 B1
Kargopol' Rus. Fed. 42 H3
Kari Nigeria 96 E3
Karīān Iran 88 E5
Kariba Zimbabwe 99 C5
Kariba, Lake resr Zambia/Zimbabwe 99 C5
Kariba Dam Zambia/Zimbabwe 99 C5
Kariba-yama vol. Japan 74 E4
Karibib Namibia 100 B1
Karigasniemi Fin. 44 N2
Karijini National Park Australia 109 B5
Karijoki Fin. 44 L5
Karikachi-tōge pass Japan 74 F4
Karikari, Cape N.Z. 113 D2
Karimata, Pulau-pulau is Indon. 68 D7
Karimata, Selat strait Indon. 68 D7
Karimganj India 83 H4
Karimnagar India 84 C2
Karimun Besar i. Indon. 71 C7
Karimunjawa, Pulau-pulau is Indon. 68 E8
Káristos Greece see Karystos
Karjat Mahar. India 84 B2
Karjat Mahar. India 84 B2
Karkaralinsk Kazakh. 80 E2
Karkar Island P.N.G. 69 L7
Karkh Pak. 89 G5
Karkinits'ka Zatoka g. Ukr. 59 O2
Kärkölä Fin. 45 N6
Karkonoski Park Narodowy nat. park Czech Rep./Poland see Krkonošský narodní park
Karksi-Nuia Estonia 45 N7
Karkūk Iraq see Kirkūk
Karlachi Pak. 89 H3
Karlholmsbruk Sweden 45 J6
Karlik Shan mt. China 80 H3
Karlıova Turkey 91 F3
Karlivka Ukr. 43 G6
Karl Marks, Qullai mt. Tajik. 89 I2
Karl-Marx-Stadt Germany see Chemnitz
Karlovac Croatia 58 F2
Karlovka Ukr. see Karlivka
Karlovo Bulg. 59 K3
Karlovy Vary Czech Rep. 53 M4
Karlsbad Germany 53 I6
Karlsborg Sweden 45 I7
Karlsburg Romania see Alba Iulia
Karlshamn Sweden 45 I8
Karlskoga Sweden 45 I7
Karlskrona Sweden 45 I8
Karlsruhe Germany 53 I5
Karlstad Sweden 45 H7
Karlstad U.S.A. 130 D1
Karlstadt Germany 53 J5
Karluk U.S.A. 118 C4
Karlyk Turkm. 89 G2
Karmala India 84 B2
Karmel, Har hill Israel see Carmel, Mount
Karmona Spain see Córdoba
Karmøy i. Norway 45 D7
Karmpur Pak. 89 I4
Karnafuli Reservoir Bangl. 83 H5
Karnal India 82 D3
Karnataka state India 84 B3
Karnavati India see Ahmadabad
Karnes City U.S.A. 131 D6
Karnobat Bulg. 59 L3
Karodi Pak. 89 G5
Karoi Zimbabwe 99 C5
Karokpi Myanmar 70 B4
Karo La pass China 83 G3
Karong India 83 H4
Karonga Malawi 99 D4
Karonie Australia 109 C7
Karoo National Park S. Africa 100 F7
Karoonda Australia 111 B7
Karora Eritrea 86 E6
Káros i. Greece see Keros
Karossa Indon. 68 F7
Karossa, Tanjung pt Indon. 108 B2
Karow Germany 53 M1
Karpasia pen. Cyprus 85 B2
Karpas Peninsula Cyprus see Karpasia
Karpathos i. Greece 59 L7
Karpathou, Steno sea chan. Greece 59 L6
Karpaty mts Europe see Carpathian Mountains
Karpenisi Greece 59 I5
Karpilovka Belarus see Aktsyabrski
Karpinsk Rus. Fed. 41 S4
Karpogory Rus. Fed. 42 J2
Karpuz r. Turkey 85 A1
Karratha Australia 108 B5
Karroo plat. S. Africa see Great Karoo
Karrychirla Turkm. see Garryçyrla
Kars Turkey 91 F2
Kärsämäki Fin. 44 N5
Kārsava Latvia 45 O8
Karshi Qashqadaryo Uzbek. see Qarshi
Karskiye Vorota, Proliv strait Rus. Fed. 64 G3
Karskoye More sea Rus. Fed. see Kara Sea
Karstädt Germany 53 L1
Karstula Fin. 44 N5
Karsu Turkey 85 C1
Karsun Rus. Fed. 43 J5
Kartal Turkey 59 M4
Kartaly Rus. Fed. 64 H4
Kartayel' Rus. Fed. 42 L2
Karttula Fin. 44 O5
Karumba Australia 110 C3
Karumbhar Island India 82 B5
Karun, Kūh-e hill Iran 88 C4
Kārūn, Rūd-e r. Iran 88 C4
Karuni Indon. 108 B2
Karur India 84 C4
Karvia Fin. 44 M5
Karviná Czech Rep. 47 Q6
Karwar India 84 B3
Karyagino Azer. see Füzuli
Karymskoye Rus. Fed. 73 K2
Karynzharyk, Peski des. Kazakh. 91 I2
Karystos Greece 59 K6
Kaş Turkey 59 M6
Kasa India 84 B2
Kasaba Turkey see Turgutlu
Kasabonika Canada 122 C3
Kasabonika Lake Canada 122 C3
Kasaï r. Dem. Rep. Congo 98 B4 also known as Kwa
Kasaï, Plateau du Dem. Rep. Congo 99 C4
Kasaji Dem. Rep. Congo 99 C5
Kasama Zambia 99 D5
Kasan Uzbek. see Koson
Kasane Botswana 99 C5
Kasaragod India 84 B3
Kasargod India see Kasaragod
Kasargode India see Kasaragod
Kasatkino Rus. Fed. 74 C2
Kasba Lake Canada 121 K2
Kasba Tadla Morocco 54 C5
Kasenga Dem. Rep. Congo 99 C5
Kasengu Dem. Rep. Congo 99 C4
Kasese Dem. Rep. Congo 98 C4
Kasese Uganda 98 D3
Kasevo Rus. Fed. see Neftekamsk
Kasganj India 82 D4
Kasha China 76 C2
Kashabowie Canada 122 C4
Kāshān Iran 88 C3
Kashary Rus. Fed. 43 I6
Kashechewan Canada 122 E3
Kashgar China see Kashi
Kashi China 80 E4
Kashihara Japan 75 D6
Kashima-nada b. Japan 75 F5
Kashin Rus. Fed. 42 H4
Kashipur India 82 D3
Kashira Rus. Fed. 43 H5
Kashiwazaki Japan 75 E5
Kashkarantsy Rus. Fed. 42 H2
Kashku'iyeh Iran 88 D4
Kāshmar Iran 88 E3
Kashmir terr. Asia see Jammu and Kashmir
Kashmir, Vale of reg. India 82 C2
Kashyukulu Dem. Rep. Congo 99 C4
Kasi India see Varanasi
Kasigar Afgh. 89 H3
Kasimov Rus. Fed. 43 I5
Kaskattama r. Canada 121 N3
Kaskinen Fin. 44 L5
Kas Klong i. Cambodia see Kŏng, Kaôh
Kaskö Fin. see Kaskinen
Kaslo Canada 120 G5
Kasmere Lake Canada 121 K3
Kasongo Dem. Rep. Congo 99 C4
Kasongo-Lunda Dem. Rep. Congo 99 B4
Kasos i. Greece 59 L7
Kaspīy Mangy Oypaty lowland Kazakh./Rus. Fed. see Caspian Lowland
Kaspiysk Rus. Fed. 91 G2
Kaspiyskiy Rus. Fed. see Lagan'
Kaspiyskoye More l. Asia/Europe see Caspian Sea
Kassa Slovakia see Košice
Kassala Sudan 86 E6
Kassandras, Akra pt Greece see Kassandras, Akrotirio
Kassandras, Akrotirio pt Greece 59 J5
Kassandras, Kolpos b. Greece 59 J4
Kassel Germany 53 J3
Kasserine Tunisia 58 C7
Kastag Pak. 89 F5
Kastamonu Turkey 90 D2
Kastellaun Germany 53 H4
Kastelli Kriti Greece see Kissamos
Kastéllion Greece see Kissamos
Kastéllion Kriti Greece see Kissamos
Kastellorizon i. Greece see Megisti
Kasterlee Belgium 52 E3
Kastoria Greece 59 I4
Kastornoye Rus. Fed. 43 H6
Kastsyukovichy Belarus 43 G5
Kasulu Tanz. 99 D4
Kasumkent Rus. Fed. 91 H2
Kasungu Malawi 99 D5
Kasungu National Park Malawi 99 D5
Kasur Pak. 89 I4
Katādtlit Nunāt terr. N. America see Greenland
Katahdin, Mount U.S.A. 132 G2
Kataklik India 82 D2
Katako-Kombe Dem. Rep. Congo 98 C4
Katakwi Uganda 98 D3
Katana India 82 C5
Katangi India 82 D5
Katanning Australia 109 B8
Katavi National Park Tanz. 99 D4
Katawaz reg. Afgh. 89 G3
Katchall i. India 71 A6
Katea Dem. Rep. Congo 99 C4
Katerini Greece 59 J4
Katesh Tanz. 99 D4
Kate's Needle mt. Canada/U.S.A. 120 C3
Katete Zambia 99 D5
Katherîna, Gebel mt. Egypt see Kātrīnā, Jabal
Katherine Australia 108 F3
Katherine Gorge National Park Australia see Nitmiluk National Park
Kathi India 89 I6
Kathiawar pen. India 82 B5
Kathihar India see Katihar
Kathiraveli Sri Lanka 84 D4
Kathiwara India 82 C5
Kathleen Falls Australia 108 E3

▶Kathmandu Nepal 83 F4
Capital of Nepal.

Kathu S. Africa 100 F4
Kathua India 82 C2
Kati Mali 96 C3
Katihar India 83 F4
Katikati S. Africa 101 H7
Katima Mulilo Namibia 99 C5
Katimik Lake Canada 121 L4
Katiola Côte d'Ivoire 96 C4
Kā Tiritiri o te Moana mts N.Z. see Southern Alps
Katkop Hills S. Africa 100 E6
Katlehong S. Africa 101 I4
Katmai National Park and Preserve U.S.A. 118 C4
Katmandu Nepal see Kathmandu
Kato Achaïa Greece 59 I5
Kat O Chau H.K. China see Crooked Island
Kat O Hoi b. H.K. China see Crooked Harbour
Katoomba Australia 112 E4
Katowice Poland 47 Q5
Katoya India 83 G5
Katrancık Dağı mts Turkey 59 M6
Kātrīnā, Jabal mt. Egypt 90 D5
Katrine, Loch l. U.K. 50 E4
Katrineholm Sweden 45 J7
Katse Dam Lesotho 101 I5
Katsina Nigeria 96 D3
Katsina-Ala Nigeria 96 D4
Katsuura Japan 75 F6
Kattaktoc, Cap c. Canada 123 I2
Kattamudda Well Australia 108 D5
Kattaqo'rg'on Uzbek. 89 G2
Kattaqŭrghon Uzbek. see Kattaqo'rg'on
Kattasang Hills Afgh. 89 G3
Kattegat strait Denmark/Sweden 45 G8
Kattowitz Poland see Katowice
Katumbar India 82 D4
Katunino Rus. Fed. 42 J4
Katuri Pak. 89 H4
Katwa India see Katoya
Katwijk aan Zee Neth. 52 E2
Katzenbuckel hill Germany 53 J5
Kaua'i i. U.S.A. 127 [inset]
Kaua'i Channel U.S.A. 127 [inset]
Kaub Germany 53 H4
Kaufungen Germany 53 J3
Kauhajoki Fin. 44 M5
Kauhava Fin. 44 M5
Kaukauna U.S.A. 134 A1
Kaukkwè Hills Myanmar 70 B1
Kaukonen Fin. 44 N3
Ka'ula i. U.S.A. 127 [inset]
Kaulakahi Channel U.S.A. 127 [inset]
Kaumajet Mountains Canada 123 J2
Kaunakakai U.S.A. 127 [inset]
Kaunas Lith. 45 M9
Kaunata Latvia 45 O8
Kaundy, Vpadina depr. Kazakh. 91 I2
Kaunia Bangl. 83 G4
Kaura-Namoda Nigeria 96 D3
Kau Sai Chau i. H.K. China 77 [inset]
Kaustinen Fin. 44 M5
Kautokeino Norway 44 M2
Kau-ye Kyun i. Myanmar 71 B5
Kavadarci Macedonia 59 J4
Kavak Turkey 90 E2
Kavaklıdere Turkey 59 M6
Kavala Greece 59 K4
Kavalas, Kolpos b. Greece 59 K4
Kavalerovo Rus. Fed. 74 D3
Kavali India 84 D3
Kavār Iran 88 D4
Kavaratti India 84 B4
Kavaratti atoll India 84 B4
Kavarna Bulg. 59 M3
Kavendou, Mont mt. Guinea 96 B3
Kaveri r. India 84 C4
Kavīr Iran 88 C3
Kavīr, Dasht-e des. Iran 88 D3
Kavīr Kūshk well Iran 88 E3
Kavkasioni mts Asia/Europe see Caucasus
Kawa Myanmar 70 B3
Kawagama Lake Canada 135 F1
Kawagoe Japan 75 E6
Kawaguchi Japan 75 E6
Kawaihae U.S.A. 127 [inset]
Kawaikini U.S.A. 127 [inset]
Kawakawa N.Z. 113 E2
Kawambwa Zambia 99 C4
Kawana Zambia 99 C5
Kawardha India 82 E5
Kawartha Lakes Canada 135 F1
Kawasaki Japan 75 E6
Kawau Island N.Z. 113 E3
Kawawachikamach Canada 123 I3
Kawdut Myanmar 70 B4
Kawerau N.Z. 113 F4
Kawhia N.Z. 113 E4
Kawhia Harbour N.Z. 113 E4
Kawich Peak U.S.A. 128 E3
Kawich Range mts U.S.A. 128 E3
Kawinaw Lake Canada 121 L4
Kaw Lake U.S.A. 131 D4
Kawlin Myanmar 70 A2
Kawm Umbū Egypt 86 D5
Kawngmeum Myanmar 70 B2
Kawthaung Myanmar 71 B5
Kaxgar China see Kashi
Kaxgar He r. China 80 E4
Kax He r. China 80 F3
Kaxtax Shan mts China 83 E1
Kaya Burkina 96 C3

Kidderminster U.K. 49 E6
Kidepo Valley National Park Uganda 98 D3
Kidira Senegal 96 B3
Kidmang India 82 D2
Kidnappers, Cape N.Z. 113 F4
Kidsgrove U.K. 49 E5
Kiel Germany 47 M3
Kiel U.S.A. 134 A2
Kiel Canal Germany 47 L3
Kielce Poland 47 R5
Kielder Water resr U.K. 48 E3
Kieler Bucht b. Germany 47 M3
Kienge Dem. Rep. Congo 99 C5
Kierspe Germany 53 H3

▶Kiev Ukr. 43 F6
Capital of Ukraine.

Kiffa Mauritania 96 B3
Kifisia Greece 59 J5
Kifrī Iraq 91 G4

▶Kigali Rwanda 98 D4
Capital of Rwanda.

Kiğı Turkey 91 F3
Kiglapait Mountains Canada 123 J2
Kigoma Tanz. 99 C4
Kihlanki Fin. 44 M3
Kihniö Fin. 44 M5
Kiholo U.S.A. 127 [inset]
Kiiminki Fin. 44 N4
Kii-sanchi mts Japan 75 D6
Kii-suidō sea chan. Japan 75 D6
Kikerino Rus. Fed. 45 P7
Kikinda Serbia 59 I2
Kikki Pak. 89 F5
Kikládhes is Greece see Cyclades
Kiknur Rus. Fed. 42 J4
Kikonai Japan 74 F4
Kikori P.N.G. 69 K8
Kikori r. P.N.G. 69 K8
Kikwit Dem. Rep. Congo 99 B4
Kilafors Sweden 45 J6
Kilar India 82 D2
Kilauea U.S.A. 127 [inset]
Kilauea Crater U.S.A. 127 [inset]
Kilchu N. Korea 74 C4
Kilcoole Ireland 51 F4
Kilcormac Ireland 51 E4
Kilcoy Australia 112 F1
Kildare Ireland 51 F4
Kil'dinstroy Rus. Fed. 44 R2
Kilemary Rus. Fed. 42 J4
Kilembe Dem. Rep. Congo 99 B4
Kilfinan U.K. 50 D5
Kilgore U.S.A. 131 E5
Kilham U.K. 48 E3
Kilia Ukr. see Kiliya
Kılıç Dağı mt. Syria/Turkey see Aqra', Jabal al
Kilifi Kenya 98 D4
Kilik Pass China 82 C1

▶Kilimanjaro vol. Tanz. 98 D4
Highest mountain in Africa.

Kilimanjaro National Park Tanz. 98 D4
Kilinailau Islands P.N.G. 106 F2
Kilindoni Tanz. 99 D4
Kilingi-Nõmme Estonia 45 N7
Kilis Turkey 85 C1
Kilis prov. Turkey 85 C1
Kiliya Ukr. 59 M2
Kilkee Ireland 51 C5
Kilkeel U.K. 51 G3
Kilkenny Ireland 51 E5
Kilkhampton U.K. 49 C8
Kilkis Greece 59 J4
Killala Ireland 51 C3
Killala Bay Ireland 51 C3
Killaloe Ireland 51 D5
Killam Canada 121 I4
Killarney N.T. Australia 108 E4
Killarney Qld Australia 112 F2
Killarney Canada 122 E5
Killarney Ireland 51 C5
Killarney National Park Ireland 51 C6
Killary Harbour b. Ireland 51 C4
Killbuck U.S.A. 134 E3
Killeen U.S.A. 131 D6
Killenaule Ireland 51 E5
Killimor Ireland 51 D4
Killin U.K. 50 E4
Killinchy U.K. 51 G3
Killíni mt. Greece see Kyllini
Killinick Ireland 51 F5
Killorglin Ireland 51 C5
Killurin Ireland 51 F5
Killybegs Ireland 51 D3
Kilmacrenan Ireland 51 E2
Kilmaine Ireland 51 C4
Kilmallock Ireland 51 D5
Kilmaluag U.K. 50 C3
Kilmarnock U.K. 50 E5
Kilmelford U.K. 50 D4
Kil'mez' Rus. Fed. 42 K4
Kil'mez' r. Rus. Fed. 42 K4
Kilmona Ireland 51 D6
Kilmore Australia 112 B6
Kilmore Quay Ireland 51 F5
Kilosa Tanz. 99 D4
Kilpisjärvi Fin. 44 L2
Kilrea U.K. 51 F3
Kilrush Ireland 51 C5
Kilsyth U.K. 50 E5
Kiltan atoll India 84 B4
Kiltullagh Ireland 51 D4
Kilwa Masoko Tanz. 99 D4
Kilwinning U.K. 50 E5
Kim U.S.A. 131 C4
Kimba Australia 109 G8
Kimba Congo 98 B4
Kimball U.S.A. 130 C3
Kimball, Mount U.S.A. 118 D3
Kimbe P.N.G. 106 F2
Kimberley S. Africa 100 G5
Kimberley Plateau Australia 108 D4
Kimberley Range hills Australia 109 B6
Kimch'aek N. Korea 75 C4
Kimch'ŏn S. Korea 75 C5
Kimhae S. Korea 75 C6
Kimhandu mt. Tanz. 99 D4
Kimhwa S. Korea 75 B5
Kími Greece see Kymi
Kimito Fin. 45 M6
Kimmirut Canada 119 L3
Kimolos i. Greece 59 K6
Kimovsk Rus. Fed. 43 H5
Kimpese Dem. Rep. Congo 99 B4
Kimpoku-san mt. Japan see Kinpoku-san
Kimry Rus. Fed. 42 H4
Kimsquit Canada 120 E4
Kimvula Dem. Rep. Congo 99 B4
Kinabalu, Gunung mt. Sabah Malaysia 68 F5
Kinango Kenya 99 D4
Kinaskan Lake Canada 120 D3
Kinbasket Lake Canada 120 G4
Kinbrace U.K. 50 F2
Kincaid Canada 121 J5
Kincardine Canada 134 E1
Kincardine U.K. 50 F4
Kinchega National Park Australia 111 C7
Kincolith Canada 120 D4
Kinda Dem. Rep. Congo 99 C4
Kindat Myanmar 70 A2
Kinde U.S.A. 134 D2
Kinder Scout hill U.K. 48 F5
Kindersley Canada 121 I5
Kindia Guinea 96 B3
Kindu Dem. Rep. Congo 98 C4
Kinel' Rus. Fed. 43 K5
Kineshma Rus. Fed. 42 I4
Kingaroy Australia 112 E1
King Christian Island Canada 119 H2
King City U.S.A. 128 C3
King Edward VII Land pen. Antarctica see Edward VII Peninsula
Kingfield U.S.A. 135 J1
Kingfisher U.S.A. 131 D5
King George U.S.A. 135 G4
King George, Mount Canada 126 E2
King George Island Antarctica 152 A2
King George Islands Canada 122 F2
King George Islands Fr. Polynesia see Roi Georges, Îles du
King Hill hill Australia 108 C5
Kingisepp Rus. Fed. 45 P7
King Island Australia 111 [inset]
King Island Canada 120 E4
King Island Myanmar see Kadan Kyun
Kingisseppa Estonia see Kuressaare
Kinglake National Park Australia 112 B6
King Leopold and Queen Astrid Coast Antarctica 152 E2
King Leopold Range National Park Australia 108 D4
King Leopold Ranges hills Australia 108 D4
Kingman U.S.A. 129 F4

▶Kingman Reef terr. N. Pacific Ocean 150 J5
United States Unincorporated Territory.

King Mountain Canada 120 D3
King Mountain hill U.S.A. 131 C6
Kingoonya Australia 111 A6
King Peak Antarctica 152 L1
King Peninsula Antarctica 152 K2
Kingri Pak. 89 H4
Kings r. Ireland 51 E5
Kings r. CA U.S.A. 128 C3
Kings r. NV U.S.A. 126 D4
King Salmon U.S.A. 118 C4
Kingsbridge U.K. 49 D8
Kingsburg U.S.A. 128 D3
Kings Canyon National Park U.S.A. 128 D3
Kingscliff Australia 112 F2
Kingscote Australia 111 B7
Kingscourt Ireland 51 F4
King Sejong research station Antarctica 152 A2
King's Lynn U.K. 49 H6
Kingsmill Group is Kiribati 107 H2
Kingsnorth U.K. 49 H7
King Sound b. Australia 108 C4
Kings Peak U.S.A. 129 H1
Kingsport U.S.A. 132 D4
Kingston Australia 111 [inset]
Kingston Canada 135 G1

▶Kingston Jamaica 137 I5
Capital of Jamaica.

▶Kingston Norfolk I. 107 G4
Capital of Norfolk Island.

Kingston MO U.S.A. 130 E4
Kingston NY U.S.A. 135 H3
Kingston OH U.S.A. 134 D4
Kingston PA U.S.A. 135 H3
Kingston Peak U.S.A. 129 F4
Kingston South East Australia 111 B8
Kingston upon Hull U.K. 48 G5

▶Kingstown St Vincent 137 L6
Capital of St Vincent.

Kingstree U.S.A. 133 E5
Kingsville U.S.A. 131 D7
Kingswood U.K. 49 E7
Kington U.K. 49 D6
Kingungi Dem. Rep. Congo 99 B4
Kingurutik r. Canada 123 J2
Kingussie U.K. 50 E3
King William U.S.A. 135 G5
King William Island Canada 119 I3
King William's Town S. Africa 101 H7
Kingwood TX U.S.A. 131 E6
Kingwood WV U.S.A. 134 F4
Kinloch N.Z. 113 B7
Kinloss U.K. 50 F3
Kinmen Taiwan see Chinmen
Kinmen i. Taiwan see Chinmen Tao
Kinmount Canada 135 F1
Kinna Sweden 45 H8
Kinnegad Ireland 51 E4
Kinneret, Yam l. Israel see Galilee, Sea of
Kinniyai Sri Lanka 84 D4
Kinnula Fin. 44 N5
Kinoje r. Canada 122 E3
Kinoosao Canada 121 K3
Kinpoku-san mt. Japan 75 E5
Kinross U.K. 50 F4
Kinsale Ireland 51 D6
Kinsale U.S.A. 135 G4

▶Kinshasa Dem. Rep. Congo 99 B4
Capital of the Democratic Republic of the Congo. 3rd most populous city in Africa.

Kinsley U.S.A. 130 D4
Kinsman U.S.A. 134 E3
Kinston U.S.A. 133 E5
Kintore U.K. 50 G3
Kintyre pen. U.K. 50 D5
Kin-U Myanmar 70 A2
Kinushseo r. Canada 122 E3
Kinyeti mt. Sudan 97 G4
Kinzig r. Germany 53 I4
Kiowa CO U.S.A. 126 G5
Kiowa KS U.S.A. 131 D4
Kipahigan Lake Canada 121 K4
Kiparissía Greece see Kyparissia
Kipawa, Lac l. Canada 122 F5
Kipling Canada 121 K5
Kipling Station Canada see Kipling
Kipnuk U.S.A. 118 B4
Kiptopeke U.S.A. 135 H5
Kipungo Angola see Quipungo
Kipushi Dem. Rep. Congo 99 C5
Kirakira Solomon Is 107 G3
Kirandul India 84 D2
Kirchdorf Germany 53 I2
Kirchheim-Bolanden Germany 53 I5
Kirchheim unter Teck Germany 53 J6
Kircubbin U.K. 51 G3
Kirdimi Chad 97 E3
Kirenga r. Rus. Fed. 73 J1
Kirensk Rus. Fed. 65 L4
Kireyevsk Rus. Fed. 43 H5
Kirghizia country Asia see Kyrgyzstan
Kirghiz Range mts Kazakh./Kyrg. 80 D3
Kirgizskaya S.S.R. country Asia see Kyrgyzstan
Kirgizskiy Khrebet mts Kazakh./Kyrg. see Kirghiz Range
Kirgizstan country Asia see Kyrgyzstan
Kiri Dem. Rep. Congo 98 B4
Kiribati country Pacific Ocean 150 I6
Kırıkhan Turkey 85 C1
Kırıkkale Turkey 90 D3
Kirillov Rus. Fed. 42 H4
Kirillovo Rus. Fed. 74 F3
Kirin China see Jilin
Kirin prov. China see Jilin
Kirinda Sri Lanka 84 D5
Kirinyaga mt. Kenya see Kenya, Mount
Kirishi Rus. Fed. 42 G4
Kirishima-Yaku Kokuritsu-kōen nat. park Japan 75 C7
Kirishima-yama vol. Japan 75 C7
Kiritimati atoll Kiribati 151 J5
Kiriwina Islands P.N.G. see Trobriand Islands
Kırkağaç Turkey 59 L5
Kirk Bulāg Dāgi mt. Iran 88 B2
Kirkby U.K. 48 E5
Kirkby in Ashfield U.K. 49 F5
Kirkby Lonsdale U.K. 48 E4
Kirkby Stephen U.K. 48 E4
Kirkcaldy U.K. 50 F4
Kirkcolm U.K. 50 D6
Kirkcudbright U.K. 50 E6
Kirkenær Norway 45 H6
Kirkenes Norway 44 Q2
Kirkfield Canada 135 F1
Kirkintilloch U.K. 50 E5
Kirkkonummi Fin. 45 N6
Kirkland U.S.A. 129 G4
Kirkland Lake Canada 122 E4
Kırklareli Turkey 59 L4
Kirklin U.S.A. 134 B3
Kirk Michael Isle of Man 48 C4
Kirkoswald U.K. 48 E4
Kirkpatrick, Mount Antarctica 152 H1
Kirksville U.S.A. 130 E3
Kirkūk Iraq 91 G4
Kirkwall U.K. 50 G2
Kirkwood S. Africa 101 G7
Kirman Iran see Kermān
Kirn Germany 53 H5
Kirov Kaluzhskaya Oblast' Rus. Fed. 43 G5
Kirov Kirovskaya Oblast' Rus. Fed. 42 K4
Kirova, Zaliv b. Azer. see Qızılağac Körfäzi
Kirovabad Azer. see Gäncä
Kirovabad Tajik. see Panj
Kirovakan Armenia see Vanadzor
Kirovo Ukr. see Kirovohrad
Kirovo-Chepetsk Rus. Fed. 42 K4
Kirovo-Chepetskiy Rus. Fed. see Kirovo-Chepetsk
Kirovograd Ukr. see Kirovohrad
Kirovohrad Ukr. 43 G6
Kirovsk Leningradskaya Oblast' Rus. Fed. 42 F4
Kirovsk Murmanskaya Oblast' Rus. Fed. 44 R3
Kirovsk Turkm. see Badabaýhan
Kirovs'ke Ukr. 90 D1
Kirovskiy Rus. Fed. 74 D3
Kirovskoye Ukr. see Kirovs'ke
Kırpaşa pen. Cyprus see Karpasia
Kirpili Turkm. 88 E2
Kirriemuir U.K. 50 F4
Kirs Rus. Fed. 42 L4
Kirsanov Rus. Fed. 43 I5
Kırşehir Turkey 90 D3
Kirthar National Park Pak. 89 G5
Kirthar Range mts Pak. 89 G5
Kirtland U.S.A. 129 I3
Kirtorf Germany 53 J4
Kiruna Sweden 44 L3
Kirundu Dem. Rep. Congo 98 C4
Kirwan Escarpment Antarctica 152 B2
Kiryū Japan 75 E5
Kisa Sweden 45 I8
Kisama, Parque Nacional de nat. park Angola see Quiçama, Parque Nacional do
Kisandji Dem. Rep. Congo 99 B4
Kisangani Dem. Rep. Congo 98 C3
Kisantu Dem. Rep. Congo 99 B4
Kisar i. Indon. 108 D2
Kisaran Indon. 71 B7
Kiselevsk Rus. Fed. 72 F2
Kisel'ovka Rus. Fed. 74 E2
Kish i. Iran 88 D5
Kishanganj India 83 F4
Kishangarh Madh. Prad. India 82 D4
Kishangarh Rajasthan India 82 B4
Kishi Nigeria 96 D4
Kishinev Moldova see Chişinău
Kishkenekol' Kazakh. 79 G1
Kishoreganj Bangl. 83 G4
Kishorganj Bangl. see Kishoreganj
Kisi Nigeria see Kishi
Kisii Kenya 98 D4
Kiska Island U.S.A. 65 S4
Kiskittogisu Lake Canada 121 L4
Kiskitto Lake Canada 121 L4
Kiskunfélegyháza Hungary 59 H1
Kiskunhalas Hungary 59 H1
Kiskunsági nat. park Hungary 59 H1
Kislovodsk Rus. Fed. 91 F2
Kismaayo Somalia 98 E4
Kismayu Somalia see Kismaayo
Kisoro Uganda 97 F5
Kispiox Canada 120 E4
Kispiox r. Canada 120 E4
Kissamos Greece 59 J7
Kisseraing Island Myanmar see Kanmaw Kyun
Kissidougou Guinea 96 B4
Kissimmee U.S.A. 133 D6
Kissimmee, Lake U.S.A. 133 D7
Kississing Lake Canada 121 K4
Kistendey Rus. Fed. 43 I5
Kistigan Lake Canada 121 M4
Kistna r. India see Krishna
Kisumu Kenya 98 D4
Kisykkamys Kazakh. see Dzhangala
Kita Mali 96 C3
Kitab Uzbek. see Kitob
Kita-Daitō-jima i. Japan 73 O7
Kitaibaraki Japan 75 F5
Kita-Iō-jima vol. Japan 69 K1
Kitakami Japan 75 F5
Kita-Kyūshū Japan 75 C6
Kitale Kenya 98 D3
Kitami Japan 74 F4
Kit Carson U.S.A. 130 C4
Kitchener Canada 134 E2
Kitchigama r. Canada 122 F4
Kitee Fin. 44 Q5
Kitgum Uganda 98 D3
Kíthira i. Greece see Kythira
Kíthnos i. Greece see Kythnos
Kiti, Cape Cyprus see Kition, Cape
Kitimat Canada 120 D4
Kitinen r. Fin. 44 O3
Kition, Cape Cyprus 85 A2
Kitiou, Akra c. Cyprus see Kition, Cape
Kitkatla Canada 120 D4
Kitob Uzbek. 89 G2
Kitsault Canada 120 D4
Kittanning U.S.A. 134 F3
Kittatinny Mountains hills U.S.A. 135 H3
Kittery U.S.A. 135 J2
Kittilä Fin. 44 N3
Kittur India 84 B3
Kitty Hawk U.S.A. 132 F4
Kitui Kenya 98 D4
Kitwanga Canada 120 D4
Kitwe Zambia 99 C5
Kitzbüheler Alpen mts Austria 47 N7
Kitzingen Germany 53 K5
Kitzscher Germany 53 M3
Kiu Lom, Ang Kep Nam Thai. 70 B3
Kiunga P.N.G. 69 K8
Kiuruvesi Fin. 44 O5
Kivalina U.S.A. 118 B3
Kivijärvi Fin. 44 N5
Kiviõli Estonia 45 O7
Kivu, Lake Dem. Rep. Congo/Rwanda 98 C4
Kiwaba N'zogi Angola 99 B4
Kiwai Island P.N.G. 69 K8
Kiyev Ukr. see Kiev
Kiyevskoye Vodokhranilishche resr Ukr. see Kyyivs'ke Vodoskhovyshche
Kıyıköy Turkey 59 M4
Kizel Rus. Fed. 41 R4
Kizema Rus. Fed. 42 J3
Kızılcadağ Turkey 59 M6
Kızılca Dağ mt. Turkey 90 C3
Kızılcahamam Turkey 90 D2
Kızıldağ mt. Turkey 85 A1
Kızıldağ mt. Turkey 85 B1
Kızıl Dağı mt. Turkey 90 E3
Kızılırmak Turkey 90 D2
Kızılırmak r. Turkey 90 D2
Kızıltepe Turkey 91 F3
Kizilyurt Rus. Fed. 91 G2
Kızkalesi Turkey 85 B1
Kizlyar Rus. Fed. 91 G2
Kizlyarskiy Zaliv b. Rus. Fed. 91 G1
Kizner Rus. Fed. 42 K4
Kizyl-Arbat Turkm. see Serdar
Kizyl-Atrek Turkm. see Etrek
Kjøllefjord Norway 44 O1
Kjøpsvik Norway 44 J2
Kladno Czech Rep. 47 O5
Klagenfurt Austria 47 O7
Klagetoh U.S.A. 129 I4
Klaipėda Lith. 45 L9
Klaksvík Faroe Is 44 [inset]
Klamath U.S.A. 126 B4
Klamath r. U.S.A. 118 F5
Klamath Falls U.S.A. 126 C4
Klamath Mountains U.S.A. 126 C4
Klang Malaysia 71 C7
Klarälven r. Sweden 45 H7
Klatovy Czech Rep. 47 N6
Klawer S. Africa 100 D6
Klazienaveen Neth. 52 G2
Kleides Islands Cyprus 85 B2
Kleinbegin S. Africa 100 E5
Klein Karas Namibia 100 D4
Klein Nama Land reg. S. Africa see Namaqualand
Klein Roggeveldberge mts S. Africa 100 E7
Kleinsee S. Africa 100 C5
Klemtu Canada 120 D4
Klerksdorp S. Africa 101 H4
Kletnya Rus. Fed. 43 G5
Kletsk Belarus see Klyetsk
Kletskaya Rus. Fed. 43 I6
Kletskiy Rus. Fed. see Kletskaya
Kleve Germany 52 G3
Klidhes Islands Cyprus see Kleides Islands
Klimkovka Rus. Fed. 42 K4
Klimovo Rus. Fed. 43 G5
Klin Rus. Fed. 42 H4
Klingenberg am Main Germany 53 J5
Klingenthal Germany 53 M4
Klingkang, Banjaran mts Indon./Malaysia 68 E6
Klink Germany 53 M1
Klínovec mt. Czech Rep. 53 N4
Klintehamn Sweden 45 K8
Klintsy Rus. Fed. 43 G5
Ključ Bos.-Herz. 58 G2
Kłodzko Poland 47 P5
Klondike r. Canada 120 B1
Klondike Gold Rush National Historical Park nat. park U.S.A. 120 C3
Kloosterhaar Neth. 52 G2
Klosterneuburg Austria 47 P6
Klötze (Altmark) Germany 53 L2
Kluane Lake Canada 120 B2
Kluane National Park Canada 120 B2
Kluang Malaysia see Keluang
Kluczbork Poland 47 Q5
Klukhori Rus. Fed. see Karachayevsk
Klukhorskiy, Pereval Georgia/Rus. Fed. 91 F2
Klukhorskiy, Pereval Georgia/Rus. Fed. 91 F2
Klukwan U.S.A. 120 C3
Klyetsk Belarus 45 O10
Klyuchevskaya, Sopka vol. Rus. Fed. 65 R4
Klyuchi Rus. Fed. 74 B2
Knåda Sweden 45 I6
Knaresborough U.K. 48 F4
Knee Lake Man. Canada 121 M4
Knee Lake Sask. Canada 121 J4
Knetzgau Germany 53 K5
Knife r. U.S.A. 130 C2
Knight Inlet Canada 120 E5
Knighton U.K. 49 D6
Knights Landing U.S.A. 128 C2
Knightstown U.S.A. 134 C4
Knin Croatia 58 G2
Knittelfeld Austria 47 O7
Knjaževac Serbia 59 J3
Knob Lake Canada see Schefferville
Knob Lick U.S.A. 134 C5
Knob Peak hill Australia 108 E3
Knock Ireland 51 D4
Knockalongy hill Ireland 51 D3
Knockalough Ireland 51 C5
Knockanaffrin hill Ireland 51 E5
Knockboy hill Ireland 51 C6
Knock Hill hill U.K. 50 G3
Knockmealdown Mts hills Ireland 51 D5
Knocknaskagh hill Ireland 51 D5
Knokke-Heist Belgium 52 D3
Knorrendorf Germany 53 N1
Knowle U.K. 49 F6
Knowlton Canada 135 I1
Knox IN U.S.A. 134 B3
Knox PA U.S.A. 134 F3
Knox, Cape Canada 120 C4
Knox Coast Antarctica 152 F2
Knoxville GA U.S.A. 133 D5
Knoxville TN U.S.A. 132 D5
Knud Rasmussen Land reg. Greenland 119 L2
Knysna S. Africa 100 F8
Ko, Gora mt. Rus. Fed. 74 E3
Koartac Canada see Quaqtaq
Koba Indon. 68 D7
Kobbfoss Norway 44 P2
Kōbe Japan 75 D6
København Denmark see Copenhagen
Kobenni Mauritania 96 C3
Koblenz Germany 53 H4
Koboldo Rus. Fed. 74 D1
Kobrin Belarus see Kobryn
Kobroör i. Indon. 69 I8
Kobryn Belarus 45 N10
Kobuk Valley National Park U.S.A. 118 C3
K'obulet'i Georgia 91 F2
Kocaeli Turkey see İzmit
Kocaeli Yarımadası pen. Turkey 59 M4
Kočani Macedonia 59 J4
Kocasu r. Turkey 59 M4
Kočevje Slovenia 58 F2
Koch Bihar India 83 G4
Kocher r. Germany 53 J5
Kochevo Rus. Fed. 41 Q4
Kochi India see Cochin
Kōchi Japan 75 D6
Koçhisar Turkey see Kızıltepe
Koch Island Canada 119 K3
Kochkor Kyrg. 80 E3
Kochkorka Kyrg. see Kochkor
Kochkurovo Rus. Fed. 43 J5
Kochubeyevskoye Rus. Fed. 91 F1
Kod India 84 B3
Kodala India 84 E2
Kodarma India 83 F4
Koderma India see Kodarma
Kodiak U.S.A. 118 C4
Kodiak Island U.S.A. 118 C4
Kodibeleng Botswana 101 H2
Kodino Rus. Fed. 42 H3
Kodiyakkarai India 84 C4
Kodok Sudan 86 D8
Kodyma Ukr. 43 F6
Kodzhaele mt. Bulg./Greece 59 K4
Koedoesberg mts S. Africa 100 E7
Koegrabie S. Africa 100 E5
Koekenaap S. Africa 100 D6
Koersel Belgium 52 F3
Koës Namibia 100 D3
Kofa Mountains U.S.A. 129 G5
Koffiefontein S. Africa 100 G5
Koforidua Ghana 96 C4
Kōfu Japan 75 E6
Kogaluc r. Canada 122 F2
Kogaluc, Baie de b. Canada 122 F2
Kogaluk r. Canada 123 J2
Kogan Australia 112 E1
Køge Denmark 45 H9
Kogon r. Guinea 96 B3
Kogon Uzbek. 89 G2
Kohan Pak. 89 G5
Kohat Pak. 89 H3
Kohestānāt Afgh. 89 G3
Kohila Estonia 45 N7
Kohima India 83 H4
Kohistan reg. Afgh. 89 H3
Kohistan reg. Pak. 89 I3
Kohler Range mts Antarctica 152 K2
Kohlu Pak. 89 H4
Kohsan Afgh. 89 F3
Kohtla-Järve Estonia 45 O7
Kohŭng S. Korea 75 B6
Koidern Mountain Canada 120 A2
Koidu Sierra Leone see Sefadu
Koihoa India 71 A5
Koilkonda India 84 C2
Koin N. Korea 75 B4
Koin r. Rus. Fed. 42 K3
Koi Sanjaq Iraq 91 G3
Kŏje-do i. S. Korea 75 C6
Kojonup Australia 109 B8
Kokand Farg'ona Uzbek. see Qo'qon
Kökar Fin. 45 L7
Kokchetav Kazakh. see Kokshetau
Kokemäenjoki r. Fin. 45 L6
Kokerboom Namibia 100 D5
Ko Kha Thai. 70 B3
Kokkilai Sri Lanka 84 D4
Kokkola Fin. 44 M5
Koko Nigeria 96 D3
Kokomo U.S.A. 134 B3
Kokong Botswana 100 F3
Kokos i. Indon. 71 A7
Kokosi S. Africa 101 H4
Kokpekti Kazakh. 80 F2
Koksan N. Korea 75 B5
Kokshaal-Tau, Khrebet mts China/Kyrg. see Kakshaal-Too
Koksharka Rus. Fed. 42 J4
Kokshetau Kazakh. 79 F1
Koksoak r. Canada 123 H2
Kokstad S. Africa 101 I6
Koktal Kazakh. 80 E3
Kokterek Kazakh. 43 K6
Koktokay China see Fuyun
Kola i. Indon. 69 I8
Kola Rus. Fed. 44 R2
Kolachi r. Pak. 89 G5
Kolahoi mt. India 82 C2
Kolaka Indon. 69 G7
Ko Lanta Thai. 71 B6
Kola Peninsula Rus. Fed. 42 H2
Kolar Chhattisgarh India 84 D2
Kolar Karnataka India 84 C3
Kolaras India 82 D4
Kolar Gold Fields India 84 C3
Kolari Fin. 44 M3
Kolarovgrad Bulg. see Shumen
Kolasib India 83 H4
Kolayat India 82 C4
Kolberg Poland see Kołobrzeg
Kol'chugino Rus. Fed. 42 H4
Kolda Senegal 96 B3
Kolding Denmark 45 F9
Kole Kasaï-Oriental Dem. Rep. Congo 98 C4
Kole Orientale Dem. Rep. Congo 98 C3
Koléa Alg. 57 H5
Kolekole mt. U.S.A. 127 [inset]
Koler Sweden 44 L4
Kolguyev, Ostrov i. Rus. Fed. 42 K1
Kolhan reg. India 83 F5
Kolhapur India 84 B2
Kolhumadulu Atoll Maldives 81 D11
Kolikata India see Kolkata
Kõljala Estonia 45 M7
Kolkasrags pt Latvia 45 M8

▶Kolkata India 83 G5
5th most populous city in Asia and 8th in the world.

Kolkhozabad Khatlon Tajik. see Vose
Kolkhozabad Khatlon Tajik. see Kolkhozobod
Kolkhozobod Tajik. 89 H2
Kollam India see Quilon
Kolleru Lake India 84 D2
Kollum Neth. 52 G1
Kolmanskop (abandoned) Namibia 100 B4
Köln Germany see Cologne
Köln-Bonn airport Germany 53 H4
Kołobrzeg Poland 47 O3
Kologriv Rus. Fed. 42 J4
Kolokani Mali 96 C3
Kolombangara i. Solomon Is 107 F2
Kolomea Ukr. see Kolomyya
Kolomna Rus. Fed. 43 H5
Kołomyja Ukr. see Kolomyya
Kolomyya Ukr. 43 E6
Kolondiéba Mali 96 C3
Kolonedale Indon. 69 G7
Koloni Cyprus 85 A2
Kolonkwaneng Botswana 100 E4
Kolozsvár Romania see Cluj-Napoca
Kolpashevo Rus. Fed. 64 J4
Kolpos Messaras b. Greece 59 K7
Kol'skiy Poluostrov pen. Rus. Fed. see Kola Peninsula
Kölük Turkey see Kâhta
Koluli Eritrea 86 F7
Kolumadulu Atoll Maldives see Kolhumadulu Atoll
Kolva r. Rus. Fed. 42 M2
Kolvan India 84 B2
Kolvereid Norway 44 G4
Kolvik Norway 44 N1
Kolvitskoye, Ozero l. Rus. Fed. 44 R3
Kolwa reg. Pak. 89 G5
Kolwezi Dem. Rep. Congo 99 C5
Kolyma r. Rus. Fed. 65 R3
Kolyma Lowland Rus. Fed. see Kolymskaya Nizmennost'

Kumu Dem. Rep. Congo 98 C3
Kumukh Rus. Fed. 91 G2
Kumul China see Hami
Kumund India 84 D1
Kumylzhenskaya Rus. Fed. see Kumylzhenskiy
Kumylzhenskiy Rus. Fed. 43 I6
Kun r. Myanmar 70 B3
Kunar r. Afgh. 89 H3
Kunashir, Ostrov i. Rus. Fed. 74 G3
Kunashirskiy Proliv sea chan. Japan/Rus. Fed. see Nemuro-kaikyō
Kunchaung Myanmar 70 B2
Kunchuk Tso salt l. China 83 E2
Kunda Estonia 45 O7
Kunda India 83 E4
Kundapura India 84 B3
Kundelungu, Parc National de nat. park Dem. Rep. Congo 99 C5
Kundelungu Ouest, Parc National de nat. park Dem. Rep. Congo 99 C5
Kundia India 82 C4
Kundur i. Indon. 68 C6
Kunduz Afgh. 89 H2
Kunene r. Angola see Cunene
Kuneneng admin. dist. Botswana see Kweneng
Künes China see Xinyuan
Kungälv Sweden 45 G8
Kunghit Island Canada 120 D4
Kungsbacka Sweden 45 H8
Kungshamn Sweden 45 G7
Kungu Dem. Rep. Congo 98 B3
Kungur mt. China see Kongur Shan
Kungur Rus. Fed. 41 R4
Kunhing Myanmar 70 B2
Kuni r. India 84 C2
Künīch Iran 88 E5
Kunié i. New Caledonia see Pins, Île des
Kunigai India 84 C3
Kunimi-dake mt. Japan 75 C6
Kunkavav India 82 B5
Kunlong Myanmar 70 B2

▶Kunlun Shan mts China 82 D1
Location of highest active volcano in Asia.

Kunlun Shankou pass China 83 H2
Kunming China 76 D3
Kunsan S. Korea 75 B6
Kunshan China 77 I2
Kununurra Australia 108 E3
Kunwak r. Canada 121 L2
Kun'ya Rus. Fed. 42 F4
Kunyang Yunnan China see Jinning
Kunyang Zhejiang China see Pingyang
Kunya-Urgench Turkm. see Köneürgenç
Künzelsau Germany 53 J5
Künzels-Berg hill Germany 53 L3
Kuocang Shan mts China 77 I2
Kuohijärvi l. Fin. 45 N6
Kuolayarvi Rus. Fed. 44 P3
Kuopio Fin. 44 O5
Kuortane Fin. 44 M5
Kupa r. Croatia/Slovenia 58 G2
Kupang Indon. 108 C2
Kupari India 83 F5
Kupiškis Lith. 45 N9
Kupreanof Island U.S.A. 120 C3
Kupwara India 82 C2
Kup"yans'k Ukr. 43 H6
Kuqa China 80 F3
Kur r. Rus. Fed. 74 D2
also known as Kür (Georgia), Kura
Kura r. Georgia 91 G2
also known as Kur (Russian Federation), Kura
Kuragino Rus. Fed. 72 G2
Kurakh Rus. Fed. 43 J8
Kurama Range mts Asia 87 K1
Kuraminskiy Khrebet mts Asia see Kurama Range
Kürän Dap Iran 89 E5
Kurashiki Japan 75 D6
Kurasia India 83 E5
Kurayn i. Saudi Arabia 88 C5
Kurayoshi Japan 75 D6
Kurchatov Rus. Fed. 43 G6
Kurchum Kazakh. 80 F2
Kürdämir Azer. 91 H2
Kŭrdzhali Bulg. 59 K4
Kure Japan 75 D6
Küre Turkey 90 D2
Kure Atoll U.S.A. 150 I4
Kuressaare Estonia 45 M7
Kurgal'dzhino Kazakh. see Korgalzhyn
Kurgal'dzhinskiy Kazakh. see Korgalzhyn
Kurgan Rus. Fed. 64 H4
Kurganinsk Rus. Fed. 91 F1
Kurgannaya Rus. Fed. see Kurganinsk
Kurgantyube Tajik. see Qŭrghonteppa
Kuri Afgh. 89 H2
Kuri India 82 B4
Kuria Muria Islands Oman see Ḥalāniyāt, Juzur al
Kuridala Australia 110 C4
Kurigram Bangl. 83 G4
Kurikka Fin. 44 M5
Kuril Basin sea feature Sea of Okhotsk 150 F2
Kuril Islands Rus. Fed. 74 H3
Kurilovka Rus. Fed. 43 K6
Kuril'sk Rus. Fed. 74 G3
Kuril'skiye Ostrova is Rus. Fed. see Kuril Islands
Kuril Trench sea feature N. Pacific Ocean 150 F3
Kurkino Rus. Fed. 43 H5
Kurmashkino Kazakh. see Kurchum
Kurmuk Sudan 86 D7
Kurnool India 84 C3
Kuroiso Japan 75 F5
Kurort Schmalkalden Germany 53 K4
Kurovskiy Rus. Fed. 74 B1
Kurow N.Z. 113 C7
Kurram Pak. 89 H3
Kurri Kurri Australia 112 E4
Kursavka Rus. Fed. 91 F1
Kürshim Kazakh. see Kurchum
Kurshskiy Zaliv b. Lith./Rus. Fed. see Courland Lagoon
Kuršių marios b. Lith./Rus. Fed. see Courland Lagoon
Kursk Rus. Fed. 43 H6
Kurskaya Rus. Fed. 91 G1
Kurskiy Zaliv b. Lith./Rus. Fed. see Courland Lagoon
Kurşunlu Turkey 90 D2
Kurtalan Turkey 91 F3
Kurtoğlu Burnu pt Turkey 59 M6
Kurtpınar Turkey 85 B1
Kurucaşile Turkey 90 D2
Kuruçay Turkey 90 E3
Kurukshetra India 82 D3
Kuruktag mts China 80 G3
Kuruman S. Africa 100 F4
Kuruman watercourse S. Africa 100 E4
Kurume Japan 75 C6
Kurumkan Rus. Fed. 73 K2
Kurunegala Sri Lanka 84 D5
Kurupam India 84 D2
Kurush, Jebel hills Sudan 86 D5
Kur'ya Rus. Fed. 41 R3
Kuryk Kazakh. 91 H2
Kuşadası Turkey 59 L6
Kuşadası Körfezi b. Turkey 59 L6
Kusaie atoll Micronesia see Kosrae
Kusary Azer. see Qusar
Kuşcenneti nature res. Turkey 85 B1
Kuschke Nature Reserve S. Africa 101 I3
Kusel Germany 53 H5
Kuş Gölü l. Turkey 59 L4
Kushalgarh India 82 C5
Kushchevskaya Rus. Fed. 43 H7
Kushimoto Japan 75 D6
Kushiro Japan 74 G4
Kushka Turkm. see Serhetabat
Kushkopola Rus. Fed. 42 J3
Kushmurun Kazakh. 78 F1
Kushtagi India 84 C3
Kushtia Bangl. 83 G5
Kushtih Iran 89 E4
Kuskan Turkey 85 A1
Kuskokwim r. U.S.A. 118 B3
Kuskokwim Bay U.S.A. 118 B4
Kuskokwim Mountains U.S.A. 118 C3
Kuşluyan Turkey see Gölköy
Kusŏng N. Korea 75 B5
Kustanay Kazakh. see Kostanay
Küstence Romania see Constanța
Küstenkanal canal Germany 53 H1
Kustia Bangl. see Kushtia
Kut Iran 88 C4
Kut, Ko i. Thai. 71 C5
Kuta Bali Indon. 68 F8
Kūt 'Abdollāh Iran 88 C4
Kutacane Indon. 71 B7
Kütahya Turkey 59 M5
K'ut'aisi Georgia 91 F2
Kut-al-Imara Iraq see Al Kūt
Kutan Rus. Fed. 91 G1
Kutanibong Indon. 71 B7
Kutaraja Indon. see Banda Aceh
Kutayfat Ţurayf vol. Saudi Arabia 85 D4
Kutch, Gulf of India see Kachchh, Gulf of
Kutch, Rann of marsh India see Kachchh, Rann of
Kutchan Japan 74 F4
Kutina Croatia 58 G2
Kutjevo Croatia 58 G2
Kutkai Myanmar 70 B2
Kutno Poland 47 Q4
Kutru India 84 D2
Kutu Dem. Rep. Congo 98 B4
Kutubdia Island Bangl. 83 G5
Kutum Sudan 97 F3
Kutztown U.S.A. 135 H3
Kuujjua r. Canada 118 G2
Kuujjuaq Canada 123 H2
Kuujjuarapik Canada 122 F3
Kuusamo Fin. 44 P4
Kuusankoski Fin. 45 O6
Kuvango Angola 99 B5
Kuvshinovo Rus. Fed. 42 G4
Kuwait country Asia 88 B4

▶Kuwait Kuwait 88 B4
Capital of Kuwait.

Kuwajleen atoll Marshall Is see Kwajalein
Kuybyshev Novosibirskaya Oblast' Rus. Fed. 64 I4
Kuybyshev Respublika Tatarstan Rus. Fed. see Bolgar
Kuybyshev Samarskaya Oblast' Rus. Fed. see Samara
Kuybysheve Ukr. 43 H7
Kuybyshevka-Vostochnaya Rus. Fed. see Belogorsk
Kuybyshevskoye Vodokhranilishche resr Rus. Fed. 43 K5
Kuyeda Rus. Fed. 41 R4
Kuygan Kazakh. 80 D2
Kuytun China 80 F3
Kuytun Rus. Fed. 72 I2
Kuyucak Turkey 59 M6
Kuzino Rus. Fed. 41 R4
Kuznechnoye Rus. Fed. 45 P6
Kuznetsk Rus. Fed. 43 J5
Kuznetsovo Rus. Fed. 74 E3
Kuznetsovs'k Ukr. 43 E6
Kuzovatovo Rus. Fed. 43 J5
Kvænangen sea chan. Norway 44 L1
Kvaløya i. Norway 44 K2
Kvalsund Norway 44 M1
Kvarnerić sea chan. Croatia 58 F2
Kvitøya ice feature Svalbard 64 E2
Kwa r. Dem. Rep. Congo see Kasaï
Kwabhaca S. Africa see Mount Frere
Kwadelen atoll Marshall Is see Kwajalein
Kwajalein atoll Marshall Is 150 H5
Kwale Nigeria 96 D4
KwaMashu S. Africa 101 J5
KwaMhlanga S. Africa 101 I3
Kwa Mtoro Tanz. 99 D4
Kwangch'ŏn S. Korea 75 B5
Kwangchow China see Guangzhou
Kwangju S. Korea 75 B6
Kwangsi Chuang Autonomous Region aut. reg. China see Guangxi Zhuangzu Zizhiqu
Kwangtung prov. China see Guangdong
Kwanmo-bong mt. N. Korea 74 C4
Kwanobuhle S. Africa 101 G7
KwaNojoli S. Africa 101 G7
Kwanonqubela S. Africa 101 H7
KwaNonzame S. Africa 100 G6
Kwanza r. Angola see Cuanza
Kwatinidubu S. Africa 101 H7
KwaZamokuhle S. Africa 101 I4
KwaZamukucinga S. Africa 100 G7
Kwazamuxolo S. Africa 100 G6
KwaZanele S. Africa 101 I4
KwaZulu-Natal prov. S. Africa 101 J5
Kweichow prov. China see Guizhou
Kweiyang China see Guiyang
Kwekwe Zimbabwe 99 C5
Kweneng admin. dist. Botswana 100 G2
Kwenge r. Dem. Rep. Congo 99 B4
Kwetabohigan r. Canada 122 E4
Kwezi-Naledi S. Africa 101 H6
Kwidzyn Poland 47 Q4
Kwikila P.N.G. 69 L8
Kwilu r. Angola/Dem. Rep. Congo 99 B4
Kwo Chau Kwan To is H.K. China see Ninepin Group
Kwoka mt. Indon. 69 I7
Kyabra Australia 111 C5
Kyabram Australia 112 B6
Kyadet Myanmar 70 A2
Kyaikkami Myanmar 70 B3
Kyaiklat Myanmar 70 A3
Kyaikto Myanmar 70 B3
Kyakhta Rus. Fed. 72 J2
Kyalite Australia 112 A5
Kyancutta Australia 109 F8
Kyangin Myanmar 70 B3
Kyangngoin China 76 B2
Kyaukhnyat Myanmar 70 B3
Kyaukkyi Myanmar 70 B3
Kyaukme Myanmar 70 B2
Kyaukpadaung Myanmar 70 A2
Kyaukpyu Myanmar 70 A3
Kyaukse Myanmar 70 B2
Kyauktaw Myanmar 70 A2
Kyaunggon Myanmar 70 A3
Kybartai Lith. 45 M9
Kyebogyi Myanmar 70 B3
Kyêbxang Co l. China 83 G2
Kyeikdon Myanmar 70 B3
Kyeikywa Myanmar 70 B3
Kyeintali Myanmar 70 A3
Kyela Tanz. 99 D4
Kyelang India 82 D2
Kyidaunggan Myanmar 70 B3
Kyiv Ukr. see Kiev
Kyklades is Greece see Cyclades
Kyle Canada 121 I5
Kyle of Lochalsh U.K. 50 D3
Kyll r. Germany 52 G5
Kyllini mt. Greece 59 J6
Kymi Greece 59 K5
Kymis, Akra pt Greece see Kymis, Akrotirio
Kymis, Akrotirio pt Greece 59 K5
Kyneton Australia 112 B6
Kynuna Australia 110 C4
Kyoga, Lake Uganda 98 D3
Kyōga-misaki pt Japan 75 D6
Kyogle Australia 112 F2
Kyong Myanmar 70 B2
Kyŏngju S. Korea 75 C6
Kyonpyaw Myanmar 70 A3
Kyōto Japan 75 D6
Kyparissia Greece 59 I6
Kypros country Asia see Cyprus
Kypshak, Ozero salt l. Kazakh. 79 F1
Kyra Rus. Fed. 73 K3
Kyra Panagia i. Greece 59 K5
Kyrenia Cyprus 85 A2
Kyrenia Mountains Cyprus see Pentadaktylos Range
Kyrgyz Ala-Too mts Kazakh./Kyrg. see Kirghiz Range
Kyrgyzstan country Asia 80 D3
Kyritz Germany 53 M2
Kyrksæterøra Norway 44 F5
Kyrta Rus. Fed. 41 R3
Kyssa Rus. Fed. 42 J2
Kytalyktakh Rus. Fed. 65 O3
Kythira i. Greece 59 J6
Kythnos i. Greece 59 K6
Kyunglung China 82 E3
Kyunhla Myanmar 70 A2
Kyun Pila i. Myanmar 71 B5
Kyuquot Canada 120 E5
Kyurdamir Azer. see Kürdämir
Kyūshū i. Japan 75 C7
Kyushu-Palau Ridge sea feature N. Pacific Ocean 150 F4
Kyustendil Bulg. 59 J3
Kywebwe Myanmar 70 B3
Kywong Australia 112 C5
Kyyev Ukr. see Kiev
Kyyiv Ukr. see Kiev
Kyyivs'ke Vodoskhovyshche resr Ukr. 43 F6
Kyyjärvi Fin. 44 N5
Kyzyl Rus. Fed. 80 H1
Kyzyl-Art, Pereval pass Kyrg./Tajik. see Kyzylart Pass
Kyzylart Pass Kyrg./Tajik. 89 I2
Kyzyl-Burun Azer. see Siyäzän
Kyzyl-Kiya Kyrg. see Kyzyl-Kyya
Kyzylkum, Peski des. Kazakh./Uzbek. see Kyzylkum Desert
Kyzylkum Desert Kazakh./Uzbek. 80 B3
Kyzyl-Kyya Kyrg. 80 D3
Kyzyl-Mazhalyk Rus. Fed. 80 H1
Kyzylorda Kazakh. 80 C3
Kyzylrabot Tajik. see Qizilrabot
Kyzylsay Kazakh. 91 I2
Kyzylysor Kazakh. 91 H1
Kyzylzhar Kazakh. 80 C2
Kzyl-Dzhar Kazakh. see Kyzylzhar
Kzyl-Orda Kazakh. see Kyzylorda
Kzyltu Kazakh. see Kishkenekol'

L

Laagri Estonia 45 N7
Laam Atoll Maldives see Hadhdhunmathi Atoll
La Angostura, Presa de resr Mex. 136 F5
Laanila Fin. 44 O2
Laascaanood Somalia 98 E3
La Ascensión, Bahía de b. Mex. 137 G5
Laasgoray Somalia 98 E2

▶Laâyoune W. Sahara 96 B2
Capital of Western Sahara.

La Babia Mex. 131 C6
La Baie Canada 123 H4
La Baleine, Grande Rivière de r. Canada 122 F3
La Baleine, Petite Rivière de r. Canada 122 F3
La Baleine, Rivière à r. Canada 123 I2
La Banda Arg. 144 D3
La Barge U.S.A. 126 F4
Labasa Fiji 107 H3
La Baule-Escoublac France 56 C3
Labazhskoye Rus. Fed. 42 L2
Labe r. Germany see Elbe
Labé Guinea 96 B3
La Belle U.S.A. 133 D7
La Bénoué, Parc National de nat. park Cameroon 97 E4
Laberge, Lake Canada 120 C2
Labian, Tanjung pt Malaysia 68 F5
La Biche, Lac l. Canada 121 H4
Labinsk Rus. Fed. 91 F1
Labis Malaysia 71 C7
La Boquilla Mex. 131 B7
La Boucle du Baoulé, Parc National de nat. park Mali 96 C3
Labouheyre France 56 D4
Laboulaye Arg. 144 D4
Labrador reg. Canada 123 J3
Labrador City Canada 123 I3
Labrador Sea Canada/Greenland 119 M3
Labrang China see Xiahe
Lábrea Brazil 142 F5
Labuan Malaysia 68 F5
Labudalin China see Ergun
Labuhanbilik Indon. 71 C7
Labuhanruku Indon. 71 B7
Labuna Indon. 69 H7
Labutta Myanmar 70 A3
Labyrinth, Lake salt flat Australia 111 A6
Labytnangi Rus. Fed. 64 H3
Laç Albania 59 H4
La Cabrera, Sierra de mts Spain 57 C2
La Cadena Mex. 131 B7
Lac-Allard Canada 123 J4
La Calle Alg. see El Kala
La Cañiza Spain see A Cañiza
La Capelle France 52 D5
La Carlota Arg. 144 D4
La Carolina Spain 57 E4
Lăcăuţi, Vârful mt. Romania 59 L2
Laccadive, Minicoy and Amindivi Islands union terr. India see Lakshadweep
Laccadive Islands India 84 B4
Lac du Bonnet Canada 121 L5
Lacedaemon Greece see Sparti
La Ceiba Hond. 137 G5
Lacepede Bay Australia 111 B8
Lacepede Islands Australia 108 C4
Lacha, Ozero l. Rus. Fed. 42 H3
Lachendorf Germany 53 K2
Lachine U.S.A. 134 D1

▶Lachlan r. Australia 112 A5
5th longest river in Oceania.

La Chorrera Panama 137 I7
Lachute Canada 122 G5
Laçın Azer. 91 G3
La Ciotat France 56 G5
Lac La Biche Canada 121 I4
Lac la Martre Canada see Whatî
Lacolle Canada 135 I1
La Colorada Sonora Mex. 127 F7
La Colorada Zacatecas Mex. 131 C8
Lacombe Canada 120 H4
La Comoé, Parc National de nat. park Côte d'Ivoire 96 C4
Laconi Sardinia Italy 58 C5
Laconia U.S.A. 135 J2
La Corey Canada 121 I4
La Coruña Spain see A Coruña
La Corvette, Lac de l. Canada 122 G3
La Coubre, Pointe de pt France 56 D4
La Crete Canada 120 G3
La Crosse KS U.S.A. 130 D4
La Crosse VA U.S.A. 135 F5
La Crosse WI U.S.A. 130 F3
La Cruz Mex. 136 C4
La Cuesta Mex. 131 C6
La Culebra, Sierra de mts Spain 57 C3
La Cygne U.S.A. 130 E4
Ladainha Brazil 145 C2
Ladakh reg. India/Pak. 82 D2
Ladakh Range mts India 82 D2
Ladang, Ko i. Thai. 71 B6
La Demajagua Cuba 133 D8
La Demanda, Sierra de mts Spain 57 E2
La Déroute, Passage de strait Channel Is/France 49 E9
Ladik Turkey 90 D2
Lādīz Iran 89 F4
Ladnun India 82 C4

▶Ladoga, Lake Rus. Fed. 42 F3
2nd largest lake in Europe.

Ladong China 77 F3
Ladozhskoye Ozero l. Rus. Fed. see Ladoga, Lake
Ladrones terr. N. Pacific Ocean see Northern Mariana Islands
Ladu mt. India 83 H4
Ladue r. Canada/U.S.A. 120 A2
Ladva-Vetka Rus. Fed. 42 G3
Ladybank U.K. 50 F4
Ladybrand S. Africa 101 H5
Lady Frere S. Africa 101 H6
Lady Grey S. Africa 101 H6
Ladysmith S. Africa 101 I5
Ladysmith U.S.A. 130 F2
Ladzhanurges Georgia see Lajanurpekhi
Lae P.N.G. 69 L8
Laem Ngop Thai. 71 C4
Lærdalsøyri Norway 45 E6
La Esmeralda Bol. 142 F8
Læsø i. Denmark 45 G8
Lafayette Alg. see Bougaa
La Fayette AL U.S.A. 133 C5
Lafayette IN U.S.A. 134 B3
Lafayette LA U.S.A. 131 E6
Lafayette TN U.S.A. 134 B5
Lafé Cuba 133 C8
La Fère France 52 D5
Laferte r. Canada 120 G2
La Ferté-Gaucher France 52 D6
La-Ferté-Milon France 52 D5
La Ferté-sous-Jouarre France 52 D6
Lafia Nigeria 96 D4
Lafiagi Nigeria 96 D4
Laflamme r. Canada 122 F4
Lafleche Canada 121 J5
La Flèche France 56 D3
La Follette U.S.A. 134 C5
La Forest, Lac l. Canada 123 H3
Laforge Canada 123 G3
Laforge r. Canada 123 G3
La Frégate, Lac de l. Canada 122 G3
Lāft Iran 88 D5
Laful India 71 A6
La Galissonnière, Lac l. Canada 123 J4

▶La Galite i. Tunisia 58 C6
Most northerly point of Africa.

La Galite, Canal de sea chan. Tunisia 58 C6
La Gallega Mex. 131 B7
Lagan' Rus. Fed. 43 J7
Lagan r. U.K. 51 G3
La Garamba, Parc National de nat. park Dem. Rep. Congo 98 C3
Lagarto Brazil 143 K6
Lage Germany 53 I3
Lågen r. Norway 45 G7
Lage Vaart canal Neth. 52 F2
Lagg U.K. 50 D5
Laggan U.K. 50 E3
Lagh Bor watercourse Kenya/Somalia 98 E3
Laghouat Alg. 54 E5
Lagkor Co salt l. China 83 F2
La Gloria Mex. 131 D7
Lago Agrio Ecuador 142 C3
Lagoa Santa Brazil 145 C2
Lagoa Vermelha Brazil 145 A5
Lagodekhi Georgia 91 G2
Lagolândia Brazil 145 A1
La Gomera i. Canary Is 96 B2
La Gonâve, Île de i. Haiti 137 J5
Lagong i. Indon. 71 E7

▶Lagos Nigeria 96 D4
Former capital of Nigeria. Most populous city in Africa.

Lagos Port. 57 B5
Lagosa Tanz. 99 C4
La Grande r. Canada 122 F3
La Grande U.S.A. 126 D3
La Grande 3, Réservoir resr Canada 122 G3
La Grande 4, Réservoir resr Que. Canada 123 G3
La Grange Australia 108 C4
La Grange CA U.S.A. 128 C3
La Grange GA U.S.A. 133 C5
Lagrange U.S.A. 134 C3
La Grange KY U.S.A. 132 C4
La Grange TX U.S.A. 131 D6
La Gran Sabana plat. Venez. 142 F2
La Grita Venez. 142 D2
La Guajira, Península de pen. Col. 142 D1
Laguna Brazil 145 A5
Laguna, Picacho de la mt. Mex. 136 B4
Laguna Dam U.S.A. 129 F5
Laguna Mountains U.S.A. 128 E5
Lagunas Chile 144 C2
Laguna San Rafael, Parque Nacional nat. park Chile 144 B7
Laha China 74 B2
La Habana Cuba see Havana
La Habra U.S.A. 128 E5
Lahad Datu Sabah Malaysia 68 F5
La Hague, Cap de c. France 56 D2
Laharpur India 82 E4
Lahat Indon. 68 C7
Lahe Myanmar 70 A1
Lahemaa rahvuspark nat. park Estonia 45 N7
La Hève, Cap de c. France 49 H9
Lahewa Indon. 71 B7
Laḥij Yemen 86 F7
Lāhījān Iran 88 C2
Lahn r. Germany 53 H4
Lahnstein Germany 53 H4
Laholm Sweden 45 H8
Lahontan Reservoir U.S.A. 128 D2
Lahore Pak. 89 I4
Lahri Pak. 89 H4
Lahti Fin. 45 N6
Laï Chad 97 E4
Lai'an China 77 H1
Laibach Slovenia see Ljubljana
Laibin China 77 F4
Laidley Australia 112 F1
Laifeng China 77 F2
L'Aigle France 56 E2
Laihia Fin. 44 M5
Lai-hka Myanmar 70 B2
Lai-Hsak Myanmar 70 B2
Laimakuri India 83 H4
Laimos, Akrotirio pt Greece 59 J5
Laingsburg S. Africa 100 E7
Laingsburg U.S.A. 134 C2
Lainioälven r. Sweden 44 M3
Lair U.S.A. 134 C4
L'Aïr, Massif de mts Niger 96 D3
Lairg U.K. 50 E2
La Isabela Cuba 133 D8
Laishevo Rus. Fed. 42 K5
Laitila Fin. 45 L6
Laives Italy 58 D1
Laiwu China 73 L5
Laiwui Indon. 69 H7
Laiyang China 73 M5
Laizhou China 73 L5
Laizhou Wan b. China 73 L5
Lajamanu Australia 108 E4
Lajanurpekhi Georgia 91 F2
Lajeado Brazil 145 A5
Lajes Rio Grande do Norte Brazil 143 K5
Lajes Santa Catarina Brazil 145 A4
La Junta Mex. 127 G7
La Junta U.S.A. 130 C4
La Juventud, Isla de i. Cuba 137 H4
Lakadiya India 82 B5
L'Akagera, Parc National de nat. park Rwanda see Akagera National Park
La Kagera, Parc National de nat. park Rwanda see Akagera National Park
Lake U.S.A. 134 D5
Lake Andes U.S.A. 130 D3
Lakeba i. Fiji 107 I3
Lake Bardawil Reserve nature res. Egypt 85 A4
Lake Bolac Australia 112 A6
Lake Butler U.S.A. 133 D6
Lake Cargelligo Australia 112 C4
Lake Cathie Australia 112 F3
Lake Charles U.S.A. 131 E6
Lake City CO U.S.A. 129 J3
Lake City FL U.S.A. 133 D6
Lake City MI U.S.A. 134 C1
Lake Clark National Park and Preserve U.S.A. 118 C3
Lake Clear U.S.A. 135 H1
Lake District National Park U.K. 48 D4
Lake Eyre National Park Australia 111 B6
Lakefield Australia 110 D2
Lakefield Canada 135 F1
Lakefield National Park Australia 110 D2
Lake Forest U.S.A. 134 B2
Lake Gairdner National Park Australia 111 B7
Lake Geneva U.S.A. 130 F3
Lake George MI U.S.A. 134 C2
Lake George NY U.S.A. 135 I2
Lake Grace Australia 109 B8
Lake Harbour Canada see Kimmirut
Lake Havasu City U.S.A. 129 F4
Lakehurst U.S.A. 135 H3
Lake Isabella U.S.A. 128 D4
Lake Jackson U.S.A. 131 E6
Lake King Australia 109 B8
Lake Kopiago P.N.G. 69 K8
Lakeland FL U.S.A. 133 D7
Lakeland GA U.S.A. 133 D6
Lake Louise Canada 120 G5
Lakemba i. Fiji see Lakeba
Lake Mills U.S.A. 130 E3
Lake Nash Australia 110 B4
Lake Odessa U.S.A. 134 C2
Lake Paringa N.Z. 113 B6
Lake Placid FL U.S.A. 133 D7
Lake Placid NY U.S.A. 135 I1
Lake Pleasant U.S.A. 135 H2
Lakeport CA U.S.A. 128 B2
Lakeport MI U.S.A. 134 D2
Lake Providence U.S.A. 131 F5
Lake Range mts U.S.A. 128 D1
Lake River Canada 122 E3
Lakes Entrance Australia 112 D6
Lakeside AZ U.S.A. 129 I4
Lakeside VA U.S.A. 135 G5
Lake Tabourie Australia 112 E5
Lake Tekapo N.Z. 113 C7
Lake Torrens National Park Australia 111 B6
Lakeview MI U.S.A. 134 C2
Lakeview OH U.S.A. 134 D3
Lakeview OR U.S.A. 126 C4
Lake Village U.S.A. 131 F5
Lake Wales U.S.A. 133 D7
Lakewood CO U.S.A. 126 G5
Lakewood NJ U.S.A. 135 H3
Lakewood NY U.S.A. 134 F2
Lakewood OH U.S.A. 134 E3
Lake Worth U.S.A. 133 D7
Lakha India 82 B4
Lakhdenpokh'ya Rus. Fed. 44 Q6
Lakhimpur Assam India see North Lakhimpur
Lakhimpur Uttar Prad. India 82 E4
Lakhisarai India 83 F4
Lakhish r. Israel 85 B4
Lakhnadon India 82 D5
Lakhpat India 82 B5
Lakhtar India 82 B5
Lakin U.S.A. 130 C4
Lakitusaki r. Canada 122 E3
Lakki Marwat Pak. 89 H3
Lakonikos Kolpos b. Greece 59 J6
Lakor i. Indon. 108 E2
Lakota Côte d'Ivoire 96 C4
Lakota U.S.A. 130 D1
Laksefjorden sea chan. Norway 44 O1
Lakselv Norway 44 N1
Lakshadweep is India see Laccadive Islands
Lakshadweep union terr. India 84 B4
Lakshettipet India 84 C2
Lakshmipur Bangl. 83 G5
Laksmipur Bangl. see Lakshmipur
Lalaghat India 83 H4
Lalbara India 84 D1
L'Alcora Spain 57 F3
Lāleh Zār, Kūh-e mt. Iran 88 E4
Lalganj India 83 F4
Lālī Iran 88 C3
La Ligua Chile 144 B4
Laliki Indon. 108 D1
Lalin China 74 B3
Lalín Spain 57 B2
La Línea de la Concepción Spain 57 D5
Lalin He r. China 74 B3
Lalitpur India 82 D4
Lalitpur Nepal see Patan
Lalmanirhat Bangl. see Lalmonirhat
Lalmonirhat Bangl. 83 G4
La Loche Canada 121 I3
La Loche, Lac l. Canada 121 I3
La Louvière Belgium 52 E4
Lal'sk Rus. Fed. 42 J3
Lalung La pass China 83 F3
Lama Bangl. 83 H5

a Macarena, Parque Nacional *nat. park* Col. **142** D3
a Maddalena *Sardinia* Italy **58** C4
a Madeleine, Îles de *is* Canada **123** J5
. Madeleine, Monts de *mts* France **56** F3
amadian China **74** B3
amadianzi China *see* **Lamadian**
a Maiko, Parc National de *nat. park* Dem. Rep. Congo **98** C4
a Malbaie Canada **123** H5
amam Laos **70** D4
a Mancha Mex. **131** C7
a Mancha *reg.* Spain **57** E4
a Manche *strait* France/U.K. *see* **English Channel**
a Máquina Mex. **131** B6
amar *CO* U.S.A. **130** C4
amar *MO* U.S.A. **131** E4
amard Iran **88** D5
a Margeride, Monts de *mts* France **56** F4
a Marmora, Punta *mt. Sardinia* Italy **58** C5
a Marne au Rhin, Canal de France **52** G6
a Marque U.S.A. **131** E6
a Martre, Lac *l.* Canada **120** G2
amas *r.* Turkey **85** B1
a Mauricie, Parc National de *nat. park* Canada **123** G5
ambaréné Gabon **98** B4
ambasa Fiji *see* **Labasa**
ambayeque Peru **142** C5
ambay Island Ireland **51** G4
ambert *atoll* Marshall Is *see* **Ailinglaplap**

▶Lambert Glacier Antarctica **152** E2
Largest series of glaciers in the world.

ambert's Bay S. Africa **100** D7
ambeth Canada **134** E2
ambi India **82** C3
ambourn Downs *hills* U.K. **49** F7
ame Indon. **71** B7
a Medjerda, Monts de *mts* Alg. **58** B6
amego Port. **57** C3
amèque, Île *i.* Canada **123** I5
a Merced Arg. **144** C3
a Merced Peru **142** C6
ameroo Australia **111** C7
a Mesa U.S.A. **128** E5
amesa U.S.A. **131** C5
amia Greece **59** J5
amington National Park Australia **112** F2
a Misión Mex. **128** E5
amma Island *H.K.* China **77** [inset]
ammerlaw Range *mts* N.Z. **113** B7
ammermuir Hills U.K. **50** G5
ammhult Sweden **45** I8
ammi Fin. **45** N6
amont *CA* U.S.A. **128** D4
amont *WY* U.S.A. **126** G4
a Montagne d'Ambre, Parc National de *nat. park* Madag. **99** E5
a Montaña de Covadonga, Parque Nacional de *nat. park* Spain *see* **Los Picos de Europa, Parque Nacional de**
a Mora Mex. **131** C7
a Morita *Chihuahua* Mex. **131** B6
a Morita *Coahuila* Mex. **131** C6
amotrek *atoll* Micronesia **69** L5
a Moure U.S.A. **130** D2
ampang Thai. **70** B3
am Pao, Ang Kep Nam Thai. **70** C3
ampasas U.S.A. **131** D6
ampazos Mex. **131** C7
ampedusa, Isola di *i. Sicily* Italy **58** E7
ampeter U.K. **49** C6
amphun Thai. **70** B3
ampsacus Turkey *see* **Lâpseki**
am Tin *H.K.* China **77** [inset]
amu Kenya **98** E4
amu Myanmar **70** A3
āna'i *i.* U.S.A. **127** [inset]
āna'i City U.S.A. **127** [inset]
a Nao, Cabo de *c.* Spain **57** G4
anao, Lake Phil. **69** G5
anark Canada **135** G1
anark U.K. **50** F5
anbi Kyun *i.* Myanmar **71** B5
ancang China **76** C4
ancang Jiang *r.* China **76** C2
ancaster Canada **135** H1
ancaster U.K. **48** E4
ancaster *CA* U.S.A. **128** D4
ancaster *KY* U.S.A. **134** C5
ancaster *MO* U.S.A. **130** E3
ancaster *NH* U.S.A. **135** J1
ancaster *OH* U.S.A. **134** D4
ancaster *PA* U.S.A. **135** G3
ancaster *SC* U.S.A. **133** D5
ancaster *VA* U.S.A. **135** G5
ancaster *WI* U.S.A. **130** F3
ancaster Canal U.K. **48** E5
ancaster Sound *strait* Canada **119** J2
anchow China *see* **Lanzhou**
andana Angola *see* **Cacongo**
andau an der Isar Germany **53** M6
andau in der Pfalz Germany **53** I5
andeck Austria **47** M7
ander *watercourse* Australia **108** E5
ander U.S.A. **126** F4
andesbergen Germany **53** J2
andfall Island India **71** A4
andhi Pak. **89** G5
andis Canada **121** I4
andor Australia **109** B6
andsberg Poland *see* **Gorzów Wielkopolski**
andsberg am Lech Germany **47** M6
and's End *pt* U.K. **49** B8
andshut Germany **53** M6
andskrona Sweden **45** H9
andstuhl Germany **53** H5
and Wursten *reg.* Germany **53** I1
anesborough Ireland **51** E4
a'nga Co *l.* China **82** E3
angao China **77** F1
angar Afgh. **89** H3
angberg *mts* S. Africa **100** F5
angdon U.S.A. **130** D1
angeac France **56** F4
angeberg *mts* S. Africa **100** D7
angeland *i.* Denmark **45** G9
ängelmäki Fin. **45** N6

Langelsheim Germany **53** K3
Langen Germany **53** I1
Langenburg Canada **121** K5
Langenhagen Germany **53** J2
Langenhahn Germany **53** H4
Langenlonsheim Germany **53** H5
Langenthal Switz. **56** H3
Langenweddingen Germany **53** L2
Langeoog Germany **53** H1
Langesund Norway **45** F7
Langfang China **73** L5
Langgapayung Indon. **71** B7
Langgar China **76** B2
Langgöns Germany **53** I4
Langjan Nature Reserve S. Africa **101** I2
Langjökull *ice cap* Iceland **44** [inset]
Langka Indon. **71** B6
Langkawi *i.* Malaysia **71** B6
Lang Kha Toek, Khao *mt.* Thai. **71** B5
Langklip S. Africa **100** E5
Langley Canada **120** F5
Langley U.S.A. **134** D5
Langlo Crossing Australia **111** D5
Langmusi China *see* **Dagcanglhamo**
Langong, Xé *r.* Laos **70** D3
Langøya *i.* Norway **44** I2
Langphu *mt.* China **83** F3
Langport U.K. **49** E7
Langqên Zangbo *r.* China **82** D3
Langqi China **77** H3
Langres France **56** G3
Langres, Plateau de France **56** G3
Langru China **82** D1
Langsa Indon. **71** B6
Langsa, Teluk *b.* Indon. **71** B6
Långsele Sweden **44** J5
Lang Sơn Vietnam **70** D2
Langtang National Park Nepal **83** F3
Langtao Myanmar **70** B1
Langting India **83** H4
Langtoft U.K. **48** G4
Langtry U.S.A. **131** C6
Languan China *see* **Lantian**
Languedoc *reg.* France **56** E5
Långvattnet Sweden **44** L4
Langwedel Germany **53** J2
Langxi China **77** H2
Langzhong China **76** E2
Lanigan Canada **121** J5
Lanín, Parque Nacional *nat. park* Arg. **144** B5
Lanín, Volcán *vol.* Arg./Chile **144** B5
Lanji India **82** E5
Lanka *country* Asia *see* **Sri Lanka**
Länkäran Azer. **91** H3
Lannion France **56** C2
Lanping China **76** C3
Lansån Sweden **44** M3
L'Anse U.S.A. **130** F2
Lanshan China **77** G3

▶Lansing U.S.A. **134** C2
Capital of Michigan.

Lanta, Ko *i.* Thai. **71** B6
Lantau Island *H.K.* China **77** [inset]
Lantau Peak *hill H.K.* China **77** [inset]
Lantian China **77** F1
Lanxi *Heilong.* China **74** B3
Lanxi *Zhejiang* China **77** H2
Lan Yü *i.* Taiwan **77** I4
Lanzarote *i.* Canary Is **96** B2
Lanzhou China **72** I5
Lanzijing China **74** A3
Laoag Phil. **69** G3
Laoang Phil. **69** H4
Laobie Shan *mts* China **76** C4
Laobukou China **77** F3
Lao Cai Vietnam **70** C2
Laodicea Syria *see* **Latakia**
Laodicea Turkey *see* **Denizli**
Laodicea ad Lycum Turkey *see* **Denizli**
Laodicea ad Mare Syria *see* **Latakia**
Laohekou China **77** F1
Laohupo China *see* **Logpung**
Laojie China *see* **Yongping**
Laojunmiao China *see* **Yumen**
La Okapi, Parc National de *nat. park* Dem. Rep. Congo **98** C3
Lao Ling *mts* China **74** B4
Laon France **52** D5
La Oroya Peru **142** C6
Laos *country* Asia **70** C3
Laotougou China **74** C4
Laotuding Shan *hill* China **74** B4
Laowohi *pass* India *see* **Khardung La**
Laoye Ling *mts Heilongjiang/Jilin* China **74** B4
Laoye Ling *mts Heilongjiang/Jilin* China **74** C4
Lapa Brazil **145** A4
La Palma *i.* Canary Is **96** B2
La Palma Panama **137** I7
La Palma U.S.A. **129** H5
La Palma del Condado Spain **57** C5
La Panza Range *mts* U.S.A. **128** C4
La Paragua Venez. **142** F2
La Parilla Mex. **131** B8
La Paya, Parque Nacional *nat. park* Col. **142** D3
La Paz Arg. **144** E4

▶La Paz Bol. **142** E7
Official capital of Bolivia.

La Paz Hond. **136** G6
La Paz Mex. **136** B4
La Pedrera Col. **142** E4
Lapeer U.S.A. **134** D2
La Pendjari, Parc National de *nat. park* Benin **96** D3
La Perla Mex. **131** B6
La Pérouse Strait Japan/Rus. Fed. **74** F3
La Pesca Mex. **131** D8
Lapinlahti Fin. **44** O5
Lapithos Cyprus **85** A2
Lap Lae Thai. **70** C3
La Plant U.S.A. **130** C2
La Plata Arg. **144** E4
La Plata *MD* U.S.A. **135** G4
La Plata *MO* U.S.A. **130** E3
La Plata, Isla *i.* Ecuador **142** B4

▶La Plata, Río de *sea chan.* Arg./Uruguay **144** E4
Part of the Río de la Plata - Paraná, 2nd longest river in South America, and 9th in the world.

La Plonge, Lac *l.* Canada **121** J4
Lapmežciems Latvia **45** M8
Lapominka Rus. Fed. **42** I2
La Porte U.S.A. **134** B3
Laporte U.S.A. **135** G3
Laporte, Mount Canada **120** E2
La Potherie, Lac *l.* Canada **123** G2
La Poza Grande Mex. **127** E8
Lappajärvi Fin. **44** M5
Lappajärvi *l.* Fin. **44** M5
Lappeenranta Fin. **45** P6
Lappersdorf Germany **53** M5
Lappi Fin. **45** L6
Lappland *reg.* Europe **44** K3
La Pryor U.S.A. **131** D6
Lâpseki Turkey **59** L4
Laptevo Rus. Fed. *see* **Yasnogorsk**
Laptev Sea Rus. Fed. **65** N2
Lapua Fin. **44** M5
Lapurdum France *see* **Bayonne**
La Purísima Mex. **127** E8
Laqiya Arbain *well* Sudan **86** C5
La Quiaca Arg. **144** C2
L'Aquila Italy **58** E3
La Quinta U.S.A. **128** E5
Lār Iran **88** D5
Larache Morocco **57** C6
Lārak *i.* Iran **88** E5
Laramie U.S.A. **126** G4
Laramie *r.* U.S.A. **126** G4
Laramie Mountains U.S.A. **126** G4
Laranda Turkey *see* **Karaman**
Laranjal Paulista Brazil **145** B3
Laranjeiras do Sul Brazil **144** F3
Laranjinha *r.* Brazil **145** A3
Larantuka Indon. **108** C2
Larat Indon. **108** E1
Larat *i.* Indon. **108** E1
Larba Alg. **57** H5
Lärbro Sweden **45** K8
L'Archipélago de Mingan, Réserve du Parc National de *nat. park* Canada **123** J4
L'Ardenne, Plateau de *plat.* Belgium *see* **Ardennes**
Laredo Spain **57** E2
Laredo U.S.A. **131** D7
La Reina Adelaida, Archipiélago de *is* Chile **144** B8
Largeau Chad *see* **Faya**
Largo U.S.A. **133** D7
Largs U.K. **50** E5
Lārī Iran **88** B2
L'Ariana Tunisia **58** D6
Larimore U.S.A. **130** D2
La Rioja Arg. **144** C3
La Rioja *aut. comm.* Spain **57** E2
Larisa Greece **59** J5
Larissa Greece *see* **Larisa**
Laristan *reg.* Iran **88** E5
Larkana Pak. **89** H5
Lark Harbour Canada **123** K4
Lar Koh *mt.* Afgh. **89** F3
Lark Passage Australia **110** D2
L'Arli, Parc National de *nat. park* Burkina **96** D3
Larnaca Cyprus **85** A2
Larnaka Cyprus *see* **Larnaca**
Larnaka Bay Cyprus **85** A2
Larnakos, Kolpos *b.* Cyprus *see* **Larnaka Bay**
Larne U.K. **51** G3
Larned U.S.A. **130** D4
La Robe Noire, Lac de *l.* Canada **123** J4
La Robla Spain **57** D2
La Roche-en-Ardenne Belgium **52** F4
La Rochelle France **56** D3
La Roche-sur-Yon France **56** D3
La Roda Spain **57** E4
La Romana Dom. Rep. **137** K5
La Ronge Canada **121** J4
La Ronge, Lac *l.* Canada **121** J4
La Rosa Mex. **131** C7
La Rosita Mex. **131** C6
Larrey Point Australia **108** B4
Larrimah Australia **108** F3
Lars Christensen Coast Antarctica **152** E2
Larsen Ice Shelf Antarctica **152** L2
Larsmo Fin. **44** M5
Larvik Norway **45** G7
Las Adjuntas, Presa de *resr* Mex. **131** D8
La Sal U.S.A. **129** I2
LaSalle Canada **135** I1
La Salle U.S.A. **122** C6
La Salonga Nord, Parc National de *nat. park* Dem. Rep. Congo **98** C4
La Sambre à l'Oise, Canal de France **52** D5
Las Animas U.S.A. **130** C4
Las Anod Somalia *see* **Laascaanood**
La Sarre Canada **122** F4
Las Avispas Mex. **127** F7
La Savonnière, Lac *l.* Canada **123** G3
La Scie Canada **123** L4
Las Cruces *CA* U.S.A. **128** C4
Las Cruces *NM* U.S.A. **127** G6
La Selle, Pic *mt.* Haiti **137** J5
La Serena Chile **144** B3
Las Esperanças Mex. **131** C7
La Seu d'Urgell Spain **57** G2
Las Flores Arg. **144** E5
Las Guacamatas, Cerro *mt.* Mex. **127** F7
Lāshār *r.* Iran **89** F5
Lashburn Canada **121** I4
Las Heras Arg. **144** C4
Lashio Myanmar **70** B2
Lashkar India **82** D4
Lashkar Gāh Afgh. **89** G4
Las Juntas Chile **144** C3
Las Lomitas Arg. **144** D2
Las Marismas *marsh* Spain **57** C5
Las Martinetas Arg. **144** C7
Las Mesteñas Mex. **131** B6
Las Minas, Cerro de *mt.* Hond. **136** G6
Las Nopaleras, Cerro *mt.* Mex. **131** C7
La Société, Archipel de *is* Fr. Polynesia *see* **Society Islands**
La Somme, Canal de France **52** C5

Las Palmas *watercourse* Mex. **128** E5

▶Las Palmas de Gran Canaria Canary Is **96** B2
Joint capital of the Canary Islands.

Las Petas Bol. **143** G7
La Spezia Italy **58** C2
Las Piedras, Río de *r.* Peru **142** E6
Las Plumas Arg. **144** C6
Laspur Pak. **89** I2
Lassance Brazil **145** B2
Lassen Peak *vol.* U.S.A. **128** C1
Lassen Volcanic National Park U.S.A. **128** C1
Las Tablas Panama **137** H7
Las Tablas de Daimiel, Parque Nacional de *nat. park* Spain **57** E4
Last Chance U.S.A. **130** C4
Las Termas Arg. **144** D3
Last Mountain Lake Canada **121** J5
Las Tórtolas, Cerro *mt.* Chile **144** C3
Lastoursville Gabon **98** B4
Lastovo *i.* Croatia **58** G3
Las Tres Vírgenes, Volcán *vol.* Mex. **127** E8
Lastrup Germany **53** H2
Las Tunas Cuba **137** I4
Las Varas *Chihuahua* Mex. **127** G7
Las Varas *Nayarit* Mex. **136** C4
Las Varillas Arg. **144** D4
Las Vegas *NM* U.S.A. **127** G6
Las Vegas *NV* U.S.A. **129** F3
Las Viajas, Isla de *i.* Peru **142** C6
Las Villuercas *mt.* Spain **57** D4
La Tabatière Canada **123** K4
Latacunga Ecuador **142** C4
Latady Island Antarctica **152** L2
Latakia Syria **85** B2
La Teste-de-Buch France **56** D4
Latham Australia **109** B7
Lathen Germany **53** H2
Latheron U.K. **50** F2
Lathi India **82** B4
Latho India **82** D2
Lathrop U.S.A. **128** C3
Latina Italy **58** E4
La Tortuga, Isla *i.* Venez. **142** E1
Latrobe U.S.A. **134** F3
Latrun West Bank **85** B4
Lattaquié Syria *see* **Latakia**
Lattrop Neth. **52** G2
La Tuque Canada **123** G5
Latur India **84** C2
Latvia *country* Europe **45** N8
Latvija *country* Europe *see* **Latvia**
Latviyskaya S.S.R. *country* Europe *see* **Latvia**
Lauca, Parque Nacional *nat. park* Chile **142** E7
Lauchhammer Germany **47** N5
Lauder U.K. **50** G5
Laudio Spain *see* **Llodio**
Lauenbrück Germany **53** J1
Lauenburg (Elbe) Germany **53** K1
Lauf an der Pegnitz Germany **53** L5
Laufen Switz. **56** H3
Lauge Koch Kyst *reg.* Greenland **119** L2
Laughlen, Mount Australia **109** F5
Laughlin Peak U.S.A. **127** G5
Lauka Estonia **45** M7
Launceston Australia **111** [inset]
Launceston U.K. **49** C8
Laune *r.* Ireland **51** C5
Launggyaung Myanmar **70** B1
Launglon Myanmar **71** B4
Launglon Bok Islands Myanmar **71** B4
La Unión Bol. **142** F7
Laura Australia **110** D2
Laurel *DE* U.S.A. **135** H4
Laurel *MS* U.S.A. **131** F6
Laurel *MT* U.S.A. **126** F3
Laureldale U.S.A. **135** H3
Laurel Hill *hills* U.S.A. **134** F4
Laurencekirk U.K. **50** G4
Laurieton Australia **112** F3
Laurinburg U.S.A. **133** E5
Lauru *i.* Solomon Is *see* **Choiseul**
Lausanne Switz. **56** H3
Laut *i.* Indon. **68** F7
Laut *i.* Indon. **71** E6
Lautem East Timor **108** D2
Lautersbach (Hessen) Germany **53** J4
Laut Kecil, Kepulauan *is* Indon. **68** F8
Lautoka Fiji **107** H3
Lauvuskylä Fin. **44** P5
Lauwersmeer *l.* Neth. **52** G1
Lava Beds National Monument *nat. park* U.S.A. **126** C4
Laval Canada **122** G5
Laval France **56** D2
La Vall d'Uixó Spain **57** F4
Lāvān *i.* Iran **88** D5
La Vanoise, Massif de *mts* France **56** H4
La Vanoise, Parc National de *nat. park* France **56** H4
Lavapié, Punta *pt* Chile **144** B5
Lāvar Iran **88** C4
Laveaga Peak U.S.A. **128** C3
La Vega Dom. Rep. **137** J5
Laverne U.S.A. **131** D4
Laverton Australia **109** C7
La Víbora Mex. **131** C7
La Vila Joíosa Spain *see* **Villajoyosa-La Vila Joíosa**
La Viña Peru **142** C5
Lavongal *i.* P.N.G. *see* **New Hanover**
Lavras Brazil **145** B3
Lavumisa Swaziland **101** J4
Lavushi-Manda National Park Zambia **99** D5
Lawa India **82** C4
Lawa Myanmar **70** B1
Lawa Pak. **89** H3
Lawashi *r.* Canada **122** E3
Law Dome *ice feature* Antarctica **152** F2
Lawit, Gunung *mt.* Malaysia **71** C6
Lawksawk Myanmar **70** B2
Lawn Hill National Park Australia **110** B3
La Woëvre, Plaine de *plain* France **52** F5
Lawra Ghana **96** C3
Lawrence *IN* U.S.A. **134** B4
Lawrence *KS* U.S.A. **130** E4
Lawrence *MA* U.S.A. **135** J2

Lawrenceburg *IN* U.S.A. **134** C4
Lawrenceburg *KY* U.S.A. **134** C4
Lawrenceburg *TN* U.S.A. **132** C5
Lawrenceville *GA* U.S.A. **133** D5
Lawrenceville *IL* U.S.A. **134** B4
Lawrenceville *VA* U.S.A. **135** G5
Lawrence Wells, Mount *hill* Australia **109** C6
Lawton U.S.A. **131** D5
Lawz, Jabal al *mt.* Saudi Arabia **90** D5
Laxå Sweden **45** I7
Laxey Isle of Man **48** C4
Laxgalts'ap Canada **120** D4
Lax Kw'alaams Canada **120** D4
Laxo U.K. **50** [inset]
Laya *r.* Rus. Fed. **42** M2
Laydennyy, Mys *c.* Rus. Fed. **42** J1
Laylá Saudi Arabia **86** G5
Layla *salt pan* Saudi Arabia **85** D4
Laysan Island U.S.A. **150** I4
Laytonville U.S.A. **128** B2
Layyah Pak. **89** H4
Laza Myanmar **70** B1
Lazarev Rus. Fed. **74** F1
Lazarevac Serbia **59** I2
Lázaro Cárdenas Mex. **136** D5
Lazcano Uruguay **144** F4
Lazdijai Lith. **45** M9
Lazikou China **76** D1
Lazo *Primorskiy Kray* Rus. Fed. **74** D4
Lazo *Respublika Sakha (Yakutiya)* Rus. Fed. **65** O3
Lead U.S.A. **130** C2
Leader Water *r.* U.K. **50** G5
Leadville Australia **112** D4
Leaf *r.* U.S.A. **131** F6
Leaf Bay Canada *see* **Tasiujaq**
Leaf Rapids Canada **121** K3
Leakey U.S.A. **131** D6
Leaksville U.S.A. *see* **Eden**
Leamington Canada **134** D2
Leamington Spa, Royal U.K. **49** F6
Leane, Lough *l.* Ireland **51** C5
Leap Ireland **51** C6
Leatherhead U.K. **49** G7
L'Eau Claire, Lac à *l.* Canada **122** G2
L'Eau Claire, Rivière à *r.* Canada **122** G2
L'Eau d'Heure *l.* Belgium **52** E4
Leavenworth *IN* U.S.A. **134** B4
Leavenworth *KS* U.S.A. **130** E4
Leavenworth *WA* U.S.A. **126** C3
Leavitt Peak U.S.A. **128** D2
Lebach Germany **52** G5
Lebanon *country* Asia **85** B2
Lebanon *IN* U.S.A. **134** B3
Lebanon *KY* U.S.A. **134** C5
Lebanon *MO* U.S.A. **130** E4
Lebanon *NH* U.S.A. **135** I2
Lebanon *OH* U.S.A. **134** C4
Lebanon *OR* U.S.A. **126** C3
Lebanon *PA* U.S.A. **135** G3
Lebanon *TN* U.S.A. **132** C4
Lebanon *VA* U.S.A. **134** D5
Lebanon Junction U.S.A. **134** C5
Lebanon Mountains Lebanon *see* **Liban, Jebel**
Lebbeke Belgium **52** E3
Lebec U.S.A. **128** D4
Lebedyan' Rus. Fed. **43** H5
Lebel-sur-Quévillon Canada **122** F4
Le Blanc France **56** E3
Lębork Poland **47** P3
Lebowakgomo S. Africa **101** I3
Lebrija Spain **57** C5
Łebsko, Jezioro *lag.* Poland **47** P3
Lebu Chile **144** B5
Lebyazh'ye Kazakh. *see* **Akku**
Lebyazh'ye Rus. Fed. **42** K4
Le Caire Egypt *see* **Cairo**
Le Cateau-Cambrésis France **52** D4
Le Catelet France **52** D4
Lecce Italy **58** H4
Lecco Italy **58** C2
Lech *r.* Austria/Germany **47** M7
Lechaina Greece **59** I6
Lechang China **77** G3
Le Chasseron *mt.* Switz. **56** H3
Le Chesne France **52** E5
Lechtaler Alpen *mts* Austria **47** M7
Leck Germany **47** L3
Lecompte U.S.A. **131** E6
Le Creusot France **56** G3
Le Crotoy France **52** B4
Lectoure France **56** E5
Ledang, Gunung *mt.* Malaysia **71** C7
Ledbury U.K. **49** E6
Ledesma Spain **57** D3
Ledmore U.K. **50** E2
Ledmozero Rus. Fed. **44** R4
Ledong *Hainan* China **70** E3
Ledong *Hainan* China **77** F5
Le Dorat France **56** E3
Leduc Canada **120** H4
Lee *r.* Ireland **51** D6
Lee *IN* U.S.A. **134** B3
Lee *MA* U.S.A. **135** I2
Leech Lake U.S.A. **130** E2
Leeds U.K. **48** F5
Leedstown U.K. **49** B8
Leek Neth. **52** G1
Leek U.K. **49** E5
Leende Neth. **52** F3
Leer (Ostfriesland) Germany **53** H1
Leesburg *FL* U.S.A. **133** D6
Leesburg *GA* U.S.A. **133** C6
Leesburg *OH* U.S.A. **134** D4
Leesburg *VA* U.S.A. **135** G4
Leese Germany **53** J2
Lee Steere Range *hills* Australia **109** C6
Leesville U.S.A. **131** E6
Leesville Lake *OH* U.S.A. **134** E3
Leesville Lake *VA* U.S.A. **134** F5
Leeton Australia **112** C5
Leeu-Gamka S. Africa **100** E7
Leeuwarden Neth. **52** F1
Leeuwin, Cape Australia **109** A8
Leeuwin-Naturaliste National Park Australia **109** A8
Lee Vining U.S.A. **128** D3
Leeward Islands Caribbean Sea **137** L5
Lefka Cyprus **85** A2
Lefkada Greece **59** I5

Lefkada *i.* Greece **59** I5
Lefkás Greece *see* **Lefkada**
Lefke Cyprus *see* **Lefka**
Lefkimmi Greece **59** I5
Lefkoniko Cyprus *see* **Lefkonikon**
Lefkonikon Cyprus **85** A2
Lefkoşa Cyprus *see* **Nicosia**
Lefkosia Cyprus *see* **Nicosia**
Lefroy *r.* Canada **123** H2
Lefroy, Lake *salt flat* Australia **109** C7
Legarde *r.* Canada **122** D4
Legaspi Phil. **69** G4
Legden Germany **52** H2
Legges Tor *mt.* Australia **111** [inset]
Leghorn Italy *see* **Livorno**
Legnago Italy **58** D2
Legnica Poland **47** P5
Le Grand U.S.A. **128** C3
Legune Australia **108** E3
Leh India **82** D2
Le Havre France **56** E2
Lehi U.S.A. **129** H1
Lehighton U.S.A. **135** H3
Lehmo Fin. **44** P5
Lehre Germany **53** K2
Lehrte Germany **53** J2
Lehtimäki Fin. **44** M5
Lehututu Botswana **100** E2
Leibnitz Austria **47** O7
Leicester U.K. **49** F6
Leichhardt *r.* Australia **106** B3
Leichhardt Falls Australia **110** B3
Leichhardt Range *mts* Australia **110** D4
Leiden Neth. **52** E2
Leie *r.* Belgium **52** D3
Leigh N.Z. **113** E3
Leigh U.K. **48** E5
Leighton Buzzard U.K. **49** G7
Leikto Myanmar **70** B3
Leimen Germany **53** I5
Leine *r.* Germany **53** J2
Leinefelde Germany **53** K3
Leinster Australia **109** C6
Leinster *reg.* Ireland **51** F4
Leinster, Mount *hill* Ireland **51** F5
Leipsic U.S.A. **134** D3
Leipsoi *i.* Greece **59** L6
Leipzig Germany **53** M3
Leipzig-Halle *airport* Germany **53** M3
Leiranger Norway **44** I3
Leiria Port. **57** B4
Leirvik Norway **45** D7
Leishan China **77** F3
Leisler, Mount *hill* Australia **109** E5
Leisnig Germany **53** M3
Leitchfield U.S.A. **134** B5
Leith Hill *hill* U.K. **49** G7
Leiva, Cerro *mt.* Col. **142** D3
Leixlip Ireland **51** F4
Leiyang China **77** G3
Leizhou China **77** F4
Leizhou Bandao *pen.* China **77** F4
Leizhou Wan *b.* China **77** F4
Lek *r.* Neth. **52** E3
Leka Norway **44** G4
Lékana Congo **98** B4
Le Kef Tunisia **58** C6
Lekhainá Greece *see* **Lechaina**
Lekitobi Indon. **69** G7
Lekkersing S. Africa **100** C5
Lékoni Gabon **98** B4
Leksand Sweden **45** I6
Leksozero, Ozero *l.* Rus. Fed. **44** Q5
Lelai, Tanjung *pt* Indon. **69** H6
Leland U.S.A. **134** C1
Leli China *see* **Tianlin**
Lélouma Guinea **96** B3
Lelystad Neth. **52** F2
Le Maire, Estrecho de *sea chan.* Arg. **144** C9
Léman, Lac *l.* France/Switz. *see* **Geneva, Lake**
Le Mans France **56** E2
Le Mars U.S.A. **130** D3
Lemberg France **53** H5
Lemberg Ukr. *see* **L'viv**
Lembruch Germany **53** I2
Lemdiyya Alg. *see* **Médéa**
Leme Brazil **145** B3
Lemele Neth. **52** G2
Lemesos Cyprus *see* **Limassol**
Lemgo Germany **53** I2
Lemhi Range *mts* U.S.A. **126** E3
Lemi Fin. **45** O6
Lemieux Islands Canada **119** L3
Lemmenjoen kansallispuisto *nat. park* Fin. **44** N2
Lemmer Neth. **52** F2
Lemmon U.S.A. **130** C2
Lemmon, Mount U.S.A. **129** H5
Lemnos *i.* Greece *see* **Limnos**
Lemoncove U.S.A. **128** D3
Lemoore U.S.A. **128** D3
Le Moyne, Lac *l.* Canada **123** H2
Lemro *r.* Myanmar **70** A2
Lemtybozh Rus. Fed. **41** R3
Le Murge *hills* Italy **58** G4
Lemvig Denmark **45** F8
Lem"yu *r.* Rus. Fed. **42** M3
Lena *r.* Rus. Fed. **72** J1
Lena U.S.A. **134** A1
Lena, Mount U.S.A. **129** I1
Lenadoon Point Ireland **51** C3
Lenchung Tso *salt l.* China **83** E2
Lençóis Brazil **145** C1
Lençóis Maranhenses, Parque Nacional dos *nat. park* Brazil **143** J4
Lendeh Iran **88** C4
Lendery Rus. Fed. **44** Q5
Le Neubourg France **49** H9
Lengerich Germany **53** H2
Lenglong Ling *mts* China **72** I5
Lengshuijiang China **77** F3
Lengshuitan China **77** F3
Lenham U.K. **49** H7
Lenhovda Sweden **45** I8
Lenin Tajik. **89** H2
Lenin, Qullai *mt.* Kyrg./Tajik. *see* **Lenin Peak**
Lenina, Pik *mt.* Kyrg./Tajik. *see* **Lenin Peak**
Leninabad Tajik. *see* **Khŭjand**
Leninakan Armenia *see* **Gyumri**

Lenin Atyndagy Choku mt. Kyrg./Tajik. see Lenin Peak
Lenine Ukr. 90 D1
Leningrad Rus. Fed. see St Petersburg
Leningrad Tajik. 89 H2
Leningrad Oblast admin. div. Rus. Fed. see Leningradskaya Oblast'
Leningradskaya Rus. Fed. 43 H7
Leningradskaya Oblast' admin. div. Rus. Fed. 45 R7
Leningradskiy Rus. Fed. 65 S3
Leningradskiy Tajik. see Leningrad
Lenino Ukr. see Lenine
Leninobod Tajik. see Khŭjand
Lenin Peak Kyrg./Tajik. 89 I2
Leninsk Kazakh. see Baykonyr
Leninsk Rus. Fed. 43 J6
Leninskiy Rus. Fed. 43 H5
Leninsk-Kuznetskiy Rus. Fed. 64 J4
Leninskoye Kazakh. 43 K6
Leninskoye Kirovskaya Oblast' Rus. Fed. 42 J4
Leninskoye Yevreyskaya Avtonomnaya Oblast' Rus. Fed. 74 D3
Lenkoran' Azer. see Länkäran
Lenne r. Germany 53 H3
Lennoxville Canada 135 J1
Lenoir U.S.A. 132 D5
Lenore U.S.A. 134 D5
Lenore Lake Canada 121 J4
Lenox U.S.A. 135 I2
Lens France 52 C4
Lensk Rus. Fed. 65 M3
Lenti Hungary 58 G1
Lentini Sicily Italy 58 F6
Lenya Myanmar 71 B5
Lenzen Germany 53 L1
Léo Burkina 96 C3
Leoben Austria 47 O7
Leodhais, Eilean i. U.K. see Lewis, Isle of
Leominster U.K. 49 E6
Leominster U.S.A. 135 J2
León Mex. 136 D4
León Nicaragua 137 G6
León Spain 57 D2
Leon r. U.S.A. 131 D6
Leonardtown U.S.A. 135 G4
Leonardville Namibia 100 D2
Leongatha Australia 112 B7
Leonidi Peloponnisos Greece see Leonidio
Leonidio Greece 59 J6
Leonidovo Rus. Fed. 74 F2
Leonora Australia 109 C7
Leopold U.S.A. 134 E4
Leopold and Astrid Coast Antarctica see King Leopold and Queen Astrid Coast
Léopold II, Lac l. Dem. Rep. Congo see Mai-Ndombe, Lac
Leopoldina Brazil 145 C3
Leopoldo de Bulhões Brazil 145 A2
Léopoldville Dem. Rep. Congo see Kinshasa
Leoti U.S.A. 130 C4
Leoville Canada 121 J4
Lepalale S. Africa see Lephalale
Lepaya Latvia see Liepāja
Lepel' Belarus see Lyepyel'
Lepellé r. Canada 123 H1
Lephalala r. S. Africa 101 H2
Lephalale S. Africa 101 H2
Lephepe Botswana 101 G2
Lephoi S. Africa 101 G6
Leping China 77 H2
Lepontine, Alpi mts Italy/Switz. 58 C1
Leppävirta Fin. 44 O5
Lepreau, Point Canada 123 I5
Lepsa Kazakh. see Lepsy
Lepsy Kazakh. 80 E2
Le Puy France see Le Puy-en-Velay
Le Puy-en-Velay France 56 F4
Le Quesnoy France 52 D4
Lerala Botswana 101 H2
Leratswana S. Africa 101 H5
Léré Mali 96 C3
Lereh Indon. 69 J7
Leribe Lesotho see Hlotse
Lérida Col. 142 D4
Lérida Spain see Lleida
Lerik Azer. 91 H3
Lerma Spain 57 E2
Lermontov Rus. Fed. 91 F1
Lermontovka Rus. Fed. 74 D3
Lermontovskiy Rus. Fed. see Lermontov
Leros i. Greece 59 L6
Le Roy U.S.A. 135 G2
Le Roy, Lac l. Canada 122 G2
Lerum Sweden 45 H8
Lerwick U.K. 50 [inset]
Les Amirantes is Seychelles see Amirante Islands
Lesbos i. Greece 59 K5
Les Cayes Haiti 137 J5
Leshan China 76 D2
Leshukonskoye Rus. Fed. 42 J2
Lesi watercourse Sudan 97 F4
Leskhimstroy Ukr. see Syeverodonets'k
Leskovac Serbia 59 I3
Leslie U.S.A. 134 C2
Lesneven France 56 B2
Lesnoy Kirovskaya Oblast' Rus. Fed. 42 L4
Lesnoy Murmanskaya Oblast' Rus. Fed. see Umba
Lesnoye Rus. Fed. 42 G4
Lesogorsk Rus. Fed. 74 F2
Lesopil'noye Rus. Fed. 74 D3
Lesosibirsk Rus. Fed. 64 K4
Lesotho country Africa 101 I5
Lesozavodsk Rus. Fed. 74 D3
L'Espérance Rock i. Kermadec Is 107 I5
Les Pieux France 49 F9
Les Sables-d'Olonne France 56 D3
Lesse r. Belgium 52 E4
Lesser Antarctica reg. Antarctica see West Antarctica
Lesser Antilles is Caribbean Sea 137 K6
Lesser Caucasus mts Asia 91 F2
Lesser Himalaya mts India/Nepal 82 D3
Lesser Khingan Mountains China see Xiao Hinggan Ling
Lesser Slave Lake Canada 120 H4
Lesser Tunb i. The Gulf 88 D5
Lessines Belgium 52 D4
L'Est, Canal de France 52 G6
L'Est, Île de i. Canada 123 J5
L'Est, Pointe de pt Canada 123 J4
Lester U.S.A. 134 E5
Lestijärvi Fin. 44 N5
Les Vans France 56 G4
Lesvos i. Greece see Lesbos
Leszno Poland 47 P5
Letaba S. Africa 101 J2
Letchworth Garden City U.K. 49 G7
Le Télégraphe hill France 56 G3
Leteri India 82 D4
Letha Range mts Myanmar 70 A2
Lethbridge Alta Canada 121 H5
Lethbridge Nfld. and Lab. Canada 123 L4
Leti i. Indon. 108 D2
Leti, Kepulauan is Indon. 108 D2
Leticia Col. 142 E4
Letlhakeng Botswana 101 G3
Letnerechenskiy Rus. Fed. 42 G2
Letniy Navolok Rus. Fed. 42 H2
Le Touquet-Paris-Plage France 52 B4
Letpadan Myanmar 70 A3
Le Tréport France 52 B4
Letsitele S. Africa 101 J2
Letsopa S. Africa 101 G4
Letterkenny Ireland 51 E3
Letung Indon. 71 D7
Lëtzebuerg country Europe see Luxembourg
Letzlingen Germany 53 L2
Léua Angola 99 C5
Leucas Greece see Lefkada
Leucate, Étang de l. France 56 F5
Leuchars U.K. 50 G4
Leukas Greece see Lefkada
Leung Shuen Wan Chau i. H.K. China see High Island
Leunovo Rus. Fed. 42 I2
Leupp U.S.A. 129 H4
Leupung Indon. 71 A6
Leura Australia 110 E4
Leusden Neth. 52 F2
Leuser, Gunung mt. Indon. 71 B7
Leutershausen Germany 53 K5
Leuven Belgium 52 E4
Levadeia Sterea Ellada Greece see Livadeia
Levan U.S.A. 129 H2
Levanger Norway 44 G5
Levante, Riviera di coastal area Italy 58 C2
Levanto Italy 58 C2
Levashi Rus. Fed. 91 G2
Levelland U.S.A. 131 C5
Leven England U.K. 48 G5
Leven Scotland U.K. 50 G4
Leven, Loch l. U.K. 50 F4
Lévêque, Cape Australia 108 C4
Leverkusen Germany 52 G3
Lévézou mts France 56 F4
Levice Slovakia 47 Q6
Levin N.Z. 113 E5
Lévis Canada 123 H5
Levitha i. Greece 59 L6
Levittown NY U.S.A. 135 I3
Levittown PA U.S.A. 135 H3
Levkás i. Greece see Lefkada
Levkímmi Greece see Lefkimmi
Levskigrad Bulg. see Karlovo
Lev Tolstoy Rus. Fed. 43 H5
Lévy, Cap c. France 49 F9
Lewe Myanmar 70 B3
Lewerberg mt. S. Africa 100 C5
Lewes U.K. 49 H8
Lewes U.S.A. 135 H4
Lewis CO U.S.A. 129 I3
Lewis IN U.S.A. 134 B4
Lewis KS U.S.A. 130 D4
Lewis, Isle of i. U.K. 50 C2
Lewis, Lake salt flat Australia 108 F5
Lewisburg KY U.S.A. 134 B5
Lewisburg PA U.S.A. 135 G3
Lewisburg WV U.S.A. 134 E5
Lewis Cass, Mount Canada/U.S.A. 120 D3
Lewis Hills hill Canada 123 K4
Lewis Pass N.Z. 113 D6
Lewis Range hills Australia 108 E5
Lewis Range mts U.S.A. 126 E2
Lewis Smith, Lake U.S.A. 133 C5
Lewiston ID U.S.A. 126 D3
Lewiston ME U.S.A. 135 J1
Lewistown IL U.S.A. 130 F3
Lewistown MT U.S.A. 126 F3
Lewistown PA U.S.A. 135 G3
Lewisville U.S.A. 131 E5
Lexington KY U.S.A. 134 C4
Lexington MI U.S.A. 134 D2
Lexington NC U.S.A. 132 D5
Lexington NE U.S.A. 130 D3
Lexington TN U.S.A. 131 F5
Lexington VA U.S.A. 134 F5
Lexington Park U.S.A. 135 G4
Leyden Neth. see Leiden
Leye China 76 E3
Leyla Dāgh mt. Iran 88 B2
Leyte i. Phil. 69 G4
Lezha Albania see Lezhë
Lezhë Albania 59 H4
Lezhi China 76 E2
Lezhu China 77 G4
L'gov Rus. Fed. 43 G6
Lhagoi Kangri mt. China 83 F3
Lharigarbo China 83 G2
Lhasa China 83 G3
Lhasoi China 76 B2
Lhatog China 76 C2
Lhaviyani Atoll Maldives see Faadhippolhu Atoll
Lhazê Xizang China 76 B2
Lhazê Xizang China 83 F3
Lhazhong China 83 F3
Lhokkruet Indon. 71 A6
Lhokseumawe Indon. 71 B6
Lhoksukon Indon. 71 B6
Lhomar China 83 G3
Lhorong China 76 B2

▶Lhotse mt. China/Nepal 83 F4
4th highest mountain in the world and in Asia.

Lhozhag China 83 G3
Lhuntshi Bhutan 83 G4
Lhünzê China see Xingba
Lhünzhub China see Gaindainqoinkor
Liakoura mt. Greece 59 J5
Liancheng China see Guangnan
Liancourt France 52 C5
Liancourt Rocks i. Asia 75 C5
Liandu China see Lishui
Liangdang China 76 E1
Liangdaohe China 83 G3
Lianghe Chongqing China 77 F2
Lianghe Yunnan China 76 C3
Lianghekou Chongqing China see Lianghe
Lianghekou Gansu China 76 E1
Lianghekou Sichuan China 76 D2
Liangping China 76 E2
Liangshan China see Liangping
Liang Shan mt. Myanmar 70 B1
Liangshi China see Shaodong
Liangtian China 77 F4
Liangyuan China see Shangqiu
Liangzhou China see Wuwei
Liangzi Hu l. China 77 G2
Lianhe China see Qianjiang
Lianhua China 77 G3
Lianhua Shan mts China 77 G4
Lianjiang Fujian China 77 H3
Lianjiang Jiangxi China see Xingguo
Liannan China 77 G3
Lianping China 77 G3
Lianran China see Anning
Lianshan Guangdong China 77 G3
Lianshan Liaoning China 73 M4
Lianshui China 77 H1
Liant, Cape i. Thai. see Samae San, Ko
Liantang China see Nanchang
Lianxian China see Lianzhou
Lianyin China 74 A1
Lianyungang China 77 H1
Lianzhou Guangdong China 77 G3
Lianzhou Guangxi China see Hepu
Liaocheng China 73 L5
Liaodong Bandao pen. China 73 M4
Liaodong Wan b. China 73 M4
Liaogao China see Songtao
Liao He r. China 74 A4
Liaoning prov. China 74 A4
Liaoyang China 74 A4
Liaoyuan China 74 B4
Liaozhong China 74 A4
Liapades Greece 59 H5
Liard r. Canada 120 F2
Liard Highway Canada 120 F2
Liard Plateau Canada 120 E2
Liard River Canada 120 E3
Liari Pak. 89 G5
Liathach mt. U.K. 50 D3
Liban country Asia see Lebanon
Liban, Jebel mts Lebanon 85 C2
Libau Latvia see Liepāja
Libby U.S.A. 126 E2
Libenge Dem. Rep. Congo 98 B3
Liberal U.S.A. 131 C4
Liberdade Brazil 145 B3
Liberec Czech Rep. 47 O5
Liberia country Africa 96 C4
Liberia Costa Rica 137 G6
Liberty IN U.S.A. 134 C4
Liberty KY U.S.A. 134 C5
Liberty ME U.S.A. 135 K1
Liberty MO U.S.A. 130 E4
Liberty MS U.S.A. 131 F6
Liberty NY U.S.A. 135 H3
Liberty TX U.S.A. 131 E6
Liberty Lake U.S.A. 135 G4
Libin Belgium 52 F5
Libni, Gebel hill Egypt see Libnī, Jabal
Libnī, Jabal hill Egypt 85 A4
Libo China 76 E3
Libobo, Tanjung pt Indon. 69 H7
Libode S. Africa 101 I6
Libong, Ko i. Thai. 71 B6
Libourne France 56 D4
Libral Well Australia 108 D5
Libre, Sierra mts Mex. 127 F7

▶Libreville Gabon 98 A3
Capital of Gabon.

▶Libya country Africa 97 E2
4th largest country in Africa.

Libyan Desert Egypt/Libya 86 C5
Libyan Plateau Egypt 90 B5
Licantén Chile 144 B4
Licata Sicily Italy 58 E6
Lice Turkey 91 F3
Lich Germany 53 I4
Lichas pen. Greece 59 J5
Licheng Guangxi China see Lipu
Licheng Jiangsu China see Jinhu
Lichfield U.K. 49 F6
Lichinga Moz. 99 D5
Lichte Germany 53 L4
Lichtenau Germany 53 I3
Lichtenburg S. Africa 101 H4
Lichtenfels Germany 53 L4
Lichtenvoorde Neth. 52 G3
Lichuan Hubei China 77 F2
Lichuan Jiangxi China 77 H3
Lida Belarus 45 N10
Liddel Water r. U.K. 50 G5
Lidfontein Namibia 100 D3
Lidköping Sweden 45 H7
Lidsjöberg Sweden 44 I4
Liebenau Germany 53 J2
Liebenburg Germany 53 K2
Liebenwalde Germany 53 N2
Liebig, Mount Australia 109 E5
Liechtenstein country Europe 56 I3
Liège Belgium 52 F4
Liegnitz Poland see Legnica
Lieksa Fin. 44 Q5
Lielupe r. Latvia 45 N8
Lielvārde Latvia 45 N8
Lienart Dem. Rep. Congo 98 C3
Lienchung i. Taiwan see Matsu Tao
Liên Nghia Vietnam 71 E5
Liên Sơn Vietnam 71 E4
Lienz Austria 47 N7
Liepāja Latvia 45 L8
Liepaya Latvia see Liepāja
Lier Belgium 52 E3
Lierre Belgium see Lier
Lieshout Neth. 52 F3
Lietuva country Europe see Lithuania
Liévin France 52 C4
Lièvre, Rivière du r. Canada 122 G5
Liezen Austria 47 O7
Liffey r. Ireland 51 F4
Lifford Ireland 51 E3
Lifi Mahuida mt. Arg. 144 C6
Lifou i. New Caledonia 107 G4
Lifu i. New Caledonia see Lifou
Līgatne Latvia 45 N8
Lightning Ridge Australia 112 C2
Ligny-en-Barrois France 52 F6
Ligonha r. Moz. 99 D5
Ligonier U.S.A. 134 C3
Ligui Mex. 127 F8
Ligure, Mar sea France/Italy see Ligurian Sea
Ligurian Sea France/Italy 58 C3
Ligurienne, Mer sea France/Italy see Ligurian Sea
Ligurta U.S.A. 129 F5
Lihir Group is P.N.G. 106 F2
Lihou Reef and Cays Australia 110 E3
Liivi laht b. Estonia/Latvia see Riga, Gulf of
Lijiang Yunnan China 76 D3
Lijiang Yunnan China see Yuanjiang
Lijiazhai China 77 G2
Lika reg. Croatia 58 F2
Likasi Dem. Rep. Congo 99 C5
Likati Dem. Rep. Congo 98 C3
Likely Canada 120 F4
Likhachevo Ukr. see Pervomays'kyy
Likhachyovo Ukr. see Pervomays'kyy
Likhapani India 83 H4
Likhás pen. Greece see Lichas
Likhoslavl' Rus. Fed. 42 G4
Liku Indon. 68 D6
Likurga Rus. Fed. 42 I4
L'Île-Rousse Corsica France 56 I5
Lilienthal Germany 53 I1
Liling China 77 G3
Lilla Pak. 89 I3
Lilla Edet Sweden 45 H7
Lille Belgium 52 E3
Lille France 52 D4
Lille (Lesquin) airport France 52 D4
Lille Bælt sea chan. Denmark see Little Belt
Lillebonne France 49 H9
Lillehammer Norway 45 G6
Lillers France 52 C4
Lillesand Norway 45 F7
Lillestrøm Norway 45 G7
Lilley U.S.A. 134 C2
Lillholmsjö Sweden 44 I5
Lillian, Point hill Australia 109 D6
Lillington U.S.A. 133 E5
Lillooet Canada 120 F5
Lillooet r. Canada 120 F5
Lillooet Range mts Canada 120 F5

▶Lilongwe Malawi 99 D5
Capital of Malawi.

Lilydale Australia 111 B7

▶Lima Peru 142 C6
Capital of Peru. 5th most populous city in South America.

Lima MT U.S.A. 126 E3
Lima NY U.S.A. 135 G2
Lima OH U.S.A. 134 C3
Lima Duarte Brazil 145 C3
Lima Islands China see Wanshan Qundao
Liman Rus. Fed. 43 J7
Limar Indon. 108 D1
Limassol Cyprus 85 A2
Limavady U.K. 51 F2
Limay r. Arg. 144 C5
Limbaži Latvia 45 N8
Limbunya Australia 108 E4
Limburg an der Lahn Germany 53 I4
Lim Chu Kang hill Sing. 71 [inset]
Lime Acres S. Africa 100 F5
Limeira Brazil 145 B3
Limerick Ireland 51 D5
Limestone Point Canada 121 L4
Limingen Norway 44 H4
Limingen l. Norway 44 H4
Limington U.S.A. 135 J2
Liminka Fin. 44 N4
Limmen Bight b. Australia 110 B2
Limnos i. Greece 59 K5
Limoeiro Brazil 143 K5
Limoges Canada 135 H1
Limoges France 56 E4
Limón Costa Rica see Puerto Limón
Limon U.S.A. 130 C4
Limonlu Turkey 85 B1
Limonum France see Poitiers
Limousin reg. France 56 E4
Limoux France 56 F5
Limpopo prov. S. Africa 101 I2
Limpopo r. S. Africa/Zimbabwe 101 K3
Limpopo National Park nat. park 101 J2
Limu China 77 F3
Līnah well Saudi Arabia 91 F5
Linakhamari Rus. Fed. 44 Q2
Lin'an China see Jianshui
Linares Chile 144 B5
Linares Mex. 131 D7
Linares Spain 57 E4
Lincang China 76 D4
Lincheng Hainan China see Lingao
Lincheng Hunan China see Huitong
Linchuan China see Fuzhou
Linck Nunataks nunataks Antarctica 152 K1
Lincoln Arg. 144 D4
Lincoln U.K. 48 G5
Lincoln CA U.S.A. 128 C2
Lincoln IL U.S.A. 130 F3
Lincoln MI U.S.A. 134 D1

▶Lincoln NE U.S.A. 130 D3
Capital of Nebraska.

Lincoln City IN U.S.A. 134 B4
Lincoln City OR U.S.A. 126 B3
Lincoln Island Paracel Is 68 E3
Lincoln National Park Australia 111 A7
Lincoln Sea Canada/Greenland 153 J1
Lincolnshire Wolds hills U.K. 48 G5
Lincolnton U.S.A. 133 D5
Linda, Serra hills Brazil 145 C1
Linda Creek watercourse Australia 110 B4
Lindau Germany 53 M2
Lindau (Bodensee) Germany 47 L7
Lindeman Group is Australia 110 E4
Linden Canada 120 H5
Linden Germany 53 I4
Linden Guyana 143 G2
Linden AL U.S.A. 133 C5
Linden MI U.S.A. 134 D2
Linden TN U.S.A. 132 C5
Linden TX U.S.A. 131 E5
Linden Grove U.S.A. 130 E2
Lindern (Oldenburg) Germany 53 H2
Lindesnes c. Norway 45 E7
Líndhos Greece see Lindos
Lindi r. Dem. Rep. Congo 98 C3
Lindi Tanz. 99 D4
Lindian China 74 B3
Lindisfarne i. U.K. see Holy Island
Lindley S. Africa 101 H4
Lindos Greece 55 J4
Lindos, Akra pt Notio Aigaio Greece see Gkinas, Akrotirio
Lindsay Canada 135 F1
Lindsay CA U.S.A. 128 D3
Lindsay MT U.S.A. 126 G3
Lindsborg U.S.A. 130 D4
Lindside U.S.A. 134 E5
Lindum U.K. see Lincoln
Line Islands Kiribati 151 J5
Linesville U.S.A. 134 E3
Linfen China 73 K5
Lingampet India 84 C2
Linganamakki Reservoir India 84 B3
Lingao China 77 F5
Lingayen Phil. 69 G3
Lingbi China 77 H1
Lingcheng Anhui China see Lingbi
Lingcheng Guangxi China see Lingshan
Lingcheng Hainan China see Lingshui
Lingchuan Guangxi China 77 F3
Lingchuan Shanxi China 77 G1
Lingelethu S. Africa 101 H7
Lingen (Ems) Germany 53 H2
Lingga, Kepulauan is Indon. 68 D7
Lingle U.S.A. 126 G4
Lingomo Dem. Rep. Congo 98 C3
Lingshan China 77 F4
Lingshui China 77 F5
Lingshui Wan b. China 77 F5
Lingsugur India 84 C2
Lingtai China 76 E1
Linguère Senegal 96 B3
Lingui China 77 F3
Lingxi China see Yongshun
Lingxian China see Yanling
Lingxiang China 77 G2
Lingyang China see Cili
Lingyun China 76 E3
Lingzi Tang reg. Aksai Chin 82 D2
Linhai China 77 I2
Linhares Brazil 145 C2
Linhe China 73 J4
Linhpa Myanmar 70 A1
Linjiang China 74 B4
Linjin China 77 F1
Linköping Sweden 45 I7
Linkou China 74 C3
Linli China 77 F2
Linlithgow U.K. 50 F5
Linn MO U.S.A. 130 F4
Linn TX U.S.A. 131 D7
Linn, Mount U.S.A. 128 B1
Linnansaaren kansallispuisto nat. park Fin. 44 P5
Linnhe, Loch inlet U.K. 50 D4
Linnich Germany 52 G4
Linosa, Isola di i. Sicily Italy 58 E7
Linpo Myanmar 70 B2
Linquan China 77 G1
Linru China see Ruzhou
Linruzhen China 77 G1
Lins Brazil 145 A3
Linshu China 77 H1
Linshui China 76 E2
Lintan China 76 D1
Lintao China 76 D1
Linton IN U.S.A. 134 B4
Linton ND U.S.A. 130 C2
Linwu China 77 G3
Linxi China 73 L4
Linxia China 76 D1
Linxiang China 77 G2
Linyi Shandong China 73 L5
Linyi Shandong China 77 H1
Linying China 77 G1
Linz Austria 47 O6
Lion, Golfe du g. France 56 F5
Lions, Gulf of France see Lion, Golfe du
Lions Bay Canada 120 F5
Lioua Chad 97 E3
Lipari Sicily Italy 58 F5
Lipari, Isole is Italy 58 F5
Lipetsk Rus. Fed. 43 H5
Lipin Bor Rus. Fed. 42 H3
Liping China 77 F3
Lipova Romania 59 I1
Lipovtsy Rus. Fed. 74 C3
Lippe r. Germany 53 G3
Lippstadt Germany 53 I3
Lipsoi i. Greece see Leipsoi
Lipti Lekh pass Nepal 82 E3
Liptrap, Cape Australia 112 B7
Lipu China 77 F3
Lira Uganda 98 D3
Liranga Congo 98 B4
Lircay Peru 142 D6
Lisala Dem. Rep. Congo 98 C3
L'Isalo, Massif de mts Madag. 99 E6
L'Isalo, Parc National de nat. park Madag. 99 E6
Lisbellaw U.K. 51 E3
Lisboa Port. see Lisbon

▶Lisbon Port. 57 B4
Capital of Portugal.

Lisbon ME U.S.A. 135 J1
Lisbon NH U.S.A. 135 J1
Lisbon OH U.S.A. 134 E3
Lisburn U.K. 51 F3
Liscannor Bay Ireland 51 C5
Lisdoonvarna Ireland 51 C4
Lishan Taiwan 77 I3
Lishe Jiang r. China 76 D3
Lishi Jiangxi China see Dingnan
Lishi Shanxi China 73 K5
Lishu China 74 B4
Lishui China 77 H2
Li Shui r. China 77 F2
Lisichansk Ukr. see Lysychans'k
Lisieux France 56 E2
Liskeard U.K. 49 C8
Liski Rus. Fed. 43 H6
L'Isle-Adam France 52 C5
Lismore Australia 112 F2
Lismore Ireland 51 E5
Lisnarrick U.K. 51 E3
Lisnaskea U.K. 51 E3
Liss mt. Saudi Arabia 85 D4
Lissa Poland see Leszno
Lister, Mount Antarctica 152 H1
Listowel Canada 134 E2
Listowel Ireland 51 C5
Lit Sweden 44 I5
Litang Guangxi China 77 F4
Litang Sichuan China 76 D2
Līṭāni, Nahr el r. Lebanon 85 B3
Litchfield CA U.S.A. 128 C1
Litchfield CT U.S.A. 135 I3
Litchfield IL U.S.A. 130 F4
Litchfield MI U.S.A. 134 C2
Litchfield MN U.S.A. 130 E2
Lit-et-Mixe France 56 D4
Lithgow Australia 112 E4
Lithino, Akra pt Kriti Greece see Lithino, Akrotirio
Lithino, Akrotirio pt Greece 59 K7
Lithuania country Europe 45 M9
Lititz U.S.A. 135 G3
Litoměřice Czech Rep. 47 O5
Litovko Rus. Fed. 74 D2
Litovskaya S.S.R. country Europe see Lithuania
Little r. U.S.A. 131 E6
Little Abaco i. Bahamas 133 E7
Little Abitibi r. Canada 122 E4
Little Abitibi Lake Canada 122 E4
Little Andaman i. India 71 A5
Little Bahama Bank sea feature Bahamas 133 E7
Little Barrier i. N.Z. 113 E3
Little Belt sea chan. Denmark 45 F9
Little Belt Mountains U.S.A. 126 F3
Little Bitter Lake Egypt 85 A4
Little Cayman i. Cayman Is 137 H5
Little Churchill r. Canada 121 M3
Little Chute U.S.A. 134 A1
Little Coco Island Cocos Is 71 A4
Little Colorado r. U.S.A. 129 H3
Little Creek Peak U.S.A. 129 G3
Little Current Canada 122 E5
Little Current r. Canada 122 D4
Little Desert National Park Australia 111 C8
Little Egg Harbor inlet U.S.A. 135 H4
Little Exuma i. Bahamas 133 F8
Little Falls U.S.A. 130 E2
Littlefield AZ U.S.A. 129 G3
Littlefield TX U.S.A. 131 C5
Little Fork r. U.S.A. 130 E1
Little Grand Rapids Canada 121 M4
Littlehampton U.K. 49 G8
Little Inagua Island Bahamas 133 F8
Little Karas Berg plat. Namibia 100 D4
Little Karoo plat. S. Africa 100 E7
Little Lake U.S.A. 128 E4
Little Mecatina Island Canada see Petit Mécatina, Île du
Little Minch sea chan. U.K. 50 B3
Little Missouri r. U.S.A. 130 C2
Little Namaqualand reg. S. Africa see Namaqualand
Little Nicobar i. India 71 A6
Little Ouse r. U.K. 49 H6
Little Pamir mts Asia 89 I2
Little Rancheria r. Canada 120 D2
Little Red River Canada 120 H3

▶Little Rock U.S.A. 131 E5
Capital of Arkansas.

Littlerock U.S.A. 128 E4
Little Sable Point U.S.A. 134 B2
Little Salmon Lake Canada 120 C2
Little Salt Lake U.S.A. 129 G3
Little Sandy Desert Australia 109 B5
Little San Salvador i. Bahamas 133 F7
Little Smoky Canada 120 G4
Little Tibet reg. India/Pak. see Ladakh
Littleton U.S.A. 126 G5
Little Valley U.S.A. 135 F2
Little Wind r. U.S.A. 126 F4
Litunde Moz. 99 D5
Liu'an China see Lu'an
Liuba China 76 E1
Liucheng China 77 F3
Liuchiu Yü i. Taiwan 77 I4
Liuchong He r. China 76 E3
Liuchow China see Liuzhou
Liuhe China 74 B4
Liuheng Dao i. China 77 I2
Liujiachang China 77 F2
Liujiaxia Shuiku resr China 76 D1
Liukesong China 74 B3
Liulin China see Jonê
Liupan Shan mts China 76 E1
Liupanshui China see Lupanshui
Liuquan China 77 H1
Liuwa Plain National Park Zambia 99 C5

ıyang China 77 G2
ızhan China 74 B2
ızhou China 77 F3
adeia Greece 59 J5
āni Latvia 45 O8
e Oak U.S.A. 133 D6
eringa Australia 106 C3
ermore CA U.S.A. 128 C3
ermore KY U.S.A. 134 B5
ermore, Mount U.S.A. 131 B6
ermore Falls U.S.A. 135 J1
erpool Australia 112 E4
erpool Canada 123 I5
erpool U.K. 48 E5
erpool Bay Canada 118 E3
erpool Plains Australia 112 E3
erpool Range mts Australia 112 D3
ia U.S.A. 134 B5
ingston U.K. 50 F5
ingston AL U.S.A. 131 F5
ingston KY U.S.A. 134 C5
ingston MT U.S.A. 126 F3
ingston TN U.S.A. 134 C5
ingston TX U.S.A. 131 E6
ingston, Lake U.S.A. 131 E6
ingstone Zambia 99 C5
ingston Island Antarctica 152 L2
ingston Manor U.S.A. 135 H3
no Bos.-Herz. 58 G3
ny Rus. Fed. 43 H5
ojoki r. Fin. 44 O4
onia MI U.S.A. 134 D2
onia NY U.S.A. 135 G2
orno Italy 58 D3
ramento do Brumado Brazil 145 C1
vā Oman 88 E5
vā', Wādī al watercourse Syria 85 C3
vale Tanz. 99 D4
ian Gansu China 76 E1
ian Sichuan China 76 D2
us Morocco see Larache
ang China see Hexian
uan China see Sangzhi
ard U.K. 49 B9
arda Brazil 143 I5
ard Point U.K. 49 B9
arra Spain see Estella
emores U.S.A. 134 E4
iping China 76 D2
y-sur-Ourcq France 52 D5
uwert Neth. see Leeuwarden

▶Ljubljana Slovenia 58 F1
Capital of Slovenia.

ngarn Sweden 45 K8
ngan r. Sweden 44 J5
ngaverk Sweden 44 J5
ngby Sweden 45 H8
sdal Sweden 45 J6
snan r. Sweden 45 J6
sne Sweden 45 J6
ima, Volcán vol. Chile 144 B5
nandras U.K. see Presteigne
nbadarn Fawr U.K. 49 C6
nbedr Pont Steffan U.K. see Lampeter
nbister U.K. 49 D6
ndeilo U.K. 49 D7
ndissilio U.K. 49 C7
ndovery U.K. 49 D7
ndrindod Wells U.K. 49 D6
ndudno U.K. 48 D5
ndysul U.K. 49 C6
negwad U.K. 49 C7
nelli U.K. 49 C7
nfair Caereinion U.K. 49 D6
nfair-ym-Muallt U.K. see
Builth Wells
ngefni U.K. 48 C5
ngollen U.K. 49 D6
ngurig U.K. 49 D6
nllyfni U.K. 49 C5
nnerch-y-medd U.K. 48 C5
nnor U.K. 49 C6
no Mex. 127 F7
no U.S.A. 131 D6
no r. U.S.A. 131 D6
no Estacado plain U.S.A. 131 C5
nos plain Col./Venez. 142 E2
nquihue, Lago l. Chile 144 B6
nrhystud U.K. 49 C6
ntrisant U.K. 49 D7
nuwchllyn U.K. 49 D6
nwnog U.K. 49 D6
nymddyfri U.K. see Llandovery
y U.K. 49 D5
ida Spain 57 G3
rena Spain 57 C4
ria Spain 57 F4
dio Spain 57 E2
yd George, Mount Canada 120 E3
yd Lake Canada 121 I3
ydminster Canada 121 I4
chmayor Spain see Llucmajor
cmajor Spain 57 H4

▶Llullaillaco, Volcán vol. Chile 144 C2
Highest active volcano in the world and South America.

, Sông r. China/Vietnam 70 D2
a r. Chile 144 B2
a U.S.A. 129 H2
ban' r. Rus. Fed. 42 K4
batejo mt. Spain 57 D5
batse Botswana 101 G3
baye r. Cent. Afr. Rep. 98 B3
bejün Germany 53 L3
benberg hill Germany 53 M3
beria Arg. 144 E5
bito Angola 99 B5
bos Arg. 144 E5
bos, Cabo c. Mex. 127 E7
bos, Isla i. Mex. 127 F8
bos de Tierra, Isla i. Peru 142 B5
burg Germany 53 M2
c Binh Vietnam 70 D2
chaline U.K. 50 D4
Chau H.K. China see
Beaufort Island
ch Baghasdail U.K. see
Lochboisdale

Lochboisdale U.K. 50 B3
Lochcarron U.K. 50 D3
Lochearnhead U.K. 50 E4
Lochem Neth. 52 G2
Lochern National Park Australia 110 C5
Loches France 56 E3
Loch Garman Ireland see Wexford
Lochgelly U.K. 50 F4
Lochgilphead U.K. 50 D4
Lochinver U.K. 50 D2
Loch Lomond and Trossachs National Park U.K. 50 E4
Lochmaddy U.K. 50 B3
Lochnagar mt. U.K. 50 F4
Loch nam Madadh U.K. see
Lochmaddy
Loch Raven Reservoir U.S.A. 135 G4
Lochy, Loch l. U.K. 50 E4
Lock Australia 111 A7
Lockerbie U.K. 50 F5
Lockhart Australia 112 C5
Lockhart U.S.A. 131 D6
Lock Haven U.S.A. 135 G3
Löcknitz r. Germany 53 L1
Lockport U.S.A. 135 F2
Lôc Ninh Vietnam 71 D5
Lod Israel 85 B4
Loddon r. Australia 112 A5
Lodève France 56 F5
Lodeynoye Pole Rus. Fed. 42 G3
Lodge, Mount Canada/U.S.A. 120 B3
Lodhikheda India 82 D5
Lodhran Pak. 89 H4
Lodi Italy 58 C2
Lodi CA U.S.A. 128 C2
Lodi OH U.S.A. 134 D3
Lødingen Norway 44 I2
Lodja Dem. Rep. Congo 98 C4
Lodomeria Rus. Fed. see Vladimir
Lodrani India 82 B5
Lodwar Kenya 98 D3
Łódź Poland 47 Q5
Loei Thai. 70 C3
Loeriesfontein S. Africa 100 D6
Lofoten is Norway 44 H2
Lofusa Sudan 97 G4
Log Rus. Fed. 43 I6
Loga Niger 96 D3
Logan IA U.S.A. 130 E3
Logan OH U.S.A. 134 D4
Logan UT U.S.A. 126 F4
Logan WV U.S.A. 134 E5

▶Logan, Mount Canada 120 A2
2nd highest mountain in North America.

Logan, Mount U.S.A. 126 C2
Logan Creek r. Australia 110 D4
Logan Lake Canada 120 F5
Logan Mountains Canada 120 D2
Logansport IN U.S.A. 134 B3
Logansport LA U.S.A. 131 E6
Logatec Slovenia 58 F2
Logpung China 76 D1
Logroño Spain 57 E2
Logtak Lake India 83 H4
Lohardaga India 83 F5
Loharu India 82 C3
Lohatlha S. Africa 100 F5
Lohawat India 82 C4
Lohfelden Germany 53 J3
Lohit r. China/India see Zayü Qu
Lohiniva Fin. 44 N3
Lohjanjärvi l. Fin. 45 M6
Löhne Germany 53 I2
Lohne (Oldenburg) Germany 53 I2
Lohtaja Fin. 44 M4
Loi, Nam r. Myanmar 70 C2
Loikaw Myanmar 70 B3
Loi Lan mt. Myanmar/Thai. 70 B3
Loi-lem Myanmar 70 B2
Loi Lun Myanmar 70 B2
Loimaa Fin. 45 M6
Loipyet Hills Myanmar 70 B1
Loire r. France 56 C3
Loi Sang mt. Myanmar 70 B2
L'Oise à l'Aisne, Canal de France 52 D5
Loi Song mt. Myanmar 70 B2
Loja Ecuador 142 C4
Loja Spain 57 D5
Lokan tekojärvi l. Fin. 44 O3
Lokchim r. Rus. Fed. 42 K3
Lokeren Belgium 52 E3
Lokgwabe Botswana 100 E3
Lokichar Kenya 78 C6
Lokichokio Kenya 98 D3
Lokilalaki, Gunung mt. Indon. 69 G7
Løkken Denmark 45 F8
Løkken Norway 44 F5
Loknya Rus. Fed. 42 F4
Lokoja Nigeria 96 D4
Lokolama Dem. Rep. Congo 98 B4
Lokossa Benin 96 D4
Lokot' Rus. Fed. 43 G5
Lol Sudan 97 F4
Lola Guinea 96 C4
Lola, Mount U.S.A. 128 C2
Loleta U.S.A. 128 A1
Lolland i. Denmark 45 G9
Lollondo Tanz. 98 D4
Lolo U.S.A. 126 E3
Loloda Indon. 69 H6
Lolo Pass U.S.A. 126 E3
Lolowau Indon. 71 B7
Lolwane S. Africa 100 F4
Lom Bulg. 59 J3
Lom Norway 45 F6
Loma U.S.A. 129 I2
Lomami r. Dem. Rep. Congo 98 C3
Lomar Pass Afgh. 89 G3
Lomas, Bahía de b. Chile 144 C8
Lomas de Zamora Arg. 144 E4
Lombarda, Serra hills Brazil 143 H3
Lomblen i. Indon. 108 C2
Lombok Indon. 108 B2
Lombok i. Indon. 108 B2
Lombok, Selat sea chan. Indon. 108 A2

▶Lomé Togo 96 D4
Capital of Togo.

Lomela Dem. Rep. Congo 98 C4
Lomela r. Dem. Rep. Congo 97 F5
Lomira U.S.A. 134 A2
Lomme France 52 C4
Lommel Belgium 52 F3
Lomond Canada 123 K4
Lomond, Loch l. U.K. 50 E4
Lomonosov Rus. Fed. 45 P7
Lomonosov Ridge sea feature
Arctic Ocean 153 B1
Lomovoye Rus. Fed. 42 I2
Lomphat Cambodia see Lumphăt
Lompoc U.S.A. 128 C4
Lom Sak Thai. 70 C3
Łomża Poland 47 S4
Lơn, Hon i. Vietnam 71 E4
Lonar India 84 C2
Londa Bangl. 83 G5
Londa India 84 B3
Londinières France 52 B5
Londinium U.K. see London
Londoko Rus. Fed. 74 D2
London Canada 134 E2

▶London U.K. 49 G7
Capital of the United Kingdom and of England. 4th most populous city in Europe.

London KY U.S.A. 134 C5
London OH U.S.A. 134 D4
Londonderry U.K. 51 E3
Londonderry OH U.S.A. 134 D4
Londonderry VT U.S.A. 135 I2
Londonderry, Cape Australia 108 D3
Londrina Brazil 145 A3
Lone Pine U.S.A. 128 D3
Long Thai. 70 B3
Longa Angola 99 B5
Longa, Proliv sea chan. Rus. Fed. 65 S2
Long'an China 76 E4
Long Ashton U.K. 49 E7
Long Bay U.S.A. 133 E5
Longbeach N.Z. 113 C7
Long Beach U.S.A. 128 D5
Longbo China see Shuangpai
Long Branch U.S.A. 135 I3
Longchang China 76 E2
Longcheng Anhui China see Xiaoxian
Longcheng Guangdong China see
Longmen
Longcheng Yunnan China see Chenggong
Longchuan China see Nanhua
Longchuan Jiang r. China 76 C4
Long Creek r. Canada 121 K5
Long Creek U.S.A. 126 D3
Long Eaton U.K. 49 F6
Longford Ireland 51 E4
Longgang Chongqing China see Dazu
Longgang Guangdong China 77 G4
Longhoughton U.K. 48 F3
Longhui China 77 F3
Longhurst, Mount Antarctica 152 H1
Long Island Bahamas 133 F8
Long Island N.S. Canada 123 I5
Long Island Nunavut Canada 122 F3
Long Island India 71 A4
Long Island P.N.G. 69 L8
Long Island U.S.A. 135 I3
Long Island Sound sea chan. U.S.A. 135 I3
Longjiang China 74 A3
Longjin China see Qingliu
Longju China 76 B2
Longlac Canada 122 D4
Long Lake l. Canada 122 D4
Long Lake U.S.A. 135 H2
Long Lake l. ME U.S.A. 132 G2
Long Lake l. MI U.S.A. 134 D1
Long Lake l. ND U.S.A. 130 C2
Long Lake l. NY U.S.A. 135 H1
Longli China 76 E3
Longlin China 76 E3
Longling China 76 C3
Longmeadow U.S.A. 135 I2
Long Melford U.K. 49 H6
Longmen Guangdong China 77 G4
Longmen Heilong. China 74 B2
Longmen Shan hill China 77 F1
Longmen Shan mts China 76 E1
Longming China 76 E4
Longmont U.S.A. 126 G4
Longnan China 76 E1
Longnan China 77 G3
Long Phu Vietnam 71 D5
Longping China see Luodian
Long Point Ont. Canada 134 E2
Long Point Man. Canada 121 L4
Long Point Ont. Canada 134 E2
Long Point N.Z. 113 B8
Long Point Bay Canada 134 E2
Long Prairie U.S.A. 130 E2
Long Preston U.K. 48 E4
Longquan Guizhou China see Danzhai
Longquan Guizhou China see Fenggang
Longquan Hunan China see Xintian
Longquan Xi r. China 77 I2
Long Range Mountains Nfld. and Lab.
Canada 123 K4
Long Range Mountains Nfld. and Lab.
Canada 123 K5
Longreach Australia 110 D4
Longriba China 76 D1
Longshan Guizhou China see Longli
Longshan Hunan China 77 F2
Longshan Yunnan China see Longling
Long Shan mts China 76 E1
Longsheng China 77 F3
Longs Peak U.S.A. 126 G4
Long Stratton U.K. 49 I6
Longtom Lake Canada 120 G1
Longtown U.K. 48 E3
Longue-Pointe-de-Mingan
Canada 123 I4
Longueuil Canada 122 G5
Longuyon France 52 F5
Longvale U.S.A. 128 B2
Longview TX U.S.A. 131 E5
Longview WA U.S.A. 126 C3
Longwangmiao China 74 D3
Longwei Co l. China 83 G2
Longxi China 76 E1
Longxian Guangdong China see Wengyuan
Longxian Shaanxi China 76 E1
Longxingchang China see Wuyuan
Longxi Shan mt. China 77 H3
Longxu China see Cangwu
Long Xuyên Vietnam 71 D5
Longyan China 77 H3

▶Longyearbyen Svalbard 64 C2
Capital of Svalbard.

Longzhen China 74 B2
Longzhou China 76 E4
Longzhouping China see Changyang
Löningen Germany 53 H2
Lonoke U.S.A. 131 F5
Lönsboda Sweden 45 I8
Lons-le-Saunier France 56 G3
Lonton Myanmar 70 B1
Looc Phil. 69 G4
Loochoo Islands Japan see
Ryukyu Islands
Loogootee U.S.A. 134 B4
Lookout, Cape Canada 122 E3
Lookout, Cape U.S.A. 133 E5
Lookout, Point Australia 112 F1
Lookout, Point U.S.A. 134 D1
Lookout Mountain U.S.A. 129 I4
Lookout Point Australia 109 B8
Loolmalasin vol. crater Tanz. 98 D4
Loon Canada 122 C4
Loon r. Canada 120 H3
Loongana Australia 109 D7
Loon Lake Canada 121 I4
Loop Head hd Ireland 51 C5
Lop China 82 E1
Lopasnya Rus. Fed. see Chekhov
Lopatina, Gora mt. Rus. Fed. 74 F2
Lop Buri Thai. 70 C4
Lopez Phil. 69 G4
Lopez, Cap c. Gabon 98 A4
Lop Nur salt flat China 80 H3
Lopphavet b. Norway 44 L1
Loptyuga Rus. Fed. 42 K3
Lora Pak. 89 G5
Lora r. Venez. 142 D2
Lora del Río Spain 57 D5
Lorain U.S.A. 134 D3
Loralai Pak. 89 H4
Loralai r. Pak. 89 H4
Loramie, Lake U.S.A. 134 C3
Lorca Spain 57 F5
Lorch Germany 53 H4
Lordegān Iran 88 C4
Lord Howe Atoll Solomon Is see
Ontong Java Atoll
Lord Howe Island Australia 107 F5
Lord Howe Rise sea feature
S. Pacific Ocean 150 G7
Lord Loughborough Island
Myanmar 71 B5
Lordsburg U.S.A. 129 I5
Lore East Timor 108 D2
Lore Lindu, Taman Nasional Indon. 68 G7
Lorena Brazil 145 B3
Lorengau P.N.G. 69 L7
Lorentz, Taman Nasional Indon. 69 J7
Loreto Brazil 143 I5
Loreto Mex. 127 F8
Lorient France 56 C3
Lorillard r. Canada 121 N1
Loring U.S.A. 126 G2
Lorn, Firth of est. U.K. 50 D4
Lorne Australia 110 D5
Lorne watercourse Australia 110 B3
Lorrain, Plateau France 53 G6
Lorraine Australia 110 B3
Lorraine admin. reg. France 52 G6
Lorraine reg. France 52 F5
Lorsch Germany 53 I5
Lorup Germany 53 H2
Losal India 82 C4
Los Alamos CA U.S.A. 128 C4
Los Alamos NM U.S.A. 127 G6
Los Alerces, Parque Nacional nat. park
Arg. 144 B6
Los Ángeles Chile 144 B5

▶Los Angeles U.S.A. 128 D4
3rd most populous city in North America.

Los Angeles Aqueduct canal
U.S.A. 128 D4
Los Arabos Cuba 133 D8
Los Banos U.S.A. 128 C3
Los Blancos Arg. 144 D2
Los Canarreos, Archipiélago de is
Cuba 137 H4
Los Cerritos watercourse Mex. 127 F8
Los Chonos, Archipiélago de is
Chile 144 A6
Los Coronados, Islas is Mex. 128 E5
Los Desventurados, Islas de is
S. Pacific Ocean 151 O7
Los Estados, Isla de i. Arg. 144 D8
Los Gigantes, Llanos de plain
Mex. 131 B6
Los Glaciares, Parque Nacional nat. park
Arg. 144 B8
Losheim Germany 52 G5
Los Hoyos Mex. 127 F7
Lošinj i. Croatia 58 F2
Los Jardines de la Reina, Archipiélago de is
Cuba 137 I4
Los Juríes Arg. 144 D3
Los Katios, Parque Nacional nat. park Col.
137 I7
Loskop Dam S. Africa 101 I3
Los Lunas U.S.A. 127 G6
Los Menucos Arg. 144 C6
Los Mochis Mex. 127 F8
Los Molinos U.S.A. 128 B1
Losombo Dem. Rep. Congo 98 B3
Los Palacios Cuba 133 D8
Los Picos de Europa, Parque Nacional de
nat. park Spain 57 D2
Los Remedios r. Mex. 131 B7
Los Roques, Islas is Venez. 142 E1
Losser Neth. 52 G2
Lossie r. U.K. 50 F3
Lossiemouth U.K. 50 F3
Lößnitz Germany 53 M4
Lost Creek KY U.S.A. 134 D5
Lost Creek WV U.S.A. 134 E4
Los Teques Venez. 142 E1
Los Testigos is Venez. 142 F1
Lost Hills U.S.A. 128 D4
Lost Trail Pass U.S.A. 126 E3
Lostwithiel U.K. 49 C8
Los Vidrios Mex. 129 G6
Los Vilos Chile 144 B4
Lot r. France 56 E4
Lota Chile 144 B5
Loṭfābād Turkm. 88 E2
Lothringen reg. France see Lorraine
Lotikipi Plain Kenya/Sudan 98 D3
Loto Dem. Rep. Congo 98 C4
Lotsane r. Botswana 101 I2
Lot's Wife i. Japan see Sōfu-gan
Lotta r. Fin./Rus. Fed. 44 Q2
also known as Lutto
Lotte Germany 53 H2
Louangnamtha Laos 70 C2
Louangphabang Laos 70 C3
Loubomo Congo 99 B4
Loudéac France 56 C2
Loudi China 77 F3
L'Ouest, Pointe de pt Canada 123 I4
Louga Senegal 96 B3
Loughborough U.K. 49 F6
Lougheed Island Canada 119 H2
Loughor r. U.K. 49 C7
Loughrea Ireland 51 D4
Loughton U.K. 49 H7
Louhans France 56 G3
Louisa KY U.S.A. 134 D4
Louisa VA U.S.A. 135 G4
Louisbourg Canada 123 K5
Louisburg Canada see Louisbourg
Louisburgh Ireland 51 C4
Louise Falls Canada 120 G2
Louis-Gentil Morocco see Youssoufia
Louisiade Archipelago is P.N.G. 110 F1
Louisiana U.S.A. 130 F4
Louisiana state U.S.A. 131 F6
Louis Trichardt S. Africa see Makhado
Louisville GA U.S.A. 133 D5
Louisville IL U.S.A. 130 F4
Louisville KY U.S.A. 134 C4
Louisville MS U.S.A. 131 F5
Louisville Ridge sea feature S.
Pacific Ocean 150 I8
Louis-XIV, Pointe pt Canada 122 F3
Loukhi Rus. Fed. 44 R3
Loukoléla Congo 98 B4
Loukouo Congo 97 E5
Loulé Port. 57 B5
Loum Cameroon 96 D4
Louny Czech Rep. 47 N5
Loup r. U.S.A. 130 D3
Loups Marins, Lacs des lakes
Canada 122 G2
Loups Marins, Petit lac des l.
Canada 123 G2
Lourdes Canada 123 K4
Lourdes France 56 D5
Lourenço Marques Moz. see Maputo
Lousã Port. 57 B3
Loushan China 74 C3
Loushanguan China see Tongzi
Louth Australia 112 B3
Louth U.K. 48 G5
Loutra Aidipsou Greece 59 J5
Louvain Belgium see Leuven
Louviers France 52 B5
Louwater-Suid Namibia 100 C2
Louwsburg S. Africa 101 J4
Lövånger Sweden 44 L4
Lovat' r. Rus. Fed. 42 F4
Lovech Bulg. 59 K3
Lovell U.S.A. 135 J1
Lovelock U.S.A. 128 D1
Lovendegem Belgium 52 D3
Lovers' Leap mt. U.S.A. 134 E5
Loviisa Fin. 45 O6
Lovington U.S.A. 131 C5
Lovozero Rus. Fed. 42 G1
Lóvua Angola 99 C4
Lóvua Angola 99 C5
Low, Cape Canada 119 J3
Lowa Dem. Rep. Congo 98 C4
Lowa r. Dem. Rep. Congo 98 C4
Lowarai Pass Pak. 89 H3
Lowell IN U.S.A. 134 B3
Lowell MA U.S.A. 135 J2
Lower Arrow Lake Canada 120 G5
Lower California pen. Mex. see
Baja California
Lower Glenelg National Park
Australia 111 C8
Lower Granite Gorge U.S.A. 129 G4
Lower Hutt N.Z. 113 E5
Lower Laberge Canada 120 C2
Lower Lake U.S.A. 128 B2
Lower Lough Erne l. U.K. 51 E3
Lower Post Canada 120 D3
Lower Red Lake U.S.A. 130 E2
Lower Saxony land Germany see
Niedersachsen
Lower Tunguska r. Rus. Fed. see
Nizhnyaya Tunguska
Lower Zambezi National Park
Zambia 99 C5
Lowestoft U.K. 49 I6
Łowicz Poland 47 Q4
Low Island Kiribati see Starbuck Island
Lowkhi Afgh. 89 F4
Lowther Hills U.K. 50 F5
Lowville U.S.A. 135 H2
Loxstedt Germany 53 I1
Loxton Australia 111 C7
Loyal, Loch l. U.K. 50 E2
Loyalsock Creek r. U.S.A. 135 G3
Loyalton U.S.A. 128 C2
Loyalty Islands New Caledonia see
Loyauté, Îles
Loyang China see Luoyang
Loyauté, Îles is New Caledonia 107 G4
Loyev Belarus see Loyew
Loyew Belarus 43 F6
Lozère, Mont mt. France 56 F4
Loznica Serbia 59 H2
Lozova Ukr. 43 H6
Lozovaya Ukr. see Lozova
Lua r. Dem. Rep. Congo 98 B3
Luacano Angola 99 C5
Lu'an China 77 H2
Luân Châu Vietnam 70 C2
Luanchuan China 77 F1

▶Luanda Angola 99 B4
Capital of Angola.

Luang, Khao mt. Thai. 71 B5
Luang, Thale lag. Thai. 71 C6
Luang Namtha Laos see Louangnamtha
Luang Phrabang, Thiu Khao mts Laos/Thai. 70 C3
Luang Prabang Laos see Louangphabang
Luanhaizi China 76 B1
Luanshya Zambia 99 C5
Luanza Dem. Rep. Congo 99 C4
Luao Angola see Luau
Luarca Spain 57 C2
Luashi Dem. Rep. Congo 99 C5
Luau Angola 99 C5
Luba Equat. Guinea 96 D4
Lubaczów Poland 43 D6
Lubalo Angola 99 B4
Lubāna ezers l. Latvia 45 O8
Lubang Islands Phil. 68 F4
Lubango Angola 99 B5
Lubao Dem. Rep. Congo 99 C4
Lubartów Poland 43 D6
Lübbecke Germany 53 I2
Lubbeskolk salt pan S. Africa 100 D5
Lubbock U.S.A. 131 C5
Lübbow Germany 53 L2
Lübeck Germany 47 M4
Lubeck U.S.A. 134 E4
Lubefu Dem. Rep. Congo 99 C4
Lubei China 73 M4
Lüben Poland see Lubin
Lubersac France 56 E4
Lubin Poland 47 P5
Lublin Poland 43 D6
Lubnān country Asia see Lebanon
Lubnān, Jabal mts Lebanon see Liban, Jebel
Lubny Ukr. 43 G6
Lubok Antu Sarawak Malaysia 68 E6
Lübtheen Germany 53 L1
Lubudi Dem. Rep. Congo 99 C4
Lubuklinggau Indon. 68 C7
Lubukpakam Indon. 71 B7
Lubuksikaping Indon. 68 C6
Lubumbashi Dem. Rep. Congo 99 C5
Lubutu Dem. Rep. Congo 98 C4
Lübz Germany 53 M1
Lucala Angola 99 B4
Lucan Canada 134 E2
Lucan Ireland 51 F4
Lucania, Mount Canada 120 A2
Lucapa Angola 99 C4
Lucas U.S.A. 134 B5
Lucasville U.S.A. 134 D4
Lucca Italy 58 D3
Luce Bay U.K. 50 E6
Lucedale U.S.A. 131 F6
Lucélia Brazil 145 A3
Lucena Phil. 69 G4
Lucena Spain 57 D5
Lučenec Slovakia 47 Q6
Lucera Italy 58 F4
Lucerne Switz. 56 I3
Lucerne Valley U.S.A. 128 E4
Lucero Mex. 127 G7
Luchegorsk Rus. Fed. 74 D3
Lucheng Guangxi China see Luchuan
Lucheng Sichuan China see Kangding
Luchuan China 76 F4
Lüchun China 76 D4
Lucipara, Kepulauan is Indon. 69 H8
Łuck Ukr. see Luts'k
Luckeesarai India see Lakhisarai
Luckenwalde Germany 53 N2
Luckhoff S. Africa 100 G5
Lucknow Canada 134 E2
Lucknow India 82 E4
Lücongpo China 77 F2
Lucrecia, Cabo c. Cuba 137 I4
Lucusse Angola 99 C5
Lucy Creek Australia 110 B4
Lüda China see Dalian
Lüdenscheid Germany 53 H3
Lüderitz Namibia 100 B4
Ludewa Tanz. 99 D5
Ludhiana India 82 C3
Ludian China 76 D3
Luding China 76 D2
Ludington U.S.A. 134 B2
Ludlow U.K. 49 E6
Ludlow U.S.A. 128 E4
Ludogorie reg. Bulg. 59 L3
Ludowici U.S.A. 133 D6
Ludvika Sweden 45 I6
Ludwigsburg Germany 53 J6
Ludwigsfelde Germany 53 N2
Ludwigshafen am Rhein Germany 53 I5
Ludwigslust Germany 53 L1
Ludza Latvia 45 O8
Luebo Dem. Rep. Congo 99 C4
Luena Angola 99 B5
Luena Flats plain Zambia 99 C5
Lüeyang China 76 E1
Lufeng Guangdong China 77 G4
Lufeng Yunnan China 76 D3
Lufkin U.S.A. 131 E6
Lufu China see Shilin
Luga Rus. Fed. 45 P7
Luga r. Rus. Fed. 45 P7
Lugano Switz. 56 I3
Lugansk Ukr. see Luhans'k
Lugau Germany 53 M4
Lügde Germany 53 J3
Lugdunum France see Lyon
Lugg r. U.K. 49 E6
Luggudontsen mt. China 83 G3
Lugnaquilla hill Ireland 51 F5
Lugo Italy 58 D2
Lugo Spain 57 C2
Lugoj Romania 59 I2
Luhans'k Ukr. 43 H6
Luhe China 77 H1
Luhe r. Germany 53 K1
Luḥfī, Wādī watercourse Jordan 85 C3
Luhit r. China/India see Zayü Qu
Luhit r. India 83 H4
Luhua China see Heishui
Luhuo China 76 D2

Luhyny Ukr. 43 F6
Luia Angola 99 C4
Luiana Angola 99 C5
Luichow Peninsula China see Leizhou Bandao
Luik Belgium see Liège
Luimneach Ireland see Limerick
Luiro r. Fin. 44 O3
Luis Echeverría Álvarez Mex. 128 E5
Luitpold Coast Antarctica 152 A1
Luiza Dem. Rep. Congo 99 C4
Lujiang China 77 H2
Lüjing China 76 E1
Lukachek Rus. Fed. 74 D1
Lukapa Angola see Lucapa
Lukavac Bos.-Herz. 58 H2
Lukenga, Lac l. Dem. Rep. Congo 99 C4
Lukenie r. Dem. Rep. Congo 98 B4
Lukh r. Rus. Fed. 42 I4
Lukhovitsy Rus. Fed. 43 H5
Luk Keng H.K. China 77 [inset]
Lukou China see Zhuzhou
Lukovit Bulg. 59 K3
Łuków Poland 43 D6
Lukoyanov Rus. Fed. 43 J5
Lukusuzi National Park Zambia 99 D5
Luleå Sweden 44 M4
Luleälven r. Sweden 44 M4
Lüleburgaz Turkey 59 L4
Luliang China 76 D3
Lüliang Shan mts China 73 K5
Lulimba Dem. Rep. Congo 99 C4
Luling U.S.A. 131 D6
Lulonga r. Dem. Rep. Congo 98 B3
Luluabourg Dem. Rep. Congo see Kananga
Lülung China 83 F3
Lumachomo China 83 F3
Lumajang Indon. 68 E8
Lumajangdong Co salt l. China 82 E2
Lumbala Moxico Angola see Lumbala Kaquengue
Lumbala Moxico Angola see Lumbala N'guimbo
Lumbala Kaquengue Angola 99 C5
Lumbala N'guimbo Angola 99 C5
Lumberton U.S.A. 133 E5
Lumbini Nepal 83 E4
Lumbis Indon. 68 F6
Lumbrales Spain 57 C3
Lumezzane Italy 58 D2
Lumi P.N.G. 69 K7
Lumphăt Cambodia 71 D4
Lumpkin U.S.A. 133 C5
Lumsden Canada 121 J5
Lumsden N.Z. 113 B7
Lumut Malaysia 71 C6
Lumut, Tanjung pt Indon. 68 D7
Luna U.S.A. 129 I5
Lunan China see Shilin
Lunan Bay U.K. 50 G4
Lunan Lake Canada 121 M1
Lunan Shan mts China 76 D3
Luna Pier U.S.A. 134 D3
Lund Pak. 89 H5
Lund Sweden 45 H9
Lund NV U.S.A. 129 F2
Lund UT U.S.A. 129 G2
Lundar Canada 121 L5
Lundy U.K. 49 C7
Lune r. Germany 53 I1
Lune r. U.K. 48 E4
Lüneburg Germany 53 K1
Lüneburger Heide reg. Germany 53 K1
Lünen Germany 53 H3
Lunenburg U.S.A. 135 F5
Lunéville France 56 H2
Lunga r. Zambia 99 C5
Lungdo China 83 E2
Lunggar China 83 E3
Lung Kwu Chau i. H.K. China 77 [inset]
Lungleh India see Lunglei
Lunglei India 83 H5
Lungmari mt. China 83 F3
Lungmu Co salt l. China 82 E2
Lung-tzu Xizang China see Xingba
Lung-tzu Xizang China see Xingba
Lungwebungu r. Zambia 99 C5
Lunh Nepal 83 E3
Luni India 82 C4
Luni r. India 82 B4
Luni r. Pak. 89 H4
Luninets Belarus see Luninyets
Luning U.S.A. 128 D2
Luninyets Belarus 45 O10
Lunkaransar India 82 C3
Lunkha India 82 C3
Lünne Germany 53 H2
Lunsar Sierra Leone 96 B4
Lunsklip S. Africa 101 I3
Luntai China 80 F3
Luobei China 74 C3
Luobuzhuang China 80 G4
Luocheng Fujian China see Hui'an
Luocheng Guangxi China 77 F3
Luodian China 76 E3
Luoding China 77 F4
Luodou Sha i. China 77 F4
Luohe China 77 G1
Luo He r. China 77 G1
Luonan China 77 F1
Luoning China 77 F1
Luoping China 76 E3
Luotian China 77 G2
Luoto Fin. see Larsmo
Luoxiao Shan mts China 77 G3
Luoxiong China see Luoping
Luoyang Guangdong China see Boluo
Luoyang Henan China 77 G1
Luoyang Zhejiang China see Taishun
Luoyuan China 77 H3
Luozigou China 74 C4
Lupane Zimbabwe 99 C5
Lupanshui China 76 E3
L'Upemba, Parc National de nat. park Dem. Rep. Congo 99 C4
Lupeni Romania 59 J2
Lupilichi Moz. 99 D5
Lupton U.S.A. 129 I4
Luqiao China see Luding
Luqu China 76 D1
Lu Qu r. China see Tao He
Luquan China 70 C1
Luray U.S.A. 135 F4
Luremo Angola 99 B4
Lurgan U.K. 51 F3
Luring China see Oma
Lúrio Moz. 99 E5
Lurio r. Moz. 99 E5

▶Lusaka Zambia 99 C5
Capital of Zambia.

Lusambo Dem. Rep. Congo 99 C4
Lusancay Islands and Reefs P.N.G. 106 F2
Lusangi Dem. Rep. Congo 99 C4
Luseland Canada 121 I4
Lush, Mount hill Australia 108 D4
Lushi China 77 F1
Lushnja Albania see Lushnjë
Lushnjë Albania 59 H4
Lushui China see Luzhang
Lushuihe China 74 B4
Lüsi China 77 I1
Lusikisiki S. Africa 101 I6
Lusk U.S.A. 126 G4
Luso Angola see Luena
Lussvale Australia 112 C1
Lut, Bahrat salt l. Asia see Dead Sea
Lut, Dasht-e des. Iran 88 E4
Lü Tao i. Taiwan 77 I4
Lutetia France see Paris
Lüt-e Zangī Aḥmad des. Iran 88 E4
Luther U.S.A. 134 C1
Luther Lake Canada 134 E2
Lutherstadt Wittenberg Germany 53 M3
Luton U.K. 49 G7
Lutselk'e Canada 121 I2
Luts'k Ukr. 43 E6
Luttelgeest Neth. 52 F2
Luttenberg Neth. 52 G2
Lutto r. Fin./Rus. Fed. see Lotta
Lutz U.S.A. 133 D6
Lützelbach Germany 53 J5
Lützow-Holm Bay Antarctica 152 D2
Lutzputs S. Africa 100 E5
Lutzville S. Africa 100 D6
Luumäki Fin. 45 O6
Luuq Somalia 98 E3
Luverne AL U.S.A. 133 C6
Luverne MN U.S.A. 130 D3
Luvuei Angola 99 C5
Luvuvhu r. S. Africa 101 J2
Luwero Uganda 98 D3
Luwingu Zambia 99 C5
Luwuk Indon. 69 G7
Luxembourg country Europe 52 G5

▶Luxembourg Lux. 52 G5
Capital of Luxembourg.

Luxemburg country Europe see Luxembourg
Luxeuil-les-Bains France 56 H3
Luxi Hunan China see Wuxi
Luxi Yunnan China 76 C3
Luxi Yunnan China 76 D3
Luxolweni S. Africa 101 G6
Luxor Egypt 86 D4
Luyi China 77 G1
Luyksgestel Neth. 52 F3
Luza Rus. Fed. 42 J3
Luza r. Rus. Fed. 42 J3
Luza r. Rus. Fed. 42 M2
Luzern Switz. see Lucerne
Luzhai China 77 F3
Luzhang China 76 C3
Luzhi China 76 E3
Luzhou China 76 E2
Luziânia Brazil 145 B2
Luzon i. Phil. 69 G3
Luzon Strait Phil. 69 G2
Luzy France 56 F3
L'viv Ukr. 43 E6
L'vov Ukr. see L'viv
Lwów Ukr. see L'viv
Lyady Rus. Fed. 45 P7
Lyakhavichy Belarus 45 O10
Lyakhovichi Belarus see Lyakhavichy
Lyallpur Pak. see Faisalabad
Lyamtsa Rus. Fed. 42 H2
Lycia reg. Turkey 59 M6
Lyck Poland see Ełk
Lycksele Sweden 44 K4
Lycopolis Egypt see Asyūţ
Lydd U.K. 49 H8
Lydda Israel see Lod
Lyddan Island Antarctica 152 B2
Lydia reg. Turkey 59 L5
Lydney U.K. 49 E7
Lyel'chytsy Belarus 43 F6
Lyell, Mount U.S.A. 128 D3
Lyell Brown, Mount hill Australia 109 E5
Lyell Island Canada 120 D4
Lyepyel' Belarus 45 P9
Lykens U.S.A. 135 G3
Lyman U.S.A. 126 F4
Lyme Bay U.K. 49 E8
Lyme Regis U.K. 49 E8
Lymington U.K. 49 F8
Lynchburg OH U.S.A. 134 D4
Lynchburg TN U.S.A. 132 C5
Lynchburg VA U.S.A. 134 F5
Lynchville U.S.A. 135 J1
Lyndhurst N.S.W. Australia 112 D4
Lyndhurst Qld Australia 110 D3
Lyndhurst S.A. Australia 111 B6
Lyndon Australia 109 A5
Lyndon r. Australia 109 A5
Lyndonville U.S.A. 135 I1
Lyne r. U.K. 48 D4
Lyness U.K. 50 F2
Lyngdal Norway 45 E7
Lynn U.K. see King's Lynn
Lynn IN U.S.A. 134 C3
Lynn MA U.S.A. 135 J2
Lynndyl U.S.A. 129 G2
Lynn Lake Canada 121 K3
Lynton U.K. 49 D7
Lynx Lake Canada 121 J2
Lyon France 56 G4
Lyon r. U.K. 50 F4
Lyon Mountain U.S.A. 135 I1
Lyons Australia 109 F7
Lyons France see Lyon
Lyons GA U.S.A. 133 D5
Lyons NY U.S.A. 135 G2
Lyons Falls U.S.A. 135 H2
Lyozna Belarus 43 F5
Lyra Reef P.N.G. 106 F2
Lys r. France 52 D4
Lysekil Sweden 45 G7
Lyskovo Rus. Fed. 42 J4
Ly Sơn, Đao i. Vietnam 70 E4
Lys'va Rus. Fed. 41 R4
Lysychans'k Ukr. 43 H6
Lysyye Gory Rus. Fed. 43 J6
Lytham St Anne's U.K. 48 D5
Lytton Canada 120 F5
Lyuban' Belarus 45 P10
Lyubertsy Rus. Fed. 41 N4
Lyubeshiv Ukr. 43 E6
Lyubim Rus. Fed. 42 I4
Lyubytino Rus. Fed. 42 G4
Lyudinovo Rus. Fed. 43 G5
Lyunda r. Rus. Fed. 42 J4
Lyzha r. Rus. Fed. 42 M2

Ma r. Myanmar 70 B2
Ma, Nam r. Laos 70 C2
Ma'agan Israel 85 B3
Maale Maldives see Male
Maale Atholhu atoll Maldives see Male Atoll
Maalhosmadulu Atholhu Uthuruburi atoll Maldives see North Maalhosmadulu Atoll
Maalhosmadulu Atoll Maldives 84 B5
Ma'ān Jordan 85 B4
Maan Turkey see Nusratiye
Maaninka Fin. 44 O5
Maaninkavaara Fin. 44 P3
Ma'anshan China 77 H2
Maardu Estonia 45 N7
Maarianhamina Fin. see Mariehamn
Ma'arrat an Nu'mān Syria 85 C2
Maarssen Neth. 52 F2
Maas r. Neth. 52 E3
also known as Meuse (Belgium/France)
Maaseik Belgium 52 F3
Maasin Phil. 69 G4
Maasmechelen Belgium 52 F4
Maas-Schwalm-Nette nat. park Germany/Neth. 52 F3
Maastricht Neth. 52 F4
Maaza Plateau Egypt 90 C6
Maba Guangdong China see Qujiang
Maba Jiangsu China 77 H1
Mabai China see Maguan
Mabalane Moz. 101 K2
Mabana Dem. Rep. Congo 98 C3
Mabaruma Guyana 142 G2
Mabein Myanmar 70 B2
Mabel Creek Australia 109 F7
Mabel Downs Australia 108 D4
Mabella Canada 122 C4
Mabel Lake Canada 120 G5
Maberly Canada 135 G1
Mabian China 76 D2
Mablethorpe U.K. 48 H5
Mabopane S. Africa 101 I3
Mabote Moz. 101 L2
Mabou Canada 123 J5
Mabrak, Jabal mt. Jordan 85 B4
Mabuasehube Game Reserve nature res. Botswana 100 F3
Mabule Botswana 100 G3
Mabutsane Botswana 100 F3
Macá, Monte mt. Chile 144 B7
Macadam Plains Australia 109 B6
Macaé Brazil 145 C3
Macajuba Brazil 145 C1
Macaloge Moz. 99 D5
MacAlpine Lake Canada 119 H3
Macamic Canada 122 F4
Macandze Moz. 101 K2
Macao China 77 G4
Macao aut. reg. China 77 G4
Macapá Brazil 143 H3
Macará Ecuador 142 C4
Macarani Brazil 145 C1
Macas Ecuador 142 C4
Macassar Indon. see Makassar
Macau Brazil 143 K5
Macau China see Macao
Macau aut. reg. China see Macao
Macaúba Brazil 143 H6
Macauley Island N.Z. 107 I5
Maccaretane Moz. 101 K3
Macclenny U.S.A. 133 D6
Macclesfield U.K. 48 E5
Macdiarmid Canada 122 C4
Macdonald, Lake salt flat Australia 109 E5
Macdonald Range hills Australia 108 D3
Macdonnell Ranges mts Australia 109 E5
MacDowell Lake Canada 121 M4
Macduff U.K. 50 G3
Macedo de Cavaleiros Port. 57 C3
Macedon mt. Australia 112 B6
Macedon country Europe see Macedonia
Macedonia country Europe 59 I4
Maceió Brazil 143 K5
Macenta Guinea 96 C4
Macerata Italy 58 E3
Macfarlane, Lake salt flat Australia 111 B7
Macgillycuddy's Reeks mts Ireland 51 C6
Machachi Ecuador 142 C4
Machaila Moz. 101 K2
Machakos Kenya 98 D4
Machala Ecuador 142 C4
Machali China see Madoi
Machanga Moz. 99 D6
Machar Marshes Sudan 86 D8
Machattie, Lake salt flat Australia 110 B5
Machatuine Moz. 101 K3
Machault France 52 E5
Machaze Moz. see Chitobe
Macheng China 77 G2
Macherla India 84 C2
Machhagan India 83 F5
Machias ME U.S.A. 132 H2
Machias NY U.S.A. 135 F2
Machilipatnam India 84 D2
Machiques Venez. 142 D1
Māch Kowr Iran 89 F5
Machrihanish U.K. 50 D5
Machu Picchu tourist site Peru 142 D6
Machynlleth U.K. 49 D6
Macia Moz. 101 K3
Macias Nguema i. Equat. Guinea see Bioco
Măcin Romania 59 M2
Macintyre r. Australia 112 E2
Macintyre Brook r. Australia 112 E2
Mack U.S.A. 129 I2
Maçka Turkey 91 E2
Mackay Australia 110 E4
MacKay r. Canada 121 I3
Mackay U.S.A. 126 E3
Mackay, Lake salt flat Australia 108 E5
MacKay Lake Canada 121 I2
Mackenzie r. Australia 110 E4
Mackenzie Canada 120 F4

▶Mackenzie r. Canada 120 F2
Part of the Mackenzie-Peace-Finlay, the 2nd longest river in North America.

Mackenzie Guyana see Linden
Mackenzie atoll Micronesia see Ulithi
Mackenzie Bay Antarctica 152 E2
Mackenzie Bay Canada 118 E3
Mackenzie Highway Canada 120 G2
Mackenzie King Island Canada 119 G2
Mackenzie Mountains Canada 120 C1

▶Mackenzie-Peace-Finlay r. Canada 118 E3
2nd longest river in North America

Mackillop, Lake salt flat Australia see Yamma Yamma, Lake
Mackintosh Range hills Australia 109 D6
Macklin Canada 121 I4
Macksville Australia 112 F3
Maclean Australia 112 F2
Maclear S. Africa 101 I6
MacLeod Canada see Fort Macleod
MacLeod, Lake imp. l. Australia 109 A6
Macmillan r. Canada 120 C2
Macmillan Pass Canada 120 D2
Macomb U.S.A. 130 F3
Macomer Sardinia Italy 58 C4
Mâcon France 56 G3
Macon GA U.S.A. 133 D5
Macon MO U.S.A. 130 E4
Macon MS U.S.A. 131 F5
Macon OH U.S.A. 134 D4
Macondo Angola 99 C5
Macoun Lake Canada 121 K3
Macpherson Robertson Land reg. Antarctica see Mac. Robertson Land
Macpherson's Strait India 71 A5
Macquarie r. Australia 112 C3
Macquarie, Lake b. Australia 112 E4

▶Macquarie Island S. Pacific Ocean 150 G9
Part of Australia. Most southerly point of Oceania.

Macquarie Marshes Australia 112 C3
Macquarie Mountain Australia 112 D4
Macquarie Ridge sea feature S. Pacific Ocean 150 G9
MacRitchie Reservoir Sing. 71 [inset]
Mac. Robertson Land reg. Antarctica 152 E2
Macroom Ireland 51 D6
Macumba Australia 111 A5
Macumba watercourse Australia 111 B5
Macuzari, Presa resr Mex. 127 F8
Mādabā Jordan 85 B4
Madadeni S. Africa 101 J4

▶Madagascar country Africa 99 E6
Largest island in Africa and 4th in the world.

Madagascar Basin sea feature Indian Ocean 149 L7
Madagascar Ridge sea feature Indian Ocean 149 K8
Madagasikara country Africa see Madagascar
Madakasira India 84 C3
Madama Niger 97 E2
Madan Bulg. 59 K4
Madanapalle India 84 C3
Madang P.N.G. 69 L8
Madaoua Niger 96 D3
Madaripur Bangl. 83 G5
Madau Turkm. see Madaw
Madaw Turkm. 88 D2
Madawaska Canada 135 G1
Madawaska r. Canada 135 G1
Madaya Myanmar 70 B2
Madded India 84 D2

▶Madeira r. Brazil 142 G4
4th longest river in South America.

▶Madeira terr. N. Atlantic Ocean 96 B1
Autonomous Region of Portugal.

Madeira, Arquipélago da terr. N. Atlantic Ocean see Madeira
Maden Turkey 91 E3
Madera Mex. 127 F7
Madera U.S.A. 128 C3
Madgaon India 84 B3
Madha India 84 B2
Madhavpur India 82 B5
Madhepura India 83 F4
Madhipura India see Madhepura
Madhubani India 83 F4
Madhya Pradesh state India 82 D5
Madibogo S. Africa 101 G4
Madidi r. Bol. 142 E6
Madikeri India 84 B3
Madikwe Game Reserve nature res. S. Africa 101 H3
Madill U.S.A. 131 D5
Madīnat ath Thawrah Syria 85 D2
Madingo-Kayes Congo 99 B4
Madingou Congo 99 B4
Madison FL U.S.A. 133 D6
Madison GA U.S.A. 133 D5
Madison IN U.S.A. 134 C4
Madison ME U.S.A. 135 K1
Madison NE U.S.A. 130 D3
Madison SD U.S.A. 130 D2
Madison VA U.S.A. 135 F4

▶Madison WI U.S.A. 130 F3
Capital of Wisconsin.

Madison WV U.S.A. 134 E4
Madison r. U.S.A. 126 F3
Madison Heights U.S.A. 134 F5
Madisonville KY U.S.A. 134 B5
Madisonville TX U.S.A. 131 E6
Madiun Indon. 68 E8
Madley, Mount hill Australia 109 C6
Madoc Canada 135 G1
Mado Gashi Kenya 98 D3
Madoi China 76 C1
Madona Latvia 45 O8
Madpura India 82 B4
Madra Dağı mts Turkey 59 L5
Madrakah Saudi Arabia 86 E5
Madrakah, Ra's c. Oman 87 I6
Madras India see Chennai
Madras state India see Tamil Nadu
Madras U.S.A. 126 C3
Madre, Laguna lag. Mex. 131 D7
Madre, Laguna lag. U.S.A. 131 D7
Madre de Dios r. Peru 142 E6
Madre de Dios, Isla i. Chile 144 A8
Madre del Sur, Sierra mts Mex. 136 D5
Madre Mountain U.S.A. 129 J4
Madre Occidental, Sierra mts Mex. 127 F7
Madre Oriental, Sierra mts Mex. 131 C7

▶Madrid Spain 57 E3
Capital of Spain. 5th most populous city in Europe.

Madridejos Spain 57 E4
Madruga Cuba 133 D8
Madugula India 84 D2
Madura i. Indon. 68 E8
Madura, Selat sea chan. Indon. 68 E8
Madurai India 84 C4
Madurantakam India 84 C3
Madvār, Kūh-e mt. Iran 88 D4
Madwas India 83 E4
Maé i. Vanuatu see Émaé
Maebashi Japan 75 E5
Mae Hong Son Thai. 70 B3
Mae Ping National Park Thai. 70 B3
Mae Ramat Thai. 70 B3
Mae Sai Thai. 70 B2
Mae Sariang Thai. 70 B3
Mae Sot Thai. 70 B3
Mae Suai Thai. 70 B3
Mae Tuen Wildlife Reserve nature res. Thai. 70 B3
Maevatanana Madag. 99 E5
Maéwo i. Vanuatu 107 G3
Mae Wong National Park Thai. 70 B4
Mae Yom National Park Thai. 70 C3
Mafeking Canada 121 K4
Mafeking S. Africa see Mafikeng
Mafeteng Lesotho 101 H5
Maffra Australia 112 C6
Mafia Island Tanz. 99 D4
Mafikeng S. Africa 101 G3
Mafinga Tanz. 99 D4
Mafra Brazil 145 A4
Mafraq Jordan see Al Mafraq
Magabeni S. Africa 101 J6
Magadan Rus. Fed. 65 Q4
Magadi Kenya 98 D4
Magaiza Moz. 101 K2
Magallanes Chile see Punta Arenas
Magallanes, Estrecho de Chile see Magellan, Strait of
Magangue Col. 142 D2
Mağara Dağı mt. Turkey 85 A1
Magaramkent Rus. Fed. 91 H2
Magaria Niger 96 D3
Magarida P.N.G. 110 E1
Magas Rus. Fed. 91 G2
Magazine Mountain hill U.S.A. 131 E5
Magdagachi Rus. Fed. 74 B1
Magdalena Bol. 142 F6
Magdalena r. Col. 142 D1
Magdalena Baja California Sur Mex. 127 E8
Magdalena Sonora Mex. 127 F7
Magdalena r. Mex. 127 F7
Magdalena, Bahía b. Mex. 136 B4
Magdalena, Isla i. Chile 144 B6
Magdeburg Germany 53 L2
Magdelaine Cays atoll Australia 110 E3
Magellan, Strait of Chile 144 B8
Magellan Seamounts sea feature N. Pacific Ocean 150 F4
Magenta, Lake salt flat Australia 109 B8
Magerøya i. Norway 44 N1
Maggiorasca, Monte mt. Italy 58 C2
Maggiore, Lago Italy see Maggiore, Lake
Maggiore, Lake Italy 58 C2
Maghāgha Egypt see Maghāghah
Maghāghah Egypt 90 C5
Maghama Mauritania 96 B3
Maghāra, Gebel hill Egypt see Maghārah, Jabal
Maghārah, Jabal hill Egypt 85 A4
Maghera U.K. 51 F3
Magherafelt U.K. 51 F3
Maghnia Alg. 57 F6
Maghor Afgh. 89 F3
Maghull U.K. 48 E5
Magilligan Point U.K. 51 F2
Magma U.S.A. 129 H5
Magna Grande mt. Sicily Italy 58 F6
Magnetic Island Australia 110 D3
Magnetic Passage Australia 110 D3
Magnetity Rus. Fed. 44 R2
Magnitogorsk Rus. Fed. 64 G4
Magnolia AR U.S.A. 131 E5
Magnolia MS U.S.A. 131 F6
Magny-en-Vexin France 52 B5
Mago Rus. Fed. 74 F1
Màgoé Moz. 99 D5
Magog Canada 135 I1
Mago National Park Eth. 98 D3
Magosa Cyprus see Famagusta
Magpie r. Canada 123 I4
Magpie, Lac l. Canada 123 I4
Magta' Laḥjar Mauritania 96 B3
Magu Tanz. 98 D4
Magu, Khrebet mts Rus. Fed. 74 E1
Maguan China 76 E4
Magude Moz. 101 K3
Magueyal Mex. 131 C7
Magura Bangl. 83 G5
Maguse Lake Canada 121 M2
Magway Myanmar see Magwe
Magwe Myanmar 70 A2
Magyar Köztársaság country Europe see Hungary
Magyichaung Myanmar 70 A2
Mahābād Iran 88 B2
Mahabharat Range mts Nepal 83 F4
Mahaboobnagar India see Mahbubnagar
Mahad India 84 B2
Mahadeo Hills India 82 D5
Mahaffey U.S.A. 135 F3
Mahajan India 82 C3
Mahajanga Madag. 99 E5
Mahakam r. Indon. 68 F7
Mahalapye Botswana 101 H2
Mahale Mountains National Park Tanz. 99 C4
Mahalevona Madag. 99 E5
Mahallāt Iran 88 C3
Māhān Iran 88 E4
Mahanadi r. India 84 E1
Mahanoro Madag. 99 E5
Maha Oya Sri Lanka 84 D5
Maharashtra state India 84 B2
Maha Sarakham Thai. 70 C3
Mahasham, Wâdi el watercourse Egypt see Muhashsham, Wādī al
Mahaxai Laos 70 D3
Mahbubabad India 84 D2
Mahbubnagar India 84 C2
Mahd adh Dhahab Saudi Arabia 86 F5
Mahdia Alg. 57 G6
Mahdia Guyana 143 G2
Mahdia Tunisia 58 D7
Mahe China 76 E1
Mahé i. Seychelles 149 L6
Mahendragiri mt. India 84 E2
Mahenge Tanz. 99 D4
Mahesana India 82 C5
Mahi r. India 82 C5
Mahia Peninsula N.Z. 113 F4
Mahilyow Belarus 43 F5
Mahim India 84 B2
Mah Jān Iran 88 D4
Mahlabatini S. Africa 101 J5
Mahlsdorf Germany 53 L2
Maḩmūdābād Iran 88 D2
Maḩmūd-e 'Erāqī Afgh. see Maḩmūd-e Rāqī
Maḩmūd-e Rāqī Afgh. 89 H3
Mahnomen U.S.A. 130 D2
Maho Sri Lanka 84 D5
Mahoba India 82 D4
Maholi India 82 E4
Mahón Spain 57 I4
Mahony Lake Canada 120 E1
Mahrauni India 82 D4
Mahrès Tunisia 58 D7
Māhrūd Iran 89 F3
Mahsana India see Mahesana
Mahudaung mts Myanmar 70 A2
Māhukona U.S.A. 127 [inset]
Mahur India 84 C2
Mahuva India 82 B5
Mahwa India 82 D4
Mahya Dağı mt. Turkey 59 L4
Mai i. Vanuatu see Émaé
Maiaia Moz. see Nacala
Maibang India 70 A1
Maicao Col. 142 D1
Maicasagi r. Canada 122 F4
Maicasagi, Lac l. Canada 122 F4
Maichen China 77 F4
Maidenhead U.K. 49 G7
Maidstone Canada 121 I4
Maidstone U.K. 49 H7
Maiduguri Nigeria 96 E3
Maiella, Parco Nazionale della nat. park Italy 58 F3
Mai Gudo mt. Eth. 98 D3
Maigue r. Ireland 51 D5
Maihar India 82 E4
Maiji Shan mt. China 76 E1
Maikala Range hills India 82 E5
Maiko r. Dem. Rep. Congo 98 C3
Mailan Hill mt. India 83 E5
Mailly-le-Camp France 52 E6
Mailsi Pak. 89 I4
Main r. Germany 53 I4
Main r. U.K. 51 F3
Main Brook Canada 123 L4
Mainburg Germany 53 L6
Main Channel lake channel Canada 134 E1
Maindargi India 84 C2
Mai-Ndombe, Lac l. Dem. Rep. Congo 98 B4
Main-Donau-Kanal canal Germany 53 K5
Maindong Xizang China see Coqên
Main Duck Island Canada 135 G2
Maine state U.S.A. 135 K1
Maine, Gulf of Canada/U.S.A. 135 K2
Mainé Hanari, Cerro hill Col. 142 D4
Maïné-Soroa Niger 96 E3
Maingkaing Myanmar 70 A1
Maingkwan Myanmar 70 B1
Maingy Island Myanmar 71 B4
Mainhardt Germany 53 J5
Mainkung China 76 C2
Mainland i. Scotland U.K. 50 F1
Mainland i. Scotland U.K. 50 [inset]
Mainleus Germany 53 L4
Mainoru Australia 108 F3

ainpat reg. India 83 E5
ainpuri India 82 D4
ain Range National Park Australia 112 F2
aintenon France 52 B6
aintirano Madag. 99 E5
ainz Germany 53 I4
aio i. Cape Verde 96 [inset]
aipú Arg. 144 E5
aiskhal Island Bangl. 83 G5
aisons-Laffitte France 52 C6
aitengwe Botswana 99 C6
aitland N.S.W. Australia 112 E4
aitland S.A. Australia 111 B7
aitland r. Australia 108 B5
aitri research station Antarctica 152 C2
aiwo i. Vanuatu see Maéwo
aiyu, Mount hill Australia 108 E4
aíz, Islas del is Nicaragua 137 H6
aizar Pak. 89 H3
aizuru Japan 75 D6
aja Jezercë mt. Albania 59 H3
ajdel Aanjar tourist site Lebanon 85 B3
ajene Indon. 68 F7
ajestic U.S.A. 134 D5
ajḥūd well Saudi Arabia 88 C6
ajī Eth. 98 D3
ajiang Guangxi China 77 F4
ajiang Guizhou China 76 E3
ajiazi China 74 B2
ajōl country N. Pacific Ocean see Marshall Islands
ajor, Puig mt. Spain 57 H4
ajorca i. Spain 57 H4
ājro atoll Marshall Is see Majuro
ajunga Madag. see Mahajanga
ajuro atoll Marshall Is 150 H5
ajwemasweu S. Africa 101 H5
akabana Congo 98 B4
akale Indon. 69 F7

Makalu mt. China/Nepal 83 F4
5th highest mountain in the world and in Asia.

akalu Barun National Park Nepal 83 F4
akanchi Kazakh. 80 F2
akanpur India 82 E4
akari Mountain National Park Tanz. see Mahale Mountains National Park
akarov Rus. Fed. 74 F2
akarov Basin sea feature Arctic Ocean 153 B1
akarska Croatia 58 G3
akarwal Pak. 89 H3
akar'ye Rus. Fed. 42 K4
akar'yev Rus. Fed. 42 I4
akasar, Selat strait Indon. see Makassar, Selat
akassar Indon. 68 F8
akassar, Selat strait Indon. 68 F7
akassar Strait Indon. see Makassar, Selat
akat Kazakh. 78 E2
akatini Flats lowland S. Africa 101 K4
akedonija country Europe see Macedonia
akeni Sierra Leone 96 B4
akete Tanz. 99 D4
akeyevka Ukr. see Makiyivka
akgadikgadi depr. Botswana 99 C6
akgadikgadi Pans National Park Botswana 99 C6
akhachkala Rus. Fed. 91 G2
akhad Pak. 89 H3
akhado S. Africa 101 I2
akhāzin, Kathīb al des. Egypt 85 A4
akhāzin, Kathīb el des. Egypt see Makhāzin, Kathīb al
akhazine, Barrage El dam Morocco 57 D6
akhmūr Iraq 91 F4
akhtal India 84 C2
akin atoll Kiribati see Butaritari
akindu Kenya 98 D4
akinsk Kazakh. 79 G1
akira i. Solomon Is see San Cristobal
akiyivka Ukr. 43 H6
akkah Saudi Arabia see Mecca
akkovik Canada 123 K3
akkovik, Cape Canada 123 K3
akkum Neth. 52 F1
akó Hungary 59 I1
akokou Gabon 98 B3
akopong Botswana 100 F3
akotipoko Congo 97 E5
akran reg. Iran/Pak. 89 F5
akrana India 82 C4
akran Coast Range mts Pak. 89 F5
akri India 84 D2
aksatikha Rus. Fed. 42 G4
aksi India 82 D5
aksimovka Rus. Fed. 74 E3
aksotag Iran 89 F4
aksudangarh India 82 D5
ākū Iran 88 B2
akunguwiro Tanz. 99 D5
akurdi Nigeria 96 D4
akwassie S. Africa 101 G4
al India 83 G4
ala Ireland see Mallow
ala i. Solomon Is see Malaita
alå Sweden 44 K4
ala, Punta pt Panama 137 H7
alabar Coast India 84 B3

Malabo Equat. Guinea 96 D4
Capital of Equatorial Guinea.

alaca Spain see Málaga
alacca Malaysia see Melaka
alacca, Strait of Indon./Malaysia 71 B6
alad City U.S.A. 126 E4
aladzyechna Belarus 45 O9
alá Fatra nat. park Slovakia 47 Q6
álaga Spain 57 D5
alaga U.S.A. 131 B5
alagasy Republic country Africa see Madagascar
álainn Mhóir Ireland 51 D3
alaita i. Solomon Is 107 G2
alakal Sudan 86 D8
alakanagiri India see Malkangiri
alakheti Nepal 82 E3

Malakula i. Vanuatu 107 G3
Malan, Ras pt Pak. 89 G5
Malang Indon. 68 E8
Malangana Nepal see Malangwa
Malange Angola see Malanje
Malangwa Nepal 83 F4
Malanje Angola 99 B4
Malappuram India 84 C4
Mälaren l. Sweden 45 J7
Malargüe Arg. 144 C5
Malartic Canada 122 F4
Malaspina Glacier U.S.A. 120 A3
Malatya Turkey 90 E3
Malavalli India 84 C3
Malawi country Africa 99 D5
Malawi, Lake Africa see Nyasa, Lake
Malawi National Park Zambia see Nyika National Park
Malaya pen. Malaysia see Peninsular Malaysia
Malaya Pera Rus. Fed. 42 L2
Malaya Vishera Rus. Fed. 42 G4
Malaybalay Phil. 69 H5
Malāyer Iran 88 C3
Malay Peninsula Asia 71 B4
Malay Reef Australia 110 E3
Malaysia country Asia 68 D5
Malaysia, Semenanjung pen. Malaysia see Peninsular Malaysia
Malazgirt Turkey 91 F3
Malbon Australia 110 C4
Malbork Poland 47 Q3
Malborn Germany 52 G5
Malchin Germany 47 N4
Malcolm Australia 109 C7
Malcolm, Point Australia 109 C8
Malcolm Island Myanmar 71 B5
Maldegem Belgium 52 D3
Malden U.S.A. 131 F4
Malden Island Kiribati 151 J6
Maldives country Indian Ocean 81 D10
Maldon Australia 112 B6
Maldon U.K. 49 H7
Maldonado Uruguay 144 F4

▶Male Maldives 81 D11
Capital of the Maldives.

Maleas, Akra pt Peloponnisos Greece see Maleas, Akrotirio
Maleas, Akrotirio pt Greece 59 J6
Male Atoll Maldives 81 D11
Malebogo S. Africa 101 G5
Malegaon Mahar. India 84 B1
Malegaon Mahar. India 84 C2
Malé Karpaty hills Slovakia 47 P6
Malek Sīāh, Kūh-e mt. Afgh. 89 F4
Malele Dem. Rep. Congo 99 B4
Maler Kotla India 82 C3
Maleševske Planine mts Bulg./Macedonia 59 J4
Malgobek Rus. Fed. 91 G2
Malgomaj l. Sweden 44 J4
Malḥa, Naqb mt. Egypt see Māliḥah, Naqb
Malhada Brazil 145 C1
Malheur r. U.S.A. 126 D3
Malheur Lake U.S.A. 126 D4
Mali country Africa 96 C3
Mali Dem. Rep. Congo 98 C4
Mali Guinea 96 B3
Maliana East Timor 108 D2
Malianjing China 80 I3
Māliḥah, Naqb mt. Egypt 85 A5
Malik Naro mt. Pak. 89 F4
Mali Kyun i. Myanmar 71 B4
Malili Indon. 69 G7
Malin Ukr. see Malyn
Malindi Kenya 98 E4
Malines Belgium see Mechelen
Malin Head hd Ireland 51 E2
Malipo China 76 E4
Mali Raginac mt. Croatia 58 F2
Malita Phil. 69 H5
Malka r. Rus. Fed. 91 G2
Malkangiri India 84 D2
Malkapur India 84 B2
Malkara Turkey 59 L4
Mal'kavichy Belarus 45 O10
Malko Tŭrnovo Bulg. 59 L4
Mallacoota Australia 112 D6
Mallacoota Inlet b. Australia 112 D6
Mallaig U.K. 50 D4
Mallani reg. India 89 H5
Mallawī Egypt 90 C6
Mallee Cliffs National Park Australia 111 C7
Mallery Lake Canada 121 L1
Mallét Brazil 145 A4
Mallorca i. Spain see Majorca
Mallow Ireland 51 D5
Mallowa Well Australia 108 D5
Mallwyd U.K. 49 D6
Malm Norway 44 G4
Malmberget Sweden 44 L3
Malmédy Belgium 52 G4
Malmesbury S. Africa 100 D7
Malmesbury U.K. 49 E7
Malmö Sweden 45 H9
Malmyzh Rus. Fed. 42 K4
Maloca Brazil 143 G3
Malone U.S.A. 135 H1
Malonje mt. Tanz. 99 D4
Maloshuyka Rus. Fed. 42 H3
Malosmadulu Atoll Maldives see Maalhosmadulu Atoll
Måløy Norway 44 D6
Maloyaroslavets Rus. Fed. 43 H5
Malozemel'skaya Tundra lowland Rus. Fed. 42 K2
Malpelo, Isla de i. N. Pacific Ocean 137 H8
Malprabha r. India 84 C2
Malta country Europe 58 F7
Malta Latvia 45 O8
Malta ID U.S.A. 126 E4
Malta MT U.S.A. 126 G2
Malta Channel Italy/Malta 58 F6
Maltahöhe Namibia 100 C3
Maltby U.K. 48 F5
Maltby le Marsh U.K. 48 H5
Malton U.K. 48 G4
Maluku is Indon. see Moluccas

Maluku, Laut sea Indon. 69 H6
Ma'lūlā, Jabal mts Syria 85 C3
Malung Sweden 45 H6
Maluti Mountains Lesotho 101 I5
Malu'u Solomon Is 107 G2
Malvan India 84 B2
Malvasia Greece see Monemvasia
Malvern U.K. see Great Malvern
Malvern U.S.A. 131 E5
Malvérnia Moz. see Chicualacuala
Malvinas, Islas terr. S. Atlantic Ocean see Falkland Islands
Malyn Ukr. 43 F6
Malyy Anyuy r. Rus. Fed. 65 R3
Malyye Derbety Rus. Fed. 43 J7
Malyy Kavkaz mts Asia see Lesser Caucasus
Malyy Lyakhovskiy, Ostrov i. Rus. Fed. 65 P2
Malyy Uzen' r. Kazakh./Rus. Fed. 43 K6
Mamadysh Rus. Fed. 42 K5
Mamafubedu S. Africa 101 I4
Mamatān Nāvar l. Afgh. 89 G4
Mamba China 76 B2
Mambai Brazil 145 B1
Mambasa Dem. Rep. Congo 98 C3
Mamburao Phil. 69 G4
Mamelodi S. Africa 101 I3
Mamfe Cameroon 96 D4
Mamit India 83 H5
Mammoth U.S.A. 129 H5
Mammoth Cave National Park U.S.A. 134 B5
Mammoth Reservoir U.S.A. 128 D3
Mamonas Brazil 145 C1
Mamoré r. Bol./Brazil 142 E6
Mamou Guinea 96 B3
Mampikony Madag. 99 E5
Mampong Ghana 96 C4
Mamuju Indon. 68 F7
Mamuno Botswana 100 E2
Man Côte d'Ivoire 96 C4
Man India 84 B2
Man r. India 84 B2
Man U.S.A. 134 E5

▶Man, Isle of terr. Irish Sea 48 C4
United Kingdom Crown Dependency.

Manacapuru Brazil 142 F4
Manacor Spain 57 H4
Manado Indon. 69 G6

▶Managua Nicaragua 137 G6
Capital of Nicaragua.

Manakara Madag. 99 E6
Manakau mt. N.Z. 113 D6
Manākhah Yemen 86 F6

▶Manama Bahrain 88 C5
Capital of Bahrain.

Manamadurai India 84 C4
Mana Maroka National Park S. Africa 101 H5
Manamelkudi India 84 C4
Manam Island P.N.G. 69 L7
Mananara Avaratra Madag. 99 E5
Manangoora Australia 110 B3
Mananjary Madag. 99 E6
Manantali, Lac de l. Mali 96 B3
Manantenina Madag. 99 E6
Mana Pass China/India 82 D3
Mana Pools National Park Zimbabwe 99 C5

▶Manapouri, Lake N.Z. 113 A7
Deepest lake in Oceania.

Manasa India 82 C4
Manas He r. China 80 G2
Manas Hu l. China 80 G2
Manāşīr reg. U.A.E. 88 D6

▶Manaslu mt. Nepal 83 F3
8th highest mountain in the world and in Asia.

Manassas U.S.A. 135 G4
Manastir Macedonia see Bitola
Manas Wildlife Sanctuary nature res. Bhutan 83 G4
Man-aung Myanmar 70 A3
Man-aung Kyun Myanmar 70 A3
Manaus Brazil 142 F4
Manavgat Turkey 90 C3
Manbazar India 83 F5
Manbij Syria 85 C1
Manby U.K. 48 H5
Mancelona U.S.A. 134 C1
Manchar India 84 B2
Manchester U.K. 48 E5
Manchester CT U.S.A. 135 I3
Manchester IA U.S.A. 130 F3
Manchester KY U.S.A. 134 D5
Manchester MD U.S.A. 135 G4
Manchester MI U.S.A. 134 C2
Manchester NH U.S.A. 135 J2
Manchester OH U.S.A. 134 D4
Manchester TN U.S.A. 132 C5
Manchester VT U.S.A. 135 I2
Mancılık Turkey 90 E3
Mand Pak. 89 F5
Mand, Rūd-e r. Iran 88 C4
Manda Tanz. 99 D4
Manda, Jebel mt. Sudan 97 F4
Manda, Parque Nacional de nat. park Chad 97 E4
Mandabe Madag. 99 E6
Mandai Sing. 71 [inset]
Mandal Norway 45 E7

▶Mandala, Puncak mt. Indon. 69 K7
3rd highest mountain in Oceania.

Mandalay Myanmar 70 B2
Mandale Myanmar see Mandalay
Mandalgovĭ Mongolia 72 J3
Mandalī Iraq 91 G4
Mandal-Ovoo Mongolia 72 I4
Mandalt China 73 K4

Mandan U.S.A. 130 C2
Mandas Sardinia Italy 58 C5
Mandasa India 84 E2
Mandasor India see Mandsaur
Mandav Hills India 82 B5
Mandel Afgh. 89 F3
Mandera Kenya 98 E3
Manderfield U.S.A. 129 G2
Manderscheid Germany 52 G4
Mandeville Jamaica 137 I5
Mandeville N.Z. 113 B7
Mandha India 82 B4
Mandhoúdhíon Greece see Mantoudi
Mandi India 82 D3
Mandiana Guinea 96 C3
Mandi Burewala Pak. 89 I4
Mandié Moz. 99 D5
Mandini S. Africa 101 J5
Mandira Dam India 83 F5
Mandla India 82 E5
Mandleshwar India 82 C5
Mandrael India 82 D4
Mandritsara Madag. 99 E5
Mandsaur India 82 C4
Mandurah Australia 109 A8
Manduria Italy 58 G4
Mandvi India 82 B5
Mandya India 84 C3
Manerbio Italy 58 D2
Manevychi Ukr. 43 E6
Manfalūţ Egypt 90 C6
Manfredonia Italy 58 F4
Manfredonia, Golfo di g. Italy 58 G4
Manga Brazil 145 C1
Manga Burkina 96 C3
Mangabeiras, Serra das hills Brazil 143 I6
Mangai Dem. Rep. Congo 98 B4
Mangaia i. Cook Is 151 J7
Mangakino N.Z. 113 E4
Mangalagiri India 84 D2
Mangaldai India 70 A1
Mangaldoi India see Mangaldai
Mangalia Romania 59 M3
Mangalmé Chad 97 E3
Mangalore India 84 B3
Mangaon India 84 B2
Mangareva Islands Fr. Polynesia see Gambier, Îles
Mangaung Free State S. Africa 101 H5
Mangaung Free State S. Africa see Bloemfontein
Mangawan India 83 E4
Ma'ngê China see Luqu
Mangea i. Cook Is see Mangaia
Mangghyshlaq Kazakh. see Mangystau
Mangghystaū Kazakh. see Mangystau
Mangghystaū admin. div. Kazakh. see Mangistauskaya Oblast'
Mangghyt Uzbek. see Mang'it
Manghit Uzbek. see Mang'it
Mangin Range mts Myanmar see Mingin Range
Mangistau Kazakh. see Mangystau
Mangistauskaya Oblast' admin. div. Kazakh. 91 I2
Mang'it Uzbek. 80 B3
Mangla Bangl. see Mongla
Mangla China see Guinan
Mangla Pak. 89 I3
Manglaqiongtuo China see Guinan
Mangnai China 80 H4
Mangnai Zhen China 80 H4
Mangochi Malawi 99 D5
Mangoky r. Madag. 99 E6
Mangole i. Indon. 69 H7
Mangoli India 84 B2
Mangotsfield U.K. 49 E7
Mangqystaū Shyghanaghy b. Kazakh. see Mangyshlakskiy Zaliv
Mangra China see Guinan
Mangrol India 82 B5
Mangrul India 84 C1
Mangshi China see Luxi
Mangualde Port. 57 C3
Manguéni, Plateau du Niger 96 E2
Mangui China 74 A2
Mangula Zimbabwe see Mhangura
Mangum U.S.A. 131 D5
Mangyshlak Kazakh. see Mangystau
Mangyshlak, Poluostrov pen. Kazakh. 91 H1
Mangyshlak Oblast admin. div. Kazakh. see Mangistauskaya Oblast'
Mangyshlakskaya Oblast' admin. div. Kazakh. see Mangistauskaya Oblast'
Mangyshlakskiy Zaliv b. Kazakh. 91 H1
Mangystau Kazakh. 91 H2
Manhā Brazil 145 B1
Manhattan U.S.A. 130 D4
Manhica Moz. 101 K3
Manhoca Moz. 101 K4
Manhuaçu Brazil 145 C3
Manhuaçu r. Brazil 145 C2
Mani China 83 F2
Mania r. Madag. 99 E5
Maniago Italy 58 E1
Manicouagan Canada 123 H4
Manicouagan r. Canada 123 H4
Manicouagan, Réservoir resr Canada 123 H4
Manic Trois, Réservoir resr Canada 123 H4
Manīfah Saudi Arabia 88 C5
Maniganggo China 76 C2
Manigotagan Canada 121 L5
Manihiki atoll Cook Is 150 J6
Maniitsoq Greenland 119 M3
Manikchhari Bangl. 83 H5
Manikgarh India see Rajura

▶Manila Phil. 69 G4
Capital of the Philippines.

Manila U.S.A. 126 F4
Manildra Australia 112 D4
Manilla Australia 112 E3
Maningrida Australia 108 F3
Manipur India see Imphal
Manipur state India 83 H4
Manisa Turkey 59 L5
Manistee U.S.A. 134 B1
Manistee r. U.S.A. 134 B1
Manistique U.S.A. 132 C2

Manitoba prov. Canada 121 L4
Manitoba, Lake Canada 121 L5
Manito Lake Canada 121 I4
Manitou Canada 121 L5
Manitou, Lake U.S.A. 134 B3
Manitou Beach U.S.A. 135 G2
Manitou Falls Canada 121 M5
Manitou Islands U.S.A. 134 B1
Manitoulin Island Canada 122 E5
Manitouwadge Canada 122 D4
Manitowoc U.S.A. 134 B1
Maniwaki Canada 122 G5
Manizales Col. 142 C2
Manja Madag. 99 E6
Manjarabad India 84 B3
Manjeri India 84 C4
Manjhand Pak. 89 H5
Manjhi India 83 F4
Manjra r. India 84 C2
Man Kabat Myanmar 70 B1
Mankaiana Swaziland see Mankayane
Mankato KS U.S.A. 130 D4
Mankato MN U.S.A. 130 E2
Mankayane Swaziland 101 J4
Mankera Pak. 89 H4
Mankono Côte d'Ivoire 96 C4
Mankota Canada 121 J5
Manlay Mongolia 72 J4
Manley Hot Springs U.S.A. 118 C3
Manmad India 84 B1
Mann r. Australia 108 F3
Mann, Mount Australia 109 E6
Manna Indon. 68 C7
Man Na Myanmar 70 B2
Mannahill Australia 111 B7
Mannar Sri Lanka 84 C4
Mannar, Gulf of India/Sri Lanka 84 C4
Manneru r. India 84 D3
Mannessier, Lac l. Canada 123 H3
Mannheim Germany 53 I5
Mannicolo Islands Solomon Is see Vanikoro Islands
Manning r. Australia 112 F3
Manning Canada 120 G3
Manning U.S.A. 133 D5
Mannington U.S.A. 134 E4
Manningtree U.K. 49 I7
Mann Ranges mts Australia 109 E6
Mannsville KY U.S.A. 134 C5
Mannsville NY U.S.A. 135 G2
Mannu, Capo c. Sardinia Italy 58 C4
Mannville Canada 121 I4
Man-of-War Rocks is U.S.A. see Gardner Pinnacles
Manoharpur India 82 D4
Manohar Thana India 82 D4
Manokotak U.S.A. 118 C4
Manokwari Indon. 69 I7
Manoron Myanmar 71 B5
Manosque France 56 G5
Manouane r. Canada 123 H4
Manouane, Lac l. Canada 123 H4
Man Pan Myanmar 70 B2
Manp'o N. Korea 74 B4
Manra i. Kiribati 107 I2
Manresa Spain 57 G3
Mansa Gujarat India 82 C5
Mansa Punjab India 82 C3
Mansa Zambia 99 C5
Mansa Konko Gambia 96 B3
Man Sam Myanmar 70 B2
Mansehra Pak. 87 L3
Mansel Island Canada 119 K3
Mansfield Australia 112 C6
Mansfield U.K. 49 F5
Mansfield LA U.S.A. 131 E5
Mansfield OH U.S.A. 134 D3
Mansfield PA U.S.A. 135 G3
Mansfield, Mount U.S.A. 135 I1
Man Si Myanmar 70 B1
Mansi Myanmar 70 A1
Manso r. Brazil see Mortes, Rio das
Manta Ecuador 142 B4
Mantaro r. Peru 142 D6
Manteca U.S.A. 128 C3
Mantena Brazil 145 C2
Manteo U.S.A. 132 F5
Mantes-la-Jolie France 52 B6
Mantiqueira, Serra da mts Brazil 145 B3
Manton U.S.A. 134 C1
Mantoudi Greece 59 J5
Mantova Italy see Mantua
Mäntsälä Fin. 45 N6
Mänttä Fin. 44 N5
Mantua Cuba 133 C8
Mantua Italy 58 D2
Mantuan Downs Australia 110 D5
Manturovo Rus. Fed. 42 J4
Mäntyharju Fin. 45 O6
Mäntyjärvi Fin. 44 O3
Manú Peru 142 D6
Manu, Parque Nacional nat. park Peru 142 D6
Manuae atoll Fr. Polynesia 151 J7
Manu'a Islands American Samoa 107 I3
Manuel Ribas Brazil 145 A4
Manuel Vitorino Brazil 145 C1
Manuelzinho Brazil 143 H5
Manui i. Indon. 69 G7
Manukau N.Z. 113 E3
Manukau Harbour N.Z. 113 E3
Manunda watercourse Australia 111 B7
Manusela, Taman Nasional Indon. 69 H7
Manus Island P.N.G. 69 L7
Manvi India 84 C3
Many U.S.A. 131 E6
Manyana Botswana 101 G3
Manyas Turkey 59 L4
Manyas Gölü l. Turkey see Kuş Gölü
Manych-Gudilo, Ozero l. Rus. Fed. 43 I7
Many Island Lake Canada 121 I5
Manyoni Tanz. 99 D4
Manzai Pak. 89 H3
Manzanares Spain 57 E4
Manzanillo Cuba 137 I4
Manzanillo Mex. 136 D5
Manzhouli China 73 L3
Manzini Swaziland 101 J4
Mao Chad 97 E3
Maó Spain see Mahón
Maoba Guizhou China 76 E3
Maoba Hubei China 77 F2

Maocifan China 77 G2
Mao'ergai China 76 D1
Maoke, Pegunungan mts Indon. 69 J7
Maokeng S. Africa 101 H4
Maokui Shan mt. China 74 A4
Maolin China 74 A4
Maoming China 77 F4
Ma On Shan hill H.K. China 77 [inset]
Maopi T'ou c. Taiwan 77 I4
Maopora i. Indon. 108 D1
Maotou Shan mt. China 76 D3
Mapai Moz. 101 J2
Mapam Yumco l. China 83 E3
Mapanza Zambia 99 C5
Maphodi S. Africa 101 G6
Mapimí Mex. 131 C7
Mapinhane Moz. 101 L2
Mapiri Bol. 142 E7
Maple r. MI U.S.A. 134 C2
Maple r. ND U.S.A. 130 D2
Maple Creek Canada 121 I5
Maple Heights U.S.A. 134 E3
Maple Peak U.S.A. 129 I5
Mapmakers Seamounts sea feature N. Pacific Ocean 150 H4
Mapoon Australia 110 C1
Mapor i. Indon. 71 D7
Mapoteng Lesotho 101 H5
Maprik P.N.G. 69 K7
Mapuera r. Brazil 143 G4
Mapulanguene Moz. 101 K3
Mapungubwe National Park S. Africa 101 I2

▶Maputo Moz. 101 K3
Capital of Mozambique.

Maputo prov. Moz. 101 K3
Maputo r. Moz./S. Africa 101 K4
Maputo, Baía de b. Moz. 101 K4
Maputsoe Lesotho 101 H5
Maqanshy Kazakh. see Makanchi
Maqar an Na'am well Iraq 91 F5
Maqat Kazakh. see Makat
Maqên China 76 D1
Maqên Kangri mt. China 76 C1
Maqnā Saudi Arabia 90 D5
Maqteïr reg. Mauritania 96 B2
Maqu China 76 D1
Ma Qu r. China see Yellow River
Maquan He r. China 83 F3
Maquela do Zombo Angola 99 B4
Maquinchao Arg. 144 C6
Mar r. Pak. 89 G5
Mar, Serra do mts Rio de Janeiro/São Paulo Brazil 145 B3
Mar, Serra do mts Rio Grande do Sul/Santa Catarina Brazil 145 A5
Mara r. Canada 121 I1
Mara India 83 E5
Mara S. Africa 101 I2
Maraã Brazil 142 E4
Marabá Brazil 143 I5
Maraboon, Lake resr Australia 110 E4
Maracá, Ilha de i. Brazil 143 H3
Maracaibo Venez. 142 D1
Maracaibo, Lago de Venez. see Maracaibo, Lake
Maracaibo, Lake Venez. 142 D2
Maracaju Brazil 144 E2
Maracaju, Serra de hills Brazil 144 E2
Maracanda Uzbek. see Samarqand
Maracás Brazil 145 C1
Maracás, Chapada de hills Brazil 145 C1
Maracay Venez. 142 E1
Marādah Libya 97 E2
Maradi Niger 96 D3
Marāgheh Iran 88 B2
Marahuaca, Cerro mt. Venez. 142 E3
Marajó, Baía de est. Brazil 143 I4
Marajó, Ilha de i. Brazil 143 H4
Marakele National Park S. Africa 101 H3
Maralal Kenya 98 D3
Maralbashi China see Bachu
Maralinga Australia 109 E7
Maralwexi China see Bachu
Maramasike i. Solomon Is 107 G2
Maramba Zambia see Livingstone
Marambio research station Antarctica 152 A2
Maran Malaysia 71 C7
Maran mt. Pak. 89 G4
Marana U.S.A. 129 H5
Marand Iran 88 B2
Marandellas Zimbabwe see Marondera
Marang Malaysia 71 C6
Marang Myanmar 71 B5
Maranhão r. Brazil 145 A1
Maranoa r. Australia 112 D1
Marañón r. Peru 142 D4
Marão Moz. 101 L3
Marão mt. Port. 57 C3
Mara Rosa Brazil 145 A1
Maraş Turkey see Kahramanmaraş
Marathon Canada 122 D4
Marathon FL U.S.A. 133 D7
Marathon NY U.S.A. 135 G2
Marathon TX U.S.A. 131 C6
Maratua i. Indon. 68 F6
Maraú Brazil 145 D1
Maravillas Creek watercourse U.S.A. 131 C6
Märäzä Azer. 91 H2
Marbella Spain 57 D5
Marble Bar Australia 108 B5
Marble Canyon U.S.A. 129 H3
Marble Canyon gorge U.S.A. 129 H3
Marble Hall S. Africa 101 I3
Marble Hill U.S.A. 131 F4
Marble Island Canada 121 N2
Marbul Pass India 82 C2
Marburg S. Africa 101 J6
Marburg Slovenia see Maribor
Marburg an der Lahn Germany 53 I4
Marca, Ponta do pt Angola 99 B5
Marcali Hungary 58 G1
Marcelino Ramos Brazil 145 A4
March U.K. 49 H6
Marche reg. France 56 E3
Marche-en-Famenne Belgium 52 F4
Marchena Spain 57 D5
Marchinbar Island Australia 110 B1
Mar Chiquita, Laguna l. Arg. 144 D4

Marchtrenk Austria 47 O6
Marco U.S.A. 133 D7
Marcoing France 52 D4
Marcona Peru 142 C7
Marcopeet Islands Canada 122 F2
Marcus Baker, Mount U.S.A. 118 D3
Marcy, Mount U.S.A. 135 I1
Mardan Pak. 89 I3
Mar del Plata Arg. 144 E5
Mardīān Afgh. 89 G2
Mardin Turkey 91 F3
Maré i. New Caledonia 107 G4
Maree, Loch l. U.K. 50 D3
Mareh Iran 89 E5
Marengo IA U.S.A. 130 E3
Marengo IN U.S.A. 134 B4
Marevo Rus. Fed. 42 G4
Marfa U.S.A. 131 B6
Marganets Ukr. see Marhanets'
Margao India see Madgaon
Margaret r. Australia 108 D4
Margaret watercourse Australia 111 B6
Margaret, Mount hill Australia 108 B5
Margaret Lake Alta Canada 120 H3
Margaret Lake N.W.T. Canada 120 G1
Margaret River Australia 109 A8
Margaretville U.S.A. 135 H2
Margarita, Isla de i. Venez. 142 F1
Margaritovo Rus. Fed. 74 D4
Margate U.K. 49 I7
Margherita, Lake Eth. see Abaya, Lake

▶Margherita Peak
Dem. Rep. Congo/Uganda 98 C3
3rd highest mountain in Africa.

Marghilon Uzbek. see Marg'ilon
Marg'ilon Uzbek. 80 D3
Mārgo, Dasht-i des. Afgh. see Mārgow, Dasht-e
Margog Caka l. China 83 F2
Mārgow, Dasht-e des. Afgh. 89 F4
Margraten Neth. 52 F4
Marguerite Canada 120 F4
Marguerite, Pic mt. Dem. Rep. Congo/Uganda see Margherita Peak
Marguerite Bay Antarctica 152 L2
Margyang China 83 G3
Marhaj Khalīl Iraq 91 G4
Marhanets' Ukr. 43 G7
Marhoum Alg. 54 D5
Mari Myanmar 70 B1
Maria atoll Fr. Polynesia 151 J7
María Elena Chile 144 C2
Maria Island Australia 110 A2
Maria Island Myanmar 71 B5
Maria Island National Park Australia 111 [inset]
Mariala National Park Australia 111 D5
Mariana Brazil 145 C3
Marianao Cuba 133 D8
Mariana Ridge sea feature N. Pacific Ocean 150 F4

▶Mariana Trench sea feature
N. Pacific Ocean 150 F5
Deepest trench in the world.

Mariani India 83 H4
Mariánica, Cordillera mts Spain see Morena, Sierra
Marian Lake Canada 120 G2
Marianna AR U.S.A. 131 F5
Marianna FL U.S.A. 133 C6
Mariano Machado Angola see Ganda
Mariánské Lázně Czech Rep. 53 M5
Marias r. U.S.A. 126 F3
Marías, Islas is Mex. 136 C4

▶Mariato, Punta pt Panama 137 H7
Most southerly point of North America.

Maria van Diemen, Cape N.Z. 113 D2
Ma'rib Yemen 86 G6
Maribor Slovenia 58 F1
Marica r. Bulg. see Maritsa
Maricopa AZ U.S.A. 129 G5
Maricopa CA U.S.A. 128 D4
Maricopa Mountains U.S.A. 129 G5
Maridi Sudan 97 F4
Marie Byrd Land reg. Antarctica 152 J1
Marie-Galante i. Guadeloupe 137 L5
Mariehamn Fin. 45 K6
Mariembero r. Brazil 145 A1
Marienbad Czech Rep. see Mariánské Lázně
Marienberg Germany 53 N4
Marienburg Poland see Malbork
Marienhafe Germany 53 H1
Mariental Namibia 100 C3
Marienwerder Poland see Kwidzyn
Mariestad Sweden 45 H7
Mariet r. Canada 122 F2
Marietta GA U.S.A. 133 C5
Marietta OH U.S.A. 134 E4
Marietta OK U.S.A. 131 D5
Marignane France 56 G5
Marii, Mys pt Rus. Fed. 66 G2
Mariinsk Rus. Fed. 64 J4
Mariinskiy Posad Rus. Fed. 42 J4
Marijampolė Lith. 45 M9
Marília Brazil 145 A3
Marillana Australia 108 B5
Marimba Angola 99 B4
Marín Spain 57 B2
Marina U.S.A. 128 C3
Marina di Gioiosa Ionica Italy 58 G5
Mar''ina Gorka Belarus see Mar''ina Horka
Mar''ina Horka Belarus 45 P10
Marinduque i. Phil. 69 G4
Marinette U.S.A. 134 B1
Maringá Brazil 145 A3
Maringa r. Dem. Rep. Congo 98 B3
Maringo U.S.A. 134 D3
Marinha Grande Port. 57 B4
Marion AL U.S.A. 133 C5
Marion AR U.S.A. 131 F5
Marion IL U.S.A. 130 F4
Marion IN U.S.A. 134 C3
Marion KS U.S.A. 130 D4
Marion MI U.S.A. 134 C1
Marion NY U.S.A. 135 G2
Marion OH U.S.A. 134 D3
Marion SC U.S.A. 133 E5
Marion VA U.S.A. 134 E5
Marion, Lake U.S.A. 133 D5
Marion Reef Australia 110 F3
Maripa Venez. 142 E2
Mariposa U.S.A. 128 D3
Mariscal José Félix Estigarribia Para. 144 D2
Maritime Alps mts France/Italy 56 H4
Maritime Kray admin. div. Rus. Fed. see Primorskiy Kray
Maritimes, Alpes mts France/Italy see Maritime Alps
Maritsa r. Bulg. 59 L4
also known as Evros (Greece), Marica (Bulgaria), Meriç (Turkey)
Marittime, Alpi mts France/Italy see Maritime Alps
Mariupol' Ukr. 43 H7
Mariusa nat. park Venez. 142 F2
Marīvān Iran 88 B3
Marjan Afgh. see Wazi Khwa
Marjayoûn Lebanon 85 B3
Marka Somalia 98 E3
Markala Mali 96 C3
Markam China 76 C2
Markaryd Sweden 45 H8
Markdale Canada 134 E1
Marken S. Africa 101 I2
Markermeer l. Neth. 52 F2
Market Deeping U.K. 49 G6
Market Drayton U.K. 49 E6
Market Harborough U.K. 49 G6
Markethill U.K. 51 F3
Market Weighton U.K. 48 G5
Markha r. Rus. Fed. 65 M3
Markham Canada 134 F2
Markit China 80 E4
Markkleeberg Germany 53 M3
Markleeville U.S.A. 128 D2
Marklohe Germany 53 J2
Markog Qu r. China 76 D1
Markounda Cent. Afr. Rep. 98 B3
Markovo Rus. Fed. 65 S3
Markranstädt Germany 53 M3
Marks Rus. Fed. 43 J6
Marks U.S.A. 131 F5
Marksville U.S.A. 131 E6
Marktheidenfeld Germany 53 J5
Marktredwitz Germany 53 M4
Marl Germany 52 H3
Marla Australia 109 F6
Marlborough Downs hills U.K. 49 F7
Marle France 52 D5
Marlette U.S.A. 134 D2
Marlin U.S.A. 131 D6
Marlinton U.S.A. 134 E4
Marlo Australia 112 D6
Marmagao India 84 B3
Marmande France 56 E4
Marmara, Sea of g. Turkey 59 M4
Marmara Denizi g. Turkey see Marmara, Sea of
Marmara Gölü l. Turkey 59 M5
Marmarica reg. Libya 90 B5
Marmaris Turkey 59 M6
Marmarth U.S.A. 130 C2
Marmet U.S.A. 134 E4
Marmion, Lake salt l. Australia 109 C7
Marmion Lake Canada 121 N5
Marmolada mt. Italy 58 D1
Marne r. France 52 C6
Marne-la-Vallée France 52 C6
Marnitz Germany 53 L1
Maroantsetra Madag. 99 E5
Maroc country Africa see Morocco
Marol Pak. 89 I4
Marol Pak. 82 D2
Maroldsweisach Germany 53 K4
Maromokotro mt. Madag. 99 E5
Marondera Zimbabwe 99 D5
Maroochydore Australia 112 F1
Maroonah Australia 109 A5
Maroon Peak U.S.A. 126 G5
Marosvásárhely Romania see Târgu Mureș
Maroua Cameroon 97 E3
Marovoay Madag. 99 E5
Marqādah Syria 91 F4
Mar Qu r. China see Markog Qu
Marquard S. Africa 101 H5
Marquesas Islands Fr. Polynesia 151 K6
Marquesas Keys is U.S.A. 133 D7
Marquês de Valença Brazil 145 C3
Marquette U.S.A. 132 C2
Marquez U.S.A. 131 D6
Marquion France 52 D4
Marquise France 52 B4
Marquises, Îles is Fr. Polynesia see Marquesas Islands
Marra Australia 112 A3
Marra r. Australia 112 C3
Marra, Jebel mt. Sudan 97 F3
Marra, Jebel Sudan 97 F3
Marracuene Moz. 101 K3
Marrakech Morocco 54 C5
Marrakesh Morocco see Marrakech
Marrangua, Lagoa l. Moz. 101 L3
Marrar Australia 112 C5
Marrawah Australia 111 [inset]
Marrawah Tas. Australia 111 [inset]
Marree Australia 111 B6
Marrowbone U.S.A. 134 C5
Marruecos country Africa see Morocco
Marrupa Moz. 99 D5
Marryat Australia 109 F6
Marsá al 'Alam Egypt 86 D4
Marsa 'Alam Egypt see Marsá al 'Alam
Marsa al Burayqah Libya 97 E1
Marsabit Kenya 98 D3
Marsala Sicily Italy 58 E6
Marsá Maṭrūḥ Egypt 90 B5
Marsberg Germany 53 I3
Marsciano Italy 58 E3
Marsden Australia 112 C4
Marsden Canada 121 I4
Marsdiep sea chan. Neth. 52 E2
Marseille France 56 G5
Marseilles France see Marseille
Marsfjället mt. Sweden 44 I4
Marshall watercourse Australia 110 B4
Marshall AR U.S.A. 131 E5
Marshall IL U.S.A. 134 B4
Marshall MI U.S.A. 134 C2
Marshall MN U.S.A. 130 E2
Marshall MO U.S.A. 130 E4
Marshall TX U.S.A. 131 E5
Marshall Islands country N. Pacific Ocean 150 H5
Marshalltown U.S.A. 130 E3
Marshfield MO U.S.A. 131 E4
Marshfield WI U.S.A. 130 F2
Marsh Harbour Bahamas 133 E7
Mars Hill U.S.A. 132 H2
Marsh Island U.S.A. 131 F6
Marsh Peak U.S.A. 129 I1
Marsh Point Canada 121 M3
Marsing U.S.A. 126 D4
Märsta Sweden 45 J7
Marsyaty Rus. Fed. 41 S3
Martaban, Gulf of g. Myanmar see Mottama, Gulf of
Martapura Indon. 68 E7
Marten River Canada 122 F5
Marte R. Gómez, Presa resr Mex. 131 D7
Martha's Vineyard i. U.S.A. 135 J3
Martigny Switz. 56 H3
Martim Vaz, Ilhas is S. Atlantic Ocean see Martin Vas, Ilhas
Martin r. Canada 120 F2
Martin Slovakia 47 Q6
Martin MI U.S.A. 134 C2
Martin SD U.S.A. 130 C3
Martinez Lake U.S.A. 129 F5
Martinho Campos Brazil 145 B2

▶Martinique terr. West Indies 137 L6
French Overseas Department.

Martinique Passage Dominica/Martinique 137 L5
Martin Peninsula Antarctica 152 K2
Martinsburg U.S.A. 135 G4
Martins Ferry U.S.A. 134 E3
Martinsville IL U.S.A. 134 B4
Martinsville IN U.S.A. 134 B4
Martinsville VA U.S.A. 134 F5

▶Martin Vas, Ilhas is S. Atlantic Ocean 148 G7
Most easterly point of South America.

Martin Vaz Islands S. Atlantic Ocean see Martin Vas, Ilhas
Martök Kazakh. see Martuk
Marton N.Z. 113 E5
Martorell Spain 57 G3
Martos Spain 57 E5
Martuk Kazakh. 78 E1
Martuni Armenia 91 G2
Maruf Afgh. 89 G4
Maruim Brazil 143 K6
Marukhis Ugheltekhili pass Georgia/Rus. Fed. 91 F2
Marulan Australia 112 D5
Marusthali reg. India 89 H5
Marvast Iran 88 D4
Marv Dasht Iran 88 D4
Marvejols France 56 F4
Marvine, Mount U.S.A. 129 H2
Marwayne Canada 121 I4
Mary r. Australia 108 E3
Mary Turkm. 89 F2
Maryborough Qld Australia 111 F5
Maryborough Vic. Australia 112 A6
Marydale S. Africa 100 F5
Mary Frances Lake Canada 121 J2
Mary Lake Canada 121 K2
Maryland state U.S.A. 135 G4
Maryport U.K. 48 D4
Mary's Harbour Canada 123 L3
Marysvale U.S.A. 129 G2
Marysville CA U.S.A. 128 C2
Marysville KS U.S.A. 130 D4
Marysville OH U.S.A. 134 D3
Maryvale N.T. Australia 109 F6
Maryvale Qld Australia 110 D3
Maryville MO U.S.A. 130 E3
Maryville TN U.S.A. 132 D5
Marzagão Brazil 145 A2
Marzahna Germany 53 M2
Masada tourist site Israel 85 B4
Masāhūn, Kūh-e mt. Iran 88 D4
Masai Steppe plain Tanz. 99 D4
Masaka Uganda 98 D4
Masakhane S. Africa 101 H6
Masalembu Besar i. Indon. 68 E8
Masallı Azer. 91 H3
Masan S. Korea 75 C6
Masasi Tanz. 99 D5
Masavi Bol. 142 F7
Masbate Phil. 69 G4
Masbate i. Phil. 69 G4
Mascara Alg. 57 G6
Mascarene Basin sea feature Indian Ocean 149 L7
Mascarene Plain sea feature Indian Ocean 149 L7
Mascarene Ridge sea feature Indian Ocean 149 L6
Mascote Brazil 145 D1
Masein Myanmar 70 A2
Masela Indon. 108 E2
Masela i. Indon. 108 E2

▶Maseru Lesotho 101 H5
Capital of Lesotho.

Mashai Lesotho 101 I5
Mashan China 77 F4
Masherbrum mt. Pak. 82 D2
Mashhad Iran 89 E2
Mashishing S. Africa 101 J3
Mashket r. Pak. 89 F5
Mashki Chah Pak. 89 F4
Masi Norway 44 M2
Masiáca Mex. 127 F8
Masibambane S. Africa 101 H6
Masīlah, Wādī al watercourse Yemen 86 H6
Masilo S. Africa 101 H5
Masi-Manimba Dem. Rep. Congo 99 B4
Masindi Uganda 98 D3
Masinyusane S. Africa 100 F6
Masira, Gulf of Oman see Maṣīrah, Khalīj
Maṣīrah, Jazīrat i. Oman 87 I5
Maṣīrah, Khalīj b. Oman 87 I6
Masira Island Oman see Maṣīrah, Jazīrat
Masjed Soleymān Iran 88 C4
Mask, Lough l. Ireland 51 C4
Maskūtān Iran 89 E5
Maslovo Rus. Fed. 41 S3
Masoala, Tanjona c. Madag. 99 F5
Mason MI U.S.A. 134 C2
Mason OH U.S.A. 134 C4
Mason TX U.S.A. 131 D6
Mason, Lake salt flat Australia 109 B6
Mason Bay N.Z. 113 A8
Mason City U.S.A. 130 E3
Masontown U.S.A. 134 F4
Masqaṭ Oman see Muscat
Masqaṭ reg. Oman see Muscat
'Masrūg well Oman 88 D6
Massa Italy 58 D2
Massachusetts state U.S.A. 135 I2
Massachusetts Bay U.S.A. 135 J2
Massadona U.S.A. 129 I1
Massafra Italy 58 G4
Massakory Chad 97 E3
Massa Marittimo Italy 58 D3
Massangena Moz. 99 D6
Massango Angola 99 B4
Massawa Eritrea 86 E6
Massawippi, Lac l. Canada 135 I1
Massena U.S.A. 135 H1
Massenya Chad 97 E3
Masset Canada 120 C4
Massieville U.S.A. 134 D4
Massif Central mts France 56 F4
Massilia France see Marseille
Massillon U.S.A. 134 E3
Massina Mali 96 C3
Massinga Moz. 101 L2
Massingir Moz. 101 K2
Massingir, Barragem de resr Moz. 101 K2
Masson Island Antarctica 152 F2
Mastchoh Tajik. 89 H2
Masterton N.Z. 113 E5
Masticho, Akra pt Voreio Aigaio Greece see Oura, Akrotirio
Mastung Pak. 78 F4
Mastūrah Saudi Arabia 86 E5
Masty Belarus 45 N10
Masuda Japan 75 C6
Masuku Gabon see Franceville
Masulipatam India see Machilipatnam
Masulipatnam India see Machilipatnam
Masuna i. American Samoa see Tutuila
Masvingo Zimbabwe 99 D6
Masvingo prov. Zimbabwe 101 J1
Maswa Tanz. 98 D4
Maswaar i. Indon. 69 I7
Maṣyāf Syria 85 C2
Mat, Nam r. Laos 70 D3
Mata Myanmar 70 B1
Matabeleland South prov. Zimbabwe 101 I1
Matachewan Canada 122 E5
Matad Dornod Mongolia 73 L3
Matadi Dem. Rep. Congo 99 B4
Matador U.S.A. 131 C5
Matagalpa Nicaragua 137 G6
Matagami Canada 122 F4
Matagami, Lac l. Canada 122 F4
Matagorda Island U.S.A. 131 D6
Matak i. Indon. 71 D7
Matakana Island N.Z. 113 F3
Matala Angola 99 B5
Maṭāli', Jabal hill Saudi Arabia 91 F6
Matam Senegal 96 B3
Matamey Niger 96 D3
Matamoras U.S.A. 135 H3
Matamoros Coahuila Mex. 131 C7
Matamoros Tamaulipas Mex. 131 D7
Matandu r. Tanz. 99 D4
Matane Canada 123 I4
Matanzas Cuba 137 H4
Matapan, Cape pt Greece see Tainaro, Akrotirio
Matapédia, Lac l. Canada 123 I4
Maṭār well Saudi Arabia 88 B5
Matara Sri Lanka 84 D5
Mataram Indon. 108 B2
Matarani Peru 142 D7
Mataranka Australia 108 F3
Mataripe Brazil 145 D1
Mataró Spain 57 H3
Matasiri i. Indon. 68 F7
Matatiele S. Africa 101 I6
Matatila Reservoir India 82 D4
Mataura N.Z. 113 B8

▶Matā'utu Wallis and Futuna Is 107 I3
Capital of Wallis and Futuna Islands.

Mata-Utu Wallis and Futuna Is see Matā'utu
Matawai N.Z. 113 F4
Matay Kazakh. 80 E2
Matcha Tajik. see Mastchoh
Mat Con, Hon i. Vietnam 70 D3
Mategua Bol. 142 F6
Matehuala Mex. 131 C8
Matemanga Tanz. 99 D5
Matera Italy 58 G4
Mateur Tunisia 58 C6
Mathaji India 82 B4
Matheson Canada 122 E4
Mathews U.S.A. 135 G5
Mathis U.S.A. 131 D6
Mathoura Australia 112 B5
Mathura India 82 D4
Mati Phil. 69 H5
Matiali India 83 G4
Matias Cardoso Brazil 145 C1
Matías Romero Mex. 136 E5
Matimekosh Canada 123 I3
Matin India 83 E5
Matinenda Lake Canada 122 E5
Matizi China 76 D1
Matla r. India 83 G5
Matlabas r. S. Africa 101 H2
Matli Pak. 89 H5
Matlock U.K. 49 F5
Mato, Cerro mt. Venez. 142 E2
Matobo Hills Zimbabwe 99 C6
Mato Grosso Brazil 142 G7
Mato Grosso state Brazil 145 A1
Matopo Hills Zimbabwe see Matobo Hills
Matos Costa Brazil 145 A4
Matosinhos Port. 57 B3
Mato Verde Brazil 145 C1
Maṭraḥ Oman 88 E6
Matroosberg mt. S. Africa 100 D7
Matsesta Rus. Fed. 91 E2
Matsue Japan 75 D6
Matsumoto Japan 75 E5
Matsu Tao i. Taiwan 77 I3
Matsuyama Japan 75 D6
Mattagami r. Canada 122 E4
Mattamuskeet, Lake U.S.A. 132 E5
Mattawa Canada 122 F5
Matterhorn mt. Italy/Switz. 58 B2
Matterhorn mt. U.S.A. 126 E4
Matthew Town Bahamas 137 J4
Maṭṭī, Sabkhat salt pan Saudi Arabia 88 D6
Mattoon U.S.A. 130 F4
Matturai Sri Lanka see Matara
Matuku i. Fiji 107 H3
Matumbo Angola 99 B5
Maturín Venez. 142 F2
Matusadona National Park Zimbabwe 99 C5
Matwabeng S. Africa 101 H5
Maty Island P.N.G. see Wuvulu Island
Mau India see Maunath Bhanjan
Maúa Moz. 99 D5
Maubeuge France 52 D4
Maubin Myanmar 70 A3
Ma-ubin Myanmar 70 B1
Maubourguet France 56 E5
Mauchline U.K. 50 E5
Maudaha India 82 E4
Maude Australia 111 D7
Maud Seamount sea feature S. Atlantic Ocean 148 I10
Mau-é-ele Moz. see Marão
Maués Brazil 143 G4
Maughold Head hd Isle of Man 48 C4
Maug Islands N. Mariana Is 69 L2
Maui i. U.S.A. 127 [inset]
Maukkadaw Myanmar 70 A2
Maulbronn Germany 53 I6
Maule r. Chile 144 B5
Maulvi Bazar Bangl. see Moulvibazar
Maumee U.S.A. 134 D3
Maumee Bay U.S.A. 134 D3
Maumere Indon. 108 C2
Maumturk Mts hills Ireland 51 C4
Maun Botswana 99 C5
Mauna Kea vol. U.S.A. 127 [inset]
Mauna Loa vol. U.S.A. 127 [inset]
Maunath Bhanjan India 83 E4
Maunatlala Botswana 101 H2
Maungaturoto N.Z. 113 E3
Maungdaw Myanmar 70 A2
Maungmagan Islands Myanmar 71 B4
Maurepas, Lake U.S.A. 131 F6
Mauriac France 56 F4
Maurice country Indian Ocean see Mauritius
Maurice, Lake salt flat Australia 109 E7
Maurik Neth. 52 F3
Mauritania country Africa 96 B3
Mauritanie country Africa see Mauritania
Mauritius country Indian Ocean 149 L7
Maurs France 56 F4
Mauston U.S.A. 130 F3
Mava Dem. Rep. Congo 98 C3
Mavago Moz. 99 D5
Mavan, Kūh-e hill Iran 88 E3
Mavanza Moz. 101 L2
Mavinga Angola 99 C5
Mavrovo nat. park Macedonia 59 I4
Mavume Moz. 101 L2
Mavuya S. Africa 101 H6
Ma Wan i. H.K. China 77 [inset]
Māwān, Khashm hill Saudi Arabia 88 B6
Mawana India 82 D3
Mawanga Dem. Rep. Congo 99 B4
Ma Wang Dui tourist site China 77 G2
Mawei China 77 H3
Mawjib, Wādī al r. Jordan 85 B4
Mawkmai Myanmar 70 B2
Mawlaik Myanmar 70 A2
Mawlamyaing Myanmar 70 B3
Mawlamyine Myanmar see Mawlamyaing
Mawqaq Saudi Arabia 91 F6
Mawson research station Antarctica 152 E2
Mawson Coast Antarctica 152 E2
Mawson Escarpment Antarctica 152 E2
Mawson Peninsula Antarctica 152 H2
Maw Taung mt. Myanmar 71 B5
Mawza Yemen 86 F7
Maxán Arg. 144 C3
Maxhamish Lake Canada 120 F3
Maxia, Punta mt. Sardinia Italy 58 C5
Maxixe Moz. 101 L2
Maxmo Fin. 44 M5
May, Isle of i. U.K. 50 G4
Maya r. Rus. Fed. 65 O3
Mayaguana i. Bahamas 133 F8
Mayaguana Passage Bahamas 133 F8
Mayagüez Puerto Rico 137 K5
Mayahi Niger 96 D3
Mayak Rus. Fed. 74 E2
Mayakovskiy, Qullai mt. Tajik. 89 H2
Mayakovskogo, Pik mt. Tajik. see Mayakovskiy, Qullai
Mayama Congo 98 B4
Maya Mountains Belize/Guat. 136 G5
Mayan China see Mayanhe
Mayang China 77 F3
Mayanhe China 76 E1
Mayar hill U.K. 50 F4
Maybeury U.S.A. 134 E5
Maybole U.K. 50 E5
Maych'ew Eth. 98 D2
Maydān Shahr Afgh. see Meydān Shahr
Maydh Somalia 86 G7
Maydos Turkey see Eceabat
Mayen Germany 53 H4
Mayenne France 56 D2
Mayenne r. France 56 D3
Mayer U.S.A. 129 G4
Mayêr Kangri mt. China 83 F2
Mayersville U.S.A. 131 F5
Mayerthorpe Canada 120 H4
Mayfield N.Z. 113 C6
Mayi He r. China 74 C3
Maykop Rus. Fed. 91 F1
Maymanah Afgh. 89 G3
Mayna Respublika Khakasiya Rus. Fed. 64 K4
Mayna Ul'yanovskaya Oblast' Rus. Fed. 43 J5
Mayni India 84 B2
Maynooth Canada 135 G1
Mayo Canada 120 C2
Mayo U.S.A. 133 D6
Mayo Alim Cameroon 96 E4
Mayoko Congo 98 B4
Mayo Lake Canada 120 C2
Mayo Landing Canada see Mayo
Mayor, Puig mt. Spain see Major, Puig
Mayor Island N.Z. 113 F3
Mayor Pablo Lagerenza Para. 144 D1

▶Mayotte terr. Africa 99 E5
French Departmental Collectivity.

Mayskiy Amurskaya Oblast' Rus. Fed. 74 C1
Mayskiy Kabardino-Balkarskaya Respublika Rus. Fed. 91 G2
Mays Landing U.S.A. 135 H4
Mayson Lake Canada 121 J3
Maysville U.S.A. 134 D4
Mayumba Gabon 98 B4
Mayum La pass China 83 E3
Mayuram India 84 C4
Mayville MI U.S.A. 134 D2
Mayville ND U.S.A. 130 D2
Mayville NY U.S.A. 134 F2
Mayville WI U.S.A. 134 A2
Mazabuka Zambia 99 C5
Mazaca Turkey see Kayseri
Mazagan Morocco see El Jadida
Mazar China 82 D1
Mazar, Koh-i- mt. Afgh. 89 G3
Mazara, Val di valley Sicily Italy 58 E6
Mazara del Vallo Sicily Italy 58 E6
Mazār-e Sharīf Afgh. 89 G2
Mazārī' reg. U.A.E. 88 D6
Mazatán Mex. 127 F7
Mazatlán Mex. 136 C4
Mazatzal Peak U.S.A. 129 H4
Mazdaj Iran 91 H4
Mažeikiai Lith. 45 M8
Maẓhūr, 'Irq al des. Saudi Arabia 88 A5
Mazīm Oman 88 E6
Mazocahui Mex. 127 F7
Mazocruz Peru 142 E7
Mazomora Tanz. 99 D4
Mazu Dao i. Taiwan see Matsu Tao
Mazunga Zimbabwe 99 C6
Mazyr Belarus 43 F5
Mazzouna Tunisia 58 C7

▶Mbabane Swaziland 101 J4
Capital of Swaziland.

Mbahiakro Côte d'Ivoire 96 C4
Mbaïki Cent. Afr. Rep. 98 B3
Mbakaou, Lac de l. Cameroon 96 E4
Mbala Zambia 99 D4
Mbale Uganda 98 D3
Mbalmayo Cameroon 96 E4
Mbam r. Cameroon 96 E4
Mbandaka Dem. Rep. Congo 98 B4
M'banza Congo Angola 99 B4
Mbarara Uganda 97 G5
Mbari r. Cent. Afr. Rep. 98 C3
Mbaswana S. Africa 101 K4
Mbemkuru r. Tanz. 99 D4
Mbeya Tanz. 99 D4
Mbinga Tanz. 99 D5
Mbini Equat. Guinea 96 D4
Mbizi Zimbabwe 99 D6
Mboki Cent. Afr. Rep. 98 C3
Mbomo Congo 98 B3
Mbouda Cameroon 96 E4
Mbour Senegal 96 B3
Mbout Mauritania 96 B3
Mbozi Tanz. 99 D4
Mbrès Cent. Afr. Rep. 98 B3
Mbuji-Mayi Dem. Rep. Congo 99 C4
Mbulu Tanz. 98 D4
Mburucuyá Arg. 144 E3
McAdam Canada 123 I5
McAlester U.S.A. 131 E5
McAlister mt. Australia 112 D5
McAllen U.S.A. 131 D7
McArthur r. Australia 110 B2
McArthur U.S.A. 134 D4
McArthur Mills Canada 135 G1
McBain U.S.A. 134 C1
McBride Canada 120 F4
McCall U.S.A. 126 D3
McCamey U.S.A. 131 C6
McCammon U.S.A. 126 E4
McCauley Island Canada 120 D4
McClintock, Mount Antarctica 152 H1
McClintock Channel Canada 119 H2
McClintock Range hills Australia 108 D4
McClure, Lake U.S.A. 128 C3
McClure Strait Canada 118 G2
McClusky U.S.A. 130 C2
McComb U.S.A. 131 F6
McConaughy, Lake U.S.A. 130 C3
McConnellsburg U.S.A. 135 G4
McConnelsville U.S.A. 134 E4
McCook U.S.A. 130 C3
McCormick U.S.A. 133 D5
McCrea r. Canada 120 H2
McCreary Canada 121 L5
McDame Canada 120 D3
McDermitt U.S.A. 126 D4
McDonald Islands Indian Ocean 149 M9
McDonald Peak U.S.A. 126 E3
McDonough U.S.A. 133 C5
McDougall's Bay S. Africa 100 C5
McDowell Peak U.S.A. 129 H5
McFarland U.S.A. 128 D4
McGill U.S.A. 129 F2
McGivney Canada 123 I5
McGrath AK U.S.A. 118 C3
McGrath MN U.S.A. 130 E2

Mildenhall U.K. 49 H6
Mildura Australia 111 C7
Mile China 76 D3
Mileiz, Wâdi el watercourse Egypt see Mulayz, Wādī al
Miles Australia 112 E1
Miles City U.S.A. 126 G3
Milestone Ireland 51 D5
Miletto, Monte mt. Italy 58 F4
Mileura Australia 109 B6
Milford Ireland 51 E2
Milford DE U.S.A. 135 H4
Milford IL U.S.A. 134 B3
Milford MA U.S.A. 135 J2
Milford MI U.S.A. 134 D2
Milford NE U.S.A. 130 D3
Milford NH U.S.A. 135 J2
Milford PA U.S.A. 135 H3
Milford UT U.S.A. 129 G2
Milford VA U.S.A. 135 G4
Milford Haven U.K. 49 B7
Milford Sound N.Z. 113 A7
Milford Sound inlet N.Z. 113 A7
Milgarra Australia 110 C3
Milḥ, Baḥr al l. Iraq see Razāzah, Buḥayrat ar
Miliana Alg. 57 H5
Milid Turkey see Malatya
Milikapiti Australia 108 E2
Miling Australia 109 B7
Milk r. U.S.A. 126 G2
Milk, Wadi el watercourse Sudan 86 D6
Mil'kovo Rus. Fed. 65 Q4
Millaa Millaa Australia 110 D3
Millárs r. Spain 57 F4
Millau France 56 F4
Millbrook Canada 135 F1
Mill Creek r. U.S.A. 128 B1
Milledgeville U.S.A. 133 D5
Mille Lacs lakes U.S.A. 130 E2
Mille Lacs, Lac des l. Canada 119 I5
Millen U.S.A. 133 D5
Millennium Island atoll Kiribati see Caroline Island
Miller U.S.A. 130 D2
Miller Lake Canada 134 E1
Millerovo Rus. Fed. 43 I6
Millersburg OH U.S.A. 134 E3
Millersburg PA U.S.A. 135 G3
Millers Creek U.S.A. 134 D5
Millersville U.S.A. 135 G4
Millerton Lake U.S.A. 128 D3
Millet Canada 120 H4
Milleur Point U.K. 50 D5
Mill Hall U.S.A. 135 G3
Millicent Australia 111 C8
Millington MI U.S.A. 134 D2
Millington TN U.S.A. 131 F5
Millinocket U.S.A. 132 G2
Mill Island Canada 119 K3
Millmerran Australia 112 E1
Millom U.K. 48 D4
Millport U.K. 50 E5
Millsboro U.S.A. 135 H4
Mills Creek watercourse Australia 110 C4
Mills Lake Canada 120 G2
Millstone KY U.S.A. 134 D5
Millstone WV U.S.A. 134 E4
Millstream-Chichester National Park Australia 108 B5
Millthorpe Australia 112 D4
Milltown Canada 123 I5
Milltown U.S.A. 126 E3
Milltown Malbay Ireland 51 C5
Millungera Australia 110 C3
Millville U.S.A. 135 H4
Millwood U.S.A. 134 B5
Millwood Lake U.S.A. 131 E5
Milly Milly Australia 109 B6
Milne Land i. Greenland see Ilimananngip Nunaa
Milner U.S.A. 129 J1
Milo r. Guinea 96 C3
Milogradovo Rus. Fed. 74 D4
Milolii U.S.A. 127 [inset]
Milos i. Greece 59 K6
Milparinka Australia 111 C6
Milpitas U.S.A. 128 C3
Milroy U.S.A. 135 G3
Milton N.Z. 113 B8
Milton DE U.S.A. 135 H4
Milton NH U.S.A. 135 J2
Milton WV U.S.A. 134 D4
Milton Keynes U.K. 49 G6
Miluo China 77 G2
Milverton Canada 134 E2
Milwaukee U.S.A. 134 B2

▶Milwaukee Deep sea feature Caribbean Sea 148 D4
Deepest point in the Puerto Rico Trench and in the Atlantic.

Mimbres watercourse U.S.A. 129 J5
Mimili Australia 109 F6
Mimisal India 84 C4
Mimizan France 56 D4
Mimongo Gabon 98 B4
Mimosa Rocks National Park Australia 112 E6
Mina Mex. 131 C7
Mina U.S.A. 128 D2
Mīnāb Iran 88 E5
Minaçu Brazil 145 A1
Minahasa, Semenanjung pen. Indon. 69 G6
Minahassa Peninsula Indon. see Minahasa, Semenanjung
Minaker Canada see Prophet River
Mīnākh Syria 85 C1
Minaki Canada 121 M5
Minamia Australia 108 F3
Minami-Daitō-jima i. Japan 73 O7
Minami-Iō-jima vol. Japan 69 K2
Min'an China see Longshan
Minaret of Jam tourist site Afgh. 89 G3
Minas Indon. 71 C7
Minas Uruguay 144 E4
Minas de Matahambre Cuba 133 D8
Minas Gerais state Brazil 145 B2
Minas Novas Brazil 145 C2
Minatitlán Mex. 136 F5
Minbu Myanmar 70 A2
Minbya Myanmar 70 A2
Minchinmávida vol. Chile 144 B6
Mindanao i. Phil. 69 H5
Mindanao Trench sea feature N. Pacific Ocean see Philippine Trench
Mindelo Cape Verde 96 [inset]
Minden Canada 135 F1
Minden Germany 53 I2
Minden LA U.S.A. 131 E5
Minden NE U.S.A. 124 H3
Minden NV U.S.A. 128 D2
Mindon Myanmar 70 A3
Mindoro i. Phil. 69 G4
Mindoro Strait Phil. 69 F4
Mindouli Congo 98 B4
Mine Head hd Ireland 51 E6
Minehead U.K. 49 D7
Mineola U.S.A. 135 I3
Mineral U.S.A. 135 G4
Mineral'nyye Vody Rus. Fed. 91 F1
Mineral Wells U.S.A. 131 D5
Mineralwells U.S.A. 134 E4
Minersville PA U.S.A. 135 G3
Minersville UT U.S.A. 129 G2
Minerva U.S.A. 134 E3
Minerva Reefs Fiji 107 I4
Minfeng China 83 E1
Minga Dem. Rep. Congo 99 C5
Mingäçevir Azer. 91 G2
Mingäçevir Su Anbarı resr Azer. 91 G2
Mingala Cent. Afr. Rep. 98 C3
Mingan, Îles de is Canada 123 J4
Mingan Archipelago National Park Reserve Canada see L'Archipélago de Mingan, Réserve du Parc National de
Mingbuloq Uzbek. 80 B3
Mingechaur Azer. see Mingäçevir
Mingechaurskoye Vodokhranilishche resr Azer. see Mingäçevir Su Anbarı
Mingenew Australia 109 A7
Mingfeng China see Yuan'an
Minggang China 77 G1
Mingguang China 77 H1
Mingin Range mts Myanmar 70 A2
Minglanilla Spain 57 F4
Mingoyo Tanz. 99 D5
Mingshan China 76 D2
Mingshui Gansu China 80 I3
Mingshui Heilong. China 74 B3
Mingteke China 82 C1
Mingulay i. U.K. 50 B4
Mingxi China 77 H3
Mingzhou China see Suide
Minhe China see Jinxian
Minhla Magwe Myanmar 70 A3
Minhla Pegu Myanmar 70 A3
Minho r. Port./Spain see Miño
Minicoy atoll India 84 B4
Minigwal, Lake salt flat Australia 109 C7
Minilya Australia 109 A5
Minilya r. Australia 109 A5
Minipi Lake Canada 123 J3
Miniss Lake Canada 121 N5
Minitonas Canada 121 K4
Minjian China see Mabian
Min Jiang r. Sichuan China 76 E2
Min Jiang r. China 77 H3
Minna Nigeria 96 D4
Minna Bluff pt Antarctica 152 H1
Minne Sweden 44 I5
Minneapolis KS U.S.A. 130 D4
Minneapolis MN U.S.A. 130 E2
Minnedosa Canada 121 L5
Minnehaha Springs U.S.A. 134 F4
Minneola U.S.A. 131 C4
Minnesota r. U.S.A. 130 E2
Minnesota state U.S.A. 130 E2
Minnewaukan U.S.A. 130 D1
Minnitaki Lake Canada 121 N5
Miño r. Port./Spain 57 B3 also known as Minho
Minorca i. Spain 57 H3
Minot U.S.A. 130 C1
Minqār, Ghadīr imp. l. Syria 85 C3
Minqing China 77 H3
Minquan China 77 G1
Min Shan mts China 76 D1
Minsin Myanmar 70 A1

▶Minsk Belarus 45 O10
Capital of Belarus.

Mińsk Mazowiecki Poland 47 R4
Minsterley U.K. 49 E6
Mintaka Pass China/Pakistan 82 C1
Minto, Lac l. Canada 122 G2
Minto, Mount Antarctica 152 H2
Minto Inlet Canada 118 G2
Minton Canada 121 J5
Mīnudasht Iran 88 D2
Minūf Egypt 90 C5
Minusinsk Rus. Fed. 72 G2
Minvoul Gabon 98 B3
Minxian China 76 E1
Minya Konka mt. China see Gongga Shan
Minywa Myanmar 70 A2
Minzong India 83 I4
Mio U.S.A. 134 C1
Miquelon Canada 122 F4
Miquelon i. St Pierre and Miquelon 123 K5
Mirabad Afgh. 89 F4
Mirabela Brazil 145 B2
Mirador, Parque Nacional de nat. park Brazil 143 I5
Mīrah, Wādī al watercourse Iraq/Saudi Arabia 91 F4
Miraí Brazil 145 C3
Miraj India 84 B2
Miramar Arg. 144 E5
Miramichi Canada 123 I5
Miramichi Bay Canada 123 I5
Mirampelou, Kolpos b. Greece 59 K7
Mirampelou, Kolpos b. Kriti Greece see Mirampellou, Kolpos
Miranda Brazil 144 E2
Miranda Moz. see Macaloge
Miranda U.S.A. 128 B1
Miranda, Lake salt flat Australia 109 C6
Miranda de Ebro Spain 57 E2
Mirandela Port. 57 C3
Mirandola Italy 58 D2
Mirante Brazil 145 C1
Mirante, Serra do hills Brazil 145 A3
Mirassol Brazil 145 A3
Mir-Bashir Azer. see Tärtär
Mirbāṭ Oman 87 H6
Mirboo North Australia 112 C7
Mirepoix France 56 E5
Mirgarh Pak. 89 I4
Mirgorod Ukr. see Myrhorod
Miri Sarawak Malaysia 68 E6
Miri mt. Pak. 89 F4
Mirialguda India 84 C2
Miri Hills India 83 H4
Mirim, Lagoa l. Brazil/Uruguay 144 F4
Mirim, Lagoa do l. Brazil 145 A5
Mirintu watercourse Australia 112 A2
Mirjan India 84 B3
Mirny research station Antarctica 152 F2
Mirnyy Arkhangel'skaya Oblast' Rus. Fed. 42 I3
Mirnyy Respublika Sakha (Yakutiya) Rus. Fed. 65 M3
Mirond Lake Canada 121 K4
Mironovka Ukr. see Myronivka
Mirow Germany 53 M1
Mirpur Khas Pak. 89 H5
Mirpur Sakro Pak. 89 G5
Mirs Bay H.K. China 77 [inset]
Mirtoan Sea Greece see Myrtoo Pelagos
Mirtoö Pelagos sea Greece see Myrtoo Pelagos
Miryalaguda India see Mirialguda
Miryang S. Korea 75 C6
Mirzachirla Turkm. see Murzechirla
Mirzachul Uzbek. see Guliston
Mirzapur India 83 E4
Mirzawal India 82 C3
Misaw Lake Canada 121 K3
Miscou Island Canada 123 I5
Misehkow r. Canada 122 C4
Mīsh, Kūh-e hill Iran 88 E3
Misha India 71 A6
Mishāsh al Ashāwī well Saudi Arabia 88 C5
Mishāsh az Zuayyinī well Saudi Arabia 88 C5
Mishawaka U.S.A. 134 B3
Mishicot U.S.A. 134 B1
Mi-shima i. Japan 75 C6
Mishmi Hills India 83 H3
Mishvan' Rus. Fed. 42 L2
Misima Island P.N.G. 110 F1
Misis Dağ hills Turkey 85 B1
Miskin Oman 88 E6
Miskitos, Cayos is Nicaragua 137 H6
Miskolc Hungary 43 D6
Mismā, Tall al hill Jordan 85 C3
Misoöl i. Indon. 69 I7
Misquah Hills U.S.A. 130 F2
Misr country Africa see Egypt
Misraç Turkey see Kurtalan
Miṣrātah Libya 97 E1
Missinaibi r. Canada 122 E4
Mission Beach Australia 110 D3
Mission Viejo U.S.A. 128 E5
Missisa r. Canada 122 D3
Missisa Lake Canada 122 D3
Missisicabi r. Canada 122 F4
Mississauga Canada 134 F2
Mississinewa Lake U.S.A. 134 C3

▶Mississippi r. U.S.A. 131 F6
4th longest river in North America, and a major part of the longest (Mississippi-Missouri).

Mississippi state U.S.A. 131 F5
Mississippi Delta U.S.A. 131 F6
Mississippi Lake Canada 135 G1

▶Mississippi-Missouri r. U.S.A. 125 I4
Longest river in North America, and 4th in the world.

Mississippi Sound sea chan. U.S.A. 131 F6
Missolonghi Greece see Mesolongi
Missoula U.S.A. 126 E3

▶Missouri r. U.S.A. 130 F4
3rd longest river in North America, and a major part of the longest (Mississippi-Missouri).

Missouri state U.S.A. 130 E4
Mistanipisipou r. Canada 123 J4
Mistassibi r. Canada 119 K5
Mistassini r. Canada 123 G4
Mistassini, Lac l. Canada 122 G4
Mistastin Lake Canada 123 J3
Mistelbach Austria 47 P6
Mistinibi, Lac l. Canada 123 J2
Mistissini Canada 122 G4
Misty Fiords National Monument Wilderness nat. park U.S.A. 120 D4
Misumba Dem. Rep. Congo 99 C4
Misuratah Libya see Miṣrātah
Mitchell Australia 111 D5
Mitchell r. N.S.W. Australia 112 F2
Mitchell r. Qld Australia 110 C2
Mitchell r. Vic. Australia 112 C6
Mitchell Canada 134 E2
Mitchell IN U.S.A. 134 B4
Mitchell OR U.S.A. 126 C3
Mitchell SD U.S.A. 130 D3
Mitchell, Lake Australia 110 D3
Mitchell, Mount U.S.A. 132 D5
Mitchell and Alice Rivers National Park Australia 110 C2
Mitchell Island Cook Is see Nassau
Mitchell Island atoll Tuvalu see Nukulaelae
Mitchell Point Australia 108 E2
Mitchelstown Ireland 51 D5
Mīt Ghamr Egypt 90 C5
Mit Ghamr Egypt see Mīt Ghamr
Mithi Pak. 89 H5
Mithrau Pak. 89 H5
Mithri Pak. 89 G4
Mitilíni Greece see Mytilini
Mitkof Island U.S.A. 120 C3
Mito Japan 75 F5
Mitole Tanz. 99 D4
Mitre mt. N.Z. 113 E5
Mitre Island Solomon Is 107 H3
Mitrofanovka Rus. Fed. 43 H6
Mitrovica Kosovo see Mitrovicë
Mitrovicë Kosovo 59 I3
Mitsinjo Madag. 99 E5
Mits'iwa Eritrea see Massawa
Mitta Mitta Australia 112 C6
Mittellandkanal canal Germany 53 I2
Mitterteich Germany 53 M5
Mittimatalik Canada see Pond Inlet
Mittweida Germany 53 M4
Mitú Col. 142 D3
Mitumba, Chaîne des mts Dem. Rep. Congo 99 C5
Mitzic Gabon 98 B3
Miughalaigh i. U.K. see Mingulay
Miura Japan 75 E6
Mixian China see Xinmi
Miyake-jima i. Japan 75 E6
Miyako Japan 75 F5
Miyakonojō Japan 75 C7
Miyang China see Mile
Miyani India 82 B5
Miyazaki Japan 75 C7
Miyazu Japan 75 D6
Miyi China 76 D3
Miyoshi Japan 75 D6
Mīzānī Afgh. 89 G3
Mīzan Teferī Eth. 98 D3
Mizdah Libya 97 E1
Mizen Head hd Ireland 51 C6
Mizhhir"ya Ukr. 43 D6
Mizo Hills state India see Mizoram
Mizoram state India 83 H5
Mizpé Ramon Israel 85 B4
Mizusawa Japan 75 F5
Mjölby Sweden 45 I7
Mkata Tanz. 99 D4
Mkushi Zambia 99 C5
Mladá Boleslav Czech Rep. 47 O5
Mladenovac Serbia 59 I2
Mława Poland 47 R4
Mlilwane Nature Reserve Swaziland 101 J4
Mljet i. Croatia 58 G3
Mlungisi S. Africa 101 H6
Mmabatho S. Africa 101 G3
Mmamabula Botswana 101 H2
Mmathethe Botswana 101 G3
Mo Norway 45 D6
Moa i. Indon. 108 E2
Moab reg. Jordan 85 B4
Moab U.S.A. 129 I2
Moa Island Australia 110 C1
Moala i. Fiji 107 H3
Mo'alla Iran 88 D3
Moamba Moz. 101 K3
Moanda Gabon 98 B4
Moapa U.S.A. 129 F3
Moate Ireland 51 E4
Mobārakeh Iran 88 C3
Mobayembongo Dem. Rep. Congo see Mobayi-Mbongo
Mobayi-Mbongo Dem. Rep. Congo 98 C3
Moberly U.S.A. 130 E4
Moberly Lake Canada 120 F4
Mobha India 82 C5
Mobile AL U.S.A. 131 F6
Mobile AZ U.S.A. 129 G5
Mobile Bay U.S.A. 131 F6
Moble watercourse Australia 112 B1
Mobridge U.S.A. 130 C2
Mobutu, Lake Dem. Rep. Congo/Uganda see Albert, Lake
Mobutu Sese Seko, Lake Dem. Rep. Congo/Uganda see Albert, Lake
Moca Geçidi pass Turkey 85 A1
Moçambique country Africa see Mozambique
Moçambique Moz. 99 E5
Moçâmedes Angola see Namibe
Môc Châu Vietnam 70 D2
Mocha Yemen 86 F7
Mocha, Isla i. Chile 144 B5
Mochirma, Parque Nacional nat. park Venez. 142 F1
Mochudi Botswana 101 H3
Mochudi admin. dist. Botswana see Kgatleng
Mocimboa da Praia Moz. 99 E5
Möckern Germany 53 L2
Möckmühl Germany 53 J5
Mockträsk Sweden 44 L4
Mocoa Col. 142 C3
Mococa Brazil 145 B3
Mocoduene Moz. 101 L2
Mocorito Mex. 127 G8
Moctezuma Chihuahua Mex. 127 G7
Moctezuma San Luis Potosí Mex. 136 D4
Moctezuma Sonora Mex. 127 F7
Mocuba Moz. 99 D5
Mocun China 77 G4
Modan Indon. 69 I7
Modane France 56 H4
Modder r. S. Africa 101 G5
Modena Italy 58 D2
Modena U.S.A. 129 G3
Modesto U.S.A. 128 C3
Modesto Lake U.S.A. 128 C3
Modimolle S. Africa 101 I3
Modung China 76 C2
Moe Australia 112 C7
Moel Sych hill U.K. 49 D6
Moelv Norway 45 G6
Moen Norway 44 K2
Moenkopi U.S.A. 129 H3
Moenkopi Wash r. U.S.A. 129 H4
Moeraki Point N.Z. 113 C7
Moero, Lake Dem. Rep. Congo/Zambia see Mweru, Lake
Moers Germany 52 G3
Moffat U.K. 50 F5
Moga India 82 C3

▶Mogadishu Somalia 98 E3
Capital of Somalia.

Mogador Morocco see Essaouira
Mogadore Reservoir U.S.A. 134 E3
Moganyaka S. Africa 101 I3
Mogaung Myanmar 70 B1
Mogdy Rus. Fed. 74 D2
Mögelin Germany 53 M2
Mogilev Belarus see Mahilyow
Mogilev Podol'skiy Ukr. see Mohyliv Podil's'kyy
Mogi-Mirim Brazil 145 B3
Mogiquiçaba Brazil 145 D2
Mogocha Rus. Fed. 73 L2
Mogod mts Tunisia 58 C6
Mogoditshane Botswana 101 G3
Mogollon Mountains U.S.A. 129 I5
Mogollon Plateau U.S.A. 129 H4
Mogontiacum Germany see Mainz
Mogroum Chad 97 E3
Moguqi China 74 A3
Mogwadi S. Africa 101 I2
Mogwase S. Africa 101 H3
Mogzon Rus. Fed. 73 K2
Mohács Hungary 58 H2
Mohaka r. N.Z. 113 F4
Mohala India 84 D1
Mohale Dam Lesotho 101 I5
Mohale's Hoek Lesotho 101 H6
Mohall U.S.A. 130 C1
Mohammad Iran 88 E3
Mohammadia Alg. 57 G6
Mohan r. India/Nepal 82 E3
Mohana India 82 D4
Mohave, Lake U.S.A. 129 F4
Mohawk r. U.S.A. 135 I2
Mohawk Mountains U.S.A. 129 G5
Mohenjo Daro tourist site Pak. 89 H5
Moher, Cliffs of Ireland 51 C5
Mohill Ireland 51 E4
Möhne r. Germany 53 H3
Möhnetalsperre resr Germany 53 I3
Mohon Peak U.S.A. 129 G4
Mohoro Tanz. 99 D4
Mohyliv Podil's'kyy Ukr. 43 E6
Moi Norway 45 E7
Moijabana Botswana 101 H2
Moincêr China 82 E3
Moinda China 83 G3
Moine Moz. 101 K3
Moineşti Romania 59 L1
Mointy Kazakh. see Moyynty
Mo i Rana Norway 44 I3
Moirang India 76 B3
Mõisaküla Estonia 45 N7
Moisie Canada 123 I4
Moisie r. Canada 123 I4
Moissac France 56 E4
Mojave U.S.A. 128 D4
Mojave r. U.S.A. 128 E4
Mojave Desert U.S.A. 128 E4
Mojiang China 76 D4
Moji das Cruzes Brazil 145 B3
Mojos, Llanos de plain Bol. 142 E6
Moju r. Brazil 143 I4
Mokama India 83 F4
Mokau N.Z. 113 E4
Mokau r. N.Z. 113 E4
Mokelumne r. U.S.A. 128 C2
Mokelumne Aqueduct canal U.S.A. 128 C2
Mokhoabong Pass Lesotho 101 I5
Mokhotlong Lesotho 101 I5
Mokhtārān Iran 88 E3
Moknine Tunisia 58 D7
Mokohinau Islands N.Z. 113 E2
Mokokchung India 83 H4
Mokolo Cameroon 97 E3
Mokolo r. S. Africa 101 H2
Mokopane S. Africa 101 I3
Mokp'o S. Korea 75 B6
Mokrous Rus. Fed. 43 J6
Moksha r. Rus. Fed. 43 I5
Mokshan Rus. Fed. 43 J5
Möksy Fin. 44 N5
Môktama Myanmar see Mottama
Môktama, Gulf of g. Myanmar see Mottama, Gulf of
Mokundurra India see Mukandwara
Mokwa Nigeria 96 D4
Molatón mt. Spain 57 F4
Moldavia country Europe see Moldova
Moldavskaya S.S.R. country Europe see Moldova
Molde Norway 44 E5
Moldjord Norway 44 I3
Moldova country Europe 43 F7
Moldoveanu, Vârful mt. Romania 59 K2
Moldovei de Sud, Câmpia plain Moldova 59 M1
Molega Lake Canada 123 I5
Molen r. S. Africa 101 I4
Mole National Park Ghana 96 C4
Molepolole Botswana 101 G3
Molėtai Lith. 45 N9
Molfetta Italy 58 G4
Molière Alg. see Bordj Bounaama
Molihong Shan mt. China see Morihong Shan
Molina de Aragón Spain 57 F3
Moline U.S.A. 131 D4
Molkom Sweden 45 H7
Mollagara Turkm. 88 D2
Mollakara Turkm. see Mollagara
Mol Len mt. India 83 H4
Möllenbeck Germany 53 N1
Mollendo Peru 142 D7
Mölln Germany 53 K1
Mölnlycke Sweden 45 H8
Molochnyy Rus. Fed. 44 R2
Molodechno Belarus see Maladzyechna
Molodezhnaya research station Antarctica 152 D2
Moloka'i i. U.S.A. 127 [inset]
Moloma r. Rus. Fed. 42 K4
Molong Australia 112 D4
Molopo watercourse Botswana/S. Africa 100 E5
Molotov Rus. Fed. see Perm'
Molotovsk Kyrg. see Kayyngdy
Molotovsk Arkhangel'skaya Oblast' Rus. Fed. see Severodvinsk
Molotovsk Kirovskaya Oblast' Rus. Fed. see Nolinsk
Moloundou Cameroon 97 E4
Molson Lake Canada 121 L4
Molu i. Indon. 69 I8
Moluccas is Indon. 69 H7
Molucca Sea sea Indon. see Maluku, Laut
Moma Moz. 99 D5
Moma r. Rus. Fed. 65 P3
Momba Australia 112 A3
Mombaça Brazil 143 K5
Mombasa Kenya 98 D4
Mombetsu Hokkaidō Japan see Monbetsu
Mombi New India 83 H4
Mombum Indon. 69 J8
Momchilgrad Bulg. 59 K4
Momence U.S.A. 134 B3
Momi, Ra's pt Yemen 87 H7
Mompós Col. 142 D2
Møn i. Denmark 45 H9
Mon India 83 H4
Mona terr. Irish Sea see Isle of Man
Mona U.S.A. 129 H2
Monaca U.S.A. 134 E3
Monach, Sound of sea chan. U.K. 50 B3
Monach Islands U.K. 50 B3
Monaco country Europe 56 H5
Monaco Basin sea feature N. Atlantic Ocean 148 G4
Monadhliath Mountains U.K. 50 E3
Monaghan Ireland 51 F3
Monahans U.S.A. 131 C6
Mona Passage Dom. Rep./Puerto Rico 137 K5
Monapo Moz. 99 E5
Monar, Loch l. U.K. 50 D3
Monarch Mountain Canada 120 E5
Monarch Pass U.S.A. 127 G5
Mona Reservoir U.S.A. 129 H2
Monashee Mountains Canada 120 G5
Monastir Macedonia see Bitola
Monastir Tunisia 58 D7
Monastyrishche Ukr. see Monastyryshche
Monastyryshche Ukr. 43 F6
Monbetsu Hokkaidō Japan 74 F3
Monbetsu Hokkaidō Japan 74 F4
Moncalieri Italy 58 B2
Monchegorsk Rus. Fed. 44 R3
Mönchengladbach Germany 52 G3
Monchique Port. 57 B5
Moncks Corner U.S.A. 133 D5
Monclova Mex. 131 C7
Moncouche, Lac l. Canada 123 H4
Moncton Canada 123 I5
Mondego r. Port. 57 B3
Mondlo S. Africa 101 J4
Mondo Chad 97 E3
Mondovì Italy 58 B2
Mondragone Italy 58 E4
Mondy Rus. Fed. 72 I2
Monemvasia Greece 59 J6
Monessen U.S.A. 134 F3
Moneta U.S.A. 126 G4
Moneygall Ireland 51 E5
Moneymore U.K. 51 F3
Monfalcone Italy 58 E2
Monfalut Egypt see Manfalūṭ
Monforte de Lemos Spain 57 C2
Monga Dem. Rep. Congo 98 C3
Mongala r. Dem. Rep. Congo 98 B3
Mongar Bhutan 83 G4
Mongbwalu Dem. Rep. Congo 98 D3
Mông Cai Vietnam 70 D2
Mongers Lake salt flat Australia 109 B7
Mong Hang Myanmar 70 B2
Mong Hkan Myanmar 70 C2
Mong Hpayak Myanmar 70 B2
Mong Hsat Myanmar 70 B2
Mong Hsawk Myanmar 70 B2
Mong Hsu Myanmar 70 B2
Monghyr India see Munger
Mong Kung Myanmar 70 B2
Mong Kyawt Myanmar 70 B3
Mongla Bangl. 83 G5
Mong Lin Myanmar 70 C2
Mong Loi Myanmar 70 C2
Mong Long Myanmar 70 B2
Mong Nai Myanmar 70 B2
Mong Nawng Myanmar 70 B2
Mongo Chad 97 E3
Mongolia country Asia 72 I3
Mongol Uls country Asia see Mongolia
Mongonu Nigeria 96 E3
Mongora Pak. 89 I3
Mongour hill U.K. 50 G4
Mong Pan Myanmar 70 B2
Mong Ping Myanmar 70 B2
Mong Pu Myanmar 70 B2
Mong Pu-awn Myanmar 70 B2
Mong Si Myanmar 70 B2
Mongu Zambia 99 C5
Mong Un Myanmar 70 C2
Mong Yai Myanmar 70 B2
Mong Yang Myanmar 70 B2
Mong Yawn Myanmar 70 B2
Mong Yawng Myanmar 70 C2
Mönhaan Mongolia 73 K3
Mönh Hayrhan Uul mt. Mongolia 80 H2
Moniaive U.K. 50 F5
Monitor Mountain U.S.A. 128 E2
Monitor Range mts U.S.A. 128 E2
Monivea Ireland 51 D4
Monkey Bay Malawi 99 D5
Monkira Australia 110 C5
Monkton Canada 134 E2
Monmouth U.K. 49 E7
Monmouth U.S.A. 130 F3
Monmouth Mountain Canada 120 F5
Monnow r. U.K. 49 E7
Mono, Punta del pt Nicaragua 137 H6
Mono Lake U.S.A. 128 D2
Monolithos Greece 59 L6
Monomoy Point U.S.A. 135 J3
Monon U.S.A. 134 B3
Monopoli Italy 58 G4
Monreal del Campo Spain 57 F3
Monreale Sicily Italy 58 E5
Monroe IN U.S.A. 134 C3

Mühlhausen (Thüringen) Germany 53 K3
Mühlig-Hofmann Mountains Antarctica 152 C2
Muhos Fin. 44 N4
Muḩradah Syria 85 C2
Mui Bai Bung c. Vietnam see Mui Ca Mau
Mui Ba Lang An pt Vietnam 70 E4
Mui Ca Mau c. Vietnam 71 D5
Mui Đôc pt Vietnam 70 D3
Muié Angola 99 C5
Muineachán Ireland see Monaghan
Muir U.S.A. 134 C2
Muirkirk U.K. 50 E5
Muir of Ord U.K. 50 E3
Mui Ron hd Vietnam 70 D3
Muite Moz. 99 D5
Muji China 82 D1
Muju S. Korea 75 B5
Mukacheve Ukr. 43 D6
Mukachevo Ukr. see Mukacheve
Mukah Sarawak Malaysia 68 E6
Mukalla Yemen 86 G7
Mukandwara India 82 D4
Mukdahan Thai. 70 D3
Mukden China see Shenyang
Muketei r. Canada 122 D3
Mukhen Rus. Fed. 74 E2
Mukhino Rus. Fed. 74 B1
Mukhtuya Rus. Fed. see Lensk
Mukinbudin Australia 109 B7
Mu Ko Chang Marine National Park Thai. 71 C5
Mukojima-rettō is Japan 75 F8
Mukry Turkm. 89 G2
Muktsar India 82 C3
Mukutawa r. Canada 121 L4
Mukwonago U.S.A. 134 A2
Mula r. India 84 B2
Mulakatholhu atoll Maldives see Mulaku Atoll
Mulaku Atoll Maldives 81 D11
Mulan China 74 C3
Mulanje, Mount Malawi 99 D5
Mulapula, Lake salt flat Australia 111 B6
Mulatos Mex. 127 F7
Mulayh Saudi Arabia 88 B5
Mulayḩah, Jabal hill U.A.E. 88 D5
Mulayz, Wādī al watercourse Egypt 85 A4
Mulchatna r. U.S.A. 118 C3
Mulde r. Germany 53 M3
Mule Creek NM U.S.A. 129 I5
Mule Creek WY U.S.A. 126 G4
Mulegé Mex. 127 E8
Mules i. Indon. 108 C2
Muleshoe U.S.A. 131 C5
Mulga Park Australia 109 E6
Mulgathing Australia 109 F7
Mulhacén mt. Spain 57 E5
Mülhausen France see Mulhouse
Mülheim an der Ruhr Germany 52 G3
Mulhouse France 56 H3
Muli China 76 D3
Muli Rus. Fed. see Vysokogorniy
Mulia Indon. 69 J7
Muling Heilong. China 74 C3
Muling He r. China 74 D3
Mull i. U.K. 50 D4
Mull, Sound of sea chan. U.K. 50 C4
Mullaghcleevaun hill Ireland 51 F4
Mullaittivu Sri Lanka 84 D4
Mullaley Australia 112 D3
Mullengudgery Australia 112 C3
Mullens U.S.A. 134 E5
Muller watercourse Australia 108 F5
Muller, Pegunungan mts Indon. 68 E6
Mullett Lake U.S.A. 134 C1
Mullewa Australia 109 A7
Mullica r. U.S.A. 135 H4
Mullingar Ireland 51 E4
Mullion Creek Australia 112 D4
Mull of Galloway c. U.K. 50 E6
Mull of Kintyre hd U.K. 50 D5
Mull of Oa hd U.K. 50 C5
Mullumbimby Australia 112 F2
Mulobezi Zambia 99 C5
Mulshi Lake India 84 B2
Multai India 82 D5
Multan Pak. 89 H4
Multia Fin. 44 N5
Multien reg. France 52 C6
Mulug India 84 C2

▶Mumbai India 84 B2
2nd most populous city in Asia and 3rd in the world.

Mumbil Australia 112 D4
Mumbwa Zambia 99 C5
Muminabad Tajik. see Leningrad
Mŭ'minobod Tajik. see Leningrad
Mun, Mae Nam r. Thai. 70 D4
Muna i. Indon. 69 G8
Muna Mex. 136 G4
Muna r. Rus. Fed. 65 N3
Munabao Pak. 89 H5
Munaðarnes Iceland 44 [inset]
Münchberg Germany 53 L4
München Germany see Munich
München-Gladbach Germany see Mönchengladbach
Münchhausen Germany 53 I4
Muncho Lake Canada 120 E3
Muncie U.S.A. 134 C3
Muncoonie West, Lake salt flat Australia 110 B5
Muncy U.S.A. 135 G3
Munda Pak. 89 H4
Mundel Lake Sri Lanka 84 C5
Mundesley U.K. 49 I6
Mundford U.K. 49 H6
Mundiwindi Australia 109 C5
Mundra India 82 B5
Mundrabilla Australia 106 C5
Munds Park U.S.A. 129 H4
Mundubbera Australia 111 E5
Mundwa India 82 C4
Munfordville U.S.A. 134 C5
Mungallala Australia 111 D5
Mungana Australia 110 D3
Mungári Moz. 99 D5
Mungbere Dem. Rep. Congo 98 C3
Mungeli India 83 E5
Munger India 83 F4
Mu Nggava i. Solomon Is see Rennell
Mungindi Australia 112 D2
Mungla Bangl. see Mongla
Mungo Angola 99 B5
Mungo, Lake Australia 112 A4
Mungo National Park Australia 112 A4
Munich Germany 47 M6
Munising U.S.A. 132 C2
Munjpur India 82 B5
Munkács Ukr. see Mukacheve
Munkebakken Norway 44 P2
Munkedal Sweden 45 G7
Munkfors Sweden 45 H7
Munkhafaḑ al Qaţţārah depr. Egypt see Qattara Depression
Munku-Sardyk, Gora mt. Mongolia/Rus. Fed. 72 I2
Münnerstadt Germany 53 K4
Munnik S. Africa 101 I2
Munroe Lake Canada 121 L3
Munsan S. Korea 75 B5
Münster Hessen Germany 53 I5
Münster Niedersachsen Germany 53 K2
Münster Nordrhein-Westfalen Germany 53 H3
Munster reg. Ireland 51 D5
Münsterland reg. Germany 53 H3
Muntadgin Australia 109 B7
Muntervary hd Ireland 51 C6
Munyal-Par sea feature India see Bassas de Pedro Padua Bank
Munzur Vadisi Milli Parkı nat. park Turkey 55 L4
Muojärvi l. Fin. 44 P4
Mường Nhe Vietnam 70 C2
Muong Sai Laos see Oudômxai
Muonio Fin. 44 M3
Muonioälven r. Fin./Sweden 44 M3
Muonionjoki r. Fin./Sweden see Muonioälven
Mupa, Parque Nacional da nat. park Angola 99 B5
Muping China see Baoxing
Muqaynimah well Saudi Arabia 88 C6
Muqdisho Somalia see Mogadishu
Muquem Brazil 145 A1
Muqui Brazil 145 C3
Mur r. Austria 47 P7
also known as Mura (Croatia/Slovenia)
Mura r. Austria see Mur
Murai, Tanjong pt Sing. 71 [inset]
Murai Reservoir Sing. 71 [inset]
Murakami Japan 75 E5
Murallón, Cerro mt. Chile 144 B7
Muramvya Burundi 98 C4
Murashi Rus. Fed. 42 K4
Murat r. Turkey 91 F3
Muratlı Turkey 59 L4
Muraysah, Ra's al pt Libya 90 B5
Murchison watercourse Australia 109 A6
Murchison, Mount Antarctica 152 H2
Murchison, Mount hill Australia 109 B6
Murchison Falls National Park Uganda 98 D3
Murcia Spain 57 F5
Murcia aut. comm. Spain 57 F5
Murdo U.S.A. 130 C3
Murehwa Zimbabwe 99 D5
Mureşul r. Romania 59 I1
Muret France 56 E5
Murewa Zimbabwe see Murehwa
Murfreesboro AR U.S.A. 131 E5
Murfreesboro TN U.S.A. 132 C5
Murg r. Germany 53 I6
Murgab Tajik. see Murghob
Murgab Turkm. see Murgap
Murgab r. Turkm. see Murgap
Murgap Turkm. 89 F2
Murgap r. Turkm. 87 J2
Murgha Kibzai Pak. 89 H4
Murghob Tajik. 89 I2
Murgon Australia 111 E5
Murgoo Australia 109 B6
Muri India 83 F5
Muriaé Brazil 145 C3
Murid Pak. 89 G4
Muriege Angola 99 C4
Müritz l. Germany 53 M1
Müritz, Nationalpark nat. park Germany 53 N1
Murmansk Rus. Fed. 44 R2
Murmanskaya Oblast' admin. div. Rus. Fed. 44 S2
Murmanskiy Bereg coastal area Rus. Fed. 42 G1
Murmansk Oblast admin. div. Rus. Fed. see Murmanskaya Oblast'
Muro, Capo di c. Corsica France 56 I6
Murom Rus. Fed. 42 I5
Muroran Japan 74 F4
Muros Spain 57 B2
Muroto Japan 75 D6
Muroto-zaki pt Japan 75 D6
Murphy ID U.S.A. 126 D4
Murphy NC U.S.A. 133 D5
Murphysboro U.S.A. 130 F4
Murrah reg. Saudi Arabia 88 C6
Murrah al Kubrá, Al Buḩayrah al l. Egypt see Great Bitter Lake
Murrah aş Şughrá, Al Buḩayrah al l. Egypt see Little Bitter Lake
Murramarang National Park nat. park N.S.W. 112 I5
Murra Murra Australia 112 C2
Murrat el Kubra, Buheirat l. Egypt see Great Bitter Lake
Murrat el Sughra, Buheirat l. Egypt see Little Bitter Lake

▶Murray r. S.A. Australia 111 B7
3rd longest river in Oceania, and a major part of the longest (Murray-Darling).

Murray r. W.A. Australia 109 A8
Murray KY U.S.A. 131 F4
Murray UT U.S.A. 129 H1
Murray, Lake P.N.G. 69 K8
Murray, Lake U.S.A. 133 D5
Murray, Mount Canada 120 D2
Murray Bridge Australia 111 B7

▶Murray-Darling r. Australia 106 E5
Longest river in Oceania.

Murray Downs Australia 108 F5
Murray Range hills Australia 109 E6
Murraysburg S. Africa 100 F6
Murray Sunset National Park Australia 111 C7
Murrhardt Germany 53 J6
Murrieta U.S.A. 128 E5
Murringo Australia 112 D5
Murrisk reg. Ireland 51 C4
Murroogh Ireland 51 C4

▶Murrumbidgee r. Australia 112 A5
4th longest river in Oceania.

Murrumburrah Australia 112 D5
Murrurundi Australia 112 E3
Mursan India 82 D4
Murshidabad India 83 G4
Murska Sobota Slovenia 58 G1
Mürt Iran 89 F5
Murtoa Australia 111 C8
Murua i. P.N.G. see Woodlark Island
Murud India 84 B2
Murud, Gunung mt. Indon. 68 F6
Murunkan Sri Lanka 84 D4
Murupara N.Z. 113 F4
Mururoa atoll Fr. Polynesia 151 K7
Murviedro Spain see Sagunto
Murwara India 82 E5
Murwillumbah Australia 112 F2
Murzechirla Turkm. 89 F2
Murzūq Libya 97 E2
Mürzzuschlag Austria 47 O7
Muş Turkey 91 F3
Mūsā, Khowr-e b. Iran 88 C4
Musakhel Pak. 89 H4
Musala mt. Bulg. 59 J3
Musala i. Indon. 71 B7
Musan N. Korea 74 C4
Musandam Peninsula Oman/U.A.E. 88 E5
Mūsā Qal'eh, Rūd-e r. Afgh. 89 G3
Musay'īd Qatar see Umm Sa'id

▶Muscat Oman 88 E6
Capital of Oman.

Muscat reg. Oman 88 E5
Muscat and Oman country Asia see Oman
Muscatine U.S.A. 130 F3
Musgrave Australia 110 C2
Musgrave Harbour Canada 123 L4
Musgrave Ranges mts Australia 109 E6
Mushāsh al Kabid well Jordan 85 C5
Mushayyish, Wādī al watercourse Jordan 85 C4
Mushie Dem. Rep. Congo 98 B4
Mushkaf Pak. 89 G4
Music Mountain U.S.A. 129 G4
Musina S. Africa 101 J2
Musinia Peak U.S.A. 129 H2
Muskeg r. Canada 120 F2
Muskeget Channel U.S.A. 135 J3
Muskegon MI U.S.A. 132 C3
Muskegon MI U.S.A. 134 B2
Muskegon r. U.S.A. 134 B2
Muskegon Heights U.S.A. 134 B2
Muskeg River Canada 120 G4
Muskogee U.S.A. 131 E5
Muskoka, Lake Canada 134 F1
Muskrat Dam Lake Canada 121 N4
Musmar Sudan 86 E6
Musoma Tanz. 98 D4
Musquanousse, Lac l. Canada 123 J4
Musquaro, Lac l. Canada 123 J4
Mussau Island P.N.G. 69 L7
Musselburgh U.K. 50 F5
Musselkanaal Neth. 52 H2
Musselshell r. U.S.A. 126 G3
Mussende Angola 99 B5
Mustafakemalpaşa Turkey 59 M4
Mustjala Estonia 45 M7
Mustvee Estonia 45 O7
Musu-dan pt N. Korea 74 C4
Muswellbrook Australia 112 E4
Mūţ Egypt 86 C4
Mut Turkey 85 A1
Mutá, Ponta do pt Brazil 145 D1
Mutare Zimbabwe 99 D5
Mutayr reg. Saudi Arabia 88 B5
Mutina Italy see Modena
Muting Indon. 69 K8
Mutis Col. 142 C2
Mutnyy Materik Rus. Fed. 42 L2
Mutoko Zimbabwe 99 D5
Mutsamudu Comoros 99 E5
Mutsu Japan 74 F4
Muttaburra Australia 110 D4
Mutton Island Ireland 51 C5
Muttukuru India 84 D3
Muttupet India 84 C4
Mutum Brazil 145 C2
Mutunópolis Brazil 145 A1
Mutur Sri Lanka 84 D4
Mutusjärvi r. Fin. 44 O2
Muurola Fin. 44 N3
Mu Us Shamo des. China 73 J5
Muxaluando Angola 99 B4
Muxi China see Muchuan
Muxima Angola 99 B4
Muyezerskiy Rus. Fed. 44 R5
Muyinga Burundi 98 D4
Mŭynoq Uzbek. see Mo'ynoq
Muyumba Dem. Rep. Congo 99 C4
Muyunkum, Peski des. Kazakh. see Moyynkum, Peski
Muyuping China 77 F2
Muzaffarabad Pak. 89 I3
Muzaffargarh Pak. 89 H4
Muzaffarnagar India 82 D3
Muzaffarpur India 83 F4
Muzamane Moz. 101 K2
Muzhi Rus. Fed. 41 S2
Mūzīn Iran 89 F5
Muzon, Cape U.S.A. 120 C4
Múzquiz Mex. 131 C7
Muztag mt. China 82 E2
Muz Tag mt. China 83 F1
Muztagata mt. China 89 I2
Muztor Kyrg. see Toktogul
Mvadi Gabon 98 B3
Mvolo Sudan 97 F4
Mvuma Zimbabwe 99 D5
Mwanza Malawi 99 D5
Mwanza Tanz. 98 D4
Mweelrea hill Ireland 51 C4
Mweka Dem. Rep. Congo 99 C4
Mwene-Ditu Dem. Rep. Congo 99 C4
Mwenezi Zimbabwe 99 D6
Mwenga Dem. Rep. Congo 98 C4
Mweru, Lake Dem. Rep. Congo/Zambia 99 C4
Mweru Wantipa National Park Zambia 99 C4
Mwimba Dem. Rep. Congo 99 C4
Mwinilunga Zambia 99 C5
Myadaung Myanmar 70 B2
Myadzyel Belarus 45 O9
Myajlar India 82 B4
Myall Lakes National Park Australia 112 F4
Myanaung Myanmar 70 A3
Myanmar country Asia 70 A2
Myauk-U Myanmar see Mrauk-U
Myaungmya Myanmar 70 A3
Myawadi Thai. 70 B3
Mybster U.K. 50 F2
Myebon Myanmar 70 A2
Myede Myanmar see Aunglan
Myeik Myanmar 71 B4
Myingyan Myanmar 70 A2
Myinkyado Myanmar 70 B2
Myinmoletkat mt. Myanmar 71 B4
Myitkyina Myanmar 70 B1
Myitson Myanmar 70 B2
Myitta Myanmar 71 B4
Myittha Myanmar 70 B2
Mykolayiv Ukr. 59 O1
Mykonos i. Greece 59 K6
Myla Rus. Fed. 42 K2
Myla r. Rus. Fed. 42 K2
Mylae Sicily Italy see Milazzo
Mylasa Turkey see Milas
Mymensing Bangl. see Mymensingh
Mymensingh Bangl. 83 G4
Mynämäki Fin. 45 M6
Myŏnggan N. Korea 74 C4
Myory Belarus 45 O9
My Phước Vietnam 71 D5
Mýrdalsjökull ice cap Iceland 44 [inset]
Myre Norway 44 I2
Myrheden Sweden 44 L4
Myrhorod Ukr. 43 G6
Myrnam Canada 121 I4
Myronivka Ukr. 43 F6
Myrtle Beach U.S.A. 133 E5
Myrtleford Australia 112 C6
Myrtle Point U.S.A. 126 B4
Myrtoo Pelagos sea Greece 59 J6
Mys Articheskiy c. Rus. Fed. 153 E1
Mysia reg. Turkey 59 L5
Mys Lazareva Rus. Fed. see Lazarev
Myślibórz Poland 47 O4
My Son Sanctuary tourist site Vietnam 70 E4
Mysore India 84 C3
Mysore state India see Karnataka
Mys Shmidta Rus. Fed. 65 T3
Mysy Rus. Fed. 42 L3
My Tho Vietnam 71 D5
Mytikas mt. Greece see Olympus, Mount
Mytilene i. Greece see Lesbos
Mytilini Greece 59 L5
Mytilini Strait Greece/Turkey 59 L5
Mytishchi Rus. Fed. 42 H5
Myton U.S.A. 129 H1
Myyeldino Rus. Fed. 42 L3
Mzamomhle S. Africa 101 H6
Mže r. Czech Rep. 53 M5
Mzimba Malawi 99 D5
Mzuzu Malawi 99 D5

N

Naab r. Germany 53 M5
Nā'ālehu U.S.A. 127 [inset]
Naantali Fin. 45 M6
Naas Ireland 51 F4
Naba Myanmar 70 B1
Nababeep S. Africa 100 C5
Nababganj Bangl. see Nawabganj
Nabadwip India see Navadwip
Nabarangapur India 84 D2
Nabarangpur India see Nabarangapur
Nabari Japan 75 E6
Nabatîyé et Tahta Lebanon 85 B3
Nabatiyet et Tahta Lebanon see Nabatîyé et Tahta
Nabberu, Lake salt flat Australia 109 C6
Nabburg Germany 53 M5
Naberera Tanz. 99 D4
Naberezhnyye Chelny Rus. Fed. 41 Q4
Nabesna U.S.A. 120 A2
Nabeul Tunisia 58 D6
Nabha India 82 D3
Nabil'skiy Zaliv lag. Rus. Fed. 74 F2
Nabire Indon. 69 J7
Nabi Younés, Ras en pt Lebanon 85 B3
Nāblus West Bank 85 B3
Naboomspruit S. Africa 101 I3
Nabq Reserve nature res. Egypt 90 D5
Nābulus West Bank see Nāblus
Nacala Moz. 99 E5
Nachalovo Rus. Fed. 43 K7
Nachicapau, Lac l. Canada 123 I2
Nachingwea Tanz. 99 D5
Nachna India 82 B4
Nachuge India 71 A5
Nacimiento Reservoir U.S.A. 128 C4
Naco U.S.A. 127 F7
Nacogdoches U.S.A. 131 E6
Nada China see Danzhou
Nadaleen r. Canada 120 C2
Nådendal Fin. see Naantali
Nadezhdinskoye Rus. Fed. 74 D2
Nadiad India 82 C5
Nadol India 82 C4
Nador Morocco 57 E6
Nadqān, Qalamat well Saudi Arabia 88 C6
Nadūshan Iran 88 D3
Nadvirna Ukr. 43 E6
Nadvoitsy Rus. Fed. 42 G3
Nadvornaya Ukr. see Nadvirna
Nadym Rus. Fed. 64 I3
Næstved Denmark 45 G9
Nafarroa aut. comm. Spain see Navarra
Nafas, Ra's an mt. Egypt 85 B5
Nafḩa, Har hill Israel 85 B4
Nafpaktos Greece 59 I5
Nafplio Greece 59 J6
Naftalan Azer. 91 G2
Naft-e Safīd Iran 88 C4
Naft-e Shāh Iran see Naft Shahr
Naft Shahr Iran 88 B3
Nafūd ad Daḩl des. Saudi Arabia 88 B6
Nafūd al Ghuwayţah des. Saudi Arabia 85 D5
Nafūd al Jur'ā des. Saudi Arabia 88 B5
Nafūd as Sirr des. Saudi Arabia 88 B5
Nafūd as Surrah des. Saudi Arabia 88 A6
Nafūd Qunayfidhah des. Saudi Arabia 88 B5
Nafūsah, Jabal hills Libya 96 E1
Nafy Saudi Arabia 86 F4
Nag, Co l. China 83 G2
Naga Phil. 69 G4
Nagagami r. Canada 122 D4
Nagagami Lake Canada 122 D4
Nagahama Japan 75 D6
Naga Hills India 83 H4
Naga Hills state India see Nagaland
Nagaland state India 83 H4
Nagamangala India 84 C3
Nagambie Australia 112 B6
Nagano Japan 75 E5
Nagaoka Japan 75 E5
Nagaon India 83 H4
Nagapatam India see Nagappattinam
Nagappattinam India 84 C4
Nagar Hima. Prad. India 87 M3
Nagar Karnataka India 84 B3
Nagaram India 84 D2
Nagari Hills India 84 C3
Nagarjuna Sagar Reservoir India 84 C2
Nagar Parkar Pak. 89 H5
Nagar Untari India 83 E4
Nagasaki Japan 75 C6
Nagato Japan 75 C6
Nagaur India 82 C4
Nagbhir India 84 C1
Nagda India 82 C5
Nageezi U.S.A. 129 J3
Nagercoil India 84 C4
Nagha Kalat Pak. 89 G5
Nag' Ḩammâdî Egypt see Naj' Ḩammādī
Nagina India 82 D3
Nagold r. Germany 53 I6
Nagong Chu r. China see Parlung Zangbo
Nagorno-Karabakh aut. reg. Azer. see Dağlıq Qarabağ
Nagornyy Karabakh aut. reg. Azer. see Dağlıq Qarabağ
Nagorsk Rus. Fed. 42 K4
Nagoya Japan 75 E6
Nagpur India 82 D5
Nagqu China 76 B2
Nag Qu r. China 76 B2
Nagurskoye Rus. Fed. 64 F1
Nagyatád Hungary 58 G1
Nagybecskerek Serbia see Zrenjanin
Nagyenyed Romania see Aiud
Nagykanizsa Hungary 58 G1
Nagyvárad Romania see Oradea
Naha Japan 73 N7
Nahan India 82 D3
Nahanni Butte Canada 120 F2
Nahanni National Park Reserve Canada 120 E2
Nahanni Range mts Canada 120 F2
Naharāyim Jordan 85 B3
Nahariyya Israel 85 B3
Nahāvand Iran 88 C3
Nahr Dijlah r. Asia 91 G5 see Tigris
Nahuel Huapi, Parque Nacional nat. park Arg. 144 B6
Nahunta U.S.A. 133 D6
Naica Mex. 131 B7
Nai Ga Myanmar 76 C3
Naij Tal China 83 H2
Naikliu Indon. 108 C2
Nain Canada 123 J2
Nā'īn Iran 88 D3
Nainital India 82 D3
Naini Tal India see Nainital
Nairn U.K. 50 F3
Nairn r. U.K. 50 F3

▶Nairobi Kenya 98 D4
Capital of Kenya.

Naissus Serbia see Niš
Naivasha Kenya 98 D4
Najaf Iraq 91 G5
Najafābād Iran 88 C3
Na'jān Saudi Arabia 88 B5
Najd reg. Saudi Arabia 86 F4
Nájera Spain 57 E2
Naj' Ḩammādī Egypt 86 D4
Naji China 74 A2
Najibabad India 82 D3
Najin N. Korea 74 C4
Najitun China see Naji
Najrān Saudi Arabia 86 F6
Nakadōri-shima i. Japan 75 C6
Na Kae Thai. 70 D3
Nakambé r. Burkina/Ghana see White Volta
Nakanbe r. Burkina/Ghana see White Volta
Nakanno Rus. Fed. 65 L3
Nakano-shima i. Japan 75 D5
Nakasongola Uganda 97 G4
Nakatsu Japan 75 C6
Nakatsugawa Japan 75 E6
Nakfa Eritrea 86 E6
Nakhichevan' Azer. see Naxçıvan
Nakhl Egypt 85 A5
Nakhodka Rus. Fed. 74 D4
Nakhola India 83 H4
Nakhon Nayok Thai. 71 C4
Nakhon Pathom Thai. 71 C4
Nakhon Phanom Thai. 70 D3
Nakhon Ratchasima Thai. 70 C4
Nakhon Sawan Thai. 70 C4
Nakhon Si Thammarat Thai. 71 B5
Nakhtarana India 82 B5
Nakina Canada 122 D4
Nakina r. Canada 120 C3
Naknek U.S.A. 118 C4
Nakonde Zambia 99 D4
Nakskov Denmark 45 G9
Naktong-gang r. S. Korea 75 C6
Nakuru Kenya 98 D4
Nakusp Canada 120 G5
Nal Pak. 89 G5
Nal r. Pak. 89 G5
Na-lang Myanmar 70 B2
Nalázi Moz. 101 K3
Nalbari India 83 G4
Nal'chik Rus. Fed. 91 F2
Naldurg India 84 C2
Nalgonda India 84 C2
Naliya India 82 B5
Nallamala Hills India 84 C3
Nallıhan Turkey 59 N4
Nālūt Libya 96 E1
Namaacha Moz. 101 K3
Namacurra Moz. 99 D5
Namadgi National Park Australia 112 D5
Namahadi S. Africa 101 I4
Namak, Daryācheh-ye salt flat Iran 88 C3
Namak, Kavīr-e salt flat Iran 88 E3
Namakkal India 84 C4
Namakwaland reg. Namibia see Great Namaqualand
Namakzar-e Shadad salt flat Iran 88 E4
Namaland reg. Namibia see Great Namaqualand
Namangan Uzbek. 80 D3
Namaqualand reg. Namibia see Great Namaqualand
Namaqualand reg. S. Africa 100 C5
Namaqua National Park S. Africa 100 C6
Namas Indon. 69 K8
Namatanai P.N.G. 106 F2
Nambour Australia 112 F1
Nambucca Heads Australia 112 F3
Nambung National Park Australia 109 A7
Năm Căn Vietnam 71 D5
Namcha Barwa mt. China see Namjagbarwa Feng
Namche Bazar Nepal 83 F4
Nam Co salt l. China 83 G3
Namdalen valley Norway 44 H4
Namdalseid Norway 44 G4
Nam Đinh Vietnam 70 D2
Namen Belgium see Namur
Nam-gang r. N. Korea 75 B5
Namhae-do i. S. Korea 75 B6
Namhsan Myanmar 70 B2
Namib Desert Namibia 100 B3
Namibe Angola 99 B5
Namibia country Africa 99 B6
Namibia Abyssal Plain sea feature N. Atlantic Ocean 148 I8
Namib-Naukluft Game Park nature res. Namibia 100 B3
Namie Japan 75 F5
Namīn Iran 91 H3
Namjagbarwa Feng mt. China 76 B2
Namlan Myanmar 70 B2
Namlang r. Myanmar 70 B2
Nam Loi r. China see Nanlei He
Nam Nao National Park Thai. 70 C3
Nam Ngum Reservoir Laos 70 C3
Namoi r. Australia 112 D3
Namonuito atoll Micronesia 69 L5
Nampa mt. Nepal 82 E3
Nampa U.S.A. 126 D4
Nampala Mali 96 C3
Nam Phong Thai. 70 C3
Namp'o N. Korea 75 B5
Nampula Moz. 99 D5
Namsai Myanmar 70 B1
Namsang Myanmar 70 B2
Namsen r. Norway 44 G4
Nam She Tsim hill H.K. China see Sharp Peak
Namsos Norway 44 G4
Namti Myanmar 70 B1
Namtok Myanmar 70 B3
Namtok Chattakan National Park Thai. 70 C3
Namton Myanmar 70 B2
Namtsy Rus. Fed. 65 N3
Namtu Myanmar 70 B2
Namu Canada 120 E5
Namuli, Monte mt. Moz. 99 D5
Namuno Moz. 99 D5
Namur Belgium 52 E4
Namutoni Namibia 99 B5
Namwŏn S. Korea 75 B6
Namya Ra Myanmar 70 B1
Namyit Island S. China Sea 68 E4
Nan Thai. 70 C3
Nana Bakassa Cent. Afr. Rep. 98 B3
Nanaimo Canada 120 F5
Nanam N. Korea 74 C4
Nan'an China 77 H3
Nanango Australia 112 F1
Nananib Plateau Namibia 100 C3
Nanao Japan 75 E5
Nanatsu-shima i. Japan 75 E5
Nanbai China see Zunyi
Nanbin China see Shizhu
Nanbu China 76 E2
Nancha China 74 C3
Nanchang Jiangxi China 77 G2
Nanchang Jiangxi China 77 G2
Nanchong China 76 E2
Nanchuan China 76 E2
Nancowry i. India 71 A6
Nancun China 77 G1
Nancy France 52 G6
Nancy (Essey) airport France 52 G6
Nanda Devi mt. India 82 E3
Nanda Kot mt. India 82 E3
Nandan China 76 E3
Nandapur India 84 D2
Nanded India 84 C2
Nander India see Nanded
Nandewar Range mts Australia 112 E3
Nandod India 84 B1
Nandurbar India 82 C5
Nandyal India 84 C3

New Halfa Sudan 86 E6
New Hampshire state U.S.A. 135 J1
New Hampton U.S.A. 130 E3
New Hanover i. P.N.G. 106 F2
New Haven CT U.S.A. 135 I3
New Haven IN U.S.A. 134 C3
New Haven WV U.S.A. 134 E4
New Hebrides country S. Pacific Ocean see Vanuatu
New Hebrides Trench sea feature S. Pacific Ocean 150 H7
New Holstein U.S.A. 134 A2
New Iberia U.S.A. 131 F6
Newington S. Africa 101 J3
Newinn Ireland 51 E5
New Ireland i. P.N.G. 106 F2
New Jersey state U.S.A. 135 H4
New Kensington U.S.A. 134 F3
New Kent U.S.A. 135 G5
Newkirk U.S.A. 131 D4
New Lanark U.K. 50 F5
Newland Range hills Australia 109 C7
New Lexington U.S.A. 134 D4
New Liskeard Canada 122 F5
New London CT U.S.A. 135 I3
New London MO U.S.A. 130 F4
New Madrid U.S.A. 131 F4
Newman Australia 109 B5
Newman U.S.A. 128 C3
Newmarket Canada 134 F1
Newmarket Ireland 51 C5
Newmarket U.K. 49 H6
New Market U.S.A. 135 F4
Newmarket-on-Fergus Ireland 51 D5
New Martinsville U.S.A. 134 E4
New Meadows U.S.A. 126 D3
New Mexico state U.S.A. 127 G6
New Miami U.S.A. 134 C4
New Milford U.S.A. 135 H3
Newnan U.S.A. 133 C5
New Orleans U.S.A. 131 F6
New Paris IN U.S.A. 134 C3
New Paris OH U.S.A. 134 C4
New Philadelphia U.S.A. 134 E3
New Pitsligo U.K. 50 G3
New Plymouth N.Z. 113 E4
Newport Mayo Ireland 51 C4
Newport Tipperary Ireland 51 D5
Newport England U.K. 49 E6
Newport England U.K. 49 F8
Newport Wales U.K. 49 D7
Newport AR U.S.A. 131 F5
Newport IN U.S.A. 134 B4
Newport KY U.S.A. 134 C4
Newport MI U.S.A. 134 D3
Newport NH U.S.A. 135 I2
Newport NJ U.S.A. 135 H4
Newport OR U.S.A. 126 B3
Newport RI U.S.A. 135 J3
Newport VT U.S.A. 135 I1
Newport WA U.S.A. 126 D2
Newport Beach U.S.A. 128 E5
Newport News U.S.A. 135 G5
Newport Pagnell U.K. 49 G6
New Port Richey U.S.A. 133 D6
New Providence i. Bahamas 133 E7
Newquay U.K. 49 B8
New Roads U.S.A. 131 F6
New Rochelle U.S.A. 135 I3
New Rockford U.S.A. 130 D2
New Romney U.K. 49 H8
New Ross Ireland 51 F5
Newry Australia 108 E4
Newry U.K. 51 F3
New Siberia Islands Rus. Fed. 65 P2
New Smyrna Beach U.S.A. 133 D6
New South Wales state Australia 112 C4
New Stanton U.S.A. 134 F3
Newton U.K. 48 E5
Newton GA U.S.A. 133 C6
Newton IA U.S.A. 130 E3
Newton IL U.S.A. 130 F4
Newton KS U.S.A. 130 D4
Newton MA U.S.A. 135 J2
Newton MS U.S.A. 131 F5
Newton NC U.S.A. 132 D5
Newton NJ U.S.A. 135 H3
Newton TX U.S.A. 131 E6
Newton Abbot U.K. 49 D8
Newton Mearns U.K. 50 E5
Newton Stewart U.K. 50 E6
Newtown Ireland 51 D5
Newtown England U.K. 49 E6
Newtown Wales U.K. 49 D6
Newtown U.S.A. 134 C4
New Town U.S.A. 130 C1
Newtownabbey U.K. 51 G3
Newtownards U.K. 51 G3
Newtownbarry Ireland see Bunclody
Newtownbutler U.K. 51 E3
Newtown Mount Kennedy Ireland 51 F4
Newtown St Boswells U.K. 50 G5
Newtownstewart U.K. 51 E3
New Ulm U.S.A. 130 E2
Newville U.S.A. 135 G3
New World Island Canada 123 L4

▶New York U.S.A. 135 I3
2nd most populous city in North America, and 5th in the world.

New York state U.S.A. 135 H2

▶New Zealand country Oceania 113 D5
3rd largest and 3rd most populous country in Oceania.

Neya Rus. Fed. 42 I4
Ney Bīd Iran 88 E4
Neyrīz Iran 88 D4
Neyshābūr Iran 88 E2
Nezhin Ukr. see Nizhyn
Nezperce U.S.A. 126 D3
Ngabé Congo 98 B4
Nga Chong, Khao mt. Myanmar/Thai. 70 B4
Ngagahtawng Myanmar 76 C3
Ngagau mt. Tanz. 99 D4
Ngalu Indon. 108 C2
Ngamring China 83 F3
Ngangla Ringco salt l. China 83 E3
Nganglong Kangri mt. China 82 E2
Nganglong Kangri mts China 82 E2
Ngangzê Co salt l. China 83 F3
Ngangzê Shan mts China 83 F3
Ngân Sơn Vietnam 70 D2
Ngaoundal Cameroon 96 E4
Ngaoundéré Cameroon 97 E4
Ngape Myanmar 70 A2
Ngaputaw Myanmar 70 A3
Ngarrab China see Gyaca
Ngathainggyaung Myanmar 70 A3
Ngau i. Fiji see Gau
Ngawa China see Aba
Ngeaur i. Palau see Angaur
Ngeruangel i. Palau 69 I5
Ngga Pulu mt. Indon. see Jaya, Puncak
Ngiap r. Laos 70 C3
Ngilmina Indon. 108 D2
Ngiva Angola see Ondjiva
Ngo Congo 98 B4
Ngoako Ramalepe S. Africa see Duiwelskloof
Ngoin, Co salt l. China 83 G3
Ngok Linh mt. Vietnam 70 D4
Ngoko r. Cameroon/Congo 97 E4
Ngola Shankou pass China 76 C1
Ngom Qu r. China see Ji Qu
Ngong Shuen Chau pen. H.K. China see Stonecutters' Island
Ngoqumaima China 83 F2
Ngoring China 76 C1
Ngoring Hu l. China 76 C1
Ngourti Niger 96 E3
Nguigmi Niger 96 E3
Nguiu Australia 108 E2
Ngükang China 76 B2
Ngukurr Australia 108 F3
Ngulu atoll Micronesia 69 J5
Ngunza Angola see Sumbe
Ngunza-Kabolu Angola see Sumbe
Nguru Nigeria 96 E3
Ngwaketse admin. dist. Botswana see Southern
Ngwane country Africa see Swaziland
Ngwathe S. Africa 101 H4
Ngwavuma r. S. Africa/Swaziland 101 K4
Ngwelezana S. Africa 101 J5
Nhachengue Moz. 101 L2
Nhamalabué Moz. 99 D5
Nha Trang Vietnam 71 E4
Nhecolândia Brazil 143 G7
Nhill Australia 111 C8
Nhlangano Swaziland 101 J4
Nho Quan Vietnam 70 D2
Nhow i. Fiji see Gau
Nhulunbuy Australia 110 B2
Niacam Canada 121 J4
Niafounké Mali 96 C3
Niagara U.S.A. 132 C2
Niagara Falls Canada 134 F2
Niagara Falls U.S.A. 134 F2
Niagara-on-the-Lake Canada 134 F2
Niagzu Aksai Chin 82 D2
Niah Sarawak Malaysia 68 E6
Niakaramandougou Côte d'Ivoire 96 C4

▶Niamey Niger 96 D3
Capital of Niger.

Nīām Kand Iran 88 E5
Niampak Indon. 69 H6
Niangara Dem. Rep. Congo 98 C3
Niangay, Lac l. Mali 96 C3
Nianzishan China 74 A3
Nias i. Indon. 71 B7
Niassa, Lago l. Africa see Nyasa, Lake
Niaur i. Palau see Angaur
Nīāzābād Iran 89 F3
Nibil Well Australia 108 D5
Nīca Latvia 45 L8

▶Nicaragua country Central America 137 G6
5th largest country in North America.

Nicaragua, Lago de Nicaragua 137 G6
Nicastro Italy 58 G5
Nice France 56 H5
Nice U.S.A. 128 B2
Nicephorium Syria see Ar Raqqah
Niceville U.S.A. 133 C6
Nichicun, Lac l. Canada 123 H3
Nicholas Channel Bahamas/Cuba 133 D8
Nicholasville U.S.A. 134 C5
Nichols U.S.A. 134 A1
Nicholson r. Australia 110 B3
Nicholson Lake Canada 121 K2
Nicholson Range hills Australia 109 B6
Nicholville U.S.A. 135 H1
Nicobar Islands India 71 A5
Nicolaus U.S.A. 128 C2
Nicomedia Kocaeli Turkey see İzmit

▶Nicosia Cyprus 85 A2
Capital of Cyprus.

Nicoya, Península de pen. Costa Rica 137 G7
Nida Lith. 45 L9
Nidagunda India 84 C2
Nidd r. U.K. 48 F4
Nidda Germany 53 J4
Nidder r. Germany 53 I4
Nidzica Poland 47 R4
Niebüll Germany 47 L3
Nied r. France 52 G5
Niederanven Lux. 52 G5
Niederaula Germany 53 J4
Niedere Tauern mts Austria 47 N7
Niedersachsen land Germany 53 I2
Niedersächsisches Wattenmeer, Nationalpark nat. park Germany 52 G1
Niefang Equat. Guinea 96 E4
Niellé Côte d'Ivoire 96 C3
Nienburg (Weser) Germany 53 J2
Niers r. Germany 52 F3
Nierstein Germany 53 I5
Nieuwe-Niedorp Neth. 52 E2
Nieuwerkerk aan de IJssel Neth. 52 E3
Nieuw Nickerie Suriname 143 G2
Nieuwolda Neth. 52 G1
Nieuwoudtville S. Africa 100 D6
Nieuwpoort Belgium 52 C3
Nieuw-Vossemeer Neth. 52 E3
Niğde Turkey 90 D3
Niger country Africa 96 D3

▶Niger r. Africa 96 D4
3rd longest river in Africa.

Niger, Mouths of the Nigeria 96 D4
Niger Cone sea feature S. Atlantic Ocean 148 I5

▶Nigeria country Africa 96 D4
Most populous country in Africa, and 8th in the world.

Nighthawk Lake Canada 122 E4
Nigrita Greece 59 J4
Nihing Pak. 89 G4
Nihon country Asia see Japan
Niigata Japan 75 E5
Niihama Japan 75 D6
Ni'ihau i. U.S.A. 127 [inset]
Nii-jima i. Japan 75 E6
Niimi Japan 75 D6
Niitsu Japan 75 E5
Nijil, Wādī watercourse Jordan 85 B4
Nijkerk Neth. 52 F2
Nijmegen Neth. 52 F3
Nijverdal Neth. 52 G2
Nikel' Rus. Fed. 44 Q2
Nikki Benin 96 D4
Nikkō Kokuritsu-kōen nat. park Japan 75 E5
Nikolayev Ukr. see Mykolayiv
Nikolayevka Rus. Fed. 43 J5
Nikolayevsk Rus. Fed. 43 J6
Nikolayevskiy Rus. Fed. see Nikolayevsk
Nikolayevsk-na-Amure Rus. Fed. 74 F1
Nikol'sk Rus. Fed. 42 J4
Nikol'skiy Kazakh. see Satpayev
Nikol'skoye Kamchatskaya Oblast' Rus. Fed. 65 R4
Nikol'skoye Vologod. Obl. Rus. Fed. see Sheksna
Nikopol' Ukr. 43 G7
Niksar Turkey 90 E2
Nīkshahr Iran 89 F5
Nikšić Montenegro 58 H3
Nīkū Jahān Iran 89 F5
Nikumaroro atoll Kiribati 107 I2
Nikunau i. Kiribati 107 H2
Nīl, Bahr el r. Africa see Nile
Nilagiri India 83 F5
Niland U.S.A. 129 F5
Nilande Atoll Maldives see Nilandhoo Atoll
Nilandhe Atoll Maldives see Nilandhoo Atoll
Nilandhoo Atoll Maldives 81 D11
Nilang India see Nelang
Nilanga India 84 C2
Nilaveli Sri Lanka 84 D4

▶Nile r. Africa 90 C5
Longest river in the world.

Niles MI U.S.A. 134 B3
Niles OH U.S.A. 134 E3
Nilgiri Hills India 84 C4
Nīlī Dāykundī 89 G3
Nīl Kowtal Afgh. 89 G3
Nilphamari Bangl. 83 G4
Nilsiä Fin. 44 P5
Nimach India see Neemuch
Niman r. Rus. Fed. 74 D2
Nimba, Monts mts Africa see Nimba, Mount
Nimba, Mount Africa 96 C4
Nimbal India 84 B2
Nimberra Well Australia 109 C5
Nimelen r. Rus. Fed. 74 E1
Nîmes France 56 G5
Nimmitabel Australia 111 E8
Nimrod Glacier Antarctica 152 H1
Nimu India 82 D2
Nimule Sudan 97 G4
Nimwegen Neth. see Nijmegen
Nindigully Australia 112 D2
Nine Degree Channel India 84 B4
Nine Islands P.N.G. see Kilinailau Islands
Ninepin Group is H.K. China 77 [inset]
Ninetyeast Ridge sea feature Indian Ocean 149 N8
Ninety Mile Beach Australia 112 C7
Ninety Mile Beach N.Z. 113 D2
Nineveh U.S.A. 135 H2
Ning'an China 74 C3
Ningbo China 77 I2
Ningde China 77 H3
Ning'er China see Pu'er
Ningguo China 77 H2
Ninghai China 77 I2
Ninghsia Hui Autonomous Region aut. reg. China see Ningxia Huizu Zizhiqu
Ninghua China 77 H3
Ninging India 83 H3
Ningjiang China see Songyuan
Ningjing Shan mts China 76 C2
Ninglang China 76 D3
Ningming China 76 E4
Ningnan China 76 D3
Ningqiang China 76 E1
Ningwu China 73 K5
Ningxia aut. reg. China see Ningxia Huizu Zizhiqu
Ningxia Huizu Zizhiqu aut. reg. China 76 E1
Ningxian China 73 J5
Ningxiang China 77 G2
Ningzhou China see Huaning
Ninh Binh Vietnam 70 D2
Ninh Hoa Vietnam 71 E4
Ninigo Group atolls P.N.G. 69 K7
Ninnis Glacier Antarctica 152 G2
Ninnis Glacier Tongue Antarctica 152 H2
Ninohe Japan 75 F4
Niobrara r. U.S.A. 130 D3
Niokolo Koba, Parc National du nat. park Senegal 96 B3
Niono Mali 96 C3
Nioro Mali 96 C3
Niort France 56 D3
Nipani India 84 B2
Nipawin Canada 121 J4
Niphad India 84 B1
Nipigon Canada 119 J5
Nipigon, Lake Canada 119 J5
Nipishish Lake Canada 123 J3
Nipissing, Lake Canada 122 F5
Nippon country Asia see Japan
Nippon Hai sea N. Pacific Ocean see Japan, Sea of
Nipton U.S.A. 129 F4
Niquelândia Brazil 145 A1
Nir Ardabīl Iran 88 B2
Nir Yazd Iran 88 D4
Nira r. India 84 B2
Nirji China 74 B2
Nirmal India 84 C2
Nirmali India 83 F4
Nirmal Range hills India 84 C2
Niš Serbia 59 I3
Nisa Port. 57 C4
Nisarpur India 84 B1
Niscemi Sicily Italy 58 F6
Nīshāpūr Iran see Neyshābūr
Nishino-shima vol. Japan 75 F8
Nishi-Sonogi-hantō pen. Japan 75 C6
Nisibis Turkey see Nusaybin
Nísiros i. Greece see Nisyros
Niskibi r. Canada 121 N3
Nisling r. Canada 120 B2
Nispen Neth. 52 E3
Nissan r. Sweden 45 H8
Nistru r. Ukr. 59 N1 see Dniester
Nisutlin r. Canada 120 C2
Nisyros i. Greece 59 L6
Niṭā Saudi Arabia 88 C5
Nitchequon Canada 123 H3
Nitendi i. Solomon Is see Ndeni
Niterói Brazil 145 C3
Nith r. U.K. 50 F5
Nitibe East Timor 108 D2
Niti Pass China/India 82 D3
Niti Shankou pass China/India see Niti Pass
Nitmiluk National Park Australia 108 F3
Nitra Slovakia 47 Q6
Nitro U.S.A. 134 E4
Niuafo'ou i. Tonga 107 I3
Niuatoputopu i. Tonga 107 I3

▶Niue terr. S. Pacific Ocean 107 J3
Self-governing New Zealand Overseas Territory.

Niujing China see Binchuan
Niulakita i. Tuvalu 107 H3
Niutao i. Tuvalu 107 H2
Niutoushan China 77 H2
Nivala Fin. 44 N5
Nive watercourse Australia 110 D5
Nivelles Belgium 52 E4
Niwai India 82 C4
Niwas India 82 E5
Nixia China see Sêrxü
Nixon U.S.A. 128 D2
Niya China see Minfeng
Niya He r. China 83 E1
Nizamabad India 84 C2
Nizam Sagar l. India 84 C2
Nizhnedevitsk Rus. Fed. 43 H6
Nizhnekamsk Rus. Fed. 42 K5
Nizhnekamskoye Vodokhranilishche resr Rus. Fed. 41 Q4
Nizhnekolymsk Rus. Fed. 65 R3
Nizhnetambovskoye Rus. Fed. 74 E2
Nizhneudinsk Rus. Fed. 72 H2
Nizhnevartovsk Rus. Fed. 64 I3
Nizhnevolzhsk Rus. Fed. see Narimanov
Nizhneyansk Rus. Fed. 65 O2
Nizhniy Baskunchak Rus. Fed. 43 J6
Nizhniye Kresty Rus. Fed. see Cherskiy
Nizhniy Lomov Rus. Fed. 43 I5
Nizhniy Novgorod Rus. Fed. 42 I4
Nizhniy Odes Rus. Fed. 42 L3
Nizhniy Pyandzh Tajik. see Panji Poyon
Nizhniy Tagil Rus. Fed. 41 R4
Nizhnyaya Mola Rus. Fed. 42 J2
Nizhnyaya Omra Rus. Fed. 42 L3
Nizhnyaya Pirenga, Ozero l. Rus. Fed. 44 R3
Nizhnyaya Tunguska r. Rus. Fed. 64 J3
Nizhnyaya Tura Rus. Fed. 41 R4
Nizhyn Ukr. 43 F6
Nizina r. U.S.A. 120 A2
Nizina Mazowiecka reg. Poland 47 R4
Nizip Turkey 85 C1
Nízke Tatry nat. park Slovakia 47 Q6
Nizwā Oman see Nazwá
Nizza France see Nice
Njallavarri mt. Norway 44 L2
Njavve Sweden 44 K3
Njazidja i. Comoros 99 E5
Njombe Tanz. 99 D4
Njurundabommen Sweden 44 J5
Nkambe Cameroon 96 E4
Nkandla S. Africa 101 J5
Nkawkaw Ghana 96 C4
Nkhata Bay Malawi 99 D5
Nkhotakota Malawi 99 D5
Nkondwe Tanz. 99 D4
Nkongsamba Cameroon 96 D4
Nkululeko S. Africa 101 H6
Nkwenkwezi S. Africa 101 H7
Noakhali Bangl. 83 G5
Noatak r. U.S.A. 118 B3
Nobber Ireland 51 F4
Nobeoka Japan 75 C6
Noblesville U.S.A. 134 B3
Noboribetsu Japan 74 F4
Noccundra Australia 111 C5
Nockatunga Australia 111 C5
Nocona U.S.A. 131 D5
Noel Kempff Mercado, Parque Nacional nat. park Bol. 142 F6
Noelville Canada 122 E5
Nogales Mex. 127 F7
Nogales U.S.A. 127 F7
Nōgata Japan 75 C6
Nogent-le-Rotrou France 56 E2
Nogent-sur-Oise France 52 C5
Noginsk Rus. Fed. 42 H5
Nogliki Rus. Fed. 74 F2
Nogoa r. Australia 110 E4
Nohar India 82 C3
Noheji Japan 74 F4
Nohfelden Germany 52 H5
Noida India 82 D3
Noirmoutier, Île de i. France 56 C3
Noirmoutier-en-l'Île France 56 C3
Noisseville France 52 G5
Nokhowch, Kūh-e mt. Iran 89 F5
Nõkis Uzbek. see Nukus
Nok Kundi Pak. 89 F4
Nokomis Canada 121 J5
Nokomis Lake Canada 121 K3
Nokou Chad 97 E3
Nokrek Peak India 83 G4
Nola Cent. Afr. Rep. 98 B3
Nolin River Lake U.S.A. 134 B5
Nolinsk Rus. Fed. 42 K4
No Mans Land i. U.S.A. 135 J3
Nome U.S.A. 118 B3
Nomgon Mongolia 72 J4
Nomhon China 80 I4
Nomoi Islands Micronesia see Mortlock Islands
Nomonde S. Africa 101 H6
Nomzha Rus. Fed. 42 I4
Nonacho Lake Canada 121 I2
Nondweni S. Africa 101 J5
Nong'an China 74 B3
Nông Hèt Laos 70 D3
Nonghui China see Guang'an
Nong Khai Thai. 70 C3
Nongoma S. Africa 101 J4
Nongstoin India 83 G4
Nonidas Namibia 100 B2
Nonni r. China see Nen Jiang
Nonning Australia 111 B7
Nonnweiler Germany 52 G5
Nonoava Mex. 127 G8
Nonouti atoll Kiribati 107 H2
Nonthaburi Thai. 71 C4
Nonzwakazi S. Africa 100 G6
Noolyeanna Lake salt flat Australia 111 B5
Noondie, Lake salt flat Australia 109 B7
Noonkanbah Australia 108 D4
Noonthorangee Range hills Australia 111 C6
Noorama Creek watercourse Australia 112 B1
Noordbeveland i. Neth. 52 D3
Noorderhaaks i. Neth. 52 E2
Noordoost Polder Neth. 52 F2
Noordwijk-Binnen Neth. 52 E2
Nootka Island Canada 120 E5
Nora r. Rus. Fed. 74 C2
Norak Tajik. 89 H2
Norak, Obanbori resr Tajik. 89 H2
Norala Phil. 69 G5
Noranda Canada 122 F4
Nor-Bayazet Armenia see Gavarr
Norberg Sweden 45 I6
Nord Greenland see Station Nord
Nord, Canal du France 52 D4
Nordaustlandet i. Svalbard 64 D2
Nordegg Canada 120 G4
Norden Germany 53 H1
Nordenshel'da, Arkhipelag is Rus. Fed. 64 K2
Nordenskjold Archipelago is Rus. Fed. see Nordenshel'da, Arkhipelag
Norderney Germany 53 H1
Norderstedt Germany 53 K1
Nordfjordeid Norway 44 D6
Nordfold Norway 44 I3
Nordfriesische Inseln Germany see North Frisian Islands
Nordhausen Germany 53 K3
Nordholz Germany 53 I1
Nordhorn Germany 52 H2
Nordkapp c. Norway see North Cape
Nordkinnhalvøya i. Norway 44 O1
Nordkjosbotn Norway 44 K2
Nordli Norway 44 H4
Nördlingen Germany 53 K6
Nordmaling Sweden 44 K5
Nord- og Østgrønland, Nationalparken i nat. park Greenland 119 O2

▶Nordøstrundingen c. Greenland 153 I1
Most easterly point of North America.

Nord-Ostsee-Kanal Germany see Kiel Canal
Norðoyar i. Faroe Is 40 E3
Nord-Pas-de-Calais admin. reg. France 52 C4
Nordpfälzer Bergland reg. Germany 53 H5
Nordre Strømfjord inlet Greenland see Nassuttooq
Nordrhein-Westfalen land Germany 53 H3
Nordvik Rus. Fed. 65 M2
Nore r. Ireland 51 F5
Nore, Pic de mt. France 56 F5
Noreg country Europe see Norway
Norfolk NE U.S.A. 130 D3
Norfolk NY U.S.A. 135 H1
Norfolk VA U.S.A. 135 G5

▶Norfolk Island terr. S. Pacific Ocean 107 G4
Territory of Australia.

Norfolk Island Ridge sea feature Tasman Sea 150 H7
Norfork Lake U.S.A. 131 E4
Norg Neth. 52 G1
Norge country Europe see Norway
Norheimsund Norway 45 E6
Noril'sk Rus. Fed. 64 J3
Norkyung China 83 G3
Norland Canada 135 F1
Norma Co l. China 83 G2
Norman U.S.A. 131 D5
Norman, Lake resr U.S.A. 132 D5
Normanby Island P.N.G. 110 E1
Normandes, Îles is English Chan. see Channel Islands
Normandia Brazil 143 G3
Normandie reg. France see Normandy
Normandie, Collines de hills France 56 D2
Normandy reg. France 56 D2
Normanton Australia 110 C3
Norquay Canada 121 K5
Ñorquinco Arg. 144 B6
Norra Kvarken strait Fin./Sweden 44 L5
Norra Storfjället mts Sweden 44 I4
Norrent-Fontes France 52 C4
Norris Lake U.S.A. 134 D5
Norristown U.S.A. 135 H3
Norrköping Sweden 45 J7
Norrtälje Sweden 45 K7
Norseman Australia 109 C8
Norsjö Sweden 44 K4
Norsk Rus. Fed. 74 C1
Norsup Vanuatu 107 G3
Norte, Punta pt Arg. 144 E5
Norte, Serra do hills Brazil 143 G6
Nortelândia Brazil 143 G6
Nörten-Hardenberg Germany 53 J3
North, Cape Antarctica 152 H2
North, Cape Canada 123 J5
Northallerton U.K. 48 F4
Northam Australia 109 B7
Northampton Australia 106 B4
Northampton U.K. 49 G6
Northampton MA U.S.A. 135 I2
Northampton PA U.S.A. 135 H3
North Andaman i. India 71 A4
North Anna r. U.S.A. 135 G5
North Arm b. Canada 120 H2
North Atlantic Ocean Atlantic Ocean 125 O4
North Augusta U.S.A. 133 D5
North Aulatsivik Island Canada 123 J2
North Australian Basin sea feature Indian Ocean 149 P6
North Baltimore U.S.A. 134 D3
North Battleford Canada 121 I4
North Bay Canada 122 F5
North Belcher Islands Canada 122 F2
North Berwick U.K. 50 G4
North Berwick U.S.A. 135 J2
North Bourke Australia 112 B3
North Branch U.S.A. 130 E2
North Caicos i. Turks and Caicos Is 133
North Canton U.S.A. 134 E3
North Cape Canada 123 I5
North Cape Norway 44 N1
North Cape N.Z. 113 D2
North Cape U.S.A. 118 A4
North Caribou Lake Canada 121 N4
North Carolina state U.S.A. 132 E4
North Cascades National Park U.S.A. 126 C2
North Channel lake channel Canada 122
North Channel U.K. 51 G2
North Charleston U.S.A. 133 E5
North Chicago U.S.A. 134 B2
Northcliffe Glacier Antarctica 152 F2
North Collins U.S.A. 135 F2
North Concho r. U.S.A. 131 C6
North Conway U.S.A. 135 J1
North Dakota state U.S.A. 130 C2
North Downs hills U.K. 49 G7
North East U.S.A. 134 F2
Northeast Foreland c. Greenland see Nordøstrundingen
North-East Frontier Agency state India see Arunachal Pradesh
Northeast Pacific Basin sea feature N. Pacific Ocean 151 J4
Northeast Point Bahamas 133 F8
Northeast Providence Channel Bahamas 133 E7
North Edwards U.S.A. 128 E4
Northeim Germany 53 J3
Northern prov. S. Africa see Limpopo
Northern Areas admin. div. Pak. 89 I2
Northern Cape prov. S. Africa 100 D5
Northern Donets r. Rus. Fed./Ukr. see Severskiy Donets
Northern Dvina r. Rus. Fed. see Severnaya Dvina
Northern Indian Lake Canada 121 L3
Northern Ireland prov. U.K. 51 F3
Northern Lau Group is Fiji 107 I3
Northern Light Lake Canada 122 C4

▶Northern Mariana Islands terr. N. Pacific Ocean 69 K3
United States Commonwealth.

Northern Rhodesia country Africa see Zambia
Northern Sporades is Greece see Voreies Sporades
Northern Territory admin. div. Australia 106 D3
Northern Transvaal prov. S. Africa see Limpopo
North Esk r. U.K. 50 G4
Northfield MN U.S.A. 130 E2
Northfield VT U.S.A. 135 I1
North Foreland c. U.K. 49 I7
North Fork U.S.A. 128 D3
North Fork Pass Canada 118 E3
North French r. Canada 122 E4
North Frisian Islands Germany 47 L3
North Geomagnetic Pole (2008) Arctic Ocean 119 K1
North Grimston U.K. 48 G4
North Haven U.S.A. 135 I3
North Head hd N.Z. 113 E3
North Henik Lake Canada 121 L2
North Hero U.S.A. 135 I1
North Horr Kenya 98 D3
North Island India 84 B4

▶North Island N.Z. 113 D4
3rd largest island in Oceania.

North Jadito Canyon gorge U.S.A. 129 H4
North Judson U.S.A. 134 B3
North Kingsville U.S.A. 134 E3
North Knife r. Canada 121 M3
North Knife Lake Canada 121 L3
North Korea country Asia 75 B5
North Lakhimpur India 83 H4
North Las Vegas U.S.A. 129 F3
North Little Rock U.S.A. 131 E5
North Loup r. U.S.A. 130 D3
North Luangwa National Park Zambia 99 D5

orth Maalhosmadulu Atoll Maldives 84 B5
orth Magnetic Pole (2008) Arctic Ocean 153 A1
orth Malosmadulu Atoll Maldives see North Maalhosmadulu Atoll
orth Mam Peak U.S.A. 129 J2
orth Muskegon U.S.A. 134 B2
orth Palisade mt. U.S.A. 128 D3
orth Perry U.S.A. 134 E3
orth Platte U.S.A. 130 C3
orth Platte r. U.S.A. 130 C3
orth Pole Arctic Ocean 153 I1
orth Port U.S.A. 133 D7
orth Reef Island India 71 A4
orth Rhine - Westphalia land Germany see Nordrhein-Westfalen
orth Rim U.S.A. 129 G3
orth Rona i. U.K. see Rona
orth Ronaldsay i. U.K. 50 G1
orth Ronaldsay Firth sea chan. U.K. 50 G1
orth Saskatchewan r. Canada 121 J4
orth Schell Peak U.S.A. 129 F2
orth Sea Europe 46 H2
orth Seal r. Canada 121 L3
orth Sentinel Island India 71 A5
orth Shields U.K. 48 F3
orth Shoal Lake Canada 121 L5
orth Shoshone Peak U.S.A. 128 E2
orth Siberian Lowland Rus. Fed. 64 L2
orth Simlipal National Park India 83 F5
orth Sinai governorate Egypt see Shamāl Sīnā'
orth Slope plain U.S.A. 118 D3
orth Somercotes U.K. 48 H5
orth Spirit Lake Canada 121 M4
orth Stradbroke Island Australia 112 F1
orth Sunderland U.K. 48 F3
orth Syracuse U.S.A. 135 G2
orth Taranaki Bight b. N.Z. 113 E4
orth Terre Haute U.S.A. 134 B4
orthton U.K. 50 B3
orth Tonawanda U.S.A. 135 F2
orth Trap reef N.Z. 113 A8
orth Troy U.S.A. 135 I1
orth Tyne r. U.K. 48 E4
orth Uist i. U.K. 50 B3
orthumberland National Park U.K. 48 E3
orthumberland Strait Canada 123 I5
orth Vancouver Canada 120 F5
orth Vernon U.S.A. 134 C4
orthville U.S.A. 135 H2
orth Wabasca Lake Canada 120 H3
orth Walsham U.K. 49 I6
orthway Junction U.S.A. 120 A2
orth West prov. S. Africa 100 G4
orthwest Atlantic Mid-Ocean Channel N. Atlantic Ocean 148 E1
orth West Cape Australia 108 A5
orth West Frontier prov. Pak. 89 H3
orth West Nelson Forest Park nat. park N.Z. see Kahurangi National Park
orthwest Pacific Basin sea feature N. Pacific Ocean 150 G3
orthwest Providence Channel Bahamas 133 E7
orth West River Canada 123 K3
orthwest Territories admin. div. Canada 120 J2
orthwich U.K. 48 E5
orth Wildwood U.S.A. 135 H4
orth Windham U.S.A. 135 J2
orthwind Ridge sea feature Arctic Ocean 153 B1
orthwood U.S.A. 135 J2
orth York Canada 134 F2
orth York Moors moorland U.K. 48 G4
orth York Moors National Park U.K. 48 G4
orton U.K. 48 G4
orton KS U.S.A. 130 D4
orton VA U.S.A. 134 D5
orton VT U.S.A. 135 I1
orton de Matos Angola see Balombo
orton Shores U.S.A. 134 B2
orton Sound sea chan. U.S.A. 118 B3
ortonville U.S.A. 134 B5
orvegia, Cape Antarctica 152 B2
orwalk CT U.S.A. 135 I3
orwalk OH U.S.A. 134 D3
orway country Europe 44 E6
orway U.S.A. 135 J1
orway House Canada 121 L4
orwegian Basin sea feature N. Atlantic Ocean 148 H1
orwegian Bay Canada 119 I2
orwegian Sea N. Atlantic Ocean 153 H2
orwich Canada 134 E2
orwich U.K. 49 I6
orwich CT U.S.A. 135 I3
orwich NY U.S.A. 135 H2
orwood CO U.S.A. 129 I2
orwood NY U.S.A. 135 H1
orwood OH U.S.A. 134 C4
ose Lake Canada 121 I1
oshiro Japan 75 F4
osovaya Rus. Fed. 42 L1
oşratābād Iran 89 E4
oss, Isle of i. U.K. 50 [inset]
ossebro Sweden 45 H7
ossen Germany 53 N3
ossob watercourse Africa 100 D2 also known as Nosop
ossob watercourse Africa 100 D2 also known as Nossob
otakwanon r. Canada 123 J2
otch Peak U.S.A. 129 G2
oteć r. Poland 47 O4
otikewin r. Canada 120 G3
oto, Golfo di g. Sicily Italy 58 F6
otodden Norway 45 F7
oto-hantō pen. Japan 75 E5
otre-Dame, Monts mts Canada 123 H5
otre Dame Bay Canada 123 L4
otre-Dame-de-Koartac Canada see Quaqtaq
ottawasaga Bay Canada 134 E1
ottaway r. Canada 122 F4
ottingham U.K. 49 F6
ottingham Island Canada 119 K3
ottoway r. U.S.A. 135 G5

Nottuln Germany 53 H3
Notukeu Creek r. Canada 121 J5
Nouabalé-Ndoki, Parc National nat. park Congo 98 B3
Nouâdhibou Mauritania 96 B2
Nouâdhibou, Râs c. Mauritania 96 B2

▶Nouakchott Mauritania 96 B3
Capital of Mauritania.

Nouâmghâr Mauritania 96 B3
Nouei Vietnam 70 D4

▶Nouméa New Caledonia 107 G4
Capital of New Caledonia.

Nouna Burkina 96 C3
Noupoort S. Africa 100 G6
Nousu Fin. 44 P3
Nouveau-Brunswick prov. Canada see New Brunswick
Nouveau-Comptoir Canada see Wemindji
Nouvelle Calédonie i. S. Pacific Ocean 107 G4
Nouvelle Calédonie terr. S. Pacific Ocean see New Caledonia
Nouvelle-France, Cap de c. Canada 119 K3
Nouvelles Hébrides country S. Pacific Ocean see Vanuatu
Nova América Brazil 145 A1
Nova Chaves Angola see Muconda
Nova Freixa Moz. see Cuamba
Nova Friburgo Brazil 145 C3
Nova Gaia Angola see Cambundi-Catembo
Nova Goa India see Panaji
Nova Gradiška Croatia 58 G2
Nova Iguaçu Brazil 145 C3
Nova Kakhovka Ukr. 59 O1
Nova Lima Brazil 145 C2
Nova Lisboa Angola see Huambo
Novalukoml' Belarus 43 F5
Nova Mambone Moz. 99 D6
Nova Nabúri Moz. 99 D5
Nova Odesa Ukr. 43 F7
Nova Paraiso Brazil 142 F3
Nova Pilão Arcado Brazil 143 J5
Nova Ponte Brazil 145 B2
Nova Ponte, Represa resr Brazil 145 B2
Novara Italy 58 C2
Nova Roma Brazil 145 B1
Nova Scotia prov. Canada 123 I6
Nova Sento Sé Brazil 143 J5
Novato U.S.A. 128 B2
Nova Trento Brazil 145 A4
Nova Venécia Brazil 145 C2
Nova Xavantino Brazil 143 H6
Novaya Kakhovka Ukr. see Nova Kakhovka
Novaya Kazanka Kazakh. 41 P6
Novaya Ladoga Rus. Fed. 42 G3
Novaya Lyalya Rus. Fed. 41 S4
Novaya Odessa Ukr. see Nova Odesa
Novaya Sibir', Ostrov i. Rus. Fed. 65 P2
Novaya Ussura Rus. Fed. 74 E2

▶Novaya Zemlya is Rus. Fed. 64 G2
3rd largest island in Europe.

Nova Zagora Bulg. 59 L3
Novelda Spain 57 F4
Nové Zámky Slovakia 47 Q7
Novgorod Rus. Fed. see Velikiy Novgorod
Novgorod-Severskiy Ukr. see Novhorod-Sivers'kyy
Novgorod-Volynskiy Ukr. see Novohrad-Volyns'kyy
Novhorod-Sivers'kyy Ukr. 43 G6
Novi Grad Bos.-Herz. see Bosanski Novi
Novi Iskŭr Bulg. 59 J3
Novikovo Rus. Fed. 74 F3
Novi Kritsim Bulg. see Stamboliyski
Novi Ligure Italy 58 C2
Novi Pazar Bulg. 59 L3
Novi Pazar Serbia 59 I3
Novi Sad Serbia 59 H2
Novo Acre Brazil 145 C1
Novoalekseyevka Kazakh. see Khobda
Novoaltaysk Rus. Fed. 72 E2
Novoanninskiy Rus. Fed. 43 I6
Novo Aripuanã Brazil 142 F5
Novoazovs'k Ukr. 43 H7
Novocheboksarsk Rus. Fed. 42 J4
Novocherkassk Rus. Fed. 43 I7
Novo Cruzeiro Brazil 145 C2
Novodugino Rus. Fed. 42 G5
Novodvinsk Rus. Fed. 42 I2
Novoekonomicheskoye Ukr. see Dymytrov
Novogeorgiyevka Rus. Fed. 74 B2
Novogrudok Belarus see Navahrudak
Novo Hamburgo Brazil 145 A5
Novohradské hory mts Czech Rep. 47 O6
Novohrad-Volyns'kyy Ukr. 43 E6
Novokhopersk Rus. Fed. 43 I6
Novokiyevskiy Uval Rus. Fed. 74 C2
Novokubansk Rus. Fed. 91 F1
Novokubanskiy Rus. Fed. see Novokubansk
Novokuybyshevsk Rus. Fed. 43 K5
Novokuznetsk Rus. Fed. 72 F2
Novolazarevskaya research station Antarctica 152 C2
Novolukoml' Belarus see Novalukoml'
Novo Mesto Slovenia 58 F2
Novomikhaylovskiy Rus. Fed. 90 E1
Novomoskovsk Rus. Fed. 43 H5
Novomoskovs'k Ukr. 43 G6
Novonikolayevsk Rus. Fed. see Novosibirsk
Novonikolayevskiy Rus. Fed. 43 I6
Novooleksiyivka Ukr. 43 G7
Novopashiyskiy Rus. Fed. see Gornozavodsk
Novopokrovka Rus. Fed. 74 D3
Novopokrovskaya Rus. Fed. 43 I7
Novopolotsk Belarus see Navapolatsk
Novopskov Ukr. 43 H6
Novo Redondo Angola see Sumbe
Novorossiyka Rus. Fed. 74 C1
Novorossiysk Rus. Fed. 90 E1
Novorybnaya Rus. Fed. 65 L2
Novorzhev Rus. Fed. 42 F4
Novoselovo Rus. Fed. 72 G1

Novoselskoye Rus. Fed. see Achkhoy-Martan
Novosel'ye Rus. Fed. 45 P7
Novosergiyevka Rus. Fed. 41 Q5
Novoshakhtinsk Rus. Fed. 43 H7
Novosheshminsk Rus. Fed. 42 K5
Novosibirsk Rus. Fed. 64 J4
Novosibirskiye Ostrova is Rus. Fed. see New Siberia Islands
Novosil' Rus. Fed. 43 H5
Novosokol'niki Rus. Fed. 42 F4
Novospasskoye Rus. Fed. 43 J5
Novotroyits'ke Ukr. 43 G7
Novoukrainka Ukr. see Novoukrayinka
Novoukrayinka Ukr. 43 F6
Novouzensk Rus. Fed. 43 K6
Novovolyns'k Ukr. 43 E6
Novovoronezh Rus. Fed. 43 H6
Novovoronezhskiy Rus. Fed. see Novovoronezh
Novovoskresenovka Rus. Fed. 74 B1
Novozybkov Rus. Fed. 43 F5
Nový Jičín Czech Rep. 47 P6
Novyy Afon Georgia see Akhali Ap'oni
Novyy Bor Rus. Fed. 42 L2
Novyy Donbass Ukr. see Dymytrov
Novyye Petushki Rus. Fed. see Petushki
Novyy Kholmogory Rus. Fed. see Archangel
Novyy Margelan Uzbek. see Farg'ona
Novyy Nekouz Rus. Fed. 42 H4
Novyy Oskol Rus. Fed. 43 H6
Novyy Port Rus. Fed. 64 I3
Novyy Urengoy Rus. Fed. 64 I3
Novyy Urgal Rus. Fed. 74 D2
Novyy Uzen' Kazakh. see Zhanaozen
Novyy Zay Rus. Fed. 42 L5
Now Iran 88 D4
Nowabganj Bangl. see Nawabganj
Nowata U.S.A. 131 E4
Nowdī Iran 88 C2
Nowgong India see Nagaon
Now Kharegan Iran 88 D2
Nowleye Lake Canada 121 K2
Nowogard Poland 47 O4
Noworadomsk Poland see Radomsko
Nowra Australia 112 E5
Nowrangapur India see Nabarangapur
Nowshera Pak. 89 I3
Nowyak Lake Canada 121 L2
Nowy Sącz Poland 47 R6
Nowy Targ Poland 47 R6
Noxen U.S.A. 135 G3
Noy, Xé r. Laos 70 D3
Noyabr'sk Rus. Fed. 64 I3
Noyes Island U.S.A. 120 C4
Noyon France 52 C5
Noyon Mongolia 80 J3
Nozizwe S. Africa 101 G6
Nqamakwe S. Africa 101 H7
Nqutu S. Africa 101 J5
Nsanje Malawi 99 D5
Nsombo Zambia 99 C5
Nsukka Nigeria 96 D4
Nsumbu National Park Zambia see Sumbu National Park
Ntambu Zambia 99 C5
Ntha S. Africa 101 H4
Ntoro, Kavo pt Greece 59 K5
Ntoum Gabon 98 A3
Ntungamo Uganda 98 D4
Nuanetsi Zimbabwe see Mwenezi
Nu'aym reg. Oman 88 D6
Nuba Mountains Sudan 86 D7
Nubian Desert Sudan 86 D5
Nudo Coropuna mt. Peru 142 D7
Nueces r. U.S.A. 131 D7
Nueltin Lake Canada 121 L2
Nueva Ciudad Guerrero Mex. 131 D7
Nueva Gerona Cuba 137 H4
Nueva Harberton Arg. 144 C8
Nueva Imperial Chile 144 B5
Nueva Loja Ecuador see Lago Agrio
Nueva Rosita Mex. 131 C7
Nueva San Salvador El Salvador 136 G6
Nueva Villa de Padilla Mex. 131 D7
Nueve de Julio Arg. see 9 de Julio
Nuevitas Cuba 137 I4
Nuevo, Golfo g. Arg. 144 D6
Nuevo Casas Grandes Mex. 127 G7
Nuevo Ideal Mex. 131 B7
Nuevo Laredo Mex. 131 D7
Nuevo León Mex. 129 F5
Nuevo León state Mex. 131 D7
Nuevo Rocatuerte Ecuador 142 C4
Nugaal watercourse Somalia 98 E3
Nugget Point N.Z. 113 B8
Nugur India 84 D2
Nuguria Islands P.N.G. 106 F2
Nuh, Ras pt Pak. 89 F5
Nuhaka N.Z. 113 F4
Nui atoll Tuvalu 107 H2
Nui Con Voi r. Vietnam see Red
Nuiqsut U.S.A. 118 C2
Nui Thanh Vietnam 70 E4
Nui Ti On mt. Vietnam 70 D4
Nujiang China 76 C2
Nu Jiang r. China/Myanmar see Salween
Nukey Bluff hill Australia 111 A7
Nukha Azer. see Şäki

▶Nuku'alofa Tonga 107 I4
Capital of Tonga.

Nukufetau atoll Tuvalu 107 H2
Nukuhiva i. Fr. Polynesia see Nuku Hiva
Nuku Hiva i. Fr. Polynesia 151 K6
Nukuhu P.N.G. 69 L8
Nukulaelae atoll Tuvalu 107 H2
Nukulailai atoll Tuvalu see Nukulaelae
Nukumanu Islands P.N.G. 107 F2
Nukunau i. Kiribati see Nikunau
Nukunono atoll Tokelau see Nukunonu
Nukunonu atoll Tokelau 107 I2
Nukus Uzbek. 80 A3
Nulato U.S.A. 118 C3
Nullagine Australia 108 C5
Nullarbor Australia 109 E7
Nullarbor National Park Australia 109 E7
Nullarbor Plain Australia 109 E7
Nullarbor Regional Reserve park Australia 109 E7
Nuluarniavik, Lac l. Canada 122 F2

Nulu'erhu Shan mts China 73 L4
Num i. Indon. 69 J7
Numalla, Lake salt flat Australia 112 B2
Numan Nigeria 98 B3
Numanuma P.N.G. 110 E1
Numazu Japan 75 E6
Numbulwar Australia 110 A2
Numedal valley Norway 45 F6
Numfoor i. Indon. 69 I7
Numin He r. China 74 B3
Numurkah Australia 112 B6
Nunaksaluk Island Canada 123 J3
Nunakuluut i. Greenland 119 N3
Nunap Isua c. Greenland see Farewell, Cape
Nunarsuit i. Greenland see Nunakuluut
Nunavik reg. Canada 122 G1
Nunavut admin. div. Canada 121 L2
Nunda U.S.A. 135 G2
Nundle Australia 112 E3
Nuneaton U.K. 49 F6
Nungba India 83 H4
Nungesser Lake Canada 121 M5
Nungnain Sum China 73 L3
Nunivak Island U.S.A. 118 B4
Nunkapasi India 84 E1
Nunkun mt. India 82 D2
Nunligran Rus. Fed. 65 T3
Nuñomoral Spain 57 C3
Nunspeet Neth. 52 F2
Nuojiang China see Tongjiang
Nuoro Sardinia Italy 58 C4
Nupani i. Solomon Is 107 G3
Nuqrah Saudi Arabia 86 F4
Nur r. Iran 88 D2
Nūrābād Iran 88 C4
Nurakita i. Tuvalu see Niulakita
Nurata Uzbek. see Nurota
Nur Dağları mts Turkey 85 B1
Nurek Tajik. see Norak
Nurek Reservoir Tajik. see Norak, Obanbori
Nurekskoye Vodokhranilishche resr Tajik. see Norak, Obanbori
Nuremberg Germany 53 L5
Nuri Mex. 127 F7
Nurla India 82 D2
Nurlat Rus. Fed. 43 K5
Nurmes Fin. 44 P5
Nurmo Fin. 44 M5
Nürnberg Germany see Nuremberg
Nurota Uzbek. 80 C3
Nurri, Mount hill Australia 112 C3
Nusawulan Indon. 69 I7
Nusaybin Turkey 91 F3
Nu Shan mts China 76 C3
Nushki Pak. 89 G4
Nusratiye Turkey 85 D1
Nutak Canada 123 J2
Nutarawit Lake Canada 121 L2
Nutrioso U.S.A. 129 I5
Nuttal Pak. 89 H4
Nutwood Downs Australia 108 F3
Nutzotin Mountains U.S.A. 120 A2

▶Nuuk Greenland 119 M3
Capital of Greenland.

Nuupas Fin. 44 O3
Nuussuaq Greenland 119 M2
Nuussuaq pen. Greenland 119 M2
Nuwaybi' al Muzayyinah Egypt 90 D5
Nuweiba el Muzeina Egypt see Nuwaybi' al Muzayyinah
Nuwerus S. Africa 100 D6
Nuweveldberge mts S. Africa 100 E7
Nuyts, Point Australia 109 B8
Nuyts Archipelago is Australia 109 F8
Nuzvid India 84 D2
Nwanedi Nature Reserve S. Africa 101 J2
Nxai Pan National Park Botswana 99 C5
Nyagan' Rus. Fed. 41 T3
Nyagquka China see Yajiang
Nyagrong China see Xinlong
Nyahururu Kenya 98 D3
Nyah West Australia 112 A5
Nyainqêntanglha Feng mt. China 83 G3
Nyainqêntanglha Shan mts China 83 G3
Nyainrong China 76 B1
Nyainronglung China see Nyainrong
Nyåker Sweden 44 K5
Nyakh Rus. Fed. see Nyagan'
Nyaksimvol' Rus. Fed. 41 S3
Nyala Sudan 97 F3
Nyalam China see Congdü
Nyalikungu Tanz. see Maswa
Nyamandhiovu Zimbabwe 99 C5
Nyamtumbo Tanz. 99 D5
Nyande Zimbabwe see Masvingo
Nyandoma Rus. Fed. 42 I3
Nyandomskiy Vozvyshennost' hills Rus. Fed. 42 H3
Nyanga Congo 98 B4
Nyanga Zimbabwe 99 D5
Nyangbo China 76 B2
Nyarling r. Canada 120 H2

▶Nyasa, Lake Africa 99 D4
3rd largest lake in Africa, and 9th in the world.

Nyasaland country Africa see Malawi
Nyashabozh Rus. Fed. 42 L2
Nyasvizh Belarus 45 O10
Nyaungdon Myanmar see Yandoon
Nyaunglebin Myanmar 70 B3
Nyborg Denmark 45 G9
Nyborg Norway 44 P1
Nybro Sweden 45 I8
Nyeboe Land reg. Greenland 119 M1
Nyêmo China 83 G3
Nyenchen Tanglha Range mts China see Nyainqêntanglha Shan
Nyeri Kenya 98 D4
Nyi, Co l. China 83 F2
Nyika National Park Zambia 99 D5
Nyima China 83 F3
Nyimba Zambia 99 D5
Nyingchi China 76 B2
Nyinma China see Maqu
Nyíregyháza Hungary 43 D7
Nyiru, Mount Kenya 98 D3

Nykarleby Fin. 44 M5
Nykøbing Denmark 45 G9
Nykøbing Sjælland Denmark 45 G9
Nyköping Sweden 45 J7
Nyland Sweden 44 J5
Nylsvley nature res. S. Africa 101 I3
Nymagee Australia 112 C4
Nymboida National Park Australia 112 F2
Nynäshamn Sweden 45 J7
Nyngan Australia 112 C3
Nyogzê China 83 E3
Nyoman r. Belarus/Lith. 45 M10 also known as Neman or Nemunas
Nyon Switz. 56 H3
Nyons France 56 G4
Nýřany Czech Rep. 53 N5
Nyrob Rus. Fed. 41 R3
Nysa Poland 47 P5
Nysh Rus. Fed. 74 F2
Nyssa U.S.A. 126 D4
Nystad Fin. see Uusikaupunki
Nytva Rus. Fed. 41 R4
Nyuksenitsa Rus. Fed. 42 J3
Nyunzu Dem. Rep. Congo 99 C4
Nyurba Rus. Fed. 65 M3
Nyyskiy Zaliv lag. Rus. Fed. 74 F1
Nzambi Congo 98 B4
Nzega Tanz. 99 D4
Nzérékoré Guinea 96 C4
N'zeto Angola 99 B4
Nzwani i. Comoros 99 E5

Oahe, Lake U.S.A. 130 C2
O'ahu i. U.S.A. 127 [inset]
Oaitupu i. Tuvalu see Vaitupu
Oak Bluffs U.S.A. 135 J3
Oak City U.S.A. 129 G2
Oak Creek U.S.A. 129 J1
Oakdale U.S.A. 131 E6
Oakes U.S.A. 130 D2
Oakey Australia 112 E1
Oak Grove KY U.S.A. 134 B5
Oak Grove LA U.S.A. 131 F5
Oak Grove MI U.S.A. 134 C1
Oakham U.K. 49 G6
Oak Harbor U.S.A. 134 D3
Oak Hill OH U.S.A. 134 D4
Oak Hill WV U.S.A. 134 E5
Oakhurst U.S.A. 128 D3
Oak Lake Canada 121 K5
Oakland CA U.S.A. 128 B3
Oakland MD U.S.A. 134 F4
Oakland ME U.S.A. 135 K1
Oakland NE U.S.A. 130 D3
Oakland OR U.S.A. 126 C4
Oakland airport U.S.A. 128 B3
Oakland City U.S.A. 134 B4
Oaklands Australia 112 C5
Oak Lawn U.S.A. 134 B3
Oakley U.S.A. 130 C4
Oakover r. Australia 108 C5
Oak Park IL U.S.A. 134 B3
Oak Park MI U.S.A. 134 C2
Oak Park Reservoir U.S.A. 129 I1
Oakridge U.S.A. 126 C4
Oak Ridge U.S.A. 132 C4
Oakvale Australia 111 C7
Oak View U.S.A. 128 D4
Oakville Canada 134 F2
Oakwood OH U.S.A. 134 C3
Oakwood TN U.S.A. 134 B5
Oamaru N.Z. 113 C7
Oaro N.Z. 113 D6
Oasis CA U.S.A. 128 E3
Oasis NV U.S.A. 126 E4
Oates Coast reg. Antarctica see Oates Land
Oates Land reg. Antarctica 152 H2
Oaxaca Mex. 136 E5
Oaxaca de Juárez Mex. see Oaxaca

▶Ob' r. Rus. Fed. 72 E2
Part of the Ob'-Irtysh, the 2nd longest river in Asia.

Ob, Gulf of sea chan. Rus. Fed. see Obskaya Guba
Oba Canada 122 D4
Oba i. Vanuatu see Aoba
Obala Cameroon 96 E4
Obama Japan 75 D6
Oban U.K. 50 D4
O Barco Spain 57 C2
Obbia Somalia see Hobyo
Obdorsk Rus. Fed. see Salekhard
Óbecse Serbia see Bečej
Obed Canada 120 G4
Oberaula Germany 53 J4
Oberdorla Germany 53 K3
Oberhausen Germany 52 G3
Oberlin KS U.S.A. 130 C4
Oberlin LA U.S.A. 131 E6
Oberlin OH U.S.A. 134 D3
Obermoschel Germany 53 H5
Oberon Australia 112 D4
Oberpfälzer Wald mts Germany 53 M5
Obersinn Germany 53 J4
Oberthulba Germany 53 J4
Obertshausen Germany 53 I4
Oberwälder Land reg. Germany 53 J3
Obi i. Indon. 69 H7
Óbidos Brazil 143 G4
Obihiro Japan 74 F4
Obil'noye Rus. Fed. 43 J7

▶Ob'-Irtysh r. Rus. Fed. 64 H3
2nd longest river in Asia, and 5th in the world.

Obluch'ye Rus. Fed. 74 C2
Obninsk Rus. Fed. 43 H5
Obo Cent. Afr. Rep. 98 C3
Obock Djibouti 86 F7
Ŏbŏk N. Korea 74 C4
Obokote Dem. Rep. Congo 98 C4
Obo Liang China 80 H4
Obouya Congo 98 B4
Oboyan' Rus. Fed. 43 H6

Obozerskiy Rus. Fed. 42 I3
Obregón, Presa resr Mex. 127 F8
Obrenovac Serbia 59 I2
Obruk Turkey 90 D3
Observatory Hill hill Australia 109 F7
Obshchiy Syrt hills Rus. Fed. 41 Q5
Obskaya Guba sea chan. Rus. Fed. 64 I3
Obuasi Ghana 96 C4
Ob"yachevo Rus. Fed. 42 K3
Ocala U.S.A. 133 D6
Ocampo Mex. 131 C7
Ocaña Col. 142 D2
Ocaña Spain 57 E4
Occidental, Cordillera mts Chile 142 E7
Occidental, Cordillera mts Col. 142 C3
Occidental, Cordillera mts Peru 142 D7
Oceana U.S.A. 134 E5
Ocean Cay i. Bahamas 133 E7
Ocean City MD U.S.A. 135 H4
Ocean City NJ U.S.A. 135 H4
Ocean Falls Canada 120 E4
Ocean Island Kiribati see Banaba
Ocean Island atoll U.S.A. see Kure Atoll
Oceanside U.S.A. 128 E5
Ocean Springs U.S.A. 131 F6
Ochakiv Ukr. 59 N1
Och'amch'ire Georgia 91 F2
Ocher Rus. Fed. 41 Q4
Ochiishi-misaki pt Japan 74 G4
Ochil Hills U.K. 50 F4
Ochrida, Lake Albania/Macedonia see Ohrid, Lake
Ochsenfurt Germany 53 K5
Ochtrup Germany 53 H2
Ocilla U.S.A. 133 D6
Ockelbo Sweden 45 J6
Ocolaşul Mare, Vârful mt. Romania 59 K1
Oconomowoc U.S.A. 134 A2
Oconto U.S.A. 134 B1
Octeville-sur-Mer France 49 H9
October Revolution Island Rus. Fed. see Oktyabr'skoy Revolyutsii, Ostrov
Ocussi enclave East Timor 108 D2
Ocussi-Ambeno enclave East Timor see Ocussi
Oda, Jebel mt. Sudan 86 E5
Ódáðahraun lava field Iceland 44 [inset]
Ŏdaejin N. Korea 74 C4
Odae-san National Park S. Korea 75 C5
Ōdate Japan 75 F4
Odawara Japan 75 E6
Odda Norway 45 E6
Odei r. Canada 121 L3
Odell U.S.A. 134 B3
Odem U.S.A. 131 D7
Odemira Port. 57 B5
Ödemiş Turkey 59 L5
Ödenburg Hungary see Sopron
Odense Denmark 45 G9
Odenwald reg. Germany 53 I5
Oder r. Germany 53 J3 also known as Odra (Poland)
Oderbucht b. Germany 47 O3
Oder-Havel-Kanal canal Germany 53 N2
Ödeshog Sweden 45 I7
Odessa Ukr. 59 N1
Odessa TX U.S.A. 131 C6
Odessa WA U.S.A. 126 D3
Odessus Bulg. see Varna
Odiel r. Spain 57 C5
Odienné Côte d'Ivoire 96 C4
Odintsovo Rus. Fed. 42 H5
Ŏdôngk Cambodia 71 D5
Odra r. Germany/Pol. 47 Q6 also known as Oder (Germany)
Odzala, Parc National d' nat. park Congo 98 B3
Oea Libya see Tripoli
Oé-Cusse enclave East Timor see Ocussi
Oecussi enclave East Timor see Ocussi
Oeiras Brazil 143 J5
Oekussi enclave East Timor see Ocussi
Oelsnitz Germany 53 M4
Oenkerk Neth. 52 F1
Oenpelli Australia 108 F3
Oesel i. Estonia see Hiiumaa
Oeufs, Lac des l. Canada 123 G3
Of Turkey 91 F2
O'Fallon r. U.S.A. 126 G3
Ofanto r. Italy 58 G4
Ofaqim Israel 85 B4
Offa Nigeria 96 D4
Offenbach am Main Germany 53 I4
Offenburg Germany 47 K6
Oga Japan 75 E5
Ogadēn reg. Eth. 98 E3
Oga-hantō pen. Japan 75 E5
Ōgaki Japan 75 E6
Ogallala U.S.A. 130 C3
Ogasawara-shotō is Japan see Bonin Islands
Ogbomosho Nigeria 96 D4
Ogbomoso Nigeria see Ogbomosho
Ogden IA U.S.A. 130 E3
Ogden UT U.S.A. 126 F4
Ogden, Mount Canada 120 C3
Ogdensburg U.S.A. 135 H1
Ogidaki Canada 122 D5
Ogilvie r. Canada 118 E3
Ogilvie Mountains Canada 118 D3
Oglethorpe, Mount U.S.A. 133 C5
Oglio r. Italy 58 D2
Oglongi Rus. Fed. 74 E1
Ogmore Australia 110 E4
Ogoamas, Gunung mt. Indon. 69 G6
Ogodzha Rus. Fed. 74 D1
Ogoja Nigeria 96 D4
Ogoki r. Canada 122 D4
Ogoki Lake Canada 130 G1
Ogoki Reservoir Canada 122 C4
Ogoron Rus. Fed. 74 C1
Ogosta r. Bulg. 59 J3
Ogre Latvia 45 N8
Ogulin Croatia 58 F2
Ogurchinskiy, Ostrov i. Turkm. see Ogurjaly Adasy
Ogurjaly Adasy i. Turkm. 88 D2
Oğuzeli Turkey 85 C1
Ohai N.Z. 113 A7
Ohakune N.Z. 113 E4
Ohanet Alg. 96 D2
Ōhata Japan 74 F4

Ohcejohka Fin. see Utsjoki
O'Higgins (Chile) research station Antarctica 152 A2
O'Higgins, Lago l. Chile 144 B7
Ohio r. U.S.A. 134 A5
Ohio state U.S.A. 134 D3
Ohm r. Germany 53 I4
Ohrdruf Germany 53 K4
Ohře r. Czech Rep. 53 N4
Ohre r. Germany 53 L2
Ohrid Macedonia 59 I4
Ohrid, Lake Albania/Macedonia 59 I4
Ohridsko Ezero l. Albania/Macedonia see Ohrid, Lake
Ohrigstad S. Africa 101 J3
Öhringen Germany 53 J5
Ohrit, Liqeni i l. Albania/Macedonia see Ohrid, Lake
Ohura N.Z. 113 E4
Oich r. U.K. 50 E3
Oiga China 76 B2
Oignies France 52 C4
Oil City U.S.A. 134 F3
Oise r. France 52 C6
Ōita Japan 75 C6
Oiti mt. Greece 59 J5
Ojai U.S.A. 128 D4
Ojalava i. Samoa see 'Upolu
Ojinaga Mex. 131 B6
Ojiya Japan 75 E5
Ojo Caliente U.S.A. 127 G5
Ojo de Laguna Mex. 127 G7

▶Ojos del Salado, Nevado mt. Arg./Chile 144 C3
2nd highest mountain in South America.

Oka r. Rus. Fed. 43 I4
Oka r. Rus. Fed. 72 I1
Okahandja Namibia 100 C1
Okahukura N.Z. 113 E4
Okakarara Namibia 99 B6
Okak Islands Canada 123 J2
Okanagan Lake Canada 120 G5
Okanda Sri Lanka 84 D5
Okano r. Gabon 98 B4
Okanogan U.S.A. 126 D2
Okanogan r. U.S.A. 126 D2
Okara Pak. 89 I4
Okarem Turkm. see Ekerem
Okataina vol. N.Z. see Tarawera, Mount
Okaukuejo Namibia 99 B5
Okavango r. Africa 99 C5

▶Okavango Delta swamp Botswana 99 C5
Largest oasis in the world.

Okavango Swamps Botswana see Okavango Delta
Okaya Japan 75 E5
Okayama Japan 75 D6
Okazaki Japan 75 E6
Okeechobee U.S.A. 133 D7
Okeechobee, Lake U.S.A. 133 D7
Okeene U.S.A. 131 D4
Okefenokee Swamp U.S.A. 133 D6
Okehampton U.K. 49 C8
Okemah U.S.A. 131 D5
Oker r. Germany 53 K2
Okha India 82 B5
Okha Rus. Fed. 74 F1
Okha Rann marsh India 82 B5
Okhotsk Rus. Fed. 65 P4
Okhotsk, Sea of Japan/Rus. Fed. 74 G3
Okhotskoye More sea Japan/Rus. Fed. see Okhotsk, Sea of
Okhtyrka Ukr. 43 G6
Okinawa i. Japan 75 B8
Okinawa-guntō is Japan see Okinawa-shotō
Okinawa-shotō is Japan 75 B8
Okino-Daitō-jima i. Japan 73 O8
Okino-Tori-shima i. Japan 73 P8
Oki-shotō is Japan 73 O5
Oki-shotō is Japan 75 D5
Okkan Myanmar 70 A3
Oklahoma state U.S.A. 131 D5

▶Oklahoma City U.S.A. 131 D5
Capital of Oklahoma.

Okmulgee U.S.A. 131 D5
Okolona KY U.S.A. 134 C4
Okolona MS U.S.A. 131 F5
Okondja Gabon 98 B4
Okovskiy Les for. Rus. Fed. 42 G5
Okoyo Congo 98 B4
Øksfjord Norway 44 M1
Oktemberyan Armenia see Armavir
Oktwin Myanmar 70 B3
Oktyabr' Kazakh. see Kandyagash
Oktyabr'sk Kazakh. see Kandyagash
Oktyabr'skiy Belarus see Aktsyabrski
Oktyabr'skiy Amurskaya Oblast' Rus. Fed. 74 C1
Oktyabr'skiy Arkhangel'skaya Oblast' Rus. Fed. 42 I3
Oktyabr'skiy Kamchatskaya Oblast' Rus. Fed. 65 Q4
Oktyabr'skiy Respublika Bashkortostan Rus. Fed. 41 Q5
Oktyabr'skiy Volgogradskaya Oblast' Rus. Fed. 43 I7
Oktyabr'skoye Rus. Fed. 41 T3
Oktyabr'skoy Revolyutsii, Ostrov i. Rus. Fed. 65 K2
Okulovka Rus. Fed. 42 G4
Okushiri-tō i. Japan 74 E4
Okusi enclave East Timor see Ocussi
Okuta Nigeria 96 D4
Okwa watercourse Botswana 100 G1
Ólafsvík Iceland 44 [inset]
Olakkur India 84 C3
Olancha U.S.A. 128 D3
Olancha Peak U.S.A. 128 D3
Öland i. Sweden 45 J8
Olary Australia 111 C7
Olathe CO U.S.A. 129 J2
Olathe KS U.S.A. 130 E4
Olavarría Arg. 144 D5
Oława Poland 47 P5
Olbernhau Germany 53 N4
Olbia Sardinia Italy 58 C4
Old Bahama Channel Bahamas/Cuba 133 E8
Old Bastar India 84 D2
Oldcastle Ireland 51 E4
Old Cork Australia 110 C4
Old Crow Canada 118 E3
Oldeboorn Neth. see Aldeboarn
Oldenburg Germany 53 I1
Oldenburg in Holstein Germany 47 M3
Oldenzaal Neth. 52 G2
Olderdalen Norway 44 L2
Old Forge U.S.A. 135 H2
Old Gidgee Australia 109 B6
Oldham U.K. 48 E5
Old Harbor U.S.A. 118 C4
Old Head of Kinsale hd Ireland 51 D6
Oldman r. Canada 120 I5
Oldmeldrum U.K. 50 G3
Old Perlican Canada 123 L5
Old River U.S.A. 128 D4
Olds Canada 120 H5
Old Speck Mountain U.S.A. 135 J1
Old Station U.S.A. 128 C1
Old Wives Lake Canada 121 J5
Olean U.S.A. 135 F2
Olecko Poland 47 S3
Olekma r. Rus. Fed. 65 N3
Olekminsk Rus. Fed. 65 N3
Olekminskiy Stanovik mts Rus. Fed. 73 M2
Oleksandrivs'k Ukr. see Zaporizhzhya
Oleksandriya Ukr. 43 G6
Ølen Norway 45 D7
Olenegorsk Rus. Fed. 44 R2
Olenek Rus. Fed. 65 M3
Olenek r. Rus. Fed. 65 M2
Olenek Bay Rus. Fed. see Olenekskiy Zaliv
Olenekskiy Zaliv b. Rus. Fed. 65 N2
Olenino Rus. Fed. 42 G4
Olenitsa Rus. Fed. 42 G2
Olenivs'ki Kar"yery Ukr. see Dokuchayevs'k
Olenya Rus. Fed. see Olenegorsk
Oleshky Ukr. see Tsyurupyns'k
Olevs'k Ukr. 43 E6
Ol'ga Rus. Fed. 74 D4
Olga, Lac l. Canada 122 F4
Olga, Mount Australia 109 E6
Ol'ginsk Rus. Fed. 74 D1
Olginskoye Rus. Fed. see Kochubeyevskoye
Ölgiy Mongolia 80 G2
Olhão Port. 57 C5
Olia Chain mts Australia 109 E6
Olifants r. Moz./S. Africa 101 J3 also known as Elefantes
Olifants watercourse Namibia 100 D3
Olifants S. Africa 101 J2
Olifants r. W. Cape S. Africa 100 D6
Olifants r. W. Cape S. Africa 100 E7
Olifantshoek S. Africa 100 F4
Olifantsrivierberge mts S. Africa 100 D7
Olimarao atoll Micronesia 69 L5
Olimbos hill Cyprus see Olympos
Olimbos mt. Greece see Olympus, Mount
Olimpos Beydağları Milli Parkı nat. park Turkey 59 N6
Olinda Brazil 143 L5
Olinga Moz. 99 D5
Olio Australia 110 C4
Oliphants Drift S. Africa 101 H3
Olisipo Port. see Lisbon
Oliva Spain 57 F4
Oliva, Cordillera de mts Arg./Chile 144 C3
Olivares, Cerro de mt. Arg./Chile 144 C4
Olive Hill U.S.A. 134 D4
Olivehurst U.S.A. 128 C2
Oliveira dos Brejinhos Brazil 145 C1
Olivença Moz. see Lupilichi
Olivenza Spain 57 C4
Oliver Lake Canada 121 K3
Olivet MI U.S.A. 134 C2
Olivet SD U.S.A. 130 D3
Olivia U.S.A. 130 E2
Ol'khovka Rus. Fed. 43 J6
Ollagüe Chile 144 C2
Ollombo Congo 98 B4
Olmaliq Uzbek. 80 C3
Olmos Peru 142 C5
Olmütz Czech Rep. see Olomouc
Olney U.K. 49 G6
Olney IL U.S.A. 130 F4
Olney MD U.S.A. 135 G4
Olney TX U.S.A. 131 D5
Olofström Sweden 45 I8
Olomane r. Canada 123 J4
Olomouc Czech Rep. 47 P6
Olonets Rus. Fed. 42 G3
Olongapo Phil. 69 G4
Oloron-Ste-Marie France 56 D5
Olosenga atoll American Samoa see Swains Island
Olot Spain 57 H2
Olot Uzbek. 89 F2
Olovyannaya Rus. Fed. 73 L2
Oloy r. Rus. Fed. 65 Q3
Oloy, Qatorkŭhi mts Asia see Alai Range
Olpe Germany 53 H3
Olsztyn Poland 47 R4
Olt r. Romania 59 K3
Olten Switz. 56 H3
Oltenița Romania 59 L2
Oltu Turkey 91 F2
Oluan Pi c. Taiwan 77 I4
Ol'viopol' Ukr. see Pervomays'k
Olymbos hill Cyprus see Olympos

▶Olympia U.S.A. 126 C3
Capital of Washington state.

Olympic National Park U.S.A. 126 C3
Olympos hill Cyprus 85 A2
Olympos Greece see Olympus, Mount
Olympos mt. Greece see Olympus, Mount
Olympos nat. park Greece see Olympou, Ethnikos Drymos
Olympou, Ethnikos Drymos nat. park Greece 59 J4
Olympus, Mount Greece 59 J4
Olympus, Mount U.S.A. 126 C3
Olyutorskiy Rus. Fed. 65 R3
Olyutorskiy, Mys c. Rus. Fed. 65 S4
Olyutorskiy Zaliv b. Rus. Fed. 65 R4
Olzheras Rus. Fed. see Mezhdurechensk
Oma China 83 E2
Oma r. Rus. Fed. 42 J2
Omagh U.K. 51 E3
Omaha U.S.A. 130 E3
Omaheke admin. reg. Namibia 100 D2
Omal'skiy Khrebet mts Rus. Fed. 74 E1
Oman country Asia 87 I6
Oman, Gulf of Asia 88 E5
Omaruru Namibia 99 B6
Omate Peru 142 D7
Omaweneno Botswana 100 F3
Omba i. Vanuatu see Aoba
Ombai, Selat sea chan. Indon. 108 D2
Ombalantu Namibia see Uutapi
Omboué Gabon 98 A4
Ombu China 83 F3
Omdraaisvlei S. Africa 100 F6
Omdurman Sudan 86 D6
Omeo Australia 112 C6
Omer U.S.A. 134 D1
Ometepec Mex. 136 E5
Omgoy Wildlife Reserve nature res. Thai. 70 B3
Om Hajër Eritrea 86 E7
Omīdīyeh Iran 88 C4
Omineca Mountains Canada 120 E3
Omitara Namibia 100 C2
Ōmiya Japan 75 E6
Ommaney, Cape U.S.A. 120 C3
Ommen Neth. 52 G2
Omolon Rus. Fed. 65 R3
Omo National Park Eth. 98 D3
Omsk Rus. Fed. 64 I4
Omsukchan Rus. Fed. 65 Q3
Ōmū Japan 74 F3
O-mu Myanmar 70 B2
Omu, Vârful mt. Romania 59 K2
Ōmura Japan 75 C6
Omutninsk Rus. Fed. 42 L4
Onaman Lake Canada 122 D4
Onamia U.S.A. 130 E2
Onancock U.S.A. 135 H5
Onangué, Lac l. Gabon 98 B4
Onaping Lake Canada 122 E5
Onatchiway, Lac l. Canada 123 H4
Onavas Mex. 127 F7
Onawa U.S.A. 130 D3
Onaway U.S.A. 134 C1
Onbingwin Myanmar 71 B4
Oncativo Arg. 144 D4
Onchan Isle of Man 48 C4
Oncócua Angola 99 B5
Öncül Turkey 85 D1
Ondal India see Andal
Ondangwa Namibia 99 B5
Onderstedorings S. Africa 100 E6
Ondjiva Angola 99 B5
Ondo Nigeria 96 D4
Öndörhaan Mongolia 73 K3
Öndörshil Mongolia 73 J3
Ondozero Rus. Fed. 42 G3
One Botswana 100 E2
One and a Half Degree Channel Maldives 81 D11
Onega Rus. Fed. 42 H3
Onega r. Rus. Fed. 42 H3
Onega, Lake l. Rus. Fed. see Onezhskoye Ozero

▶Onega, Lake Rus. Fed. 42 G3
3rd largest lake in Europe.

Onega Bay g. Rus. Fed. see Onezhskaya Guba
One Hundred and Fifty Mile House Canada see 150 Mile House
One Hundred Mile House Canada see 100 Mile House
Oneida NY U.S.A. 135 H2
Oneida TN U.S.A. 134 C5
Oneida Lake U.S.A. 135 H2
O'Neill U.S.A. 130 D3
Onekama U.S.A. 134 B1
Onekotan, Ostrov i. Rus. Fed. 65 Q5
Oneonta AL U.S.A. 133 C5
Oneonta NY U.S.A. 135 H2
Onești Romania 59 L1
Onezhskaya Guba g. Rus. Fed. 42 G2
Onezhskoye Ozero Rus. Fed. 41 N3
Onezhskoye Ozero l. Rus. Fed. see Onega, Lake
Ong r. India 84 D1
Onga Gabon 98 B4
Ongers watercourse S. Africa 100 F5
Ongiyn Gol r. Mongolia 80 J3
Ongjin N. Korea 75 B5
Ongole India 84 D3
Onida U.S.A. 130 C2
Onilahy r. Madag. 99 E6
Onistagane, Lac l. Canada 123 H4
Onitsha Nigeria 96 D4
Onjati Mountain Namibia 100 C2
Onjiva Angola see Ondjiva
Ono-i-Lau i. Fiji 107 I4
Onomichi Japan 75 D6
Onon atoll Micronesia see Namonuito
Onor, Gora mt. Rus. Fed. 74 F2
Onotoa atoll Kiribati 107 H2
Onseepkans S. Africa 100 D5
Onslow Australia 108 A5
Onslow Bay U.S.A. 133 E5
Onstwedde Neth. 52 H1
Ontake-san vol. Japan 75 E6
Ontario prov. Canada 134 E1
Ontario U.S.A. 128 E4
Ontario, Lake Canada/U.S.A. 135 G2
Ontong Java Atoll Solomon Is 107 F2
Onutu atoll Kiribati see Onotoa
Onverwacht Suriname 143 G2
Onyx U.S.A. 128 D4
Oodnadatta Australia 111 A5
Oodweyne Somalia 98 E3
Oolambeyan National Park nat. park N.S.W. 111 D7
Oolambeyan National Park nat. park N.S.W. 112 F5
Ooldea Australia 109 E7
Ooldea Range hills Australia 109 E7
Oologah Lake resr U.S.A. 131 E4
Ooratippra r. Australia 110 B4
Oos-Londen S. Africa see East London
Oostburg Neth. 52 D3
Oostende Belgium see Ostend
Oostendorp Neth. 52 F2
Oosterhout Neth. 52 E3
Oosterschelde est. Neth. 52 D3
Oosterwolde Neth. 52 G2
Oostvleteren Belgium 52 C4
Oost-Vlieland Neth. 52 F1
Ootacamund India see Udagamandalam
Ootsa Lake Canada 120 E4
Ootsa Lake l. Canada 120 E4
Opal Mex. 131 C7
Opala Dem. Rep. Congo 98 C4
Oparino Rus. Fed. 42 K4
Oparo i. Fr. Polynesia see Rapa
Opasatika r. Canada 122 E4
Opasatika Lake Canada 122 E4
Opasquia Canada 121 M4
Opataca, Lac l. Canada 122 G4
Opava Czech Rep. 47 P6
Opel hill Germany 53 H5
Opelika U.S.A. 133 C5
Opelousas U.S.A. 131 E6
Opeongo Lake Canada 122 F5
Opheim U.S.A. 126 G2
Opienge Dem. Rep. Congo 98 C3
Opinaca r. Canada 122 F3
Opinaca, Réservoir resr Canada 122 F3
Opinnagau r. Canada 122 E3
Opiscotéo, Lac l. Canada 123 H3
Op Luang National Park Thai. 70 B3
Opmeer Neth. 52 E2
Opochka Rus. Fed. 45 P8
Opocopa, Lac l. Canada 123 I3
Opodepe Mex. 136 B3
Opole Poland 47 P5
Oporto Port. 57 B3
Opotiki N.Z. 113 F4
Opp U.S.A. 133 C6
Oppdal Norway 44 F5
Oppeln Poland see Opole
Opportunity U.S.A. 126 D3
Opunake N.Z. 113 D4
Opuwo Namibia 99 B5
Oqsu r. Tajik. 89 I2
Oracle U.S.A. 129 H5
Oradea Romania 59 I1
Orahovac Kosovo see Rahovec
Orai India 82 D4
Oraibi U.S.A. 129 H4
Oraibi Wash watercourse U.S.A. 129 H4
Oral Kazakh. see Ural'sk
Oran Alg. 57 F6
Orán Arg. 144 D2
O Rang Cambodia 71 D4
Orang India 83 H4
Ŏrang N. Korea 74 C4
Orange Australia 112 D4
Orange France 56 G4
Orange r. Namibia/S. Africa 100 C5
Orange CA U.S.A. 128 E5
Orange MA U.S.A. 135 I2
Orange TX U.S.A. 131 E6
Orange VA U.S.A. 135 F4
Orange, Cabo c. Brazil 143 H3
Orangeburg U.S.A. 133 D5
Orange City U.S.A. 130 D3
Orange Cone sea feature S. Atlantic Ocean 148 I8
Orange Free State prov. S. Africa see Free State
Orangeville Canada 134 E2
Orange Walk Belize 136 G5
Oranienburg Germany 53 N2
Oranje r. Namibia/S. Africa see Orange
Oranje Gebergte hills Suriname 143 G3
Oranjemund Namibia 100 C5

▶Oranjestad Aruba 137 J6
Capital of Aruba.

Oranmore Ireland 51 D4
Orapa Botswana 99 C6
Orăștie Romania 59 J2
Orașul Stalin Romania see Brașov
Oravais Fin. 44 M5
Orba Co l. China 82 E2
Orbetello Italy 58 D3
Orbost Australia 112 D6
Orcadas research station S. Atlantic Ocean 152 A2
Orchard City U.S.A. 129 J2
Orchha India 82 D4
Orchila, Isla i. Venez. 142 E1
Orchy r. U.K. 50 D4
Orcutt U.S.A. 128 C4
Ord r. Australia 108 E3
Ord U.S.A. 130 D3
Ord, Mount hill Australia 108 D4
Órdenes Spain see Ordes
Orderville U.S.A. 129 G3
Ordes Spain 57 B2
Ordesa-Monte Perdido, Parque Nacional nat. park Spain 57 G2
Ord Mountain U.S.A. 128 E4
Ordos Nei Mongol China 73 K5
Ord River Dam Australia 108 E4
Ordu Hatay Turkey see Yayladağı
Ordu Ordu Turkey 90 E2
Ordubad Azer. 91 G3
Ordway U.S.A. 130 C4
Ordzhonikidze Rus. Fed. see Vladikavkaz
Ore Nigeria 96 D4
Oreana U.S.A. 128 D1
Örebro Sweden 45 I7
Oregon IL U.S.A. 130 F3
Oregon OH U.S.A. 134 D3
Oregon state U.S.A. 126 C4
Oregon City U.S.A. 126 C3
Orekhov Ukr. see Orikhiv
Orekhovo-Zuyevo Rus. Fed. 42 H5
Orel Rus. Fed. 43 H5
Orel, Gora mt. Rus. Fed. 74 E1
Orel', Ozero l. Rus. Fed. 74 E1
Orem U.S.A. 129 H1
Ore Mountains Czech Rep./Germany see Erzgebirge
Orenburg Rus. Fed. 64 G4
Orense Spain see Ourense
Oreor Palau see Koror
Orepuki N.Z. 113 A8
Öresund strait Denmark/Sweden 45 H9
Oretana, Cordillera mts Spain see Toledo, Montes de
Orewa N.Z. 113 E3
Oreye Belgium 52 F4
Orfanou, Kolpos b. Greece 59 J4
Orford Australia 111 [inset]
Orford U.K. 49 I6
Orford Ness hd U.K. 49 I6
Organabo Fr. Guiana 143 H2
Organ Pipe Cactus National Monument nat. park U.S.A. 129 G5
Orge r. France 52 C6
Orgūn Afgh. 89 H3
Orhaneli Turkey 59 M5
Orhangazi Turkey 59 M4
Orhon Gol r. Mongolia 80 J2
Orichi Rus. Fed. 42 K4
Oriental, Cordillera mts Bol. 142 E7
Oriental, Cordillera mts Col. 142 D2
Oriental, Cordillera mts Peru 142 E6
Orihuela Spain 57 F4
Orikhiv Ukr. 43 G7
Orillia Canada 134 F1
Orimattila Fin. 45 N6
Orin U.S.A. 126 G4
Orinoco r. Col./Venez. 142 F2
Orinoco Delta Venez. 142 F2
Orissa state India 84 E1
Orissaare Estonia 45 M7
Oristano Sardinia Italy 58 C5
Orivesi Fin. 45 N6
Orivesi l. Fin. 44 P5
Oriximiná Brazil 143 G4
Orizaba Mex. 136 E5

▶Orizaba, Pico de vol. Mex. 136 E5
Highest active volcano and 3rd highest mountain in North America.

Orizona Brazil 145 A2
Orkanger Norway 44 F5
Örkelljunga Sweden 45 H8
Orkla r. Norway 44 F5
Orkney S. Africa 101 H4
Orkney Islands is U.K. 50 F1
Orla U.S.A. 131 C6
Orland U.S.A. 128 B2
Orlândia Brazil 145 B3
Orlando U.S.A. 133 D6
Orland Park U.S.A. 134 B3
Orleaes Brazil 145 A5
Orléans France 56 E3
Orleans IN U.S.A. 134 B4
Orleans VT U.S.A. 135 I1
Orléans, Île d' i. Canada 123 H5
Orléansville Alg. see Chlef
Orlik Rus. Fed. 72 H2
Orlov Rus. Fed. 42 K4
Orlov Gay Rus. Fed. 43 K6
Orlovskiy Rus. Fed. 43 I7
Ormara Pak. 89 G5
Ormara, Ras hd Pak. 89 G5
Ormiston Canada 121 J5
Ormoc Phil. 69 G4
Ormskirk U.K. 48 E5
Ormstown Canada 135 I1
Ornach Pak. 89 G5
Ornain r. France 52 E6
Orne r. France 56 D2
Ørnes Norway 44 H3
Örnsköldsvik Sweden 44 K5
Orobie, Alpi mts Italy 58 C1
Orobo, Serra do hills Brazil 145 C1
Orodara Burkina 96 C3
Orofino U.S.A. 126 D3
Oro Grande U.S.A. 128 E4
Orogrande U.S.A. 127 G6
Orol Dengizi salt l. Kazakh./Uzbek. see Aral Sea
Oromocto Canada 123 I5
Oromocto Lake Canada 123 I5
Oron Israel 85 B4
Orona atoll Kiribati 107 I2
Orono U.S.A. 132 G2
Orontes r. Asia 90 E3 see 'Āṣī, Nahr al
Orontes r. Lebanon/Syria 85 C2
Oroqen Zizhiqi China see Alihe
Oroquieta Phil. 69 G5
Orós, Açude resr Brazil 143 K5
Orosei, Golfo di b. Sardinia Italy 58 C4
Orosháza Hungary 59 I1
Oroville U.S.A. 128 C2
Oroville, Lake U.S.A. 128 C2
Orqohan China 74 A2
Orr U.S.A. 130 E1
Orsa Sweden 45 I6
Orsha Belarus 43 F5
Orshanka Rus. Fed. 42 J4
Orsk Rus. Fed. 64 G4
Ørsta Norway 44 E5
Orta Toroslar plat. Turkey 85 A1
Ortegal, Cabo c. Spain 57 C2
Orthez France 56 D5
Ortigueira Spain 57 C2
Ortíz Mex. 127 F7
Ortles mt. Italy 58 D1
Orton U.K. 48 E4
Ortona Italy 58 F3
Ortonville U.S.A. 130 D2
Ortospana Afgh. see Kābul
Orulgan, Khrebet mts Rus. Fed. 65 N3
Orumbo Namibia 100 C2
Orūmīyeh Iran see Urmia
Oruro Bol. 142 E7
Orūzgān Afgh. 89 G3
Orvieto Italy 58 E3
Orville Coast Antarctica 152 L1
Orwell OH U.S.A. 134 E3
Orwell VT U.S.A. 135 I2
Oryol Rus. Fed. see Orel
Os Norway 44 G5
Osa Rus. Fed. 41 R4
Osa, Península de pen. Costa Rica 137 H7
Osage IA U.S.A. 130 E3
Osage WV U.S.A. 134 E4
Osage WY U.S.A. 126 G3
Ōsaka Japan 75 D6
Osakarovka Kazakh. 80 D1
Osawatomie U.S.A. 130 E4
Osborne U.S.A. 130 D4
Osby Sweden 45 H8
Osceola IA U.S.A. 130 E3
Osceola MO U.S.A. 130 E4
Osceola NE U.S.A. 130 D3
Oschatz Germany 53 N3
Oschersleben (Bode) Germany 53 L2
Oschiri Sardinia Italy 58 C4
Ösel i. Estonia see Hiiumaa
Osetr r. Rus. Fed. 43 H5
Ōse-zaki pt Japan 75 C6
Osgoode Canada 135 H1
Osgood Mountains U.S.A. 126 D4
Osh Kyrg. 80 D3
Oshakati Namibia 99 B5
Oshawa Canada 135 F2
Oshika-hantō pen. Japan 75 F5
Ō-shima i. Japan 74 E4
Ō-shima i. Japan 75 E6
Oshkosh NE U.S.A. 130 C3
Oshkosh WI U.S.A. 134 A1
Oshmyany Belarus see Ashmyany
Oshnovīyeh Iran 88 B2
Oshogbo Nigeria 96 D4
Oshtorān Kūh mt. Iran 88 C3
Oshwe Dem. Rep. Congo 98 B4
Osijek Croatia 58 H2
Osilinka r. Canada 120 E3
Osimo Italy 58 E3
Osipenko Ukr. see Berdyans'k
Osipovichi Belarus see Asipovichy
Osiyan India 82 C4
Osizweni S. Africa 101 J4
Osječenica mts Bos.-Herz. 58 G2
Ösjön l. Sweden 44 I5
Oskaloosa U.S.A. 130 E3
Oskarshamn Sweden 45 J8
Öskemen Kazakh. see Ust'-Kamenogorsk

▶Oslo Norway 45 G7
Capital of Norway.

Oslofjorden sea chan. Norway 45 G7
Osmanabad India 84 C2
Osmancık Turkey 90 D2
Osmaneli Turkey 59 M4
Osmaniye Turkey 90 E3
Osmannagar India 84 C2
Os'mino Rus. Fed. 45 P7
Osnabrück Germany 53 I2
Osnaburg atoll Fr. Polynesia see Mururoa
Osogbo Nigeria see Oshogbo
Osogovska Planina mts Bulg./Macedonia 59 J3
Osogovske Planine mts Bulg./Macedonia see Osogovska Planina
Osogovski Planini mts Bulg./Macedonia see Osogovska Planina
Osorno Chile 144 B6
Osorno Spain 57 D2
Osoyoos Canada 120 G5
Osøyri Norway 45 D6
Osprey Reef Australia 110 D2
Oss Neth. 52 F3
Ossa, Mount Australia 111 [inset]
Osseo U.S.A. 122 C5
Ossineke U.S.A. 134 D1
Ossining U.S.A. 135 I3
Ossipee U.S.A. 135 J2
Ossipee Lake U.S.A. 135 J2
Oßmannstedt Germany 53 L3
Ossokmanuan Lake Canada 123 I3
Ossora Rus. Fed. 65 R4
Ostashkov Rus. Fed. 42 G4
Ostbevern Germany 53 H2
Oste r. Germany 53 J1
Ostend Belgium 52 C3
Ostende Belgium see Ostend
Osterburg (Altmark) Germany 53 L2
Österbymo Sweden 45 I8
Österdalälven l. Sweden 45 H6
Østerdalen valley Norway 45 G5
Osterfeld Germany 53 L3
Osterholz-Scharmbeck Germany 53 I1
Osterode am Harz Germany 53 K3
Österreich country Europe see Austria
Östersund Sweden 44 I5
Osterwieck Germany 53 K3
Ostfriesische Inseln Germany see East Frisian Islands
Ostfriesland reg. Germany 53 H1
Östhammar Sweden 45 K6
Ostrava Czech Rep. 47 Q6
Ostróda Poland 47 Q4
Ostrogozhsk Rus. Fed. 43 H6
Ostrov Czech Rep. 53 M4
Ostrov Rus. Fed. 45 P8
Ostrovets Poland see Ostrowiec Świętokrzyski
Ostrovskoye Rus. Fed. 42 I4
Ostrov Vrangelya i. Rus. Fed. see Wrangel Island
Ostrów Poland see Ostrów Wielkopolski
Ostrowiec Poland see Ostrowiec Świętokrzyski
Ostrowiec Świętokrzyski Poland 43 D6
Ostrów Mazowiecka Poland 47 R4
Ostrowo Poland see Ostrów Wielkopolski
Ostrów Wielkopolski Poland 47 P5
O'Sullivan Lake Canada 122 D4
Osŭm r. Bulg. 59 K3
Ōsumi-shotō is Japan 75 C7
Osuna Spain 57 D5
Oswego KS U.S.A. 131 E4
Oswego NY U.S.A. 135 G2
Oswestry U.K. 49 D6
Otago Peninsula N.Z. 113 C7
Otahiti i. Fr. Polynesia see Tahiti
Otaki N.Z. 113 E5
Otanmäki Fin. 44 O4
Otaru Japan 74 F4
Otavi Namibia 99 B5
Ōtawara Japan 75 F5
Otdia atoll Marshall Is see Wotje
Otelnuc, Lac l. Canada 123 H2
Otematata N.Z. 113 C7
Otepää Estonia 45 O7
Otgon Tenger Uul mt. Mongolia 80 I2
Otinapa Mex. 131 B7
Otira N.Z. 113 C6
Otis U.S.A. 130 C3
Otish, Monts hills Canada 123 H4

tjinene Namibia 99 B6
tjiwarongo Namibia 99 B6
tjozondjupa admin. reg. Namibia 100 C1
tley U.K. 48 F5
torohanga N.Z. 113 E4
toskwin r. Canada 121 N5
tpan, Gora hill Kazakh. 91 H1
tpor Rus. Fed. see Zabaykal'sk
tradnoye Rus. Fed. see Otradnyy
tradnyy Rus. Fed. 43 K5
tranto Italy 58 H4
tranto, Strait of Albania/Italy 58 H4
trogovo Rus. Fed. see Stepnoye
trozhnyy Rus. Fed. 65 S3
sego Lake U.S.A. 135 H2
su Japan 75 D6
tta Norway 45 F6

▶Ottawa Canada 135 H1
Capital of Canada.

ttawa r. Canada 122 G5
also known as Rivière des Outaouais
ttawa IL U.S.A. 130 F3
ttawa KS U.S.A. 130 E4
ttawa OH U.S.A. 134 C3
ttawa Islands Canada 122 E2
tter r. U.K. 49 D8
tterbein U.S.A. 134 B3
tterburn U.K. 48 E3
tter Rapids Canada 122 E4
ttersberg Germany 53 J1
ttignies Belgium 52 E4
tumwa U.S.A. 130 E3
tweiler Germany 53 H5
ukpo Nigeria 96 D4
urkpo Nigeria see Otukpo
uzco Peru 142 C5
way, Cape Australia 112 A7
way National Park Australia 112 A7
uachita r. U.S.A. 131 F6
uachita, Lake U.S.A. 131 E5
uachita Mountains Arkansas/Oklahoma U.S.A. 131 E5
uadda Cent. Afr. Rep. 98 C3
uaddaï reg. Chad 97 F3

▶Ouagadougou Burkina 96 C3
Capital of Burkina.

uahigouya Burkina 96 C3
uahran Alg. see Oran
uaka r. Cent. Afr. Rep. 98 B3
ualâta Mauritania 96 C3
uallam Niger 96 D3
uanda-Djallé Cent. Afr. Rep. 98 C3
uando Cent. Afr. Rep. 98 C3
uango Cent. Afr. Rep. 98 C3
uara r. Cent. Afr. Rep. 98 C3
uarâne reg. Mauritania 96 C2
uargaye Burkina 96 D3
uargla Alg. 54 F5
uarogou Burkina see Ouargaye
uarzazate Morocco 54 C5
uasiemsca r. Canada 123 G4
ubangui r. Cent. Afr. Rep./Dem. Rep. Congo see Ubangi
ubergpas pass S. Africa 100 G7
udenaarde Belgium 52 D4
udômxai Laos 70 C2
udtshoorn S. Africa 100 F7
ud-Turnhout Belgium 52 E3
ued Tlélat Alg. 57 F6
ued Zem Morocco 54 C5
ued Zénati Alg. 58 B6
uessant, Île d' i. France 56 B2
uesso Congo 98 B3
uezzane Morocco 57 D6
ughter, Lough l. Ireland 51 E3
uguati Namibia 100 B1
uistreham France 49 G9
ujda Morocco 57 F6
ujeft Mauritania 96 B3
ulainen Fin. 44 N4
ulangan kansallispuisto nat. park Fin. 44 P3
uled Djellal Alg. 57 I6
uled Farès Alg. 57 G5
uled Naïl, Monts des mts Alg. 57 H6
ulu Fin. 44 N4
ulujärvi l. Fin. 44 O4
ulujoki r. Fin. 44 N4
ulunsalo Fin. 44 N4
ulx Italy 58 B2
um-Chalouba Chad 97 F3
um el Bouaghi Alg. 58 B7
um-Hadjer Chad 97 E3
unasjoki r. Fin. 44 N3
undle U.K. 49 G6
ungre Canada 121 K5
unianga Kébir Chad 97 F3
upeye Belgium 52 F4
ur r. Lux. 52 G5
ura, Akrotirio pt Greece 59 L5
uray CO U.S.A. 129 J2
uray UT U.S.A. 129 I1
urcq r. France 52 D5
urense Spain 57 C2
uricurí Brazil 143 J5
urinhos Brazil 145 A3
uro r. Brazil 145 A1
uro Preto Brazil 145 C3
urthe r. Belgium 52 F4
ur Valley valley Germany/Lux. 52 G5
us Rus. Fed. 41 S3
use r. England U.K. 48 G5
use r. England U.K. 49 H8
utaouais, Rivière des r. Canada 122 G5
see Ottawa
utardes, Rivière aux r. Canada 123 H4
utardes Quatre, Réservoir resr Canada 123 H4
uter Hebrides is U.K. 50 B3
uter Mongolia country Asia see Mongolia
uter Santa Barbara Channel U.S.A. 128 D5
utjo Namibia 99 B6
utlook Canada 121 J5
utokumpu Fin. 44 P5
Out Skerries is U.K. 50 [inset]
Ouvéa atoll New Caledonia 107 G4
Ouyanghai Shuiku resr China 77 G3
Ouyen Australia 111 C7
Ouzel r. U.K. 49 G6
Ovace, Punta d' mt. Corsica France 56 I6
Ovacık Turkey 85 A1
Ovada Italy 58 C2
Ovalle Chile 144 B4
Ovamboland reg. Namibia 99 B5
Ovan Gabon 98 B3
Ovar Port. 57 B3
Overath Germany 53 H4
Överkalix Sweden 44 M3
Overlander Roadhouse Australia 109 A6
Overland Park U.S.A. 130 E4
Overton U.S.A. 129 F3
Övertorneå Sweden 44 M3
Överum Sweden 45 J8
Overveen Neth. 52 E2
Ovid CO U.S.A. 130 C3
Ovid NY U.S.A. 135 G2
Oviedo Spain 57 D2
Øvre Anárjohka Nasjonalpark nat. park Norway 44 N2
Øvre Dividal Nasjonalpark nat. park Norway 44 K2
Øvre Rendal Norway 45 G6
Ovruch Ukr. 43 F6
Ovsyanka Rus. Fed. 74 B1
Owando Congo 98 B4
Owa Rafa i. Solomon Is see Santa Ana
Owasco Lake U.S.A. 135 G2
Owase Japan 75 E6
Owatonna U.S.A. 130 E2
Owbeh Afgh. 89 F3
Owego U.S.A. 135 G2
Owel, Lough l. Ireland 51 E4
Owen Island Myanmar 71 B5
Owenmore r. Ireland 51 C3
Owenreagh r. U.K. 51 E3
Owen River N.Z. 113 D5
Owens r. U.S.A. 128 E3
Owensboro U.S.A. 134 B5
Owen Sound Canada 134 E1
Owen Sound inlet Canada 134 E1
Owen Stanley Range mts P.N.G. 69 L8
Owenton U.S.A. 134 C4
Owerri Nigeria 96 D4
Owikeno Lake Canada 120 E5
Owingsville U.S.A. 134 D4
Owkal Afgh. 89 F3
Owl r. Canada 121 M3
Owl Creek Mountains U.S.A. 126 F4
Owo Nigeria 96 D4
Owosso U.S.A. 134 C2
Owyhee U.S.A. 126 D4
Owyhee r. U.S.A. 126 D4
Owyhee Mountains U.S.A. 126 D4
Öxarfjörður b. Iceland 44 [inset]
Oxbow Canada 121 K5
Ox Creek r. U.S.A. 130 C1
Oxelösund Sweden 45 J7
Oxford N.Z. 113 D6
Oxford U.K. 49 F7
Oxford IN U.S.A. 134 B3
Oxford MA U.S.A. 135 J2
Oxford MD U.S.A. 135 G4
Oxford MS U.S.A. 131 F5
Oxford NC U.S.A. 132 E4
Oxford NY U.S.A. 135 H2
Oxford OH U.S.A. 134 C4
Oxford House Canada 121 M4
Oxford Lake Canada 121 M4
Oxley Australia 112 B5
Oxleys Peak Australia 112 E3
Oxley Wild Rivers National Park Australia 112 F3
Ox Mountains hills Ireland 51 C4
Oxnard U.S.A. 128 D4
Oxtongue Lake Canada 135 F1
Oxus r. Asia see Amudar'ya
Øya Norway 44 H3
Oyama Japan 75 E5
Oyapock r. Brazil/Fr. Guiana 143 H3
Oyem Gabon 98 B3
Oyen Canada 121 I5
Oykel r. U.K. 50 E3
Oyo Nigeria 96 D4
Oyonnax France 56 G3
Oyster Rocks is India 84 B3
Oyten Germany 53 J1
Oytograk China 83 E1
Oyukludağı mt. Turkey 85 A1
Özalp Turkey 91 G3
Ozamiz Phil. 69 G5
Ozark AL U.S.A. 133 C6
Ozark AR U.S.A. 131 E5
Ozark MO U.S.A. 131 E4
Ozark Plateau U.S.A. 131 E4
Ozarks, Lake of the U.S.A. 130 E4
O'zbekiston country Asia see Uzbekistan
Özen Kazakh. see Kyzylsay
Ozernovskiy Rus. Fed. 65 Q4
Ozernyy Rus. Fed. 43 G5
Ozerpakh Rus. Fed. 74 F1
Ozersk Rus. Fed. 45 M9
Ozerskiy Rus. Fed. 74 F3
Ozery Rus. Fed. 43 H5
Ozeryane Rus. Fed. 74 C2
Ozieri Sardinia Italy 58 C4
Ozinki Rus. Fed. 43 K6
Oznachennoye Rus. Fed. see Sayanogorsk
Ozona U.S.A. 131 C6
Ozuki Japan 75 C6

P

Paamiut Greenland 119 N3
Pa-an Myanmar see Hpa-an
Paanopa i. Kiribati see Banaba
Paarl S. Africa 100 D7
Paatsjoki r. Europe see Patsoyoki
Paballelo S. Africa 100 E5
P'abal-li N. Korea 74 C4
Pabbay i. U.K. 50 B3
Pabianice Poland 47 Q5
Pabianitz Poland see Pabianice
Pabna Bangl. 83 G4
Pabradė Lith. 45 N9
Pab Range mts Pak. 89 G5
Pacaás Novos, Parque Nacional nat. park Brazil 142 F6
Pacaraimã, Serra mts S. America see Pakaraima Mountains
Pacasmayo Peru 142 C5
Pachagarh Bangl. see Panchagarh
Pacheco Chihuahua Mex. 127 F7
Pacheco Zacatecas Mex. 131 C7
Pachikha Rus. Fed. 42 J3
Pachino Sicily Italy 58 F6
Pachmarhi India 82 D5
Pachor India 82 D5
Pachora India 84 B1
Pachpadra India 82 C4
Pachuca Mex. 136 E4
Pachuca de Soto Mex. see Pachuca
Pacific-Antarctic Ridge sea feature S. Pacific Ocean 151 J9
Pacific Grove U.S.A. 128 C3

▶Pacific Ocean 150
Largest ocean in the world.

Pacific Rim National Park Canada 120 E5
Pacitan Indon. 68 E8
Packsaddle Australia 111 C6
Pacoval Brazil 143 H4
Pacuí r. Brazil 145 B2
Paczków Poland 47 P5
Padali Rus. Fed. see Amursk
Padampur India 82 C3
Padang Indon. 68 C7
Padang i. Indon. 71 C7
Padang Endau Malaysia 71 C7
Padangpanjang Indon. 68 C7
Padangsidimpuan Indon. 71 B7
Padany Rus. Fed. 42 G3
Padatha, Kūh-e mt. Iran 88 C3
Padaung Myanmar 70 A3
Padcaya Bol. 142 F8
Paddington Australia 112 B4
Paden City U.S.A. 134 E4
Paderborn Germany 53 I3
Paderborn/Lippstadt airport Germany 53 I3
Padeşu, Vârful mt. Romania 59 J2
Padibyu Myanmar 70 B2
Padilla Bol. 142 F7
Padjelanta nationalpark nat. park Sweden 44 J3
Padova Italy see Padua
Padrão, Ponta pt Angola 99 B4
Padrauna India 83 F4
Padre Island U.S.A. 131 D7
Padstow U.K. 49 C8
Padsvillye Belarus 45 O9
Padua India 84 D2
Padua Italy 58 D2
Paducah KY U.S.A. 131 F4
Paducah TX U.S.A. 131 C5
Padum India 82 D2
Paegam N. Korea 74 C4
Paektu-san mt. China/N. Korea see Baotou Shan
Paengnyŏng-do i. S. Korea 75 B5
Pafos Cyprus see Paphos
Pafuri Moz. 101 J2
Pag Croatia 58 F2
Pag i. Croatia 58 F2
Paga Indon. 108 C2
Pagadian Phil. 69 G5
Pagai Selatan i. Indon. 68 C7
Pagalu i. Equat. Guinea see Annobón
Pagan i. N. Mariana Is 69 L3
Pagasitikos Kolpos b. Greece 59 J5
Pagatan Indon. 68 F7
Page U.S.A. 129 H3
Paget, Mount S. Georgia 144 I8
Paget Cay reef Australia 110 F3
Pagon i. N. Mariana Is see Pagan
Pagosa Springs U.S.A. 127 G5
Pagqên China see Gadê
Pagwa River Canada 122 D4
Pagwi P.N.G. 69 K7
Pāhala U.S.A. 127 [inset]
Pahang r. Malaysia 71 C7
Pahlgam India 82 C2
Pāhoa U.S.A. 127 [inset]
Pahokee U.S.A. 133 D7
Pahra Kariz Afgh. 89 F3
Pahranagat Range mts U.S.A. 129 F3
Pahrump U.S.A. 129 F3
Pahuj r. India 82 D4
Pahute Mesa plat. U.S.A. 128 E3
Pai Thai. 70 B3
Paicines U.S.A. 128 C3
Paide Estonia 45 N7
Paignton U.K. 49 D8
Päijänne l. Fin. 45 N6
Paikü Co l. China 83 F3
Pailin Cambodia 71 C4
Pailolo Channel U.S.A. 127 [inset]
Paimio Fin. 45 M6
Painel Brazil 145 A4
Painesville U.S.A. 134 E3
Pains Brazil 145 B3
Painted Desert U.S.A. 129 H3
Painted Rock Dam U.S.A. 129 G5
Paint Hills Canada see Wemindji
Paint Rock U.S.A. 131 D6
Paintsville U.S.A. 134 D5
Paisley U.K. 50 E5
Paita Peru 142 B5
Paitou China 77 I2
Paiva Couceiro Angola see Quipungo
Paizhou China 77 G2
Pajala Sweden 44 M3
Paka Malaysia 71 C6
Pakala India 84 C3
Pakanbaru Indon. see Pekanbaru
Pakangyi Myanmar 70 A2
Pakaraima Mountains S. America 142 F3
Pakaur India 83 F4
Pakesley Canada 122 E5
Pakhachi Rus. Fed. 65 R3
Pakhoi China see Beihai
Paki Nigeria 96 D3

▶Pakistan country Asia 89 H4
4th most populous country in Asia, and 6th in the world.

Pakkat Indon. 71 B7
Paknampho Thai. see Nakhon Sawan
Pakokku Myanmar 70 A2
Pakowki Lake imp. l. Canada 121 I5
Pakpattan Pak. 89 I4
Pak Phanang Thai. 71 C5
Pak Phayun Thai. 71 C6
Pakruojis Lith. 45 M9
Paks Hungary 58 H1
Pakse Laos see Pakxé
Pak Tam Chung H.K. China 77 [inset]
Pak Thong Chai Thai. 70 C4
Pakur India see Pakaur
Pakxan Laos 70 C3
Pakxé Laos 70 D4
Pakxeng Laos 70 C2
Pala Chad 97 E4
Pala Myanmar 71 B4
Palaestinia reg. Asia see Palestine
Palaiochora Greece 59 J7
Palaiseau France 52 C6
Palakkad India see Palghat
Palakkat India see Palghat
Palamakoloi Botswana 100 F2
Palamau India see Palamu
Palamós Spain 57 H3
Palamu India 83 F5
Palana Rus. Fed. 65 Q4
Palandur India 84 D1
Palangān, Kūh-e mts Iran 89 F4
Palangkaraya Indon. 68 E7
Palani India 84 C4
Palanpur India 82 C4
Palantak Pak. 89 G5
Palapye Botswana 101 H2
Palatka Rus. Fed. 65 Q3
Palatka U.S.A. 133 D6
Palau country N. Pacific Ocean 69 I5
Palau Islands Palau 69 I5
Palauk Myanmar 71 B4
Palaw Myanmar 71 B4
Palawan i. Phil. 68 F5
Palawan Passage strait Phil. 68 F5
Palawan Trough sea feature N. Pacific Ocean 150 D5
Palayankottai India 84 C4
Palchal Lake India 84 D2
Paldiski Estonia 45 N7
Palekh Rus. Fed. 42 I4
Palembang Indon. 68 C7
Palena Chile 144 B6
Palencia Spain 57 D2
Palermo Sicily Italy 58 E5
Palestine reg. Asia 85 B3
Palestine U.S.A. 131 E6
Paletwa Myanmar 70 A2
Palezgir Chauki Pak. 89 H4
Palghat India 84 C4
Palgrave, Mount hill Australia 109 A5
Palhoca Brazil 145 A4
Pali Chhattisgarh India 84 D1
Pali Mahar. India 84 B2
Pali Rajasthan India 82 C4

▶Palikir Micronesia 150 G5
Capital of Micronesia.

Palinuro, Capo c. Italy 58 F4
Paliouri, Akra pt Greece see Paliouri, Akrotirio
Paliouri, Akra pt Greece see Paliouri, Akrotirio
Paliouri, Akrotirio pt Greece 59 J5
Palisade U.S.A. 129 I2
Paliseul Belgium 52 F5
Palitana India 82 B5
Palivere Estonia 45 M7
Palk Bay Sri Lanka 84 C4
Palkino Rus. Fed. 45 P8
Palkonda Range mts India 84 C3
Palk Strait India/Sri Lanka 84 C4
Palla Bianca mt. Austria/Italy see Weißkugel
Pallamallawa Australia 112 E2
Pallas Green New Ireland 51 D5
Pallasovka Rus. Fed. 43 J6
Pallas-Yllästunturin kansallispuisto nat. park Fin. 44 M2
Pallavaram India 84 D3
Palliser, Cape N.Z. 113 E5
Palliser, Îles is Fr. Polynesia 151 K7
Palliser Bay N.Z. 113 E5
Pallu India 82 C3
Palma r. Brazil 145 B1
Palma del Río Spain 57 D5
Palma de Mallorca Spain 57 H4
Palmaner India 84 C3
Palmares Brazil 143 K5
Palmares do Sul Brazil 145 A5
Palmas Brazil 145 A4
Palmas Tocantins 142 I6
Palmas, Cape Liberia 96 C4
Palm Bay U.S.A. 133 D7
Palmdale U.S.A. 128 D4
Palmeira Brazil 145 A4
Palmeira das Missões Brazil 144 F3
Palmeira dos Índios Brazil 143 K5
Palmeirais Brazil 143 J5
Palmeiras Brazil 145 C1
Palmeirinhas, Ponta das pt Angola 99 B4
Palmer research station Antarctica 152 L2
Palmer r. Australia 110 C3
Palmer watercourse Australia 109 F6
Palmer U.S.A. 118 D3
Palmer Land reg. Antarctica 152 L2
Palmerston N.T. Australia 108 E3
Palmerston N.T. Australia see Darwin
Palmerston Canada 134 E2
Palmerston atoll Cook Is 107 J3
Palmerston N.Z. 113 C7
Palmerston North N.Z. 113 E5
Palmerton U.S.A. 135 H3
Palmerville Australia 110 D2
Palmetto Point Bahamas 133 E7
Palmi Italy 58 F5
Palmira Col. 142 C3
Palmira Cuba 133 D8
Palm Springs U.S.A. 128 E5
Palmyra Syria see Tadmur
Palmyra MO U.S.A. 130 F4
Palmyra PA U.S.A. 135 G3
Palmyra VA U.S.A. 135 F5

▶Palmyra Atoll terr. N. Pacific Ocean 150 J5
United States Unincorporated Territory.

Palmyras Point India 83 F5
Palni Hills India 84 C4
Palo Alto U.S.A. 128 B3
Palo Blanco Mex. 131 C7
Palo Chino watercourse Mex. 127 E7
Palo Duro watercourse U.S.A. 131 C5
Paloich Sudan 86 D7
Palojärvi Fin. 44 M2
Palojoensuu Fin. 44 M2
Palomaa Fin. 44 O2
Palomar Mountain U.S.A. 128 E5
Paloncha India 84 D2
Palo Pinto U.S.A. 131 D5
Palopo Indon. 69 G7
Palos, Cabo de c. Spain 57 F5
Palo Verde U.S.A. 129 F5
Paltamo Fin. 44 O4
Palu Indon. 68 F7
Palu i. Indon. 108 C2
Palu Turkey 91 E3
Pal'vart Turkm. 89 G2
Palwal India 82 D3
Palwancha India see Paloncha
Palyeskaya Nizina marsh Belarus/Ukr. see Pripet Marshes

▶Pamana i. Indon. 108 C2
Most southerly point of Asia.

Pambarra Moz. 101 L1
Pambula Australia 112 D6
Pamidi India 84 C3
Pamiers France 56 E5
Pamir mts Asia 89 I2
Pamlico Sound sea chan. U.S.A. 133 E5
Pamouscachiou, Lac l. Canada 123 H4
Pampa U.S.A. 131 C5
Pampa de Infierno Arg. 144 D3
Pampas reg. Arg. 144 D5
Pampeluna Spain see Pamplona
Pamphylia reg. Turkey 59 N6
Pamplin U.S.A. 135 F5
Pamplona Col. 142 D2
Pamplona Spain 57 F2
Pampow Germany 53 L1
Pamukova Turkey 59 N4
Pamzal India 82 D2
Pana U.S.A. 130 F4
Panaca U.S.A. 129 F3
Panache, Lake Canada 122 E5
Panagyurishte Bulg. 59 K3
Panaitan i. Indon. 68 D8
Panaji India 84 B3
Panama country Central America 137 H7
Panamá Panama see Panama City
Panamá, Gulf of Panama 137 I7
Panama, Isthmus of Panama 137 I7
Panamá, Istmo de Panama see Panama, Isthmus of
Panama Canal Panama 137 I7

▶Panama City Panama 137 I7
Capital of Panama

Panama City U.S.A. 133 C6
Panamint Range mts U.S.A. 128 E3
Panamint Valley U.S.A. 128 E3
Panao Peru 142 C5
Panarea, Isola i. Italy 58 F5
Panarik Indon. 71 E7
Panay i. Phil. 69 G4
Panayarvi Natsional'nyy Park nat. park Rus. Fed. 44 Q3
Pancake Range mts U.S.A. 129 F2
Pančevo Serbia 59 I2
Panchagarh Bangl. 83 G4
Pancsova Serbia see Pančevo
Panda Moz. 101 L3
Pandan, Selat strait Sing. 71 [inset]
Pandan Reservoir Sing. 71 [inset]
Pandeiros r. Brazil 145 B1
Pandharpur India 84 B2
Pandy U.K. 49 E7
Paneas Syria see Bāniyās
Panevėžys Lith. 45 N9
Panfilov Kazakh. see Zharkent
Pang, Nam r. Myanmar 70 B2
Panghsang Myanmar 70 B2
Pangi Range mts Pak. 89 I3
Pangkalanbuun Indon. 68 E7
Pangkalansusu Indon. 71 B6
Pangkalpinang Indon. 68 D7
Pangkalsiang, Tanjung pt Indon. 69 G7
Panglang Myanmar 70 B1
Pangman Canada 121 J5
Pangnirtung Canada 119 L3
Pangody Rus. Fed. 64 I3
Pangong Tso salt l. China/India see Bangong Co
Pang Sida National Park Thai. 71 C4
Pang Sua, Sungai r. Sing. 71 [inset]
Pangtara Myanmar 76 C4
Pangu He r. China 74 B1
Panguitch U.S.A. 129 G3
Panhandle U.S.A. 131 C5
Panipat India 82 D3
Panir Pak. 89 G4
Panj Tajik. 89 H2
Panjāb Afgh. 89 G3
Panjakent Tajik. 89 G2
Panjang i. Indon. 71 E7
Panjang, Bukit Sing. 71 [inset]
Panjgur Pak. 89 G5
Panjim India see Panaji
Panji Poyon Tajik. 89 H2
Panjnad r. Pak. 89 H4
Panjshīr reg. Afgh. 89 H3
Pankakoski Fin. 44 Q5
Panlian China see Miyi
Panna India 82 E4
Panna reg. India 82 D4
Pannawonica Australia 108 B5
Pano Lefkara Cyprus 85 A2
Panorama Brazil 145 A3
Panormus Sicily Italy see Palermo
Panshi China 74 B4
Panshui China see Pu'an

▶Pantanal marsh Brazil 143 G7
Largest area of wetlands in the world.

Pantanal Matogrossense, Parque Nacional do nat. park Brazil 143 G7
Pantano U.S.A. 129 H6
Pantar i. Indon. 108 D2
Pantelaria Sicily Italy see Pantelleria
Pantelleria Sicily Italy 58 D6
Pantelleria, Isola di i. Sicily Italy 58 E6
Pantha Myanmar 70 A2
Panther r. U.S.A. 134 B5
Panth Piploda India 82 C5
Panticapaeum Ukr. see Kerch
Pantonlabu Indon. 71 B6
Pánuco Sinaloa Mex. 131 B8
Pánuco Veracruz Mex. 136 E4
Panwari India 82 D4
Panxian China 76 E3
Panyu China 77 G4
Panzhihua China 76 D3
Panzi Dem. Rep. Congo 99 B4
Paola Italy 58 G5
Paola U.S.A. 130 E4
Paoli U.S.A. 134 B4
Paoua Cent. Afr. Rep. 98 B3
Paôy Pêt Cambodia 71 C4
Pápa Hungary 58 G1
Papa, Monte del mt. Italy 58 F4
Papagni r. India 84 C3
Pāpā'ikou U.S.A. 127 [inset]
Papakura N.Z. 113 E3
Papanasam India 84 C4
Papantla Mex. 136 E4
Paparoa National Park N.Z. 113 C6
Papa Stour i. U.K. 50 [inset]
Papa Westray i. U.K. 50 G1
Papay i. U.K. see Papa Westray

▶Papeete Fr. Polynesia 151 K7
Capital of French Polynesia.

Papenburg Germany 53 H1
Paphos Cyprus 85 A2
Paphus Cyprus see Paphos
Papillion U.S.A. 130 D3
Papoose Lake U.S.A. 129 F3
Pappenheim Germany 53 K6
Papua, Gulf of P.N.G. 69 K8

▶Papua New Guinea country Oceania 106 E2
2nd largest and 2nd most populous country in Oceania.

Pa Qal'eh Iran 88 D4
Par U.K. 49 C8
Pará r. Brazil 145 B2
Pará, Rio do r. Brazil 143 I4
Paraburdoo Australia 109 B5
Paracatu Brazil 145 B2
Paracatu r. Brazil 145 B2
Paracel Islands S. China Sea 68 E3
Parachilna Australia 111 B6
Parachute U.S.A. 129 I2
Paraćin Serbia 59 I3
Paracuru Brazil 143 K4
Pará de Minas Brazil 145 B2
Paradis Canada 122 F4
Paradise r. Canada 123 K3
Paradise U.S.A. 128 C2
Paradise Hill Canada 121 I4
Paradise Peak U.S.A. 128 E2
Paradise River Canada 123 K3
Paradwip India 83 F5
Paraetonium Egypt see Marsá Maṭrūḥ
Paragominas Brazil 143 I4
Paragould U.S.A. 131 F4
Paragua i. Phil. see Palawan
Paraguaçu Paulista Brazil 145 A3
Paraguay r. Arg./Para. 144 E3
Paraguay country S. America 144 E2
Paraíba do Sul r. Brazil 145 C3
Parainen Fin. see Pargas
Paraíso do Norte Brazil 143 I6
Paraisópolis Brazil 145 B3
Parak Iran 88 D5
Parakou Benin 96 D4
Paralakhemundi India 84 E2
Paralkot India 84 D2
Paramagudi India see Paramakkudi
Paramakkudi India 84 C4

▶Paramaribo Suriname 143 G2
Capital of Suriname.

Paramillo, Parque Nacional nat. park Col. 142 C2
Paramirim Brazil 145 C1
Paramo Frontino mt. Col. 142 C2
Paramus U.S.A. 135 H3
Paramushir, Ostrov i. Rus. Fed. 65 Q4
Paran watercourse Israel 85 B4
Paraná Arg. 144 D4
Paranã Brazil 145 B1
Paraná r. Brazil 145 A1
Paraná state Brazil 145 A4

▶Paraná r. S. America 144 E4
Part of the Río de la Plata - Paraná, 2nd longest river in South America.

Paraná, Serra do hills Brazil 145 B1
Paranaguá Brazil 145 A4
Paranaíba Brazil 145 A2
Paranaíba r. Brazil 145 A3
Paranapiacaba, Serra mts Brazil 145 A4
Paranavaí Brazil 144 F2
Parang Aru r. Sri Lanka 84 D4
Parang Pass India 82 D2
Parângul Mare, Vârful mt. Romania 59 J2
Paranthan Sri Lanka 84 D4
Paraopeba Brazil 145 B2
Pārapāra Iraq 91 G4
Paraparaumu N.Z. 113 E5

Paras Mex. 131 D7
Paras Pak. 89 I3
Paraspori, Akra pt Greece see Paraspori, Akrotirio
Paraspori, Akrotirio pt Greece 59 L7
Parateca Brazil 145 C1
Paratinga Brazil 145 C1
Parāū, Kūh-e mt. Iraq 91 G4
Paraúna Brazil 145 A2
Parbhani India 84 C2
Parchim Germany 53 L1
Parding China 83 G2
Pardo r. Bahia Brazil 145 D1
Pardo r. Mato Grosso do Sul Brazil 144 F2
Pardo r. São Paulo Brazil 145 A3
Pardoo Australia 108 B5
Pardubice Czech Rep. 47 O5
Parece Vela i. Japan see Okino-Tori-shima
Parecis, Serra dos hills Brazil 142 F6
Pareh Iran 88 B2
Parenda India 84 B2
Parent Canada 122 G5
Parent, Lac l. Canada 122 F4
Pareora N.Z. 113 C7
Parepare Indon. 68 F7
Parga Greece 59 I5
Pargas Fin. 45 M6
Parghelia Italy 58 F5
Pargi India 84 C2
Paria, Gulf of Trin. and Tob./Venez. 137 L6
Paria, Península de pen. Venez. 142 F1
Paria Plateau U.S.A. 129 G3
Parikkala Fin. 45 P6
Parikud Islands India 84 E2
Parima, Serra mts Brazil 142 F3
Parima-Tapirapecó, Parque Nacional nat. park Venez. 142 F3
Parintins Brazil 143 G4
Paris Canada 134 E2

▶Paris France 52 C6
Capital of France. 3rd most populous city in Europe.

Paris IL U.S.A. 134 B4
Paris KY U.S.A. 134 C4
Paris MO U.S.A. 130 E4
Paris TN U.S.A. 131 F4
Paris TX U.S.A. 131 E5
Paris (Charles de Gaulle) airport France 52 C5
Paris (Orly) airport France 52 C6
Paris Crossing U.S.A. 134 C4
Parit Buntar Malaysia 71 C6
Pārīz Iran 88 D4
Pārk Iran 89 F5
Park U.K. 51 E3
Parkano Fin. 45 M5
Park City U.S.A. 134 B5
Parke Lake Canada 123 K3
Parker AZ U.S.A. 129 F4
Parker CO U.S.A. 126 G5
Parker Dam U.S.A. 129 F4
Parker Lake Canada 121 M2
Parker Range hills Australia 109 B8
Parkersburg U.S.A. 134 E4
Parkers Lake U.S.A. 134 C5
Parkes Australia 112 D4
Park Falls U.S.A. 130 F2
Park Forest U.S.A. 134 B3
Parkhar Tajik. see Farkhor
Parkhill Canada 134 E2
Park Rapids U.S.A. 130 E2
Parkutta Pak. 82 D2
Park Valley U.S.A. 126 E4
Parla Kimedi India see Paralakhemundi
Parlakimidi India see Paralakhemundi
Parli Vaijnath India 84 C2
Parlung Zangbo r. China 76 B2
Parma Italy 58 D2
Parma ID U.S.A. 126 D4
Parma OH U.S.A. 134 E3
Parnaíba Brazil 143 J4
Parnaíba r. Brazil 143 J4
Parnassos mt. Greece see Liakoura
Parnassus mt. Greece see Liakoura
Parnassus N.Z. 113 D6
Parner India 84 B2
Parnon mts Greece see Parnonas
Parnon mts Greece see Parnonas
Parnonas mts Greece 59 J6
Pärnu Estonia 45 N7
Pärnu-Jaagupi Estonia 45 N7
Paro Bhutan 83 G4
Paroikia Greece 59 K6
Parona Turkey see Fındık
Paroo watercourse Australia 112 A3
Paroo Channel watercourse Australia 112 A3
Paroo-Darling National Park nat. park N.S.W. 111 C6
Paroo-Darling National Park nat. park N.S.W. 112 E3
Paros Notio Aigaio Greece see Paroikia
Paros i. Greece 59 K6
Parowan U.S.A. 129 G3
Parral Chile 144 B5
Parramatta Australia 112 E4
Parramore Island U.S.A. 135 H5
Parras Mex. 131 C7
Parrett r. U.K. 49 D7
Parry, Cape Canada 153 A2
Parry, Kap c. Greenland see Kangaarsussuaq
Parry, Lac l. Canada 122 G2
Parry Bay Canada 119 J3
Parry Channel Canada 119 G2
Parry Islands Canada 119 G2
Parry Range hills Australia 108 A5
Parry Sound Canada 134 E1
Parsnip Peak U.S.A. 129 F2
Parsons KS U.S.A. 131 E4
Parsons WV U.S.A. 134 F4
Parsons Range hills Australia 108 F3
Partabgarh India 84 B2
Partabpur India 83 E5
Partenstein Germany 53 J4
Parthenay France 56 D3
Partizansk Rus. Fed. 74 D4
Partney U.K. 48 H5
Partridge r. Canada 122 E4
Partry Ireland 51 C4
Partry Mts hills Ireland 51 C4
Paru r. Brazil 143 H4
Pārūd Iran 89 F5
Paryang China 83 E3
Parys S. Africa 101 H4
Pasa Dağı mt. Turkey 90 D3
Pasadena CA U.S.A. 128 D4
Pasadena TX U.S.A. 131 E6
Pasado, Cabo c. Ecuador 142 B4
Pa Sang Thai. 70 B3
Pasawng Myanmar 70 B3
Pascagama r. Canada 122 G4
Pascagoula U.S.A. 131 F6
Pascagoula r. U.S.A. 131 F6
Paşcani Romania 59 L1
Pasco U.S.A. 126 D3
Pascoal, Monte hill Brazil 145 D2
Pascua, Isla de i. S. Pacific Ocean see Easter Island
Pas de Calais strait France/U.K. see Dover, Strait of
Pasewalk Germany 47 O4
Pasfield Lake Canada 121 J3
Pasha Rus. Fed. 42 G3
Pashih Haihsia sea chan. Phil./Taiwan see Bashi Channel
Pashkovo Rus. Fed. 74 C2
Pashkovskiy Rus. Fed. 43 H7
Pashtun Zarghun Afgh. 89 F3
Pashū'īyeh Iran 88 E4
Pasi Ga Myanmar 70 B1
Pasighat India 83 H3
Pasinler Turkey 91 F3
Pasir Gudang Malaysia 71 [inset]
Pasir Mas Malaysia 71 C6
Pasir Putih Malaysia 71 C6
Paskūh Iran 89 F5
Pasni Pak. 149 M4
Paso de los Toros Uruguay 144 E4
Paso de San Antonio Mex. 131 C6
Pasok Myanmar 70 A2
Paso Robles U.S.A. 128 C4
Pasquia Hills Canada 121 K4
Passaic U.S.A. 135 H3
Passa Tempo Brazil 145 B3
Passau Germany 47 N6
Passo del San Gottardo Switz. see St Gotthard Pass
Passo Fundo Brazil 144 F3
Passos Brazil 145 B3
Passur r. Bangl. see Pusur
Passuri Nadi r. Bangl. see Pusur
Pastavy Belarus 45 O9
Pastaza r. Peru 142 C4
Pasto Col. 142 C3
Pastora Peak U.S.A. 129 I3
Pastos Bons Brazil 143 J5
Pasu Pak. 82 C1
Pasur Turkey see Kulp
Pasvalys Lith. 45 N8
Pasvikelva r. Europe see Patsoyoki
Patache, Punta pt Chile 144 B2
Patagonia reg. Arg. 144 B8
Pataliputra India see Patna
Patan Gujarat India see Somnath
Patan Gujarat India 82 C5
Patan Mahar. India 84 B2
Patan Nepal 83 F4
Patan Pak. 89 I3
Patandar, Koh-i- mt. Pak. 89 G5
Patavium Italy see Padua
Patea N.Z. 113 E4
Patea inlet N.Z. see Doubtful Sound
Pate Island Kenya 98 E4
Pateley Bridge U.K. 48 F4
Patensie S. Africa 100 G7
Patera India 82 D4
Paterson Australia 112 E4
Paterson r. Australia 112 C2
Paterson U.S.A. 135 H3
Paterson Range hills Australia 108 C5
Pathanamthitta India 84 C4
Pathankot India 82 C2
Pathari India 82 D5
Pathein Myanmar see Bassein
Pathfinder Reservoir U.S.A. 126 G4
Pathiu Thai. 71 B5
Pathum Thani Thai. 71 C4
Patía r. Col. 142 C3
Patiala India 82 D3
Patkai Bum mts India/Myanmar 83 H4
Patkaklik China 83 F1
Patmos i. Greece 59 L6
Patna India 83 F4
Patna Orissa India 83 F5
Patnagarh India 83 E5
Patnos Turkey 91 F3
Pato Branco Brazil 144 F3
Patoda India 84 B2
Patoka r. U.S.A. 134 B4
Patoka Lake U.S.A. 134 B4
Patos Albania 59 H4
Patos Brazil 143 K5
Patos, Lagoa dos l. Brazil 144 F4
Patos de Minas Brazil 145 B2
Patquía Arg. 144 C4
Patra Greece see Patras
Patrae Greece see Patras
Pátrai Greece see Patras
Patras Greece 59 I5
Patreksfjörður Iceland 44 [inset]
Patricio Lynch, Isla i. Chile 144 A7
Patrick Creek watercourse Australia 110 D4
Patrimônio Brazil 145 A2
Patrocínio Brazil 145 B2
Patrū Iran 89 E3
Patsoyoki r. Europe 44 Q2
Pattadakal tourist site India 84 B2
Pattani Thai. 71 C6
Pattaya Thai. 71 C4
Pattensen Germany 53 J2
Patterson CA U.S.A. 128 C3
Patterson LA U.S.A. 131 F6
Patterson, Mount Canada 120 C1
Patti India 83 E4
Pattijoki Fin. 44 N4
Pättikkä Fin. 44 L2
Patton U.S.A. 135 F3
Pattullo, Mount Canada 120 D3
Patu Brazil 143 K5
Patuakhali Bangl. 83 G5
Patuanak Canada 121 J4
Patuca, Punta pt Hond. 137 H5
Patur India 84 C1
Patuxent r. U.S.A. 135 G4
Patuxent Range mts Antarctica 152 L1
Patvinsuon kansallispuisto nat. park Fin. 44 Q5
Pau France 56 D5
Pauhunri mt. China/India 83 G4
Pauillac France 56 D4
Pauini Brazil 142 E5
Pauini r. Brazil 142 E5
Pauk Myanmar 70 A2
Paukkaung Myanmar 70 A3
Paulatuk Canada 153 A2
Paulden U.S.A. 129 G4
Paulding U.S.A. 134 C3
Paulicéia Brazil 145 A3
Paulis Dem. Rep. Congo see Isiro
Paul Island Canada 123 J2
Paulo Afonso Brazil 143 K5
Paulo de Faria Brazil 145 A3
Paulpietersburg S. Africa 101 J4
Paul Roux S. Africa 101 H5
Pauls Valley U.S.A. 131 D5
Paumotu, Îles is Fr. Polynesia see Tuamotu Islands
Paung Myanmar 70 B3
Paungbyin Myanmar 70 A1
Paungde Myanmar 70 A3
Pauni India 84 C1
Pauri India 82 D3
Pavagada India 84 C3
Pavão Brazil 145 C2
Pāveh Iran 88 B3
Pavia Italy 58 C2
Pāvilosta Latvia 45 L8
Pavino Rus. Fed. 42 J4
Pavlikeni Bulg. 59 K3
Pavlodar Kazakh. 80 E1
Pavlof Volcano U.S.A. 118 B4
Pavlograd Ukr. see Pavlohrad
Pavlohrad Ukr. 43 G6
Pavlovka Rus. Fed. 43 J5
Pavlovo Rus. Fed. 42 I5
Pavlovsk Altayskiy Kray Rus. Fed. 72 E2
Pavlovsk Voronezhskaya Oblast' Rus. Fed. 43 I6
Pavlovskaya Rus. Fed. 43 H7
Pawahku Myanmar 70 B1
Pawai India 82 E4
Pawnee U.S.A. 131 D4
Pawnee r. U.S.A. 130 D4
Pawnee City U.S.A. 130 D3
Paw Paw MI U.S.A. 134 C2
Paw Paw WV U.S.A. 135 F4
Pawtucket U.S.A. 135 J3
Pawut Myanmar 71 B4
Paxson U.S.A. 118 D3
Paxton U.S.A. 134 A3
Payakumbuh Indon. 68 C7
Paya Lebar Sing. 71 [inset]
Payette U.S.A. 126 D3
Pay-Khoy, Khrebet hills Rus. Fed. 64 H3
Payne Canada see Kangirsuk
Payne, Lac l. Canada 122 G2
Paynes Creek U.S.A. 128 C1
Payne's Find Australia 109 B7
Paynesville U.S.A. 130 E2
Paysandú Uruguay 144 E4
Pays de Bray reg. France 52 B5
Payshanba Uzbek. 89 G1
Payson U.S.A. 129 H4
Pazar Turkey 91 F2
Pazarcık Turkey 90 E3
Pazardzhik Bulg. 59 K3
Pazin Croatia 58 E2
Pe Myanmar 71 B4
Peabody KS U.S.A. 130 D4
Peabody MA U.S.A. 135 J2

▶Peace r. Canada 120 I3
Part of the Mackenzie-Peace-Finlay, the 2nd longest river in North America.

Peace Point Canada 121 H3
Peace River Canada 120 G3
Peach Creek U.S.A. 134 E5
Peach Springs U.S.A. 129 G4
Peacock Hills Canada 121 I1
Peak Charles hill Australia 109 C8
Peak Charles National Park Australia 109 C8
Peak District National Park U.K. 48 F5
Peake watercourse Australia 111 B6
Peaked Mountain hill U.S.A. 132 G2
Peak Hill N.S.W. Australia 112 D4
Peak Hill W.A. Australia 109 B6
Peale, Mount U.S.A. 129 I2
Peanut U.S.A. 128 B1
Pearce U.S.A. 129 I6
Pearce Point Australia 108 E3
Pearisburg U.S.A. 134 E5
Pearl r. U.S.A. 131 F6
Pearl Harbor inlet U.S.A. 127 [inset]
Pearsall U.S.A. 131 D6
Pearson U.S.A. 133 D6
Pearston S. Africa 101 G7
Peary Channel Canada 119 I2
Peary Land reg. Greenland 153 J1
Pease r. U.S.A. 131 D5
Peawanuck Canada 122 D3
Pebane Moz. 99 D5
Pebas Peru 142 D4
Peć Kosovo see Pejë
Peçanha Brazil 145 C2
Peças, Ilha das i. Brazil 145 A4
Pechenga Rus. Fed. 44 Q2
Pechora Rus. Fed. 42 M2
Pechora r. Rus. Fed. 42 L1
Pechora Sea Rus. Fed. see Pechorskoye More
Pechorskaya Guba b. Rus. Fed. 42 L1
Pechorskoye More sea Rus. Fed. 153 G2
Pechory Rus. Fed. 45 O8
Peck U.S.A. 134 D2
Pecos U.S.A. 131 C6
Pecos r. U.S.A. 131 C6
Pécs Hungary 58 H1
Pedda Vagu r. India 84 C2
Pedder, Lake Australia 111 [inset]
Peddie S. Africa 101 H7
Pedernales Dom. Rep. 137 J5
Pedersöre Fin. 44 M5
Pediaios r. Cyprus 85 A2
Pediva Angola 99 B5
Pedra Azul Brazil 145 C1
Pedra Preta, Serra da mts Brazil 145 A1
Pedras de Maria da Cruz Brazil 145 B1
Pedregulho Brazil 145 B3
Pedreiras Brazil 143 J4
Pedriceña Mex. 131 C7
Pedro, Point Sri Lanka 84 D4
Pedro Betancourt Cuba 133 D8
Pedro II, Ilha reg. Brazil/Venez. 142 E3
Pedro Juan Caballero Para. 144 E2
Peebles U.K. 50 F5
Peebles U.S.A. 134 D4
Pee Dee r. U.S.A. 133 E5
Peekskill U.S.A. 135 I3
Peel r. Australia 112 E3
Peel r. Canada 118 E3
Peel Isle of Man 48 C4
Peer Belgium 52 F3
Peera Peera Poolanna Lake salt flat Australia 111 B5
Peerless Lake Canada 120 H3
Peerless Lake l. Canada 120 H3
Peers Canada 120 G4
Peery Lake salt flat Australia 112 A3
Pegasus Bay N.Z. 113 D6
Pegnitz Germany 53 L5
Pegu Myanmar 70 B3
Pegu Yoma mts Myanmar 70 A3
Pegysh Rus. Fed. 42 K3
Pehuajó Arg. 144 D5
Peikang Taiwan 77 I4
Peine Chile 144 C2
Peine Germany 53 K2
Peint India 84 B1
Peipsi järv l. Estonia/Rus. Fed. see Peipus, Lake
Peipus, Lake Estonia/Rus. Fed. 45 O7
Peiraias Greece see Piraeus
Pei Shan mts China see Bei Shan
Peißen Germany 53 L3
Peixe Brazil 143 I6
Peixe r. Brazil 145 A1
Peixian Jiangsu China 77 H1
Peixian Jiangsu China see Pizhou
Peixoto de Azevedo Brazil 143 H6
Pejë Kosovo 59 I3
Pèk Laos see Phônsavan
Peka Lesotho 101 H5
Pekan Malaysia 71 C7
Pekanbaru Indon. 68 C6
Pekin U.S.A. 130 F3
Peking China see Beijing
Pekinga Benin 96 D3
Pelabohan Klang Malaysia see Pelabuhan Klang
Pelabuhan Klang Malaysia 71 C7
Pelagie, Isole is Sicily Italy 58 E7
Pelaihari Indon. 68 E7
Peleaga, Vârful mt. Romania 59 J2
Pelee Island Canada 134 D3
Pelee Point Canada 134 D3
Peles Rus. Fed. 42 K3
Pélican, Lac du l. Canada 123 G2
Pelican Lake Canada 121 K4
Pelican Lake U.S.A. 130 E1
Pelican Narrows Canada 121 K4
Pelkosenniemi Fin. 44 O3
Pella S. Africa 100 D5
Pellatt Lake Canada 121 I1
Pelleluhu Islands P.N.G. 69 K7
Pello Fin. 44 M3
Pelly r. Canada 120 C2
Pelly Crossing Canada 120 B2
Pelly Lake Canada 121 K1
Pelly Mountains Canada 120 C2
Peloponnese admin. reg. Greece 59 J6
Pelopónnesos admin. reg. Greece see Peloponnese
Peloponnisos admin. reg. Greece see Peloponnese
Pelotas Brazil 144 F4
Pelotas, Rio das r. Brazil 145 A4
Pelusium tourist site Egypt 85 A4
Pelusium, Bay of Egypt see Tīnah, Khalīj aṭ
Pemangkat Indon. 71 E7
Pematangsiantar Indon. 71 B7
Pemba Moz. 99 E5
Pemba Island Tanz. 99 D4
Pemberton Canada 120 F5
Pembina r. Canada 120 H4
Pembina r. U.S.A. 130 D1
Pembine U.S.A. 132 C2
Pembre Indon. 69 J8
Pembroke Canada 122 F5
Pembroke U.K. 49 C7
Pembroke U.S.A. 133 D5
Pembrokeshire Coast National Park U.K. 49 B7
Pen India 84 B2
Peña Cerredo mt. Spain see Torrecerredo
Peñalara mt. Spain 57 E3
Penamar Brazil 145 C1
Peña Nevada, Cerro mt. Mex. 136 E4
Penang Malaysia see George Town
Penang i. Malaysia see Pinang
Penápolis Brazil 145 A3
Peñaranda de Bracamonte Spain 57 D3
Penarie Australia 112 A5
Penarlâg U.K. see Hawarden
Peñarroya mt. Spain 57 F3
Peñarroya-Pueblonuevo Spain 57 D4
Penarth U.K. 49 D7
Peñas, Cabo de c. Spain 57 D2
Penas, Golfo de g. Chile 144 A7
Penasi, Pulau i. Indon. 71 A6
Peña Ubiña mt. Spain 57 D2
Pender U.S.A. 130 D3
Pendle Hill hill U.K. 48 E5
Pendleton U.S.A. 126 D3
Pendleton Bay Canada 120 E4
Pend Oreille r. U.S.A. 126 D2
Pend Oreille Lake U.S.A. 126 D2
Pendra India 83 E5
Penduv India 84 B2
Pendzhikent Tajik. see Panjakent
Penebangan i. Indon. 68 D7
Peneda Gerês, Parque Nacional da nat. park Port. 57 B3
Penetanguishene Canada 134 F1
Penfro U.K. see Pembroke
Peng'an China 76 E2
Penganga r. India 84 C2
Peng Chau i. H.K. China 77 [inset]
P'engchia Yü i. Taiwan 77 I3
Penge Dem. Rep. Congo 99 C4
Penge S. Africa 101 J3
P'enghu Ch'üntao is Taiwan 77 H4
P'enghu Liehtao is Taiwan see P'enghu Ch'üntao
P'enghu Tao i. Taiwan 77 H4
Peng Kang hill Sing. 71 [inset]
Penglaizhen China see Daying
Pengshan China 76 D2
Pengshui China 77 F2
Pengwa Myanmar 70 A2
Pengxi China 76 E2
Penha Brazil 145 A4
Penhoek Pass S. Africa 101 H6
Penhook U.S.A. 134 F5
Peniche Port. 57 B4
Penicuik U.K. 50 F5
Penig Germany 53 M4
Peninga Rus. Fed. 44 R5
Peninsular Malaysia Malaysia 71 D6
Penitente, Serra do hills Brazil 143 I5
Penn U.S.A. see Penn Hills
Pennell Coast Antarctica 152 H2
Penn Hills U.S.A. 134 F3
Pennine, Alpi mts Italy/Switz. 58 B2
Pennine Alps mts Italy/Switz. see Pennine, Alpi
Pennines hills U.K. 48 E4
Pennington Gap U.S.A. 134 D5
Pennsburg U.S.A. 135 H3
Penns Grove U.S.A. 135 H4
Pennsville U.S.A. 135 H4
Pennsylvania state U.S.A. 134 F3
Pennville U.S.A. 134 C3
Penn Yan U.S.A. 135 G2
Penny Icecap Canada 119 L3
Penny Point Antarctica 152 H1
Penola Australia 111 C8
Peñón Blanco Mex. 131 B7
Penong Australia 109 F7
Penonomé Panama 137 H7
Penrhyn atoll Cook Is 151 J6
Penrhyn Basin sea feature S. Pacific Ocean 151 J6
Penrith Australia 112 E4
Penrith U.K. 48 E4
Pensacola U.S.A. 133 C6
Pensacola Mountains Antarctica 152 L1
Pensi La pass India 82 D2
Pentadaktylos Range mts Cyprus 85 A2
Pentakota India 84 D2
Pentecost Island Vanuatu 107 G3
Pentecôte, Île i. Vanuatu see Pentecost Island
Penticton Canada 120 G5
Pentire Point U.K. 49 B8
Pentland Australia 110 D4
Pentland Firth sea chan. U.K. 50 F2
Pentland Hills U.K. 50 F5
Pentwater U.S.A. 134 B2
Penwegon Myanmar 70 B3
Pen-y-Bont ar Ogwr U.K. see Bridgend
Penygadair hill U.K. 49 D6
Penylan Lake Canada 121 J2
Penza Rus. Fed. 43 J5
Penzance U.K. 49 B8
Penzhinskaya Guba b. Rus. Fed. 65 R3
Peoria AZ U.S.A. 129 G5
Peoria IL U.S.A. 130 F3
Peotone U.S.A. 134 B3
Pequeña, Punta pt Mex. 127 E8
Pequop Mountains U.S.A. 129 F1
Peradeniya Sri Lanka 84 D5
Pera Head hd Australia 110 C2
Perak i. Malaysia 71 B6
Perales del Alfambra Spain 57 F3
Perambalur India 84 C4
Perämeren kansallispuisto nat. park Fin. 44 N4
Peräseinäjoki Fin. 44 M5
Percé Canada 123 I4
Percival Lakes salt flat Australia 108 D5
Percy U.S.A. 135 J1
Percy Isles Australia 110 E4
Percy Reach l. Canada 135 G1
Perdizes Brazil 145 B2
Perdu, Lac l. Canada 123 H4
Peregrebnoye Rus. Fed. 41 T3
Pereira Col. 142 C3
Pereira Barreto Brazil 145 A3
Pereira de Eça Angola see Ondjiva
Pere Marquette r. U.S.A. 134 B2
Peremul Par reef India 84 B4
Peremyshlyany Ukr. 43 E6
Perenjori Australia 109 B7
Pereslavl'-Zalesskiy Rus. Fed. 42 H4
Pereslavskiy Natsional'nyy Park nat. park Rus. Fed. 42 H4
Pereyaslavka Rus. Fed. 74 D3
Pereyaslav-Khmel'nitskiy Ukr. see Pereyaslav-Khmel'nyts'kyy
Pereyaslav-Khmel'nyts'kyy Ukr. 43 F6
Perforated Island Thai. see Bon, Ko
Pergamino Arg. 144 D4
Perhentian Besar, Pulau i. Malaysia 71 C6
Perho Fin. 44 N5
Péribonka, Lac l. Canada 123 H4
Perico Arg. 144 C2
Pericos Mex. 127 G8
Peridot U.S.A. 129 H5
Périgueux France 56 E4
Perijá, Parque Nacional nat. park Venez. 142 D2
Perija, Sierra de mts Venez. 142 D2
Periyar India see Erode
Perkasie U.S.A. 135 H3
Perlas, Punta de pt Nicaragua 137 H6
Perleberg Germany 53 L1
Perm' Rus. Fed. 41 R4
Permas Rus. Fed. 42 J4
Pernambuco Brazil see Recife
Pernambuco Plain sea feature S. Atlantic Ocean 148 G6
Pernatty Lagoon salt flat Australia 111 B6
Pernem India 84 B3
Pernik Bulg. 59 J3
Pernov Estonia see Pärnu
Perojpur Bangl. see Pirojpur
Peron Islands Australia 108 E3
Péronne France 52 C5
Perpignan France 56 F5
Perranporth U.K. 49 B8
Perrégaux Alg. see Mohammadia
Perris U.S.A. 128 E5
Perros-Guirec France 56 C2
Perrot, Île i. Canada 135 I1
Perry FL U.S.A. 133 D6
Perry GA U.S.A. 133 D5
Perry MI U.S.A. 134 C2
Perry OK U.S.A. 131 D4
Perry Lake U.S.A. 130 E4
Perryton U.S.A. 131 C4
Perryville AK U.S.A. 118 C4
Perryville MO U.S.A. 130 F4
Perseverancia Bol. 142 F6
Pershore U.K. 49 E6
Persia country Asia see Iran
Persian Gulf Asia see The Gulf
Pertek Turkey 91 E3

▶Perth Australia 109 A7
Capital of Western Australia. 4th most populous city in Oceania.

Perth Canada 135 G1
Perth U.K. 50 F4
Perth Amboy U.S.A. 135 H3
Perth-Andover Canada 123 I5
Perth Basin sea feature Indian Ocean 149 P7
Pertominsk Rus. Fed. 42 H2
Pertunmaa Fin. 45 O6
Pertusato, Capo c. Corsica France 56 I6
Peru atoll Kiribati see Beru

▶Peru country S. America 142 D6
3rd largest and 4th most populous country in South America.

Peru IL U.S.A. 130 F3
Peru IN U.S.A. 134 B3
Peru NY U.S.A. 135 I1
Peru-Chile Trench sea feature S. Pacific Ocean 151 O6
Perugia Italy 58 E3
Peruru India 84 C3
Perusia Italy see Perugia
Péruwelz Belgium 52 D4
Pervomaysk Rus. Fed. 43 I5
Pervomays'k Ukr. 43 F6
Pervomayskiy Kazakh. 80 F1
Pervomayskiy Arkhangel'skaya Oblast' Rus. Fed. see Novodvinsk
Pervomayskiy Tambovskaya Oblast' Rus. Fed. 43 I5
Pervomays'kyy Ukr. 43 H6
Pervorechenskiy Rus. Fed. 65 R3
Pesaro Italy 58 E3
Pescadores is Taiwan see P'enghu Ch'üntao
Pescara Italy 58 F3
Pescara r. Italy 58 F3
Peschanokopskoye Rus. Fed. 43 I7
Peschanoye Rus. Fed. see Yashkul'
Peschanyy, Mys pt Kazakh. 91 H2
Pesha r. Rus. Fed. 42 J2
Peshanjan Afgh. 89 F3
Peshawar Pak. 89 H3
Peshkopi Albania 59 I4
Peshtera Bulg. 59 K3
Peski Turkm. 89 F2
Peski Karakumy des. Turkm. see Karakum Desert
Peskovka Rus. Fed. 42 L4
Pesnica Slovenia 58 F1
Pessac France 56 D4
Pessin Germany 53 M2
Pestovo Rus. Fed. 42 G4
Pestravka Rus. Fed. 43 K5
Petah Tiqwa Israel 85 B3
Petäjävesi Fin. 44 N5
Petaling Jaya Malaysia 71 C7
Petalion, Kolpos sea chan. Greece 59 K5
Petaluma U.S.A. 128 B2
Pétange Lux. 52 F5
Petatlán Mex. 136 D5
Petauke Zambia 99 D5
Petenwell Lake U.S.A. 130 F2
Peterbell Canada 122 E4
Peterborough Australia 111 B7
Peterborough Canada 135 F1
Peterborough U.K. 49 G6
Peterborough U.S.A. 135 J2
Peterculter U.K. 50 G3
Peterhead U.K. 50 H3
Peter I Island Antarctica 152 K2
Peter I Øy i. Antarctica see Peter I Island
Peter Lake Canada 121 M2
Peterlee U.K. 48 F4
Petermann Bjerg nunatak Greenland 119 P2
Petermann Ranges mts Australia 109 E6
Peter Pond Lake Canada 121 I4
Peters, Lac l. Canada 123 H2
Petersberg Germany 53 J4
Petersburg AK U.S.A. 120 C3
Petersburg IL U.S.A. 130 F4
Petersburg IN U.S.A. 134 B4
Petersburg NY U.S.A. 135 I2
Petersburg VA U.S.A. 135 G5
Petersburg WV U.S.A. 134 F4
Petersfield U.K. 49 G7
Petershagen Germany 53 I2
Petersville U.S.A. 118 C3
Peter the Great Bay Rus. Fed. see Petra Velikogo, Zaliv
Peth India 84 B2
Petilia Policastro Italy 58 G5
Petit Atlas mts Morocco see Anti Atlas
Petitcodiac Canada 123 I5
Petitjean Morocco see Sidi Kacem
Petit Lac Manicouagan l. Canada 123 I3
Petit Mécatina r. Nfld. and Lab./Que. Canada 123 K4
Petit Mécatina, Île du i. Canada 123 K4
Petit Morin r. France 52 D6
Petitot r. Canada 120 F2
Petit St-Bernard, Col du pass France 56 H

Point Lake Canada 120 H1
Point of Rocks U.S.A. 126 F4
Point Pelee National Park Canada 134 D3
Point Pleasant NJ U.S.A. 135 H3
Point Pleasant WV U.S.A. 134 D4
Poitiers France 56 E3
Poitou reg. France 56 E3
Poix-de-Picardie France 52 B5
Pojuca r. Brazil 145 D1
Pokaran India 82 B4
Pokataroo Australia 112 D2
Pokcha Rus. Fed. 41 R3
Pokhara Nepal 83 E3
Pokhran Landi Pak. 89 G5
Pokhvistnevo Rus. Fed. 41 Q5
Pok Liu Chau i. H.K. China see Lamma Island
Poko Dem. Rep. Congo 98 C3
Pokosnoye Rus. Fed. 72 I1
P'ok'r Kovkas mts Asia see Lesser Caucasus
Pokrovka Chitinskaya Oblast' Rus. Fed. 74 A1
Pokrovka Primorskiy Kray Rus. Fed. 74 C4
Pokrovsk Respublika Sakha (Yakutiya) Rus. Fed. 65 N3
Pokrovsk Saratovskaya Oblast' Rus. Fed. see Engel's
Pokrovskoye Rus. Fed. 43 H7
Pokshen'ga r. Rus. Fed. 42 J3
Pol India 82 C5
Pola Croatia see Pula
Polacca Wash watercourse U.S.A. 129 H4
Pola de Lena Spain 57 D2
Pola de Siero Spain 57 D2
Poland country Europe 40 J5
Poland NY U.S.A. 135 H2
Poland OH U.S.A. 134 E3
Polar Plateau Antarctica 152 A1
Polatlı Turkey 90 D3
Polatsk Belarus 45 P9
Polavaram India 84 D2
Polcirkeln Sweden 44 L3
Pol-e 'Alam Lowgar 89 H3
Pol-e Fāsā Iran 88 D4
Pol-e Khatum Iran 89 F2
Pol-e Khomrī Afgh. 89 H3
Pol-e Safid Iran 88 D2
Polessk Rus. Fed. 45 L9
Poles'ye marsh Belarus/Ukr. see Pripet Marshes
Polgahawela Sri Lanka 84 D5
Poli Cyprus see Polis
Políaigos i. Greece see Polyaigos
Police Poland 47 O4
Policoro Italy 58 G4
Poligny France 56 G3
Polikastron Greece see Polykastro
Polillo Islands Phil. 69 G3
Polis Cyprus 85 A2
Polis'ke Ukr. 43 F6
Polis'kyy Zapovidnyk nature res. Ukr. 43 F6
Politovo Rus. Fed. 42 K2
Políyiros Greece see Polygyros
Polkowice Poland 47 P5
Pollachi India 84 C4
Pollard Islands U.S.A. see Gardner Pinnacles
Polle Germany 53 J3
Pollino, Monte mt. Italy 58 G5
Pollino, Parco Nazionale del nat. park Italy 58 G5
Pollock Pines U.S.A. 128 C2
Pollock Reef Australia 109 C8
Polmak Norway 44 O1
Polnovat Rus. Fed. 41 T3
Polo Fin. 44 P4
Poloat atoll Micronesia see Puluwat
Pologi Ukr. see Polohy
Polohy Ukr. 43 H7
Polokwane S. Africa 101 I2
Polonne Ukr. 43 E6
Polonnoye Ukr. see Polonne
Polotsk Belarus see Polatsk
Polperro U.K. 49 C8
Polska country Europe see Poland
Polson U.S.A. 126 E3
Polta r. Rus. Fed. 42 I2
Poltava Ukr. 43 G6
Poltoratsk Turkm. see Aşgabat
Põltsamaa Estonia 45 N7
Polunochnoye Rus. Fed. 41 S3
Põlva Estonia 45 O7
Polvadera U.S.A. 127 G6
Polvijärvi Fin. 44 P5
Polyaigos i. Greece 59 K6
Polyanovgrad Bulg. see Karnobat
Polyarnyy Chukotskiy Avtonomnyy Okrug Rus. Fed. 65 S3
Polyarnyy Murmanskaya Oblast' Rus. Fed. 44 R2
Polyarnyye Zori Rus. Fed. 44 R3
Polyarnyy Ural mts Rus. Fed. 41 S2
Polygyros Greece 59 J4
Polykastro Greece 59 J4
Polynesia is Pacific Ocean 150 I6
Polynésie Française terr. S. Pacific Ocean see French Polynesia
Pom Indon. 69 J7
Pomarkku Fin. 45 M6
Pombal Pará Brazil 143 H4
Pombal Paraíba Brazil 143 K5
Pombal Port. 57 B4
Pomene Moz. 101 L2
Pomeranian Bay Poland 47 O3
Pomeroy S. Africa 101 J5
Pomeroy U.K. 51 F3
Pomeroy OH U.S.A. 134 D4
Pomeroy WA U.S.A. 126 D3
Pomezia Italy 58 E4
Pomfret S. Africa 100 F3
Pomona Namibia 100 B4
Pomona U.S.A. 128 E4
Pomorie Bulg. 59 L3
Pomorskie, Pojezierze reg. Poland 47 O4
Pomorskiy Bereg coastal area Rus. Fed. 42 G2
Pomorskiy Proliv sea chan. Rus. Fed. 42 K1
Pomos Point Cyprus 85 A2
Pomo Tso l. China see Puma Yumco
Pomou, Akra pt Cyprus see Pomos Point
Pomozdino Rus. Fed. 42 L3
Pompain China 76 B2
Pompano Beach U.S.A. 133 D7
Pompei Italy 58 F4
Pompéia Brazil 145 A3
Pompey France 52 G6
Pompeyevka Rus. Fed. 74 C2
Ponape atoll Micronesia see Pohnpei
Ponask Lake Canada 121 M4
Ponazyrevo Rus. Fed. 42 J4
Ponca City U.S.A. 131 D4
Ponce Puerto Rico 137 K5
Ponce de Leon Bay U.S.A. 133 D7
Poncheville, Lac l. Canada 122 F4
Pondicherry India see Puducherry
Pondicherry union terr. India see Puducherry
Pondichéry India see Puducherry
Pond Inlet Canada 153 K2
Ponds Bay Canada see Pond Inlet
Ponente, Riviera di coastal area Italy 58 B3
Poneto U.S.A. 134 C3
Ponferrada Spain 57 C2
Pongara, Pointe pt Gabon 98 A3
Pongaroa N.Z. 113 F5
Pongo watercourse Sudan 97 F4
Pongola r. S. Africa 101 K4
Pongolapoort Dam l. S. Africa 101 J4
Ponnagyun Myanmar 70 A2
Ponnaivar r. India 84 C4
Ponnampet India 84 B3
Ponnani India 84 B4
Ponnyadaung Range mts Myanmar 70 A2
Pono Indon. 69 I8
Ponoka Canada 120 H4
Ponoy r. Rus. Fed. 42 I2
Pons r. Canada 123 H2

▶Ponta Delgada Arquipélago dos Açores 148 G3
Capital of the Azores.

Ponta Grossa Brazil 145 A4
Pontal Brazil 145 A3
Pontalina Brazil 145 A2
Pont-à-Mousson France 52 G6
Ponta Porã Brazil 144 E2
Pontarfynach U.K. see Devil's Bridge
Pont-Audemer France 49 H9
Pontault-Combault France 52 C6
Pontax r. Canada 122 F4
Pontchartrain, Lake U.S.A. 131 F6
Pont-de-Loup Belgium 52 E4
Ponte Alta do Norte Brazil 143 I6
Ponte de Sor Port. 57 B4
Ponte Firme Brazil 145 B2
Pontefract U.K. 48 F5
Ponteix Canada 121 J5
Ponteland U.K. 48 F3
Ponte Nova Brazil 145 C3
Pontes-e-Lacerda Brazil 143 G7
Pontevedra Spain 57 B2
Ponthierville Dem. Rep. Congo see Ubundu
Pontiac IL U.S.A. 130 F3
Pontiac MI U.S.A. 134 D2
Pontiae is Italy see Ponziane, Isole
Pontianak Indon. 68 D7
Pontine Islands is Italy see Ponziane, Isole
Pont-l'Abbé France 56 B3
Pontoise France 52 C5
Ponton watercourse Australia 109 C7
Ponton Canada 121 L4
Pontotoc U.S.A. 131 F5
Pont-Ste-Maxence France 52 C5
Pontypool U.K. 49 D7
Pontypridd U.K. 49 D7
Ponza, Isola di i. Italy 58 E4
Ponziane, Isole is Italy 58 E4
Poochera Australia 109 F8
Poole U.K. 49 F8
Poole U.S.A. 134 B5
Poolowanna Lake salt flat Australia 111 B5
Poona India see Pune
Pooncarie Australia 111 C7
Poonch India see Punch
Poopelloe Lake salt l. Australia 112 B3
Poopó, Lago de l. Bol. 142 E7
Poor Knights Islands N.Z. 113 E2
Popayán Col. 142 C3
Poperinge Belgium 52 C4
Popigay r. Rus. Fed. 65 L2
Popiltah Australia 111 C7
Popilta Lake imp. l. Australia 111 C7
Poplar r. Canada 121 L4
Poplar U.S.A. 126 G2
Poplar Bluff U.S.A. 131 F4
Poplar Camp U.S.A. 134 E5
Poplarville U.S.A. 131 F6

▶Popocatépetl, Volcán vol. Mex. 136 E5
5th highest mountain in North America.

Popokabaka Dem. Rep. Congo 99 B4
Popondetta P.N.G. 69 L8
Popovichskaya Rus. Fed. see Kalininskaya
Popovo Bulg. 59 L3
Popovo Polje plain Bos.-Herz. 58 G3
Poppberg hill Germany 53 L5
Poppenberg hill Germany 53 K3
Poprad Slovakia 47 R6
Poquoson U.S.A. 135 G5
Porali r. Pak. 89 G5
Porangahau N.Z. 113 F5
Porangatu Brazil 145 A1
Porbandar India 82 B5
Porcher Island Canada 120 D4
Porcos r. Brazil 145 B1
Porcupine, Cape Canada 123 K3
Porcupine Abyssal Plain sea feature N. Atlantic Ocean 148 G2
Porcupine Gorge National Park Australia 110 D4
Porcupine Hills Canada 121 K4
Porcupine Mountains U.S.A. 130 F2
Poreč Croatia 58 E2
Porecatu Brazil 145 A3
Poretskoye Rus. Fed. 43 J5
Pori Fin. 45 L6
Porirua N.Z. 113 E5
Porkhov Rus. Fed. 45 P8
Porlamar Venez. 142 F1
Pormpuraaw Australia 110 C2
Pornic France 56 C3
Poronaysk Rus. Fed. 74 F2
Porong China 83 G3
Poros Greece 59 J6
Porosozero Rus. Fed. 42 G3
Porpoise Bay Antarctica 152 G2
Porsangerfjorden sea chan. Norway 44 N1
Porsangerhalvøya pen. Norway 44 N1
Porsgrunn Norway 45 F7
Porsuk r. Turkey 59 N5
Portadown U.K. 51 F3
Portaferry U.K. 51 G3
Portage MI U.S.A. 134 C2
Portage PA U.S.A. 135 F3
Portage WI U.S.A. 130 F3
Portage Lakes U.S.A. 134 E3
Portage la Prairie Canada 121 L5
Portal U.S.A. 130 C1
Port Alberni Canada 120 E5
Port Albert Australia 112 C7
Portalegre Port. 57 C4
Portales U.S.A. 131 C5
Port-Alfred Canada see La Baie
Port Alfred S. Africa 101 H7
Port Alice Canada 120 E5
Port Allegany U.S.A. 135 F3
Port Allen U.S.A. 131 F6
Port Alma Australia 110 E4
Port Angeles U.S.A. 126 C2
Port Antonio Jamaica 137 I5
Portarlington Ireland 51 E4
Port Arthur Australia 111 [inset]
Port Arthur U.S.A. 131 E6
Port Askaig U.K. 50 C5
Port Augusta Australia 111 B7

▶Port-au-Prince Haiti 137 J5
Capital of Haiti.

Port Austin U.S.A. 134 D1
Port aux Choix Canada 123 K4
Portavogie U.K. 51 G3
Port Beaufort S. Africa 100 E8
Port Blair India 71 A5
Port Bolster Canada 134 F1
Portbou Spain 57 H2
Port Burwell Canada 134 E2
Port Campbell Australia 112 A7
Port Campbell National Park Australia 112 A7
Port Carling Canada 134 F1
Port-Cartier Canada 123 I4
Port Chalmers N.Z. 113 C7
Port Charlotte U.S.A. 133 D7
Port Clements Canada 120 C4
Port Clinton U.S.A. 134 D3
Port Credit Canada 134 F2
Port-de-Paix Haiti 137 J5
Port Dickson Malaysia 71 C7
Port Douglas Australia 110 D3
Port Edward Canada 120 D4
Port Edward S. Africa 101 J6
Porteira Brazil 143 G4
Porteirinha Brazil 145 C1
Portel Brazil 143 H4
Port Elgin Canada 134 E1
Port Elizabeth S. Africa 101 G7
Port Ellen U.K. 50 C5
Port Erin Isle of Man 48 C4
Porter Lake N.W.T. Canada 121 J2
Porter Lake Sask. Canada 121 J3
Porter Landing Canada 120 D3
Porterville S. Africa 100 D7
Porterville U.S.A. 128 D3
Port Étienne Mauritania see Nouâdhibou
Port Everglades U.S.A. see Fort Lauderdale
Port Fitzroy N.Z. 113 E3
Port Francqui Dem. Rep. Congo see Ilebo
Port-Gentil Gabon 98 A4
Port Glasgow U.K. 50 E5
Port Harcourt Nigeria 96 D4
Port Harrison Canada see Inukjuak
Porthcawl U.K. 49 D7
Port Hedland Australia 108 B5
Port Henry U.S.A. 135 I1
Port Herald Malawi see Nsanje
Porthleven U.K. 49 B8
Porthmadog U.K. 49 C6
Port Hope Canada 135 F2
Port Hope Simpson Canada 123 L3
Port Hueneme U.S.A. 128 D4
Port Huron U.S.A. 134 D2
Portimão Port. 57 B5
Port Jackson Australia see Sydney
Port Jackson inlet Australia 112 E4
Port Keats Australia see Wadeye
Port Klang Malaysia see Pelabuhan Klang
Port Láirge Ireland see Waterford
Portland N.S.W. Australia 112 D4
Portland Vic. Australia 111 C8
Portland IN U.S.A. 134 C3
Portland ME U.S.A. 135 J2
Portland MI U.S.A. 134 C2
Portland OR U.S.A. 126 C3
Portland TN U.S.A. 134 B5
Portland, Isle of pen. U.K. 49 E8
Portland Bill hd U.K. see Bill of Portland
Portland Creek Pond l. Canada 123 K4
Portland Roads Australia 110 C2
Port-la-Nouvelle France 56 F5
Portlaoise Ireland 51 E4
Port Lavaca U.S.A. 131 D6
Portlaw Ireland 51 E5
Portlethen U.K. 50 G3
Port Lincoln Australia 111 A7
Port Loko Sierra Leone 96 B4

▶Port Louis Mauritius 149 L7
Capital of Mauritius.

Port-Lyautrey Morocco see Kénitra
Port Macquarie Australia 112 F3
Portmadoc U.K. see Porthmadog
Port McNeill Canada 120 E5
Port-Menier Canada 123 I4

▶Port Moresby P.N.G. 69 L8
Capital of Papua New Guinea.

Portnaguran U.K. 50 C2
Portnahaven U.K. 50 C5
Port nan Giúran U.K. see Portnaguran
Port Neill Australia 111 B7
Portneuf r. Canada 123 H4
Port Nis U.K. see Port of Ness
Port Nis Scotland U.K. see Port of Ness
Port Noarlunga Australia 111 B7
Port Nolloth S. Africa 100 C5
Port Norris U.S.A. 135 H4
Port-Nouveau-Québec Canada see Kangiqsualujjuaq
Porto Port. see Oporto
Porto Acre Brazil 142 E5
Porto Alegre Brazil 145 A5
Porto Alexandre Angola see Tombua
Porto Amboim Angola 99 B5
Porto Amélia Moz. see Pemba
Porto Artur Brazil 143 G6
Porto Belo Brazil 145 A4
Porto de Moz Brazil 143 H4
Porto de Santa Cruz Brazil 145 C1
Porto dos Gaúchos Óbidos Brazil 143 G6
Porto Esperança Brazil 143 G7
Porto Esperidião Brazil 143 G7
Portoferraio Italy 58 D3
Port of Ness U.K. 50 C2
Porto Franco Brazil 143 I5

▶Port of Spain Trin. and Tob. 137 L6
Capital of Trinidad and Tobago.

Porto Grande Brazil 143 H3
Portogruaro Italy 58 E2
Porto Jofre Brazil 143 G7
Portola U.S.A. 128 C2
Portomaggiore Italy 58 D2
Porto Mendes Brazil 144 F2
Porto Murtinho Brazil 144 E2
Porto Nacional Brazil 143 I6

▶Porto-Novo Benin 96 D4
Capital of Benin.

Porto Novo Cape Verde 96 [inset]
Porto Primavera, Represa resr Brazil 144 F2
Port Orchard U.S.A. 126 C3
Port Orford U.S.A. 126 B4
Porto Rico Angola 99 B4
Porto Santo, Ilha de i. Madeira 96 B1
Porto Seguro Brazil 145 D2
Porto Tolle Italy 58 E2
Porto Torres Sardinia Italy 58 C4
Porto União Brazil 145 A4
Porto-Vecchio Corsica France 56 I6
Porto Velho Brazil 142 F5
Portoviejo Ecuador 142 B4
Porto Wálter Brazil 142 D5
Portpatrick U.K. 50 D6
Port Perry Canada 135 F1
Port Phillip Bay Australia 112 B7
Port Pirie Australia 111 B7
Port Radium Canada see Echo Bay
Portreath U.K. 49 B8
Portree U.K. 50 C3
Port Rexton Canada 123 L4
Port Royal U.S.A. 135 G4
Port Royal Sound inlet U.S.A. 133 D5
Portrush U.K. 51 F2
Port Safaga Egypt see Būr Safājah
Port Said Egypt 85 A4
Port St Joe U.S.A. 133 C6
Port St Lucie City U.S.A. 133 D7
Port St Mary Isle of Man 48 C4
Portsalon Ireland 51 E2
Port Sanilac U.S.A. 134 D2
Port Severn Canada 134 F1
Port Shepstone S. Africa 101 J6
Port Simpson Canada see Lax Kw'alaams
Portsmouth U.K. 49 F8
Portsmouth NH U.S.A. 135 J2
Portsmouth OH U.S.A. 134 D4
Portsmouth VA U.S.A. 135 G5
Portsoy U.K. 50 G3
Port Stanley Falkland Is see Stanley
Port Stephens b. Australia 112 F4
Portstewart U.K. 51 F2
Port Sudan Sudan 86 E6
Port Swettenham Malaysia see Pelabuhan Klang
Port Talbot U.K. 49 D7
Porttipahdan tekojärvi l. Fin. 44 O2
Port Townsend U.S.A. 126 C2
Portugal country Europe 57 C4
Portugália Angola see Chitato
Portuguese East Africa country Africa see Mozambique
Portuguese Guinea country Africa see Guinea-Bissau
Portuguese Timor country Asia see East Timor
Portuguese West Africa country Africa see Angola
Portumna Ireland 51 D4
Portus Herculis Monoeci country Europe see Monaco
Port-Vendres France 56 F5

▶Port Vila Vanuatu 107 G3
Capital of Vanuatu.

Portville U.S.A. 135 F2
Port Vladimir Rus. Fed. 44 R2
Port Waikato N.Z. 113 E3
Port Washington U.S.A. 134 B2
Port William U.K. 50 E6
Porvenir Bol. 142 E6
Porvenir Chile 144 B8
Porvoo Fin. 45 N6
Posada Spain 57 D2
Posada de Llanera Spain see Posada
Posadas Arg. 144 E3
Posen Poland see Poznań
Posen U.S.A. 134 D1
Poseyville U.S.A. 134 B4
Poshekhon'ye Rus. Fed. 42 H4
Poshekhon'ye-Volodarsk Rus. Fed. see Poshekhon'ye
Posht-e Badam Iran 88 D3
Poshteh-ye Chaqvīr hill Iran 88 E4
Posht-e Kūh mts Iran 88 B3
Posht-e Rūd-e Zamindavar reg. Afgh. see Zamīndāvar
Posht Kūh hill Iran 88 C2
Posio Fin. 44 P3
Poso Indon. 69 G7
Posof Turkey 91 F2
Posŏng S. Korea 75 B6
Possession Island Namibia 100 B4
Pößneck Germany 53 L4
Post U.S.A. 131 C5
Postavy Belarus see Pastavy
Poste-de-la-Baleine Canada see Kuujjuarapik
Poste Weygand Alg. 96 D2
Postmasburg S. Africa 100 F5
Poston U.S.A. 129 F4
Postville Canada 123 K3
Postville U.S.A. 122 C6
Postysheve Ukr. see Krasnoarmiys'k
Pota Indon. 108 C2
Pótam Mex. 127 F8
Poté Brazil 145 C2
Poteau U.S.A. 131 E5
Potegaon India 84 D2
Potentia Italy see Potenza
Potenza Italy 58 F4
Poth U.S.A. 131 D6
P'ot'i Georgia 91 F2
Potikal India 84 D2
Potiraguá Brazil 145 D1
Potiskum Nigeria 96 E3
Potlatch U.S.A. 126 D3
Pot Mountain U.S.A. 126 E3
Po Toi i. H.K. China 77 [inset]
Potomac r. U.S.A. 135 G4
Potosí Bol. 142 E7
Potosi U.S.A. 130 F4
Potosi Mountain U.S.A. 129 F4
Potrerillos Chile 144 C3
Potrero del Llano Mex. 131 B6
Potsdam Germany 53 N2
Potsdam U.S.A. 135 H1
Potter U.S.A. 130 C3
Potterne U.K. 49 E7
Potters Bar U.K. 49 G7
Potter Valley U.S.A. 128 B2
Pottstown U.S.A. 135 H3
Pottsville U.S.A. 135 G3
Pottuvil Sri Lanka 84 D5
Potwar reg. Pak. 89 I3
Pouch Cove Canada 123 L5
Poughkeepsie U.S.A. 135 I3
Poulin de Courval, Lac l. Canada 123 H4
Poulton-le-Fylde U.K. 48 E5
Pouso Alegre Brazil 145 B3
Poŭthĭsăt Cambodia 71 C4
Poŭthĭsăt, Stœng r. Cambodia 71 D4
Považská Bystrica Slovakia 47 Q6
Povenets Rus. Fed. 42 G3
Poverty Bay N.Z. 113 F4
Povlen mt. Serbia 59 H2
Póvoa de Varzim Port. 57 B3
Povorino Rus. Fed. 43 I6
Povorotnyy, Mys hd Rus. Fed. 74 D4
Poway U.S.A. 128 E5
Powder r. U.S.A. 126 G3
Powder, South Fork r. U.S.A. 126 G4
Powder River U.S.A. 126 G4
Powell r. U.S.A. 134 D5
Powell, Lake resr U.S.A. 129 H3
Powell Lake Canada 120 E5
Powell Mountain U.S.A. 128 D2
Powell Point Bahamas 133 E7
Powell River Canada 120 E5
Powhatan AR U.S.A. 131 F4
Powhatan VA U.S.A. 135 G5
Powo China 76 C1
Pōwrize Turkm. 88 E2
Poxoréu Brazil 143 H7
Poyang China see Boyang
Poyang Hu l. China 77 H2
Poyan Reservoir Sing. 71 [inset]
Poyarkovo Rus. Fed. 74 C2
Pozantı Turkey 90 D3
Požarevac Serbia 59 I2
Poza Rica Mex. 136 E4
Pozdeyevka Rus. Fed. 74 C2
Požega Croatia 58 G2
Požega Serbia 59 I3
Pozharskoye Rus. Fed. 74 D3
Poznań Poland 47 P4
Pozoblanco Spain 57 D4
Pozo Colorado Para. 144 E2
Pozsony Slovakia see Bratislava
Pozzuoli Italy 58 F4
Prabumulih Indon. 68 C7
Prachatice Czech Rep. 47 O6
Prachi r. India 83 F6
Prachin Buri Thai. 71 C4
Prachuap Khiri Khan Thai. 71 B5
Prades France 56 F5
Prado Brazil 145 D2

▶Prague Czech Rep. 47 O5
Capital of the Czech Republic.

Praha Czech Rep. see Prague

▶Praia Cape Verde 96 [inset]
Capital of Cape Verde.

Praia do Bilene Moz. 101 K3
Prainha Brazil 143 H4
Prairie Australia 110 D4
Prairie r. U.S.A. 130 E2
Prairie Dog Town Fork r. U.S.A. 131 C5
Prairie du Chien U.S.A. 130 F3
Prairie River Canada 121 K4
Pram, Khao mt. Thai. 71 B5
Pran r. Thai. 71 C4
Pran Buri Thai. 71 B4
Prapat Indon. 71 B7
Prasonisi, Akra pt Notio Aigaio Greece see Prasonisi, Akrotirio
Prasonisi, Akrotirio pt Greece 59 L7
Prata Brazil 145 A2
Prata r. Brazil 145 A2
Prat de Llobregat Spain see El Prat de Llobregat
Prathes Thai country Asia see Thailand
Prato Italy 58 D3
Pratt U.S.A. 130 D4
Prattville U.S.A. 133 C5
Pravdinsk Rus. Fed. 45 L9
Praya Indon. 108 B2
Preah, Prêk r. Cambodia 71 D4
Preăh Vihéar Cambodia 71 D4
Preble U.S.A. 135 G2
Prechistoye Smolenskaya Oblast' Rus. Fed. 43 G5
Prechistoye Yaroslavskaya Oblast' Rus. Fed. 42 I4
Precipice National Park Australia 110 E5
Preeceville Canada 121 K5
Pregolya r. Rus. Fed. 45 L9
Preiļi Latvia 45 O8
Prelate Canada 121 I5
Premer Australia 112 D3
Prémery France 56 F3
Premnitz Germany 53 M2
Prentiss U.S.A. 131 F6
Prenzlau Germany 47 N4
Preparis Island Cocos Is 68 A4
Preparis North Channel Cocos Is 68 A4
Preparis South Channel Cocos Is 68 A4
Přerov Czech Rep. 47 P6
Presa San Antonio Mex. 131 C7
Prescelly Mts hills U.K. see Preseli, Mynydd
Prescott Canada 135 H1
Prescott AR U.S.A. 131 E5
Prescott AZ U.S.A. 129 G4
Prescott Valley U.S.A. 129 G4
Preseli, Mynydd hills U.K. 49 C7
Preševo Serbia 59 I3
Presidencia Roque Sáenz Peña Arg. 144 D3
Presidente Dutra Brazil 143 J5
Presidente Hermes Brazil 142 F6
Presidente Olegário Brazil 145 B2
Presidente Prudente Brazil 145 A3
Presidente Venceslau Brazil 145 A3
Presidio U.S.A. 131 B6
Preslav Bulg. see Veliki Preslav
Prešov Slovakia 43 D6
Prespa, Lake Europe 59 I4
Prespansko Ezero l. Europe see Prespa, Lake
Prespes nat. park Greece 59 I4
Prespës, Liqeni i l. Europe see Prespa, Lake
Presque Isle ME U.S.A. 132 G2
Presque Isle MI U.S.A. 134 D1
Pressburg Slovakia see Bratislava
Presteigne U.K. 49 D6
Preston U.K. 48 E5
Preston ID U.S.A. 126 F4
Preston MN U.S.A. 130 E3
Preston MO U.S.A. 130 E4
Preston, Cape Australia 108 B5
Prestonpans U.K. 50 G5
Prestonsburg U.S.A. 134 D5
Prestwick U.K. 50 E5
Preto r. Bahia Brazil 143 J6
Preto r. Minas Gerais Brazil 145 B2
Preto r. Brazil 145 D1

▶Pretoria S. Africa 101 I3
Official capital of South Africa.

Pretoria-Witwatersrand-Vereeniging prov. S. Africa see Gauteng
Pretzsch Germany 53 M3
Preussisch-Eylau Rus. Fed. see Bagrationovsk
Preußisch Stargard Poland see Starogard Gdański
Preveza Greece 59 I5
Prewitt U.S.A. 129 I4
Prey Vêng Cambodia 71 D5
Priaral'skiye Karakumy, Peski des. Kazakh. 80 B2
Priargunsk Rus. Fed. 73 L2
Pribilof Islands U.S.A. 118 A4
Priboj Serbia 59 H3
Price r. Australia 108 E3
Price NC U.S.A. 134 F5
Price UT U.S.A. 129 H2
Price r. U.S.A. 129 H2
Price Island Canada 120 D4
Prichard AL U.S.A. 131 F6
Prichard WV U.S.A. 134 D4
Pridorozhnoye Rus. Fed. see Khulkhuta
Priekule Latvia 45 L8
Priekuļi Latvia 45 N8
Priel'brus'ye, Natsional'nyy Park nat. park Rus. Fed. 43 I8
Prienai Lith. 45 M9
Prieska S. Africa 100 F5
Prievidza Slovakia 47 Q6
Prignitz reg. Germany 53 M1
Prijedor Bos.-Herz. 58 G2
Prijepolje Serbia 59 H3
Prikaspiyskaya Nizmennost' lowland Kazakh./Rus. Fed. see Caspian Lowland
Prilep Macedonia 59 I4
Priluki Ukr. see Pryluky
Přimda Czech Rep. 53 M5
Primero de Enero Cuba 133 E8
Primorsk Rus. Fed. 45 P6
Primorsk Ukr. see Prymors'k
Primorskiy Kray admin. div. Rus. Fed. 74 D3
Primorsko-Akhtarsk Rus. Fed. 43 H7
Primo Tapia Mex. 128 E5
Primrose Lake Canada 121 I4
Prims r. Germany 52 G5
Prince Albert Canada 121 J4
Prince Albert S. Africa 100 F7
Prince Albert Mountains Antarctica 152 H1
Prince Albert National Park Canada 121 J4
Prince Albert Peninsula Canada 118 G2
Prince Albert Road S. Africa 100 E7
Prince Alfred, Cape Canada 118 F2
Prince Alfred Hamlet S. Africa 100 D7
Prince Charles Island Canada 119 K3
Prince Charles Mountains Antarctica 152 E2
Prince Edward Island prov. Canada 123 J5

▶Prince Edward Islands Indian Ocean 149 K9
Part of South Africa.

Prince Edward Point Canada 135 G2
Prince Frederick U.S.A. 135 G4
Prince George Canada 120 F4
Prince Harald Coast Antarctica 152 D2
Prince of Wales, Cape U.S.A. 118 B3
Prince of Wales Island Australia 110 C1

Rosarito *Baja California* Mex. **127** E7
Rosarito *Baja California* Mex. **128** E5
Rosarito *Baja California Sur* Mex. **127** F8
Rosarno Italy **58** F5
Roscoff France **56** C2
Roscommon Ireland **51** D4
Roscommon U.S.A. **134** C1
Roscrea Ireland **51** E5
Rose *r.* Australia **110** A2
Rose, Mount U.S.A. **128** D2
Rose Atoll American Samoa *see* **Rose Island**

▶**Roseau** Dominica **137** L5
Capital of Dominica.

Roseau U.S.A. **130** E1
Roseau *r.* U.S.A. **130** D1
Roseberth Australia **111** B5
Rose Blanche Canada **123** K5
Rosebud *r.* Canada **120** H5
Rosebud U.S.A. **126** G3
Roseburg U.S.A. **126** C4
Rose City U.S.A. **134** C1
Rosedale U.S.A. **131** F5
Rosedale Abbey U.K. **48** G4
Roseires Reservoir Sudan **86** D7
Rose Island *atoll* American Samoa **107** J3
Rosenberg U.S.A. **131** E6
Rosendal Norway **45** E7
Rosendal S. Africa **101** H5
Rosenheim Germany **47** N7
Rose Peak U.S.A. **129** I5
Rose Point Canada **120** D4
Roseto degli Abruzzi Italy **58** F3
Rosetown Canada **121** J5
Rosetta Egypt *see* **Rashīd**
Rose Valley Canada **121** K4
Roseville *CA* U.S.A. **128** C2
Roseville *MI* U.S.A. **134** D2
Roseville *OH* U.S.A. **134** D4
Rosewood Australia **112** F1
Roshchino Rus. Fed. **45** P6
Rosh Pinah Namibia **100** C4
Roshtkala Tajik. *see* **Roshtqal'a**
Roshtqal'a Tajik. **89** H2
Rosignano Marittimo Italy **58** D3
Roșiori de Vede Romania **59** K2
Roskilde Denmark **45** H9
Roskruge Mountains U.S.A. **129** H5
Roslavl' Rus. Fed. **43** G5
Roslyakovo Rus. Fed. **44** R2
Roslyatino Rus. Fed. **42** J4
Ross N.Z. **113** C6
Ross, Mount *hill* N.Z. **113** E5
Rossano Italy **58** G5
Rossan Point Ireland **51** D3
Ross Barnett Reservoir U.S.A. **131** F5
Ross Bay Junction Canada **123** I3
Rosscarbery Ireland **51** C6
Ross Dependency *reg.* Antarctica **152** I2
Rosseau, Lake Canada **134** F1
Rossel Island P.N.G. **110** F1
Ross Ice Shelf Antarctica **152** I1
Rossignol, Lac *l.* Canada **122** G3
Rössing Namibia **100** B2
Ross Island Antarctica **152** H1
Rossiyskaya Sovetskaya Federativnaya Sotsialisticheskaya Respublika *country* Asia/Europe *see* **Russian Federation**
Rossland Canada **120** G5
Rosslare Ireland **51** F5
Rosslare Harbour Ireland **51** F5
Roßlau Germany **53** M3
Rosso Mauritania **96** B3
Ross-on-Wye U.K. **49** E7
Rossony Belarus *see* **Rasony**
Rossosh' Rus. Fed. **43** H6
Ross River Canada **120** C2
Ross Sea Antarctica **152** H1
Roßtal Germany **53** K5
Røssvatnet *l.* Norway **44** I4
Rossville U.S.A. **134** B3
Roßwein Germany **53** N3
Rosswood Canada **120** D4
Rostāq Afgh. **89** H2
Rostāq Iran **88** D5
Rosthern Canada **121** J4
Rostock Germany **47** N3
Rostov Rus. Fed. **42** H4
Rostov-na-Donu Rus. Fed. **43** H7
Rostov-on-Don Rus. Fed. *see* **Rostov-na-Donu**
Rosvik Sweden **44** L4
Roswell U.S.A. **127** G6
Rota *i.* N. Mariana Is **69** L4
Rot am See Germany **53** K5
Rotch Island Kiribati *see* **Tamana**
Rote *i.* Indon. **108** C2
Rotenburg (Wümme) Germany **53** J1
Roth Germany **53** L5
Rothaargebirge *hills* Germany **53** I4
Rothbury U.K. **48** F3
Rothenburg ob der Tauber Germany **53** K5
Rother *r.* U.K. **49** G8
Rothera *research station* Antarctica **152** L2
Rotherham U.K. **48** F5
Rothes U.K. **50** F3
Rothesay U.K. **50** D5
Rothwell U.K. **49** G6
Roti Indon. **108** C2
Roti *i.* Indon. *see* **Rote**
Roto Australia **112** B4
Rotomagus France *see* **Rouen**
Rotomanu N.Z. **113** C6
Rotondo, Monte *mt.* *Corsica* France **56** I5
Rotorua N.Z. **113** F4
Rotorua, Lake N.Z. **113** F4
Röttenbach Germany **53** L5
Rottendorf Germany **53** K5
Rottenmann Austria **47** O7
Rotterdam Neth. **52** E3
Rottleberode Germany **53** K3
Rottnest Island Australia **109** A8
Rottumeroog *i.* Neth. **52** G1
Rottweil Germany **47** L6
Rotuma *i.* Fiji **107** H3
Rotung India **76** B2
Rötviken Sweden **44** I5
Rötz Germany **53** M5
Roubaix France **52** D4
Rouen France **52** B5
Rough River Lake U.S.A. **134** B5
Roulers Belgium *see* **Roeselare**
Roumania *country* Europe *see* **Romania**
Roundeyed Lake Canada **123** H3
Round Hill *hill* U.K. **48** F4
Round Mountain Australia **112** F3
Round Rock *AZ* U.S.A. **129** I3
Round Rock *TX* U.S.A. **131** D6
Roundup U.S.A. **126** F3
Rousay *i.* U.K. **50** F1
Rouses Point U.S.A. **135** I1
Rouxville S. Africa **101** H6
Rouyn-Noranda Canada **122** F4
Rovaniemi Fin. **44** N3
Roven'ki Rus. Fed. **43** H6
Rovereto Italy **58** D2
Rôviěng Tbong Cambodia **71** D4
Rovigo Italy **58** D2
Rovinj Croatia **58** E2
Rovno Ukr. *see* **Rivne**
Rovnoye Rus. Fed. **43** J6
Rovuma *r.* Moz./Tanz. *see* **Ruvuma**
Rowena Australia **112** D2
Rowley Island Canada **119** K3
Rowley Shoals *sea feature* Australia **108** B4
Równe Ukr. *see* **Rivne**
Roxas *Mindoro* Phil. **69** G4
Roxas *Palawan* Phil. **68** F4
Roxas *Panay* Phil. **69** G4
Roxboro U.S.A. **132** E4
Roxburgh N.Z. **113** B7
Roxburgh Island Cook Is *see* **Rarotonga**
Roxby Downs Australia **111** B6
Roxo, Cabo *c.* Senegal **96** B3
Roy *MT* U.S.A. **126** F3
Roy *NM* U.S.A. **127** G5
Royal Canal Ireland **51** E4
Royal Chitwan National Park Nepal **83** F4
Royale, Île *i.* Canada *see* **Cape Breton Island**
Royale, Isle *i.* U.S.A. **130** F1
Royal Natal National Park S. Africa **101** I5
Royal National Park Australia **112** E5
Royal Oak U.S.A. **134** D2
Royal Sukla Phanta Wildlife Reserve Nepal **82** E3
Royan France **56** D4
Roye France **52** C5
Roy Hill Australia **108** B5
Royston U.K. **49** G6
Rozdil'na Ukr. **59** N1
Rozivka Ukr. **43** H7
Rtishchevo Rus. Fed. **43** I5
Ruabon U.K. **49** D6
Ruaha National Park Tanz. **99** D4
Ruahine Range *mts* N.Z. **113** F5
Ruanda *country* Africa *see* **Rwanda**

▶**Ruapehu, Mount** *vol.* N.Z. **113** E4
Highest active volcano in Oceania.

Ruapuke Island N.Z. **113** B8
Ruatoria N.Z. **113** G3
Ruba Belarus **43** F5

▶**Rub' al Khālī** *des.* Saudi Arabia **86** G6
Largest uninterrupted stretch of sand in the world.

Rubaydā *reg.* Saudi Arabia **88** C5
Rubtsovsk Rus. Fed. **80** F1
Ruby U.S.A. **118** C3
Ruby Dome *mt.* U.S.A. **129** F1
Ruby Mountains U.S.A. **129** F1
Rubys Inn U.S.A. **129** G3
Ruby Valley U.S.A. **129** F1
Rucheng China **77** G3
Ruckersville U.S.A. **135** F4
Rudall River National Park Australia **108** C5
Rudarpur India **83** E4
Ruda Śląska Poland **47** Q5
Rudauli India **83** E4
Rūdbār Iran **88** C2
Rudkøbing Denmark **45** G9
Rudnaya Pristan' Rus. Fed. **74** D3
Rudnichnyy Rus. Fed. **42** L4
Rudnik Ingichka Uzbek. *see* **Ingichka**
Rudnya *Smolenskaya Oblast'* Rus. Fed. **43** F5
Rudnya *Volgogradskaya Oblast'* Rus. Fed. **43** J6
Rudnyy Kazakh. **78** F1
Rudolf, Lake *salt l.* Eth./Kenya *see* **Turkana, Lake**

▶**Rudol'fa, Ostrov** *i.* Rus. Fed. **64** G1
Most northerly point of Europe.

Rudolph Island Rus. Fed. *see* **Rudol'fa, Ostrov**
Rudolstadt Germany **53** L4
Rudong China **77** I1
Rūdsar Iran **88** C2
Rue France **52** B4
Rufiji *r.* Tanz. **99** D4
Rufino Arg. **144** D4
Rufisque Senegal **96** B3
Rufrufua Indon. **69** I7
Rufunsa Zambia **99** C5
Rugao China **77** I1
Rugby U.K. **49** F6
Rugby U.S.A. **130** C1
Rugeley U.K. **49** F6
Rügen *i.* Germany **47** N3
Rugged Mountain Canada **120** E5
Rügland Germany **53** K5
Ruḩayyat al Ḩamr'ā' *waterhole* Saudi Arabia **88** B5
Ruhengeri Rwanda **98** C4
Ruhnu *i.* Estonia **45** M8
Ruhr *r.* Germany **53** G3
Ruhuna National Park Sri Lanka **84** D5
Rui'an China **77** I3
Rui Barbosa Brazil **145** C1
Ruicheng China **77** F1
Ruijin China **77** G3
Ruili China **76** C3
Ruin Point Canada **121** P2
Ruipa Tanz. **99** D4
Ruiz Mex. **136** C4
Ruiz, Nevado del *vol.* Col. **142** C3
Rujaylah, Ḩarrat ar *lava field* Jordan **85** C3
Rūjiena Latvia **45** N8
Ruk *is* Micronesia *see* **Chuuk**
Rukanpur Pak. **89** I4
Rukumkot Nepal **83** E3
Rukwa, Lake Tanz. **99** D4
Rulin China *see* **Chengbu**
Rulong China *see* **Xinlong**
Rum *i.* U.K. **50** C4
Rum, Jebel *mts* Jordan *see* **Ramm, Jabal**
Ruma Serbia **59** H2
Rumāh Saudi Arabia **86** G4
Rumania *country* Europe *see* **Romania**
Rumbek Sudan **97** F4
Rumberpon *i.* Indon. **69** I7
Rum Cay *i.* Bahamas **133** F8
Rum Jungle Australia **108** E3
Rummānā *hill* Syria **85** D3
Rumphi Malawi **99** D5
Runan China **77** G1
Runaway, Cape N.Z. **113** F3
Runcorn U.K. **48** E5
Rundu Namibia **99** B5
Rundvik Sweden **44** K5
Rũng, Kaôh *i.* Cambodia **71** C5
Rungwa Tanz. **99** D4
Rungwa *r.* Tanz. **99** D4
Runheji China **77** H1
Runing China *see* **Runan**
Runton Range *hills* Australia **109** C5
Ruokolahti Fin. **45** P6
Ruoqiang China **80** G4
Rupa India **83** H4
Rupat *i.* Indon. **71** C7
Rupert *r.* Canada **122** F4
Rupert *ID* U.S.A. **126** E4
Rupert *WV* U.S.A. **134** E5
Rupert Bay Canada **122** F4
Rupert Coast Antarctica **152** J1
Rupert House Canada *see* **Waskaganish**
Rupnagar India **82** D3
Rupshu *reg.* India **82** D2
Ruqqād, Wādī ar *watercourse* Israel **85** B3
Rural Retreat U.S.A. **134** E5
Rusaddir N. Africa *see* **Melilla**
Rusape Zimbabwe **99** D5
Ruschuk Bulg. *see* **Ruse**
Ruse Bulg. **59** K3
Rusera India **83** F4
Rush U.S.A. **134** D4
Rush Creek *r.* U.S.A. **130** C4
Rushden U.K. **49** G6
Rushinga Zimbabwe **99** D5
Rushville *IL* U.S.A. **130** F3
Rushville *IN* U.S.A. **134** C4
Rushville *NE* U.S.A. **130** C3
Rushworth Australia **112** B6
Rusk U.S.A. **131** E6
Russell *Man.* Canada **121** K5
Russell *Ont.* Canada **135** H1
Russell N.Z. **113** E2
Russell *KS* U.S.A. **130** D4
Russell *PA* U.S.A. **134** F3
Russell Bay Antarctica **152** J2
Russell Lake *Man.* Canada **121** K3
Russell Lake *N.W.T.* Canada **120** H2
Russell Lake *Sask.* Canada **121** J3
Russell Range *hills* Australia **109** C8
Russell Springs U.S.A. **134** C5
Russellville *AL* U.S.A. **131** G5
Russellville *AR* U.S.A. **131** E5
Russellville *KY* U.S.A. **134** B5
Rüsselsheim Germany **53** I4
Russia *country* Asia/Europe *see* **Russian Federation**
Russian *r.* U.S.A. **128** B2

▶**Russian Federation** *country* Asia/Europe **64** I3
Largest country in the world, Europe and Asia. Most populous country in Europe, 5th in Asia and 9th in the world.

Russian Soviet Federal Socialist Republic *country* Asia/Europe *see* **Russian Federation**
Russkiy, Ostrov *i.* Rus. Fed. **74** C4
Russkiy Kameshkir Rus. Fed. **43** J5
Rust'avi Georgia **91** G2
Rustburg U.S.A. **134** F5
Rustenburg S. Africa **101** H3
Ruston U.S.A. **131** E5
Rutanzige, Lake Dem. Rep. Congo/Uganda *see* **Edward, Lake**
Ruteng Indon. **108** C2
Ruth U.S.A. **129** F2
Rüthen Germany **53** I3
Rutherglen Australia **112** C6
Ruther Glen U.S.A. **135** G5
Ruthin U.K. **49** D5
Ruthiyai India **82** D4
Ruth Reservoir U.S.A. **128** B1
Rutka *r.* Rus. Fed. **42** J4
Rutland U.S.A. **135** I2
Rutland Water *resr* U.K. **49** G6
Rutledge Lake Canada **121** I2
Rutog *Xizang* China **76** B2
Rutög China *see* **Dêrub**
Rutog *Xizang* China **83** F3
Rutul Rus. Fed. **91** G2
Ruukki Fin. **44** N4
Ruvuma *r.* Moz./Tanz. **99** E5
also known as Rovuma
Ruwayshid, Wādī *watercourse* Jordan **85** C3
Ruwayṭah, Wādī *watercourse* Jordan **85** C5
Ruweis U.A.E. **88** D5
Ruwenzori National Park Uganda *see* **Queen Elizabeth National Park**
Ruza Rus. Fed. **42** H5
Ruzayevka Kazakh. **78** F1
Ruzayevka Rus. Fed. **43** J5
Ruzhou China **77** G1
Ružomberok Slovakia **47** Q6
Rwanda *country* Africa **98** C4
Ryābād Iran **88** D2
Ryan, Loch *b.* U.K. **50** D5
Ryazan' Rus. Fed. **43** H5
Ryazhsk Rus. Fed. **43** I5
Rybachiy, Poluostrov *pen.* Rus. Fed. **44** R2
Rybach'ye Kyrg. *see* **Balykchy**
Rybinsk Rus. Fed. **42** H4

▶**Rybinskoye Vodokhranilishche** *resr* Rus. Fed. **42** H4
5th largest lake in Europe

Rybnik Poland **47** Q5
Rybnitsa Moldova *see* **Rîbnița**
Rybnoye Rus. Fed. **43** H5
Rybreka Rus. Fed. **42** G3
Ryd Sweden **45** I8
Rydberg Peninsula Antarctica **152** L2
Ryde U.K. **49** F8
Rye U.K. **49** H8
Rye *r.* U.K. **48** G4
Rye Bay U.K. **49** H8
Ryegate U.S.A. **126** F3
Rye Patch Reservoir U.S.A. **128** D1
Rykovo Ukr. *see* **Yenakiyeve**
Ryl'sk Rus. Fed. **43** G6
Rylstone Australia **112** D4
Ryn-Peski *des.* Kazakh. **41** P6
Ryukyu Islands Japan **75** B8
Ryūkyū-rettō *is* Japan *see* **Ryukyu Islands**
Ryukyu Trench *sea feature* N. Pacific Ocean **150** E4
Rzeszów Poland **43** D6
Rzhaksa Rus. Fed. **43** I5
Rzhev Rus. Fed. **42** G4

S

Sa'ādah al Barṣā' *pass* Saudi Arabia **85** C5
Sa'ādatābād Iran **88** D4
Saal an der Donau Germany **53** L6
Saale *r.* Germany **53** L3
Saalfeld Germany **53** L4
Saanich Canada **120** F5
Saar *land* Germany *see* **Saarland**
Saar *r.* Germany **52** G5
Saarbrücken Germany **52** G5
Saaremaa *i.* Estonia **45** M7
Saarenkylä Fin. **44** N3
Saargau *reg.* Germany **52** G5
Saarijärvi Fin. **44** N5
Saari-Kämä Fin. **44** O3
Saarikoski Fin. **44** L2
Saaristomeren kansallispuisto *nat. park* Fin. *see* **Skärgårdshavets nationalpark**
Saarland *land* Germany **52** G5
Saarlouis Germany **52** G5
Saatlı Azer. **91** H3
Saatly Azer. *see* **Saatlı**
Sab'a Egypt *see* **Saba'ah**
Saba'ah Egypt **85** A4
Sab' Ābār Syria **85** C3
Šabac Serbia **59** H2
Sabadell Spain **57** H3
Sabae Japan **75** E6
Sabak Malaysia **71** C7
Sabalana *i.* Indon. **68** F8
Sabalana, Kepulauan *is* Indon. **68** F8
Sabana, Archipiélago de *is* Cuba **137** H4
Sabang Indon. **71** A6
Şabanözü Turkey **90** D2
Sabará Brazil **145** C2
Sabastiya West Bank **85** B3
Sab'atayn, Ramlat as *des.* Yemen **86** G6
Sabaudia Italy **58** E4
Sabaya Bol. **142** E7
Sabdê China **76** D2
Sabelo S. Africa **100** F6
Sāberi, Hāmūn-e *marsh* Afgh./Iran **89** F4
Şabḩā Jordan **85** C3
Sabhā Libya **97** E2
Şabḩā' Saudi Arabia **88** B6
Sabhrai India **82** B5
Sabi *r.* India **82** D3
Sabi *r.* Moz./Zimbabwe *see* **Save**
Sabie Moz. **101** K3
Sabie *r.* Moz./S. Africa **101** K3
Sabie S. Africa **101** J3
Sabina U.S.A. **134** D4
Sabinal Mex. **127** G7
Sabinal, Cayo *i.* Cuba **133** E8
Sabinas Mex. **131** C7
Sabinas *r.* Mex. **131** C7
Sabinas Hidalgo Mex. **131** C7
Sabine *r.* U.S.A. **131** E6
Sabine Lake U.S.A. **131** E6
Sabine Pass U.S.A. **131** E6
Sabini, Monti *mts* Italy **58** E3
Sabirabad Azer. **91** H2
Sabkhat al Bardawīl Reserve *nature res.* Egypt *see* **Lake Bardawil Reserve**
Sable, Cape Canada **123** I6
Sable, Cape U.S.A. **133** D7
Sable, Lac du *l.* Canada **123** I3
Sable Island Canada **123** K6
Sabon Kafi Niger **96** D3
Sabrina Coast Antarctica **152** F2
Sabugal Port. **57** C3
Sabzawar Afgh. *see* **Shīndand**
Sabzevār Iran **88** E2
Sabzvārān Iran *see* **Jīroft**
Sacalinul Mare, Insula *i.* Romania **59** M2
Sacaton U.S.A. **129** H5
Sac City U.S.A. **130** E3
Săcele Romania **59** K2
Sachigo *r.* Canada **121** N4
Sachigo Lake Canada **121** M4
Sachin India **82** C5
Sach'on S. Korea **75** C6
Sach Pass India **82** D2
Sachsen *land* Germany **53** N3
Sachsen-Anhalt *land* Germany **53** L2
Sachsenheim Germany **53** J6
Sachs Harbour Canada **118** F2
Sacirsuyu *r.* Syria/Turkey *see* **Sājūr, Nahr**
Sackpfeife *hill* Germany **53** I4
Sackville Canada **123** I5
Saco *ME* U.S.A. **135** J2
Saco *MT* U.S.A. **126** G2
Sacramento Brazil **145** B2

▶**Sacramento** U.S.A. **128** C2
Capital of California.

Sacramento *r.* U.S.A. **128** C2
Sacramento Mountains U.S.A. **127** G6
Sacramento Valley U.S.A. **128** B1
Sada S. Africa **101** H7
Sádaba Spain **57** F2
Sá da Bandeira Angola *see* **Lubango**
Şadad Syria **85** C2
Şa'dah Yemen **86** F6
Sadao Thai. **71** C6
Saddat al Hindīyah Iraq **91** G4
Saddleback Mesa *mt.* U.S.A. **131** C5
Saddle Hill *hill* Australia **110** D2
Saddle Peak *hill* India **71** A4
Sa Đec Vietnam **71** D5
Sadêng China **76** B2
Sadieville U.S.A. **134** C4
Sadīj *watercourse* Iran **88** E5
Sadiola Mali **96** B3
Sadiqabad Pak. **89** H4
Sad Istragh *mt.* Afgh./Pak. **89** I2
Sa'dīyah, Hawr as *imp. l.* Iraq **91** G4
Sa'diyyat *i.* U.A.E. **88** D5
Sado *r.* Port. **57** B4
Sadoga-shima *i.* Japan **75** E5
Sadot Egypt *see* **Sadūt**
Sadovoye Rus. Fed. **43** J7
Sa Dragonera *i.* Spain **57** H4
Sadras India **84** D3
Sadūt Egypt **85** B4
Sadût Egypt *see* **Sadūt**
Sæby Denmark **45** G8
Saena Julia Italy *see* **Siena**
Safad Israel *see* **Ẓefat**
Safāshahr Iran **88** D4
Safayal Maqūf *well* Iraq **91** G5
Safed Khirs *mts* Afgh. **89** H2
Safed Koh *mts* Afgh. **89** G3
Safed Koh *mts* Afgh./Pak. **89** H3
Saffānīyah, Ra's as *pt* Saudi Arabia **88** C4
Säffle Sweden **45** H7
Safford U.S.A. **129** I5
Saffron Walden U.K. **49** H6
Safi Morocco **54** C5
Safīdār, Kūh-e *mt.* Iran **88** D4
Safīd Kūh *mts* Afgh. **89** F3
Safīd Kūh *mts* Afgh. *see* **Safīd Kūh**
Safīd Sagak Iran **89** F3
Safiras, Serra das *mts* Brazil **145** C2
Şāfītā Syria **85** C2
Safonovo *Arkhangel'skaya Oblast'* Rus. Fed. **42** K2
Safonovo *Smolenskaya Oblast'* Rus. Fed. **43** G5
Safrā' al Asyāḩ *esc.* Saudi Arabia **88** A5
Safrā' as Sark *esc.* Saudi Arabia **86** F4
Safranbolu Turkey **90** D2
Saga China **83** F3
Saga Japan **75** C6
Saga Kazakh. **80** B1
Sagaing Myanmar **70** A2
Sagami-nada *g.* Japan **75** E6
Sagamore U.S.A. **134** F3
Saganthit Kyun *i.* Myanmar **71** B4
Sagar *Karnataka* India **84** B3
Sagar *Karnataka* India **84** C2
Sagar *Madh. Prad.* India **82** D5
Sagaredzho Georgia *see* **Sagarejo**
Sagarejo Georgia **91** G2
Sagar Island India **83** G5
Sagarmatha National Park Nepal **83** F4
Sagastyr Rus. Fed. **65** N2
Sagavanirktok *r.* U.S.A. **118** D2
Sage U.S.A. **126** F4
Saggi, Har *mt.* Israel **85** B4
Saghand Iran **88** D3
Saginaw U.S.A. **134** D2
Saginaw Bay U.S.A. **134** D2
Saglek Bay Canada **123** J2
Saglouc Canada *see* **Salluit**
Sagone, Golfe de *b.* *Corsica* France **56** I5
Sagres Port. **57** B5
Sagthale India **82** C5
Saguache U.S.A. **127** G5
Sagua la Grande Cuba **137** H4
Saguaro Lake U.S.A. **129** H5
Saguaro National Park U.S.A. **129** H5
Saguenay *r.* Canada **123** H4
Sagunt Spain *see* **Sagunto**
Sagunto Spain **57** F4
Saguntum Spain *see* **Sagunto**
Sahagún Spain **57** D2
Sahand, Kūh-e *mt.* Iran **88** B2

▶**Sahara** *des.* Africa **96** D3
Largest desert in the world.

Şaḩara el Gharbîya *des.* Egypt *see* **Western Desert**
Şaḩara el Sharqîya *des.* Egypt *see* **Eastern Desert**
Saharan Atlas *mts* Alg. *see* **Atlas Saharien**
Saharanpur India **82** D3
Sahara Well Australia **108** C5
Saharsa India **83** F4
Sahaswan India **82** D3
Sahat, Kūh-e *hill* Iran **88** D3
Sahatwar India **83** F4
Şahbuz Azer. **91** G3
Sahdol India *see* **Shahdol**
Sahebganj India *see* **Sahibganj**
Sahebgunj India *see* **Sahibganj**
Saheira, Wâdi el *watercourse* Egypt *see* **Suḩaymī, Wādī as**
Sahel *reg.* Africa **96** C3
Sahibganj India **83** F4
Sahiwal Pak. **89** I4
Sahlābād Iran **89** E3
Şaḩm Oman **88** E5
Şaḩneh Iran **88** B3
Şaḩrā al Ḩijārah *reg.* Iraq **91** G5
Sahuaripa Mex. **127** F7
Sahuayo Mex. **136** D4
Sahuteng China *see* **Zadoi**
Sa Huynh Vietnam **71** E4
Sahyadri *mts* India *see* **Western Ghats**
Sahyadriparvat Range *hills* India **84** B1
Sai *r.* India **83** E4
Sai Buri Thai. **71** C6
Saïda Alg. **57** G6
Saïda Lebanon *see* **Sidon**
Sai Dao Tai, Khao *mt.* Thai. **71** C4
Saïdia Morocco **57** E6
Sa'īdīyeh Iran *see* **Solṭānīyeh**
Saidpur Bangl. **83** G4
Saiha India **83** H5
Saihan Tal China **73** K4
Saijō Japan **75** D6
Saikai Kokuritsu-kōen *nat. park* Japan **75** C6
Saiki Japan **75** C6
Sai Kung *H.K.* China **77** [inset]
Sailana India **82** C5
Saimaa *l.* Fin. **45** P6
Saimbeyli Turkey **90** E3
Saindak Pak. **89** F4
Sa'indezh Iran **88** B2
Sa'in Qal'eh Iran *see* **Sa'īndezh**
St Abb's Head *hd* U.K. **50** G5
St Agnes U.K. **49** B8
St Agnes *i.* U.K. **49** A9
St Alban's Canada **123** L5
St Albans U.K. **49** G7
St Albans *VT* U.S.A. **135** I1
St Albans *WV* U.S.A. **134** E4
St Alban's Head *hd* England U.K. *see* **St Aldhelm's Head**
St Albert Canada **120** H4
St Aldhelm's Head *hd* U.K. **49** E8
St-Amand-les-Eaux France **52** D4
St-Amand-Montrond France **56** F3
St-Amour France **56** G3
St-André, Cap *pt* Madag. *see* **Vilanandro, Tanjona**
St Andrews U.K. **50** G4
St Andrew Sound *inlet* U.S.A. **133** D6
St Anne U.S.A. **134** B3
St Ann's Bay Jamaica **137** I5
St Anthony Canada **123** L4
St Anthony U.S.A. **126** F4
St-Arnaud Alg. *see* **El Eulma**
St Arnaud Australia **112** A6
St Arnaud Range *mts* N.Z. **113** D6
St-Arnoult-en-Yvelines France **52** B6
St-Augustin Canada **123** K4
St Augustin *r.* Canada **123** K4
St Augustine U.S.A. **133** D6
St Austell U.K. **49** C8
St-Avertin France **56** E3
St-Avold France **52** G5
St Barbe Canada **123** K4

▶**St-Barthélemy** *i.* West Indies **137** L5
French Overseas Collectivity.

St Bees U.K. **48** D4
St Bees Head *hd* U.K. **48** D4
St Bride's Bay U.K. **49** B7
St-Brieuc France **56** C2
St Catharines Canada **134** F2
St Catherines Island U.S.A. **133** D6
St Catherine's Point U.K. **49** F8
St-Céré France **56** E4
St-Chamond France **56** G4
St Charles *ID* U.S.A. **126** F4
St Charles *MD* U.S.A. **135** G4
St Charles *MI* U.S.A. **134** C2
St Charles *MO* U.S.A. **130** F4
St-Chély-d'Apcher France **56** F4
St Christopher and Nevis *country* West Indies *see* **St Kitts and Nevis**
St Clair *r.* Canada/U.S.A. **134** D2
St Clair, Lake Canada/U.S.A. **134** D2
St-Claude France **56** G3
St Clears U.K. **49** C7
St Cloud U.S.A. **130** E2
St Croix *r.* U.S.A. **122** B5
St Croix Falls U.S.A. **130** E2
St David U.S.A. **129** H6
St David's Head *hd* U.K. **49** B7
St-Denis France **52** C6

▶**St-Denis** Réunion **149** L7
Capital of Réunion.

St-Denis-du-Sig Alg. *see* **Sig**
St-Dié France **56** H2
St-Dizier France **52** E6
St-Domingue *country* West Indies *see* **Haiti**
Sainte Anne Canada **121** L5
St-Anne, Lac *l.* Canada **123** I4
St Elias, Cape U.S.A. **118** D4

▶**St Elias, Mount** U.S.A. **120** A2
4th highest mountain in North America.

St Elias Mountains Canada **120** A2
Ste-Marguerite *r.* Canada **123** I4
Ste-Marie, Cap *c.* Madag. *see* **Vohimena, Tanjona**
Sainte-Marie, Île *i.* Madag. *see* **Boraha, Nosy**
Ste-Maxime France **56** H5
Sainte Rose du Lac Canada **121** L5
Saintes France **56** D4
Sainte Thérèse, Lac *l.* Canada **120** F1
St-Étienne France **56** G4
St-Étienne-du-Rouvray France **52** B5
St-Fabien Canada **123** H4
St-Félicien Canada **123** G4
Saintfield U.K. **51** G3
St-Florent *Corsica* France **56** I5
St-Florent-sur-Cher France **56** F3
St-Floris, Parc National *nat. park* Cent. Afr. Rep. **98** C3
St-Flour France **56** F4
St Francesville U.S.A. **131** F6
St Francis U.S.A. **130** C4
St Francis *r.* U.S.A. **131** F5
St Francis Isles Australia **109** F8
St-François *r.* Canada **123** G5
St-François, Lac *l.* Canada **123** H5
St-Gaudens France **56** E5
St George Australia **112** D2
St George *r.* Australia **110** D3
St George *AK* U.S.A. **118** B4
St George *SC* U.S.A. **133** D5
St George *UT* U.S.A. **129** G3
St George, Point U.S.A. **126** B4
St George Island U.S.A. **118** B4
St George Range *hills* Australia **108** D4
St-Georges Canada **123** H5

Sanggau Indon. 68 E6
Sangilen, Nagor'ye mts Rus. Fed. 80 I1
San Giovanni in Fiore Italy 58 G5
Sangir India 82 C5
Sangir i. Indon. 69 H6
Sangir, Kepulauan is Indon. 69 G6
Sangkapura Indon. 68 E8
Sangkulirang Indon. 68 F6
Sangli India 84 B2
Sangmai China see Dêrong
Sangmélima Cameroon 96 E4
Sangngagqoiling China 76 B2
Sango Zimbabwe 99 D6
Sangole India 84 B2
San Gorgonio Mountain U.S.A. 128 E4
Sangpi China see Xiangcheng
Sangre de Cristo Range mts U.S.A. 127 G5
Sangrur India 82 C3
Sangu r. Bangl. 83 G5
Sanguem India 84 B3
Sangutane r. Moz. 101 K3
Sangzhi China 77 F2
Sanhe China see Sandu
San Hipólito, Punta pt Mex. 127 E8
Sanhūr Egypt see Sanhūr
Sanhūr Egypt 90 C5
San Ignacio Beni Bol. 142 E6
San Ignacio Santa Cruz Bol. 142 F7
San Ignacio Baja California Mex. 127 E7
San Ignacio Durango Mex. 131 C7
San Ignacio Sonora Mex. 127 F7
San Ignacio Para. 144 E3
San Ignacio, Laguna l. Mex. 127 E8
Sanikiluaq Canada 122 F2
Sanin-kaigan Kokuritsu-kōen nat. park Japan 75 D6
San Jacinto U.S.A. 128 E5
San Jacinto Peak U.S.A. 128 E5
San Javier Bol. 142 F7
Sanjiang Guangdong China see Liannan
Sanjiang Guangxi China 77 F3
Sanjiang Guizhou China see Jinping
Sanjiangkou China 74 A4
Sanjiaocheng China see Haiyan
Sanjiaoping China 77 F2
Sanjō Japan 75 E5
San Joaquin r. U.S.A. 128 C2
San Joaquin Valley U.S.A. 128 C3
Sanjoli India 82 C5
San Jon U.S.A. 131 C5
San Jorge, Golfo de g. Arg. 144 C7
San Jorge, Golfo de g. Spain see Sant Jordi, Golf de

►San José Costa Rica 137 H7
Capital of Costa Rica.

San Jose Phil. 69 G3
San Jose CA U.S.A. 128 C3
San Jose NM U.S.A. 127 G6
San Jose watercourse U.S.A. 129 J4
San José, Isla i. Mex. 136 B4
San José de Amacuro Venez. 142 F2
San José de Bavicora Mex. 127 G7
San Jose de Buenavista Phil. 69 G4
San José de Chiquitos Bol. 142 F7
San José de Comondú Mex. 127 F8
San José de Gracia Mex. 127 E8
San Joséde la Brecha Mex. 127 F8
San José del Cabo Mex. 136 C4
San José del Guaviare Col. 142 D3
San José de Mayo Uruguay 144 E4
San José de Raíces Mex. 131 C7
San Juan Arg. 144 C4
San Juan r. Costa Rica/Nicaragua 137 H6
San Juan mt. Cuba 133 D8
San Juan Mex. 127 G8
San Juan r. Mex. 131 D7

►San Juan Puerto Rico 137 K5
Capital of Puerto Rico.

San Juan U.S.A. 129 J5
San Juan r. U.S.A. 129 H3
San Juan, Cabo c. Arg. 144 D8
San Juan, Cabo c. Equat. Guinea 96 D4
San Juan Bautista Para. 144 E3
San Juan Bautista de las Misiones Para. see San Juan Bautista
San Juan de Guadalupe Mex. 131 C7
San Juan de los Morros Venez. 142 E2
San Juan Mountains U.S.A. 129 J3
San Juan y Martínez Cuba 133 D8
San Julián Arg. 144 C7
San Justo Arg. 144 D4
Sankari Drug India 84 C4
Sankh r. India 81 F7
Sankhu India 82 C3
Sankra Chhattisgarh India 84 D1
Sankra Rajasthan India 82 B4
Sankt Augustin Germany 53 H4
Sankt Gallen Switz. 56 I3
Sankt-Peterburg Rus. Fed. see St Petersburg
Sankt Pölten Austria 47 O6
Sankt Veit an der Glan Austria 47 O7
Sankt Vith Belgium see St-Vith
Sankt Wendel Germany 53 H5
Sanku India 82 D2
Şanlıurfa Turkey 90 E3
Şanlıurfa prov. Turkey 85 D1
San Lorenzo Arg. 144 D4
San Lorenzo Beni Bol. 142 E7
San Lorenzo Tarija Bol. 142 F8
San Lorenzo Ecuador 142 C3
San Lorenzo mt. Spain 57 E2
San Lorenzo, Cerro mt. Arg./Chile 144 B7
San Lorenzo, Isla i. Mex. 127 E7
Sanlúcar de Barrameda Spain 57 C5
San Lucas Baja California Sur Mex. 127 E8
San Lucas Baja California Sur Mex. 136 C4
San Lucas, Serranía de mts Col. 142 D2
San Luis Arg. 144 C4
San Luis AZ U.S.A. 129 F5
San Luis AZ U.S.A. 129 H5
San Luis CO U.S.A. 131 B4
San Luís, Isla i. Mex. 127 E7
San Luisito Mex. 127 E7
San Luis Obispo U.S.A. 128 C4
San Luis Obispo Bay U.S.A. 128 C4
San Luis Potosí Mex. 136 D4
San Luis Reservoir U.S.A. 128 C3
San Luis Río Colorado Mex. 129 F5
San Manuel U.S.A. 129 H5
San Marcial, Punta pt Mex. 127 F8
San Marcos U.S.A. 131 D6
San Marcos, Isla i. Mex. 127 E8
San Marino country Europe 58 E3

►San Marino San Marino 58 E3
Capital of San Marino.

San Martín research station Antarctica 152 L2
San Martín Catamarca Arg. 144 C3
San Martín Mendoza Arg. 144 C4
San Martín, Lago l. Arg./Chile 144 B7
San Martín de los Andes Arg. 144 B6
San Mateo U.S.A. 128 B3
San Mateo Mountains U.S.A. 129 J4
San Matías Bol. 143 G7
San Matías, Golfo g. Arg. 144 D6
Sanmen China 77 I2
Sanmen Wan b. China 77 I2
Sanmenxia China 77 F1
San Miguel El Salvador 136 G6
San Miguel U.S.A. 128 C4
San Miguel r. U.S.A. 129 I2
San Miguel de Huachi Bol. 142 E7
San Miguel de Tucumán Arg. 144 C3
San Miguel do Araguaia Brazil 145 A1
San Miguel Island U.S.A. 128 C4
Sanming China 77 H3
Sanndatti India 84 B3
Sanndraigh i. U.K. see Sandray
Sannicandro Garganico Italy 58 F4
San Nicolás Durango Mex. 131 B7
San Nicolás Tamaulipas Mex. 131 D7
San Nicolas Island U.S.A. 128 D5
Sannieshof S. Africa 101 G4
Sanniquellie Liberia 96 C4
Sanok Poland 43 D6
San Pablo Bol. 142 E8
San Pablo Phil. 69 G4
San Pablo de Manta Ecuador see Manta
San Pedro Arg. 144 D2
San Pedro Bol. 142 F7
San Pedro Chile 144 C2
San-Pédro Côte d'Ivoire 96 C4
San Pedro Baja California Sur Mex. 124 E7
San Pedro Chihuahua Mex. 127 G7
San Pedro Para. see San Pedro de Ycuamandyyú
San Pedro watercourse U.S.A. 129 H5
San Pedro, Sierra de mts Spain 57 C4
San Pedro Channel U.S.A. 128 D5
San Pedro de Arimena Col. 142 D3
San Pedro de Atacama Chile 144 C2
San Pedro de las Colonias Mex. 131 C7
San Pedro de Macorís Dom. Rep. 137 K5
San Pedro de Ycuamandyyú Para. 144 E2
San Pedro Martir, Parque Nacional nat. park Mex. 127 E7
San Pedro Sula Hond. 136 G5
San Pierre U.S.A. 134 B3
San Pietro, Isola di i. Sardinia Italy 58 C5
San Pitch r. U.S.A. 129 H2
Sanqaçal Azer. 91 H2
Sanquhar U.K. 50 F5
Sanquianga, Parque Nacional nat. park Col. 142 C3
San Quintín, Cabo c. Mex. 127 D7
San Rafael Arg. 144 C4
San Rafael CA U.S.A. 128 B3
San Rafael NM U.S.A. 129 J4
San Rafael r. U.S.A. 129 H2
San Rafael Knob mt. U.S.A. 129 H2
San Rafael Mountains U.S.A. 128 C4
San Ramón Bol. 142 F6
Sanrao China 77 H3
San Remo Italy 58 B3
San Roque Spain 57 B2
San Roque, Punta pt Mex. 127 E8
San Saba U.S.A. 131 D6
San Salvador i. Bahamas 133 F7

►San Salvador El Salvador 136 G6
Capital of El Salvador.

San Salvador, Isla i. Galápagos Ecuador 142 [inset]
San Salvador de Jujuy Arg. 144 C2
Sansanné-Mango Togo 96 D3
San Sebastián Arg. 144 C8
San Sebastián Spain see Donostia-San Sebastián
San Sebastián de los Reyes Spain 57 E3
Sansepolcro Italy 58 E3
San Severo Italy 58 F4
San Simon U.S.A. 129 I5
Sanski Most Bos.-Herz. 58 G2
Sansoral Islands Palau see Sonsorol Islands
Sansui China 77 F3
Santa r. Peru 142 C5
Santa Ana Bol. 142 E7
Santa Ana El Salvador 136 G6
Santa Ana Mex. 127 F7
Santa Ana i. Solomon Is 107 G3
Santa Ana U.S.A. 128 E5
Santa Ana de Yacuma Bol. 142 E6
Santa Anna U.S.A. 131 D6
Santa Bárbara Brazil 145 C2
Santa Bárbara Cuba see La Demajagua
Santa Bárbara Mex. 131 B7
Santa Barbara U.S.A. 128 D4
Santa Bárbara, Ilha i. Brazil 145 D2
Santa Barbara Channel U.S.A. 128 C4
Santa Bárbara d'Oeste Brazil 145 B3
Santa Barbara Island U.S.A. 128 D5
Santa Catalina, Gulf of U.S.A. 128 E5
Santa Catalina, Isla i. Mex. 127 F8
Santa Cataliña de Armada Spain 57 B2
Santa Catalina Island U.S.A. 128 D5
Santa Catarina state Brazil 145 A4
Santa Catarina Baja California Mex. 127 E7
Santa Catarina Nuevo León Mex. 131 C7
Santa Catarina, Ilha de i. Brazil 145 A4
Santa Clara Col. 142 E4
Santa Clara Cuba 137 I4
Santa Clara Mex. 131 B6
Santa Clara CA U.S.A. 128 C3
Santa Clara UT U.S.A. 129 G3
Santa Clarita U.S.A. 128 D4
Santa Clotilde Peru 142 D4
Santa Comba Angola see Waku-Kungo
Santa Croce, Capo c. Sicily Italy 58 F6
Santa Cruz Bol. 142 F7
Santa Cruz Brazil 143 K5
Santa Cruz Costa Rica 142 A1
Santa Cruz U.S.A. 128 B3
Santa Cruz watercourse U.S.A. 129 G5
Santa Cruz, Isla i. Galápagos Ecuador 142 [inset]
Santa Cruz, Isla i. Mex. 127 F8
Santa Cruz Cabrália Brazil 145 D2
Santa Cruz de Goiás Brazil 145 A2
Santa Cruz de la Palma Canary Is 96 B2
Santa Cruz del Sur Cuba 137 I4
Santa Cruz de Moya Spain 57 F4

►Santa Cruz de Tenerife Canary Is 96 B2
Joint capital of the Canary Islands.

Santa Cruz do Sul Brazil 144 F3
Santa Cruz Island U.S.A. 128 D4
Santa Cruz Islands Solomon Is 107 G3
Santa Elena, Bahía de b. Ecuador 142 B4
Santa Elena, Cabo c. Costa Rica 137 G6
Santa Elena, Punta pt Ecuador 142 B4
Santa Eudóxia Brazil 145 B3
Santa Eufemia, Golfo di g. Italy 58 G5
Santa Fé Arg. 144 D4
Santa Fé Cuba 133 D8

►Santa Fe U.S.A. 127 G6
Capital of New Mexico.

Santa Fé de Bogotá Col. see Bogotá
Santa Fé de Minas Brazil 145 B2
Santa Fé do Sul Brazil 145 A3
Santa Helena Brazil 143 I4
Santa Helena de Goiás Brazil 145 A2
Santai Sichuan China 76 E2
Santai Yunnan China 76 D3
Santa Inês Brazil 143 I4
Santa Inés, Isla i. Chile 152 L3
Santa Isabel Arg. 144 C5
Santa Isabel Equat. Guinea see Malabo
Santa Isabel i. Solomon Is 107 F2
Santa Juliana Brazil 145 B2
Santalpur India 82 B5
Santa Lucia Range mts U.S.A. 128 C3
Santa Margarita U.S.A. 128 C4
Santa Margarita, Isla i. Mex. 136 B4
Santa María Arg. 144 C3
Santa Maria Amazonas Brazil 143 G4
Santa Maria Rio Grande do Sul Brazil 144 F3
Santa Maria Cape Verde 96 [inset]
Santa María r. Mex. 127 G7
Santa María Peru 142 D4
Santa Maria U.S.A. 128 C4
Santa Maria r. U.S.A. 129 G4
Santa Maria, Cabo de c. Moz. 101 K4
Santa Maria, Cabo de c. Port. 57 C5
Santa Maria, Chapadão de hills Brazil 145 B1
Santa María, Isla i. Galápagos Ecuador 142 [inset]
Santa Maria, Serra de hills Brazil 145 B1
Santa Maria da Vitória Brazil 145 B1
Santa María de Cuevas Mex. 131 B7
Santa Maria do Suaçuí Brazil 145 C2
Santa María Island Vanuatu 107 G3
Santa Maria Madalena Brazil 145 C3
Santa Maria Mountains U.S.A. 129 G4
Santa Marta Col. 142 D1
Santa Marta, Cabo de c. Angola 99 B5
Santa Marta Grande, Cabo de c. Brazil 145 A5
Santa Maura i. Greece see Lefkada
Santa Monica U.S.A. 128 D4
Santa Monica, Pico mt. Mex. 127 E8
Santa Monica Bay U.S.A. 128 D5
Santan Indon. 68 F7
Santana Brazil 145 C1
Santana r. Brazil 145 A2
Santana do Araguaia Brazil 143 H5
Santander Spain 57 E2
Santa Nella U.S.A. 128 C3
Santanilla, Islas is Caribbean Sea see Cisne, Islas del
Santan Mountain hill U.S.A. 129 H5
Sant'Antioco Sardinia Italy 58 C5
Sant'Antioco, Isola di i. Sardinia Italy 58 C5
Sant Antoni de Portmany Spain 57 G4
Santapilly India 84 D2
Santaquin U.S.A. 129 H2
Santa Quitéria Brazil 143 J4
Santarém Brazil 143 H4
Santarém Port. 57 B4
Santa Rita Mex. 131 C7
Santa Rosa Arg. 144 D5
Santa Rosa Acre Brazil 142 D5
Santa Rosa Rio Grande do Sul Brazil 144 F3
Santa Rosa Mex. 131 C7
Santa Rosa CA U.S.A. 128 B2
Santa Rosa NM U.S.A. 127 G6
Santa Rosa de Copán Hond. 136 G6
Santa Rosa de la Roca Bol. 142 F7
Santa Rosa Island U.S.A. 128 C5
Santa Rosalía Mex. 127 E8
Santa Rosa Range mts U.S.A. 126 D4
Santa Rosa Wash watercourse U.S.A. 129 G5
Santa Sylvina Arg. 144 D3
Santa Teresa Australia 109 F6
Santa Teresa r. Brazil 145 A1
Santa Teresa Mex. 131 D7
Santa Vitória Brazil 145 A2
Santa Ynez r. U.S.A. 128 C4
Santa Ysabel i. Solomon Is see Santa Isabel
Santee U.S.A. 128 E5
Santee r. U.S.A. 133 E5
Santiago Brazil 144 F3
Santiago i. Cape Verde 96 [inset]

►Santiago Chile 144 B4
Capital of Chile.

Santiago Dom. Rep. 137 J5
Santiago Panama 137 H7
Santiago Phil. 69 G3
Santiago de Compostela Spain 57 B2
Santiago de Cuba Cuba 137 I4
Santiago del Estero Arg. 144 D3
Santiago de los Caballeros Dom. Rep. see Santiago
Santiago de Veraguas Panama see Santiago
Santiaguillo, Laguna de l. Mex. 131 B7
Santianna Point Canada 121 P2
Santipur India see Shantipur
Sant Jordi, Golf de g. Spain 57 G3
Santo Amaro Brazil 145 D1
Santo Amaro de Campos Brazil 145 C3
Santo Anastácio Brazil 145 A3
Santo André Brazil 145 B3
Santo Angelo Brazil 144 F3

►Santo Antão i. Cape Verde 96 [inset]
Most westerly point of Africa.

Santo Antônio Brazil 142 F4
Santo Antônio r. Brazil 145 C2
Santo António São Tomé and Príncipe 96 D4
Santo Antônio, Cabo c. Brazil 145 D1
Santo Antônio da Platina Brazil 145 A3
Santo Antônio de Jesus Brazil 145 D1
Santo Antônio do Içá Brazil 142 E4
Santo Corazón Bol. 143 G7
Santo Domíngo Cuba 133 D8

►Santo Domingo Dom. Rep. 137 K5
Capital of the Dominican Republic.

Santo Domingo Baja California Mex. 127 E7
Santo Domingo Baja California Sur Mex. 127 F8
Santo Domingo country West Indies see Dominican Republic
Santo Domingo de Guzmán Dom. Rep. see Santo Domingo
Santo Hipólito Brazil 145 B2
Santorini i. Greece 59 K6
Santos Brazil 145 B3
Santos Dumont Brazil 145 C3
Santos Plateau sea feature S. Atlantic Ocean 148 E7
Santo Tomás Mex. 127 E7
Santo Tomás Peru 142 D6
Santo Tomé Arg. 144 E3
Sanup Plateau U.S.A. 129 G3
San Valentín, Cerro mt. Chile 144 B7
San Vicente El Salvador 136 G6
San Vicente Mex. 127 D7
San Vicente de Baracaldo Spain see Barakaldo
San Vicente de Cañete Peru 142 C6
San Vincenzo Italy 58 D3
San Vito, Capo c. Sicily Italy 58 E5
Sanwer India 82 C5
Sanxia Shuiku resr China see Three Gorges Reservoir
Sanya China 77 F5
Sanyuan China 77 F1
S. A. Nyýazow Adyndaky Turkm. 89 F2
Sanza Pombo Angola 99 B4
Sao, Phou mt. Laos 70 C3
São Bernardo do Campo Brazil 145 B3
São Borja Brazil 144 E3
São Carlos Brazil 145 B3
São Domingos Brazil 145 B1
São Felipe, Serra de hills Brazil 145 B1
São Félix Bahia Brazil 145 D1
São Félix Mato Grosso Brazil 143 H6
São Félix Pará Brazil 143 H5
São Fidélis Brazil 145 C3
São Francisco Brazil 145 B1

►São Francisco r. Brazil 145 C1
5th longest river in South America.

São Francisco, Ilha de i. Brazil 145 A4
São Francisco de Paula Brazil 145 A5
São Francisco de Sales Brazil 145 A2
São Francisco do Sul Brazil 145 A4
São Gabriel Brazil 144 F4
São Gonçalo Brazil 145 C3
São Gonçalo do Abaeté Brazil 145 B2
São Gonçalo do Sapucaí Brazil 145 B3
São Gotardo Brazil 145 B2
São João, Ilhas de is Brazil 143 J4
São João da Barra Brazil 145 C3
São João da Boa Vista Brazil 145 B3
São João da Madeira Port. 57 B3
São João da Ponte Brazil 145 B1
São João del Rei Brazil 145 B3
São João do Paraíso Brazil 145 C1
São Joaquim Brazil 145 A5
São Joaquim da Barra Brazil 145 B3
São José Amazonas Brazil 142 E4
São José Santa Catarina Brazil 145 A4
São José do Rio Preto Brazil 145 A3
São José dos Campos Brazil 145 B3
São José dos Pinhais Brazil 145 A4
São Leopoldo Brazil 145 A5
São Lourenço Brazil 145 B3
São Lourenço r. Brazil 143 G7
São Luís Brazil 143 J4
São Luís Brazil 143 G4
São Luís de Montes Belos Brazil 145 A2
São Manuel Brazil 145 A3
São Marcos r. Brazil 145 B2
São Mateus Brazil 145 D2
São Mateus do Sul Brazil 145 A4
São Miguel i. Arquipélago dos Açores 148 G3
São Miguel r. Brazil 145 B2
São Miguel do Tapuio Brazil 143 J5
Saône r. France 56 G4
Saoner India 82 D5
São Nicolau i. Cape Verde 96 [inset]

►São Paulo Brazil 145 B3
Most populous city in South America and 4th in the world.

São Paulo state Brazil 145 A3
São Paulo de Olivença Brazil 142 E4
São Pedro da Aldeia Brazil 145 C3
São Pedro e São Paulo is N. Atlantic Ocean 148 G5
São Pires r. Brazil see Teles Pires
São Raimundo Nonato Brazil 143 J5
São Romão Amazonas Brazil 142 E5
São Romão Minas Gerais Brazil 145 B2
São Roque Brazil 145 B3
São Roque, Cabo de c. Brazil 143 K5
São Salvador Angola see M'banza Congo
São Salvador do Congo Angola see M'banza Congo
São Sebastião Brazil 145 B3
São Sebastião, Ilha do i. Brazil 145 B3
São Sebastião do Paraíso Brazil 145 B3
São Sebastião dos Poções Brazil 145 B1
São Simão Minas Gerais Brazil 143 H7
São Simão São Paulo Brazil 145 B3
São Simão, Barragem de resr Brazil 145 A2
São Tiago i. Cape Verde see Santiago

►São Tomé São Tomé and Príncipe 96 D4
Capital of São Tomé and Príncipe.

São Tomé i. São Tomé and Príncipe 96 D4
São Tomé, Cabo de c. Brazil 145 C3
São Tomé, Pico de mt. São Tomé and Príncipe 96 D4
São Tomé and Príncipe country Africa 96 D4
Saoura, Oued watercourse Alg. 54 D6
São Vicente Brazil 145 B3
São Vicente i. Cape Verde 96 [inset]
São Vicente, Cabo de c. Port. 57 B5
Sapanca Turkey 59 N4
Sapaul India see Supaul
Şaphane Dağı mt. Turkey 59 N5
Sapo National Park Liberia 96 C4
Sapouy Burkina 96 C3
Sapozhok Rus. Fed. 43 I5
Sappa Creek r. U.S.A. 130 D3
Sapporo Japan 74 F4
Sapulpa U.S.A. 131 D4
Sapulut Sabah Malaysia 68 F6
Saputang China see Zadoi
Sāqī Iran 88 E3
Saqqez Iran 88 B2
Sarā Iran 88 B2
Sarāb Iran 88 B2
Sara Buri Thai. 71 C4
Saradiya India 82 B5
Saragossa Spain see Zaragoza
Saragt Turkm. 89 F2
Saraguro Ecuador 142 C4
Sarahs Turkm. see Saragt
Sarai Afgh. 89 G3
Sarai Sidhu Pak. 89 I4

►Sarajevo Bos.-Herz. 58 H3
Capital of Bosnia-Herzegovina.

Sarakhs Iran 89 F2
Saraktash Rus. Fed. 64 G4
Saraland U.S.A. 131 F6
Saramati mt. India/Myanmar 70 A1
Saran' Kazakh. 80 D2
Saranac U.S.A. 134 C2
Saranac r. U.S.A. 135 I1
Saranac Lake U.S.A. 135 H1
Saranda Albania see Sarandë
Sarandë Albania 59 I5
Sarandib country Asia see Sri Lanka
Sarangani Islands Phil. 69 H5
Sarangpur India 82 D5
Saransk Rus. Fed. 43 J5
Sara Peak Nigeria 96 D4
Saraphi Thai. 70 B3
Sarapul Rus. Fed. 41 Q4
Sarāqib Syria 85 C2
Sarasota U.S.A. 133 D7
Saraswati r. India 89 H6
Sarata Ukr. 59 M1
Saratoga CA U.S.A. 128 B3
Saratoga WY U.S.A. 126 G4
Saratoga Springs U.S.A. 132 F3
Saratok Sarawak Malaysia 68 E6
Saratov Rus. Fed. 43 J6
Saratovskoye Vodokhranilishche resr Rus. Fed. 43 J5
Saratsina, Akrotirio pt Greece 59 K5
Saravan Iran 89 F5
Saray Turkey 59 L4
Sarayköy Turkey 59 M6
Sarayönü Turkey 90 D3
Sarbāz Iran 87 J4
Sarbāz reg. Iran 89 F5
Sarbhang Bhutan 83 G4
Sarbīsheh Iran 87 I3
Sarda r. Nepal 83 E3
Sard Āb Afgh. 89 H2
Sardarshahr India 82 C3
Sar Dasht Iran 88 B2
Sardegna i. Sardinia Italy see Sardinia
Sardica Bulg. see Sofia
Sardinia i. Sardinia Italy 58 C4
Sardis MS U.S.A. 131 F5
Sardis WV U.S.A. 134 E4
Sardis Lake resr U.S.A. 131 F5
Sar-e Būm Afgh. 89 G3
Sareks nationalpark nat. park Sweden 44 J3
Sarektjåkkå mt. Sweden 44 J3
Sar-e Pol Afgh. 89 G2
Sar-e Pol-e Ẕahāb Iran 88 B3
Sar Eskandar Iran see Hashtrud
Sare Yazd Iran 88 D4
Sargasso Sea N. Atlantic Ocean 151 P4
Sargodha Pak. 89 I3
Sarh Chad 97 E4
Sarhad reg. Iran 89 F4
Sārī Iran 88 D2
Saria i. Greece 59 L7
Sar-i-Bum Afgh. see Sar-e Būm
Sáric Mex. 127 F7
Sarigan i. N. Mariana Is 69 L3
Sarigh Jilganang Kol salt l. Aksai Chin 82 D2
Sarıgöl Turkey 59 M5
Sarıkamış Turkey 91 F2
Sarikei Sarawak Malaysia 68 E6
Sarikŭl, Qatorkŭhi mts China/Tajik. see Sarykol Range
Sarila India 82 D4
Sarina Australia 110 E4
Sarıoğlan Kayseri Turkey 90 D3
Sarıoğlan Konya Turkey see Belören
Sariqamish Kuli salt l. Turkm./Uzbek. see Sarykamyshskoye Ozero
Sarīr Tibesti des. Libya 97 E2
Sarita U.S.A. 131 D7
Sarıveliler Turkey 85 A1
Sariwŏn N. Korea 75 B5
Sarıyar Barajı resr Turkey 59 N5
Sarıyer Turkey 59 M4
Sarız Turkey 90 E3
Sark i. Channel Is 49 E9
Sarkand Kazakh. 80 E2
Şarkikaraağaç Turkey 59 N5
Şarkışla Turkey 90 E3
Şarköy Turkey 59 L4
Sarlath Range mts Afgh./Pak. 89 G4
Sarmi Indon. 69 J7
Särna Sweden 45 H6
Sarneh Iran 88 B3
Sarnen Switz. 56 I3
Sarni India see Amla
Sarnia Canada 134 D2
Sarny Ukr. 43 E6
Sarolangun Indon. 68 C7
Saroma-ko l. Japan 74 F3
Saronikos Kolpos g. Greece 59 J6
Saros Körfezi b. Turkey 59 L4
Sarova Rus. Fed. 43 I5
Sarowbī Afgh. 89 H3
Sarpa, Ozero l. Rus. Fed. 43 J6
Sarpan i. N. Mariana Is see Rota
Sarpsborg Norway 45 G7
Sarqant Kazakh. see Sarkand
Sarre r. France 52 H5
Sarrebourg France 52 H6
Sarreguemines France 52 H5
Sarria Spain 57 C2
Sarry France 52 E6
Sartana Ukr. 43 H7
Sartanahu Pak. 89 H5
Sartène Corsica France 56 I6
Sarthe r. France 56 D3
Sartu China see Daqing
Saruna Pak. 89 G5
Sarupsar India 82 C3
Şărur Azer. 91 G3
Saru Tara tourist site Afgh. 89 F4
Sarv Iran 88 D3
Sarvābād Iran 88 B3
Sárvár Hungary 58 G1
Sarwar India 82 C4
Sarygamysh Köli salt l. Turkm./Uzbek. see Sarykamyshskoye Ozero
Sary-Ishikotrau, Peski des. Kazakh. see Saryyesik-Atyrau, Peski
Sarykamyshskoye Ozero salt l. Turkm./Uzbek. 91 J2
Sarykol Range mts China/Tajik. 89 I2
Saryozek Kazakh. 80 E3
Saryshagan Kazakh. 80 D2
Sarysu watercourse Kazakh. 80 C2
Sarytash Kazakh. 91 H1
Sary-Tash Kyrg. 89 I2
Saryýazy Suw Howdany resr Turkm. 89 F2
Saryyesik-Atyrau, Peski des. Kazakh. 80 E2
Sarzha Kazakh. 91 H2
Sasar, Tanjung pt Indon. 108 B2
Sasaram India 83 F4
Sasebo Japan 75 C6
Saskatchewan prov. Canada 121 J4
Saskatchewan r. Canada 121 K4
Saskatoon Canada 121 J4
Saskylakh Rus. Fed. 65 M2
Saslaya mt. Nicaragua 137 H6
Sasoi r. India 82 B5
Sasolburg S. Africa 101 H4
Sasovo Rus. Fed. 43 I5
Sass r. Canada 120 H2
Sassandra Côte d'Ivoire 96 C4
Sassari Sardinia Italy 58 C4
Sassenberg Germany 53 I3
Sassnitz Germany 47 N3
Sass Town Liberia 96 C4
Sasykkol', Ozero l. Kazakh. 80 F2
Sasykoli Rus. Fed. 43 J7
Sasyqköl l. Kazakh. see Sasykkol', Ozero
Satahual i. Micronesia see Satawal
Sata-misaki c. Japan 75 C7
Satana India 84 B1
Satan Pass U.S.A. 129 I4
Satara India 84 B2
Satara S. Africa 101 J3
Satawal i. Micronesia 69 L5
Sātbaev Kazakh. see Satpayev
Satevó Mex. 131 B7
Satevo r. Mex. 127 G8
Satırlar Turkey see Yeşilova
Satkania Bangl. 83 H5
Satkhira Bangl. 83 G5
Satluj r. India/Pak. see Sutlej
Satmala Range hills India 84 C2
Satna India 82 E4
Satpayev Kazakh. 80 C2
Satpura Range mts India 82 C5
Satsuma-hantō pen. Japan 75 C7
Sattahip Thai. 71 C4
Satteldorf Germany 53 K5
Satthwa Myanmar 70 A3
Satu Mare Romania 43 D7
Satun Thai. 71 C6
Satwas India 82 D5
Sauceda Mountains U.S.A. 129 G5
Saucillo Mex. 131 B6
Sauda Norway 45 E7
Sauðárkrókur Iceland 44 [inset]

►Saudi Arabia country Asia 86 F4
5th largest country in Asia.

Sauer r. France 53 I6
Saugatuck U.S.A. 134 B2
Saugeen r. Canada 134 E1
Sāūjbolāgh Iran see Mahābād
Sauk Center U.S.A. 130 E2
Saulieu France 56 G3
Saulnois reg. France 52 G6
Sault Sainte Marie Canada 122 D5
Sault Sainte Marie U.S.A. 132 C2
Saumalkol' Kazakh. 78 F1
Saumarez Reef Australia 110 F4
Saumlakki Indon. 108 E2
Saumur France 56 D3
Saunders, Mount hill Australia 108 E3
Saunders Coast Antarctica 152 J1
Saurimo Angola 99 C4
Sautar Angola 99 B5
Sauvolles, Lac l. Canada 123 G3
Sava r. Europe 58 I2
Savage River Australia 111 [inset]

223

Sofrana i. Greece 59 L6
Softa Kalesi tourist site Turkey 85 A1
Sōfu-gan i. Japan 75 F7
Sog China 76 B2
Soğanlı Dağları mts Turkey 91 E2
Sogda Rus. Fed. 74 D2
Sögel Germany 53 H2
Sogma China 82 E2
Søgne Norway 45 E7
Sognefjorden inlet Norway 45 D6
Sogruma China 76 D1
Söğüt Turkey 59 N4
Söğüt Dağı mts Turkey 59 M6
Soh Iran 88 C3
Sohâg Egypt see Sūhāj
Sohagpur India 82 D5
Soham U.K. 49 H6
Sohan r. Pak. 89 H3
Sohano P.N.G. 106 F2
Sohar Oman see Şuḥār
Sohawal India 82 E4
Sohela India 83 E5
Sohng Gwe, Khao hill Myanmar/Thai. 71 B4
Sŏho-ri N. Korea 75 C4
Sohŭksan-do i. S. Korea 75 B6
Soignies Belgium 52 E4
Soila China 76 C2
Soini Fin. 44 N5
Soissons France 52 D5
Sojat India 82 C4
Sojat Road India 82 C4
Sok r. Rus. Fed. 43 K5
Sokal' Ukr. 43 E6
Sokch'o S. Korea 75 C5
Söke Turkey 59 L6
Sokhor, Gora mt. Rus. Fed. 72 J2
Sokhumi Georgia 91 F2
Sokiryany Ukr. see Sokyryany
Sokodé Togo 96 D4
Soko Islands H.K. China 77 [inset]
Sokol Rus. Fed. 42 I4
Sokolo Mali 96 C3
Sokolov Czech Rep. 53 M4
Sokoto Nigeria 96 D3
Sokoto r. Nigeria 96 D3
Sokyryany Ukr. 43 E6
Sola Cuba 133 E8
Sola i. Tonga see Ata
Solan India 82 D3
Solana Beach U.S.A. 128 E5
Solander Island N.Z. 113 A8
Solapur India 84 B2
Soldotna U.S.A. 118 C3
Soledad U.S.A. 128 C3
Soledade Brazil 144 F3
Solenoye Rus. Fed. 43 I7
Solfjellsjøen Norway 44 H3
Solginskiy Rus. Fed. 42 I3
Solhan Turkey 91 F3
Soligalich Rus. Fed. 42 I4
Soligorsk Belarus see Salihorsk
Solihull U.K. 49 F6
Solikamsk Rus. Fed. 41 R4
Sol'-Iletsk Rus. Fed. 64 G4
Solimões r. S. America see Amazon
Solingen Germany 52 H3
Solitaire Namibia 100 B2
Sol-Karmala Rus. Fed. see Severnoye
Şollar Azer. 91 H2
Sollefteå Sweden 44 J5
Söllichau Germany 53 M3
Solling hills Germany 53 J3
Sollstedt Germany 53 K3
Sollum, Gulf of Egypt see Sallum, Khalīj as
Solms Germany 53 I4
Solnechnogorsk Rus. Fed. 42 H4
Solnechnyy Amurskaya Oblast' Rus. Fed. 74 A1
Solnechnyy Khabarovskiy Kray Rus. Fed. 74 E2
Solok Indon. 68 C7
Solomon U.S.A. 129 I5
Solomon, North Fork r. U.S.A. 130 D4

▶Solomon Islands country S. Pacific Ocean 107 G2
4th largest and 5th most populous country in Oceania.

Solomon Sea S. Pacific Ocean 106 F2
Solon U.S.A. 135 K1
Solon Springs U.S.A. 130 F2
Solor i. Indon. 108 C2
Solor, Kepulauan is Indon. 108 C2
Solothurn Switz. 56 H3
Solovetskiye Ostrova is Rus. Fed. 42 G2
Solov'yevsk Rus. Fed. 74 B1
Šolta i. Croatia 58 G3
Solṭānābād Kermān Iran 88 E4
Solṭānābād Khorāsān Iran 89 E3
Solṭānābād Iran 88 C3
Solṭānīyeh Iran 88 C2
Soltau Germany 53 J2
Sol'tsy Rus. Fed. 42 F4
Solvay U.S.A. 135 G2
Sölvesborg Sweden 45 I8
Solway Firth est. U.K. 50 F6
Solwezi Zambia 99 C5
Soma Turkey 59 L5
Somain France 52 D4
Somalia country Africa 98 E3
Somali Basin sea feature Indian Ocean 149 L6
Somali Republic country Africa see Somalia
Sombo Angola 99 C4
Sombor Serbia 59 H2
Sombrero Channel India 71 A6
Sombrio, Lago do l. Brazil 145 A5
Somero Fin. 45 M6
Somerset KY U.S.A. 134 C5
Somerset MI U.S.A. 134 C2
Somerset OH U.S.A. 134 D4
Somerset PA U.S.A. 134 F4
Somerset, Lake Australia 112 F1
Somerset East S. Africa 101 G7
Somerset Island Canada 119 I2
Somerset Reservoir U.S.A. 135 I2
Somerset West S. Africa 100 D8
Somersworth U.S.A. 135 J2
Somerton U.S.A. 129 F5
Somerville NJ U.S.A. 135 H3
Somerville TN U.S.A. 131 F5
Someydeh Iran 88 B3
Somme r. France 52 B4
Sommen l. Sweden 45 I7
Sömmerda Germany 53 L3
Sommet, Lac du l. Canada 123 H3
Somnath India 82 B5
Somutu Myanmar 70 B1
Son r. India 83 F4
Sonag China see Zêkog
Sonapur India 84 D1
Sonar r. India 82 D4
Sŏnbong N. Korea 74 C4
Sŏnch'ŏn N. Korea 75 B5
Sønderborg Denmark 45 F9
Sondershausen Germany 53 K3
Søndre Strømfjord Greenland see Kangerlussuaq
Søndre Strømfjord inlet Greenland see Kangerlussuaq
Sondrio Italy 58 C1
Sonepat India see Sonipat
Sonepur India see Sonapur
Songbai China see Shennongjia
Songbu China 77 G2
Sông Câu Vietnam 71 E4
Songcheng China see Xiapu
Sông Đa, Hô resr Vietnam 70 D2
Songea Tanz. 99 D5
Songhua Hu resr China 74 B4
Songhua Jiang r. Heilongjiang/Jilin China 74 D3
Songhua Jiang r. Jilin China see Di'er Songhua Jiang
Songjiang China 77 I2
Songjianghe China 74 B4
Sŏngjin N. Korea see Kimch'aek
Songkan China 76 E2
Songkhla Thai. 71 C6
Songling China see Ta'erqi
Songlong Myanmar 70 B2
Sŏngnam S. Korea 75 B5
Songnim N. Korea 75 B5
Songo Angola 99 B4
Songo Moz. 99 D5
Songpan China 76 D1
Songshan China see Ziyun
Song Shan mt. China 77 G1
Songtao China 77 F2
Songxi China 77 H3
Songxian China 77 G1
Songyuan Fujian China see Songxi
Songyuan Jilin China 74 B3
Songzi China 77 F2
Sơn Hai Vietnam 71 E5
Sonid Youqi China see Saihan Tal
Sonid Zuoqi China see Mandalt
Sonipat India 82 D3
Sonkajärvi Fin. 44 O5
Sonkovo Rus. Fed. 42 H4
Sơn La Vietnam 70 C2
Sonmiani Pak. 89 G5
Sonmiani Bay Pak. 89 G5
Sonneberg Germany 53 L4
Sono r. Minas Gerais Brazil 145 B2
Sono r. Tocantins Brazil 143 I5
Sonoma U.S.A. 128 B2
Sonoma Peak U.S.A. 128 E1
Sonora r. Mex. 127 F7
Sonora state Mex. 127 F7
Sonora CA U.S.A. 128 C3
Sonora KY U.S.A. 134 C5
Sonora TX U.S.A. 131 C6
Sonoran Desert U.S.A. 129 G5
Sonoran Desert National Monument nat. park U.S.A. 127 E6
Sonqor Iran 88 B3
Sonsonate El Salvador 136 G6
Sonsorol Islands Palau 69 I5
Sơn Tây Vietnam 70 D2
Sonwabile S. Africa 101 I6
Soochow China see Suzhou
Soomaaliya country Africa see Somalia
Sopi, Tanjung pt Indon. 69 H6
Sopo watercourse Sudan 97 F4
Sopot Bulg. 59 K3
Sopot Poland 47 Q3
Sop Prap Thai. 70 B3
Sopron Hungary 58 G1
Sopur India 82 C2
Sora Italy 58 E4
Sorab India 84 B3
Sorada India 84 E2
Söråker Sweden 44 J5
Sŏrak-san mt. S. Korea 75 C5
Sorak-san National Park S. Korea 75 C5
Sorel Canada 123 G5
Soreq r. Israel 85 B4
Sorgun Turkey 90 D3
Sorgun r. Turkey 85 B1
Soria Spain 57 E3
Sorkh, Kūh-e mts Iran 88 D3
Sorkhān Iran 88 E4
Sorkheh Iran 88 D3
Sørli Norway 44 H4
Soro India 83 F5
Soroca Moldova 43 F6
Sorocaba Brazil 145 B3
Soroki Moldova see Soroca
Sorol atoll Micronesia 69 K5
Sorong Indon. 69 I7
Soroti Uganda 98 D3
Sørøya i. Norway 44 M1
Sorraia r. Port. 57 B4
Sørreisa Norway 44 K2
Sorrento Italy 58 F4
Sorsele Sweden 44 J4
Sorsogon Phil. 69 G4
Sortavala Rus. Fed. 44 Q6
Sortland Norway 44 I2
Sortopolovskaya Rus. Fed. 42 K3
Sorvizhi Rus. Fed. 42 K4
Sŏsan S. Korea 75 B5
Sosenskiy Rus. Fed. 43 G5
Soshanguve S. Africa 101 I3
Sosna r. Rus. Fed. 43 H5
Sosneado mt. Arg. 144 C4
Sosnogorsk Rus. Fed. 42 L3
Sosnovka Arkhangel'skaya Oblast' Rus. Fed. 42 J3
Sosnovka Kaliningradskaya Oblast' Rus. Fed. 41 K5
Sosnovka Murmanskaya Oblast' Rus. Fed. 42 I2
Sosnovka Tambovskaya Oblast' Rus. Fed. 43 I5
Sosnovo Rus. Fed. 45 Q6
Sosnovo-Ozerskoye Rus. Fed. 73 K2
Sosnovyy Rus. Fed. 44 R4
Sosnovyy Bor Rus. Fed. 45 P7
Sosnowiec Poland 47 Q5
Sosnowitz Poland see Sosnowiec
Sos'va Khanty-Mansiyskiy Avtonomnyy Okrug Rus. Fed. 41 S3
Sos'va Sverdlovskaya Oblast' Rus. Fed. 41 S4
Sotang China 76 B2
Sotara, Volcán vol. Col. 142 C3
Sotkamo Fin. 44 P4
Sotteville-lès-Rouen France 52 B5
Souanké Congo 98 B3
Soubré Côte d'Ivoire 96 C4
Souderton U.S.A. 135 H3
Soufflenheim France 53 H6
Soufli Greece 59 L4
Soufrière St Lucia 137 L6
Soufrière vol. St Vincent 137 L6
Sougueur Alg. 57 G6
Souillac France 56 E4
Souilly France 52 F5
Souk Ahras Alg. 58 B6
Souk el Arbaâ du Rharb Morocco 54 C5
Sŏul S. Korea see Seoul
Soulac-sur-Mer France 56 D4
Soulom France 56 D5
Sounding Creek r. Canada 121 I4
Souni Cyprus 85 A2
Soûr Lebanon see Tyre
Soure Brazil 143 I4
Sour el Ghozlane Alg. 57 H5
Souris Canada 121 K5
Souris r. Canada 121 L5
Souriya country Asia see Syria
Sousa Brazil 143 K5
Sousa Lara Angola see Bocoio
Sousse Tunisia 58 D7
Soustons France 56 D5

▶South Africa, Republic of country Africa 100 F5
5th most populous country in Africa.

Southampton Canada 134 E1
Southampton U.K. 49 F8
Southampton U.S.A. 135 I3
Southampton, Cape Canada 119 J3
Southampton Island Canada 119 J3
South Andaman i. India 71 A5
South Anna r. U.S.A. 135 G5
South Anston U.K. 48 F5
South Aulatsivik Island Canada 123 J2
South Australia state Australia 106 D5
South Australian Basin sea feature Indian Ocean 149 P8
Southaven U.S.A. 131 F5
South Baldy mt. U.S.A. 127 G6
South Bank U.K. 48 F4
South Bass Island U.S.A. 134 D3
South Bend IN U.S.A. 134 B3
South Bend WA U.S.A. 126 C3
South Bluff pt Bahamas 133 F8
South Boston U.S.A. 135 F5
South Brook Canada 123 K4
South Cape pt U.S.A. see Ka Lae
South Carolina state U.S.A. 133 D5
South Charleston OH U.S.A. 134 D4
South Charleston WV U.S.A. 134 E4
South China Sea N. Pacific Ocean 68 F4
South Coast Town Australia see Gold Coast
South Dakota state U.S.A. 130 C2
South Downs hills U.K. 49 G8
South-East admin. dist. Botswana 101 G3
South East Cape Australia 111 [inset]
Southeast Cape U.S.A. 118 B3
Southeast Indian Ridge sea feature Indian Ocean 149 N8
South East Isles Australia 109 C8
Southeast Pacific Basin sea feature S. Pacific Ocean 151 M10
South East Point Australia 112 C7
Southend Canada 121 K3
Southend U.K. 50 D5
Southend-on-Sea U.K. 49 H7
Southern admin. dist. Botswana 100 G3
Southern Alps mts N.Z. 113 C6
Southern Cross Australia 109 B7
Southern Indian Lake Canada 121 L3
Southern Lau Group is Fiji 107 I3
Southern National Park Sudan 97 F4
Southern Ocean 152 C2
Southern Pines U.S.A. 133 E5
Southern Rhodesia country Africa see Zimbabwe
Southern Uplands hills U.K. 50 E5
South Esk r. U.K. 50 F4
South Esk Tableland reg. Australia 108 D4
Southey Canada 121 J5
Southfield U.S.A. 134 D2
South Fiji Basin sea feature S. Pacific Ocean 150 H7
South Fork U.S.A. 128 B1
South Geomagnetic Pole (2008) Antarctica 152 F1
South Georgia i. S. Atlantic Ocean 144 I8

▶South Georgia and the South Sandwich Islands terr. S. Atlantic Ocean 144 I8
United Kingdom Overseas Territory

South Harris pen. U.K. 50 B3
South Haven U.S.A. 134 B2
South Henik Lake Canada 121 L2
South Hill U.S.A. 135 F5
South Honshu Ridge sea feature N. Pacific Ocean 150 F3
South Indian Lake Canada 121 L3
South Island India 84 B4

▶South Island N.Z. 113 D7
2nd largest island in Oceania.

South Junction Canada 121 M5
South Korea country Asia 75 B5
South Lake Tahoe U.S.A. 128 C2
South Luangwa National Park Zambia 99 D5
South Magnetic Pole (2008) Antarctica 152 G2
South Mills U.S.A. 135 G5
Southminster U.K. 49 H7
South Mountains hills U.S.A. 135 G4
South New Berlin U.S.A. 135 H2
South Orkney Islands S. Atlantic Ocean 148 F10
South Paris U.S.A. 135 J1
South Platte r. U.S.A. 130 C3
South Point Bahamas 133 F8
South Pole Antarctica 152 C1
Southport Qld Australia 112 F1
Southport Tas. Australia 111 [inset]
Southport U.K. 48 D5
Southport U.S.A. 135 G2
South Portland U.S.A. 135 J2
South Ronaldsay i. U.K. 50 G2
South Royalton U.S.A. 135 I2
South Salt Lake U.S.A. 129 H1
South Sand Bluff pt S. Africa 101 J6

▶South Sandwich Islands S. Atlantic Ocean 148 G9
United Kingdom Overseas Territory.

South Sandwich Trench sea feature S. Atlantic Ocean 148 G9
South San Francisco U.S.A. 128 B3
South Saskatchewan r. Canada 121 J4
South Seal r. Canada 121 L3
South Shetland Islands Antarctica 152 A2
South Shetland Trough sea feature S. Atlantic Ocean 152 L2
South Shields U.K. 48 F3
South Sinai governorate Egypt see Janūb Sīnā'
South Solomon Trench sea feature S. Pacific Ocean 150 G6
South Taranaki Bight b. N.Z. 113 E4
South Tasman Rise sea feature Southern Ocean 150 F9
South Tent mt. U.S.A. 129 H2
South Tons r. India 83 E4
South Twin Island Canada 122 F3
South Tyne r. U.K. 48 E4
South Uist i. U.K. 50 B3
South Wellesley Islands Australia 110 B3
South-West Africa country Africa see Namibia
South West Cape N.Z. 113 A8
South West Entrance sea chan. P.N.G. 110 E1
Southwest Indian Ridge sea feature Indian Ocean 149 K8
South West National Park Australia 111 [inset]
Southwest Pacific Basin sea feature S. Pacific Ocean 150 I8
Southwest Peru Ridge sea feature S. Pacific Ocean see Nazca Ridge
South West Rocks Australia 112 F3
South Whitley U.S.A. 134 C3
South Wichita r. U.S.A. 131 D5
South Windham U.S.A. 135 J2
Southwold U.K. 49 I6
Southwood National Park Australia 112 E1
Soutpansberg mts S. Africa 101 I2
Souttouf, Adrar mts W. Sahara 96 B2
Soverato Italy 58 G5
Sovetsk Kaliningradskaya Oblast' Rus. Fed. 45 L9
Sovetsk Kirovskaya Oblast' Rus. Fed. 42 K4
Sovetskaya Gavan' Rus. Fed. 74 F2
Sovetskiy Khanty-Mansiyskiy Avtonomnyy Okrug Rus. Fed. 41 S3
Sovetskiy Leningradskaya Oblast' Rus. Fed. 45 P6
Sovetskiy Respublika Mariy El Rus. Fed. 42 K4
Sovetskoye Chechenskaya Respublika Rus. Fed. see Shatoy
Sovetskoye Stavropol'skiy Kray Rus. Fed. see Zelenokumsk
Sovyets'kyy Ukr. 90 D1
Sowa China 76 C2
Soweto S. Africa 101 H4
So'x Tajik. 89 H2
Sōya-kaikyō strait Japan/Rus. Fed. see La Pérouse Strait
Sōya-misaki c. Japan 74 F3
Soyana r. Rus. Fed. 42 I2
Soyma r. Rus. Fed. 42 K2
Soyopa Mex. 127 F7
Sozh r. Europe 43 F6
Sozopol Bulg. 59 L3
Spa Belgium 52 F4

▶Spain country Europe 57 E3
4th largest country in Europe.

Spalato Croatia see Split
Spalatum Croatia see Split
Spalding U.K. 49 G6
Spanish Canada 122 E5
Spanish Fork U.S.A. 129 H1
Spanish Guinea country Africa see Equatorial Guinea
Spanish Netherlands country Europe see Belgium
Spanish Sahara terr. Africa see Western Sahara
Spanish Town Jamaica 137 I5
Sparks U.S.A. 128 D2
Sparta Greece see Sparti
Sparta GA U.S.A. 133 D5
Sparta KY U.S.A. 134 C4
Sparta MI U.S.A. 134 C2
Sparta NC U.S.A. 134 E5
Sparta TN U.S.A. 132 C5
Spartanburg U.S.A. 133 D5
Sparti Greece 59 J6
Spartivento, Capo c. Italy 58 G6
Spas-Demensk Rus. Fed. 43 G5
Spas-Klepiki Rus. Fed. 43 I5
Spassk-Dal'niy Rus. Fed. 74 D3
Spassk-Ryazanskiy Rus. Fed. 43 I5
Spatha, Akra pt Kriti Greece see Spatha, Akrotirio
Spatha, Akrotirio pt Greece 59 J7
Spearman U.S.A. 131 C4
Speedway U.S.A. 134 B4
Spence Bay Canada see Taloyoak
Spencer IA U.S.A. 130 E3
Spencer ID U.S.A. 126 E3
Spencer IN U.S.A. 134 B4
Spencer NE U.S.A. 130 D3
Spencer WV U.S.A. 134 E4
Spencer, Cape U.S.A. 120 B3
Spencer Bay Namibia 100 B3
Spencer Gulf est. Australia 111 B7
Spencer Range hills Australia 108 E3
Spennymoor U.K. 48 F4
Sperrin Mountains hills U.K. 51 E3
Sperryville U.S.A. 135 F4
Spessart reg. Germany 53 J5
Spétsai i. Greece see Spetses
Spetses i. Greece 59 J6
Spey r. U.K. 50 F3
Speyer Germany 53 I5
Spezand Pak. 89 G4
Spice Islands Indon. see Moluccas
Spijk Neth. 52 G1
Spijkenisse Neth. 52 E3
Spilimbergo Italy 58 E1
Spilsby U.K. 48 H5
Spīn Böldak Afgh. 89 G4
Spintangi Pak. 89 H4
Spirit Lake U.S.A. 130 E3
Spirit River Canada 120 G4
Spirovo Rus. Fed. 42 G4
Spišská Nová Ves Slovakia 43 D6
Spiti r. India 82 D3

▶Spitsbergen i. Svalbard 64 C2
5th largest island in Europe.

Spittal an der Drau Austria 47 N7
Spitzbergen i. Svalbard see Spitsbergen
Split Croatia 58 G3
Split Lake Canada 121 L3
Split Lake l. Canada 121 L3
Spokane U.S.A. 126 D3
Spoletium Italy see Spoleto
Spoleto Italy 58 E3
Spóng Cambodia 71 D4
Spoon r. U.S.A. 130 F3
Spooner U.S.A. 130 F2
Spornitz Germany 53 L1
Spotsylvania U.S.A. 135 G4
Spotted Horse U.S.A. 126 G3
Spranger, Mount Canada 120 F4
Spratly Islands S. China Sea 68 E4
Spray U.S.A. 126 D3
Spree r. Germany 47 N4
Sprimont Belgium 52 F4
Springbok S. Africa 100 C5
Springdale Canada 123 L4
Springdale U.S.A. 134 C4
Springe Germany 53 J2
Springer U.S.A. 127 G5
Springerville U.S.A. 129 I4
Springfield CO U.S.A. 130 C4

▶Springfield IL U.S.A. 130 F4
Capital of Illinois.

Springfield KY U.S.A. 134 C5
Springfield MA U.S.A. 135 I2
Springfield MO U.S.A. 131 E4
Springfield OH U.S.A. 134 D4
Springfield OR U.S.A. 126 C3
Springfield TN U.S.A. 134 B5
Springfield VT U.S.A. 135 I2
Springfield WV U.S.A. 135 F4
Springfontein S. Africa 101 G6
Spring Glen U.S.A. 129 H2
Spring Grove U.S.A. 134 A2
Springhill Canada 123 I5
Spring Hill U.S.A. 133 D6
Springhouse Canada 120 F5
Spring Mountains U.S.A. 129 F3
Springs Junction N.Z. 113 D6
Springsure Australia 110 E5
Spring Valley MN U.S.A. 130 E3
Spring Valley NY U.S.A. 135 H3
Springview U.S.A. 130 D3
Springville CA U.S.A. 128 D3
Springville NY U.S.A. 135 F2
Springville PA U.S.A. 135 H3
Springville UT U.S.A. 129 H1
Sprowston U.K. 49 I6
Spruce Grove Canada 120 H4
Spruce Knob mt. U.S.A. 132 E4
Spruce Mountain CO U.S.A. 129 I2
Spruce Mountain NV U.S.A. 129 F1
Spurn Head hd U.K. 48 H5
Spuzzum Canada 120 F5
Squam Lake U.S.A. 135 J2
Square Lake U.S.A. 123 H5
Squillace, Golfo di g. Italy 58 G5
Squires, Mount hill Australia 109 D6
Srbija country Europe see Serbia
Srbinje Bos.-Herz. see Foča
Srê Âmběl Cambodia 71 C5
Srebrenica Republika Srpska 59 H2
Sredets Burgas Bulg. 59 L3
Sredets Sofiya-Grad Bulg. see Sofia
Sredinnyy Khrebet mts Rus. Fed. 65 Q4
Sredna Gora mts Bulg. 59 J3
Srednekolymsk Rus. Fed. 65 Q3
Sredne-Russkaya Vozvyshennost' hills Rus. Fed. see Central Russian Upland
Sredne-Sibirskoye Ploskogor'ye plat. Rus. Fed. see Central Siberian Plateau
Sredneye Kuyto, Ozero l. Rus. Fed. 44 Q4
Sredniy Ural mts Rus. Fed. 41 R4
Srednogorie Bulg. 59 K3
Srednyaya Akhtuba Rus. Fed. 43 J6
Sreepur Bangl. see Sripur
Sre Khtum Cambodia 71 D4
Srê Noy Cambodia 71 D4
Sretensk Rus. Fed. 73 L2
Sri Aman Sarawak Malaysia 68 E6
Sriharikota Island India 84 D3

▶Sri Jayewardenepura Kotte Sri Lanka 84 C5
Capital of Sri Lanka.

Srikakulam India 84 E2
Sri Kalahasti India 84 C3
Sri Lanka country Asia 84 D5
Srinagar India 82 C2
Sri Pada mt. Sri Lanka see Adam's Peak
Sripur Bangl. 83 G4
Srirangam India 84 C4
Sri Thep tourist site Thai. 70 C3
Srivardhan India 84 B2
Staaten r. Australia 110 C3
Staaten River National Park Australia 110 C3
Stabroek Guyana see Georgetown
Stade Germany 53 J1
Staden Belgium 52 D4
Stadskanaal Neth. 52 G2
Stadtallendorf Germany 53 J4
Stadthagen Germany 53 J2
Stadtilm Germany 53 L4
Stadtlohn Germany 52 G3
Stadtoldendorf Germany 53 J3
Stadtroda Germany 53 L4
Staffa i. U.K. 50 C4
Staffelberg hill Germany 53 L4
Staffelstein Germany 53 K4
Stafford U.K. 49 E6
Stafford U.S.A. 135 G4
Stafford Creek Bahamas 133 E7
Stafford Springs U.S.A. 135 I3
Stagg Lake Canada 120 H2
Staicele Latvia 45 N8
Staines U.K. 49 G7
Stakhanov Ukr. 43 H6
Stakhanovo Rus. Fed. see Zhukovskiy
Stalbridge U.K. 49 E8
Stalham U.K. 49 I6
Stalin Bulg. see Varna
Stalinabad Tajik. see Dushanbe
Stalingrad Rus. Fed. see Volgograd
Staliniri Georgia see Ts'khinvali
Stalino Ukr. see Donets'k
Stalinogorsk Rus. Fed. see Novomoskovs
Stalinogród Poland see Katowice
Stalinsk Rus. Fed. see Novokuznetsk
Stalowa Wola Poland 43 D6
Stamboliyski Bulg. 59 K3
Stamford Australia 110 C4
Stamford U.K. 49 G6
Stamford CT U.S.A. 135 I3
Stamford NY U.S.A. 135 H2
Stampalia i. Greece see Astypalaia
Stampriet Namibia 100 D3
Stamsund Norway 44 H2
Stanardsville U.S.A. 135 F4
Stanberry U.S.A. 130 E3
Stancomb-Wills Glacier Antarctica 152 B
Standard Canada 120 H5
Standdaarbuiten Neth. 52 E3
Standerton S. Africa 101 I4
Standish U.S.A. 134 D2
Stanfield U.S.A. 129 H5
Stanford KY U.S.A. 134 C5
Stanford MT U.S.A. 126 F3
Stanger S. Africa 101 J5
Stanislaus r. U.S.A. 128 C3
Stanislav Ukr. see Ivano-Frankivs'k
Stanke Dimitrov Bulg. see Dupnitsa
Staňkov Czech Rep. 53 N5
Stanley Australia 111 [inset]
Stanley H.K. China 77 [inset]

▶Stanley Falkland Is 144 E8
Capital of the Falkland Islands.

Stanley U.K. 48 F4
Stanley ID U.S.A. 126 E3
Stanley KY U.S.A. 134 B5
Stanley ND U.S.A. 130 C1
Stanley VA U.S.A. 135 F4
Stanley, Mount hill N.T. Australia 108 E5
Stanley, Mount hill Tas. Australia 111 [in
Stanley, Mount Dem. Rep. Congo/Ugan see Margherita Peak
Stanleyville Dem. Rep. Congo see Kisangani
Stann Creek Belize see Dangriga
Stannington U.K. 48 F3
Stanovoye Rus. Fed. 43 H5
Stanovoye Nagor'ye mts Rus. Fed. 73 L1
Stanovoy Khrebet mts Rus. Fed. 65 N4
Stansmore Range hills Australia 108 E5
Stanthorpe Australia 112 E2
Stanton U.K. 49 H6
Stanton KY U.S.A. 134 D5
Stanton MI U.S.A. 134 C2
Stanton ND U.S.A. 130 C2
Stanton TX U.S.A. 131 C5
Stapleton U.S.A. 130 C3
Starachowice Poland 47 R5
Stara Planina mts Bulg./Serbia see Balkan Mountains
Staraya Russa Rus. Fed. 42 F4
Stara Zagora Bulg. 59 K3
Starbuck Island Kiribati 151 J6
Star City U.S.A. 134 B3
Starcke National Park Australia 110 D2
Stargard in Pommern Poland see Stargard Szczeciński
Stargard Szczeciński Poland 47 O4
Staritsa Rus. Fed. 42 G4
Starke U.S.A. 133 D6
Starkville U.S.A. 131 F5
Star Lake U.S.A. 135 H1
Starnberger See l. Germany 47 M7
Starobel'sk Ukr. see Starobil's'k
Starobil's'k Ukr. 43 H6
Starogard Gdański Poland 47 Q4
Starokonstantinov Ukr. see Starokostyantyniv
Starokostyantyniv Ukr. 43 E6
Starominskaya Rus. Fed. 43 H7
Staroshcherbinovskaya Rus. Fed. 43 H7
Star Peak U.S.A. 128 D1
Start Point U.K. 49 D8
Starve Island Kiribati see Starbuck Island
Staryya Darohi Belarus 43 F5
Staryye Dorogi Belarus see Staryya Daro
Staryy Kayak Rus. Fed. 65 L2
Staryy Oskol Rus. Fed. 43 H6
Staßfurt Germany 53 L3
State College U.S.A. 135 G3
State Line U.S.A. 131 F6

ten Island Arg. see Los Estados, Isla de
tenville U.S.A. 133 D6
tesboro U.S.A. 133 D5
tesville U.S.A. 132 D5
tia i. Neth. Antilles see Sint Eustatius
tion U.S.A. 134 C4
tion Nord Greenland 153 I1
uchitz Germany 53 N3
ufenberg Germany 53 I4
unton U.S.A. 134 F4
vanger Norway 45 D7
veley U.K. 48 F5
vropol' Rus. Fed. 91 F1
vropol Kray admin. div. Rus. Fed. see
tavropol'skiy Kray
vropol'-na-Volge Rus. Fed. see Tol'yatti
vropol'skaya Vozvyshennost' hills
us. Fed. 91 F1
vropol'skiy Kray admin. div.
us. Fed. 91 F1
yner Canada 134 E1
yton U.S.A. 126 C3
adville S. Africa 101 I5
amboat Springs U.S.A. 126 G4
arns U.S.A. 134 C5
obins U.S.A. 118 B3
ele Island Antarctica 152 L2
elville U.S.A. 130 F4
en r. Canada 120 G3
enderen Neth. 52 G2
enkampsberge mts S. Africa 101 J3
en River Canada 120 G3
ens Mountain U.S.A. 126 D4
enstrup Gletscher glacier Greenland see
ermersuaq
envoorde France 52 C4
enwijk Neth. 52 G2
'ansson Island Canada 119 H2
gi Swaziland see Siteki
gerwald mts Germany 53 K5
n Germany 53 L5
nach Germany 53 L4
naker Reservoir U.S.A. 129 I1
nbach Canada 121 L5
nfeld (Oldenburg) Germany 53 I2
nfurt Germany 53 H2
nhausen Namibia 99 B6
nheim Germany 53 J3
nkjer Norway 44 G4
nkopf S. Africa 100 C5
nsdalen Norway 44 G4
la S. Africa 100 G4
la Maris Bahamas 133 F8
lenbosch S. Africa 100 D7
lo, Monte mt. Corsica France 56 I5
vio, Parco Nazionale dello nat. park
aly 58 D1
nay France 52 F5
ndal Germany 53 L2
ehousemuir U.K. 50 F4
eungsund Sweden 45 G7
ernabhagh U.K. see Stornoway
oanakert Azer. see Xankändi
ohens, Cape N.Z. 113 D5
ohens City U.S.A. 135 F4
ohens Lake Canada 121 M3
ohenville U.S.A. 131 D5
onoy Rus. Fed. see Elista
onoye Rus. Fed. 43 J6
kfontein Dam resr S. Africa 101 I5
kstroom S. Africa 101 H6
let Lake Canada 121 I1
libashevo Rus. Fed. 41 R5
ling S. Africa 100 E6
ling CO U.S.A. 130 C3
ling IL U.S.A. 130 F3
ling MI U.S.A. 134 C1
ling UT U.S.A. 129 H2
ling City U.S.A. 131 C6
ling Heights U.S.A. 134 D2
litamak Rus. Fed. 64 G4
tin Poland see Szczecin
tler Canada 121 H4
ubenville KY U.S.A. 134 C5
ubenville OH U.S.A. 134 E3
venage U.K. 49 G7
venson U.S.A. 126 C3
venson Lake Canada 121 L4
vens Point U.S.A. 130 F2
vens Village U.S.A. 118 D3
vensville MI U.S.A. 134 B2
vensville PA U.S.A. 135 G3
wart Canada 120 D4
wart r. Canada 120 B2
wart, Isla i. Chile 144 B8
wart Crossing Canada 120 B2
wart Island N.Z. 113 A8
wart Islands Solomon Is 107 G2
wart Lake Canada 119 J3
warton U.K. 50 E5
warts Point U.S.A. 128 B2
wiacke Canada 123 J5
ynsburg S. Africa 101 G6
yr Austria 47 O6
ytlerville S. Africa 100 G7
ins Neth. 52 F1
Alg. see Sétif
ler U.S.A. 131 E5
ine r. Canada 120 C3
kine Plateau Canada 120 D3
kine Strait U.S.A. 120 C3
baai S. Africa 100 E8
es U.S.A. 134 A1
water MN U.S.A. 130 E2
water OK U.S.A. 131 D4
water Range mts U.S.A. 128 D2
well U.S.A. 134 B3
on U.K. 49 G6
well U.S.A. 131 E5
nett U.S.A. 131 C5
Macedonia 59 J4
ling Australia 108 F5
ling Canada 135 G1
ling U.K. 50 F4
ling Creek r. Australia 108 E4
ling Range National Park
ustralia 109 B8
tsville Canada 135 H1
ordalshalsen Norway 44 G5
ckbridge U.S.A. 134 C2
ckerau Austria 47 P6
ckheim Germany 53 L4

▶Stockholm Sweden 45 K7
Capital of Sweden.

Stockinbingal Australia 112 C5
Stockport U.K. 48 E5
Stockton CA U.S.A. 128 C3
Stockton KS U.S.A. 130 D4
Stockton MO U.S.A. 130 E4
Stockton UT U.S.A. 129 G1
Stockton Lake U.S.A. 130 E4
Stockton-on-Tees U.K. 48 F4
Stockville U.S.A. 130 C3
Stod Czech Rep. 53 N5
Stœng Trêng Cambodia 71 D4
Stoer, Point of U.K. 50 D2
Stoke-on-Trent U.K. 49 E5
Stokesley U.K. 48 F4
Stokes Point Australia 111 [inset]
Stokes Range hills Australia 108 E4
Stokkseyri Iceland 44 [inset]
Stokkvågen Norway 44 H3
Stokmarknes Norway 44 I2
Stolac Bos.-Herz. 58 G3
Stolberg (Rheinland) Germany 52 G4
Stolbovoy Rus. Fed. 153 G2
Stolbtsy Belarus see Stowbtsy
Stolin Belarus 45 O11
Stollberg Germany 53 M4
Stolp Poland see Słupsk
Stolzenau Germany 53 J2
Stone U.K. 49 E6
Stoneboro U.S.A. 134 E3
Stonecliffe Canada 122 F5
Stonecutters' Island pen. H.K. China 77 [inset]
Stonehaven U.K. 50 G4
Stonehenge Australia 110 C5
Stonehenge tourist site U.K. 49 F7
Stoner U.S.A. 129 I3
Stonewall Canada 121 L5
Stonewall Jackson Lake U.S.A. 134 E4
Stony Creek U.S.A. 135 G5
Stony Lake Canada 121 L3
Stony Point U.S.A. 135 G2
Stony Rapids Canada 121 J3
Stony River U.S.A. 118 C3
Stooping r. Canada 122 E3
Stora Lulevatten l. Sweden 44 K3
Stora Sjöfallets nationalpark nat. park Sweden 44 J3
Storavan l. Sweden 44 K4
Store Bælt sea chan. Denmark see Great Belt
Støren Norway 44 G5
Storfjordbotn Norway 44 O1
Storforshei Norway 44 I3
Storjord Norway 44 I3
Storkerson Peninsula Canada 119 H2
Storm Bay Australia 111 [inset]
Stormberg S. Africa 101 H6
Storm Lake U.S.A. 130 E3
Stornosa mt. Norway 44 E6
Stornoway U.K. 50 C2
Storozhevsk Rus. Fed. 42 L3
Storozhynets' Ukr. 43 E6
Storrs U.S.A. 135 I3
Storseleby Sweden 44 J4
Storsjön l. Sweden 44 I5
Storskrymten mt. Norway 44 F5
Storslett Norway 44 L2
Stortemelk sea chan. Neth. 52 F1
Storuman Sweden 44 J4
Storuman l. Sweden 44 J4
Storvik Sweden 45 J6
Storvorde Denmark 45 G8
Storvreta Sweden 45 J7
Story U.S.A. 126 G3
Stotfold U.K. 49 G6
Stoughton Canada 121 K5
Stour r. England U.K. 49 F6
Stour r. England U.K. 49 F8
Stour r. England U.K. 49 I7
Stour r. England U.K. 49 I7
Stourbridge U.K. 49 E6
Stourport-on-Severn U.K. 49 E6
Stout Lake Canada 121 M4
Stowbtsy Belarus 45 O10
Stowe U.S.A. 135 I1
Stowmarket U.K. 49 H6
Stoyba Rus. Fed. 74 C1
Strabane U.K. 51 E3
Stradbally Ireland 51 E4
Stradbroke U.K. 49 I6
Stradella Italy 58 C2
Strakonice Czech Rep. 47 N6
Stralsund Germany 47 N3
Strand S. Africa 100 D8
Stranda Norway 44 E5
Strangford U.K. 51 G3
Strangford Lough inlet U.K. 51 G3
Strangways r. Australia 108 F3
Stranraer U.K. 50 D6
Strasbourg France 56 H2
Strasburg Germany 53 N1
Strasburg U.S.A. 135 F4
Strassburg France see Strasbourg
Stratford Australia 112 C6
Stratford Canada 134 E2
Stratford CA U.S.A. 128 D3
Stratford TX U.S.A. 131 C4
Stratford-upon-Avon U.K. 49 F6
Strathaven U.K. 50 E5
Strathmore Canada 120 H5
Strathmore r. U.K. 50 E2
Strathnaver Canada 120 F4
Strathroy Canada 134 E2
Strathspey valley U.K. 50 F3
Strathy U.K. 50 F2
Stratton U.K. 49 C8
Stratton U.S.A. 135 J1
Stratton Mountain U.S.A. 135 I2
Straubing Germany 53 M6
Straumnes pt Iceland 44 [inset]
Strawberry U.S.A. 129 H4
Strawberry Mountain U.S.A. 126 D3
Strawberry Reservoir U.S.A. 129 H1
Streaky Bay Australia 109 F8
Streaky Bay b. Australia 109 F8
Streator U.S.A. 130 F3
Street U.K. 49 E7
Streetsboro U.S.A. 134 E3

Strehaia Romania 59 J2
Strehla Germany 53 N3
Streich Mound hill Australia 109 C7
Strelka Rus. Fed. 65 Q3
Strel'na r. Rus. Fed. 42 H2
Strenči Latvia 45 N8
Streymoy i. Faroe Is 44 [inset]
Stříbro Czech Rep. 53 M5
Strichen U.K. 50 G3
Strimonas r. Greece see Strymonas
Stroeder Arg. 144 D6
Strokestown Ireland 51 D4
Stroma, Island of U.K. 50 F2
Stromboli, Isola i. Italy 58 F5
Stromness S. Georgia 144 I8
Stromness U.K. 50 F2
Strömstad Sweden 45 G7
Strömsund Sweden 44 I5
Strongsville U.S.A. 134 E3
Stronsay i. U.K. 50 G1
Stroud Australia 112 E4
Stroud U.K. 49 E7
Stroud Road Australia 112 E4
Stroudsburg U.S.A. 135 H3
Struer Denmark 45 F8
Struga Macedonia 59 I4
Strugi-Krasnyye Rus. Fed. 45 P7
Struis Bay S. Africa 100 E8
Strullendorf Germany 53 K5
Struma r. Bulg. 59 J4
also known as Strymonas (Greece)
Strumble Head hd U.K. 49 B6
Strumica Macedonia 59 J4
Struthers U.S.A. 134 E3
Stryama r. Bulg. 59 K3
Strydenburg S. Africa 100 F5
Strymonas r. Greece 59 J4
also known as Struma (Bulgaria)
Stryn Norway 44 E6
Stryy Ukr. 43 D6
Strzelecki Desert Australia 111 B6
Strzelecki, Mount hill Australia 108 F5
Strzelecki Regional Reserve nature res. Australia 111 B6
Stuart FL U.S.A. 133 D7
Stuart NE U.S.A. 130 D3
Stuart VA U.S.A. 134 E5
Stuart Lake Canada 120 E4
Stuart Range hills Australia 111 A6
Stuarts Draft U.S.A. 134 F4
Stuart Town Australia 112 D4
Stuchka Latvia see Aizkraukle
Stučka Latvia see Aizkraukle
Studholme Junction N.Z. 113 C7
Studsviken Sweden 44 K5
Stukely, Lac l. Canada 135 I1
Stung Treng Cambodia see Stœng Trêng
Stupart r. Canada 121 M4
Stupino Rus. Fed. 43 H5
Sturge Island Antarctica 152 H2
Sturgeon r. Ont. Canada 122 F5
Sturgeon r. Sask. Canada 121 J4
Sturgeon Bay b. Canada 121 L4
Sturgeon Bay U.S.A. 134 B1
Sturgeon Bay Canal lake channel U.S.A. 134 B1
Sturgeon Falls Canada 122 F5
Sturgeon Lake Ont. Canada 121 N5
Sturgeon Lake Ont. Canada 135 F1
Sturgis MI U.S.A. 134 C3
Sturgis SD U.S.A. 130 C2
Sturt, Mount hill Australia 111 C6
Sturt Creek watercourse Australia 108 D4
Sturt National Park Australia 111 C6
Sturt Stony Desert Australia 111 C6
Stutterheim S. Africa 101 H7
Stuttgart Germany 53 J6
Stuttgart U.S.A. 131 F5
Stykkishólmur Iceland 44 [inset]
Styr r. Belarus/Ukr. 43 E5
Suaçuí Grande r. Brazil 145 C2
Suai East Timor 108 D2
Suakin Sudan 86 E6
Suao Taiwan 77 I3
Suaqui Grande Mex. 127 F7
Suau P.N.G. 110 E1
Subačius Lith. 45 N9
Subankhata India 83 G4
Subarnapur India see Sonapur
Sūbāshī Iran 88 C3
Subay reg. Saudi Arabia 88 B5
Şubayḩah Saudi Arabia 85 D4
Subei China 80 H4
Subi Besar i. Indon. 71 E7
Subi Kecil i. Indon. 71 E7
Sublette U.S.A. 131 C4
Subotica Serbia 59 H1
Success, Lake U.S.A. 128 D3
Succiso, Alpi di mts Italy 58 D2
Suceava Romania 43 E7
Suchan Rus. Fed. see Partizansk
Suck r. Ireland 51 D4
Suckling, Mount P.N.G. 110 E1
Suckow Germany 53 L1

▶Sucre Bol. 142 E7
Legislative capital of Bolivia.

Suczawa Romania see Suceava
Sud, Grand Récif du reef New Caledonia 107 G4
Suda Rus. Fed. 42 H4
Sudak Ukr. 90 D1

▶Sudan country Africa 97 F3
Largest country in Africa, and 10th largest in the world.

Suday Rus. Fed. 42 I4
Sudayr reg. Saudi Arabia 88 B5
Sudbury Canada 122 E5
Sudbury U.K. 49 H6
Sudd swamp Sudan 86 C8
Sude r. Germany 53 K1
Sudest Island P.N.G. see Tagula Island
Sudetenland mts Czech Rep./Poland see Sudety
Sudety mts Czech Rep./Poland 47 O5
Sudislavl' Rus. Fed. 42 I4
Sudlersville U.S.A. 135 H4
Süd-Nord-Kanal canal Germany 52 H2
Sudogda Rus. Fed. 42 I5

Sudr Egypt 85 A5
Suðuroy i. Faroe Is 44 [inset]
Sue watercourse Sudan 97 F4
Sueca Spain 57 F4
Suez Egypt 85 A5
Suez, Gulf of Egypt 85 A5
Suez Bay Egypt 85 A5
Suez Canal Egypt 85 A4
Suffolk U.S.A. 135 G5
Sugarbush Hill hill U.S.A. 130 F2
Sugarloaf Mountain U.S.A. 135 J1
Sugarloaf Point Australia 112 F4
Sugun China 80 E4
Sūhāj Egypt 86 D4
Şuḩār Oman 88 E5
Suhaymī, Wādī as watercourse Egypt 85 A4
Sühbaatar Mongolia 72 J2
Suheli Par i. India 84 B4
Suhl Germany 53 K4
Suhlendorf Germany 53 K2
Suhul reg. Saudi Arabia 88 B6
Suhūl al Kidan plain Saudi Arabia 88 D6
Şuhut Turkey 59 N5
Sui Pak. 89 H4
Sui, Laem pt Thai. 71 B5
Suibin China 74 C3
Suid-Afrika country Africa see Republic of South Africa
Suide China 73 K5
Suidzhikurmsy Turkm. see Madaw
Suifenhe China 74 C3
Suihua China 74 B3
Suileng China 74 B3
Suining Hunan China 77 F3
Suining Jiangsu China 77 H1
Suining Sichuan China 76 E2
Suippes France 52 E5
Suir r. Ireland 51 E5
Suisse country Europe see Switzerland
Sui Vehar Pak. 89 H4
Suixi China 77 H1
Suixian Henan China 77 G1
Suixian Hubei China see Suizhou
Suiyang Guizhou China 76 E3
Suiyang Henan China 77 G1
Suiza country Europe see Switzerland
Suizhong China 73 M4
Suizhou China 77 G2
Sujangarh India 82 C4
Sujawal Pak. 89 H5
Suk atoll Micronesia see Pulusuk
Sukabumi Indon. 68 D8
Sukagawa Japan 75 F5
Sukarnapura Indon. see Jayapura
Sukarno, Puncak mt. Indon. see Jaya, Puncak
Sukchŏn N. Korea 75 B5
Sukhinichi Rus. Fed. 43 G5
Sukhona r. Rus. Fed. 42 J3
Sukhothai Thai. 70 B3
Sukhumi Georgia see Sokhumi
Sukhum-Kale Georgia see Sokhumi
Sukkertoppen Greenland see Maniitsoq
Sukkozero Rus. Fed. 42 G3
Sukkur Pak. 89 H5
Sukma India 84 D2
Sukpay Rus. Fed. 74 E3
Sukpay r. Rus. Fed. 74 E3
Sukri r. India 82 C4
Sukri r. India 82 C4
Suktel r. India 84 D1
Sukun i. Indon. 108 C2
Sula i. Norway 45 D6
Sula r. Rus. Fed. 42 K2
Sula, Kepulauan is Indon. 69 H7
Sulaiman Range mts Pak. 89 H4
Sulak Rus. Fed. 91 G2
Sülär Iran 88 C4
Sula Sgeir i. U.K. 50 C1
Sulawesi i. Indon. see Celebes
Sulaymān Beg Iraq 91 G4
Sulaymānīyah Iraq 91 G4
Sulayyimah Saudi Arabia 88 B6
Sulci Sardinia Italy see Sant'Antioco
Sulcis Sardinia Italy see Sant'Antioco
Suledeh Iran 88 C2
Sule Skerry i. U.K. 50 E1
Sule Stack i. U.K. 50 E1
Sulingen Germany 53 I2
Sulitjelma Norway 44 J3
Sulkava Fin. 44 P6
Sullana Peru 142 B4
Sullivan IL U.S.A. 130 F4
Sullivan IN U.S.A. 134 B4
Sullivan Bay Canada 120 E5
Sullivan Island Myanmar see Lanbi Kyun
Sullivan Lake Canada 121 I5
Sulmo Italy see Sulmona
Sulmona Italy 58 E3
Sulphur LA U.S.A. 131 E6
Sulphur OK U.S.A. 131 D5
Sulphur r. U.S.A. 131 E5
Sulphur Springs U.S.A. 131 E5
Sultan Canada 122 E5
Sultan, Koh-i- mts Pak. 89 F4
Sultanabad India see Osmannagar
Sultanabad Iran see Arāk
Sultan Dağları mts Turkey 59 N5
Sultanıye Turkey see Karapınar
Sultanpur India 83 E4
Sulu Archipelago is Phil. 69 G5
Sulu Basin sea feature N. Pacific Ocean 150 E5
Sülüklü Turkey 90 D3
Sülüktü Kyrg. 89 H2
Sulusaray Turkey 90 E3
Sulu Sea N. Pacific Ocean 68 F5
Suluvvaulik, Lac l. Canada 123 G2
Sulyukta Kyrg. see Sülüktü
Sulzbach-Rosenberg Germany 53 L5
Sulzberger Bay Antarctica 152 I1
Sumāil Oman 88 E6
Sumampa Arg. 144 D3
Sumapaz, Parque Nacional nat. park Col. 142 D3
Sümär Iran 88 B3
Sumatera i. Indon. see Sumatra

▶Sumatra i. Indon. 71 B7
2nd largest island in Asia, and 6th in the world.

Šumava nat. park Czech Rep. 47 N6
Sumba i. Indon. 108 C2
Sumba, Selat sea chan. Indon. 108 B2
Sumbar r. Turkm. 88 D2
Sumbawa i. Indon. 108 B2
Sumbawabesar Indon. 108 B2
Sumbawanga Tanz. 99 D4
Sumbe Angola 99 B5
Sumbu National Park Zambia 99 D4
Sumburgh U.K. 50 [inset]
Sumburgh Head hd U.K. 50 [inset]
Sumdo China 76 D2
Sumdum, Mount U.S.A. 120 C3
Sume'eh Sarā Iran 88 C2
Sumeih Sudan 86 C8
Sumenep Indon. 68 E8
Sumgait Azer. see Sumqayıt
Sumisu-jima i. Japan 73 Q6
Summēl Iraq 91 F3
Summer Beaver Canada 122 C3
Summerford Canada 123 L4
Summer Island U.S.A. 132 C2
Summer Isles U.K. 50 D2
Summerland Canada 120 G5
Summersville U.S.A. 134 E4
Summit Lake Canada 120 F4
Summit Mountain U.S.A. 128 E2
Summit Peak U.S.A. 127 G5
Sumnal Aksai Chin 82 D2
Sumner N.Z. 113 D6
Sumner, Lake N.Z. 113 D6
Sumon-dake mt. Japan 75 E5
Šumperk Czech Rep. 47 P6
Sumpu Japan see Shizuoka
Sumqayıt Azer. 91 H2
Sumskiy Posad Rus. Fed. 42 G2
Sumter U.S.A. 133 D5
Sumur India 82 D2
Sumy Ukr. 43 G6
Sumzom China 76 C2
Suna Rus. Fed. 42 K4
Sunaj India 82 D4
Sunam India 82 C3
Sunamganj Bangl. 83 G4
Sunart, Loch inlet U.K. 50 D4
Şunaynah Oman 88 D6
Sunburst U.S.A. 126 F2
Sunbury Australia 112 B6
Sunbury OH U.S.A. 134 D3
Sunbury PA U.S.A. 135 G3
Sunch'ŏn S. Korea 75 B6
Sun City S. Africa 101 H3
Sun City AZ U.S.A. 129 G5
Sun City CA U.S.A. 128 E5
Sunda, Selat strait Indon. 68 C8
Sunda Kalapa Indon. see Jakarta
Sundance U.S.A. 126 G3
Sundarbans coastal area Bangl./India 83 G5
Sundarbans National Park Bangl./India 83 G5
Sundargarh India 83 F5
Sunda Shelf sea feature Indian Ocean 149 P5
Sunda Strait Indon. see Sunda, Selat
Sunda Trench sea feature Indian Ocean see Java Trench
Sunderland U.K. 48 F4
Sundern (Sauerland) Germany 53 I3
Sündiken Dağları mts Turkey 59 N5
Sundown National Park Australia 112 E2
Sundre Canada 120 H5
Sundridge Canada 122 F5
Sundsvall Sweden 44 J5
Sundukli, Peski des. Turkm. see Sandykly Gumy
Sundumbili S. Africa 101 J5
Sungaipenuh Indon. 68 C7
Sungai Petani Malaysia 71 C6
Sungari r. China see Songhua Jiang
Sungei Seletar Reservoir Sing. 71 [inset]
Sungkiang China see Songjiang
Sung Kong i. H.K. China 77 [inset]
Sungqu China see Songpan
Sungsang Indon. 68 C7
Sungurlu Turkey 90 D2
Sun Kosi r. Nepal 83 F4
Sunman U.S.A. 134 C4
Sunndal Norway 45 E6
Sunndalsøra Norway 44 F5
Sunne Sweden 45 H7
Sunnyside U.S.A. 126 D3
Sunnyvale U.S.A. 128 B3
Sun Prairie U.S.A. 130 F3
Sunset House Canada 120 G4
Sunset Peak hill H.K. China 77 [inset]
Suntar Rus. Fed. 65 M3
Suntsar Pak. 89 F5
Sunwi-do i. N. Korea 75 B5
Sunwu China 74 B2
Sunyani Ghana 96 C4
Suolijärvet l. Fin. 44 P3
Suomi country Europe see Finland
Suomussalmi Fin. 44 P4
Suō-nada b. Japan 75 C6
Suonenjoki Fin. 44 O5
Suong r. Laos 70 C3
Suoyarvi Rus. Fed. 42 G3
Supa India 84 B3
Supaul India 83 F4
Superior AZ U.S.A. 129 H5
Superior MT U.S.A. 126 E3
Superior NE U.S.A. 130 D3
Superior WI U.S.A. 130 E2

▶Superior, Lake Canada/U.S.A. 125 J2
Largest lake in North America, and 2nd in the world.

Suphan Buri Thai. 71 C4
Süphan Dağı mt. Turkey 91 F3
Supiori i. Indon. 69 J7
Suponevo Rus. Fed. 43 G5
Support Force Glacier Antarctica 152 A1
Sūq ash Shuyūkh Iraq 91 G5
Suqian China 77 H1
Suquṭrā i. Yemen see Socotra
Şūr Oman 89 E6
Sur, Point U.S.A. 128 C3
Sur, Punta pt Arg. 144 E5
Sura r. Rus. Fed. 43 J4
Şuraabad Azer. 91 H2

Surabaya Indon. 68 E8
Sūrak Iran 88 E5
Surakarta Indon. 68 E8
Sūran Iran 89 F5
Şūrān Syria 85 C2
Surat Australia 112 D1
Surat India 82 C5
Suratgarh India 82 C3
Surat Thani Thai. 71 B5
Surazh Rus. Fed. 43 G5
Surbiton Australia 110 D4
Surdulica Serbia 59 J3
Sûre r. Lux. 52 G5
Surendranagar India 82 B5
Surf U.S.A. 128 C4
Surgut Rus. Fed. 64 I3
Suri India see Siuri
Suriapet India 84 C2
Surigao Phil. 69 H5
Surin Thai. 70 C4
Surinam country S. America see Suriname
Suriname country S. America 143 G3
Surin Nua, Ko i. Thai. 71 B5
Surkhduz Afgh. 89 G4
Surkhet Nepal 83 E3
Surkhon Uzbek. see Surxon
Sürmene Turkey 91 F2
Surovikino Rus. Fed. 43 I6
Surpura India 82 C4
Surrey Canada 120 F5
Surry U.S.A. 135 G5
Surskoye Rus. Fed. 43 J5
Surt Libya see Sirte
Surtsey i. Iceland 44 [inset]
Sürü Hormozgan Iran 88 E5
Sürü Sīstān va Balūchestān Iran 88 E5
Suruç Turkey 85 D1
Surud, Raas pt Somalia 98 E2
Surud Ad mt. Somalia see Shimbiris
Suruga-wan b. Japan 75 E6
Surulangun Indon. 68 C7
Surwold Germany 53 H2
Surxon Uzbek. 89 G2
Suryapet India see Suriapet
Şuşa Azer. 91 G3
Susah Tunisia see Sousse
Susaki Japan 75 D6
Susan U.S.A. 135 G5
Süsangerd Iran 88 C4
Susanino Rus. Fed. 74 F1
Susanville U.S.A. 128 C1
Suşehri Turkey 90 E2
Suso Thai. 71 B6
Susong China 77 H2
Susquehanna U.S.A. 135 H3
Susquehanna r. U.S.A. 135 G4
Susquehanna, West Branch r. U.S.A. 135 G3
Susques Arg. 144 C2
Sussex U.S.A. 135 H3
Susuman Rus. Fed. 65 P3
Susupu Indon. 69 H6
Susurluk Turkey 59 M5
Sutak India 82 D2
Sutherland Australia 112 E5
Sutherland S. Africa 100 E7
Sutherland U.S.A. 130 C3
Sutherland Range hills Australia 109 D6
Sutjeska nat. park Bos.-Herz. 58 H3
Sutlej r. India/Pak. 82 B3
Sütlüce Turkey 85 A1
Sutter U.S.A. 128 C2
Sutterton U.K. 49 G6
Sutton Canada 135 I1
Sutton r. Canada 122 E3
Sutton U.K. 49 H6
Sutton NE U.S.A. 130 D3
Sutton WV U.S.A. 134 E4
Sutton Coldfield U.K. 49 F6
Sutton in Ashfield U.K. 49 F5
Sutton Lake Canada 122 D3
Sutton Lake U.S.A. 134 E4
Suttor r. Australia 110 D4
Suttsu Japan 74 F4
Sutwik Island U.S.A. 118 C4
Sutyr' r. Rus. Fed. 74 D2

▶Suva Fiji 107 H3
Capital of Fiji.

Suvadiva Atoll Maldives see Huvadhu Atoll
Suvalki Poland see Suwałki
Suvorov atoll Cook Is see Suwarrow
Suvorov Rus. Fed. 43 H5
Suwa Japan 75 E5
Suwałki Poland 43 D5
Suwannaphum Thai. 70 C4
Suwannee r. U.S.A. 133 D6
Suwanose-jima i. Japan 75 C7
Suwarrow atoll Cook Is 107 J3
Suwaylih Jordan 85 B3
Suwayr well Saudi Arabia 91 F5
Suways, Khalīj as g. Egypt see Suez, Gulf of
Suways, Qanāt as canal Egypt see Suez Canal
Suweilih Jordan see Suwaylih
Suweis, Khalîg el g. Egypt see Suez, Gulf of
Suweis, Qanâ el canal Egypt see Suez Canal
Suwŏn S. Korea 75 B5
Suyūl Ḩanīsh i. Yemen 86 F7
Suz, Mys pt Kazakh. 91 I2
Suzaka Japan 75 E5
Suzdal' Rus. Fed. 42 I4
Suzhou Anhui China 77 H1
Suzhou Gansu China see Jiuquan
Suzhou Jiangsu China 77 I2
Suzi He r. China 74 B4
Suzuka Japan 75 E6
Suzu-misaki pt Japan 75 E5
Sværholthalvøya pen. Norway 44 O1

▶Svalbard terr. Arctic Ocean 64 C2
Part of Norway.

Svappavaara Sweden 44 L3
Svartenhuk Halvø pen. Greenland see Sigguup Nunaa
Svatove Ukr. 43 H6

Svay Chék Cambodia 71 C4
Svay Riĕng Cambodia 71 D5
Svecha Rus. Fed. 42 J4
Sveg Sweden 45 I5
Sveķi Latvia 45 O8
Svelgen Norway 44 D6
Svellingen Norway 44 F5
Švenčionėliai Lith. 45 N9
Švenčionys Lith. 45 O9
Svendborg Denmark 45 G9
Svensbu Norway 44 K2
Svenstavik Sweden 44 I5
Sverdlovsk Rus. Fed. *see* **Yekaterinburg**
Sverdlovs'k Ukr. 43 H6
Sverdrup Islands Canada 119 I2
Sverige *country* Europe *see* **Sweden**
Sveti Nikole Macedonia 59 I4
Svetlaya Rus. Fed. 74 E3
Svetlogorsk Belarus *see* **Svyetlahorsk**
Svetlogorsk *Kaliningradskaya Oblast'* Rus. Fed. 45 L9
Svetlogorsk *Krasnoyarskiy Kray* Rus. Fed. 64 J3
Svetlograd Rus. Fed. 91 F1
Svetlovodsk Ukr. *see* **Svitlovods'k**
Svetlyy *Kaliningradskaya Oblast'* Rus. Fed. 45 L9
Svetlyy *Orenburgskaya Oblast'* Rus. Fed. 80 B1
Svetlyy Yar Rus. Fed. 43 J6
Svetogorsk Rus. Fed. 45 P6
Svíahnúkar *vol.* Iceland 44 [inset]
Svilaja *mts* Croatia 58 G3
Svilengrad Bulg. 59 L4
Svinecea Mare, Vârful *mt.* Romania 59 J2
Svir Belarus 45 O9
Svir' *r.* Rus. Fed. 42 G3
Svishtov Bulg. 59 K3
Svitava *r.* Czech Rep. 47 P6
Svitavy Czech Rep. 47 P6
Svitlovods'k Ukr. 43 G6
Sviyaga *r.* Rus. Fed. 42 K5
Svizzer, Parc Naziunal Switz. 58 D1
Svizzera *country* Europe *see* **Switzerland**
Svobodnyy Rus. Fed. 74 C2
Svolvær Norway 44 I2
Svrljiške Planine *mts* Serbia 59 J3
Svyatoy Nos, Mys *c.* Rus. Fed. 42 K2
Svyetlahorsk Belarus 43 F5
Swadlincote U.K. 49 F6
Swaffham U.K. 49 H6
Swain Reefs Australia 110 F4
Swainsboro U.S.A. 133 D5
Swains Island *atoll* American Samoa 107 I3
Swakop *watercourse* Namibia 100 B2
Swakopmund Namibia 100 B2
Swale *r.* U.K. 48 F4
Swallow Islands Solomon Is 107 G3
Swamihalli India 84 C3
Swampy *r.* Canada 123 H2
Swan *r.* Australia 109 A7
Swan *r. Man./Sask.* Canada 121 K4
Swan *r. Ont.* Canada 122 E3
Swanage U.K. 49 F8
Swandale U.S.A. 134 E4
Swan Hill Australia 112 A5
Swan Hills Canada 120 H4
Swan Lake *B.C.* Canada 120 D4
Swan Lake *Man.* Canada 121 K4
Swanley U.K. 49 H7
Swanquarter U.S.A. 133 E5
Swan Reach Australia 111 B7
Swan River Canada 121 K4
Swansea U.K. 49 D7
Swansea Bay U.K. 49 D7
Swanton *CA* U.S.A. 128 B3
Swanton *VT* U.S.A. 135 I1
Swartbergpas *pass* S. Africa 100 F7
Swart Nossob *watercourse* Namibia *see* **Black Nossob**
Swartruggens S. Africa 101 H3
Swartz Creek U.S.A. 134 D2
Swasey Peak U.S.A. 129 G2
Swat Kohistan *reg.* Pak. 89 I3
Swatow China *see* **Shantou**
Swayzee U.S.A. 134 C3
Swaziland *country* Africa 101 J4

▶**Sweden** *country* Europe 44 I5
5th largest country in Europe.

Sweet Home U.S.A. 126 C3
Sweet Springs U.S.A. 134 E5
Sweetwater U.S.A. 131 C5
Sweetwater *r.* U.S.A. 126 G4
Swellendam S. Africa 100 E8
Świdnica Poland 47 P5
Świdwin Poland 47 O4
Świebodzin Poland 47 O4
Świecie Poland 47 Q4
Swift Current Canada 121 J5
Swiftcurrent Creek *r.* Canada 121 J5
Swilly *r.* Ireland 51 E3
Swilly, Lough *inlet* Ireland 51 E2
Swindon U.K. 49 F7
Swinford Ireland 51 D4
Świnoujście Poland 47 O4
Swinton U.K. 50 G5
Swiss Confederation *country* Europe *see* **Switzerland**
Switzerland *country* Europe 56 I3
Swords Ireland 51 F4
Swords Range *hills* Australia 110 C4
Syamozero, Ozero *l.* Rus. Fed. 42 G3
Syamzha Rus. Fed. 42 I3
Syang Nepal 83 E3
Syas'troy Rus. Fed. 42 G3
Sychevka Rus. Fed. 42 G5
Sydenham *atoll* Kiribati *see* **Nonouti**

▶**Sydney** Australia 112 E4
Capital of New South Wales. Most populous city in Oceania.

Sydney Canada 123 J5
Sydney Island Kiribati *see* **Manra**
Sydney Lake Canada 121 M5
Sydney Mines Canada 123 J5
Syedra *tourist site* Turkey 85 A1
Syeverodonets'k Ukr. 43 H6
Syke Germany 53 I2
Sykesville U.S.A. 135 F3
Syktyvkar Rus. Fed. 42 K3
Sylarna *mt.* Norway/Sweden 44 H5
Sylhet Bangl. 83 G4
Syloga Rus. Fed. 42 I3
Sylt *i.* Germany 47 L3
Sylva U.S.A. 133 D5
Sylvania *GA* U.S.A. 133 D5
Sylvania *OH* U.S.A. 134 D3
Sylvan Lake Canada 120 H4
Sylvester U.S.A. 133 D6
Sylvester, Lake *salt flat* Australia 110 A3
Sylvia, Mount Canada 120 E3
Symerton U.S.A. 134 A3
Symi *i.* Greece 59 L6
Synel'nykove Ukr. 43 G6
Syngyrli, Mys *pt* Kazakh. 91 I2
Synya Rus. Fed. 41 R2
Syowa *research station* Antarctica 152 D2
Syracusae *Sicily* Italy *see* **Syracuse**
Syracuse *Sicily* Italy 58 F6
Syracuse *KS* U.S.A. 130 C4
Syracuse *NY* U.S.A. 135 G2
Syrdar'ya *r.* Asia 80 C3
Syrdar'ya Uzbek. *see* **Sirdaryo**
Syrdaryinskiy Uzbek. *see* **Sirdaryo**
Syria *country* Asia 90 E4
Syriam Myanmar *see* **Thanlyin**
Syrian Desert Asia 90 E4
Syrna *i.* Greece 59 L6
Syros *i.* Greece 59 K6
Syrskiy Rus. Fed. 43 H5
Sysmä Fin. 45 N6
Sysola *r.* Rus. Fed. 42 K3
Syumsi Rus. Fed. 42 K4
Syurkum Rus. Fed. 74 F2
Syurkum, Mys *pt* Rus. Fed. 74 F2
Syzran' Rus. Fed. 43 K5
Szabadka Serbia *see* **Subotica**
Szczecin Poland 47 O4
Szczecinek Poland 47 P4
Szczytno Poland 47 R4
Szechwan *prov.* China *see* **Sichuan**
Szeged Hungary 59 I1
Székesfehérvár Hungary 58 H1
Szekszárd Hungary 58 H1
Szentes Hungary 59 I1
Szentgotthárd Hungary 58 G1
Szigetvár Hungary 58 G1
Szolnok Hungary 59 I1
Szombathely Hungary 58 G1
Sztálinváros Hungary *see* **Dunaújváros**

Taagga Duudka *reg.* Somalia 98 E3
Ṭābah Saudi Arabia 86 F4
Tabajara Brazil 142 F5
Tabakhmela Georgia *see* **Kazret'i**
Tabalo P.N.G. 69 L7
Tabanan Indon. 108 A2
Tabankulu S. Africa 101 I6
Ṭabaqah *Ar Raqqah* Syria 85 D2
Ṭabaqah *Ar Raqqah* Syria *see* **Madīnat ath Thawrah**
Tabar Islands P.N.G. 106 F2
Tabarka Tunisia 58 C6
Ṭabas Iran 89 F3
Tabāsin Iran 88 E4
Tābask, Kūh-e *mt.* Iran 88 C4
Tabatinga *Amazonas* Brazil 142 E4
Tabatinga *São Paulo* Brazil 145 A3
Tabatinga, Serra da *hills* Brazil 143 J6
Tabatsquri, Tba *l.* Georgia 91 F2
Tabayin Myanmar 70 A2
Tabbita Australia 112 B5
Tabelbala Alg. 54 D6
Taber Canada 121 H5
Tabet, Nam *r.* Myanmar 70 B1
Tabia Tsaka *salt l.* China 83 F3
Tabiteuea *atoll* Kiribati 107 H2
Tabivere Estonia 45 O7
Table Cape N.Z. 113 F4
Table Mountain Nature Reserve S. Africa 100 D8
Tabligbo Togo 96 D4
Tábor Czech Rep. 47 O6
Tabora Tanz. 99 D4
Tabou Côte d'Ivoire 96 C4
Tabrīz Iran 88 B2
Tabuaeran *atoll* Kiribati 151 J5
Tabūk Saudi Arabia 90 E5
Tabulam Australia 112 F2
Tabuyung Indon. 71 B7
Tabwémasana, Mount Vanuatu 107 G3
Täby Sweden 45 K7
Tacalé Brazil 143 H3
Tacheng China 80 F2
Tachie Canada 120 E4
Tachov Czech Rep. 53 M5
Tacloban Phil. 69 H4
Tacna Peru 142 D7
Tacoma U.S.A. 126 C3
Taco Pozo Arg. 144 D3
Tacuarembó Uruguay 144 E4
Tacupeto Mex. 127 F7
Tadcaster U.K. 48 F5
Tademaït, Plateau du Alg. 54 E6
Tadin New Caledonia 107 G4
Tadjikistan *country* Asia *see* **Tajikistan**
Tadjourah Djibouti 86 F7
Tadmur Syria 85 D2
Tadohae Haesang National Park S. Korea 75 B6
Tadoule Lake Canada 121 L3
Tadoussac Canada 123 H4
Tadpatri India 84 C3
Tadwale India 84 C2
Tadzhikskaya S.S.R. *country* Asia *see* **Tajikistan**
T'aean Haean National Park S. Korea 75 B5
Taech'ŏng-do *i.* S. Korea 75 B5
Taedasa-do N. Korea 75 B5
Taedong-man *b.* N. Korea 75 B5
Taegu S. Korea 75 C6
Taehan-min'guk *country* Asia *see* **South Korea**
Taehŭksan-kundo *is* S. Korea 75 B6
Taejŏn S. Korea 75 B5
Taejŏng S. Korea 75 B6
T'aepaek S. Korea 75 C5
Ta'erqi China 73 M3
Taf *r.* U.K. 49 C7
Tafahi *i.* Tonga 107 I3
Tafalla Spain 57 F2
Tafeng China *see* **Lanshan**
Tafila Jordan *see* **Aṭ Ṭafilah**
Tafi Viejo Arg. 144 C3
Tafresh Iran 88 C3
Taft Iran 88 D4
Taft U.S.A. 128 D4
Taftān, Kūh-e *mt.* Iran 89 F4
Taftanāz Syria 85 C2
Tafwap India 71 A6
Taganrog Rus. Fed. 43 H7
Taganrog, Gulf of Rus. Fed./Ukr. 43 H7
Taganrogskiy Zaliv *b.* Rus. Fed./Ukr. *see* **Taganrog, Gulf of**
Tagarev, Gora *mt.* Iran/Turkm. 88 E2
Tagarkaty, Pereval *pass* Tajik. 89 I2
Tagaung Myanmar 70 B2
Tagchagpu Ri *mt.* China 83 E2
Tagdempt Alg. *see* **Tiaret**
Taghmon Ireland 51 F5
Tagish Canada 120 C2
Tagtabazar Turkm. 89 F3
Tagula P.N.G. 110 F1
Tagula Island P.N.G. 110 F1
Tagus *r.* Port. 57 B4
also known as Tajo (Portugal) or Tejo (Spain)
Taha China 74 B3
Tahaetkun Mountain Canada 120 G5
Tahan, Gunung *mt.* Malaysia 71 C6
Tahanroz'ka Zatoka *b.* Rus. Fed./Ukr. *see* **Taganrog, Gulf of**
Tahat, Mont *mt.* Alg. 96 D2
Tahaurawe *i.* U.S.A. *see* **Kaho'olawe**
Tahe China 74 B1
Taheke N.Z. 113 D2
Tahiti *i.* Fr. Polynesia 151 K7
Tahlab *r.* Iran/Pak. 89 F4
Tahlab, Dasht-i- *plain* Pak. 89 F4
Tahlequah U.S.A. 131 E5
Tahltan Canada 120 D3
Tahoe, Lake U.S.A. 128 C2
Tahoe Lake Canada 119 H3
Tahoe Vista U.S.A. 128 C2
Tahoka U.S.A. 131 C5
Tahoua Niger 96 D3
Tahrūd Iran 88 E4
Tahrūd *r.* Iran 88 E4
Tahtsa Peak Canada 120 E4
Tahulandang *i.* Indon. 69 H6
Tahuna Indon. 69 H6
Taï, Parc National de *nat. park* Côte d'Ivoire 96 C4
Tai'an China 73 L5
Taibai China 76 E1
Taibai Shan *mt.* China 76 E1
Taibei Taiwan *see* **T'aipei**
Taibus Qi China *see* **Baochang**
T'aichung Taiwan 77 I3
Taidong Taiwan *see* **T'aitung**
Taigong China *see* **Taijiang**
Taihang Shan *mts Hebei* China 73 K5
Taihang Shan *mts* China 73 K5
Taihape N.Z. 113 E4
Taihe *Jiangxi* China 77 G3
Taihe *Sichuan* China *see* **Shehong**
Taihezhen China *see* **Shehong**
Tai Ho Wan H.K. China 77 [inset]
Taihu China 77 H2
Tai Hu *l.* China 77 I2
Taijiang China 77 F3
Taikang China 74 B3
Tailai China 74 A3
Tai Lam Chung Shui Tong *resr* H.K. China 77 [inset]
Tailem Bend Australia 111 B7
Tai Long Wan *b.* H.K. China 77 [inset]
Taimani *reg.* Afgh. 89 F3
Tai Mo Shan *hill* H.K. China 77 [inset]
Tain U.K. 50 F2
T'ainan Taiwan 77 I4
T'ainan Taiwan *see* **Hsinying**
Tainaro, Akra *pt* Greece *see* **Tainaro, Akrotirio**
Tainaro, Akrotirio *pt* Greece 59 J6
Taining China 77 H3
Tai O H.K. China 77 [inset]
Taiobeiras Brazil 145 C1
Tai Pang Wan *b.* H.K. China *see* **Mirs Bay**

▶**T'aipei** Taiwan 77 I3
Capital of Taiwan.

Taiping *Guangdong* China *see* **Shixing**
Taiping *Guangxi* China *see* **Chongzuo**
Taiping *Guangxi* China 77 F4
Taiping Malaysia 71 C6
Taipingchuan China 74 A3
Tai Po H.K. China 77 [inset]
Tai Po Hoi *b.* H.K. China *see* **Tolo Harbour**
Tai Poutini National Park N.Z. *see* **Westland National Park**
Tairbeart U.K. *see* **Tarbert**
Tai Rom Yen National Park Thai. 71 B5
Tairuq Iran 88 B3
Tais P.N.G. 69 K8
Taishan China 77 G4
Taishun China 77 H3
Tai Siu Mo To *is* H.K. China *see* **The Brothers**
Taissy France 52 E5
Taitao, Península de *pen.* Chile 144 B7
Tai Tapu N.Z. 113 D6
Tai To Yan *mt.* H.K. China 77 [inset]
T'aitung Taiwan 77 I4
Tai Tung Shan *hill* H.K. China *see* **Sunset Peak**
Taivalkoski Fin. 44 P4
Taivaskero *hill* Fin. 44 N2
Taiwan *country* Asia 77 I4
T'aiwan Haihsia *strait* China/Taiwan *see* **Taiwan Strait**
Taiwan Haixia *strait* China/Taiwan *see* **Taiwan Strait**
Taiwan Shan *mts* Taiwan *see* **Chungyang Shanmo**
Taiwan Strait China/Taiwan 77 H4
Taixian China *see* **Jiangyan**
Taixing China 77 I1
Taiyuan China 73 K5
Tai Yue Shan *i.* H.K. China *see* **Lantau Island**
Taizhao China 76 B2
Taizhong Taiwan *see* **T'aichung**
Taizhong Taiwan *see* **Fengyüan**
Taizhou *Jiangsu* China 77 H1
Taizhou *Zhejiang* China 77 I2
Taizhou Liedao *i.* China 77 I2
Taizhou Wan *b.* China 77 I2
Taizi He *r.* China 74 B4
Ta'izz Yemen 86 F7
Tājābād Iran 88 E4
Tajal Pak. 89 H5
Tajamulco, Volcán de *vol.* Guat. 136 F5
Tajerouine Tunisia 58 C7
Tajikistan *country* Asia 89 H2
Tajitos Mex. 127 E7
Tajo *r.* Port. 57 C4 *see* **Tagus**
Tajrīsh Iran 88 C3
Tak Thai. 70 B3
Takāb Iran 88 B2
Takabba Kenya 98 E3
Takahashi Japan 75 D6
Takamatsu Japan 75 D6
Takaoka Japan 75 E5
Takapuna N.Z. 113 E3
Ta karpo China 83 G4
Takatokwane Botswana 100 G3
Takatshwaane Botswana 100 E2
Takatsuki-yama *mt.* Japan 75 D6
Takayama Japan 75 E5
Tak Bai Thai. 71 C6
Takefu Japan 75 E6
Takengon Indon. 71 B6
Takeo Cambodia *see* **Takêv**
Take-shima *i.* Asia *see* **Liancourt Rocks**
Takestān Iran 88 C2
Takêv Cambodia 71 D5
Takhemaret Alg. 57 G6
Takhini Hotspring Canada 120 C2
Ta Khli Thai. 70 C4
Ta Khmau Cambodia 71 D5
Takhta-Bazar Turkm. *see* **Tagtabazar**
Takht Apān, Kūh-e *mt.* Iran 88 C3
Takhteh Iran 88 D4
Takhteh Pol Afgh. 89 G4
Takht-e Soleymān *mt.* Iran 88 C2
Takht-e Soleymān *tourist site* Iran 88 B2
Takht-i-Bahi *tourist site* Pak. 89 H3
Takht-i-Sulaiman *mt.* Pak. 89 H4
Takijuq Lake Canada *see* **Napaktulik Lake**
Takingeun Indon. *see* **Takengon**
Takinoue Japan 74 F3
Takla Lake Canada 120 E4
Takla Landing Canada 120 E4
Takla Makan *des.* China *see* **Taklimakan Desert**
Taklimakan Desert China 82 E1
Taklimakan Shamo *des.* China *see* **Taklimakan Desert**
Takpa Shiri *mt.* China 76 B2
Taku Canada 120 C3
Takum Nigeria 96 D4
Takuu Islands P.N.G. 107 F2
Talachyn Belarus 43 F5
Talaja India 82 C5
Talakan *Amurskaya Oblast'* Rus. Fed. 74 C2
Talakan *Khabarovskiy Kray* Rus. Fed. 74 D2
Talandzha Rus. Fed. 74 C2
Talangbatu Indon. 68 D7
Talara Peru 142 B4
Talar-i-Band *mts* Pak. *see* **Makran Coast Range**
Talas Kyrg. 80 D3
Talas Ala-Too *mts* Kyrg. 80 D3
Talas Range *mts* Kyrg. *see* **Talas Ala-Too**
Talasskiy Alatau, Khrebet *mts* Kyrg. *see* **Talas Ala-Too**
Ṭal'at Mūsá *mt.* Lebanon/Syria 85 C2
Talaud, Kepulauan *is* Indon. 69 H6
Talavera de la Reina Spain 57 D4
Talawgyi Myanmar 70 B1
Talaya Rus. Fed. 65 Q3
Talbehat India 82 D4
Talbīsah Syria 85 C2
Talbot, Mount *hill* Australia 109 D6
Talbotton U.S.A. 133 C5
Talbragar *r.* Australia 112 D4
Talca Chile 144 B5
Talcahuano Chile 144 B5
Taldan Rus. Fed. 74 B1
Taldom Rus. Fed. 42 H4
Taldykorgan Kazakh. 80 E3
Taldy-Kurgan Kazakh. *see* **Taldykorgan**
Taldyqorghan Kazakh. *see* **Taldykorgan**
Tālesh Iran *see* **Hashtpar**
Talgarth U.K. 49 D7
Talguppa India 84 B3
Talia Australia 111 A7
Taliabu *i.* Indon. 69 G7
Talikota India 84 C2
Talimardzhan Uzbek. *see* **Tollimarjon**
Talin Hiag China 74 B3
Taliparamba India 84 B3
Talisay Phil. 69 G4
Talış Dağları *mts* Azer./Iran 88 C2
Talitsa Rus. Fed. 42 J4
Taliwang Indon. 108 B2
Talkeetna U.S.A. 118 C3
Talkeetna Mountains U.S.A. 118 D3
Talkh Āb Iran 88 E3
Tallacootra, Lake *salt flat* Australia 109 F7
Talladega U.S.A. 133 C5

▶**Tallahassee** U.S.A. 133 C6
Capital of Florida.

Tall al Aḥmar Syria 85 D1
Tall Baydar Syria 91 F3
Tall-e Ḥalāl Iran 88 D4

▶**Tallinn** Estonia 45 N7
Capital of Estonia.

Tall Kalakh Syria 85 C2
Tall Kayf Iraq 91 F3
Tall Kūjik Syria 91 F3
Tallow Ireland 51 D5
Tallulah U.S.A. 131 F5
Tall 'Uwaynāt Iraq 91 F3
Tallymerjen Uzbek. *see* **Tollimarjon**
Talmont-St-Hilaire France 56 D3
Tal'ne Ukr. 43 F6
Tal'noye Ukr. *see* **Tal'ne**
Taloda India 82 C5
Talodi Sudan 86 D7
Taloga U.S.A. 131 D4
Talon, Lac *l.* Canada 123 I3
Ta-long Myanmar 70 B2
Tāloqān Afgh. 89 H2
Talos Dome *ice feature* Antarctica 152 H2
Ta Loung San *mt.* Laos 70 C2
Talovaya Rus. Fed. 43 I6
Taloyoak Canada 119 I3
Tal Pass Pak. 89 I3
Talsi Latvia 45 M8
Tal Sīyāh Iran 89 F4
Taltal Chile 144 B3
Taltson *r.* Canada 121 H2
Talu China 76 B2
Talvik Norway 44 M1
Talwood Australia 112 D2
Talyshskiye Gory *mts* Azer./Iran *see* **Talış Dağları**
Talyy Rus. Fed. 42 L2
Tamala Australia 109 A6
Tamala Rus. Fed. 43 I5
Tamale Ghana 96 C4
Tamana *i.* Kiribati 107 H2
Taman Negara National Park Malaysia 71 C6
Tamano Japan 75 D6
Tamanrasset Alg. 96 D2
Tamanthi Myanmar 70 A1
Tamaqua U.S.A. 135 H3
Tamar India 83 F5
Tamar Syria *see* **Tadmur**
Tamar *r.* U.K. 49 C8
Tamarugal, Pampa de *plain* Chile 142 E7
Tamasane Botswana 101 H2
Tamatave Madag. *see* **Toamasina**
Tamaulipas *state* Mex. 131 D7
Tambacounda Senegal 96 B3
Tambaqui Brazil 142 F5
Tambar Springs Australia 112 D3
Tambelan, Kepulauan *is* Indon. 71 D7
Tambelan Besar *i.* Indon. 71 D7
Tambo *r.* Australia 112 C6
Tambohorano Madag. 99 E5

▶**Tambora, Gunung** *vol.* Indon. 108 B2
Deadliest recorded volcanic eruption (1815).

Tamboritha *mt.* Australia 112 C6
Tambov Rus. Fed. 43 I5
Tambovka Rus. Fed. 74 C2
Tambura Sudan 97 F4
Tamburi Brazil 145 C1
Tâmchekket Mauritania 96 B3
Tamdybulak Uzbek. *see* **Tomdibuloq**
Tâmega *r.* Port. 57 B3
Tamenghest Alg. *see* **Tamanrasset**
Tamenglong India 83 H4
Tamerza Tunisia 58 B7
Tamgak, Adrar *mt.* Niger 96 D3
Tamgué, Massif du *mt.* Guinea 96 B3
Tamiahua, Laguna de *lag.* Mex. 136 E4
Tamiang, Ujung *pt* Indon. 71 B6
Tamil Nadu *state* India 84 C4
Tamitsa Rus. Fed. 42 H2
Ṭāmīya Egypt *see* **Ṭāmīyah**
Ṭāmīyah Egypt 90 C5
Tamkuhi India 83 F4
Tam Ky Vietnam 70 E4
Tammarvi *r.* Canada 121 K1
Tammerfors Fin. *see* **Tampere**
Tammisaari Fin. *see* **Ekenäs**
Tampa U.S.A. 133 D7
Tampa Bay U.S.A. 133 D7
Tampere Fin. 45 M6
Tampico Mex. 136 E4
Tampin Malaysia 71 C7
Tampines Sing. 71 [inset]
Tamsagbulag Mongolia 73 L3
Tamsweg Austria 47 N7
Tamu Myanmar 70 A1
Tamworth Australia 112 E3
Tamworth U.K. 49 F6
Tana *r.* Fin./Norway *see* **Tenojoki**
Tana *r.* Kenya 98 E4
Tana Madag. *see* **Antananarivo**
Tana *i.* Vanuatu *see* **Tanna**
Tana, Lake Eth. 98 D2
Tanabe Japan 75 D6
Tanabi Brazil 145 A3
Tana Bru Norway 44 P1
Tanada Lake U.S.A. 120 A2
Tanafjorden *inlet* Norway 44 P1
Tanah, Tanjung *pt* Indon. 68 D8
T'ana Hāyk' *l.* Eth. *see* **Tana, Lake**
Tanahgrogot Indon. 68 F7
Tanah Merah Malaysia 71 C6
Tanahputih Indon. 71 C7
Tanakeke *i.* Indon. 68 F8
Tanami Australia 108 E4
Tanami Desert Australia 108 E4
Tân An Vietnam 71 D5
Tanana *r.* U.S.A. 120 A2
Tananarive Madag. *see* **Antananarivo**
Tanandava Madag. 99 E6
Tancheng China *see* **Pingtan**
Tanch'ŏn N. Korea 75 C4
Tanda Côte d'Ivoire 96 C4
Tanda *Uttar Prad.* India 82 D3
Tanda *Uttar Prad.* India 83 E4
Tandag Phil. 69 H5
Țăndărei Romania 59 L2
Tandaué Angola 99 B5
Tandi India 82 D2
Tandil Arg. 144 E5
Tando Adam Pak. 89 H5
Tando Allahyar Pak. 89 H5
Tando Bago Pak. 89 H5
Tandou Lake *imp. l.* Australia 111 C7
Tandragee U.K. 51 F3
Tandur India 84 C2
Tanduri Pak. 89 G4
Tanega-shima *i.* Japan 75 C7
Tanen Taunggyi *mts* Thai. 70 B3
Tanezrouft *reg.* Alg./Mali 96 C2
Ṭanf, Jabal aṭ *hill* Syria 85 D3
Tang, Ra's-e *pt* Iran 89 E5
Tanga Tanz. 99 D4
Tangail Bangl. 83 G4
Tanga Islands P.N.G. 106 F2
Tanganyika *country* Africa *see* **Tanzania**

▶**Tanganyika, Lake** Africa 99 C4
Deepest and 2nd largest lake in Africa, and 6th largest in the world.

Tangará Brazil 145 A4
Tangasseri India 84 C4
Tangdan China 76 D3
Tangeli Iran 88 D2
Tanger Morocco *see* **Tangier**
Tangerhütte Germany 53 L2
Tangermünde Germany 53 L2
Tang-e Sarkheh Iran 89 E5
Tanggor China 76 D1
Tanggulashan China 76 B1
Tanggula Shan *mt.* China 83 G2
Tanggula Shan *mts* China 83 G2
Tanggula Shankou *pass* China 83 G2
Tangguo China 83 F3
Tanghe China 77 G1
Tangier Morocco 57 D6
Tangiers Morocco *see* **Tangier**
Tang La *pass* China 83 G4
Tangla India 83 G4
Tanglag China 76 C1
Tanglin Sing. 71 [inset]
Tangmai China 76 B2
Tangnag China 76 D1
Tangorin Australia 110 D4
Tangra Yumco *salt l.* China 83 F3
Tangse Indon. 71 A6
Tangshan *Guizhou* China *see* **Shiqian**
Tangshan *Hebei* China 73 L5
Tangte *mt.* Myanmar 70 B2
Tangtse India *see* **Tanktse**
Tangwan China 77 F3
Tangwanghe China 74 C2
Tangyuan China 74 C3
Tangyung Tso *salt l.* China 83 F3
Tanhaçu Brazil 145 C1
Tanhua Fin. 44 O3
Tani Cambodia 71 D5
Taniantaweng Shan *mts* China 76 B2
Tanimbar, Kepulauan *is* Indon. 108 E1
Taninthari Myanmar *see* **Tenasserim**
Tanintharyi Myanmar *see* **Tenasserim**
Taninthayi Myanmar *see* **Tenasserim**
Tanjah Morocco *see* **Tangier**
Tanjay Phil. 69 G5
Tanjore India *see* **Thanjavur**
Tanjung Indon. 68 F7
Tanjungbalai Indon. 71 B7
Tanjungkarang-Telukbetung Indon. *see* **Bandar Lampung**
Tanjungpandan Indon. 68 D7
Tanjungpinang Indon. 71 D7
Tanjungpura Indon. 71 B7
Tanjung Puting, Taman Nasional Indon. 68 E7
Tanjungredeb Indon. 68 F6
Tanjungselor Indon. 68 F6
Tankse India *see* **Tanktse**
Tanktse India 82 D2
Tankwa-Karoo National Park S. Africa 100 D7
Tanna *i.* Vanuatu 107 G3
Tannadice U.K. 50 G4
Tännäs Sweden 44 H5
Tanner, Mount Canada 120 G5
Tannu-Ola, Khrebet *mts* Rus. Fed. 80 H1
Tanot India 82 B4
Tanout Niger 96 D3
Tansen Nepal 83 E4
Tanshui Taiwan 77 I3
Ṭanṭā Egypt 90 C5
Ṭanṭa Egypt *see* **Ṭanṭā**
Tan-Tan Morocco 96 B2
Tantu China 74 A3
Tanuku India 84 D2
Tanumbirini Australia 108 F4
Tanumshede Sweden 45 G7
Tanzania *country* Africa 99 D4
Tanzilla *r.* Canada 120 D3
Tao, Ko *i.* Thai. 71 B5
Tao'an China *see* **Taonan**
Taobh Tuath U.K. *see* **Northton**
Taocheng China *see* **Daxin**
Tao He *r.* China 76 D1
Taohong China *see* **Longhui**
Taohuajiang China *see* **Taojiang**
Taohuaping China *see* **Longhui**
Taojiang China 77 G2
Taolanaro Madag. *see* **Tôlañaro**
Taonan China 74 A3
Taongi *atoll* Marshall Is 150 H5
Taos U.S.A. 127 G5
Taounate Morocco 54 D5
Taourirt Morocco 54 D5
Taoxi China 77 H3
Taoyang China *see* **Lintao**
Taoyuan China 77 F2
T'aoyüan Taiwan 77 I3
Tapa Estonia 45 N7
Tapachula Mex. 136 F6
Tapah Malaysia 71 C6
Tapajós *r.* Brazil 143 H4
Tapaktuan Indon. 71 B7
Tapauá Brazil 142 F5
Tapauá *r.* Brazil 142 F5
Taperoá Brazil 145 D1
Tapi *r.* India 82 C5
Tapiau Rus. Fed. *see* **Gvardeysk**
Tapis, Gunung *mt.* Malaysia 71 C6
Tapisuelas Mex. 127 F8
Taplejung Nepal 83 F4
Tap Mun Chau *i.* H.K. China 77 [inset]
Ta-pom Myanmar 70 B2
Tappahannock U.S.A. 135 G5
Tappeh, Kūh-e *hill* Iran 88 C3
Taprobane *country* Asia *see* **Sri Lanka**
Tapuaenuku *mt.* N.Z. 113 D5

pulonanjing mt. Indon. 71 B7
purucuara Brazil 142 E4
puteouea atoll Kiribati see Tabiteuea
qtaq Iraq 91 G4
quara Brazil 145 A5
quarí Rio Grande do Sul Brazil 145 A5
quarí r. Brazil 143 G7
quaritinga Brazil 145 A3
r. Ireland 51 E5
a Australia 112 E1
rābulus Lebanon see Tripoli
rābulus Libya see Tripoli
ahuwan India 82 E4
ai reg. India 83 G4
akan Indon. 68 F6
akan i. Indon. 68 F6
akki reg. Afgh. 89 G3
aklı Turkey 59 N4
an, Mys pt Rus. Fed. 45 K9
ana Australia 112 D4
anagar India 82 C3
anaki, Mount vol. N.Z. 113 E4
ancón Spain 57 E3
angambadi India 84 C4
angire National Park Tanz. 98 D4
anto Italy 58 G4
anto, Golfo di g. Italy 58 G4
anto, Gulf of Italy see Taranto, Golfo di
apoto Peru 142 C5
apur India 84 B2
arua Range mts N.Z. 113 E5
ascon-sur-Ariège France 56 E5
asovskiy Rus. Fed. 43 I6
auacá Brazil 142 D5
auacá r. Brazil 142 E5
awera N.Z. 113 F4
awera, Mount vol. N.Z. 113 F4
az Kazakh. 80 D3
azona Spain 57 F3
azona de la Mancha Spain 57 F4
bagatay, Khrebet mts Kazakh. 80 F2
bat Ness pt U.K. 50 F3
bert Ireland 51 C5
bert Scotland U.K. 50 C3
bert Scotland U.K. 50 D5
bes France 56 E5
boro U.S.A. 132 E5
coola Australia 109 F7
coon Australia 112 C3
coonyinna watercourse Australia 109 F6
cutta Australia 112 C5
doki-Yani, Gora mt. Rus. Fed. 74 E2
ee Australia 112 F3
ella Australia 111 C6
entum Italy see Taranto
fā', Baṭn aṭ depr. Saudi Arabia 88 C6
faya Morocco 96 B2
ga well Niger 96 D3
gan China see Talin Hiag
ghee Pass U.S.A. 126 F3
govişte Romania 59 K2
guist Morocco 57 D6
gu Jiu Romania 59 J2
gu Mureş Romania 59 K1
gu Neamţ Romania 59 L1
gu Secuiesc Romania 59 L1
gyiling China 83 F3
i P.N.G. 69 K8
iat Mongolia 80 I2
if U.A.E. 88 D5
ifa Spain 57 D5
ifa, Punta de pt Spain 57 D5
ija Bol. 142 F8
ikere India 84 B3
iku r. Indon. 69 J7
im Yemen 86 G6
im Basin China 80 F4
ime Tanz. 98 D4
im He r. China 80 G3
im Pendi basin China see Tarim Basin
in Kowt Afgh. 89 G3
itatu r. Indon. 69 J7
ka r. S. Africa 101 G7
kastad S. Africa 101 H7
kio U.S.A. 130 E3
ko-Sale Rus. Fed. 64 I3
kwa Ghana 96 C4
lac Phil. 69 G3
lo River National Park Australia 112 D5
rma Peru 142 C6
rmstedt Germany 53 J1
rn r. France 56 E4
rnaby Sweden 44 I4
rnak r. Afgh. 89 G4
rnăveni Romania 59 K1
rnobrzeg Poland 43 D6
rnogskiy Gorodok Rus. Fed. 42 I3
rnopol Ukr. see Ternopil'
rnów Poland 43 D6
rnowitz Poland see Tarnowskie Góry
rnowskie Góry Poland 47 Q5
ro Co salt l. China 83 E3
rom Iran 88 D4
room Australia 111 E5
roudannt Morocco 54 C5
rpaulin Swamp Australia 110 B3
rq Iran 88 C3
rquinia Italy 58 D3
rquinii Italy see Tarquinia
rrabool Lake salt flat Australia 110 A3
rraco Spain see Tarragona
rrafal Cape Verde 96 [inset]
rragona Spain 57 G3
rrajaur Sweden 44 K3
rran Hills hill Australia 112 C4
rrant Point Australia 110 B3
rrega Spain 57 G3
rrong China see Nyêmo
rso Emissi mt. Chad 97 E2
rsus Turkey 85 B1
rt China 83 H1
rtăr Azer. 91 G2
rtu Estonia 45 O7
rṭūs Syria 85 B2
rumovka Rus. Fed. 91 G1
rung Hka r. Myanmar 70 B1
rutao, Ko i. Thai. 71 B6
rutao National Park Thai. 71 B6
Tarutung Indon. 71 B7
Tarvisium Italy see Treviso
Tarz Iran 88 E4
Tasai, Ko i. Thai. 71 B5
Taschereau Canada 122 F4
Taseko Mountain Canada 120 F5
Tashauz Turkm. see Daşoguz
Tashi Chho Bhutan see Thimphu
Tashigang Bhutan 83 G4
Tashino Rus. Fed. see Pervomaysk
Tashir Armenia 91 G2
Tashk, Daryācheh-ye l. Iran 88 D4
Tashkent Toshkent Uzbek. see Toshkent
Tāshqurghān Afgh. see Kholm
Tashtagol Rus. Fed. 72 F2
Tashtyp Rus. Fed. 72 F2
Tasialujjuaq, Lac l. Canada 123 G2
Tasiat, Lac l. Canada 122 G2
Tasiilap Karra c. Greenland 119 O3
Tasiilaq Greenland see Ammassalik
Tasīl Syria 85 B3
Tasiujaq Canada 123 H2
Tasiusaq Greenland 119 M2
Taşkent Turkey 85 A1
Tasker Niger 96 E3
Taskesken Kazakh. 80 F2
Taşköprü Turkey 90 D2
Tasman Abyssal Plain sea feature Tasman Sea 150 G8
Tasman Basin sea feature Tasman Sea 150 G8
Tasman Bay N.Z. 113 D5
Tasmania state Australia 111 [inset] 4th largest island in Oceania.
Tasman Islands P.N.G. see Nukumanu Islands
Tasman Mountains N.Z. 113 D5
Tasman Peninsula Australia 111 [inset]
Tasman Sea S. Pacific Ocean 106 H6
Taşova Turkey 90 E2
Tassara Niger 96 D3
Tassialouc, Lac l. Canada 122 G2
Tassili du Hoggar plat. Alg. 96 D2
Tassili n'Ajjer plat. Alg. 96 D2
Tasty Kazakh. 80 C3
Taşucu Turkey 85 A1
Tas-Yuryakh Rus. Fed. 65 M3
Tata Morocco 54 C6
Tatabánya Hungary 58 H1
Tatamailau, Foho mt. East Timor 108 D2
Tataouine Tunisia 54 G5
Tatarbunary Ukr. 59 M2
Tatarsk Rus. Fed. 64 I4
Tatarskiy Proliv strait Rus. Fed. 74 F2
Tatar Strait Rus. Fed. see Tatarskiy Proliv
Tate r. Australia 110 C3
Tateyama Japan 75 E6
Tathlina Lake Canada 120 G2
Tathlīth Saudi Arabia 86 F6
Tathlīth, Wādī watercourse Saudi Arabia 86 F5
Tathra Australia 112 D6
Tatinnai Lake Canada 121 L2
Tatishchevo Rus. Fed. 43 J6
Tatkon Myanmar 70 B2
Tatla Lake Canada 120 E5
Tatla Lake l. Canada 120 E5
Tatlayoko Lake Canada 120 E5
Tatnam, Cape Canada 121 N3
Tatra Mountains Poland/Slovakia 47 Q6
Tatry mts Poland/Slovakia see Tatra Mountains
Tatrzański Park Narodowy nat. park Poland 47 Q6
Tatshenshini-Alsek Provincial Wilderness Park Canada 120 B3
Tatsinskiy Rus. Fed. 43 I6
Tatuí Brazil 145 B3
Tatuk Mountain Canada 120 E4
Tatum U.S.A. 131 C5
Tatvan Turkey 91 F3
Tau Norway 45 D7
Taua Brazil 143 J5
Tauapeçaçu Brazil 142 F4
Taubaté Brazil 145 B3
Tauber r. Germany 53 J5
Tauberbischofsheim Germany 53 J5
Taucha Germany 53 M3
Taufstein hill Germany 53 J4
Taukum, Peski des. Kazakh. 80 D3
Taumarunui N.Z. 113 E4
Taumaturgo Brazil 142 D5
Taung S. Africa 100 G4
Taungdwingyi Myanmar 70 A2
Taunggyi Myanmar 70 B2
Taunglau Myanmar 70 B2
Taung-ngu Myanmar 70 B3
Taungnyo Range mts Myanmar 70 B3
Taungtha Myanmar 70 A2
Taungup Myanmar 76 B5
Taunton U.K. 49 D7
Taunton U.S.A. 135 J3
Taunus hills Germany 53 H4
Taupo N.Z. 113 F4
Taupo, Lake N.Z. 113 E4
Tauragė Lith. 45 M9
Tauranga N.Z. 113 F3
Taurasia Italy see Turin
Taureau, Réservoir resr Canada 122 G5
Taurianova Italy 58 G5
Tauroa Point N.Z. 113 D2
Taurus Mountains Turkey 85 A1
Taute r. France 49 F9
Tauz Azer. see Tovuz
Tavas Turkey 59 M6
Tavastehus Fin. see Hämeenlinna
Taverham U.K. 49 I6
Taveuni i. Fiji 107 I3
Tavildara Tajik. 89 H2
Tavira Port. 57 C5
Tavistock Canada 134 E2
Tavistock U.K. 49 C8
Tavoy Myanmar 71 B4
Tavoy r. mouth Myanmar 71 B4
Tavoy Island Myanmar see Mali Kyun
Tavoy Point Myanmar 71 B4
Tavşanlı Turkey 59 M5
Taw r. U.K. 49 C7
Tawang India 83 G4
Tawas City U.S.A. 134 D1
Tawau Sabah Malaysia 68 F6
Tawè Myanmar see Tavoy
Tawe r. U.K. 49 D7
Ṭawī Ḥafir well U.A.E. 88 D5
Ṭawī Murra well U.A.E. 88 D5
Tawmaw Myanmar 70 B1
Tawu Taiwan 77 I4
Taxkorgan China 80 E4
Tay r. Canada 120 C2
Tay r. U.K. 50 F4
Tay, Firth of est. U.K. 50 F4
Tay, Lake salt flat Australia 109 C8
Tay, Loch l. U.K. 50 E4
Tayandu, Kepulauan is Indon. 69 I8
Taybola Rus. Fed. 44 R2
Taycheedah U.S.A. 134 A2
Tayinloan U.K. 50 D5
Taylor Canada 120 F3
Taylor AK U.S.A. 118 B3
Taylor MI U.S.A. 134 D2
Taylor NE U.S.A. 130 D3
Taylor TX U.S.A. 131 D6
Taylor, Mount U.S.A. 129 J4
Taylorsville U.S.A. 134 C4
Taylorville U.S.A. 130 F4
Taymā' Saudi Arabia 90 E6
Taymura r. Rus. Fed. 65 K3
Taymyr, Ozero l. Rus. Fed. 65 L2
Taymyr, Poluostrov pen. Rus. Fed. see Taymyr Peninsula
Taymyr Peninsula Rus. Fed. 64 J2
Tây Ninh Vietnam 71 D5
Taypak Kazakh. 41 Q6
Taypaq Kazakh. see Taypak
Tayshet Rus. Fed. 72 H1
Taytay Phil. 68 F4
Tayuan China 74 B2
Tayyebād Iran 89 F3
Taz r. Rus. Fed. 64 I3
Taza Morocco 54 D5
Tāza Khurmātū Iraq 91 G4
Taze Myanmar 70 A2
Tazewell TN U.S.A. 134 D5
Tazewell VA U.S.A. 134 E5
Tazin r. Canada 121 I2
Tazin Lake Canada 121 I3
Tāzirbū Libya 97 F2
Tazmalt Alg. 57 I5
Tazovskaya Guba sea chan. Rus. Fed. 64 I3
Tbessa Alg. see Tébessa
T'bilisi Georgia 91 G2 Capital of Georgia.
Tbilisskaya Rus. Fed. 43 I7
Tchabal Mbabo mt. Cameroon 96 E4
Tchad country Africa see Chad
Tchamba Togo 96 D4
Tchibanga Gabon 98 B4
Tchigaï, Plateau du Niger 97 E2
Tchin-Tabaradene Niger 96 D3
Tcholliré Cameroon 97 E4
Tchula U.S.A. 131 F5
Tczew Poland 47 Q3
Te, Prêk r. Cambodia 71 D4
Teague, Lake salt flat Australia 109 C6
Te Anau N.Z. 113 A7
Te Anau, Lake N.Z. 113 A7
Teapa Mex. 136 F5
Te Araroa N.Z. 113 G3
Teate Italy see Chieti
Te Awamutu N.Z. 113 E4
Teba Indon. 69 J7
Tébarat Niger 96 D3
Tebas Indon. 71 E7
Tebay U.K. 48 E4
Tebesjuak Lake Canada 121 L2
Tébessa Alg. 58 C7
Tébessa, Monts de mts Alg. 58 C7
Tebingtinggi Indon. 71 B7
Tébourba Tunisia 58 C6
Téboursouk Tunisia 58 C6
Tebulos Mt'a Georgia/Rus. Fed. 91 G2
Tecate Mex. 128 E5
Tece Turkey 85 B1
Techiman Ghana 96 C4
Tecka Arg. 144 B6
Tecklenburger Land reg. Germany 53 H2
Tecoripa Mex. 127 F7
Técpan Mex. 136 D5
Tecuala Mex. 136 C4
Tecuci Romania 59 L2
Tecumseh MI U.S.A. 134 D3
Tecumseh NE U.S.A. 130 D3
Tedzhen Turkm. see Tejen
Teec Nos Pos U.S.A. 129 I3
Tees r. U.K. 48 F4
Teeswater Canada 134 E1
Tefé r. Brazil 142 F4
Tefenni Turkey 59 M6
Tegal Indon. 68 D8
Tegel airport Germany 53 N2
Tegid, Llyn l. Wales U.K. see Bala Lake
Tegucigalpa Hond. 137 G6 Capital of Honduras.
Teguidda-n-Tessoumt Niger 96 D3
Tehachapi U.S.A. 128 D4
Tehachapi Mountains U.S.A. 128 D4
Tehachapi Pass U.S.A. 128 D4
Tehek Lake Canada 121 M1
Teheran Iran see Tehrān
Tehery Lake Canada 121 M1
Téhini Côte d'Ivoire 96 C4
Tehrān Iran 88 C3 Capital of Iran.
Tehri India see Tikamgarh
Tehuacán Mex. 136 E5
Tehuantepec, Gulf of Mex. 136 F5
Tehuantepec, Istmo de isthmus Mex. 136 F5
Teide, Pico del vol. Canary Is 96 B2
Teifi r. U.K. 49 C6
Teignmouth U.K. 49 D8
Teixeira de Sousa Angola see Luau
Teixeiras Brazil 145 C3
Teixeira Soares Brazil 145 A4
Tejakula Indon. 108 A2
Tejen Turkm. 89 F2
Tejo r. Port. 57 B4 see Tagus
Tejon Pass U.S.A. 128 D4
Tekapo, Lake N.Z. 113 C6
Tekax Mex. 136 G4
Tekeli Kazakh. 80 E3
Tekes China 80 F3
Tekiliktag mt. China 82 E1
Tekin Rus. Fed. 74 D2
Tekirdağ Turkey 59 L4
Tekka India 84 D2
Tekkali India 84 E2
Teknaf Bangl. 83 H5
Tekong Kechil, Pulau i. Sing. 71 [inset]
Te Kuiti N.Z. 113 E4
Tel r. India 84 D1
Télagh Alg. 57 F6
Telanaipura Indon. see Jambi
Tel Ashqelon tourist site Israel 85 B4
Télataï Mali 96 D3
Tel Aviv-Yafo Israel 85 B3
Telč Czech Rep. 47 O6
Telchac Puerto Mex. 136 G4
Telekhany Belarus see Tsyelyakhany
Telêmaco Borba Brazil 145 A4
Teleorman r. Romania 59 K3
Telertheba, Djebel mt. Alg. 96 D2
Telescope Peak U.S.A. 128 E3
Teles Pires r. Brazil 143 G5
Telford U.K. 49 E6
Telgte Germany 53 H3
Télimélé Guinea 96 B3
Teljo, Jebel mt. Sudan 86 C7
Telkwa Canada 120 E4
Tell Atlas mts Alg. see Atlas Tellien
Tell City U.S.A. 134 B5
Teller U.S.A. 118 B3
Tell es Sultan West Bank see Jericho
Tellicherry India 84 B4
Tellin Belgium 52 F4
Telloh Iraq 91 G5
Telluride U.S.A. 129 J3
Tel'novskiy Rus. Fed. 74 F2
Telok Anson Malaysia see Teluk Intan
Telo Martius France see Toulon
Telpoziz, Gora mt. Rus. Fed. 41 R3
Telsen Arg. 144 C6
Telšiai Lith. 45 M9
Teltow Germany 53 N2
Teluk Anson Malaysia see Teluk Intan
Telukbetung Indon. see Bandar Lampung
Teluk Cenderawasih, Taman Nasional Indon. 69 I7
Teluk Intan Malaysia 71 C6
Temagami Lake Canada 122 F5
Temanggung Indon. 68 E8
Têmarxung China 83 G2
Temba S. Africa 101 I3
Tembagapura Indon. 69 J7
Tembenchi r. Rus. Fed. 65 K3
Tembilahan Indon. 68 C7
Tembisa S. Africa 101 I4
Tembo Aluma Angola 99 B4
Teme r. U.K. 49 E6
Temecula U.S.A. 128 E5
Temerloh Malaysia see Temerluh
Temerluh Malaysia 71 C7
Teminabuan Indon. 69 I7
Temirtau Kazakh. 80 D1
Témiscamie r. Canada 123 G4
Témiscamie, Lac l. Canada 123 G4
Témiscaming Canada 122 F5
Témiscamingue, Lac l. Canada 122 F5
Témiscouata, Lac l. Canada 123 H5
Temmes Fin. 44 N4
Temnikov Rus. Fed. 43 I5
Temora Australia 112 C5
Temósachic Mex. 127 G7
Tempe U.S.A. 129 H5
Tempe Downs Australia 109 F6
Tempelhof airport Germany 53 N2
Temple MI U.S.A. 134 C1
Temple TX U.S.A. 131 D6
Temple Bar U.K. 49 C6
Temple Dera Pak. 89 H4
Templemore Ireland 51 E5
Temple Sowerby U.K. 48 E4
Templeton watercourse Australia 110 B4
Templin Germany 53 N1
Tempué Angola 99 B5
Temryuk Rus. Fed. 90 E1
Temryukskiy Zaliv b. Rus. Fed. 43 H7
Temuco Chile 144 B5
Temuka N.Z. 113 C7
Temuli China see Butuo
Tena Ecuador 142 C4
Tenabo Mex. 136 F4
Tenabo, Mount U.S.A. 128 E1
Tenali India 84 D2
Tenasserim Myanmar 71 B4
Tenasserim r. Myanmar 71 B4
Tenbury Wells U.K. 49 E6
Tenby U.K. 49 C7
Tendaho Eth. 98 E2
Tende, Col de pass France/Italy 56 H4
Ten Degree Channel India 71 A5
Tendō Japan 75 F5
Tenedos i. Turkey see Bozcaada
Ténenkou Mali 96 C3
Ténéré reg. Niger 96 D2
Ténéré du Tafassâsset des. Niger 96 E2
Tenerife i. Canary Is 96 B2
Ténès Alg. 57 G5
Teng, Nam r. Myanmar 70 B3
Tengah, Kepulauan is Indon. 68 F8
Tengah, Sungai r. Sing. 71 [inset]
Tengcheng China see Tengxian
Tengchong China 76 C3
Tengeh Reservoir Sing. 71 [inset]
Tengger Shamo des. China 72 I5
Tenggul i. Malaysia 71 C6
Tengiz, Ozero salt l. Kazakh. 80 C1
Tengqiao China 77 F5
Tengréla Côte d'Ivoire 96 C3
Ten'gushevo Rus. Fed. 43 I5
Tengxian China 77 F4
Teni India see Theni
Teniente Jubany research station Antarctica see Jubany
Tenille U.S.A. 133 D6
Tenke Dem. Rep. Congo 99 C5
Tenkeli Rus. Fed. 65 P2
Tenkodogo Burkina 96 C3
Ten Mile Lake salt flat Australia 109 C6
Ten Mile Lake Canada 123 K4
Tennant Creek Australia 108 F4
Tennessee r. U.S.A. 131 F4
Tennessee state U.S.A. 134 C5
Tennessee Pass U.S.A. 126 G5
Tennevoll Norway 44 J2
Tenojoki r. Fin./Norway 44 P1
Tenosique Mex. 136 F5
Tenteno Indon. 69 G7
Tenterden U.K. 49 H7
Tenterfield Australia 112 F2
Ten Thousand Islands U.S.A. 133 D7
Tentudia mt. Spain 57 C4
Tentulia Bangl. see Tetulia
Teodoro Sampaio Brazil 144 F2
Teófilo Otôni Brazil 145 C2
Tepa Indon. 108 E1
Tepache Mex. 127 F7
Te Paki N.Z. 113 D2
Tepatitlán Mex. 136 D4
Tepehuanes Mex. 131 B7
Tepeköy Turkey see Karakoçan
Tepelenë Albania 59 I4
Tepelská vrchovina hills Czech Rep. 53 M5
Tepequem, Serra mts Brazil 137 L8
Tepic Mex. 136 D4
Te Pirita N.Z. 113 C6
Teplá r. Czech Rep. 53 M4
Teplice Czech Rep. 47 N5
Teplogorka Rus. Fed. 42 L3
Teploozersk Rus. Fed. 74 C2
Teployе Rus. Fed. 43 H5
Teploye Ozero Rus. Fed. see Teploozersk
Tepoca, Cabo c. Mex. 127 E7
Tepopa, Punta pt Mex. 127 E7
Tequila Mex. 136 D4
Téra Niger 96 D3
Teramo Italy 58 E3
Terang Australia 112 A7
Ter Apel Neth. 52 H2
Teratani r. Pak. 89 H4
Tercan Turkey 91 F3
Terebovlya Ukr. 43 E6
Terekty Kazakh. 80 G2
Teresa Cristina Brazil 145 A4
Tereshka r. Rus. Fed. 43 J6
Teresina Brazil 143 J5
Teresina de Goias Brazil 145 B1
Teresita Col. 142 E3
Teresópolis Brazil 145 C3
Teressa Island India 71 A5
Terezinha Brazil 143 H3
Tergeste Italy see Trieste
Tergnier France 52 D5
Teriberka Rus. Fed. 44 S2
Termez Uzbek. see Termiz
Termini Imerese Sicily Italy 58 E6
Términos, Laguna de lag. Mex. 136 F5
Termit-Kaoboul Niger 96 E3
Termiz Uzbek. 89 G2
Termo U.S.A. 128 C1
Termoli Italy 58 F4
Termonde Belgium see Dendermonde
Tern r. U.K. 49 E6
Ternate Indon. 69 H6
Terneuzen Neth. 52 D3
Terney Rus. Fed. 74 E3
Terni Italy 58 E3
Ternopil' Ukr. 43 E6
Ternopol' Ukr. see Ternopil'
Terpeniya, Mys c. Rus. Fed. 74 G2
Terpeniya, Zaliv g. Rus. Fed. 74 F2
Terra Alta U.S.A. 134 F4
Terra Bella U.S.A. 128 D4
Terrace Canada 120 D4
Terrace Bay Canada 122 D4
Terra Firma S. Africa 100 F3
Terråk Norway 44 H4
Terralba Sardinia Italy 58 C5
Terra Nova Bay Antarctica 152 H1
Terra Nova National Park Canada 123 L4
Terrebonne Bay U.S.A. 131 F6
Terre Haute U.S.A. 134 B4
Terre-Neuve prov. Canada see Newfoundland and Labrador
Terre-Neuve-et-Labrador prov. Canada see Newfoundland and Labrador
Terres Australes et Antarctiques Françaises terr. Indian Ocean see French Southern and Antarctic Lands
Terry U.S.A. 126 G3
Terschelling i. Neth. 52 F1
Terskiy Bereg coastal area Rus. Fed. 42 H2
Tertenia Sardinia Italy 58 C5
Terter Azer. see Tärtär
Teruel Spain 57 F3
Tervola Fin. 44 N3
Tes Mongolia 80 I2
Tešanj Bos.-Herz. 58 G2
Teseney Eritrea 86 E6
Tesha r. Rus. Fed. 43 I5
Teshekpuk Lake U.S.A. 118 C2
Teshio Japan 74 F3
Teshio-gawa r. Japan 74 F3
Teslin Canada 120 C2
Teslin r. Canada 120 C2
Teslin Lake Canada 120 C2
Tesouras r. Brazil 145 A1
Tessalit Mali 96 D2
Tessaoua Niger 96 D3
Tessolo Moz. 101 L1
Test r. U.K. 49 F8
Testour Tunisia 58 C6
Tetachuck Lake Canada 120 E4
Tetas, Punta pt Chile 144 B2
Tete Moz. 99 D5
Te Teko N.Z. 113 F4
Teteriv r. Ukr. 43 F6
Teterow Germany 47 N4
Tetiyev Ukr. see Tetiyiv
Tetiyiv Ukr. 43 F6
Tetlin U.S.A. 120 A2
Tetlin Lake U.S.A. 120 A2
Tetney U.K. 48 G5
Teton r. U.S.A. 126 F3
Tétouan Morocco 57 D6
Tetovo Macedonia 59 I3
Tetuán Morocco see Tétouan
Tetulia Bangl. 83 G4
Tetulia sea chan. Bangl. 83 G5
Tetyukhe Rus. Fed. see Dal'negorsk
Tetyukhe-Pristan' Rus. Fed. see Rudnaya Pristan'
Tetyushi Rus. Fed. 43 K5
Teuco r. Arg. 144 D2
Teufelsbach Namibia 100 C2
Teunom Indon. 71 A6
Teunom r. Indon. 71 A6
Teutoburger Wald hills Germany 53 I2
Teuva Fin. 44 L5
Tevere r. Italy see Tiber
Teverya Israel see Tiberias
Teviot r. U.K. 50 G5
Te Waewae Bay N.Z. 113 A8
Te Waiponamu i. N.Z. see South Island
Tewane Botswana 101 H2
Tewantin Australia 111 F5
Tewkesbury U.K. 49 E7
Têwo China 76 D1
Texarkana AR U.S.A. 131 E5
Texarkana TX U.S.A. 131 E5
Texas Australia 112 E2
Texas state U.S.A. 131 D6
Texel i. Neth. 52 E1
Texhoma U.S.A. 131 C4
Texoma, Lake U.S.A. 131 D5
Teyateyaneng Lesotho 101 H5
Teykovo Rus. Fed. 42 I4
Teza r. Rus. Fed. 42 I4
Tezpur India 83 H4
Tezu India 83 I4
Tha, Nam r. Laos 70 C2
Thaa Atoll Maldives see Kolhumadulu Atoll
Tha-anne r. Canada 121 M2
Thabana-Ntlenyana mt. Lesotho 101 I5
Thaba Nchu S. Africa 101 H5
Thaba Putsoa mt. Lesotho 101 H5
Thaba-Tseka Lesotho 101 I5
Thabazimbi S. Africa 101 H3
Thab Lan National Park Thai. 71 C4
Tha Bo Laos 70 C3
Thabong S. Africa 101 H4
Thabyedaung Myanmar 76 C4
Thade r. Myanmar 70 A3
Thagyettaw Myanmar 71 B4
Tha Hin Thai. see Lop Buri
Thai Binh Vietnam 70 D2
Thailand country Asia 70 C4
Thailand, Gulf of Asia 71 C5
Thai Muang Thai. 71 B5
Thai Nguyên Vietnam 70 D2
Thaj Saudi Arabia 88 C5
Thakèk Laos 70 D3
Thakurgaon Bangl. 83 G4
Thakurtola India 82 E5
Thal Germany 53 K4
Thala Tunisia 58 C7
Thalang Thai. 71 B5
Thalassery India see Tellicherry
Thal Desert Pak. 89 H4
Thale (Harz) Germany 53 L3
Thaliparamba India see Taliparamba
Thallon Australia 112 D2
Thalo Pak. 89 G4
Thamaga Botswana 101 G3
Thamar, Jabal mt. Yemen 86 G7
Thamarīt Oman 87 H6
Thame r. U.K. 49 F7
Thames r. Ont. Canada 125 K3
Thames r. Ont. Canada 134 D2
Thames N.Z. 113 E3
Thames est. U.K. 49 H7
Thames r. U.K. 49 H7
Thamesford Canada 134 E2
Thana India see Thane
Thanatpin Myanmar 70 B3
Thandwè Myanmar 70 A3
Thane India 84 B2
Thanet, Isle of pen. U.K. 49 I7
Thangoo Australia 108 C4
Thangra India 82 D2
Thanh Hoa Vietnam 70 D3
Thanjavur India 84 C4
Than Kyun i. Myanmar 71 B5
Thanlwin r. China/Myanmar see Salween
Thanlyin Myanmar 70 B3
Thaolintoa Lake Canada 121 L2
Tha Pla Thai. 70 C3
Thap Put Thai. 71 B5
Thapsacus Syria see Dibsī
Thap Sakae Thai. 71 B5
Tharabwin Myanmar 71 B4
Tharad India 82 B4
Tharad India 82 B4
Thar Desert India/Pak. 89 H5
Thargomindah Australia 112 A1
Tharrawaw Myanmar 70 A3
Tharthār, Buḥayrat ath l. Iraq 91 F4
Tharwāniyyah U.A.E. 88 D6
Thasos i. Greece 59 K4
Thatcher U.S.A. 129 I5
Thât Khê Vietnam 70 D2
Thaton Myanmar 70 B3
Thatta Pak. 89 G5
Thaungdut Myanmar 70 A1
Tha Uthen Thai. 70 D3
Thayawthadangyi Kyun i. Myanmar 71 B4
Thayetmyo Myanmar 70 A3
Thazi Magwe Myanmar 70 A3
Thazi Mandalay Myanmar 83 I5
The Aldermen Islands N.Z. 113 F3
Theba U.S.A. 129 G5
The Bahamas country West Indies 133 E7
Thebes Greece see Thiva
The Bluff Bahamas 133 E7
The Broads nat. park U.K. 49 I6
The Brothers is H.K. China 77 [inset]
The Calvados Chain is P.N.G. 110 F1
The Cheviot hill U.K. 48 E3
The Dalles U.S.A. 126 C3
Thedford U.S.A. 130 C3
The Entrance Australia 112 E4
The Faither stack U.K. 50 [inset]
The Fens reg. U.K. 49 G6
The Gambia country Africa 96 B3
Thegon Myanmar 70 A3
The Grampians mts Australia 111 C8

The Great Oasis oasis Egypt see Khārijah, Wāḥāt al
The Grenadines is St Vincent 137 L6
The Gulf Asia 88 C4

▶The Hague Neth. 52 E2
Seat of government of the Netherlands.

The Hunters Hills N.Z. 113 C7
Thekulthili Lake Canada 121 I2
The Lakes National Park Australia 112 C6
Thelon r. Canada 121 L1
The Lynd Junction Australia 110 D3
Themar Germany 53 K4
Thembalihle S. Africa 101 I4
The Minch sea chan. U.K. 50 C2
The Naze c. Norway see Lindesnes
The Needles stack U.K. 49 F8
Theni India 84 C4
Thenia Alg. 57 H5
Theniet El Had Alg. 57 H6
The North Sound sea chan. U.K. 50 G1
Theodore Australia 110 E5
Theodore Canada 121 K5
Theodore Roosevelt Lake U.S.A. 129 H5
Theodore Roosevelt National Park U.S.A. 130 C2
Theodosia Ukr. see Feodosiya
The Old Man of Coniston hill U.K. 48 D4
The Paps hill Ireland 51 C5
The Pas Canada 121 K4
The Pilot mt. Australia 112 D6
Thera i. Greece see Santorini
Thérain r. France 52 C5
Theresa U.S.A. 135 H1
Thermaïkos Kolpos g. Greece 59 J4
Thermopolis U.S.A. 126 F4
The Rock Australia 112 C5
Thérouanne France 52 C4
The Salt Lake salt flat Australia 111 C6

▶The Settlement Christmas I. 68 D9
Capital of Christmas Island.

The Skaw spit Denmark see Grenen
The Skelligs is Ireland 51 B6
The Slot sea chan. Solomon Is see New Georgia Sound
The Solent strait U.K. 49 F8
Thessalon Canada 122 E5
Thessalonica Greece see Thessaloniki
Thessaloniki Greece 59 J4
The Storr hill U.K. 50 C3
Thet r. U.K. 49 H6
The Terraces hills Australia 109 C7
Thetford U.K. 49 H6
Thetford Mines Canada 123 H5
Thetkethaung r. Myanmar 70 A4
The Triangle mts Myanmar 70 B1
The Trossachs hills U.K. 50 E4
The Twins Australia 111 A6
Theva-i-Ra reef Fiji see Ceva-i-Ra

▶The Valley Anguilla 137 L5
Capital of Anguilla.

Thevenard Island Australia 108 A5
Thévenet, Lac l. Canada 123 H2
Theveste Alg. see Tébessa
The Wash b. U.K. 49 H6
The Weald reg. U.K. 49 H7
The Woodlands U.S.A. 131 E6
Thibodaux U.S.A. 131 F6
Thicket Portage Canada 121 L4
Thief River Falls U.S.A. 130 D1
Thiel Neth. see Tiel
Thiel Mountains Antarctica 152 K1
Thielsen, Mount U.S.A. 126 C4
Thielt Belgium see Tielt
Thiérache reg. France 52 D5
Thiers France 56 F4
Thiès Senegal 96 B3
Thika Kenya 98 D4
Thiladhunmathi Atoll Maldives 84 B5
Thiladunmathi Atoll Maldives see Thiladhunmathi Atoll
Thimbu Bhutan see Thimphu

▶Thimphu Bhutan 83 G4
Capital of Bhutan.

Thionville France 52 G5
Thira i. Greece see Santorini
Thirsk U.K. 48 F4
Thirty Mile Lake Canada 121 L2
Thiruvananthapuram India see Trivandrum
Thiruvannamalai India see Tiruvannamalai
Thiruvarur India 84 C4
Thiruvattiyur India see Tiruvottiyur
Thisted Denmark 45 F8
Thistle Creek Canada 120 B2
Thistle Lake Canada 121 I1
Thityabin Myanmar 70 A2
Thiu Khao Luang Phrabang mts Laos/Thai. see Luang Phrabang, Thiu Khao
Thiva Greece 59 J5
Thívai Greece see Thiva
Thlewiaza r. Canada 121 M2
Thoa r. Canada 121 I2
Thô Chu, Đao i. Vietnam 71 C5
Thoen Thai. 76 C5
Thoeng Thai. 70 C3
Thohoyandou S. Africa 101 J2
Tholen Neth. 52 E3
Tholen i. Neth. 52 E3
Tholey Germany 52 H5
Thomas Hill Reservoir U.S.A. 130 E4
Thomas Hubbard, Cape Canada 119 I1
Thomaston CT U.S.A. 135 I3
Thomaston GA U.S.A. 133 C5
Thomastown Ireland 51 E5
Thomasville AL U.S.A. 133 C6
Thomasville GA U.S.A. 133 D6
Thommen Belgium 52 G4
Thompson Canada 121 L4
Thompson r. Canada 120 F5
Thompson U.S.A. 129 I2
Thompson r. U.S.A. 124 I4
Thompson Falls U.S.A. 126 E3
Thompson Peak U.S.A. 127 G6
Thompson's Falls Kenya see Nyahururu
Thompson Sound Canada 120 E5
Thomson U.S.A. 133 D5
Thon Buri Thai. 71 C4
Thonokied Lake Canada 121 I1
Thoothukudi India see Tuticorin
Thoreau U.S.A. 129 I4
Thorn Neth. 52 F3
Thorn Poland see Toruń
Thornaby-on-Tees U.K. 48 F4
Thornapple r. U.S.A. 134 C2
Thornbury U.K. 49 E7
Thorne U.K. 48 G5
Thorne U.S.A. 128 D2
Thornton r. Australia 110 B3
Thorold Canada 134 F2
Thorshavnfjella reg. Antarctica see Thorshavnheiane
Thorshavnheiane reg. Antarctica 152 C2
Thota-ea-Moli Lesotho 101 H5
Thôt Nôt Vietnam 71 D5
Thouars France 56 D3
Thoubal India 83 H4
Thourout Belgium see Torhout
Thousand Islands Canada/U.S.A. 135 G1
Thousand Lake Mountain U.S.A. 129 H2
Thousand Oaks U.S.A. 128 D4
Thousandsticks U.S.A. 134 D5
Thrace reg. Europe 59 L4
Thraki reg. Europe see Thrace
Thrakiko Pelagos sea Greece 59 K4
Three Gorges Reservoir China 77 F2
Three Hills Canada 120 H5
Three Hummock Island Australia 111 [inset]
Three Kings Islands N.Z. 113 D2
Three Oaks U.S.A. 134 B3
Three Pagodas Pass Myanmar/Thai. 70 B4
Three Points, Cape Ghana 96 C4
Three Rivers U.S.A. 134 C3
Three Sisters mt. U.S.A. 126 C3
Three Springs Australia 109 A7
Thrissur India see Trichur
Throckmorton U.S.A. 131 D5
Throssell, Lake salt flat Australia 109 D6
Throssel Range hills Australia 108 C5
Thrushton National Park Australia 112 C1
Thư Ba Vietnam 71 D5
Thubun Lakes Canada 121 I2
Thu Dâu Môt Vietnam 71 D5
Thuddungra Australia 112 D5
Thu Đuc Vietnam 71 D5
Thuin Belgium 52 E4
Thul Pak. 89 H4
Thulaythawāt Gharbī, Jabal hill Syria 85 D2
Thule Greenland 119 L2
Thun Switz. 56 H3
Thunder Bay Canada 119 J5
Thunder Bay b. U.S.A. 134 D1
Thunder Creek r. Canada 121 J5
Thüngen Germany 53 J5
Thung Salaeng Luang National Park Thai. 70 C3
Thung Song Thai. 71 B5
Thung Yai Naresuan Wildlife Reserve nature res. Thai. 70 B4
Thüringen land Germany 53 K3
Thüringer Becken reg. Germany 53 L3
Thüringer Wald mts Germany 53 K4
Thuringia land Germany see Thüringen
Thuringian Forest mts Germany see Thüringer Wald
Thurles Ireland 51 E5
Thurn, Pass Austria 47 N7
Thursday Island Australia 110 C1
Thurso U.K. 50 F2
Thurso r. U.K. 50 F2
Thurston Island Antarctica 152 K2
Thurston Peninsula i. Antarctica see Thurston Island
Thüster Berg hill Germany 53 J2
Thuthukudi India see Tuticorin
Thwaite U.K. 48 E4
Thwaites Glacier Tongue Antarctica 152 K1
Thyatira Turkey see Akhisar
Thyborøn Denmark 45 F8
Thymerais reg. France 52 B6
Tianchang China 77 H1
Tiancheng China see Chongyang
Tianchi China see Lezhi
Tiandeng China 76 E4
Tiandong China 76 E4
T'ianet'i Georgia 91 G2
Tianfanjie China 77 H2
Tianjin China 73 L5
Tianjin municipality China 73 L5
Tianjun China 80 I4
Tianlin China 76 E3
Tianma China see Changshan
Tianmen China 77 G2
Tianqiaoling China 74 C4
Tianquan China 76 D2
Tianshan China 73 M4
Tian Shan mts China/Kyrg. see Tien Shan
Tianshui China 76 E1
Tianshuihai Aksai Chin 82 D2
Tiantai China 77 I2
Tiantang China see Yuexi
Tianyang China 76 E4
Tianzhou China see Tianyang
Tianzhu Gansu China 72 I5
Tianzhu Guizhou China 77 F3
Tiaret Alg. 57 G6
Tiassalé Côte d'Ivoire 96 C4
Tibagi Brazil 145 A4
Tibal, Wādī watercourse Iraq 91 F4
Tibati Cameroon 96 E4
Tibba Pak. 89 H4
Tibé, Pic de mt. Guinea 96 C4
Tiber r. Italy 58 E4
Tiberias Israel 85 B3
Tiberias, Lake Israel see Galilee, Sea of
Tiber Reservoir U.S.A. 126 F2
Tibesti mts Chad 97 E2
Tibet aut. reg. China see Xizang Zizhiqu
Tibet, Plateau of China 83 F2
Tībī India 89 I4
Tibooburra Australia 111 C6
Tibrikot Nepal 83 E3
Tibro Sweden 45 I7
Tibur Italy see Tivoli
Tiburón, Isla i. Mex. 127 E7
Ticehurst U.K. 49 H7
Tichborne Canada 135 G1
Tichégami r. Canada 123 G4
Tîchît Mauritania 96 C3
Tichla W. Sahara 96 B2
Ticinum Italy see Pavia
Ticonderoga U.S.A. 135 I2
Ticul Mex. 136 G4
Tidaholm Sweden 45 H7
Tiddim Myanmar 70 A2
Tiden India 71 A6
Tidjikja Mauritania 96 B3
Tiefa Liaoning China see Diaobingshan
Tiel Neth. 52 F3
Tieli China 74 B3
Tieling China 74 A4
Tielongtan Aksai Chin 82 D2
Tielt Belgium 52 D4
Tienen Belgium 52 E4
Tien Shan mts China/Kyrg. 72 D4
Tientsin municipality China see Tianjin
Tiên Yên Vietnam 70 D2
Tierp Sweden 45 J6
Tierra Amarilla U.S.A. 127 G5

▶Tierra del Fuego, Isla Grande de i. Arg./Chile 144 C8
Largest island in South America.

Tierra del Fuego, Parque Nacional nat. park Arg. 144 C8
Tiétar r. Spain 57 D4
Tiétar, Valle de valley Spain 57 D3
Tietê r. Brazil 145 A3
Tieyon Australia 109 F6
Tiffin U.S.A. 134 D3
Tiflis Georgia see T'bilisi
Tifton U.S.A. 133 D6
Tiga Reservoir Nigeria 96 D3
Tigen Kazakh. 91 H1
Tīgh Āb Iran 89 F5
Tigheciului, Dealurile hills Moldova 59 M2
Tighina Moldova 59 M1
Tigiria India 84 E1
Tignère Cameroon 96 E4
Tignish Canada 123 I5
Tigranocerta Turkey see Siirt
Tigre r. Venez. 142 F2
Tigris r. Asia 91 G5
also known as Dicle (Turkey) or Nahr Dijlah (Iraq/Syria)
Tigrovaya Balka Zapovednik nature res. Tajik. 89 H2
Tiguidit, Falaise de esc. Niger 96 D3
Tīh, Gebel el plat. Egypt see Tīh, Jabal at
Tīh, Jabal at plat. Egypt 85 A5
Tijuana Mex. 128 E5
Tikamgarh India 82 D4
Tikanlik China 80 G3
Tikhoretsk Rus. Fed. 43 I7
Tikhvin Rus. Fed. 42 G4
Tikhvinskaya Gryada ridge Rus. Fed. 42 G4
Tiki Basin sea feature S. Pacific Ocean 151 L7
Tikokino N.Z. 113 F4
Tikopia i. Solomon Is 107 G3
Tikrīt Iraq 91 F4
Tikse India 82 D2
Tikshozero, Ozero l. Rus. Fed. 44 R3
Tiksi Rus. Fed. 65 N2
Tiladummati Atoll Maldives see Thiladhunmathi Atoll
Tilaiya Reservoir India 83 F4
Tilbeşar Ovasi plain Turkey 85 C1
Tilbooroo Australia 112 B1
Tilburg Neth. 52 F3
Tilbury Canada 134 D2
Tilbury U.K. 49 H7
Tilcara Arg. 144 C2
Tilcha Creek watercourse Australia 111 C6
Tilden U.S.A. 131 D6
Tilemsès Niger 96 D3
Tilemsi, Vallée du watercourse Mali 96 D3
Tilhar India 82 D4
Tilimsen Alg. see Tlemcen
Tilin Myanmar 70 A2
Tillabéri Niger 96 D3
Tillamook U.S.A. 126 C3
Tillanchong Island India 71 A5
Tillia Niger 96 D3
Tillicoultry U.K. 50 F4
Tillsonburg Canada 134 E2
Tillyfourie U.K. 50 G3
Tilonia India 89 I5
Tilos i. Greece 59 L6
Tilothu India 83 F4
Tilpa Australia 112 B3
Tilsit Rus. Fed. see Sovetsk
Tilt r. U.K. 50 F4
Tilton IL U.S.A. 134 B3
Tilton NH U.S.A. 135 J2
Tim Rus. Fed. 43 H6
Ṭīmā Egypt 86 D4
Timah, Bukit hill Sing. 71 [inset]
Timakara i. India 84 B4
Timanskiy Kryazh ridge Rus. Fed. 42 K2
Timar Turkey 91 F3
Timaru N.Z. 113 C7
Timashevsk Rus. Fed. 43 H7
Timashevskaya Rus. Fed. see Timashevsk
Timbedgha Mauritania 96 C3
Timber Creek Australia 106 D3
Timber Mountain U.S.A. 128 E3
Timberville U.S.A. 135 F4
Timbuktu Mali 96 C3
Timétrine reg. Mali 96 C3
Timiaouine Alg. 96 D2
Timimoun Alg. 54 E6
Timirist, Râs pt Mauritania 96 B3
Timiskaming, Lake Canada see Témiscamingue, Lac
Timişoara Romania 59 I2
Timmins Canada 122 E4
Timms Hill WI U.S.A. 130 F2
Timon Brazil 143 J5
Timor i. Indon. 108 D2
Timor-Leste country Asia see East Timor
Timor Loro Sae country Asia see East Timor
Timor Sea Australia/Indon. 106 C3
Timor Timur country Asia see East Timor
Timperley Range hills Australia 109 C6
Timrå Sweden 44 J5
Tīn, Ra's at pt Libya 90 A4
Ṭīna, Khalīg el b. Egypt see Ṭīnah, Khalīj aṭ
Tīnah Syria 85 D1
Ṭīnah, Khalīj aṭ b. Egypt 85 A4
Tin Can Bay Australia 111 F5
Tindivanam India 84 C3
Tindouf Alg. 54 C6
Ti-n-Essako Mali 96 D3
Tinggi i. Malaysia 71 D7
Tingha Australia 112 E2
Tingis Morocco see Tangier
Tingo María Peru 142 C5
Tingréla Côte d'Ivoire see Tengréla
Tingsryd Sweden 45 I8
Tingvoll Norway 44 F5
Tingwall U.K. 50 F1
Tingzhou China see Changting
Tinharé, Ilha de i. Brazil 145 D1
Tinh Gia Vietnam 70 D3
Tinian i. N. Mariana Is 69 L4
Tini Heke is N.Z. see Snares Islands
Tinnelvelly India see Tirunelveli
Tinogasta Arg. 144 C3
Tinos Greece 59 K6
Tinos i. Greece 59 K6
Tinqueux France 52 D5
Tinrhert, Hamada de Alg. 96 D2
Tinsukia India 83 H4
Tintagel U.K. 49 C8
Tîntâne Mauritania 96 B3
Tintina Arg. 144 D3
Tintinara Australia 111 C7
Tioga U.S.A. 130 C1
Tioman i. Malaysia 71 D7
Tionesta U.S.A. 134 F3
Tionesta Lake U.S.A. 134 F3
Tipasa Alg. 57 H5
Tiphsah Syria see Dibsī
Tipperary Ireland 51 D5
Tipton CA U.S.A. 128 D3
Tipton IA U.S.A. 130 F3
Tipton IN U.S.A. 134 B3
Tipton MO U.S.A. 130 E4
Tipton, Mount U.S.A. 129 F4
Tiptop U.S.A. 134 E5
Tip Top Hill hill Canada 122 D4
Tiptree U.K. 49 H7
Tiptur India 84 C3
Tipturi India see Tiptur
Tiracambu, Serra do hills Brazil 143 I4
Tirah reg. Pak. 89 H3

▶Tirana Albania 59 H4
Capital of Albania.

Tiranë Albania see Tirana
Tirano Italy 58 D1
Tirari Desert Australia 111 B5
Tiraspol Moldova 59 M1
Tiraz Mountains Namibia 100 C4
Tire Turkey 59 L5
Tirebolu Turkey 91 E2
Tiree i. U.K. 50 C4
Tîrgovişte Romania see Târgovişte
Tîrgu Jiu Romania see Târgu Jiu
Tîrgu Mureş Romania see Târgu Mureş
Tîrgu Neamţ Romania see Târgu Neamţ
Tîrgu Secuiesc Romania see Târgu Secuiesc
Tiri Pak. 89 G4
Tirich Mir mt. Pak. 89 H2
Tirlemont Belgium see Tienen
Tirna r. India 84 C2
Tîrnăveni Romania see Târnăveni
Tírnavos Greece see Tyrnavos
Tiros Brazil 145 B2
Tirourda, Col de pass Alg. 57 I5
Tirreno, Mare sea France/Italy see Tyrrhenian Sea
Tirso r. Sardinia Italy 58 C5
Tirthahalli India 84 B3
Tiruchchendur India 84 C4
Tiruchchirappalli India 84 C4
Tiruchengodu India 84 C4
Tirunelveli India 84 C4
Tirupati India 84 C3
Tiruppattur Tamil Nadu India 84 C3
Tiruppattur Tamil Nadu India 84 C4
Tiruppur India 84 C4
Tiruttani India 84 C3
Tirutturaippundi India 84 C4
Tiruvallur India 84 C3
Tiruvannamalai India 84 C3
Tiruvottiyur India 84 D3
Tiru Well Australia 108 D5
Tisa r. Serbia 59 I2
also known as Tisza (Hungary), Tysa (Ukraine)
Tisdale Canada 121 J4
Tishomingo U.S.A. 131 D5
Tīsīyah Syria 85 C3
Tissemsilt Alg. 57 G6
Tisza r. Serbia see Tisa
Titalya Bangl. see Tetulia
Titan Dome ice feature Antarctica 152 H1
Titao Burkina 96 C3
Tit-Ary Rus. Fed. 65 N2
Titawin Morocco see Tétouan
Titicaca, Lago Bol./Peru see Titicaca, Lake

▶Titicaca, Lake Bol./Peru 142 E7
Largest lake in South America.

Titi Islands N.Z. 113 A8
Tititea mt. N.Z. see Aspiring, Mount
Titlagarh India 84 D1
Titograd Montenegro see Podgorica
Titova Mitrovica Kosovo see Mitrovicë
Titovo Užice Serbia see Užice
Titovo Velenje Slovenia see Velenje
Titov Veles Macedonia see Veles
Titov Vrbas Serbia see Vrbas
Ti Tree Australia 108 F5
Titu Romania 59 K2
Titusville FL U.S.A. 133 D6
Titusville PA U.S.A. 134 F3
Tiu Chung Chau i. H.K. China 77 [inset]
Tiumpain, Rubha an hd U.K. see Tiumpan Head
Tiumpan Head hd U.K. 50 C2
Tiva watercourse Kenya 98 D4
Tivari India 82 C4
Tiverton Canada 134 E1
Tiverton U.K. 49 D8
Tivoli Italy 58 E4
Ṭīwī Oman 88 E6
Ti-ywa Myanmar 71 B4
Tizi El Arba hill Alg. 57 H5
Tizimín Mex. 136 G4
Tizi N'Koulal pass Alg. 57 I5
Tizi Ouzou Alg. 57 I5
Tiznap He r. China 82 D1
Tiznit Morocco 96 C2
Tiztoutine Morocco 57 E6
Tjaneni Swaziland 101 J3
Tjappsåive Sweden 44 K4
Tjeukemeer l. Neth. 52 F2
Tjirebon Indon. see Cirebon
Tjolotjo Zimbabwe see Tsholotsho
Tjorhom Norway 45 E7
Tkibuli Georgia see Tqibuli
Tlahualilo Mex. 131 C7
Tlaxcala Mex. 136 E5
Tl'ell Canada 120 D4
Tlemcen Alg. 57 F6
Tlhakalatlou S. Africa 100 F5
Tlholong S. Africa 101 I5
Tlokweng Botswana 101 G3
Tlyarata Rus. Fed. 91 G2
To r. Myanmar 70 B3
Toad r. Canada 120 E3
Toad River Canada 120 E3
Toamasina Madag. 99 E5
Toana mts U.S.A. 129 F1
Toano U.S.A. 135 G5
Toa Payoh Sing. 71 [inset]
Toba China 76 C2
Toba, Danau l. Indon. 71 B7
Toba, Lake Indon. see Toba, Danau
Toba and Kakar Ranges mts Pak. 89 G4
Toba Gargaji Pak. 89 I4
Tobago i. Trin. and Tob. 137 L6
Tobelo Indon. 69 H6
Tobercurry Ireland 51 D3
Tobermorey Australia 110 B4
Tobermory Australia 112 A1
Tobermory Canada 134 E1
Tobermory U.K. 50 C4
Tobi i. Palau 69 I6
Tobin, Lake salt flat Australia 108 D5
Tobin, Mount U.S.A. 128 E1
Tobin Lake Canada 121 K4
Tobin Lake l. Canada 121 K4
Tobi-shima i. Japan 75 E5
Tobol r. Kazakh./Rus. Fed. 78 F1
Tobol'sk Rus. Fed. 64 H4
Tobruk Libya see Tubruq
Tobseda Rus. Fed. 42 L1
Tobyl r. Kazakh./Rus. Fed. see Tobol
Tobysh r. Rus. Fed. 42 K2
Tocache Nuevo Peru 142 C5
Tocantinópolis Brazil 143 I5
Tocantins r. Brazil 145 A1
Tocantins state Brazil 145 A1
Tocantinzinha r. Brazil 145 A1
Toccoa U.S.A. 133 D5
Tochi r. Pak. 89 H3
Töcksfors Sweden 45 G7
Tocopilla Chile 144 B2
Tocumwal Australia 112 B5
Tod, Mount Canada 120 G5
Todd watercourse Australia 110 A5
Todi Italy 58 E3
Todoga-saki pt Japan 75 F5
Todos Santos Mex. 136 B4
Toe Head hd U.K. 50 B3
Tofino Canada 120 E5
Toft U.K. 50 [inset]
Tofua i. Tonga 107 I3
Togatax China 82 E2
Togian i. Indon. 69 G7
Togian, Kepulauan is Indon. 69 G7
Togliatti Rus. Fed. see Tol'yatti
Togo country Africa 96 D4
Togtoh China 73 K4
Togton He r. China 83 H2
Togton Heyan China see Tanggulashan
Tohatchi U.S.A. 129 I4
Toholampi Fin. 44 N5
Toiba China 83 G3
Toibalewe India 71 A5
Toijala Fin. 45 M6
Toili Indon. 69 G7
Toi-misaki pt Japan 75 C7
Toivakka Fin. 44 O5
Toiyabe Range mts U.S.A. 128 E2
Tojikiston country Asia see Tajikistan
Tok U.S.A. 120 A2
Tokar Sudan 86 E6
Tokara-rettō is Japan 75 C7
Tokarevka Rus. Fed. 43 I6
Tokat Turkey 90 E2
Tŏkchŏk-to i. S. Korea 75 B5
Tokdo i. Asia see Liancourt Rocks

▶Tokelau terr. S. Pacific Ocean 107 I2
New Zealand Overseas Territory.

Tokmak Kyrg. see Tokmok
Tokmak Ukr. 43 G7
Tokmok Kyrg. 80 E3
Tokomaru Bay N.Z. 113 G4
Tokoroa N.Z. 113 E4
Tokoza S. Africa 101 I4
Toksun China 80 G3
Tok-to i. Asia see Liancourt Rocks
Toktogul Kyrg. 80 D3
Tokto-ri i. Asia see Liancourt Rocks
Tokur Rus. Fed. 74 D1
Tokushima Japan 75 D6
Tokuyama Japan 75 C6

▶Tōkyō Japan 75 E6
Capital of Japan. Most populous city in the world and in Asia.

Tokzār Afgh. 89 G3
Tolaga Bay N.Z. 113 G4
Tôlañaro Madag. 99 E6
Tolbo Mongolia 80 H2
Tolbukhin Bulg. see Dobrich
Tolbuzino Rus. Fed. 74 B1
Toledo Brazil 144 F2
Toledo Spain 57 D4
Toledo IA U.S.A. 130 E3
Toledo OH U.S.A. 134 D3
Toledo OR U.S.A. 126 C3
Toledo, Montes de mts Spain 57 D4
Toledo Bend Reservoir U.S.A. 131 E6
Toletum Spain see Toledo
Toliara Madag. 99 E6
Tolitoli Indon. 69 G6
Tol'ka Rus. Fed. 64 J3
Tolleson U.S.A. 129 G5
Tollimarjon Uzbek. 89 G2
Tolmachevo Rus. Fed. 45 P7
Tolo Dem. Rep. Congo 98 B4
Tolo Channel H.K. China 77 [inset]
Tolochin Belarus see Talachyn
Tolo Harbour b. H.K. China 77 [inset]
Tolosa France see Toulouse
Tolosa Spain 57 E2
Toluca Mex. 136 E5
Toluca de Lerdo Mex. see Toluca
To-lun Nei Mongol China see Dolonnur
Tol'yatti Rus. Fed. 43 K5
Tom' r. Rus. Fed. 74 B2
Tomah U.S.A. 130 F3
Tomakomai Japan 74 F4
Tomales U.S.A. 128 B2
Tomali Indon. 69 G7
Tomamae Japan 74 F3
Tomanivi mt. Fiji 107 H3
Tomar Brazil 142 F4
Tomar Port. 57 B4
Tomari Rus. Fed. 74 F3
Tomarza Turkey 90 D3
Tomaszów Lubelski Poland 43 D6
Tomaszów Mazowiecki Poland 47 R5
Tomatin U.K. 50 F3
Tomatlán Mex. 136 C5
Tomazina Brazil 145 A3
Tombador, Serra do hills Brazil 143 G6
Tombigbee r. U.S.A. 133 C6
Tomboco Angola 99 B4
Tombouctou Mali see Timbuktu
Tombstone U.S.A. 127 F7
Tombua Angola 99 B5
Tom Burke S. Africa 101 H2
Tomdibuloq Uzbek. 80 B3
Tome Moz. 101 L2
Tomelilla Sweden 45 H9
Tomelloso Spain 57 E4
Tomi Romania see Constanţa
Tomingley Australia 112 D4
Tomini, Teluk g. Indon. 69 G7
Tominian Mali 96 C3
Tomintoul U.K. 50 F3
Tomislavgrad Bos.-Herz. 58 G3
Tomkinson Ranges mts Australia 109 E6
Tømmerneset Norway 44 I3
Tommot Rus. Fed. 65 N4
Tomo r. Col. 142 E2
Tomóchic Mex. 127 G7
Tomortei China 73 K4
Tompkinsville U.S.A. 134 C5
Tom Price Australia 108 B5
Tomra China 83 F3
Tomsk Rus. Fed. 64 J4
Toms River U.S.A. 135 H4
Tomtabacken hill Sweden 45 I8
Tomtor Rus. Fed. 65 P3
Tomur Feng mt. China/Kyrg. see Pobeda Peak
Tomuzlovka r. Rus. Fed. 43 J7
Tom White, Mount U.S.A. 118 D3
Tonalá Mex. 136 F5
Tonantins Brazil 142 E4
Tonb-e Bozorg, Jazīreh-ye i. The Gulf see Greater Tunb
Tonb-e Kūchek, Jazīreh-ye i. The Gulf see Lesser Tunb
Tonbridge U.K. 49 H7
Tondano Indon. 69 G6
Tønder Denmark 45 F9
Tondi India 84 C4
Tone r. U.K. 49 E7
Toney Mountain Antarctica 152 K1
Tonga country S. Pacific Ocean 107 I4
Tongaat S. Africa 101 J5
Tongariro National Park N.Z. 113 E4
Tongatapu Group is Tonga 107 I4

▶Tonga Trench sea feature S. Pacific Oce 150 I7
2nd deepest trench in the world.

Tongbai Shan mts China 77 G1
Tongcheng China 77 H2
T'ongch'ŏn N. Korea 75 B5
Tongchuan Shaanxi China 77 F1
Tongchuan Sichuan China see Santai
Tongdao China 77 F3
Tongde China 76 D1
Tongduch'ŏn S. Korea 75 B5
Tongeren Belgium 52 F4
Tonggu China 77 G2
Tonggu Zui pt China 77 F5
Tonghae S. Korea 75 C5
Tonghai China 76 D3
Tonghe China 74 C3
Tonghua Jilin China 74 B4
Tonghua Jilin China 74 B4
Tongi Bangl. see Tungi
Tongjiang Heilong. China 74 D3
Tongjiang Sichuan China 76 E2
Tongking, Gulf of China/Vietnam 70 E2
Tongle China see Leye
Tongliang China 76 E2
Tongliao China 73 M4
Tongling China 77 H2
Tonglu China 77 H2
Tongo Australia 112 A3
Tongo Lake salt flat Australia 112 A3
Tongren Guizhou China 77 F3
Tongren Qinghai China 76 D1
Tongres Belgium see Tongeren
Tongsa Bhutan 83 G4

Tung Pok Liu Hoi Hap H.K. China *see* **East Lamma Channel**
T'ung-shan *Jiangsu* China *see* **Xuzhou**
Tung-sheng *Nei Mongol* China *see* **Ordos**
Tungsten (abandoned) Canada **120** D2
Tung Wan *b.* H.K. China **77** [inset]
Tuni India **84** D2
Tunica U.S.A. **131** F5
Tūnis *country* Africa *see* **Tunisia**

▶**Tunis** Tunisia **58** D6
Capital of Tunisia.

Tunis, Golfe de *g.* Tunisia **58** D6
Tunisia *country* Africa **54** F5
Tunja Col. **142** D2
Tunkhannock U.S.A. **135** H3
Tunnsjøen *l.* Norway **44** H4
Tunstall U.K. **49** I6
Tuntsa Fin. **44** P3
Tuntsajoki *r.* Fin./Rus. Fed. *see* **Tumcha**
Tunulic *r.* Canada **123** I2
Tununak U.S.A. **118** B3
Tunungayualok Island Canada **123** J2
Tunxi China *see* **Huangshan**
Tuodian China *see* **Shuangbai**
Tuojiang China *see* **Fenghuang**
Tuŏl Khpos Cambodia **71** D5
Tuoniang Jiang *r.* China **76** E3
Tuotuo He *r.* China *see* **Togton He**
Tuotuoheyan China *see* **Tanggulashan**
Tüp Kyrg. **80** E3
Tupã Brazil **145** A3
Tupelo U.S.A. **131** F5
Tupik Rus. Fed. **73** L2
Tupinambarama, Ilha *i.* Brazil **143** G4
Tupiraçaba Brazil **145** A1
Tupiza Bol. **142** E8
Tupper Canada **120** F4
Tupper Lake U.S.A. **135** H1
Tupper Lake *l.* U.S.A. **135** H1
Tüpqaraghan Tübegi *pen.* Kazakh. *see* **Mangyshlak, Poluostrov**

▶**Tupungato, Cerro** *mt.* Arg./Chile **144** C4
5th highest mountain in South America.

Tuqayyid *well* Iraq **88** B4
Tuquan China **73** M3
Tuqu Wan *b.* China *see* **Lingshui Wan**
Tura China **83** F1
Tura India **83** G4
Tura Rus. Fed. **65** L3
Turabah Saudi Arabia **86** F5
Turakina N.Z. **113** E5
Turan Rus. Fed. **72** G2
Turana, Khrebet *mts* Rus. Fed. **74** C2
Turan Lowland Asia **80** A4
Turan Oypaty *lowland* Asia *see* **Turan Lowland**
Turan Pasttekisligi *lowland* Asia *see* **Turan Lowland**
Turan Pesligi *lowland* Asia *see* **Turan Lowland**
Turanskaya Nizmennost' *lowland* Asia *see* **Turan Lowland**
Ţurāq al 'Ilab *hills* Syria **85** D3
Turar Ryskulov Kazakh. **80** D3
Tura-Ryskulova Kazakh. *see* **Turar Ryskulov**
Ţurayf Saudi Arabia **85** D4
Turba Estonia **45** N7
Turbat Pak. **89** F5
Turbo Col. **142** C2
Turda Romania **59** J1
Tūreh Iran **88** C3
Turfan China *see* **Turpan**
Turfan Basin *depr.* China *see* **Turpan Pendi**
Turfan Depression China *see* **Turpan Pendi**
Turgay Kazakh. **80** B2
Turgayskaya Dolina *valley* Kazakh. **80** B2
Tŭrgovishte Bulg. **59** L3
Turgutlu Turkey **59** L5
Turhal Turkey **90** E2
Türi Estonia **45** N7
Turia *r.* Spain **57** F4
Turin Canada **121** H5
Turin Italy **58** B2
Turiy Rog Rus. Fed. **74** C3

▶**Turkana, Lake** *salt l.* Eth./Kenya **98** D3
5th largest lake in Africa.

Turkestan Kazakh. **80** C3
Turkestan Range *mts* Asia **89** G2
Turkey *country* Asia/Europe **90** D3
Turkey U.S.A. **134** D5
Turkey *r.* U.S.A. **130** F3
Turki Rus. Fed. **43** I6
Türkistan Kazakh. *see* **Turkestan**
Türkiye *country* Asia/Europe *see* **Turkey**
Türkmenabat Turkm. **89** F2
Türkmen Adasy *i.* Turkm. *see* **Ogurjaly Adasy**
Türkmen Aylagy *b.* Turkm. *see* **Türkmen Aýlagy**
Türkmen Aýlagy *b.* Turkm. **88** D2
Türkmenbaşy Turkm. **88** D1
Türkmenbaşy Aylagy *b.* Turkm. *see* **Türkmenbaşy Aýlagy**
Türkmenbaşy Aýlagy *b.* Turkm. **88** D2
Türkmenbaşy Döwlet Gorugy *nature res.* Turkm. **88** D2
Türkmen Dağı *mt.* Turkey **59** N5
Turkmenistan *country* Asia **87** I2
Turkmeniya *country* Asia *see* **Turkmenistan**
Türkmenostan *country* Asia *see* **Turkmenistan**
Turkmenskaya S.S.R. *country* Asia *see* **Turkmenistan**
Türkoğlu Turkey **90** E3

▶**Turks and Caicos Islands** *terr.* West Indies **137** J4
United Kingdom Overseas Territory.

Turks Island Passage Turks and Caicos Is **133** G8
Turks Islands Turks and Caicos Is **137** J4
Turku Fin. **45** M6
Turkwel *watercourse* Kenya **98** D3
Turlock U.S.A. **128** C3
Turlock Lake U.S.A. **128** C3
Turmalina Brazil **145** C2
Turnagain *r.* Canada **120** E3
Turnagain, Cape N.Z. **113** F5
Turnberry U.K. **50** E5
Turnbull, Mount U.S.A. **129** H5
Turneffe Islands *atoll* Belize **136** G5
Turner U.S.A. **134** D1
Turner Valley Canada **120** H5
Turnhout Belgium **52** E3
Turnor Lake Canada **121** I3
Tŭrnovo Bulg. *see* **Veliko Tŭrnovo**
Turnu Măgurele Romania **59** K3
Turnu Severin Romania *see* **Drobeta-Turnu Severin**
Turon *r.* Australia **112** D4
Turones France *see* **Tours**
Turovets Rus. Fed. **42** I4
Turpan China **80** G3

▶**Turpan Pendi** *depr.* China **80** G3
Lowest point in northern Asia.

Turquino, Pico *mt.* Cuba **137** I4
Turriff U.K. **50** G3
Turris Libisonis *Sardinia* Italy *see* **Porto Torres**
Tursāq Iraq **91** G4
Turtle Island Fiji *see* **Vatoa**
Turtle Lake Canada **121** I4
Turugart Pass China/Kyrg. **80** E3
Turugart Shankou *pass* China/Kyrg. *see* **Turugart Pass**
Turuvanur India **84** C3
Turvo *r.* Brazil **145** A2
Turvo *r.* Brazil **145** A2
Tusayan U.S.A. **129** G4
Tuscaloosa U.S.A. **133** C5
Tuscarawas *r.* U.S.A. **134** E3
Tuscarora Mountains *hills* U.S.A. **135** G3
Tuscola *IL* U.S.A. **130** F4
Tuscola *TX* U.S.A. **131** D5
Tuscumbia U.S.A. **133** C5
Tuskegee U.S.A. **133** C5
Tussey Mountains *hills* U.S.A. **135** F3
Tustin U.S.A. **134** C1
Tutak Turkey **91** F3
Tutayev Rus. Fed. **42** H4
Tutera Spain *see* **Tudela**
Tuticorin India **84** C4
Tutong Brunei **68** E6
Tuttle Creek Reservoir U.S.A. **130** D4
Tuttlingen Germany **47** L7
Tuttut Nunaat *reg.* Greenland **119** P2
Tutuala East Timor **108** D2
Tutubu P.N.G. **110** E1
Tutubu Tanz. **99** D4
Tutuila *i.* American Samoa **107** I3
Tutume Botswana **99** C6
Tutwiler U.S.A. **131** F5
Tuun-bong *mt.* N. Korea **74** B4
Tuupovaara Fin. **44** Q5
Tuusniemi Fin. **44** P5
Tuvalu *country* S. Pacific Ocean **107** H2
Tuwayq, Jabal *hills* Saudi Arabia **86** G4
Tuwayq, Jabal *mts* Saudi Arabia **86** G5
Ţuwayyil ash Shihāq *mt.* Jordan **85** C4
Tuwwal Saudi Arabia **86** E5
Tuxpan Mex. **136** E4
Tuxtla Gutiérrez Mex. **136** F5
Tuya Lake Canada **120** D3
Tuyên Quang Vietnam **70** D2
Tuy Hoa Vietnam **71** E4
Tuz, Lake *salt l.* Turkey **90** D3
Tuz Gölü *salt l.* Turkey *see* **Tuz, Lake**
Tuzha Rus. Fed. **42** J4
Tuz Khurmātū Iraq **91** G4
Tuzla Bos.-Herz. **58** H2
Tuzla Turkey **85** B1
Tuzla Gölü *lag.* Turkey **59** L4
Tuzlov *r.* Rus. Fed. **43** I7
Tuzu *r.* Myanmar **70** A1
Tvedestrand Norway **45** F7
Tver' Rus. Fed. **42** G4
Twain Harte U.S.A. **128** C2
Tweed Canada **135** G1
Tweed *r.* U.K. **50** G5
Tweed Heads Australia **112** F2
Tweedie Canada **121** I4
Tweefontein S. Africa **100** D7
Twee Rivier Namibia **100** D3
Twentekanaal *canal* Neth. **52** G2
Twentynine Palms U.S.A. **128** E4
Twin Bridges *CA* U.S.A. **128** C2
Twin Bridges *MT* U.S.A. **126** E3
Twin Buttes Reservoir U.S.A. **131** C6
Twin Falls Canada **123** I3
Twin Falls U.S.A. **126** E4
Twin Heads *hill* Australia **108** D5
Twin Peak U.S.A. **128** C2
Twistringen Germany **53** I2
Twitchen Reservoir U.S.A. **128** C4
Twitya *r.* Canada **120** D1
Twizel *Canterbury* **113** C7
Twofold Bay Australia **112** D6
Two Harbors U.S.A. **130** F2
Two Hills Canada **121** I4
Two Rivers U.S.A. **134** B1
Tyan' Shan' *mts* China/Kyrg. *see* **Tien Shan**
Tyao *r.* India/Myanmar **76** B4
Tyatya, Vulkan *vol.* Rus. Fed. **74** G3
Tydal Norway **44** G5
Tygart Valley U.S.A. **134** F4
Tygda Rus. Fed. **74** B1
Tygda *r.* Rus. Fed. **74** B1
Tyler U.S.A. **131** E5
Tylertown U.S.A. **131** F6
Tym' *r.* Rus. Fed. **74** F2
Tymovskoye Rus. Fed. **74** F2
Tynda Rus. Fed. **73** M1
Tyndall U.S.A. **130** D3
Tyndinskiy Rus. Fed. *see* **Tynda**
Tyne *r.* U.K. **50** G4
Tynemouth U.K. **48** F3
Tynset Norway **44** G5
Tyoploozyorsk Rus. Fed. *see* **Teploozersk**
Tyoploye Ozero Rus. Fed. *see* **Teploozersk**
Tyr Lebanon *see* **Tyre**
Tyras Ukr. *see* **Bilhorod-Dnistrovs'kyy**
Tyre Lebanon **85** B3
Tyree, Mount Antarctica **152** L1
Tyrma Rus. Fed. **74** D2
Tyrma *r.* Rus. Fed. **74** C2
Tyrnävä Fin. **44** N4
Tyrnavos Greece **59** J5
Tyrnyauz Rus. Fed. **91** F2
Tyrone U.S.A. **135** F3
Tyrrell *r.* Australia **112** A5
Tyrrell, Lake *dry lake* Australia **111** C7
Tyrrell Lake Canada **121** J2
Tyrrhenian Sea France/Italy **58** D4
Tyrus Lebanon *see* **Tyre**
Tysa *r.* Serbia *see* **Tisa**
Tyukalinsk Rus. Fed. **64** I4
Tyulen'i Ostrova *is* Kazakh. **91** H1
Tyumen' Rus. Fed. **64** H4
Tyup Kyrg. *see* **Tüp**
Tyuratam Kazakh. *see* **Baykonyr**
Tywi *r.* U.K. **49** C7
Tywyn U.K. **49** C6
Tzaneen S. Africa **101** J2
Tzia *i.* Greece **59** K6

Uaco Congo Angola *see* **Waku-Kungo**
Ualan *atoll* Micronesia *see* **Kosrae**
Uamanda Angola **99** C5
Uarc, Ras *c.* Morocco *see* **Trois Fourches, Cap des**
Uaroo Australia **109** A5
Uatumã *r.* Brazil **143** G4
Uauá Brazil **143** K5
Uaupés *r.* Brazil **142** E3
U'aylī, Wādī al *watercourse* Saudi Arabia **85** D4
U'aywij *well* Saudi Arabia **88** B4
U'aywij, Wādī al *watercourse* Saudi Arabia **91** F5
Ubá Brazil **145** C3
Ubaí Brazil **145** B2
Ubaitaba Brazil **145** D1
Ubangi *r.* Cent. Afr. Rep./Dem. Rep. Congo **98** B4
Ubangi-Shari *country* Africa *see* **Central African Republic**
Ubauro Pak. **89** H4
Ubayyiḑ, Wādī al *watercourse* Iraq/Saudi Arabia **91** F4
Ube Japan **75** C6
Úbeda Spain **57** E4
Uberaba Brazil **145** B2
Uberlândia Brazil **145** A2
Ubin, Pulau *i.* Sing. **71** [inset]
Ubly U.S.A. **134** D2
Ubolratna, Ang Kep Nam Thai. **70** C3
Ubombo S. Africa **101** K4
Ubon Ratchathani Thai. **70** D4
Ubstadt-Weiher Germany **53** I5
Ubundu Dem. Rep. Congo **97** F5
Üçajy Turkm. **89** F2
Ucar Azer. **91** G2
Uçarı Turkey **85** A1
Ucayali *r.* Peru **142** D4
Uch Pak. **89** H4
Üchajy Turkm. *see* **Üçajy**
Üchān Iran **88** C2
Ucharal Kazakh. **80** F2
Uchiura-wan *b.* Japan **74** F4
Uchkeken Rus. Fed. **91** F2
Uchkuduk Uzbek. *see* **Uchquduq**
Uchquduq Uzbek. **80** B3
Uchte Germany **53** I2
Uchte *r.* Germany **53** L2
Uchto *r.* Pak. **89** G5
Uchur *r.* Rus. Fed. **65** O4
Uckermark *reg.* Germany **53** N1
Uckfield U.K. **49** H8
Ucluelet Canada **120** E5
Ucross U.S.A. **126** G3
Uda *r.* Rus. Fed. **73** J2
Uda *r.* Rus. Fed. **74** D1
Udachnoye Rus. Fed. **43** J7
Udachnyy Rus. Fed. **153** E2
Udagamandalam India **84** C4
Udaipur *Rajasthan* India **82** C4
Udaipur *Tripura* India **83** G5
Udanti *r.* India/Myanmar **83** E5
Uday *r.* Ukr. **43** G6
'Udaynān *well* Saudi Arabia **88** C6
Uddevalla Sweden **45** G7
Uddingston U.K. **50** E5
Uddjaure *l.* Sweden **44** J4
'Udeid, Khōr al *inlet* Qatar **88** C5
Uden Neth. **52** F3
Udgir India **84** C2
Udhagamandalam India *see* **Udagamandalam**
Udhampur India **82** C2
Udia-Milai *atoll* Marshall Is *see* **Bikini**
Udimskiy Rus. Fed. **42** J3
Udine Italy **58** E1
Udit India **89** I5
Udjuktok Bay Canada **123** J3
Udmalaippettai India *see* **Udumalaippettai**
Udomlya Rus. Fed. **42** G4
Udon Thani Thai. **70** C3
Udskaya Guba *b.* Rus. Fed. **65** O4
Udskoye Rus. Fed. **74** D1
Udumalaippettai India **84** C4
Udupi India **84** B3
Udyl', Ozero *l.* Rus. Fed. **74** E1
Udzhary Azer. *see* **Ucar**
Udzungwa Mountains National Park Tanz. **99** D4
Uéa *atoll* New Caledonia *see* **Ouvéa**
Ueckermünde Germany **47** O4
Ueda Japan **75** E5
Uele *r.* Dem. Rep. Congo **98** C3
Uelen Rus. Fed. **65** U3
Uelzen Germany **53** K2
Uetersen Germany **53** J1
Uettingen Germany **53** J5
Uetze Germany **53** K2
Ufa Rus. Fed. **41** R5
Ufa *r.* Rus. Fed. **41** R5
Uffenheim Germany **53** K5
Uftyuga *r.* Rus. Fed. **42** J3
Ugab *watercourse* Namibia **99** B6
Ugalla *r.* Tanz. **99** D4
Uganda *country* Africa **98** D3
Ugie S. Africa **101** I6
Ūgīnak Iran **89** F5
Uglegorsk Rus. Fed. **74** F2
Uglich Rus. Fed. **42** H4
Ugljan *i.* Croatia **58** F2
Uglovoye Rus. Fed. **74** C2
Ugol'noye Rus. Fed. **65** P3
Ugolnyy Rus. Fed. *see* **Beringovskiy**
Ugol'nyye Kopi Rus. Fed. **65** S3
Ugra Rus. Fed. **43** G5
Uherské Hradiště Czech Rep. **47** P6
Úhlava *r.* Czech Rep. **53** N5
Uhrichsville U.S.A. **134** E3
Uibhist a' Deas *i.* U.K. *see* **South Uist**
Uibhist a' Tuath *i.* U.K. *see* **North Uist**
Uig U.K. **50** C3
Uíge Angola **99** B4
Ŭijŏngbu S. Korea **75** B5
Ŭiju N. Korea **75** B4
Uimaharju Fin. **44** Q5
Uinta Mountains U.S.A. **129** H1
Uis Mine Namibia **99** B6
Uitenhage S. Africa **101** G7
Uithoorn Neth. **52** E2
Uithuizen Neth. **52** G1
Uivak, Cape Canada **123** J2
Ujhani India **82** D4
Uji Japan **75** D6
Uji-guntō *is* Japan **75** C7
Ujiyamada Japan *see* **Ise**
Ujjain India **82** C5
Ujung Pandang Indon. *see* **Makassar**
Újvidék Serbia *see* **Novi Sad**
Ukal Sagar *l.* India **82** C5
Ukata Nigeria **96** D3
'Ukayrishah *well* Saudi Arabia **88** B5
uKhahlamba-Drakensberg Park *nat. park* S. Africa **101** I5
Ukholovo Rus. Fed. **43** I5
Ukhrul India **83** H4
Ukhta *Respublika Kareliya* Rus. Fed. *see* **Kalevala**
Ukhta *Respublika Komi* Rus. Fed. **42** L3
Ukiah *CA* U.S.A. **128** B2
Ukiah *OR* U.S.A. **126** D3
Ukkusiksalik National Park *nat. park* *Nunavut* **119** J3
Ukkusissat Greenland **119** M2
Ukmergė Lith. **45** N9

▶**Ukraine** *country* Europe **43** F6
2nd largest country in Europe.

Ukrainskaya S.S.R. *country* Europe *see* **Ukraine**
Ukrayina *country* Europe *see* **Ukraine**
Uku-jima *i.* Japan **75** C6
Ukwi Botswana **100** E2
Ukwi Pan *salt pan* Botswana **100** E2
Ulaanbaatar Mongolia *see* **Ulan Bator**
Ulaangom Mongolia **80** H2
Ulan Australia **112** D4

▶**Ulan Bator** Mongolia **72** J3
Capital of Mongolia.

Ulanbel' Kazakh. **80** D3
Ulan Erge Rus. Fed. **43** J7
Ulanhad China *see* **Chifeng**
Ulanhot China **74** A3
Ulan Hua China **73** K4
Ulan-Khol Rus. Fed. **43** J7
Ulan-Ude Rus. Fed. **73** J2
Ulan Ul Hu *l.* China **83** G2
Ulaş Turkey **90** E3
Ulawa Island Solomon Is **107** G2
Ulayyah *reg.* Saudi Arabia **88** B6
Ul'banskiy Zaliv *b.* Rus. Fed. **74** E1
Ulchin S. Korea **75** C5
Uldz *r.* Mongolia **73** L3
Uleåborg Fin. *see* **Oulu**
Ulefoss Norway **45** F7
Ülenurme Estonia **45** O7
Ulety Rus. Fed. **73** K2
Ulhasnagar India **84** B2
Uliastai China **73** L3
Uliastay Mongolia **80** I2
Uliatea *i.* Fr. Polynesia *see* **Raiatea**
Ulicoten Neth. **52** E3
Ulie *atoll* Micronesia *see* **Woleai**
Ulita *r.* Rus. Fed. **44** R2
Ulithi *atoll* Micronesia **69** J4
Ulladulla Australia **112** E5
Ullapool U.K. **50** D3
Ulla Ulla, Parque Nacional *nat. park* Bol. **142** E6
Ullava Fin. **44** M5
Ullersuaq *c.* Greenland **119** K2
Ullswater *l.* U.K. **48** E4
Ullŭng-do *i.* S. Korea **75** C5
Ulm Germany **47** L6
Ulmarra Australia **112** F2
Ulmen Germany **52** G4
Uloowaranie, Lake *salt flat* Australia **111** B5
Ulricehamn Sweden **45** H8
Ulrum Neth. **52** G1
Ulsan S. Korea **75** C6
Ulsberg Norway **44** F5
Ulster *reg.* Ireland/U.K. **51** E3
Ulster U.S.A. **135** G3
Ulster Canal Ireland/U.K. **51** E3
Ultima Australia **112** A5
Ulubat Gölü *l.* Turkey **59** M4
Ulubey Turkey **59** M5
Uluborlu Turkey **59** N5
Uludağ *mt.* Turkey **59** M4
Uludağ Milli Parkı *nat. park* Turkey **59** M4
Ulugqat China *see* **Wuqia**
Ulu Kali, Gunung *mt.* Malaysia **71** C7
Ulukhaktok Canada **118** G2
Ulukışla Turkey **90** D3
Ulundi S. Africa **101** J5
Ulungur Hu *l.* China **80** G2
Ulunkhan Rus. Fed. **73** K2
Uluqsaqtuuq Canada *see* **Ulukhaktok**
Uluṟu *hill* Australia **109** E6
Uluṟu-Kata Tjuṯa National Park Australia **109** E6
Uluru National Park Australia *see* **Uluṟu-Kata Tjuṯa National Park**
Ulutau Kazakh. *see* **Ulytau**
Ulutau, Gory *mts* Kazakh. *see* **Ulytau, Gory**
Uluyatır Turkey **85** C1
Ulva *i.* U.K. **50** C4
Ulvenhout Neth. **52** E3
Ulverston U.K. **48** D4
Ulvsjön Sweden **45** I6
Ül'yanov Kazakh. *see* **Ul'yanovskiy**
Ul'yanovsk Rus. Fed. **43** K5
Ul'yanovskiy Kazakh. **80** D1
Ul'yanovskiy Kazakh. *see* **Ul'yanovskiy**
Ulysses *KS* U.S.A. **130** C4
Ulysses *KY* U.S.A. **134** D5
Ulytau Kazakh. **80** C2
Ulytau, Gory *mts* Kazakh. **80** C2
Uma Rus. Fed. **74** A1
Umaltinskiy Rus. Fed. **74** D2
'Umān *country* Asia *see* **Oman**
Uman' Ukr. **43** F6
Umarao Pak. **89** G4
'Umarī, Qā' al *salt pan* Jordan **85** C4
Umaria India **82** E5
Umarkhed India **84** C2
Umarkot India **84** D2
Umarkot Pak. **89** H4
Umarkot Pak. **89** H5
Umaroona, Lake *salt flat* Australia **111** B5
Umarpada India **82** C5
Umatilla U.S.A. **126** D3
Umba Rus. Fed. **42** G2
Umbagog Lake U.S.A. **135** J1
Umbeara Australia **109** F6
Umboi *i.* P.N.G. **69** L8
Umeå Sweden **44** L5
Umeälven *r.* Sweden **44** L5
Umfolozi *r.* S. Africa **101** K5
Umfreville Lake Canada **121** M5
Umhlanga Rocks S. Africa **101** J5
Umiiviip Kangertiva *inlet* Greenland **119** N3
Umingmaktok (abandoned) Canada **153** L2
Umirzak Kazakh. **91** H2
Umiujaq Canada **122** F2
Umkomaas S. Africa **101** J6
Umlaiteng India **83** H4
Umlazi S. Africa **101** J5
Umm ad Daraj, Jabal *mt.* Jordan **85** B3
Umm al 'Amad Syria **85** C2
Umm al Jamājim *well* Saudi Arabia **88** B5
Umm al Qaywayn U.A.E. **88** D5
Umm al Qaiwain U.A.E. *see* **Umm al Qaywayn**
Umm ar Raqabah, Khabrat *imp. l.* Saudi Arabia **85** C5
Umm at Qalbān Saudi Arabia **91** F6
Umm az Zumūl *well* Oman **88** D6
Umm Bāb Qatar **88** C5
Umm Bel Sudan **86** C7
Umm Keddada Sudan **86** C7
Umm Lajj Saudi Arabia **86** E4
Umm Nukhaylah *hill* Saudi Arabia **85** D5
Umm Qaşr Iraq **91** G5
Umm Quşūr *i.* Saudi Arabia **90** D6
Umm Ruwaba Sudan **86** D7
Umm Sa'ad Libya **90** B5
Umm Sa'īd Qatar **88** C5
Umm Shugeira Sudan **86** C7
Umm Wa'āl *hill* Saudi Arabia **85** D4
Umm Wazīr *well* Saudi Arabia **88** B6
Umnak Island U.S.A. **118** B4
Um Phang Wildlife Reserve *nature res.* Thai. **70** B4
Umpqua *r.* U.S.A. **126** B4
Umpulo Angola **99** B5
Umraniye Turkey **59** N5
Umred India **84** C1
Umri India **82** D4
Umtali Zimbabwe *see* **Mutare**
Umtata S. Africa **101** I6
Umtentweni S. Africa **101** J6
Umuahia Nigeria **96** D4
Umuarama Brazil **144** F2
Umvuma Zimbabwe *see* **Mvuma**
Umzimkulu S. Africa **101** I6
Una *r.* Bos.-Herz./Croatia **58** G2
Una Brazil **145** D1
Una India **82** D3
'Unāb, Jabal al *hill* Jordan **85** C5
'Unāb, Wādī al *watercourse* Jordan **85** C4
Unaí Brazil **145** B2
Unalaska Island U.S.A. **118** B4
Unapool U.K. **50** D2
'Unayzah Saudi Arabia **86** F4
'Unayzah, Jabal *hill* Iraq **91** E4
Uncia Bol. **142** E7
Uncompahgre Peak U.S.A. **129** J2
Uncompahgre Plateau U.S.A. **129** I2
Undara National Park Australia **110** D3
Underberg S. Africa **101** I5
Underbool Australia **111** C7
Underwood U.S.A. **134** C4
Undur Indon. **69** I7
Unecha Rus. Fed. **43** G5
Ungama Bay Kenya *see* **Ungwana Bay**
Ungarie Australia **112** C4
Ungava, Baie d' *b.* Canada *see* **Ungava Bay**
Ungava, Péninsule d' *pen.* Canada **122** G1
Ungava Bay Canada **123** I2
Ungava Peninsula Canada *see* **Ungava, Péninsule d'**
Ungeny Moldova *see* **Ungheni**
Ungheni Moldova **59** L1
Unguana Moz. **101** L2
Unguja *i.* Tanz. *see* **Zanzibar Island**
Unguz, Solonchakovyye Vpadiny *salt flat* Turkm. **88** E2
Üngüz Angyrsyndaky Garagum *des.* Turkm. **88** E1
Ungvár Ukr. *see* **Uzhhorod**
Ungwana Bay Kenya **98** E4
Uni Rus. Fed. **42** K4
União Brazil **143** J4
União da Vitória Brazil **145** A4
União dos Palmares Brazil **143** K5
Unimak Island U.S.A. **118** B4
Unini *r.* Brazil **142** F4
Union *MO* U.S.A. **130** F4
Union *WV* U.S.A. **134** E5
Union, Mount U.S.A. **129** G4
Union City *OH* U.S.A. **134** C3
Union City *PA* U.S.A. **134** F3
Union City *TN* U.S.A. **131** F4
Uniondale S. Africa **100** F7
Unión de Reyes Cuba **133** D8

▶**Union of Soviet Socialist Republics**
Divided in 1991 into 15 independent nations: Armenia, Azerbaijan, Belarus, Estonia, Georgia, Latvia, Kazakhstan, Kyrgyzstan, Lithuania, Moldova, the Russi Federation, Tajikistan, Turkmenistan, Ukraine and Uzbekistan.

Union Springs U.S.A. **133** C5
Uniontown U.S.A. **134** F4
Unionville U.S.A. **135** G3
United Arab Emirates *country* Asia **88** D6
United Arab Republic *country* Africa *see* **Egypt**

▶**United Kingdom** *country* Europe **46** G3
4th most populous country in Europe.

United Provinces *state* India *see* **Uttar Pradesh**

▶**United States of America** *country* N. America **124** F3
Most populous country in North America, and 3rd most populous in the world. Also 3rd largest country in the world, and 2nd North America.

United States Range *mts* Canada **119** L1
Unity Canada **121** I4
Unjha India **82** C5
Unna Germany **53** H3
Unnao India **82** E4
Ŭnp'a N. Korea **75** B5
Unsan N. Korea **75** B4
Ŭnsan N. Korea **75** B5
Unst *i.* U.K. **50** [inset]
Unstrut *r.* Germany **53** L3
Untor, Ozero *l.* Rus. Fed. **41** T3
Unuk *r.* Canada/U.S.A. **120** D3
Unuli Horog China **83** G2
Unzen-dake *vol.* Japan **75** C6
Unzha Rus. Fed. **42** J4
Upalco U.S.A. **129** H1
Upar Ghat *reg.* India **83** F5
Upemba, Lac *l.* Dem. Rep. Congo **99** C4
Uperbada India **83** F5
Upernavik Greenland **119** M2
Upington S. Africa **100** E5
Upland U.S.A. **128** E4
Upleta India **82** B5
Upoloksha Rus. Fed. **44** Q3
'Upolu *i.* Samoa **107** I3
Upper Arlington U.S.A. **134** D3
Upper Arrow Lake Canada **120** G5
Upper Chindwin Myanmar *see* **Mawlaik**
Upper Fraser Canada **120** F4
Upper Garry Lake Canada **121** K1
Upper Hutt N.Z. **113** E5
Upper Klamath Lake U.S.A. **126** C4
Upper Lough Erne *l.* U.K. **51** E3
Upper Marlboro U.S.A. **135** G4
Upper Mazinaw Lake Canada **135** G1
Upper Missouri Breaks National Monument *nat. park* U.S.A. **130** A2
Upper Peirce Reservoir Sing. **71** [inset]
Upper Red Lake U.S.A. **130** E1
Upper Sandusky U.S.A. **134** D3
Upper Saranac Lake U.S.A. **135** H1
Upper Seal Lake Canada *see* **Iberville, Lac d'**
Upper Tunguska *r.* Rus. Fed. *see* **Angara**
Upper Volta *country* Africa *see* **Burkina**
Upper Yarra Reservoir Australia **112** B6
Uppinangadi India **84** B3
Uppsala Sweden **45** J7
Upsala Canada **122** C4
Upshi India **82** D2
Upton U.S.A. **135** J2
'Uqayqah, Wādī *watercourse* Jordan **85** B4
'Uqayribāt Syria **85** C2
'Uqlat al 'Udhaybah *well* Iraq **91** G5
Uqturpan China *see* **Wushi**
Uracas *vol.* N. Mariana Is *see* **Farallon de Pajaros**
Urad Houqi China *see* **Sain Us**
Ūrāf Iran **88** E4
Urakawa Japan **74** F4
Ural *hill* Australia **112** C4
Ural *r.* Kazakh./Rus. Fed. **78** E2
Uralla Australia **112** E3
Ural Mountains Rus. Fed. **41** S2
Ural'sk Kazakh. **78** E1
Ural'skaya Oblast' *admin. div.* Kazakh. *see* **Zapadnyy Kazakhstan**
Ural'skiye Gory *mts* Rus. Fed. *see* **Ural Mountains**
Ural'skiy Khrebet *mts* Rus. Fed. *see* **Ural Mountains**
Urambo Tanz. **99** D4
Uran India **84** B2
Urana Australia **112** C5
Urana, Lake Australia **112** C5
Urandangi Australia **110** B4
Urandi Brazil **145** C1
Uranium City Canada **121** I3
Uranquinty Australia **112** C5
Uraricoera *r.* Brazil **142** F3
Urartu *country* Asia *see* **Armenia**
Ura-Tyube Tajik. *see* **Üroteppa**
Uravakonda India **84** C3
Uravan U.S.A. **129** I2
Urawa Japan **75** E6
'Urayf an Nāqah, Jabal *hill* Egypt **85** B4
Uray'irah Saudi Arabia **88** C5
'Urayq ad Duḩūl *des.* Saudi Arabia **88** B5
'Urayq Sāqān *des.* Saudi Arabia **88** B5
Urbana *IL* U.S.A. **130** F3
Urbana *OH* U.S.A. **134** D3
Urbino Italy **58** E3
Urbinum Italy *see* **Urbino**
Urbs Vetus Italy *see* **Orvieto**
Urdoma Rus. Fed. **42** K3
Urdyuzhskoye, Ozero *l.* Rus. Fed. **42** K2
Urdzhar Kazakh. **80** F2

re r. U.K. 48 F4
eki Georgia 91 F2
en' Rus. Fed. 42 J4
engoy Rus. Fed. 64 I3
éparapara i. Vanuatu 107 G3
ewera National Park N.Z. 113 F4
fa Turkey see Şanlıurfa
fa prov. Turkey see Şanlıurfa
ga Mongolia see Ulan Bator
gal r. Rus. Fed. 74 D2
ganch Uzbek. 80 B3
gench Uzbek. see Urganch
güp Turkey 90 D3
gut Uzbek. 89 G2
ho China 80 G2
ho Kekkosen kansallispuisto nat. park Fin. 44 O2
ie r. U.K. 50 G3
il Rus. Fed. 74 C2
isino Australia 112 A2
jala Fin. 45 M6
k Neth. 52 F2
kan Rus. Fed. 74 B1
kan r. Rus. Fed. 74 B1
la Turkey 59 L5
lingford Ireland 51 E5
luk Rus. Fed. 73 J2
mā aş Şughrá Syria 85 C1
mai China 83 F3
mia Iran 88 B2
mia, Lake salt l. Iran 88 B2
mston Road sea chan. H.K. China 77 [inset]
omi Nigeria 96 D4
oševac Kosovo see Ferijaz
osozero Rus. Fed. 42 G3
oteppa Tajik. 89 H2
ru Co salt l. China 83 F3
t Moron China 80 H4
uáchic Mex. 124 F6
uaçu Brazil 145 A1
uana Brazil 145 A1
uapan Baja California Mex. 127 D7
uapan Michoacán Mex. 136 D5
ubamba r. Peru 142 D6
ucara Brazil 143 G4
ucu r. Brazil 142 F4
uçuca Brazil 145 D1
uçuí Brazil 143 J5
uçuí, Serra do hills Brazil 143 I5
ucuia Brazil 145 B2
ucurituba Brazil 143 G4
uguai r. Arg./Uruguay see Uruguay
uguaiana Brazil 144 E3
uguay r. Arg./Uruguay 144 E4 also known as Uruguai
uguay country S. America 144 E4
uhe China 74 B2
umchi China see Ürümqi
ümqi China 80 G3
undi country Africa see Burundi
up, Ostrov i. Rus. Fed. 73 S3
usha Rus. Fed. 74 A1
utaí Brazil 145 A2
yl' Kazakh. 80 G2
yupino Rus. Fed. 73 M2
yupinsk Rus. Fed. 43 I6
zhar Kazakh. see Urdzhar
zhum Rus. Fed. 42 K4
ziceni Romania 59 L2
a Japan 75 C6
a r. Rus. Fed. 42 M2
ak Turkey 59 M5
akos Namibia 100 B1
arp Mountains Antarctica 152 H2
borne, Mount hill Falkland Is 144 E8
hakova, Ostrov i. Rus. Fed. 64 I1
hant i. France see Ouessant, Île d'
haral Kazakh. see Ucharal
h-Bel'dyr Rus. Fed. 72 H2
htobe Kazakh. 80 E2
h-Tyube Kazakh. see Ushtobe
huaia Arg. 144 C8
humun Rus. Fed. 74 B1
ingen Germany 53 I4
insk Rus. Fed. 41 R2
k U.K. 49 E7
k r. U.K. 49 E7
khodni Belarus 45 O10
koplje Bos.-Herz. see Gornji Vakuf
küdar Turkey 59 M4
lar Germany 53 J3
man' Rus. Fed. 43 H5
manabad India see Osmanabad
mas ezers l. Latvia 45 M8
ogorsk Rus. Fed. 42 K3
ol'ye-Sibirskoye Rus. Fed. 72 I2
penovka Rus. Fed. 74 B1
sel France 56 F4
suri r. China/Rus. Fed. 74 D2
suriysk Rus. Fed. 74 C4
t'-Abakanskoye Rus. Fed. see Abakan
ta Muhammad Pak. 89 H4
t'-Balyk Rus. Fed. see Nefteyugansk
t'-Donetskiy Rus. Fed. 43 I7
t'-Dzheguta Rus. Fed. 91 F1
t'-Dzhegutinskaya Rus. Fed. see Ust'-Dzheguta
tica, Isola di i. Sicily Italy 58 E5
t'-Ilimsk Rus. Fed. 65 L4
t'-Ilimskiy Vodokhranilishche resr Rus. Fed. 65 L4
t'-Ilych Rus. Fed. 41 R3
tí nad Labem Czech Rep. 47 O5
tinov Rus. Fed. see Izhevsk
tirt plat. Kazakh./Uzbek. see Ustyurt Plateau
tka Poland 47 P3
t'-Kamchatsk Rus. Fed. 65 R4
t'-Kamenogorsk Kazakh. 80 F2
t'-Kan Rus. Fed. 80 F1
t'-Koksa Rus. Fed. 80 G1
t'-Kulom Rus. Fed. 42 L3
t'-Kut Rus. Fed. 65 L4
t'-Kuyga Rus. Fed. 65 O2
t'-Labinsk Rus. Fed. 91 E1
t'-Labinskaya Rus. Fed. see Ust'-Labinsk
t'-Lyzha Rus. Fed. 42 M2
t'-Maya Rus. Fed. 65 O3
t'-Nera Rus. Fed. 65 P3
t'-Ocheya Rus. Fed. 42 K3
t'-Olenek Rus. Fed. 65 M2
Ust'-Omchug Rus. Fed. 65 P3
Ust'-Ordynskiy Rus. Fed. 72 I2
Ust'-Penzhino Rus. Fed. see Kamenskoye
Ust'-Port Rus. Fed. 64 J3
Ustrem Rus. Fed. 41 T3
Ust'-Tsil'ma Rus. Fed. 42 L2
Ust'-Uda Rus. Fed. 72 I2
Ust'-Umalta Rus. Fed. 74 D2
Ust'-Undurga Rus. Fed. 73 L2
Ust'-Ura Rus. Fed. 42 J3
Ust'-Urgal Rus. Fed. 74 D2
Ust'-Usa Rus. Fed. 42 M2
Ust'-Vayen'ga Rus. Fed. 42 I3
Ust'-Voya Rus. Fed. 41 R3
Ust'-Vyyskaya Rus. Fed. 42 J3
Ust'ya r. Rus. Fed. 42 I3
Ust'ye Rus. Fed. 42 H4
Ustyurt, Plato plat. Kazakh./Uzbek. see Ustyurt Plateau
Ustyurt Plateau Kazakh./Uzbek. 78 E2
Ustyurt Platosi plat. Kazakh./Uzbek. see Ustyurt Plateau
Ustyuzhna Rus. Fed. 42 H4
Usulután El Salvador 136 G6
Usumbura Burundi see Bujumbura
Usvyaty Rus. Fed. 42 F5
Utah state U.S.A. 126 F5
Utah Lake U.S.A. 129 H1
Utajärvi Fin. 44 O4
Utashinai Rus. Fed. see Yuzhno-Kuril'sk
'Uṭaybah, Buḥayrat al imp. l. Syria 85 C3
Utena Lith. 45 N9
Uterlai India 82 B4
Uthai Thani Thai. 70 C4
Uthal Pak. 89 G5
'Uthmānīyah Syria 85 C2
Utiariti Brazil 143 G6
Utica NY U.S.A. 135 H2
Utica OH U.S.A. 134 D3
Utiel Spain 57 F4
Utikuma Lake Canada 120 H4
Utlwanang S. Africa 101 G4
Utrecht Neth. 52 F2
Utrecht S. Africa 101 J4
Utrera Spain 57 D5
Utsjoki Fin. 44 O2
Utsunomiya Japan 75 E5
Utta Rus. Fed. 43 J7
Uttaradit Thai. 70 C3
Uttarakhand state India see Uttaranchal
Uttaranchal state India 82 D3
Uttarkashi India 82 D3
Uttar Kashi India see Uttarkashi
Uttar Pradesh state India 82 D4
Uttoxeter U.K. 49 F6
Uttranchal state India see Uttaranchal
Utubulak China 80 G2
Utupua i. Solomon Is 107 G3
Uummannaq Greenland see Dundas
Uummannaq Fjord inlet Greenland 153 J2
Uummannarsuaq c. Greenland see Farewell, Cape
Uurainen Fin. 44 N5
Uusikaarlepyy Fin. see Nykarleby
Uusikaupunki Fin. 45 L6
Uutapi Namibia 99 B5
Uva Rus. Fed. 42 L4
Uvalde U.S.A. 131 D6
Uval Karabaur hills Kazakh./Uzbek. 91 I2
Uval Muzbel' hills Kazakh. 91 I2
Uvarovo Rus. Fed. 43 I6
Uvéa atoll New Caledonia see Ouvéa
Uvinza Tanz. 99 D4
Uvs Nuur salt l. Mongolia 80 H1
Uwajima Japan 75 D6
'Uwayriḍ, Ḥarrat al lava field Saudi Arabia 86 E4
Uwaysiṭ well Saudi Arabia 85 D4
Uweinat, Jebel mt. Sudan 86 C5
Uwi i. Indon. 71 D7
Uxbridge Canada 134 F1
Uxbridge U.K. 49 G7
Uxin Qi China see Dabqig
Uyaly Kazakh. 80 B3
Uyar Rus. Fed. 72 G1
Uyo Nigeria 96 D4
Uyu Chaung r. Myanmar 70 A1
Uyuni Bol. 142 E8
Uyuni, Salar de salt flat Bol. 142 E8
Uza r. Rus. Fed. 43 J5
Uzbekistan country Asia 80 B3
Ŭzbekiston country Asia see Uzbekistan
Uzbekskaya S.S.R. country Asia see Uzbekistan
Uzbek S.S.R. country Asia see Uzbekistan
Uzboy Azer. 91 H3
Uzboý Turkm. 88 D2
Uzen' Kazakh. see Kyzylsay
Uzhgorod Ukr. see Uzhhorod
Uzhhorod Ukr. 43 D6
Užhorod Ukr. see Uzhhorod
Užice Serbia 59 H3
Uzlovaya Rus. Fed. 43 H5
Üzümlü Turkey 59 M6
Uzun Uzbek. 89 H2
Uzunköprü Turkey 59 L4
Uzynkair Kazakh. 80 B3

V

Vaaf Atoll Maldives see Felidhu Atoll
Vaajakoski Fin. 44 N5
Vaal r. S. Africa 101 F5
Vaala Fin. 44 O4
Vaalbos National Park S. Africa 100 G5
Vaal Dam S. Africa 101 I4
Vaalwater S. Africa 101 I3
Vaasa Fin. 44 L5
Vaavu Atoll Maldives see Felidhu Atoll
Vác Hungary 47 Q7
Vacaria Brazil 145 A5
Vacaria, Campo da plain Brazil 145 A5
Vacaville U.S.A. 128 C2
Vachon r. Canada 123 H1
Vad Rus. Fed. 42 J5
Vad r. Rus. Fed. 43 I5
Vada India 84 B2
Vadla Norway 45 E7
Vadodara India 82 C5
Vadsø Norway 44 P1

▶Vaduz Liechtenstein 56 I3
Capital of Liechtenstein.

Værøy i. Norway 44 H3
Vaga r. Rus. Fed. 42 I3
Vågåmo Norway 45 F6
Vaganski Vrh mt. Croatia 58 F2
Vágar i. Faroe Is 44 [inset]
Vägsele Sweden 44 K4
Vágur Faroe Is 44 [inset]
Váh r. Slovakia 47 Q7
Vähäkyrö Fin. 44 M5

▶Vaiaku Tuvalu 107 H2
Capital of Tuvalu, on Funafuti atoll.

Vaida Estonia 45 N7
Vaiden U.S.A. 131 F5
Vail U.S.A. 124 F4
Vailly-sur-Aisne France 52 D5
Vaitupu i. Tuvalu 107 H2
Vajrakarur India see Kanur
Vakhsh Tajik. 89 H2
Vakhsh r. Tajik. 89 H2
Vakhstroy Tajik. see Vakhsh
Vakīlābād Iran 88 E4
Valbo Sweden 45 J6
Valcheta Arg. 144 C6
Valdai Hills Rus. Fed. see Valdayskaya Vozvyshennost'
Valday Rus. Fed. 42 G4
Valdayskaya Vozvyshennost' hills Rus. Fed. 42 G4
Valdecañas, Embalse de resr Spain 57 D4
Valdemārpils Latvia 45 M8
Valdemarsvik Sweden 45 J7
Valdepeñas Spain 57 E4
Val-de-Reuil France 52 B5
Valdés, Península pen. Arg. 144 D6
Valdez U.S.A. 118 D3
Valdivia Chile 144 B5
Val-d'Or Canada 122 F4
Valdosta U.S.A. 133 D6
Valdres valley Norway 45 F6
Vale Georgia 91 F2
Vale U.S.A. 126 D3
Valemount Canada 120 G4
Valença Brazil 145 D1
Valence France 56 G4
Valencia Spain 57 F4
València Spain see Valencia
Valencia reg. Spain 57 F4
Valencia Venez. 142 E1
Valencia, Golfo de g. Spain 57 G4
Valencia de Don Juan Spain 57 D2
Valencia Island Ireland 51 B6
Valenciennes France 52 D4
Valensole, Plateau de France 56 H5
Valentia Spain see Valencia
Valentin Rus. Fed. 74 D4
Valentine U.S.A. 130 C3
Våler Norway 45 G6
Valera Venez. 142 D2
Vale Verde Brazil 145 D2
Val Grande, Parco Nazionale della nat. park Italy 58 C1
Valjevo Serbia 59 H2
Valka Latvia 45 O8
Valkeakoski Fin. 45 N6
Valkenswaard Neth. 52 F3
Valky Ukr. 43 G6
Valkyrie Dome ice feature Antarctica 152 D1
Valladolid Mex. 136 G4
Valladolid Spain 57 D3
Vallard, Lac l. Canada 123 H3
Valle Norway 45 E7
Vallecillos Mex. 131 D7
Vallecito Reservoir U.S.A. 129 J3
Valle de la Pascua Venez. 142 E2
Valledupar Col. 142 D1
Vallée-Jonction Canada 123 H5
Valle Fértil, Sierra de mts Arg. 144 C4
Valle Grande Bol. 142 F7
Valle Hermoso Mex. 131 D7
Vallejo U.S.A. 128 B2
Vallenar Chile 144 B3

▶Valletta Malta 58 F7
Capital of Malta.

Valley r. Canada 121 L5
Valley U.K. 48 C5
Valley City U.S.A. 130 D2
Valleyview Canada 120 G4
Valls Spain 57 G3
Val Marie Canada 121 J5
Valmiera Latvia 45 N8
Valmy U.S.A. 128 E1
Valnera mt. Spain 57 E2
Valognes France 49 F9
Valona Albania see Vlorë
Valozhyn Belarus 45 O9
Val-Paradis Canada 122 F4
Valparai India 84 C4
Valparaíso Chile 144 B4
Valparaiso U.S.A. 134 B3
Valpoi India 84 B3
Valréas France 56 G4
Vals, Tanjung c. Indon. 69 J8
Valsad India 84 B1
Valspan S. Africa 100 G4
Val'tevo Rus. Fed. 42 J2
Valtimo Fin. 44 P5
Valuyevka Rus. Fed. 43 I7
Valuyki Rus. Fed. 43 H6
Vammala Fin. 45 M6
Van Turkey 91 F3
Van, Lake salt l. Turkey 91 F3
Vanadzor Armenia 91 G2
Van Buren AR U.S.A. 131 E5
Van Buren MO U.S.A. 131 F4
Van Buren OH U.S.A. see Kettering
Vanceburg U.S.A. 134 D4
Vanch Tajik. see Vanj
Vancleve U.S.A. 134 D5
Vancouver Canada 120 F5
Vancouver U.S.A. 126 C3
Vancouver, Mount Canada/U.S.A. 120 B2
Vancouver Island Canada 120 E5
Vanda Fin. see Vantaa
Vandalia IL U.S.A. 130 F4
Vandalia OH U.S.A. 134 C4
Vandekerckhove Lake Canada 121 K3
Vanderbijlpark S. Africa 101 H4
Vanderbilt U.S.A. 134 C1
Vandergrift U.S.A. 134 F3
Vanderhoof Canada 120 E4
Vanderkloof Dam resr S. Africa 100 G6
Vanderlin Island Australia 110 B2
Vanderwagen U.S.A. 129 I4
Van Diemen, Cape N.T. Australia 108 E2
Van Diemen, Cape Qld Australia 110 B3
Van Diemen Gulf Australia 108 F2
Van Diemen's Land state Australia see Tasmania
Vändra Estonia 45 N7
Väner, Lake Sweden see Vänern

▶Vänern l. Sweden 45 H7
4th largest lake in Europe.

Vänersborg Sweden 45 H7
Vangaindrano Madag. 99 E6
Van Gia Vietnam 71 E4
Van Gölü salt l. Turkey see Van, Lake
Van Horn U.S.A. 127 G7
Vanikoro Islands Solomon Is 107 G3
Vanimo P.N.G. 69 K7
Vanino Rus. Fed. 74 F2
Vanivilasa Sagara resr India 84 C3
Vaniyambadi India 84 C3
Vanj Tajik. 89 H2
Vännäs Sweden 44 K5
Vannes France 56 C3
Vannes, Lac l. Canada 123 I3
Vannovka Kazakh. see Turar Ryskulov
Vannøya i. Norway 44 K1
Van Rees, Pegunungan mts Indon. 69 J7
Vanrhynsdorp S. Africa 100 D6
Vansant U.S.A. 134 D5
Vansbro Sweden 45 I6
Vansittart Island Canada 119 J3
Van Starkenborgh Kanaal canal Neth. 52 G1
Vantaa Fin. 45 N6
Van Truer Tableland reg. Australia 109 C6
Vanua Lava i. Vanuatu 107 G3
Vanua Levu i. Fiji 107 H3
Vanuatu country S. Pacific Ocean 107 G3
Van Wert U.S.A. 134 C3
Vanwyksvlei S. Africa 100 E6
Vanwyksvlei l. S. Africa 100 E6
Văn Yên Vietnam 70 D2
Van Zylsrus S. Africa 100 F4
Varadero Cuba 133 D8
Varahi India 82 B5
Varakļāni Latvia 45 O8
Varalé Côte d'Ivoire 96 C4
Varāmīn Iran 88 C3
Varanasi India 83 E4
Varandey Rus. Fed. 42 M1
Varangerfjorden sea chan. Norway 44 P1
Varangerhalvøya pen. Norway 41 L1
Varangerhalvøya pen. Norway 44 P1
Varaždin Croatia 58 G1
Varberg Sweden 45 H8
Vardar r. Macedonia 59 J4
Varde Denmark 45 F9
Vardenis Armenia 91 G2
Vardø Norway 44 Q1
Varel Germany 53 I1
Varėna Lith. 45 N9
Varese Italy 58 C2
Varfolomeyevka Rus. Fed. 74 D3
Vårgårda Sweden 45 H7
Varginha Brazil 145 B3
Varik Neth. 52 F3
Varillas Chile 144 B2
Varkana Iran see Gorgān
Varkaus Fin. 44 O5
Varna Bulg. 59 L3
Värnamo Sweden 45 I8
Värnäs Sweden 45 H6
Varnavino Rus. Fed. 42 J4
Várnjárg pen. Norway see Varangerhalvøya
Varpaisjärvi Fin. 44 O5
Várpalota Hungary 58 H1
Varsaj Afgh. 89 H2
Varsh, Ozero l. Rus. Fed. 42 J2
Varto Turkey 91 F3
Várzea da Palma Brazil 145 B2
Vasa Fin. see Vaasa
Vasai India 84 B2
Vashka r. Rus. Fed. 42 J2
Vasht Iran see Khāsh
Vasilkov Ukr. see Vasyl'kiv
Vasknarva Estonia 45 O7
Vaslui Romania 59 L1
Vassar U.S.A. 134 D2
Vas-Soproni-síkság hills Hungary 58 G1
Vastan Turkey see Gevaş
Västerås Sweden 45 J7
Västerdalälven r. Sweden 45 I6
Västerfjäll Sweden 44 J3
Västerhaninge Sweden 45 K7
Västervik Sweden 45 J8
Vasto Italy 58 F3
Vasyl'kiv Ukr. 43 F6
Vatan France 56 E3
Vaté i. Vanuatu see Éfaté
Vatersay i. U.K. 50 B4
Vathar India 84 B2
Vathí Greece see Vathy
Vathy Greece 59 L6

▶Vatican City Europe 58 E4
Independent papal state, the smallest country in the world.

Vaticano, Città del Europe see Vatican City
Vatnajökull ice cap Iceland 44 [inset]
Vatnajökull nat. park Iceland 44 [inset]
Vatoa i. Fiji 107 I3
Vatra Dornei Romania 59 K1
Vätter, Lake Sweden see Vättern
Vättern l. Sweden 45 I7
Vaughn U.S.A. 127 G6
Vaupés r. Col. 142 E3
Vauquelin r. Canada 122 F3
Vauvert France 56 G5
Vauxhall Canada 121 H5
Vavatenina Madag. 99 E5
Vava'u Group is Tonga 107 I3
Vavitao i. Fr. Polynesia see Raivavae
Vavoua Côte d'Ivoire 96 C4
Vavozh Rus. Fed. 42 K4
Vavuniya Sri Lanka 84 D4
Vawkavysk Belarus 45 N10
Växjö Sweden 45 I8
Vay, Đao i. Vietnam 71 C5
Vayenga Rus. Fed. see Severomorsk
Vazante Brazil 145 B2
Vazáš Sweden see Vittangi
Veaikevárri Sweden see Svappavaara
Veal Vêng Cambodia 71 C4
Vecht r. Neth. 52 G2 also known as Vechte (Germany)
Vechta Germany 53 I2
Vechte r. Germany 52 G2 also known as Vecht (Netherlands)
Veckerhagen (Reinhardshagen) Germany 53 J3
Vedaranniyam India 84 C4
Vedasandur India 84 C4
Veddige Sweden 45 H8
Vedea r. Romania 59 K3
Veedersburg U.S.A. 134 B3
Veendam Neth. 52 G1
Veenendaal Neth. 52 F2
Vega i. Norway 44 G4
Vega U.S.A. 131 C5
Vegreville Canada 121 H4
Vehari Pak. 89 I4
Vehkalahti Fin. 45 O6
Vehoa Pak. 89 H4
Veinticinco de Mayo Buenos Aires Arg. see 25 de Mayo
Veinticinco de Mayo La Pampa Arg. see 25 de Mayo
Veirwaro Pak. 89 H5
Veitshöchheim Germany 53 J5
Vejle Denmark 45 F9
Vekil'bazar Turkm. see Wekilbazar
Velbert Germany 52 H3
Velbūzhdki Prokhod pass Bulg./Macedonia 59 J3
Velddrif S. Africa 100 D7
Velebit mts Croatia 58 F2
Velen Germany 52 G3
Velenje Slovenia 58 F1
Veles Macedonia 59 I4
Vélez-Málaga Spain 57 D5
Vélez-Rubio Spain 57 E5
Velhas r. Brazil 145 B2
Velibaba Turkey see Aras
Velika Gorica Croatia 58 G2
Velika Plana Serbia 59 I2
Velikaya r. Rus. Fed. 42 K4
Velikaya r. Rus. Fed. 45 P8
Velikaya r. Rus. Fed. 65 S3
Velikaya Kema Rus. Fed. 74 E3
Veliki Preslav Bulg. 59 L3
Velikiye Luki Rus. Fed. 42 F4
Velikiy Novgorod Rus. Fed. 42 F4
Velikiy Ustyug Rus. Fed. 42 J3
Velikonda Range hills India 84 C3
Veliko Tŭrnovo Bulg. 59 K3
Velikoye Rus. Fed. 42 H4
Velikoye, Ozero l. Rus. Fed. 43 I5
Veli Lošinj Croatia 58 F2
Velizh Rus. Fed. 42 F5
Vella Lavella i. Solomon Is 107 F2
Vellar r. India 84 C4
Vellberg Germany 53 J5
Vellmar Germany 53 J3
Vellore India 84 C3
Velpke Germany 53 K2
Vel'sk Rus. Fed. 42 I3
Velsuna Italy see Orvieto
Velten Germany 53 N2
Veluwezoom, Nationaal Park nat. park Neth. 52 F2
Velykyy Tokmak Ukr. see Tokmak
Vel'yu r. Rus. Fed. 42 L3
Vemalwada India 84 C2
Vema Seamount sea feature S. Atlantic Ocean 148 I8
Vema Trench sea feature Indian Ocean 149 M6
Vempalle India 84 C3
Venado Tuerto Arg. 144 D4
Venafro Italy 58 F4
Venceslau Bráz Brazil 145 A3
Vendinga Rus. Fed. 42 J3
Vendôme France 56 E3
Venegas Mex. 131 C8
Venetia Italy see Venice
Venetie Landing U.S.A. 118 D3
Venev Rus. Fed. 43 H5
Venezia Italy see Venice
Venezia, Golfo di g. Europe see Venice, Gulf of

▶Venezuela country S. America 142 E2
5th most populous country in South America.

Venezuela, Golfo de g. Venez. 142 D1
Venezuelan Basin sea feature S. Atlantic Ocean 148 D4
Vengurla India 84 B3
Veniaminof Volcano U.S.A. 118 C4
Venice Italy 58 E2
Venice U.S.A. 133 D7
Venice, Gulf of Europe 58 E2
Vénissieux France 56 G4
Venkatapalem India 84 D2
Venkatapuram India 84 D2
Venlo Neth. 52 G3
Vennesla Norway 45 E7
Venray Neth. 52 F3
Venta r. Latvia/Lith. 45 M8
Venta Lith. 45 M8
Ventersburg S. Africa 101 H5
Ventersdorp S. Africa 101 H4
Venterstad S. Africa 101 G6
Ventnor U.K. 49 F8
Ventotene, Isola i. Italy 58 E4
Ventoux, Mont mt. France 56 G4
Ventspils Latvia 45 L8
Ventura U.S.A. 128 D4
Venus Bay Australia 112 B7
Venustiano Carranza Mex. 131 C7
Venustiano Carranza, Presa resr Mex. 131 C7
Vera Arg. 144 D3
Vera Spain 57 F5
Vera Cruz Brazil 145 A3
Veracruz Mex. 136 E5
Vera Cruz Mex. see Veracruz
Veraval India 82 B5
Verbania Italy 58 C2
Vercelli Italy 58 C2
Vercors reg. France 56 G4
Verdalsøra Norway 44 G5
Verde r. Goiás Brazil 145 A2
Verde r. Goiás Brazil 145 B2
Verde r. Minas Gerais Brazil 145 A2
Verde r. Mex. 127 G8
Verde r. U.S.A. 129 H5
Verden (Aller) Germany 53 J2
Verde Pequeno r. Brazil 145 C1
Verdi U.S.A. 128 D2
Verdon r. France 56 G5
Verdun France 52 F5
Vereeniging S. Africa 101 H4
Vereshchagino Rus. Fed. 41 Q4
Vergennes U.S.A. 135 I1
Véria Greece see Veroia
Verín Spain 57 C3
Veríssimo Brazil 145 A2
Verkhneimbatsk Rus. Fed. 64 J3
Verkhnekolvinsk Rus. Fed. 42 M2
Verkhnespasskoye Rus. Fed. 42 J4
Verkhnetulomskiy Rus. Fed. 44 Q2
Verkhnetulomskoye Vodokhranilishche res. Rus. Fed. 44 Q2
Verkhnevilyuysk Rus. Fed. 65 N3
Verkhneye Kuyto, Ozero l. Rus. Fed. 44 Q4
Verkhnezeysk Rus. Fed. 73 N2
Verkhniy Vyalozerskiy Rus. Fed. 42 G2
Verkhnyaya Khava Rus. Fed. 43 H6
Verkhnyaya Salda Rus. Fed. 41 S4
Verkhnyaya Tunguska r. Rus. Fed. see Angara
Verkhnyaya Tura Rus. Fed. 41 R4
Verkhoshizhem'ye Rus. Fed. 42 K4
Verkhovazh'ye Rus. Fed. 42 I3
Verkhov'ye Rus. Fed. 43 H5
Verkhoyansk Rus. Fed. 65 O3
Verkhoyanskiy Khrebet mts Rus. Fed. 65 N2
Vermand France 52 D5
Vermelho r. Brazil 145 A1
Vermilion Canada 121 I4
Vermilion Bay U.S.A. 131 F6
Vermilion Cliffs AZ U.S.A. 129 G3
Vermilion Cliffs UT U.S.A. 129 G3
Vermilion Cliffs National Monument nat. park U.S.A. 129 H3
Vermilion Lake U.S.A. 130 E2
Vermillion U.S.A. 130 D3
Vermillion Bay Canada 121 M5
Vermont state U.S.A. 135 I1
Vernadsky research station Antarctica 152 L2
Vernal U.S.A. 129 I1
Verner Canada 122 E5
Verneuk Pan salt pan S. Africa 100 E5
Vernon Canada 120 G5
Vernon France 52 B5
Vernon AL U.S.A. 131 F5
Vernon IN U.S.A. 134 C4
Vernon TX U.S.A. 131 D5
Vernon UT U.S.A. 129 G1
Vernon Islands Australia 108 E3
Vernoye Rus. Fed. 74 C2
Vernyy Kazakh. see Almaty
Vero Beach U.S.A. 133 D7
Veroia Greece 59 J4
Verona Italy 58 D2
Verona U.S.A. 134 F4
Versailles France 52 C6
Versailles IN U.S.A. 134 C4
Versailles KY U.S.A. 134 C4
Versailles OH U.S.A. 134 C3
Versec Serbia see Vršac
Versmold Germany 53 I2
Vert, Île i. Canada 123 H4
Vertou France 56 D3
Verulam S. Africa 101 J5
Verulamium U.K. see St Albans
Verviers Belgium 52 F4
Vervins France 52 D5
Verwood Canada 121 J5
Verzy France 52 E5
Vescovato Corsica France 56 I5
Vesele Ukr. 43 G7
Veselyy Rus. Fed. 43 I7
Veselyy Yar Rus. Fed. 74 D4
Veshenskaya Rus. Fed. 43 I6
Vesle r. France 52 D5
Veslyana r. Rus. Fed. 42 L3
Vesontio France see Besançon
Vesoul France 56 H3
Vessem Neth. 52 F3
Vesterålen is Norway 44 H2
Vesterålsfjorden sea chan. Norway 44 H2
Vestertana Norway 44 O1
Vestfjorddalen valley Norway 45 F7
Vestfjorden sea chan. Norway 44 H3
Véstia Brazil 145 A3
Vestmanna Faroe Is 44 [inset]
Vestmannaeyjar Iceland 44 [inset]
Vestmannaeyjar is Iceland 44 [inset]
Vestnes Norway 44 E5
Vesturhorn hd Iceland 44 [inset]
Vesuvio vol. Italy see Vesuvius
Vesuvius vol. Italy 58 F4
Ves'yegonsk Rus. Fed. 42 H4
Veszprém Hungary 58 G1
Veteli Fin. 44 M5
Veteran Canada 121 I4
Vetlanda Sweden 45 I8
Vetluga Rus. Fed. 42 J4
Vetluga r. Rus. Fed. 42 J4
Vetluzhskiy Kostromskaya Oblast' Rus. Fed. 42 J4
Vetluzhskiy Nizhegorodskaya Oblast' Rus. Fed. 42 J4
Vettore, Monte mt. Italy 58 E3
Veurne Belgium 52 C3

Vevay U.S.A. 134 C4
Vevey Switz. 56 H3
Vexin Normand reg. France 52 B5
Veyo U.S.A. 129 G3
Vézère r. France 56 E4
Vezirköprü Turkey 90 D2
Vialar Alg. see Tissemsilt
Viamao Brazil 145 A5
Viana Espírito Santo Brazil 145 C3
Viana Maranhão Brazil 143 J4
Viana do Castelo Port. 57 B3
Vianen Neth. 52 F3
Viangchan Laos see Vientiane
Viangphoukha Laos 70 C2
Viannos Greece 59 K7
Vianópolis Brazil 145 A2
Viareggio Italy 58 D3
Viborg Denmark 45 F8
Viborg Rus. Fed. see Vyborg
Vibo Valentia Italy 58 G5
Vic Spain 57 H3
Vicam Mex. 127 F8
Vicecomodoro Marambio research station Antarctica see Marambio
Vicente, Point U.S.A. 128 D5
Vicente Guerrero Mex. 127 D7
Vicenza Italy 58 D2
Vich Spain see Vic
Vichada r. Col. 142 E3
Vichadero Uruguay 144 F4
Vichy France 56 F3
Vicksburg AZ U.S.A. 129 G5
Vicksburg MS U.S.A. 131 F5
Viçosa Brazil 145 C3
Victor, Mount Antarctica 152 D2
Victor Harbor Australia 111 B7
Victoria Arg. 144 D4
Victoria r. Australia 108 E3
Victoria state Australia 112 B6

▶Victoria Canada 120 F5
Capital of British Columbia.

Victoria Chile 144 B5
Victoria Malaysia see Labuan
Victoria Malta 58 F6

▶Victoria Seychelles 149 L6
Capital of the Seychelles.

Victoria TX U.S.A. 131 D6
Victoria VA U.S.A. 135 F5
Victoria prov. Zimbabwe see Masvingo

▶Victoria, Lake Africa 98 D4
Largest lake in Africa, and 3rd in the world.

Victoria, Lake Australia 111 C7
Victoria, Mount Fiji see Tomanivi
Victoria, Mount Myanmar 70 A2
Victoria, Mount P.N.G. 69 L8
Victoria and Albert Mountains Canada 119 K2
Victoria Falls Zambia/Zimbabwe 99 C5
Victoria Harbour sea chan. H.K. China see Hong Kong Harbour

▶Victoria Island Canada 118 H2
3rd largest island in North America, and 9th in the world.

Victoria Land coastal area Antarctica 152 H2
Victoria Peak Belize 136 G5
Victoria Peak hill H.K. China 77 [inset]
Victoria Range mts N.Z. 113 D6
Victoria River Downs Australia 108 E4
Victoriaville Canada 123 H5
Victoria West S. Africa 100 F6
Victorica Arg. 144 C5
Victorville U.S.A. 128 E4
Victory Downs Australia 109 F6
Vidalia U.S.A. 131 F6
Vidal Junction U.S.A. 129 F4
Videle Romania 59 K2
Vidisha India 82 D5
Vidlin U.K. 50 [inset]
Vidlitsa Rus. Fed. 42 G3
Viechtach Germany 53 M5
Viedma Arg. 144 D6
Viedma, Lago l. Arg. 144 B7
Viejo, Cerro mt. Mex. 127 E7
Vielank Germany 53 L1
Vielsalm Belgium 52 F4
Vienenburg Germany 53 K3

▶Vienna Austria 47 P6
Capital of Austria.

Vienna MO U.S.A. 130 F4
Vienna WV U.S.A. 134 E4
Vienne France 56 G4
Vienne r. France 56 E3

▶Vientiane Laos 70 C3
Capital of Laos.

Vieques i. Puerto Rico 137 K5
Vieremä Fin. 44 O5
Viersen Germany 52 G3
Vierzon France 56 F3
Viesca Mex. 131 C7
Viesīte Latvia 45 N8
Vieste Italy 58 G4
Vietas Sweden 44 K3
Việt Nam country Asia see Vietnam
Vietnam country Asia 70 D3
Việt Quang Vietnam 70 D2
Việt Tri Vietnam 70 D2
Vieux Comptoir, Lac du l. Canada 122 F3
Vieux-Fort Canada 123 K4
Vieux Poste, Pointe du pt Canada 123 J4
Vigan Phil. 69 G3
Vigevano Italy 58 C2
Vigia Brazil 143 I4
Vignacourt France 52 C4
Vignemale mt. France 54 D3
Vignola Italy 58 D2
Vigo Spain 57 B2
Vihanti Fin. 44 N4
Vihti Fin. 45 N6
Viipuri Rus. Fed. see Vyborg
Viitasaari Fin. 44 N5
Vijayadurg India 84 B2
Vijayanagaram India see Vizianagaram
Vijayapati India 84 C4
Vijayawada India 84 D2
Vík Iceland 44 [inset]
Vikajärvi Fin. 44 O3
Vikeke East Timor see Viqueque
Viking Canada 121 I4
Vikna i. Norway 44 G4
Vikøyri Norway 45 E6
Vila Vanuatu see Port Vila
Vila Alferes Chamusca Moz. see Guija
Vila Bittencourt Brazil 142 E4
Vila Bugaço Angola see Camanongue
Vila Cabral Moz. see Lichinga
Vila da Ponte Angola see Kuvango
Vila de Aljustrel Angola see Cangamba
Vila de Almoster Angola see Chiange
Vila de João Belo Moz. see Xai-Xai
Vila de María Arg. 144 D3
Vila de Trego Morais Moz. see Chókwé
Vila Fontes Moz. see Caia
Vila Franca de Xira Port. 57 B4
Vilagarcía de Arousa Spain 57 B2
Vila Gomes da Costa Moz. 101 K3
Vilalba Spain 57 C2
Vila Luísa Moz. see Marracuene
Vila Marechal Carmona Angola see Uíge
Vila Miranda Moz. see Macaloge
Vilanandro, Tanjona pt Madag. 99 E5
Vilanculos Moz. 101 L1
Vila Nova de Gaia Port. 57 B3
Vilanova i la Geltrú Spain 57 G3
Vila Pery Moz. see Chimoio
Vila Real Port. 57 C3
Vilar Formoso Port. 57 C3
Vila Salazar Angola see N'dalatando
Vila Salazar Zimbabwe see Sango
Vila Teixeira de Sousa Angola see Luau
Vila Velha Brazil 145 C3
Vilcabamba, Cordillera mts Peru 142 D6
Vil'cheka, Zemlya i. Rus. Fed. 64 H1
Viled' r. Rus. Fed. 42 J3
Vileyka Belarus see Vilyeyka
Vil'gort Rus. Fed. 42 K3
Vilhelmina Sweden 44 J4
Vilhena Brazil 142 F6
Viliya r. Lith. see Neris
Viljandi Estonia 45 N7
Viljoenskroon S. Africa 101 H4
Vilkaviškis Lith. 45 M9
Vilkija Lith. 45 M9
Vil'kitskogo, Proliv strait Rus. Fed. 65 K2
Vilkovo Ukr. see Vylkove
Villa Abecia Bol. 142 E8
Villa Ahumada Mex. 127 G7
Villa Ángela Arg. 144 D3
Villa Bella Bol. 142 E6
Villa Bens Morocco see Tarfaya
Villablino Spain 57 C2
Villacañas Spain 57 E4
Villach Austria 47 N7
Villacidro Sardinia Italy 58 C5
Villa Cisneros W. Sahara see Ad Dakhla
Villa Constitución Mex. see Ciudad Constitución
Villa Dolores Arg. 144 C4
Villagarcía de Arosa Spain see Vilagarcía de Arousa
Villagrán Mex. 131 D7
Villaguay Arg. 144 E4
Villahermosa Mex. 136 F5
Villa Insurgentes Mex. 127 F8
Villajoyosa Spain see Villajoyosa-La Vila Joíosa
Villajoyosa-La Vila Joíosa Spain 57 F4
Villaldama Mex. 131 C7
Villa Mainero Mex. 131 D7
Villa María Arg. 144 D4
Villa Montes Bol. 142 F8
Villa Nora S. Africa 101 I2
Villanueva de la Serena Spain 57 D4
Villanueva de los Infantes Spain 57 E4
Villanueva-y-Geltrú Spain see Vilanova i la Geltrú
Villa Ocampo Arg. 144 E3
Villa Ocampo Mex. 131 B7
Villa Ojo de Agua Arg. 144 D3
Villaputzu Sardinia Italy 58 C5
Villa Regina Arg. 144 C5
Villarrica Para. 144 E3
Villarrica, Lago l. Chile 144 B5
Villarrica, Parque Nacional nat. park Chile 144 B5
Villarrobledo Spain 57 E4
Villas U.S.A. 135 H4
Villasalazar Zimbabwe see Sango
Villa San Giovanni Italy 58 F5
Villa Sanjurjo Morocco see Al Hoceima
Villa San Martin Arg. 144 D3
Villa Unión Arg. 144 C3
Villa Unión Coahuila Mex. 131 C6
Villa Unión Durango Mex. 131 B8
Villa Unión Sinaloa Mex. 136 C4
Villa Valeria Arg. 144 D4
Villavicencio Col. 142 D3
Villazon Bol. 142 E8
Villefranche-sur-Saône France 56 G4
Ville-Marie Canada see Montréal
Villena Spain 57 F4
Villeneuve-sur-Lot France 56 E4
Villeneuve-sur-Yonne France 56 F2
Villers-Cotterêts France 52 D5
Villers-sur-Mer France 49 G9
Villerupt France 52 F5
Villeurbanne France 56 G4
Villiers S. Africa 101 I4
Villingen Germany 47 L6
Villuppuram India see Villupuram
Villupuram India 84 C4
Vilna Canada 121 I4
Vilna Lith. see Vilnius

▶Vilnius Lith. 45 N9
Capital of Lithuania.

Vil'nyans'k Ukr. 43 G7
Vilppula Fin. 44 N5
Vils r. Germany 53 L5
Vils r. Germany 53 N6
Vilvoorde Belgium 52 E4
Vilyeyka Belarus 45 O9
Vilyuy r. Rus. Fed. 65 N3
Vilyuyskoye Vodokhranilishche resr Rus. Fed. 65 M3
Vimmerby Sweden 45 I8
Vimy France 52 C4
Vina r. Cameroon 97 E4
Vina U.S.A. 128 B2
Viña del Mar Chile 144 B4
Vinalhaven Island U.S.A. 132 G2
Vinaròs Spain 57 G3
Vinaroz Spain see Vinaròs
Vincelotte, Lac l. Canada 123 G3
Vincennes U.S.A. 134 B4
Vincennes Bay Antarctica 152 F2
Vinchina Arg. 144 C3
Vindelälven r. Sweden 44 K5
Vindeln Sweden 44 K4
Vindhya Range hills India 82 C5
Vindobona Austria see Vienna
Vine Grove U.S.A. 134 C5
Vineland U.S.A. 135 H4
Vinh Vietnam 70 D3
Vinh Loc Vietnam 70 D2
Vinh Long Vietnam 71 D5
Vinh Thực, Đao i. Vietnam 70 D2
Vinita U.S.A. 131 E4
Vinjhan India 82 B5
Vinland i. Canada see Newfoundland
Vinnitsa Ukr. see Vinnytsya
Vinnytsya Ukr. 43 F6
Vinogradov Ukr. see Vynohradiv

▶Vinson Massif mt. Antarctica 152 L1
Highest mountain in Antarctica.

Vinstra Norway 45 F6
Vinton U.S.A. 130 E3
Vinukonda India 84 C2
Violeta Cuba see Primero de Enero
Vipperow Germany 53 M1
Viqueque East Timor 108 D2
Virac Phil. 69 G4
Viramgam India 82 C5
Viranşehir Turkey 91 E3
Virawah Pak. 89 H5
Virchow, Mount hill Australia 108 B5
Virdel India 82 C5
Virden Canada 121 K5
Virden U.S.A. 129 I5
Vire France 56 D2
Virei Angola 99 B5
Virgem da Lapa Brazil 145 C2
Virgilina U.S.A. 135 F5
Virgin r. U.S.A. 129 F3
Virginia Ireland 51 E4
Virginia S. Africa 101 H5
Virginia U.S.A. 130 F4
Virginia state U.S.A. 134 F5
Virginia Beach U.S.A. 135 H5
Virginia City MT U.S.A. 126 F3
Virginia City NV U.S.A. 128 D2
Virginia Falls Canada 120 E2

▶Virgin Islands (U.K.) terr. West Indies 137 L5
United Kingdom Overseas Territory.

▶Virgin Islands (U.S.A.) terr. West Indies 137 L5
United States Unincorporated Territory.

Virgin Mountains U.S.A. 129 F3
Virginópolis Brazil 145 C2
Virkkala Fin. 45 N6
Virôchey Cambodia 71 D4
Viroqua U.S.A. 130 F3
Virovitica Croatia 58 G2
Virrat Fin. 44 M5
Virton Belgium 52 F5
Virtsu Estonia 45 M7
Virudhunagar India 84 C4
Virudunagar India see Virudhunagar
Virunga, Parc National des nat. park Dem. Rep. Congo 98 C4
Vis i. Croatia 58 G3
Visaginas Lith. 45 O9
Visakhapatnam India see Vishakhapatnam
Visalia U.S.A. 128 D3
Visapur India 84 B2
Visayan Sea Phil. 69 G4
Visbek Germany 53 I2
Visby Sweden 45 K8
Viscount Melville Sound sea chan. Canada 119 G2
Visé Belgium 52 F4
Viseu Brazil 143 I4
Viseu Port. 57 C3
Vishakhapatnam India 84 D2
Vishera r. Rus. Fed. 41 R4
Vishera r. Rus. Fed. 42 L3
Viški Latvia 45 O8
Visnagar India 82 C5
Viso, Monte mt. Italy 58 B2
Visoko Bos.-Herz. 58 H3
Visp Switz. 56 H3
Visselhövede Germany 53 J2
Vista U.S.A. 128 E5
Vista Lake U.S.A. 128 D4
Vistonida, Limni lag. Greece 59 K4
Vistula r. Poland 47 Q3
Vitebsk Belarus see Vitsyebsk
Viterbo Italy 58 E3
Vitichi Bol. 142 E8
Vitigudino Spain 57 C3
Viti Levu i. Fiji 107 H3
Vitimskoye Ploskogor'ye plat. Rus. Fed. 73 K2
Vitória Brazil 145 C3
Vitória da Conquista Brazil 145 C1
Vitoria-Gasteiz Spain 57 E2
Vitória Seamount sea feature S. Atlantic Ocean 148 F7
Vitré France 56 D2
Vitry-en-Artois France 52 C4
Vitry-le-François France 52 E6
Vitsyebsk Belarus 43 F5
Vittangi Sweden 44 L3
Vittel France 56 G2
Vittoria Sicily Italy 58 F6
Vittorio Veneto Italy 58 E2
Viveiro Spain 57 C2
Vivero Spain see Viveiro
Vivo S. Africa 101 I2
Vizagapatam India see Vishakhapatnam
Vizcaíno, Desierto de des. Mex. 127 E8
Vizcaíno, Sierra mts Mex. 127 E8
Vize Turkey 59 L4
Vize, Ostrov i. Rus. Fed. 64 I2
Vizhas r. Rus. Fed. 42 J2
Vizianagaram India 84 D2
Vizinga Rus. Fed. 42 K3
Vlaardingen Neth. 52 E3
Vlădeasa, Vârful mt. Romania 59 J1
Vladikavkaz Rus. Fed. 91 G2
Vladimir Primorskiy Kray Rus. Fed. 74 D4
Vladimir Vladimirskaya Oblast' Rus. Fed. 42 I4
Vladimiro-Aleksandrovskoye Rus. Fed. 74 D4
Vladimir-Volynskiy Ukr. see Volodymyr-Volyns'kyy
Vladivostok Rus. Fed. 74 C4
Vlakte S. Africa 101 I3
Vlasotince Serbia 59 J3
Vlas'yevo Rus. Fed. 74 F1
Vlieland i. Neth. 52 E1
Vlissingen Neth. 52 D3
Vlora Albania see Vlorë
Vlorë Albania 59 H4
Vlotho Germany 53 I2
Vlotslavsk Poland see Włocławek
Vltava r. Czech Rep. 47 O5
Vobkent Uzbek. 89 G1
Vöcklabruck Austria 47 N6
Vodlozero, Ozero l. Rus. Fed. 42 H3
Voe U.K. 50 [inset]
Voerendaal Neth. 52 F4
Vogelkop Peninsula Indon. see Doberai, Jazirah
Vogelsberg hills Germany 53 I4
Voghera Italy 58 C2
Vohburg an der Donau Germany 53 L6
Vohémar Madag. see Iharaña
Vohenstrauß Germany 53 M5
Vohibinany Madag. see Ampasimanolotra
Vohimarina Madag. see Iharaña
Vohimena, Tanjona c. Madag. 99 E6
Vohipeno Madag. 99 E6
Vöhl Germany 53 I3
Võhma Estonia 45 N7
Voinjama Liberia 96 C4
Vojens Denmark 45 F9
Vojvodina prov. Serbia 59 H2
Vokhma Rus. Fed. 42 J4
Voknavolok Rus. Fed. 44 Q4
Vol' r. Rus. Fed. 42 L3
Volcano Bay Japan see Uchiura-wan

▶Volcano Islands Japan 69 K2
Part of Japan.

Volda Norway 44 E5
Vol'dino Rus. Fed. 42 L3
Volendam Neth. 52 F2
Volga Rus. Fed. 42 H4

▶Volga r. Rus. Fed. 43 J7
Longest river in Europe.

Volga Upland hills Rus. Fed. see Privolzhskaya Vozvyshennost'
Volgodonsk Rus. Fed. 43 I7
Volgograd Rus. Fed. 43 J6
Volgogradskoye Vodokhranilishche resr Rus. Fed. 43 J6
Völkermarkt Austria 47 O7
Volkhov Rus. Fed. 42 G4
Volkhov r. Rus. Fed. 42 G3
Völklingen Germany 52 G5
Volkovysk Belarus see Vawkavysk
Volksrust S. Africa 101 I4
Vol'no-Nadezhdinskoye Rus. Fed. 74 C4
Volnovakha Ukr. 43 H7
Vol'nyansk Ukr. see Vil'nyans'k
Volochanka Rus. Fed. 64 K2
Volochisk Ukr. see Volochys'k
Volochys'k Ukr. 43 E6
Volodars'ke Ukr. 43 H7
Volodarskoye Kazakh. see Saumalkol'
Volodymyr-Volyns'kyy Ukr. 43 E6
Vologda Rus. Fed. 42 H4
Volokolamsk Rus. Fed. 42 G4
Volokovaya Rus. Fed. 42 K2
Volos Greece 59 J5
Volosovo Rus. Fed. 45 P7
Volot Rus. Fed. 42 F4
Volovo Rus. Fed. 43 H5
Volozhin Belarus see Valozhyn
Volsinii Italy see Orvieto
Vol'sk Rus. Fed. 43 J5

▶Volta, Lake resr Ghana 96 D4
4th largest lake in Africa.

Volta Blanche r. Burkina/Ghana see White Volta
Voltaire, Cape Australia 108 D3
Volta Redonda Brazil 145 B3
Volturno r. Italy 58 F4
Volubilis tourist site Morocco 54 C5
Volvi, Limni l. Greece 59 J4
Volzhsk Rus. Fed. 42 K5
Volzhskiy Samarskaya Oblast' Rus. Fed. 43 K5
Volzhskiy Volgogradskaya Oblast' Rus. Fed. 43 J6
Vondanka Rus. Fed. 42 J4
Vontimitta India 84 C3
Vopnafjörður Iceland 44 [inset]
Vopnafjörður b. Iceland 44 [inset]
Vörå Fin. 44 M5
Voranava Belarus 45 N9
Voreies Sporades is Greece 59 J5
Voreioi Sporades is Greece see Voreies Sporades
Voríai Spórádhes is Greece see Voreies Sporades
Voring Plateau sea feature N. Atlantic Ocean 148 I1
Vorjing mt. India 83 H3
Vorkuta Rus. Fed. 64 H3
Vormsi i. Estonia 45 M7
Vorona r. Rus. Fed. 43 I6
Voronezh Rus. Fed. 43 H6
Voronezh r. Rus. Fed. 43 H6
Voronov, Mys pt Rus. Fed. 42 I2
Vorontsovo-Aleksandrovskoye Rus. Fed. see Zelenokumsk
Voroshilov Rus. Fed. see Ussuriysk
Voroshilovgrad Ukr. see Luhans'k
Voroshilovsk Rus. Fed. see Stavropol'
Voroshilovsk Ukr. see Alchevs'k
Vorotynets Rus. Fed. 42 J4
Vorozhba Ukr. 43 G6
Vorpommersche Boddenlandschaft, Nationalpark nat. park Germany 47 N3
Vorskla r. Rus. Fed. 43 G6
Võrtsjärv l. Estonia 45 N7
Võru Estonia 45 O8
Vorukh Tajik. 89 H2
Vosburg S. Africa 100 F6
Vose Tajik. 89 H2
Vosges mts France 56 H3
Voskresensk Rus. Fed. 43 H5
Voskresenskoye Rus. Fed. 42 H4
Voss Norway 45 E6
Vostochno-Sakhalinskiy Gory mts Rus. Fed. 74 F2
Vostochno-Sibirskoye More sea Rus. Fed. see East Siberian Sea
Vostochnyy Kirovskaya Oblast' Rus. Fed. 42 L4
Vostochnyy Sakhalinskaya Oblast' Rus. Fed. 74 F2
Vostochnyy Sayan mts Rus. Fed. 72 G2

▶Vostok research station Antarctica 152 F1
Lowest recorded screen temperature in the world.

Vostok Primorskiy Kray Rus. Fed. 74 D3
Vostok Sakhalinskaya Oblast' Rus. Fed. see Neftegorsk
Vostok Island Kiribati 151 J6
Vostroye Rus. Fed. 42 J3
Votkinsk Rus. Fed. 41 Q4
Votkinskoye Vodokhranilishche resr Rus. Fed. 41 R4
Votuporanga Brazil 145 A3
Vouziers France 52 E5
Voves France 56 E2
Voyageurs National Park U.S.A. 130 E1
Voynitsa Rus. Fed. 44 Q4
Võyri Fin. see Vörå
Voyvozh Rus. Fed. 42 L3
Vozhayel' Rus. Fed. 42 K3
Vozhe, Ozero l. Rus. Fed. 42 H3
Vozhega Rus. Fed. 42 I3
Vozhgaly Rus. Fed. 42 K4
Voznesens'k Ukr. 43 F7
Vozonin Trough sea feature Arctic Ocean 153 F1
Vozrozhdenya Island i. Uzbek. 80 A3
Vozzhayevka Rus. Fed. 74 C2
Vrangel' Rus. Fed. 74 D4
Vrangelya, Mys pt Rus. Fed. 74 E1
Vranje Serbia 59 I3
Vratnik pass Bulg. 59 L3
Vratsa Bulg. 59 J3
Vrbas Serbia 59 H2
Vrede S. Africa 101 I4
Vredefort S. Africa 101 H4
Vredenburg S. Africa 100 C7
Vredendal S. Africa 100 D6
Vresse Belgium 52 E5
Vriddhachalam India 84 C4
Vries Neth. 52 G1
Vrigstad Sweden 45 I8
Vršac Serbia 59 I2
Vryburg S. Africa 100 G4
Vryheid S. Africa 101 J4
Vsevidof, Mount vol. U.S.A. 118 B4
Vsevolozhsk Rus. Fed. 42 F3
Vu Ban Vietnam 70 D2
Vučitrn Kosovo see Vushtrri
Vukovar Croatia 59 H2
Vuktyl' Rus. Fed. 41 R3
Vukuzakhe S. Africa 101 I4
Vulcan Canada 120 H5
Vulcan Island P.N.G. see Manam Island
Vulcano, Isola i. Italy 58 F5
Vu Liêt Vietnam 70 D3
Vulture Mountains U.S.A. 129 G5
Vung Tau Vietnam 71 D5
Vuohijärvi Fin. 45 O6
Vuolijoki Fin. 44 O4
Vuollerim Sweden 44 L3
Vuostimo Fin. 44 O3
Vurnary Rus. Fed. 42 J5
Vushtrri Kosovo 59 I3
Vvedenovka Rus. Fed. 74 C2
Vyara India 82 C5
Vyarkhowye Belarus see Ruba
Vyatka Rus. Fed. see Kirov
Vyatka r. Rus. Fed. 42 K5
Vyatskiye Polyany Rus. Fed. 42 K4
Vyazemskiy Rus. Fed. 74 D3
Vyaz'ma Rus. Fed. 43 G5
Vyazniki Rus. Fed. 42 I4
Vyazovka Rus. Fed. 43 J5
Vyborg Rus. Fed. 45 P6
Vychegda r. Rus. Fed. 42 J3
Vychegodskiy Rus. Fed. 42 J3
Vyerkhnyadzvinsk Belarus 45 O9
Vyetryna Belarus 45 P9
Vygozero, Ozero l. Rus. Fed. 42 G3
Vyksa Rus. Fed. 43 I5
Vylkove Ukr. 59 M2
Vym' r. Rus. Fed. 42 K3
Vynohradiv Ukr. 43 D6
Vypin Island India 84 C4
Vypolzovo Rus. Fed. 42 G4
Vyritsa Rus. Fed. 45 Q7
Vyrnwy, Lake U.K. 49 D6
Vyselki Rus. Fed. 43 H7
Vysha Rus. Fed. 43 I5
Vyshhorod Ukr. 43 F6
Vyshnevolotskaya Gryada ridge Rus. Fed. 42 G4
Vyshniy-Volochek Rus. Fed. 42 G4
Vyškov Czech Rep. 47 P6
Vysokaya Gora Rus. Fed. 42 K5
Vysokogorniy Rus. Fed. 74 E2
Vystupovychi Ukr. 43 F6
Vytegra Rus. Fed. 42 H3
Vyya r. Rus. Fed. 42 J3
Vyžuona r. Lith. 45 N9

Wa Ghana 96 C3
Waal r. Neth. 52 E3
Waalwijk Neth. 52 F3
Waat Sudan 86 D8
Wabag P.N.G. 69 K8
Wabakimi Lake Canada 122 C4
Wabasca r. Canada 120 H3
Wabasca-Desmarais Canada 120 H4
Wabash U.S.A. 134 C3
Wabash r. U.S.A. 134 A5
Wabasha U.S.A. 130 E2
Wabassi r. Canada 122 D4
Wabatongushi Lake Canada 122 D4
Wabē Gestro r. Eth. 78 D6
Wabē Shebelē Wenz r. Eth. 98 E3
Wabigoon Lake Canada 121 M5
Wabowden Canada 121 L4
Wabrah well Saudi Arabia 88 B5
Wabu China 77 H1
Wabuk Point Canada 122 D3
Wabush Canada 123 I3
Waccasassa Bay U.S.A. 133 D6
Wächtersbach Germany 53 J4
Waco Canada 123 I4
Waco U.S.A. 131 D6
Waconda Lake U.S.A. 130 D4
Wadbilliga National Park Australia 112 D6
Waddān Libya 55 H6
Waddell Dam U.S.A. 129 G5
Waddeneilanden Neth. 52 E1
Waddenzee sea chan. Neth. 52 E2
Waddington, Mount Canada 120 E5
Waddinxveen Neth. 52 E2
Wadebridge U.K. 49 C8
Wadena Canada 121 K5
Wadena U.S.A. 130 E2
Wadern Germany 52 G5
Wadesville U.S.A. 134 B4
Wadeye Australia 108 E3
Wadgassen Germany 52 G5
Wadh Pak. 89 G5
Wadhwan India see Surendranagar
Wadi India 84 C2
Wādī as Sīr Jordan 85 B4
Wadi Halfa Sudan 86 D5
Wad Medani Sudan 86 D7
Wad Rawa Sudan 86 D6
Wadsworth U.S.A. 128 D2
Waenhuiskrans S. Africa 100 E8
Wafangdian China 73 M5
Wafra Kuwait see Al Wafrah
Wagenfeld Germany 53 I2
Wagenhoff Germany 53 K2
Wagga Wagga Australia 112 C5
Wagner U.S.A. 130 D3
Wagoner U.S.A. 131 E4
Wagon Mound U.S.A. 127 G5
Wah Pak. 89 I3
Wahai Indon. 69 H7
Wāḥāt Jālū Libya 97 F2
Wahemen, Lac l. Canada 123 H3
Wahiawā U.S.A. 127 [inset]
Wahlhausen Germany 53 J3
Wahpeton U.S.A. 130 D2
Wahran Alg. see Oran
Wah Wah Mountains U.S.A. 129 G2
Wai India 84 B2
Waialua U.S.A. 127 [inset]
Waiau N.Z. see Franz Josef Glacier
Waiau r. N.Z. 113 D6
Waiblingen Germany 53 J6
Waidhofen an der Ybbs Austria 47 O7
Waigeo i. Indon. 69 I7
Waiheke Island N.Z. 113 E3
Waikabubak Indon. 108 B2
Waikaia r. N.Z. 113 B7
Waikari N.Z. 113 D6
Waikerie Australia 111 B7
Waikouaiti N.Z. 113 C7
Wailuku U.S.A. 127 [inset]
Waimangaroa N.Z. 113 C5
Waimarama N.Z. 113 F4
Waimate N.Z. 113 C7
Waimea U.S.A. 127 [inset]
Wainganga r. India 84 C2
Waingapu Indon. 108 C2
Wainhouse Corner U.K. 49 C8
Waini Point Guyana 143 G2
Wainwright Canada 121 I4
Wainwright U.S.A. 118 C2
Waiouru N.Z. 113 E4
Waipahi N.Z. 113 B8
Waipaoa r. N.Z. 113 F4
Waipara N.Z. 113 D6
Waipawa N.Z. 113 F4
Waipukurau N.Z. 113 F4
Wairarapa, Lake N.Z. 113 E5
Wairau r. N.Z. 113 E5
Wairoa N.Z. 113 F4
Wairoa r. N.Z. 113 F4
Waitahanui N.Z. 113 F4
Waitahuna N.Z. 113 B7
Waitakaruru N.Z. 113 E3
Waitaki r. N.Z. 113 C7
Waitangi N.Z. 107 I6
Waite River Australia 108 F5
Waiuku N.Z. 113 E3
Waiwera South N.Z. 113 B8
Waiyang China 77 H3
Wajima Japan 75 E5
Wajir Kenya 98 E3
Waka Indon. 108 C2
Wakasa-wan b. Japan 75 D6
Wakatipu, Lake N.Z. 113 B7
Wakaw Canada 121 J4
Wakayama Japan 75 D6
Wake Atoll terr. N. Pacific Ocean see Wake Island
WaKeeney U.S.A. 130 D4
Wakefield N.Z. 113 D5
Wakefield U.K. 48 F5

Westray i. U.K. 50 F1
Westray Firth sea chan. U.K. 50 F1
Westree Canada 122 E5
West Rutland U.S.A. 135 I2
West Salem U.S.A. 134 D3
West Siberian Plain Rus. Fed. 64 J3
West-Skylge Neth. see West-Terschelling
West Stewartstown U.S.A. 135 J1
West-Terschelling Neth. 52 F1
West Topsham U.S.A. 135 I1
West Union IA U.S.A. 130 F3
West Union IL U.S.A. 134 B4
West Union OH U.S.A. 134 D4
West Union WV U.S.A. 134 E4
West Valley City U.S.A. 129 H1
Westville U.S.A. 134 B3
West Virginia state U.S.A. 134 E4
Westwood U.S.A. 128 C1
West Wyalong Australia 112 C4
West York U.S.A. 135 G4
Westzaan Neth. 52 E2
Wetar i. Indon. 108 D1
Wetar, Selat sea chan. Indon. 108 D2
Wetaskiwin Canada 120 H4
Wete Tanz. 99 D4
Wetter r. Germany 53 I4
Wettin Germany 53 L3
Wetumpka U.S.A. 133 C5
Wetwun Myanmar 70 B2
Wetzlar Germany 53 I4
Wewahitchka U.S.A. 133 C6
Wewak P.N.G. 69 K7
Wewoka U.S.A. 131 D5
Wexford Ireland 51 F5
Wexford Harbour b. Ireland 51 F5
Weyakwin Canada 121 J4
Weybridge U.K. 49 G7
Weyburn Canada 121 K5
Weyhe Germany 53 I2
Weymouth U.K. 49 E8
Weymouth U.S.A. 135 J2
Wezep Neth. 52 G2
Whakaari i. N.Z. 113 F3
Whakatane N.Z. 113 F3
Whalan Creek r. Australia 112 D2
Whale r. Canada see La Baleine, Rivière à
Whalsay i. U.K. 50 [inset]
Whampoa China see Huangpu
Whangamata N.Z. 113 E3
Whanganui National Park N.Z. 113 E4
Whangarei N.Z. 113 E2
Whapmagoostui Canada 122 F3
Wharfe r. U.K. 48 F5
Wharfedale valley U.K. 48 F4
Wharton U.S.A. 131 D6
Wharton Lake Canada 121 L1
Whatî Canada 120 G2
Wheatland IN U.S.A. 134 B4
Wheatland WY U.S.A. 126 G4
Wheaton IL U.S.A. 134 A3
Wheaton MN U.S.A. 130 D2
Wheaton-Glenmont U.S.A. 135 G4
Wheeler U.S.A. 131 C5
Wheeler Lake Canada 120 H2
Wheeler Lake resr U.S.A. 133 C5
Wheeler Peak NM U.S.A. 127 G5
Wheeler Peak NV U.S.A. 129 F2
Wheelersburg U.S.A. 134 D4
Wheeling U.S.A. 134 E3
Whernside hill U.K. 48 E4
Whinham, Mount Australia 109 E6
Whiskey Jack Lake Canada 121 K3
Whitburn U.K. 50 F5
Whitby Canada 135 F2
Whitby U.K. 48 G4
Whitchurch U.K. 49 E6
Whitchurch-Stouffville Canada 134 F2
White r. Canada 122 D4
White r. Canada/U.S.A. 120 B2
White r. AR U.S.A. 125 I5
White r. AR U.S.A. 131 F5
White r. CO U.S.A. 129 I1
White r. IN U.S.A. 134 B4
White r. MI U.S.A. 134 B2
White r. NV U.S.A. 129 F3
White r. SD U.S.A. 130 D3
White r. VT U.S.A. 135 I2
White watercourse U.S.A. 129 H5
White, Lake salt flat Australia 108 E5
White Bay Canada 123 K4
White Butte mt. U.S.A. 130 C2
White Canyon U.S.A. 129 H3
White Cloud U.S.A. 134 C2
Whitecourt Canada 120 H4
Whiteface Mountain U.S.A. 135 I1
Whitefield U.S.A. 135 J1
Whitefish r. Canada 120 E1
Whitefish U.S.A. 126 E2
Whitefish Bay U.S.A. 134 B1
Whitefish Lake Canada 121 J2
Whitefish Point U.S.A. 132 C2
Whitehall Ireland 51 E5
Whitehall U.K. 50 G1
Whitehall NY U.S.A. 135 I2
Whitehall WI U.S.A. 130 F2
Whitehaven U.K. 48 D4
Whitehead U.K. 51 G3
White Hill hill Canada 123 J5
Whitehill U.K. 49 G7

▶Whitehorse Canada 120 C2
Capital of Yukon Territory.

White Horse U.S.A. 129 J4
White Horse, Vale of valley U.K. 49 F7
White Horse Pass U.S.A. 129 F1
White House U.S.A. 134 B5
White Island Antarctica 152 D2
White Island N.Z. see Whakaari
White Lake Ont. Canada 122 D4
White Lake Ont. Canada 135 G1
White Lake LA U.S.A. 131 E6
White Lake MI U.S.A. 134 B2
Whitemark Australia 111 [inset]
White Mountain Peak U.S.A. 128 D3
White Mountains U.S.A. 135 J1
White Mountains National Park Australia 110 D4
Whitemouth Lake Canada 121 M5
Whitemud r. Canada 120 G3
White Nile r. Sudan/Uganda 86 D6 also known as Bahr el Abiad or Bahr el Jebel
White Nossob watercourse Namibia 100 D2
White Oak U.S.A. 134 D5
White Otter Lake Canada 121 N5
White Pass Canada/U.S.A. 120 C3
White Pine Range mts U.S.A. 129 F2
White Plains U.S.A. 135 I3
White River Canada 122 D4
Whiteriver U.S.A. 129 I5
White River U.S.A. 130 C3
White River Valley U.S.A. 129 F2
White Rock Peak U.S.A. 129 F2
White Russia country Europe see Belarus
Whitesail Lake Canada 120 E4
White Salmon U.S.A. 126 C3
Whitesand r. Canada 120 H2
White Sands National Monument nat. park U.S.A. 127 G6
Whitesburg U.S.A. 134 D5
White Sea Rus. Fed. 42 H2
White Stone U.S.A. 135 G5
White Sulphur Springs MT U.S.A. 126 F3
White Sulphur Springs WV U.S.A. 134 E5
Whitesville U.S.A. 134 E5
Whiteville U.S.A. 133 E5
White Volta r. Burkina/Ghana 96 C4 also known as Nakambé or Nakanbe or Volta Blanche
Whitewater U.S.A. 129 I2
Whitewater Baldy mt. U.S.A. 129 I5
Whitewater Lake Canada 122 C4
Whitewood Australia 110 C4
Whitewood Canada 121 K5
Whitfield U.K. 49 I7
Whithorn U.K. 50 E6
Whitianga N.Z. 113 E3
Whitland U.K. 49 C7
Whitley Bay U.K. 48 F3
Whitmore Mountains Antarctica 152 K1
Whitney Canada 135 F1
Whitney, Mount U.S.A. 128 D3
Whitney Point U.S.A. 135 H2
Whitstable U.K. 49 I7
Whitsunday Group is Australia 110 E4
Whitsunday Island National Park Australia 110 E4
Whitsun Island Vanuatu see Pentecost Island
Whittemore U.S.A. 134 D1
Whittlesea Australia 112 B6
Whittlesey U.K. 49 G6
Whitton Australia 112 C5
Wholdaia Lake Canada 121 J2
Why U.S.A. 129 G5
Whyalla Australia 111 B7
Wiang Sa Thai. 70 C3
Wiarton Canada 134 E1
Wibaux U.S.A. 126 G3
Wichelen Belgium 52 D3
Wichita U.S.A. 130 D4
Wichita r. U.S.A. 131 D5
Wichita Falls U.S.A. 131 D5
Wichita Mountains U.S.A. 131 D5
Wick U.K. 50 F2
Wick r. U.K. 50 F2
Wickenburg U.S.A. 129 G5
Wickes U.S.A. 131 E5
Wickford U.K. 49 H7
Wickham r. Australia 108 E4
Wickham, Cape Australia 111 [inset]
Wickham, Mount hill Australia 108 E4
Wickliffe U.S.A. 131 F4
Wicklow Ireland 51 F5
Wicklow Head hd Ireland 51 G5
Wicklow Mountains Ireland 51 F5
Wicklow Mountains National Park Ireland 51 F4
Widerøe, Mount Antarctica 152 C2
Widerøefjellet mt. Antarctica see Widerøe, Mount
Widgeegoara watercourse Australia 112 B1
Widgiemooltha Australia 109 C7
Widnes U.K. 48 E5
Wi-do i. S. Korea 75 B6
Wied r. Germany 53 H4
Wiehengebirge hills Germany 53 I2
Wiehl Germany 53 H4
Wielkopolskie, Pojezierze reg. Poland 47 O4
Wielkopolski Park Narodowy nat. park Poland 47 P4
Wieluń Poland 47 Q5
Wien Austria see Vienna
Wiener Neustadt Austria 47 P7
Wierden Neth. 52 G2
Wieren Germany 53 K2
Wieringerwerf Neth. 52 F2
Wiesbaden Germany 53 I4
Wiesenfelden Germany 53 M5
Wiesentheid Germany 53 K5
Wiesloch Germany 53 I5
Wiesmoor Germany 53 H1
Wietze Germany 53 J2
Wietzendorf Germany 53 J2
Wieżyca hill Poland 47 Q3
Wigan U.K. 48 E5
Wiggins U.S.A. 131 F6
Wight, Isle of i. England U.K. 49 F8
Wigierski Park Narodowy nat. park Poland 45 M9
Wignes Lake Canada 121 J2
Wigston U.K. 49 F6
Wigton U.K. 48 D4
Wigtown U.K. 50 E6
Wigtown Bay U.K. 50 E6
Wijchen Neth. 52 F3
Wijhe Neth. 52 G2
Wilberforce, Cape Australia 110 B1
Wilbur U.S.A. 126 D3
Wilburton U.S.A. 131 E5
Wilcannia Australia 112 A3
Wilcox U.S.A. 135 F3
Wilczek Land i. Rus. Fed. see Vil'cheka, Zemlya
Wildberg Germany 53 M2
Wildcat Peak U.S.A. 128 E2
Wild Coast S. Africa 101 I6
Wilderness National Park S. Africa 100 F8
Wildeshausen Germany 53 I2
Wild Horse Hill mt. U.S.A. 130 C3
Wildspitze mt. Austria 47 M7
Wildwood FL U.S.A. 133 D6
Wildwood NJ U.S.A. 135 H4
Wilge r. S. Africa 101 I4
Wilge r. S. Africa 101 I3
Wilgena Australia 109 F7

▶Wilhelm, Mount P.N.G. 69 L8
5th highest mountain in Oceania.

Wilhelm II Land reg. Antarctica see Kaiser Wilhelm II Land
Wilhelmina Gebergte mts Suriname 143 G3
Wilhelmina Kanaal canal Neth. 52 F3
Wilhelmshaven Germany 53 I1
Wilhelmstal Namibia 100 C1
Wilkes-Barre U.S.A. 135 H3
Wilkesboro U.S.A. 132 D4
Wilkes Coast Antarctica 152 G2
Wilkes Land reg. Antarctica 152 G2
Wilkie Canada 121 I4
Wilkins Coast Antarctica 152 L2
Wilkins Ice Shelf Antarctica 152 L2
Wilkinson Lakes salt flat Australia 109 F7
Will, Mount Canada 120 D3
Willand U.K. 49 D8
Willandra Billabong watercourse Australia 112 B4
Willandra National Park Australia 112 B4
Willapa Bay U.S.A. 126 B3
Willard Mex. 127 F7
Willard NM U.S.A. 127 G6
Willard OH U.S.A. 134 D3
Willcox U.S.A. 129 I5
Willcox Playa salt flat U.S.A. 129 I5
Willebadessen Germany 53 J3
Willebroek Belgium 52 E3

▶Willemstad Neth. Antilles 137 K6
Capital of the Netherlands Antilles.

Willeroo Australia 108 E3
Willette U.S.A. 134 C5
William, Mount Australia 111 C8
William Creek Australia 111 B6
William Lake Canada 121 L4
Williams AZ U.S.A. 129 G4
Williams CA U.S.A. 128 B2
Williamsburg KY U.S.A. 134 C5
Williamsburg OH U.S.A. 134 C4
Williamsburg VA U.S.A. 135 G5
Williams Lake Canada 120 F4
William Smith, Cap c. Canada 123 I1
Williamson NY U.S.A. 135 G2
Williamson WV U.S.A. 134 D5
Williamsport IN U.S.A. 134 B3
Williamsport PA U.S.A. 135 G3
Williamston U.S.A. 132 E5
Williamstown KY U.S.A. 134 C4
Williamstown NJ U.S.A. 135 H4
Willimantic U.S.A. 135 I3
Willis Group atolls Australia 110 E3
Williston S. Africa 100 E6
Williston ND U.S.A. 130 C1
Williston SC U.S.A. 133 D5
Williston Lake Canada 120 F4
Williton U.K. 49 D7
Willits U.S.A. 128 B2
Willmar U.S.A. 130 E2
Willoughby, Lake U.S.A. 135 I1
Willow Beach U.S.A. 129 F4
Willow Bunch Canada 121 J5
Willow Hill U.S.A. 135 G3
Willow Lake Canada 120 G2
Willowlake r. Canada 120 F2
Willowmore S. Africa 100 F7
Willowra Australia 108 F5
Willows U.S.A. 128 B2
Willow Springs U.S.A. 131 F4
Willowvale S. Africa 101 I7
Wills, Lake salt flat Australia 108 E5
Wilma U.S.A. 133 C6
Wilmington DE U.S.A. 135 H4
Wilmington NC U.S.A. 133 E5
Wilmington OH U.S.A. 134 D4
Wilmore U.S.A. 134 C5
Wilmslow U.K. 48 E5
Wilno Lith. see Vilnius
Wilnsdorf Germany 53 I4
Wilpattu National Park Sri Lanka 84 D4
Wilseder Berg hill Germany 53 J1
Wilson watercourse Australia 111 C5
Wilson atoll Micronesia see Ifalik
Wilson KS U.S.A. 130 D4
Wilson NC U.S.A. 132 E5
Wilson NY U.S.A. 135 F2
Wilson, Mount CO U.S.A. 129 J3
Wilson, Mount NV U.S.A. 129 F2
Wilson, Mount OR U.S.A. 126 C3
Wilsonia U.S.A. 128 D3
Wilson's Promontory pen. Australia 112 C7
Wilson's Promontory National Park Australia 112 C7
Wilsum Germany 52 G2
Wilton r. Australia 108 F3
Wilton U.S.A. 135 J1
Wiltz Lux. 52 F5
Wiluna Australia 109 C6
Wimereux France 52 B4
Wina r. Cameroon see Vina
Winamac U.S.A. 134 B3
Winbin watercourse Australia 111 D5
Winburg S. Africa 101 H5
Wincanton U.K. 49 E7
Winchester Canada 135 H1
Winchester U.K. 49 F7
Winchester IN U.S.A. 134 C3
Winchester KY U.S.A. 134 C5
Winchester NH U.S.A. 135 I2
Winchester TN U.S.A. 133 C5
Winchester VA U.S.A. 135 F4
Wind r. Canada 120 C1
Wind r. U.S.A. 126 F4
Windau Latvia see Ventspils
Windber U.S.A. 135 F3
Wind Cave National Park U.S.A. 130 C3
Windermere U.K. 48 E4
Windermere l. U.K. 48 E4
Windham U.S.A. 120 C3

▶Windhoek Namibia 100 C2
Capital of Namibia.

Windigo Lake Canada 121 N4
Windlestraw Law hill U.K. 50 G5
Wind Mountain U.S.A. 127 G6
Windom U.S.A. 130 E3
Windom Peak U.S.A. 129 J3
Windorah Australia 110 C5
Window Rock U.S.A. 129 I4
Wind Point U.S.A. 134 B2
Wind River Range mts U.S.A. 126 F4
Windrush r. U.K. 49 F7
Windsbach Germany 53 K5
Windsor Australia 112 E4
Windsor N.S. Canada 123 I5
Windsor Ont. Canada 134 D2
Windsor U.K. 49 G7
Windsor NC U.S.A. 132 E4
Windsor NY U.S.A. 135 H2
Windsor VA U.S.A. 135 G5
Windsor VT U.S.A. 135 I2
Windsor Locks U.S.A. 135 I3
Windward Islands Caribbean Sea 137 L5
Windward Passage Cuba/Haiti 137 J5
Windy U.S.A. 118 D3
Winefred Lake Canada 121 I4
Winfield KS U.S.A. 131 D4
Winfield WV U.S.A. 134 E4
Wingate U.K. 48 F4
Wingen Australia 112 E3
Wingene Belgium 52 D3
Wingen-sur-Moder France 53 H6
Wingham Australia 112 F3
Wingham Canada 134 E2
Winisk r. Canada 122 D3
Winisk (abandoned) Canada 122 D3
Winisk Lake Canada 122 D3
Winkana Myanmar 70 B4
Winkelman U.S.A. 129 H5
Winkler Canada 121 L5
Winlock U.S.A. 126 C3
Winneba Ghana 96 C4
Winnebago, Lake U.S.A. 134 A1
Winnecke Creek watercourse Australia 108 E4
Winnemucca U.S.A. 128 E1
Winnemucca Lake U.S.A. 128 D1
Winner U.S.A. 130 C3
Winnett U.S.A. 126 F3
Winnfield U.S.A. 131 E6
Winnibigoshish, Lake U.S.A. 130 E2
Winnie U.S.A. 131 E6
Winning Australia 109 A5

▶Winnipeg Canada 121 L5
Capital of Manitoba.

Winnipeg r. Canada 121 L5
Winnipeg, Lake Canada 121 L5
Winnipegosis Canada 121 L5
Winnipegosis, Lake Canada 121 K4
Winnipesaukee, Lake U.S.A. 135 J2
Winona AZ U.S.A. 129 H4
Winona MN U.S.A. 130 F2
Winona MO U.S.A. 131 F4
Winona MS U.S.A. 131 F5
Winschoten Neth. 52 H1
Winsen (Aller) Germany 53 J2
Winsen (Luhe) Germany 53 K1
Winsford U.K. 48 E5
Winslow AZ U.S.A. 129 H4
Winslow ME U.S.A. 135 K1
Winsop, Tanjung pt Indon. 69 I7
Winsted U.S.A. 135 I3
Winston-Salem U.S.A. 132 D4
Winterberg Germany 53 I3
Winter Haven U.S.A. 133 D6
Winters CA U.S.A. 128 C2
Winters TX U.S.A. 131 D6
Wintersville U.S.A. 134 E3
Winterswijk Neth. 52 G3
Winterthur Switz. 56 I3
Winterton S. Africa 101 I5
Winthrop U.S.A. 135 K1
Winton Australia 110 C4
Winton N.Z. 113 B8
Winton U.S.A. 132 E4
Winwick U.K. 49 G6
Wirral pen. U.K. 48 D5
Wirrulla Australia 111 A7
Wisbech U.K. 49 H6
Wiscasset U.S.A. 135 K1
Wisconsin r. U.S.A. 130 F3
Wisconsin state U.S.A. 134 A1
Wisconsin Rapids U.S.A. 130 F2
Wise U.S.A. 134 D5
Wiseman U.S.A. 118 C3
Wishaw U.K. 50 F5
Wisher U.S.A. 130 D2
Wisil Dabarow Somalia 98 E3
Wisła r. Poland see Vistula
Wismar Germany 47 M4
Wistaria Canada 120 E4
Witbank S. Africa 101 I3
Witbooisvlei Namibia 100 D3
Witham U.K. 49 H7
Witham r. U.K. 49 H6
Witherbee U.S.A. 135 I1
Withernsea U.K. 48 H5
Witjira National Park Australia 111 A5
Witmarsum Neth. 52 F1
Witney U.K. 49 F7
Witrivier S. Africa 101 J3
Witry-lès-Reims France 52 E5
Witteberg mts S. Africa 101 H6
Wittenberg Germany see Lutherstadt Wittenberg
Wittenberge Germany 53 L2
Wittenburg Germany 53 L1
Wittingen Germany 53 K2
Wittlich Germany 52 G5
Wittmund Germany 53 H1
Wittstock Germany 53 M1
Witu Islands P.N.G. 69 L7
Witvlei Namibia 100 D2
Witzenhausen Germany 53 J3
Wivenhoe, Lake Australia 112 F1
Władysławowo Poland 47 Q3
Włocławek Poland 47 Q4
Wobkent Uzbek. see Vobkent
Wodonga Australia 112 C6
Wœrth France 53 H6
Wohlthat Mountains Antarctica 152 C2
Woippy France 52 G5
Wōjjā atoll Marshall Is see Wotje
Wokam i. Indon. 69 I8
Woken He r. China 74 C3
Wokha India 83 H4
Woking U.K. 49 G7
Wokingham watercourse Australia 110 C4
Wokingham U.K. 49 G7
Woko National Park Australia 112 E3
Wolcott IN U.S.A. 134 B3
Wolcott NY U.S.A. 135 G2
Woldegk Germany 53 N1
Wolea atoll Micronesia see Woleai
Woleai atoll Micronesia 69 K5
Wolf r. Canada 120 C2
Wolf r. TN U.S.A. 131 F5
Wolf r. WI U.S.A. 130 F2
Wolf Creek MT U.S.A. 126 E3
Wolf Creek OR U.S.A. 126 C4
Wolf Creek Pass U.S.A. 127 G5
Wolfen Germany 53 M3
Wolfenbüttel Germany 53 K2
Wolfhagen Germany 53 J3
Wolf Lake Canada 120 D2
Wolf Point U.S.A. 126 G2
Wolfsberg Austria 47 O7
Wolfsburg Germany 53 K2
Wolfstein Germany 53 H5
Wolfville Canada 123 I5
Wolgast Germany 47 N3
Wolin Poland 47 O4
Wollaston Lake Canada 121 K3
Wollaston Lake l. Canada 121 K3
Wollaston Peninsula Canada 118 G3
Wollemi National Park Australia 112 E4
Wollongong Australia 112 E5
Wolmaransstad S. Africa 101 G4
Wolmirstedt Germany 53 L2
Wolong Reserve nature res. China 76 D2
Wolseley Australia 111 C8
Wolseley S. Africa 100 D7
Wolsey U.S.A. 130 D2
Wolsingham U.K. 48 F4
Wolvega Neth. 52 G2
Wolvegea Neth. see Wolvega
Wolverhampton U.K. 49 E6
Wolverine U.S.A. 134 C1
Wommelgem Belgium 52 E3
Womrather Höhe hill Germany 53 H5
Wonarah Australia 110 B3
Wonay, Kowtal-e Afgh. 89 H3
Wondai Australia 111 E5
Wongalarroo Lake salt l. Australia 112 B3
Wongarbon Australia 112 D4
Wong Chuk Hang H.K. China 77 [inset]
Wong Leng hill H.K. China 77 [inset]
Wong Wan Chau H.K. China see Double Island
Wŏnju S. Korea 75 B5
Wonowon Canada 120 F3
Wŏnsan N. Korea 75 B5
Wonthaggi Australia 112 B7
Wonyulgunna, Mount hill Australia 109 B6
Woocalla Australia 111 B6
Wood, Mount Canada 120 A2
Woodbine GA U.S.A. 133 D6
Woodbine NJ U.S.A. 135 H4
Woodbridge U.K. 49 I6
Woodbridge U.S.A. 135 G4
Wood Buffalo National Park Canada 120 H3
Woodburn U.S.A. 126 C3
Woodbury NJ U.S.A. 135 H4
Woodbury TN U.S.A. 131 G5
Wooded Bluff hd Australia 112 F2
Wood Lake Canada 121 K4
Woodlake U.S.A. 128 D3
Woodland CA U.S.A. 128 C2
Woodland PA U.S.A. 135 F3
Woodland WA U.S.A. 126 C3
Woodlands Sing. 71 [inset]
Woodlark Island P.N.G. 106 F2
Woodridge Canada 121 L5
Woodroffe watercourse Australia 110 B4
Woodroffe, Mount Australia 109 E6
Woodruff UT U.S.A. 126 F4
Woodruff WI U.S.A. 130 F2
Woods, Lake salt flat Australia 108 F4
Woods, Lake of the Canada/U.S.A. 125 I2
Woodsfield U.S.A. 134 E4
Woodside Australia 112 C7
Woodstock N.B. Canada 123 I5
Woodstock Ont. Canada 134 E2
Woodstock IL U.S.A. 130 F3
Woodstock VA U.S.A. 135 F4
Woodstock VT U.S.A. 135 I2
Woodsville U.S.A. 135 I1
Woodville Canada 135 F1
Woodville MS U.S.A. 131 F6
Woodville OH U.S.A. 134 D3
Woodville TX U.S.A. 131 E6
Woodward U.S.A. 131 D4
Woody U.S.A. 128 D4
Wooler U.K. 48 E3
Woolgoolga Australia 112 F3
Wooli Australia 112 F2
Woollard, Mount Antarctica 152 K1
Woollett, Lac l. Canada 122 G4
Woolyeenyer Hill hill Australia 109 C8
Woomera Australia 111 B6
Woomera Prohibited Area Australia 109 F7
Woonsocket RI U.S.A. 135 J2
Woonsocket SD U.S.A. 130 D2
Woorabinda Australia 110 E5
Wooramel r. Australia 109 A6
Wooster U.S.A. 134 E3
Worbis Germany 53 K3
Worbody Point Australia 110 C2
Worcester S. Africa 100 D7
Worcester U.K. 49 E6
Worcester MA U.S.A. 135 J2
Worcester NY U.S.A. 135 H2
Wörgl Austria 47 N7
Workai i. Indon. 69 I8
Workington U.K. 48 D4
Worksop U.K. 48 F5
Workum Neth. 52 F2
Worland U.S.A. 126 G3
Wörlitz Germany 53 M3
Wormerveer Neth. 52 E2
Worms Germany 53 I5
Worms Head hd U.K. 49 C7
Wortel Namibia 100 C2
Wörth am Rhein Germany 53 I5
Worthing U.K. 49 G8
Worthington IN U.S.A. 134 B4
Worthington MN U.S.A. 130 E3
Wotje atoll Marshall Is 150 H5
Wotu Indon. 69 G7
Woudrichem Neth. 52 E3
Woustviller France 52 H5
Wowoni i. Indon. 69 G7
Wozrojdeniye Oroli i. Uzbek. see Vozrozhdenya Island
Wrangel Island Rus. Fed. 65 T2
Wrangell Island U.S.A. 120 C3
Wrangell Mountains U.S.A. 153 B3
Wrangell-St Elias National Park and Preserve U.S.A. 120 A2
Wrath, Cape U.K. 50 D2
Wray U.S.A. 130 C3
Wreake r. U.K. 49 F6
Wreck Point S. Africa 100 C5
Wreck Reef Australia 110 F4
Wrecsam U.K. see Wrexham
Wrestedt Germany 53 K2
Wrexham U.K. 49 E5
Wrightmyo India 71 A5
Wrightson, Mount U.S.A. 127 F7
Wrightwood U.S.A. 128 E4
Wrigley Canada 120 F2
Wrigley U.S.A. 134 D4
Wrigley Gulf Antarctica 152 J2
Wrocław Poland 47 P5
Września Poland 47 P4
Wu'an China see Changtai
Wubin Australia 109 B7
Wuchang Heilong. China 74 B3
Wuchang Hubei China see Jiangxia
Wuchow China see Wuzhou
Wuchuan Guangdong China see Meilu
Wuchuan Guizhou China 76 E2
Wudalianchi China 74 B2
Wuḍām 'Alwā Oman 88 E6
Wudang Shan mt. China 77 F1
Wudaoliang China 76 B1
Wuding China 76 D3
Wudinna Australia 109 F8
Wufeng Hubei China 77 F2
Wufeng Yunnan China see Zhenxiong
Wugang China 77 F3
Wuhai China 72 J5
Wuhan China 77 G2
Wuhe China 77 H1
Wuhu China 77 H2
Wuhua China 77 G4
Wuhubei China 77 H2
Wüjang China 82 D2
Wu Jiang r. China 76 E2
Wujin Jiangsu China see Changzhou
Wujin Sichuan China see Xinjin
Wukari Nigeria 96 D4
Wulang China 76 B2
Wuli China 76 B1
Wulian Feng mts China 76 D2
Wuliang Shan mts China 76 D3
Wuliaru i. Indon. 108 E1
Wuli Jiang r. China 77 F4
Wuling Shan mts China 77 F2
Wulong China 76 E2
Wulongji China see Huaibin
Wulur Indon. 108 E1
Wumeng Shan mts China 76 D3
Wuming China 77 F4
Wümme r. Germany 53 I1
Wundwin Myanmar 70 B2
Wungda China 76 D2
Wuning China 77 G2
Wünnenberg Germany 53 I3
Wunnummin Lake Canada 119 J4
Wunsiedel Germany 53 M4
Wunstorf Germany 53 J2
Wupatki National Monument nat. park U.S.A. 129 H4
Wuping China 77 H3
Wuppertal Germany 53 H3
Wuppertal S. Africa 100 D7
Wuqi China 73 J5
Wuqia China 80 D4
Wuquan China see Wuyang
Wuranga Australia 109 B7
Wurno Nigeria 96 D3
Würzburg Germany 53 J5
Wurzen Germany 53 M3
Wushan Chongqing China 77 F2
Wushan Gansu China 76 E1
Wu Shan mts China 77 F2
Wushi Guangdong China 77 F4
Wushi Xinjiang China 80 E3
Wüstegarten hill Germany 53 J3
Wusuli Jiang r. China/Rus. Fed. see Ussuri
Wuvulu Island P.N.G. 69 K7
Wuwei China 72 I5
Wuxi Chongqing China 77 F2
Wuxi Hunan China 77 F2
Wuxi Hunan China see Qiyang
Wuxi Jiangsu China 77 I2
Wuxia China see Wushan
Wuxian China see Suzhou
Wuxing China see Huzhou
Wuxu China 77 F4
Wuxuan China 77 F4
Wuxue China 77 G2
Wuyang Guizhou China see Zhenyuan
Wuyang Henan China 77 G1
Wuyang Zhejiang China see Wuyi
Wuyi China 77 H2
Wuyiling China 74 C2
Wuyi Shan mts China 77 H3
Wuyuan Jiangxi China 77 H2
Wuyuan Nei Mongol China 73 J4
Wuyuan Zhejiang China see Haiyan
Wuyun China see Jinyun
Wuzhishan China 77 F5
Wuzhi Shan mts China 77 F5

uzhong China 72 J5
uzhou China 77 F4
yalkatchem Australia 109 B7
yalong Australia 112 C4
yandra Australia 112 B1
yangala Reservoir Australia 112 D4
yara, Lake *salt flat* Australia 112 B2
ycheproof Australia 112 A6
ylliesburg U.S.A. 135 F5
yloo Australia 108 B5
ylye *r.* U.K. 49 F7
ymondham U.K. 49 I6
ymore U.S.A. 130 D3
ynbring Australia 109 F7
yndham Australia 108 E3
yndham-Werribee Australia 112 B6
ynne U.S.A. 131 F5
ynyard Canada 121 J5
yola Lake *salt flat* Australia 109 E7
yoming U.S.A. 134 C2
yoming *state* U.S.A. 126 G4
yoming Peak U.S.A. 126 F4
yoming Range *mts* U.S.A. 126 F4
yong Australia 112 E4
yperfeld National Park Australia 111 C7
ysox U.S.A. 135 G3
yszków Poland 47 R4
ythall U.K. 49 F6
ytheville U.S.A. 134 E5
tmarsum Neth. *see* Witmarsum

X

afuun Somalia 98 F2

Xaafuun, Raas *pt* Somalia 86 H7
Most easterly point of Africa.

byaisamba China 76 C2
çmaz Azer. 91 H2
go China 83 G3
gquka China 76 B2
dulla China 82 D1
gnabouli Laos 70 C3
gnabouri Laos *see* Xaignabouli
nza China 83 G3
-Xai Moz. 101 K3
lapa Mex. *see* Jalapa
mbioa Brazil 143 I5
m Nua Laos 70 D2
-Muteba Angola 99 B4
n *r.* Laos 70 C3
nagas Botswana 100 E2
ngda China *see* Nangqên
ngdin Hural China 73 K4
ngdoring China 83 E2
ngongo Angola 99 B5
nkändi Azer. 91 G3
nlar Azer. 91 G2
nthi Greece 59 K4
ag China 83 I1
ardheere Somalia 98 E3
antes, Serra dos *hills*
iva Spain 57 F4
razil 143 I6
ka China 83 E2
yar China 80 F3
a Guat. *see* Quetzaltenango
va Spain *see* Chelva
nia U.S.A. 134 D4
o Potamos *r.* Cyprus *see* Xeros
ros *r.* Cyprus 85 A2
ora S. Africa *see* Elliotdale
bole Shan *mt.* China 74 B2
chuan Dao *i.* China 77 G4
guan China *see* Dali
he China 76 D1
men China 77 H3
an China 77 F1
nfeng China 77 F2
ngcheng *Sichuan* China 76 C2
ngcheng *Yunnan* China *see*
Xiangyun
ngfan China 77 G1
ngfeng China *see* Laifeng
nggang *H.K.* China *see*
Hong Kong
nggang Tebie Xingzhengqu *aut. reg.*
China *see* Hong Kong
nggelila China 76 C3
ngjiang China *see* Huichang
ngkou China *see* Wulong
ngning China 73 K5
ngquan He *r.* China *see*
angqên Zangbo
ngride China 83 I2
ngshan China *see* Menghai
ngshui China 77 H1
ngshuiba China 77 F3
ngtan China 77 G3
ngxiang China 77 G3
ngyang China *see* Xiangfan
ngyang Hu *l.* China 83 G2
ngyin China 77 G2
ngyun China 76 D3
nju China 77 I2
nning China 77 G2
nnümiao China *see* Jiangdu
nshui He *r.* China 76 D2
ntao China 77 G2
nxia Ling *mts* China 77 H3
nyang China 77 F1
ocaohu China 80 G3
odong China 77 F4
odongliang China 76 C1
o'ergou China 74 A2
ogan China 77 G2
ogang China *see* Dongxiang
o Hinggan Ling *mts* China 74 B2
ojin China 76 D2
onanchuan China 83 H2
osanjiang China 77 G3
oshan China 77 F1
o Shan *mts* China 77 F1
oshi China *see* Benxi
o Surmang China 76 C1
otao China 77 H3
oxi China *see* Pinghe
oxian China 77 H1
Xiaoxiang Ling *mts* China 76 D2
Xiaoxita China *see* Yiling
Xiapu China 77 I3
Xiaqiong China *see* Batang
Xiashan China *see* Zhanjiang
Xiayang China *see* Yanling
Xiayanjing China *see* Yanjing
Xiayingpan *Guizhou* China *see* Lupanshui
Xiayingpan *Guizhou* China *see* Luzhi
Xiayukou China 77 F1
Xiazhuang China *see* Linshu
Xibdê China 76 C2
Xibing China 77 H3
Xibu China *see* Dongshan
Xichang China 76 D3
Xichou China 76 E4
Xichuan China 77 F1
Xide China 76 D2
Xidu China *see* Hengyang
Xiemahe' China 77 F2
Xieng Khouang Laos *see* Phônsavan
Xiêng Lam Vietnam 70 D3
Xieyang Dao *i.* China 77 F4
Xifeng *Guizhou* China 76 E3
Xifeng *Liaoning* China 74 B4
Xifengzhen China *see* Qingyang
Xigazê China 83 G3
Xihan Shui *r.* China 76 E1
Xi He *r.* China 76 E2
Xi Jiang *r.* China 77 G4
Xijir China 83 G2
Xijir Ulan Hu *salt l.* China 83 G2
Xiliao He *r.* China 74 A4
Xilin China 76 E3
Xilinhot China 73 L4
Ximiao China 80 J3
Xin'an *Anhui* China *see* Lai'an
Xin'an *Guizhou* China *see* Anlong
Xin'an *Henan* China 77 G1
Xin'anjiang China 77 H2
Xin'anjiang Shuiku *resr* China 77 H2
Xinavane Moz. 101 K3
Xin Barag Zuoqi China *see*
Amgalang
Xincai China 77 G1
Xinchang *Jiangxi* China *see* Yifeng
Xinchang *Zhejiang* China 77 I2
Xincheng *Fujian* China *see* Gutian
Xincheng *Guangdong* China *see*
Xinxing
Xincheng *Guangxi* China 77 F3
Xincheng *Sichuan* China *see* Zhaojue
Xincun China *see* Dongchuan
Xindi *Guangxi* China 77 F4
Xindi *Hubei* China *see* Honghu
Xindian China 74 B3
Xindu *Guangxi* China 77 F4
Xindu *Sichuan* China *see* Luhuo
Xindu *Sichuan* China 76 E2
Xinduqiao China 76 D2
Xinfeng *Guangdong* China 77 G3
Xinfeng *Jiangxi* China 77 G3
Xinfengjiang Shuiku *resr* China 77 G4
Xing'an *Guangxi* China 77 F3
Xingan China 77 G3
Xing'an *Shaanxi* China *see* Ankang
Xingba China 76 B2
Xingguo *Gansu* China *see* Qin'an
Xingguo *Hubei* China *see* Yangxin
Xingguo *Jiangxi* China 77 G3
Xinghai China 80 I4
Xinghua China 77 H1
Xinghua Wan *b.* China 77 H3
Xingkai China 74 D3
Xingkai Hu *l.* China/Rus. Fed. *see*
Khanka, Lake
Xinglong China 74 B2
Xinglongzhen *Gansu* China 76 E1
Xinglongzhen *Heilong.* China 74 B3
Xingning *Guangdong* China 77 G3
Xingning *Hunan* China 77 G3
Xingou China 77 G2
Xingping China 77 F1
Xingqêngoin China 76 D2
Xingren China 76 E3
Xingsagoinba China 76 D1
Xingshan *Guizhou* China *see* Majiang
Xingshan *Hubei* China 77 F2
Xingtai China 73 K5
Xingu *r.* Brazil 143 H4
Xingu, Parque Indígena do *res.*
Brazil 143 H6
Xinguara Brazil 143 H5
Xingye China 77 F4
Xingyi China 76 E3
Xinhua *Guangdong* China *see* Huadu
Xinhua *Hunan* China 77 F3
Xinhua *Yunnan* China *see* Qiaojia
Xinhua *Yunnan* China *see* Funing
Xinhuang China 77 F3
Xinhui China 77 G4
Xining China 72 I5
Xinjian China 77 G2
Xinjiang China 77 F1
Xinjiang *aut. reg.* China *see*
Xinjiang Uygur Zizhiqu
Xinjiangkou China *see* Songzi
Xinjiang Uygur Zizhiqu *aut. reg.*
China 82 E1
Xinjie *Qinghai* China 76 D1
Xinjie *Yunnan* China 76 C3
Xinjie *Yunnan* China 76 D4
Xinjin China 76 D2
Xinjing China *see* Jingxi
Xinkai He *r.* China 74 A4
Xinling China *see* Badong
Xinlitun China 74 B2
Xinlong China 76 D2
Xinmi China 77 G1
Xinmin China 74 B2
Xinning *Gansu* China *see* Ningxian
Xinning *Hunan* China 77 F3
Xinning *Jiangxi* China *see* Wuning
Xinning *Sichuan* China *see* Kaijiang
Xinping China 76 D3
Xinqiao China 77 G1
Xinqing China 74 C2
Xinquan China 77 H3
Xinshan China *see* Anyuan
Xinshiba China *see* Ganluo
Xinsi China 76 E1
Xintai China 73 L5
Xintanpu China 77 G2
Xintian China 77 G3
Xinxiang China 77 G1
Xinxing China 77 G4
Xinyang *Henan* China 77 G1
Xinyang *Henan* China *see* Pingqiao
Xinye China 77 G1
Xinyi *Guangdong* China 77 F4
Xinyi *Jiangsu* China 77 H1
Xinying China 77 F5
Xinying Taiwan *see* Hsinying
Xinyu China 77 G3
Xinyuan *Qinghai* China *see* Tianjun
Xinyuan *Xinjiang* China 80 F3
Xinzhangfang China 74 A2
Xinzhou *Guangxi* China *see* Longlin
Xinzhou *Hubei* China 77 G2
Xinzhou *Shanxi* China 73 K5
Xinzhu Taiwan *see* Hsinchu
Xinzo de Limia Spain 57 C2
Xiongshan China *see* Zhenghe
Xiongshi China *see* Guixi
Xiongzhou China *see* Nanxiong
Xiping *Henan* China 77 F1
Xiping *Henan* China 77 G1
Xiqing Shan *mts* China 76 D1
Xique Xique Brazil 143 J6
Xisa China *see* Xichou
Xisha Qundao *is* S. China Sea *see*
Paracel Islands
Xishuangbanna *reg.* China 76 D4
Xishui *Guizhou* China 76 E2
Xishui *Hubei* China 77 G2
Xitianmu Shan *mt.* China 77 H2
Xiugu China *see* Jinxi
Xi Ujimqin Qi China *see* Bayan Ul Hot
Xiuning China 77 H2
Xiushan *Chongqing* China 77 F2
Xiushan *Yunnan* China *see* Tonghai
Xiushui China 77 G2
Xiuwen China 76 E3
Xiuwu China 77 G1
Xiuying China 77 F4
Xiwu China 76 C1
Xixabangma Feng *mt.* China 83 F3
Xixia China 77 F1
Xixiang China 76 E1
Xixiu China *see* Anshun
Xixón Spain *see* Gijón-Xixón
Xiyang Dao *i.* China 77 I3
Xiyang Jiang *r.* China 76 E3
Xizang *aut. reg.* China *see*
Xizang Zizhiqu
Xizang Gaoyuan *plat.* China *see*
Tibet, Plateau of
Xizang Zizhiqu *aut. reg.* China 83 G3
Xo'japiryox tog'i *mt.* Uzbek. 89 G2
Xo'jayli Uzbek. 80 A3
Xorkol China 80 H4
Xuancheng China 77 H2
Xuan'en China 77 F2
Xuanhua China 73 L4
Xuân Lôc Vietnam 71 D5
Xuanwei China 76 E3
Xuanzhou China *see* Xuancheng
Xuchang China 77 G1
Xucheng China *see* Xuwen
Xuddur Somalia 98 E3
Xuefeng China *see* Mingxi
Xuefeng Shan *mts* China 77 F3
Xue Shan *mts* China 76 C3
Xugui China 80 I4
Xuguit Qi China *see* Yakeshi
Xujiang China *see* Guangchang
Xümatang China 76 C1
Xunde Qundao *is* Paracel Is *see*
Amphitrite Group
Xungba China *see* Xangdoring
Xungmai China 83 G3
Xunhe China 74 B2
Xun He *r.* China 74 C2
Xun Jiang *r.* China 77 F4
Xunwu China 77 G3
Xunyi China 77 F1
Xúquer, Riu *r.* Spain 57 F4
Xuru Co *salt l.* China 83 F3
Xuwen China 68 E2
Xuyi China 77 H1
Xuyong China 76 E2
Xuzhou China 77 H1

Y

Ya'an China 76 D2
Yabanabat Turkey *see* Kızılcahamam
Yabēlo Eth. 98 D3
Yablonovyy Khrebet *mts* Rus. Fed. 73 J2
Yabrīn *reg.* Saudi Arabia 88 C6
Yabuli China 74 C3
Yacha China *see* Baisha
Yacheng China 77 F5
Yachi He *r.* China 76 E3
Yacuma *r.* Bol. 142 E6
Yadgir India 84 C2
Yadrin Rus. Fed. 42 J5
Yaeyama-rettō *is* Japan 73 M8
Yafa Israel *see* Tel Aviv-Yafo
Yagaba Ghana 96 C3
Yagan China 72 I4
Yağda Turkey *see* Erdemli
Yaghan Basin *sea feature*
S. Atlantic Ocean 148 D9
Yagman Turkm. 88 D2
Yagodnoye Rus. Fed. 65 P3
Yagodnyy Rus. Fed. 74 E2
Yagoua Cameroon 97 E3
Yagra China 83 E3
Yagradagzê Shan *mt.* China 76 B1
Yaguajay Cuba 133 E8
Yaha Thai. 71 C6
Yahk Canada 120 G5
Yahualica Mex. 136 D4
Yahyalı Turkey 85 L4
Yai Myanmar *see* Ye
Yai, Khao *mt.* Thai. 71 B4
Yaizu Japan 75 E6
Yajiang China 76 D2
Yakacık Turkey 85 C1
Yakeshi China 73 M3
Yakhab *waterhole* Iran 88 E3
Yakhehal Afgh. 89 G4
Yakima U.S.A. 126 C3
Yakima *r.* U.S.A. 126 D3
Yakmach Pak. 89 F4
Yako Burkina 96 C3
Yakovlevka Rus. Fed. 74 D3
Yaku-shima *i.* Japan 75 C7
Yakutat U.S.A. 120 B3
Yakutat Bay U.S.A. 120 A3
Yakutsk Rus. Fed. 65 N3
Yakymivka Ukr. 43 G7
Yala Thai. 71 C6
Yalai China 83 F3
Yala National Park Sri Lanka *see*
Ruhuna National Park
Yalan Dünya Mağarası *tourist site*
Turkey 85 A1
Yale Canada 120 F5
Yale U.S.A. 134 D2
Yalgoo Australia 109 B7
Yalleroi Australia 110 D5
Yaloké Cent. Afr. Rep. 98 B3
Yalova Turkey 59 M4
Yalta Ukr. 90 D1
Yalu Jiang *r.* China/N. Korea 74 B4
Yalujiang Kou *r. mouth* China/N. Korea
75 B5
Yalvaç Turkey 59 N5
Yamagata Japan 75 F5
Yamaguchi Japan 75 C6
Yamal, Poluostrov *pen.* Rus. Fed. *see*
Yamal Peninsula
Yam-Alin', Khrebet *mts* Rus. Fed. 74 D1
Yamal Peninsula Rus. Fed. 64 H2
Yamanie Falls National Park
Australia 110 D3
Yamba Australia 112 F2
Yamba Lake Canada 121 I1
Yambarran Range *hills* Australia 108 E3
Yambi, Mesa de *hills* Col. 142 D3
Yambio Sudan 97 F4
Yambol Bulg. 59 L3
Yamdena *i.* Indon. 108 E1
Yamethin Myanmar 70 B2

▶Yamin, Puncak *mt.* Indon. 69 J7
4th highest mountain in Oceania.

Yamkanmardi India 84 B2
Yamkhad Syria *see* Aleppo
Yamm Rus. Fed. 45 P7
Yamma Yamma, Lake *salt flat*
Australia 111 C5

▶Yamoussoukro Côte d'Ivoire 96 C4
Capital of Côte d'Ivoire.

Yampa *r.* U.S.A. 129 I1
Yampil' Ukr. 43 F6
Yampol' Ukr. *see* Yampil'
Yamuna *r.* India 82 E4
Yamunanagar India 82 D3
Yamzho Yumco *l.* China 83 G3
Yana *r.* Rus. Fed. 65 O2
Yanam India 84 D2
Yan'an China 73 J5
Yanaoca Peru 142 D6
Yanaon India *see* Yanam
Yanaul Rus. Fed. 41 Q4
Yanbu' al Baḩr Saudi Arabia 86 E5
Yanceyville U.S.A. 132 E4
Yancheng *Henan* China 77 G1
Yancheng *Jiangsu* China 77 I1
Yanchep Australia 109 A7
Yanco Australia 112 C5
Yanco Creek *r.* Australia 112 B5
Yanco Glen Australia 111 C6
Yanda *watercourse* Australia 112 B3
Yandama Creek *watercourse*
Australia 111 C6
Yandao China *see* Yingjing
Yandoon Myanmar 70 A3
Yandun China 80 H3
Yanfolila Mali 96 C3
Ya'ngamdo China 76 B2
Yangbi China 76 C3
Yangcheng *Guangdong* China *see*
Yangshan
Yangcheng *Shanxi* China 77 G1
Yangchuan China *see* Suiyang
Yangchun China 77 F4
Yangcun China 77 G4
Yangdok N. Korea 75 B5
Yang Hu *l.* China 83 F2
Yangi Nishon Uzbek. 89 G2
Yangī Qal'ah Afgh. 89 H2
Yangiqishloq Uzbek. 80 C3
Yangirabot Uzbek. 89 G1
Yangiyo'l Uzbek. 80 C3
Yangjiajiang China 77 G2
Yangjiang China 77 F4
Yangming China *see* Heping
Yangôn Myanmar *see* Rangoon
Yangping China 77 F2
Yangquan China 73 K5
Yangshan China 77 G3
Yang Talat Thai. 70 C3
Yangtouyan China 76 D3

▶Yangtze *r.* China 76 E2
Longest river in Asia and 3rd in the world.
Also known as Chang Jiang or Jinsha Jiang
or Tongtian He or Yangtze Kiang or Zhi Qu.

Yangtze Kiang *r.* China *see* Yangtze
Yangudi Rassa National Park Eth. 98 E2
Yangweigang China 77 H1
Yangxi China 77 F4
Yangxian China 76 E1
Yangxin China 77 G2
Yangyang S. Korea 75 C5
Yangzhou *Jiangsu* China 77 H1
Yangzhou *Shaanxi* China *see* Yangxian
Yanhe China 77 F2
Yanhuqu China 83 E2
Yanishpole Rus. Fed. 42 G3
Yanis"yarvi, Ozero *l.* Rus. Fed. 44 Q5
Yanji China 74 C4
Yanjiang China *see* Ziyang
Yanjin *Henan* China 77 G1
Yanjin *Yunnan* China 76 E2
Yanjing *Sichuan* China *see* Yanyuan
Yanjing Xizang China 76 C2
Yanjing *Yunnan* China *see* Yanjin
Yankara National Park Nigeria 96 E4
Yankton U.S.A. 130 D3
Yanling *Hunan* China 77 G3
Yanling *Sichuan* China *see* Weiyuan
Yannina Greece *see* Ioannina
Yano-Indigirskaya Nizmennost' *lowland*
Rus. Fed. 65 P2
Yanovski, Mount U.S.A. 120 C3
Yanrey *r.* Australia 109 A5
Yanshan *Jiangxi* China 77 H2
Yanshan *Yunnan* China 76 E4
Yanshi China 77 G1
Yanshiping China 76 B1
Yanskiy Zaliv *g.* Rus. Fed. 65 O2
Yantabulla Australia 112 B2
Yantai China 73 M5
Yanting China 76 E2
Yantongshan China 74 B4
Yantou China 77 I2
Yanwa China 76 C3
Yany-Kurgan Kazakh. *see* Zhanakorgan
Yanyuan China 76 D3
Yao Chad 97 E3
Yao'an China 76 D3
Yaodu China *see* Dongzhi
Yaoli China 77 H2

▶Yaoundé Cameroon 96 E4
Capital of Cameroon.

Yaoxian *Shaanxi* China *see* Yaozhou
Yaoxiaoling China 74 B2
Yao Yai, Ko *i.* Thai. 71 B6
Yaozhou China 77 F1
Yap *i.* Micronesia 69 J5
Yapen *i.* Indon. 69 J7
Yappar *r.* Australia 110 C3
Yap Trench *sea feature*
N. Pacific Ocean 150 F5
Yaqui *r.* Mex. 127 F8
Yar Rus. Fed. 42 L4
Yaradzha Turkm. *see* Ýarajy
Ýarajy Turkm. 88 E2
Yaraka Australia 110 D5
Yarangüme Turkey *see* Tavas
Yaransk Rus. Fed. 42 J4
Yardea Australia 111 A7
Yardımcı Burnu *pt* Turkey 59 N6
Yardımlı Azer. 91 H3
Yardymly Azer. *see* Yardımlı
Yare *r.* U.K. 49 I6
Yarega Rus. Fed. 42 L3

▶Yaren Nauru 107 G2
Capital of Nauru.

Yarensk Rus. Fed. 42 K3
Yariga-take *mt.* Japan 75 E5
Yarīm Yemen 86 F7
Yarımca Turkey *see* Körfez
Yarkand China *see* Shache
Yarkant China *see* Shache
Yarkant He *r.* China 80 E4
Yarker Canada 135 G1
Yarkhun *r.* Pak. 89 I2
Yarlung Zangbo *r.* China 76 B2 *see*
Brahmaputra
Yarmouth Canada 123 I6
Yarmouth *England* U.K. 49 F8
Yarmouth *England* U.K. *see* Great Yarmouth
Yarmouth U.S.A. 135 J2
Yarmuk *r.* Asia 85 B3
Yarnell U.S.A. 129 G4
Yaroslavl' Rus. Fed. 42 H4
Yaroslavskiy Rus. Fed. 74 D3
Yarra *r.* Australia 112 B6
Yarra Junction Australia 112 B6
Yarram Australia 112 C7
Yarraman Australia 112 E1
Yarrawonga Australia 112 B6
Yarra Yarra Lakes *salt flat* Australia 109 A7
Yarronvale Australia 112 B1
Yarrowmere Australia 110 D4
Yartö Tra La *pass* China 83 H3
Yartsevo *Krasnoyarskiy Kray* Rus. Fed. 64 J3
Yartsevo *Smolenskaya Oblast'*
Rus. Fed. 43 G5
Yarumal Col. 142 C2
Yarwa China 76 C2
Yarzhong China 76 C2
Yaş Romania *see* Iaşi
Yasawa Group *is* Fiji 107 H3
Yashilkŭl *l.* Tajik. 89 I2
Yashkul' Rus. Fed. 43 J7
Yasin Pak. 82 C1
Yasnogorsk Rus. Fed. 43 H5
Yasnyy Rus. Fed. 74 C1
Yasothon Thai. 70 D4
Yass Australia 112 D5
Yass *r.* Australia 112 D5
Yassı Burnu *c.* Cyprus *see* Plakoti, Cape
Yāsūj Iran 88 C4
Yasuní, Parque Nacional *nat. park*
Ecuador 142 C4
Yatağan Turkey 59 M6
Yaté New Caledonia 107 G4
Yates *r.* Canada 120 H2
Yates Center U.S.A. 130 E4
Yathkyed Lake Canada 121 L2
Yatsushiro Japan 75 C6
Yaṭṭa West Bank 85 B4
Yatton U.K. 49 E7
Yauca Peru 142 D7
Yau Tong *b.* *H.K.* China 77 [inset]
Yavan Tajik. *see* Yovon
Yavari *r.* Brazil/Peru 142 E4
also known as Javari (Brazil/Peru)
Yávaros Mex. 127 F8
Yavatmal India 84 C1
Yavi Turkey 91 F3
Yaví, Cerro *mt.* Venez. 142 E2
Yavoriv Ukr. 43 D6
Yavuzlu Turkey 85 C1
Yawatongguzlangar China 83 E1
Yaw Chaung *r.* Myanmar 76 B4
Yaxian China *see* Sanya
Yay Myanmar *see* Ye
Yayladağı Turkey 85 C2
Yazd Iran 88 D4
Yazdān Iran 89 F3
Yazd-e Khvāst Iran 88 D4
Yazıhan Turkey 90 E3
Yazoo City U.S.A. 131 F5
Y Bala U.K. *see* Bala
Yding Skovhøj *hill* Denmark 47 L3
Ydra *i.* Greece 59 J6
Y Drenewydd U.K. *see* Newtown
Ye Myanmar 70 B4
Yea Australia 112 B6
Yealmpton U.K. 49 D8
Yebawmi Myanmar 70 A1
Yebbi-Bou Chad 97 E2
Yecheng China 80 E4
Yécora Mex. 127 F7
Yedashe Myanmar 70 B3
Yedatore India 84 C3
Yedi Burun Başı *pt* Turkey 59 M6
Yeeda River Australia 108 C4
Yefremov Rus. Fed. 43 H5
Yêgainnyin China *see* Henan
Yeghegnadzor Armenia 91 G3
Yegindykol' Kazakh. 80 C1
Yegorlykskaya Rus. Fed. 43 I7
Yegorova, Mys *pt* Rus. Fed. 74 E3
Yegor'yevsk Rus. Fed. 43 H5
Yei Sudan 97 G4
Yei *r.* Sudan 97 G4
Yeji China 77 G2
Yejiaji China *see* Yeji
Yekaterinburg Rus. Fed. 64 H4
Yekaterinodar Rus. Fed. *see* Krasnodar
Yekaterinoslav Ukr. *see* Dnipropetrovs'k
Yekaterinoslavka Rus. Fed. 74 C2
Yekhegnadzor Armenia *see* Yeghegnadzor
Ye Kyun *i.* Myanmar 70 A3
Yelabuga *Khabarovskiy Kray*
Rus. Fed. 74 D2
Yelabuga *Respublika Tatarstan*
Rus. Fed. 42 K5
Yelan' Rus. Fed. 43 I6
Yelan' *r.* Rus. Fed. 43 I6
Yelandur India 84 C3
Yelantsy Rus. Fed. 72 J2
Yelarbon Australia 112 E2
Yelbarsli Turkm. 89 F2
Yelenovskiye Kar'yery Ukr. *see*
Dokuchayevs'k
Yelets Rus. Fed. 43 H5
Yélimané Mali 96 B3
Yelizavetgrad Ukr. *see* Kirovohrad
Yelkhovka Rus. Fed. 43 K5
Yell *i.* U.K. 50 [inset]
Yellabina Regional Reserve *nature res.*
Australia 109 F7
Yellandu India 84 D2
Yellapur India 84 B3
Yellowhead Pass Canada 120 G4

▶Yellowknife Canada 120 H2
Capital of the Northwest Territories.

Yellowknife *r.* Canada 120 H2
Yellow Mountain *hill* Australia 112 C4

▶Yellow *r.* China 77 G1
4th longest river in Asia, and 7th in
the world.

Yellow Sea N. Pacific Ocean 73 N5
Yellowstone *r.* U.S.A. 130 C2
Yellowstone Lake U.S.A. 126 F3
Yellowstone National Park U.S.A. 126 F3
Yell Sound *strait* U.K. 50 [inset]
Yeloten Turkm. *see* Ýolöten
Yelovo Rus. Fed. 41 Q4
Yel'sk Belarus 43 F6
Yelva *r.* Rus. Fed. 42 K3
Yematan China 76 C1
Yemen *country* Asia 86 G6
Yemetsk Rus. Fed. 42 I3
Yemişenbükü Turkey *see* Taşova
Yemmiganur India *see* Emmiganuru
Yemtsa Rus. Fed. 42 I3
Yemva Rus. Fed. 42 K3
Yena Rus. Fed. 44 Q3
Yenagoa Nigeria 96 D4
Yenakiyeve Ukr. 43 H6
Yenakiyevo Ukr. *see* Yenakiyeve
Yenangyat Myanmar 70 A2
Yenangyaung Myanmar 70 A2
Yenanma Myanmar 70 A3
Yenda Australia 112 C5
Yêndum China *see* Zhag'yab
Yengisar China 80 E4
Yengo National Park Australia 112 E4
Yenice Turkey 59 L5
Yenidamlar Turkey *see* Demirtaş
Yenihan Turkey *see* Yıldızeli
Yenije-i-Vardar Greece *see* Giannitsa
Yenişehir Greece *see* Larisa
Yenişehir Turkey 59 M4

▶Yenisey *r.* Rus. Fed. 64 J2
Part of the Yenisey-Angara-Selenga, 3rd
longest river in Asia.

▶Yenisey-Angara-Selenga *r.* Rus. Fed. 64 J2
3rd longest river in Asia, and 6th in the world.

Yeniseysk Rus. Fed. 64 K4
Yeniseyskiy Kryazh *ridge* Rus. Fed. 64 K4
Yeniseyskiy Zaliv *inlet* Rus. Fed. 153 F2
Yeniyol Turkey *see* Borçka
Yên Minh Vietnam 70 D2
Yenotayevka Rus. Fed. 43 J7
Yeola India 84 B1
Yeo Lake *salt flat* Australia 109 D6
Yeotmal India *see* Yavatmal
Yeoval Australia 112 D4
Yeovil U.K. 49 E8
Yeo Yeo *r.* Australia *see* Bland
Yeppoon Australia 110 E4
Yeraliyev Kazakh. *see* Kuryk
Yerbent Turkm. 88 E2
Yerbogachen Rus. Fed. 65 L3
Yercaud India 84 C4

▶Yerevan Armenia 91 G2
Capital of Armenia.

Acknowledgements

Maps and data

Maps, design and origination by Collins Geo, HarperCollins Reference, Glasgow.
Illustrations created by HarperCollins Publishers unless otherwise stated.

Earthquake data (pp14–15): United States Geological Survey (USGS) National Earthquakes Information Center, Denver, USA.

Population map (pp20-21): 2005. Gridded Population of the World Version 3 (GPWv3). Palisades, NY: Socioeconomic Data and Applications Center (SEDAC), Columbia University. Available at http://sedac.ciesn.columbia.edu/plue/gpw http://www.ciesin.columbia.edu

Company sales figures (p29): Reprinted by permission of Forbes Magazine ©2008Forbes Inc.

Coral reefs data (p35): UNEP World Conservation Monitoring Centre, Cambridge, UK, and World Resources Institute (WRI), Washington D.C., USA.

Terrorism data (pp30–31): MIPT Terrorism Knowledge Base, and National Counterterrorism Center 2007 Report on Terrorism.

Desertification data(p35): U.S. Department of Agriculture Natural Resources Conservation Service.

Antarctica (p152): Antarctic Digital Database (versions1 and 2), ©Scientific Committee on Antarctic research (SCAR), Cambridge, UK (1993,1998).

Photographs and images

Page	Image	Satellite/ Sensor	Credit	Page	Image	Satellite/ Sensor	Credit	Page	Image	Satellite/ Sensor	Credit
5	Amsterdam	IKONOS	Space Imaging Europe/ Science Photo Library	20–21	Singapore		Courtesy of USGS EROS Data Center	94–95	Cape Town	IKONOS	IKONOS image courtesy of GeoEye
	The Alps	MODIS	MODIS/NASA		Kuna Indians		Danny Lehman/Corbis	102–103	Heron Island	IKONOS	IKONOS satellite imagery courtesy of GeoEye
6	Cyprus	MODIS	MODIS/NASA	22–23	Hong Kong		IKONOS satellite imagery courtesy of GeoEye		Banks Peninsula	Space shuttle	NASA
	Bhutan	ASTER	ASTER/NASA	28–29	Sudan Village		Mark Edwards/Still Pictures	104–105	Nouméa	ISS	NASA/Johnson Space Center
7	Victoria Falls		Roger De La Harpe, Gallo Images/Corbis	30–31	Refugee Camp		Thomas Coex/AFP/Getty Images		Wellington		NZ Aerial Mapping Ltd www.nzam.com
8	Sydney	IKONOS	IKONOS image courtesy of GeoEye	32–33	Drugs		Fredy Amariles/Getty Images	114–115	Mississippi	ASTER	ASTER/NASA
					Water		Harmut Schwarzbach/ Still Pictures		Panama Canal	Landsat	Clifton-Campbell Imaging Inc.
	Uluru (Ayers Rock)		ImageState	34–35	Itaipu Dam/ Iguaçu Falls	Landsat ETM	UNEP/USGS	116–117	The Bahamas	MODIS	MODIS/NASA
	Aoraki (Mt Cook)		Mike Schroder/Still Pictures		Aral Sea	Landsat	Images reproduced by kind permission of UNEP		Mexicali	ASTER	NASA
9	The Pentagon	IKONOS	IKONOS image courtesy of GeoEye		Great Barrier Reef	MODIS	MODIS/NASA	138–139	Tierra del Fuego	MODIS	MODIS/NASA
	Cuba	MODIS	MODIS/NASA	36–37	Iceland	MODIS	MODIS/NASA		Amazon/ Rio Negro	Terra/ MISR	NASA
10–11	Vatican City	IKONOS	IKONOS image courtesy of GeoEye	38–39	Bosporus	ISS	NASA/Johnson Space Center	140–141	Galapagos Islands	MODIS	MODIS/NASA
				60–61	Caspian Sea	MODIS	MODIS/NASA		Falkland Islands	MODIS	MODIS/NASA
12–13	Greenland	MODIS	MODIS/NASA		Yangtze	MODIS	MODIS/NASA	146–147	Larsen Ice Shelf	MODIS	MODIS/NASA
16–17	Tropical Cyclone Dina	MODIS	MODIS/NASA/GSFC	62–63	Timor	MODIS	MODIS/NASA				
18–19	Tokyo	ASTER	ASTER/NASA		Beijing	IKONOS	IKONOS satellite imagery courtesy of GeoEye				
	Cropland,Consuegra		© Rick Barrentine/Corbis	92–93	Congo	Shuttle	NASA				
	Mojave Desert		Keith Moore		Lake Victoria	MODIS	MODIS/NASA				
	Larsen Ice Shelf	MODIS	MODIS/NASA								